# Le Guide de l'auto 2003

•••••• le numéro 1 depuis 37 ans

La quasi-totalité des photos d'auteurs du
*Guide de l'Auto 2003* a été réalisée avec
du film AGFA-Agfachrome.
Nos remerciements à Denis Desbois.

**Photographes:** Ingo Barenschee, Denis Duquet, Jacques Duval, Michel Fyen-Gagnon,
Umberto Guizzardi, Patrick Jerôme et Alain McKenna
**Coordonnatrice:** Brigitte Duval
**Conception graphique et infographie:** Pierre Durocher
**Révision et correction:** Nicole Raymond, Sylvie Tremblay
**Traitement des images:** Mélanie Sabourin

**Données de catalogue avant publication (Canada)**

Duval, Jacques

Le guide de l'auto

1. Automobiles. I. Titre

TL162.D88      629.222      C75-031963-1

Gouvernement du Québec – Programme de crédit d'impôt pour l'édition
de livres – Gestion SODEC.

L'Éditeur bénéficie du soutien de la Société de développement des entreprises
culturelles du Québec pour son programme d'édition.

Nous reconnaissons l'aide financière du gouvernement du Canada par
l'entremise du Programme d'aide au développement de l'industrie de l'édition
(PADIÉ) pour nos activités d'édition.

Dépôt légal: 4e trimestre 2002
Bibliothèque nationale du Québec

ISBN 2-7619-1737-5

DISTRIBUTEURS EXCLUSIFS:

• Pour le Canada et les États-Unis:
**MESSAGERIES ADP\***
955, rue Amherst
Montréal, Québec
H2L 3K4
Tél.: (514) 523-1182
Télécopieur: (514) 939-0406
\* Filiale de Sogides ltée

• Pour la France et les autres pays:
**VIVENDI UNIVERSAL PUBLISHING SERVICES**
Immeuble Paryseine, 3, Allée de la Seine
94854 Ivry Cedex
Tél.: 01 49 59 11 89/91
Télécopieur: 01 49 59 11 96
**Commandes:** Tél.: 02 38 32 71 00
Télécopieur: 02 38 32 71 28

• Pour la Suisse:
**VIVENDI UNIVERSAL PUBLISHING SERVICES SUISSE**
Case postale 69 - 1701 Fribourg - Suisse
Tél.: (41-26) 460-80-60
Télécopieur: (41-26) 460-80-68
Internet: www.havas.ch
Email: office@havas.ch
**DISTRIBUTION: OLF SA**
Z.I. 3, Corminbœuf
Case postale 1061
CH-1701 FRIBOURG
**Commandes:** Tél.: (41-26) 467-53-33
Télécopieur: (41-26) 467-54-66

• Pour la Belgique et le Luxembourg:
**VIVENDI UNIVERSAL PUBLISHING SERVICES BENELUX**
Boulevard de l'Europe 117
B-1301 Wavre
Tél.: (010) 42-03-20
Télécopieur: (010) 41-20-24
http://www.vups.be
Email: info@vups.be

Pour en savoir davantage sur nos publications,
visitez notre site: **www.edhomme.com**
Autres sites à visiter: www.edjour.com • www.edtypo.com
www.edvlb.com • www.edhexagone.com • www.edutilis.com

Jacques
**DUVAL**

et Denis Duquet

# Le Guide de l'auto 2003

•••••• le numéro **1** depuis **37** ans

LES EDITIONS DE
L'HOMME

## Collaborateurs

Louis Butcher       Jean-Georges Laliberté       Eric LeFrançois
Alain McKenna       Alain Morin       Alain Raymond

*Le Guide de l'auto* tient à remercier les personnes et les organisations dont les noms suivent et qui, chacun à leur façon, ont apporté leur précieuse collaboration à la réalisation de l'édition 2003.

Patrice Attanasio, Palm Publicité
Mathieu Audette
Charles-André Bilodeau
Mathieu Bouthillette
Claude Carrière
Stéphane D'Amato, Chomedey Ford
Jacques Deshaies
Paul Deslauriers, Autodrôme St-Eustache
Alexandre Doré
Carole Dugré, Groupe Vézina & Associés Ltée
Jacques Dupuis
Brigitte Duval
Jacques Guertin, SANAIR
David Larose
Normand Legault, Grand Prix du Canada
Steve Pepin
Richard Petit, KébecSon
Michel Poirier-Defoy
Francine Tremblay-Duval
Kuno Wittmer

L'équipe du groupe Sogides
et un Merci éternel à Monique pour m'avoir dit
un jour : «Pourquoi pas un Guide de l'auto?»

**Participants aux matchs comparatifs :**
Charles-André Bilodeau
Denis Boisvert
Guylaine Boisvert
Mathieu Bouthillette
Claude Carrière
Jacques Deshaies
Alexandre Doré
Daniel Duquet
Francine Duval-Gariépy
Yvan Fournier
Robert Gariépy
Carl Lapointe
Vincent Lortie
Alain Morin
Christian Rochon
Alyssia, Felix-Antoine, Joel et Vincent

**Pour leur collaboration, merci à :**
Barbara Barrett-Clark (Aston Martin Jaguar, Land Rover Canada), Barbara Bryson (Nissan Canada), Canada Tire, Jo Anne Caza (Mercedes-Benz / Maybach Canada), Centre Mécaglisse, Robert Croft (Suzuki), Jean Desjardins (Kia Canada), Rania Guirguis (Mazda Canada), Christine Hollander (Ford Canada), Bernice Holman (Volkswagen-Audi Canada), Honda de Sigi et Ste-Rose Honda, Phil Kling (General Motors du Canada), Tom Kovaleski (General Motors), Mike Kurnik (Suzuki Canada), Jules Lacasse (DaimlerChrysler), Richard Marsan (Subaru Canada), Doug Mepham (Volvo Canada), Nadia Mereb (Acura et Honda Canada), Michel Merette (Hyundai Canada), Eleonora Negrin (Lamborghini, Sant'Agata, Italie), Michael Nye (Ferrari-Maserati Québec), Roberto Oruna (Audi Canada), Robert Pagé (General Motors du Canada), Pneus MacDonald, F. David Stone (Toyota Canada), Greg Young (Mazda Canada).

# Avant-dernier propos

Jacques Duval serait-il en train de réorienter sa carrière ?

Chaque année, au beau milieu des nuits blanches et du sprint final du *Guide de l'auto,* mon éditeur me supplie de lui envoyer le texte qui sera publié en guise d'avant-propos. C'est toujours le texte que l'on oublie, que l'on remet à plus tard et que l'on écrit à la dernière minute. Tous les auteurs, j'en suis persuadé, ont tendance à négliger cette entrée en matière, à tel point qu'il serait sans doute plus juste de l'appeler « Dernier propos ».

Une telle négligence est sans doute attribuable au fait que peu de lecteurs s'attardent à ce texte de présentation. La seule fois où j'en ai eu des échos était en 1995 alors que j'avais coiffé mon avant-propos du titre « Défense de lire ». Comme on ne peut pas abuser indûment de la curiosité du lecteur, il faut chaque année se creuser les méninges pour assaisonner le propos. Cet espace est souvent consacré à l'autogratification et à une longue liste d'arguments servant à démontrer que le livre que vous tenez entre les mains est le meilleur de sa catégorie. Laissez-moi vous épargner un tel discours pour aligner des chiffres plus éloquents que mille paroles.

*Le Guide de l'auto,* qui en est à sa 37e année de publication, atteint cette année le tirage magique de 100 000 exemplaires, une première dans le monde de l'édition au Québec. Que vous dire d'autre que MERCI d'avoir permis que le tirage soit décuplé depuis les 10 000 premiers exemplaires de 1967 ? Un autre record cette année est le nombre de nouveautés dont nous abreuve l'industrie automobile. En incluant les Mitsubishi qui font leur entrée sur le marché canadien, on trouve dans *Le Guide de l'auto 2003* pas moins de 60 modèles qui n'étaient pas là l'an dernier. Quand on pense que le *Guide* de 1967 ne couvrait en tout et pour tout que 16 modèles, on a une meilleure idée de l'ampleur du chiffre. Un record de tous les temps, rien de moins.

Toujours en chiffres mais aussi en qualité, *Le Guide de l'auto* « gagne » cette année de nouveaux collaborateurs, dont Éric LeFrançois qui, en quelque sorte, rentre au bercail après avoir fait ses débuts chez nous au milieu des années 80. Avec une plume pointue et alerte, il a déjà fait sa marque dans d'autres publications (dont *Le Monde de l'auto*) et sa présence dans l'équipe est un acquis précieux pour le *Guide*. Il en va de même pour Alain McKenna, un jeune journaliste qui a succombé à la passion de l'automobile et qui lui consacre un talent sûr. Ces nouveaux venus rejoignent un groupe qui comprend toujours mon bras droit Denis Duquet, Jean-Georges Laliberté, Alain Raymond, Louis Butcher et Alain Morin. À nous huit (avec votre serviteur), nous totalisons autour de 150 ans d'expérience dans le beau monde de l'automobile.

Cela dit, *Le Guide de l'auto 2003* a tenu compte des commentaires de ses fidèles lecteurs et notre toute nouvelle maquette a permis d'étoffer la fiche technique. En plus, les supervoitures font désormais partie de la section Essais et analyses tandis que les camionnettes et le dossier des voitures d'occasion figurent à la toute fin du *Guide*. Ces changements n'ont qu'un seul but : améliorer la qualité du produit. Finalement, j'ignore si vous vous êtes rendu jusqu'ici dans la lecture de ce texte mais, si oui, permettez-moi de vous souhaiter, pour une 37e année consécutive, *bonne route.*

Jacques Duval

# Le **Guide** de **l'auto** 2003
•••••• *le numéro* **1** *depuis* **37** *ans*

58

70

80

88

# Index

# Liste de prix

## ACURA

### 1,7 EL
- Premium auto ............ 25 000 $
- Premium man ............ 24 000 $
- Touring auto ............ 23 000 $
- Touring man ............ 22 000 $
- 3,2 CL auto 5 rap. ............ 37 800 $
- 3,2 CL Type S auto 5 rap. ............ 41 800 $
- 3,2 CL Type S man 6 rap. ............ 41 800 $
- 3,2 TL auto 5 rap. ............ 37 800 $
- 3,2 TL Type S auto 5 rap. ............ 41 800 $
- 3,5 RL auto ............ 55 000 $
- MDX auto 5 rap. ............ 49 800 $
- NSX man 6 rap. ............ 140 000 $*

### RSX
- Auto ............ 25 300 $
- Man ............ 24 300 $
- Premium auto ............ 28 300 $
- Premium man ............ 27 300 $
- Type S man 6 rap. ............ 31 300 $

## ASTON MARTIN
- DB7 Vantage ............ 206 500 $
- DB7 Vantage Volante ............ 236 500 $
- DB7 GT 435 ch ............ n.d.
- Vanquish ............ 337 500 $

## AUDI

### A4 berline
- 1,8 T auto 5 rap. quattro ............ 38 650 $
- 1,8 T CVT ............ 33 600 $
- 1,8 T man quattro ............ 37 310 $
- 3,0 V6 auto 5 rap. quattro ............ 45 995 $
- 3,0 V6 man 6 rap. quattro ............ 44 805 $
- A4 cabriolet V6 CVT ............ 61 200 $

### A4 familiale quattro
- 1,8 T auto 5 rap. ............ 40 100 $
- 1,8 T man ............ 38 760 $
- 3,0 V6 auto 5 rap. ............ 47 445 $
- 3,0 V6 man 6 rap. ............ 46 255 $

### A6 berline quattro
- 2,7 T V6 auto 5 rap. ............ 59 900 $
- 2,7 T V6 man 6 rap. ............ 59 900 $
- 3,0 V6 auto 5 rap. ............ 54 640 $

### A8 quattro
- 4,2 V8 auto 5 rap. ............ 67 900 $
- 4,2 V8 auto 5 rap. ............ 86 500 $
- L 4,2 V8 auto 5 rap. ............ 95 450 $

### Allroad quattro
- 2,7 T V6 man 6 rap. ............ 58 800 $
- 2,7 T V6 auto 5 rap. ............ 59 990 $
- S6 4,2 V8. quattro ............ 88 500 $
- S8 4,2 V8 quattro ............ 102 500 $

### TT (6 rap.)
- Coupe 1,8 T auto. ............ 48 650 $
- Coupe 1,8 T man quattro ............ 54 900 $
- Roadster 1,8 T auto. ............ 51 650 $
- Roadster 1,8 T man quattro ............ 59 000 $

## BENTLEY
- Arnage R ............ 292 985 $
- Arnage RL ............ 377 990 $
- Arnage T ............ 334 985 $
- Azure Mulliner ............ 554 990 $
- Continental R Mulliner ............ 462 990 $

## BMW

### Série 3
- 320i ............ 34 900 $
- 325CI ............ 41 600 $
- 325CIC ............ 53 400 $
- 325i ............ 39 300 $
- 325iT ............ 40 800 $
- 325XI ............ 42 300 $
- 325XIT ............ 43 800 $
- 330CI ............ 48 900 $
- 330CIC ............ 63 500 $
- 330i ............ 46 900 $
- 330XI ............ 49 900 $

### Série 5
- 525i ............ 55,50 $
- 525iT ............ 57 900 $
- 530i ............ 63 200 $
- 540i ............ 74 400 $
- 540iT ............ 76 800 $

### Série 7
- 745i ............ 96 500 $
- 745Li ............ 102 900 $
- M3 Cabriolet ............ 83 800 $
- M3 Coupé ............ 73 800 $
- M5 ............ 105 500 $
- X5 3,0 ............ 57 800 $
- X5 4,4 ............ 69 800 $
- X5 4,6 ............ 94 500 $
- Z4 ............ n.d.
- Z8 ............ 195 000 $

## BUICK
- Century Custom ............ 25 745 $
- LeSabre Custom ............ 33 520 $
- LeSabre Limited ............ 39 165 $
- Park Avenue ............ 45 540 $
- Park Avenue Ultra ............ 51 545 $
- Rainier ............ n.d.
- Regal GS ............ 34 085 $
- Regal LS ............ 29 900 $

### RendezVous traction
- CX ............ 31 315 $
- CX Plus ............ 32 325 $
- CXL ............ 40 030 $

### RendezVous traction intégrale
- CX ............ 35 265 $
- CX Plus ............ 36 560 $
- CXL ............ 40 490 $
- CXL Plus ............ 41 750 $

## CADILLAC
- CTS base ............ 39 900 $
- CTS luxe ............ 43 525 $
- CTS Sport ............ 45 675 $
- De Ville ............ 54 925 $
- De Ville DHS ............ 63 370 $
- De Ville DTS ............ 64 925 $
- Escalade ............ 74 970 $
- Escalade ESV ............ n.d.
- Escalade EXT ............ 67 755 $
- Seville SLS ............ 61 825 $
- Seville STS ............ 68 175 $
- XLR 2004 Ed. Neiman Marcus ............ 85 000 $ U.S.

## CHEVROLET

### Astro
- 2RM ............ 27 470 $
- 2RM LS ............ 29 040 $
- 2RM LT ............ 33 415 $
- Intégrale ............ 30 400 $
- Intégrale LS ............ 31 975 $
- Intégrale LT ............ 36 415 $

### Avalanche
- ½ tonne 2RM ............ 38 045 $
- ½ tonne 4RM ............ 41 290 $
- ½ tonne North Face ............ n.d.
- Blazer LS 2P ............ 29 295 $
- Blazer LS 4P ............ 35 410 $

### Cavalier
- Berline VL ............ 15 370 $
- Berline VLX ............ 18 540 $
- Berline Z24 ............ 21 230 $
- Coupé VL ............ 15 670 $
- Coupé VLX ............ 18 770 $
- Coupé Z24 ............ 21 435 $

### Corvette
- Cabriolet ............ 73 995 $
- Coupé 3 portes ............ 67 995 $
- Coupé Z06 toit rigide ............ 75 495 $
- Impala ............ 25 945 $
- Impala LS ............ 30 010 $
- Malibu ............ 22 980 $
- Malibu LS ............ 25 800 $
- Monte Carlo LS ............ 27 545 $
- Monte Carlo SS ............ 29 935 $

### S-10 2RM
- Cab. class./caisse cte ............ 17 860 $
- Cab. class./caisse cte LS ............ 18 225 $
- Cab. class./caisse long. ............ 19 585 $
- Cab. class./caisse long. LS ............ 19 950 $
- Cab. all./caisse cte ............ 19 790 $
- Cab. all./caisse cte LS ............ 20 675 $

### S-10 4RM
- Cab. all./caisse cte ............ 25 365 $
- Cab. all./caisse cte LS ............ 26 075 $
- Cab. Multiplace caisse cte LS ............ 32 965 $

### Silverado LS ½ tonne
- Cab. all./caisse cte 2RM ............ 33 405 $
- Cab. all./caisse cte 4RM ............ 37 190 $
- Cab. all./caisse long. 2RM ............ 34 685 $
- Cab. all./caisse long. 4RM ............ 38 470 $
- Cab. class./caisse cte 2RM ............ 29 825 $
- Cab. class./caisse cte 4RM ............ 33 610 $
- Cab. class./caisse long. 2RM ............ 30 110 $
- Cab. class./caisse long. 4RM ............ 33 900 $
- SSR ............ n.d.

### Suburban
- ½ tonne 2RM LS ............ 46 540 $
- ½ tonne 2RM LT ............ 53 090 $
- ½ tonne 4RM LS ............ 49 795 $
- ½ tonne 4RM LT ............ 56 340 $

### Tahoe
- 2RM LS ............ 42 390 $
- 2RM LT ............ 50 245 $
- 4RM LS ............ 45 645 $
- 4RM LT ............ 53 495 $

### Tracker
- Cabriolet 2P ............ 21 385 $
- Cabriolet LX 2P ............ 20 555 $
- LX toit rigide 4P ............ 21 515 $
- Toît rigide 4P . . . . . . . . . 22 670 $

### TrailBlazer
- EXT LT ............
- 2RM ............ 41 240 $
- EXT LT 4RM ............ 44 555 $
- LS ............ 39 000 $
- LT ............ 41 665 $
- LTZ ............ 46 365 $

### Venture 2RM
- Edition Warner Brothers ............ 39 200 $
- Emp. rég. ............ 28 290 $
- Emp. rég. LS ............ 30 920 $
- Emp. long ............ 30 740 $
- Emp. long LS ............ 33 190 $
- Emp. long LT ............ 36 035 $
- Maxi Valeur Plus emp. long ............ 26 880 $
- Maxi Valeur Plus emp. rég. ............ 28 700 $
- Value Van emp. rég. ............ 25 700 $

### Venture traction intégrale
- Edition Warner Brothers ............ 43 120 $
- Emp. long LS ............ 37 620 $
- Emp. long LT ............ 39 895 $

## CHRYSLER

300M ... 40 335 $
300M Special ... 43 810 $

Concorde
- Limited berline ... 37 695 $
- LX berline ... 30 240 $
- LXi berline ... 31 565 $

Intrepid
- ES berline ... 27 000 $
- SE berline ... 25 095 $

Pacifica 2004 ... 55 000 $**

PT Cruiser
- Classic ... 22 500 $
- GT Turbo ... 27 700 $
- Limited ... 27 420 $
- Touring ... 25 085 $

Sebring
- GTC cabriolet ... 34 515 $
- Limited cabriolet ... 38 035 $
- LX berline ... 23 610 $
- LX cabriolet ... 34 305 $
- LXi berline ... 27 795 $
- LXi cabriolet ... 35 445 $

Town & Country
- Limited ... 47 600 $
- Limited 4RM ... 50 615 $
- LXi ... 42 705 $

## DODGE

Caravan SE ... 25 725 $
Caravan Sport ... 29 185 $
Gr Caravan Sport ... 29 255 $
Gr Caravan Sport 4RM ... 37 595 $
Gr Caravan ES ... 40 260 $
Gr Caravan ES 4RM ... 43 110 $

Dakota
- Club Cab 4X2 ... 24 050 $
- Club Cab 4X4 ... 27 750 $
- Quad Cab 4X2 ... 25 735 $
- Quad Cab 4X4 ... 29 450 $
- Regular Cab 4X2 ... 21 960 $
- Regular Cab 4X4 ... 26 055 $

Durango
- R/T 4X4 ... 45 650 $
- SLT 4X4 ... 40 615 $
- SLT Plus 4X4 ... 43 785 $
- SXT 4X4 ... 38 295 $

RAM
- 1500 Quad Cab 4X2 ... 26 910 $
- 1500 Quad Cab 4X4 ... 30 975 $
- 1500 Regular Cab 4X2 ... 23 865 $
- 1500 Regular Cab 4X4 ... 28 010 $
- 2500 Quad Cab 4X2 ... 31 985 $
- 2500 Quad Cab 4X4 ... 35 270 $
- 2500 Regular Cab 4X2 ... 28 950 $
- 2500 Regular Cab 4X4 ... 32 270 $
- 3500 Quad Cab 4X4 ... 42 580 $
- 3500 Regular Cab 4X4 ... 34 320 $

SX 2,0 ... 14 995 $
SX 2,0 R/T ... 20 795 $
SX 2,0 Sport ... 17 895 $
Viper SRT-10 roadster ... 125 600 $

## FERRARI

360 Modena coupé 6 rap. ... 231 700 $
360 Modena coupé F1 ... 247 720 $
360 Modena Spider 6 rap. ... 264 300 $
360 Modena Spider F1 ... 280 675 $
456 GT 6 rap. ... 374 410 $
456 GTA ... 374 410 $
575 Maranello 6 rap. ... 351 745 $
575 Maranello F1 ... 368 835 $
Enzo ... 670 000 $ U.S.

## FORD

Escape
- 4X2 XLS Zetec man ... 21 595 $
- 4X4 XLT auto ... 30 295 $

Excursion
- 4X4 Limited ... 57 230 $
- 4X4 XLT 5,4L ... 45 370 $

Expedition
- 4X4 Eddie Bauer ... 52 385 $
- 4X4 XLT ... 42 520 $

Explorer
- 4X4 Eddie Bauer ... 45 745 $
- 4X4 Limited Edition ... 47 845 $
- 4X4 XLS ... 37 795 $
- 4X4 XLT ... 39 595 $
- Explorer Sport 4X4 man ... 33 295 $
- Explorer Sport Trac 4X2 man ... 30 540 $
- Explorer Sport Trac 4X4 man ... 34 430 $

F-150 (- de 8500)
- 4X2 XL R/C 120' ... 22 480 $
- 4X2 XL S/C SWB 139' ... 25 935 $
- 4X4 XL R/C 120' ... 26 345 $
- 4X4 XL S/C SWB 139' ... 30 445 $
- SuperCrew 4X2 Lariat ... 36 250 $
- SuperCrew 4X2 XLT ... 34 170 $
- SuperCrew 4X4 Lariat ... 40 115 $
- SuperCrew 4X4 XLT ... 38 035 $
- SVT Lightning ... 42 145 $

Focus
- LX ... 16 275 $
- SE berline ... 18 115 $
- SE familiale ... 19 165 $
- SVT* ... 27 240 $
- ZTS ... 21 260 $
- ZTW familiale ... 22 105 $
- ZX3 ... 17 550 $
- ZX5 ... 21 260 $

Mustang
- Cabriolet ... 27 660 $
- Coupé ... 22 990 $
- GT cabriolet ... 35 270 $
- GT coupé ... 31 305 $
- SVT Cobra cabriolet ... 49 995 $
- SVT Cobra coupé ... 45 995 $

Ranger
- 4X2 XL R/C 2,3 L ... 16 395 $
- 4X2 XLT R/C ... 20 095 $
- 4X4 XLT R/C ... 24 495 $
- Reg. Cab 4X2 EDGE R/C ... 18 995 $
- Reg. Cab 4X2 XL S/C ... 19 595 $
- Reg. Cab 4X2 XLT S/C ... 21 895 $
- Super Cab 4X2 EDGE S/C ... 20 795 $
- Super Cab 4X4 EDGE S/C ... 26 335 $
- Super Cab 4X4 XLT S/C ... 26 395 $

Taurus
- LX berline ... 24 650 $
- SE berline ... 26 415 $
- SE familiale ... 27 525 $
- SEL berline ... 27 990 $
- SEL familiale ... 29 160 $

Thunderbird
- Cabriolet ... 56 615 $
- Cabriolet (toit rigide) ... 61 615 $

Windstar
- Limited ... 41 870 $
- LX ... 26 195 $
- SEL ... 37 015 $
- Sport ... 33 375 $

## GMC

Envoy 2RM
- SLE ... 37 025 $
- SLT ... 43 175 $
- XL SLE ... 40 560 $
- XL SLT ... 45 925 $

Envoy 4RM
- SLE ... 40 345 $
- SLT ... 46 500 $
- XL SLE ... 43 880 $
- XL SLT ... 49 250 $

Jimmy SLS 2P ... 29 295 $
Jimmy SLS 4P ... 35 410 $

Safari
- 2RM SL ... 27 470 $
- 2RM SLE ... 29 040 $
- 2RM SLT ... 33 415 $
- Intégrale SL ... 30 400 $
- Intégrale SLE ... 31 975 $
- Intégrale SLT ... 36 415 $

Sierra SLE 1/2 tonne
- Cab. all./caisse cte 2RM ... 33 405 $
- Cab. all./caisse cte 4RM ... 37 190 $
- Cab. all./caisse long. 2RM ... 34 685 $
- Cab. all./caisse long. 4RM ... 38 470 $
- Cab. class./caisse cte 2RM ... 29 825 $
- Cab. class./caisse cte 4RM ... 33 610 $
- Cab. class./caisse long. 2RM ... 30 110 $
- Cab. class./caisse long. 4RM ... 33 900 $

Sonoma 2RM
- Cab. class./caisse cte SL ... 17 860 $
- Cab. class./caisse cte SLS ... 18 225 $
- Cab. all./caisse cte SL ... 19 790 $
- Cab. all./caisse cte SLS ... 20 675 $
- Cab. class./caisse long. SL ... 19 585 $
- Cab. class./caisse long. SLS ... 19 950 $

Sonoma 4RM
- Cab. all./caisse cte SL ... 25 365 $
- Cab. all./caisse cte SLS ... 26 075 $
- Cab. Multi. caisse cte SLS ... 32 965 $

Yukon
- Denali intégrale ... 63 540 $
- SL 2RM ... 43 005 $
- SLE 4RM ... 46 210 $
- SLT 2RM ... 50 590 $
- SLT 4RM ... 53 790 $

Yukon XL
- Denali intégrale ... 65 495 $
- SLE 2RM ... 47 150 $
- SLE 4RM ... 50 355 $
- SLT 2RM ... 53 430 $
- SLT 4RM ... 56 635 $

## HONDA

Accord berline
- DX auto ... 24 800 $
- DX man ... 23 800 $
- EX-L auto ... 29 500 $
- EX-L man ... 28 500 $
- EX V6 auto ... 32 400 $
- LX-G auto ... 26 000 $
- LX-G man ... 25 000 $
- LX V6 auto ... 29 000 $

Accord coupé
- EX-L auto ... 29 700 $
- EX-L man ... 28 700 $
- EX V6 auto ... 32 700 $
- EX V6 man 6 rap. ... n.d.
- LX-G auto ... 26 200 $
- LX-G man ... 25 200 $

Civic berline
- DX auto ... 17 000 $
- DX man ... 16 000 $
- DX-G auto ... 18 600 $
- DX-G man ... 17 600 $
- LX auto ... 20 400 $
- LX man ... 19 400 $
- LX gr Sport auto ... 22 400 $
- LX gr Sport man ... 21 400 $

Civic coupé
- DX auto ... 17 000 $
- DX man ... 16 000 $
- LX auto ... 19 400 $
- LX man ... 18 400 $
- Si auto ... 21 700 $
- Si man ... 20 700 $
- Si-G auto ... 23 200 $
- Si-G man ... 22 200 $

Civic Hybrid ... 28 500 $
Civic SiR ... 25 500 $

CR-V
- EX auto ... 29 900 $

- EX avec cuir auto .............. 32 400 $
- EX man ............... 28 900 $
- LX auto ............... 28 100 $
- LX man ............... 27 100 $
Element ............... n.d.
Insight man ............... 26 000 $
Odyssey EX auto ............... 35 200 $
Odyssey EX-L auto ............... 37 200 $
Odyssey EX-L SDA auto ............... 39 400 $
Odyssey LX auto ............... 32 300 $
Pilot EX ............... 41 000 $
Pilot EX-L ............... 43 000 $
S2000 man 6 rap. ............... 48 600 $

## HUMMER
Hummer H1 ............... 125 250 $
Hummer H2 ............... 70 745 $

## HYUNDAI
Accent
- GL 4P auto ............... 14 795 $
- GL 4P man ............... 13 795 $
- GS 3P auto ............... 13 545 $
- GS 3P man ............... 12 395 $
- GSi 3P auto ............... 15 245 $
- GSi 3P man ............... 14 495 $
Elantra
- GL berline auto ............... 16 295 $
- GL berline man ............... 15 295 $
- GT auto ............... 19 495 $
- GT man ............... 18 495 $
- GT Premium auto ............... 21 695 $
- GT Premium man ............... 20 695 $
- VE berline auto ............... 17 995 $
- VE berline man ............... 16 995 $
Santa Fe
- GL 2,4L 2RM ............... 21 050 $
- GL 2,7L 2RM ............... 23 495 $
- GL 2,7L 4RM ............... 26 795 $
- GLS 2,7L 4RM ............... 29 250 $
Sonata
- GL auto ............... 21 595 $
- GL V6 Premium auto ............... 22 695 $ *
- GLX auto ............... 25 695 $ *
- GLX auto (ABS) ............... 26 590 $ *
Tiburon
- Automatique ............... 21 095 $
- Manuelle ............... 19 995 $
- GS-R auto ............... 28 995 $
- GS-R man 6 rap. ............... 28 794 $
- GT auto ............... 27 095 $
- GT gr perf. man 6 rap. ............... 27 795 $
- GT man ............... 25 995 $
- SE auto ............... 23 495 $
- SE man ............... 22 395 $
- Tuscani man 6 rap. ............... 26 995 $
XG 350 GLS ............... 32 295 $

## INFINITI
G35 Coupé Sport
- Automatique 5 rap. ............... 45 500 $
- Ens. Navigation auto ............... 48 400 $
- Ens. Navigation man. ............... 50 400 $
- Ens. Perf. auto ............... 46 000 $
- Ens. Perf. et Navigation auto ............... 49 499 $
- Manuelle 6 rap. ............... 47 000 $
G35 De luxe (berline)
- Base ............... 39 400 $
- Ens. Privilège ............... 42 000 $
- Ens. Privilège et Aéro ............... 43 500 $
- Ens. Privilège et Nav. ............... 45 400 $
- Ens. Privilège, Nav. et Aéro ............... 46 900 $
I35 De luxe auto ............... 39 700 $
I35 Sport auto ............... 42 700 $
M45 Navigation et ICC ............... 67 000 $
M45 Sport ............... 62 000 $
Q45 Privilège ............... 85 800 $
Q45 Sport avec Navigation ............... 78 300 $
QX4 ............... 48 800 $

## ISUZU
- Ascender ............... n.d.
- Rodeo LS ............... 39 355 $ *
- Rodeo LSE ............... 43 285 $ *
- Rodeo S ............... 33 220 $ *
- Rodeo SE ............... 34 415 $ *

## JAGUAR
S-Type 3,0 ............... 59 950 $
S-Type 4,2 ............... 72 950 $
S-Type R ............... 89 950 $
XJ8 ............... 84 100 $
XJR ............... 101 750 $
XJ Super V8 ............... 104 950 $
XJ Vanden Plas ............... 91 950 $
XK8 cabriolet ............... 104 950 $
XK8 coupé ............... 95 950 $
XKR cabriolet ............... 116 950 $
XKR coupé ............... 107 950 $
X-Type 2,5 ............... 41 195 $
X-Type 3,0 ............... 48 195 $

## JEEP
Grand Cherokee
- Laredo ............... 39 225 $
- Limited ............... 45 310 $
- Overland ............... 52 280 $
Liberty
- Limited Edition ............... 29 790 $
- Renegade ............... 31 050 $
- Sport ............... 24 490 $
TJ
- Rubicon ............... 29 425 $
- Sahara ............... 28 715 $
- SE ............... 20 380 $
- Sport ............... 24 120 $

## KIA
Magentis *
- LX ............... 21 225 $
- LX Sport ............... 23 295 $
- LX V6 ............... 24 295 $
- LX V6 Sport ............... 29 995 $
- SE V6 ............... 29 095 $
Rio*
- Base ............... 12 095 $
- RS ............... 13 095 $
- RX+V ............... 14 695 $
- RX-V ............... 15 095 $
Sedona*
- EX ............... 27 595 $
- EX LP ............... 29 595 $
- LX ............... 24 895 $
Sorento
- Base ............... 29 995 $
- EX ............... 32 995 $
- EX ............... 35 495 $
Spectra *
- Base ............... 14 595 $
- GSX ............... 17 595 $
- LS ............... 16 595 $

## LAND ROVER
Discovery HSE ............... 56 900 $
Discovery S ............... 49 000 $
Discovery SE ............... 54 500 $
Freelander HSE ............... 44 400 $
Freelander S ............... 35 400 $
Freelander SE ............... 39 400 $
Range Rover HSE ............... 104 000 $

## LEXUS
ES 300 ............... 43 800 $
GS 300 ............... 61 700 $
GS 300 + Navigation ............... 66 600 $
GS 430 ............... 69 500 $
GS 430 + Navigation ............... 77 000 $
IS 300
- auto ............... 39 395 $
- auto roues 17 po ............... 43 340 $
- man ............... 37 775 $
- man roues 17 po ............... 41 720 $
- SportCross ............... 44 195 $
- SportCross roues 17 po ............... 47 590 $
LS 430 ............... 82 800 $
LS 430 Gr. Premium ............... 88 300 $
LS 430 Gr. Premium + Nav ............... 91 800 $
LS 430 Gr. Ultra Premium ............... 98 900 $
LX 470 ............... 98 200 $
RX 300 auto ............... 51 600 $
RX 300 Coach ............... 54 200 $
RX 300 Sport ............... 52 400 $
SC 430 ............... 85 500 $
SC 430 + Navigation ............... 89 000 $

## LINCOLN
Aviator 4X4 ............... 58 950 $
LS*
- V6 auto ............... 42 300 $
- V6 auto Premium ............... 48 225 $
- V6 man. Sport ............... 43 980 $
- V6 man. Premium ............... 48 415 $
- V8 auto ............... 47 355 $
- V8 auto LSE ............... 51 530 $
Navigator 4X4 ............... 69 495 $
Town Car
- Cartier ............... 58 390 $
- Cartier L ............... 63 655 $
- Signature ............... 54 455 $

## MASERATI
Coupé 6 rap. ............... 122 875 $
Coupé Cambiocorsa ............... 129 135 $
Spyder 6 rap. ............... 132 125 $
Spyder Cambiocorsa ............... 138 575 $

## MAZDA
Mazda 6 2004
- 2,3 ............... 24 295 $
- 2,3 GT ............... 28 195 $
- GS V6 ............... 27 995 $
- GT V6 ............... 31 895 $
Mazda Speed ............... 27 895 $
Miata
- Cabriolet auto ............... 28 770 $
- Cabriolet man ............... 27 695 $
- Cabriolet toit rigide auto ............... 30 445 $
- Cabriolet toit rigide man ............... 29 370 $
- Gr. cuir auto ............... 33 845 $
- Gr. cuir man 6 rap. ............... 32 860 $
- Gr. cuir toit rigide auto ............... 35 520 $
- Gr. cuir toit rigide man 6 rap. ............... 35 535 $
- Gr. Sport man 6 rap. ............... 29 625 $
- Gr. Sport toit rigide man 6 rap. ............... 31 300 $
MPV
- DX V6 ............... 26 090 $
- ES Gr GFX ............... 37 610 $
- ES V6 ............... 36 510 $
- LX Gr Sport ............... 32 140 $
- LX Gr Sport + GFX ............... 34 390 $
- LX V6 ............... 29 085 $
Protegé
- ES auto ............... 20 295 $
- ES man ............... 18 995 $
- ES Groupe GT auto ............... 22 190 $
- ES Groupe GT man ............... 20 890 $
- LX auto ............... 17 750 $
- LX man ............... 16 750 $
- LX Groupe GT auto ............... 19 545 $
- LX Groupe GT man ............... 18 545 $
- SE auto ............... 16 795 $
- SE man ............... 15 795 $

*Protegé5*
- ES auto ............................ 21 485 $
- ES man ............................ 20 815 $

RX-8 ................................. n.d.

*Série B*
- Cab. all. SE 3L ................. 24 395 $
- Cab. all. SE 4L 4X2 ......... 25 890 $
- Cab. all.SE 4L 4X4 .......... 28 840 $
- Cab. all. SX 3L ................ 21 255 $
- Cab. simple SX 2,3L ........ 16 995 $
- Cab. simple SX 3L ........... 17 995 $

*Tribute 2RM*
- DX L man ........................ 22 795 $
- DX-V6 3L auto ................. 24 775 $
- LX-V6 3L auto ................. 27 750 $

*Tribute 4RM*
- DX 2L man ...................... 25 445 $
- DX-V6 3L auto ................. 27 425 $
- ES-V6 3L auto ................. 34 240 $
- LX-V6 3L auto ................. 30 400 $

**MERCEDES-BENZ**

*Classe C*
- C230 Coupé sport ............ 34 450 $
- C240 Classique ............... 38 450 $
- C240 Élégance ................ 43 550 $
- C240 4MATIC Classique ... 42 900 $
- C240 4MATIC Élégance .... 48 000 $
- C240 fam. Classique ........ 40 700 $
- C240 fam. Élégance ......... 45 800 $
- C240 fam. 4MATIC Class. .. 45 150 $
- C240 fam. 4MATIC Élég. ... 50 250 $
- C32 AMG ........................ 66 950 $
- C320 ............................. 49 750 $
- C320 4MATIC .................. 54 200 $
- C320 fam. ...................... 52 000 $
- C320 fam.4MATIC ............ 56 450 $

*Classe CL*
- CL55 AMG ..................... 148 900 $
- CL500 ........................... 132 500 $
- CL600 ........................... 174 850 $

*Classe CLK*
- CLK55 AMG .................... 99 450 $
- CLK320 cabriolet ............. 71 450 $
- CLK320 coupé ................. 61 900 $
- CLK500 cabriolet ............. 75 900 $
- CLK500 coupé ................. 75 900 $

*Classe E*
- E320 berline ................... 69 950 $
- E500 berline ................... 81 500 $

*Classe G*
- G500 ........................... 107 400 $

*Classe M*
- ML320 Classique ............. 49 500 $
- ML320 Élégance .............. 55 800 $
- ML500 ........................... 66 100 $

*Classe S*
- S55 AMG emp. long ......... 140 500 $
- S430 emp. long ............... 101 850 $

---

- S430 emp. standard ......... 95 350 $
- S500 emp. long .............. 116 950 $
- S600 emp. long .............. 171 100 $

*SL*
- SL55 AMG .................... 165 000 $
- SL500 .......................... 124 900 $

*SLK*
- SLK32 AMG .................... 77 500 $
- SLK230 Kompressor ......... 55 950 $
- SLK320 .......................... 61 950 $

**MERCURY**

Grand Marquis GS ............... 35 600 $
Grand Marquis LS Premium .... 38 390 $
Marauder ........................... n.d.

**MINI**

Cooper auto ....................... 26 400 $
Cooper man ....................... 25 200 $
Cooper S auto .................... 30 800 $
Cooper S man ..................... 29 600 $

**MITUSBISHI**

Eclipse Coupé ........ 23 857 $ - 36 037 $
Eclipse Spyder ....... 34 887 $ - 42 737 $
Galant ................... 23 097 $ - 33 287 $
Lancer .................. 15 997 $ - 22 915 $
Montero ................ 41 987 $ - 48 507 $
Montero Sport ........ 32 497 $ - 41 937 $
Outlander .............. 26 757 $ - 31 653 $

**NISSAN**

*350Z*
- Perform. man 6 rap. ......... 44 900 $
- Perform. + Nav. man 6 rap. . 48 300 $
- Pulsion man 6 rap. ........... 46 500 $
- Tourisme auto .................. 44 900 $
- Tourisme + Nav auto ......... 48 300 $

*Altima*
- S auto ........................... 27 798 $
- S man ............................ 23 798 $
- SE auto .......................... 33 498 $
- SE man ........................... 29 098 $
- SL auto .......................... 29 498 $

*Frontier*
- SC-V6 4X4 Cab. double auto . 36 498 $
- SE-V6 4X4 Cab. double auto . 32 998 $
- XE 4X2 King Cab auto ....... 24 498 $
- XE 4X2 King Cab man ....... 23 498 $
- XE-V6 4X2 Cab. double auto . 28 498 $
- XE-V6 4X2 King Cab auto ... 25 398 $
- XE-V6 4X2 King Cab man ... 24 398 $
- XE-V6 4X4 Cab. double man . 29 598 $
- XE-V6 4X4 King Cab auto ... 28 598 $
- XE-V6 4X4 King Cab man ... 27 398 $

*Maxima*
- GLE V6 auto .................... 37 000 $
- GXE V6 auto ..... 33 300 $ - 34 300 $
- SE auto .......................... 38 100 $

---

- SE man 6 rap. .................. 34 800 $

Murano ............................. n.d.

*Pathfinder*
- SE V6 auto ...................... 40 900 $
- SE V6 man ...................... 38 500 $
- LE V6 auto ...................... 45 500 $
- Chilkoot V6 auto .............. 36 200 $
- Chilkoot V6 man .............. 34 200 $

*Sentra*
- GXE auto ........................ 21 598 $
- GXE man ......................... 17 998 $
- SE-R auto ........................ 24 398 $
- SE-R man ........................ 20 498 $
- SE-R Spec V man 6 rap. ..... 21 998 $
- XE auto .......................... 17 798 $
- XE man ........................... 15 598 $

*Xterra*
- XE V6 auto ...................... 30 998 $
- XE V6 man ...................... 29 798 $
- SE V6 auto ...................... 34 298 $
- SE-SC V6 auto ................. 35 498 $
- SE-SC V6 man ................. 34 298 $
- SE-SC V6 Ens. Dyn. auto ... 37 498 $

**OLDSMOBILE**

*Alero*
- GL berline ....................... 23 635 $
- GL coupé ........................ 23 915 $
- GLS berline/coupé ........... 28 355 $
- GX berline ...................... 22 020 $
- GX coupé ........................ 22 285 $

Aurora .............................. 46 290 $
Bravada ............................ 46 960 $
Silhouette GL ..................... 35 350 $
Silhouette GLS ................... 38 180 $
Silhouette Premiere Edition ... 42 175 $

**PONTIAC**

*Aztek*
- Intégrale ........................ 30 390 $
- Intégrale GT .................... 34 630 $
- Traction avant ................. 27 285 $
- Traction avant GT ............ 33 175 $

*Bonneville*
- SE ................................ 33 180 $
- SLE .............................. 37 450 $
- SSEi ............................. 43 565 $

*Grand Am*
- Berline SE ...................... 21 635 $
- Berline SE1 ..................... 23 720 $
- Berline/coupé GT ............. 27 280 $
- Berline/coupé GT1 ........... 28 540 $

*Grand Prix*
- SE ................................ 27 230 $
- GT ................................ 28 925 $
- GTP .............................. 33 185 $

*Montana 2RM*
- Emp. long ....................... 31 465 $
- Emp. long GT ................... 37 190 $

---

- Emp. long SE .................. 33 870 $
- Emp. rég. ....................... 28 360 $
- Emp. rég. GT ................... 34 445 $
- Emp. rég. SE ................... 31 615 $

*Montana intégrale*
- Emp. long GT ................... 40 640 $
- Emp. long SE .................. 38 285 $

*Sunfire*
- Berline SL ...................... 15 370 $
- Berline SLX ..................... 18 540 $
- Coupé GT ....................... 20 140 $
- Coupé SL ....................... 15 970 $

*Vibe* ............................... *19 850 $*
- Vibe GT ......................... 26 650 $
- Vibe TI .......................... 26 250 $

**PORSCHE**

911 C2 cabriolet ............... 114 650 $
911 C2 coupé ................... 100 400 $
911 C2 targa .................... 110 200 $
911 C4 cabriolet ............... 123 200 $
911 C4 S ......................... 119 950 $
911 GT2 .......................... 255 550 $
911 Turbo ........................ 170 200 $
Boxster ........................... 60 500 $
Boxster S ......................... 73 450 $
Cayenne S ........................ 78 250 $
Cayenne T ...................... 125 100 $

**SAAB**

9³ Linear ......................... 34 900 $
9³ SE cabriolet .................. 54 000 $
9³ Vector ......................... n.d.
9⁵ Aero berline ................. 52 000 $
9⁵ Aero familiale ............... 53 500 $
9⁵ Linear berline ............... 42 000 $
9⁵ Linear familiale ............. 43 500 $

**SATURN**

ION ................ 15 000 $ à 22 000 $ **

*Série L*
- L200 Sport ..................... 23 445 $
- L300 Sport Touring .......... 26 890 $
- LW200 Sport ................... 25 320 $
- LW300 Sport Touring ........ 29 710 $

*VUE*
- Traction ......................... 21 980 $
- Intégrale ........................ 25 430 $
- V6 traction ..................... n.d.
- V6 intégrale .................... 29 665 $

**SUBARU**

Baja auto .......................... 36 695 $
Baja man .......................... 35 595 $

*Forester*
- 2,5 X auto ...................... 29 095 $
- 2,5 X man ....................... 27 995 $
- 2,5 XS auto ..................... 33 295 $
- 2,5 XS man ...................... 32 195 $

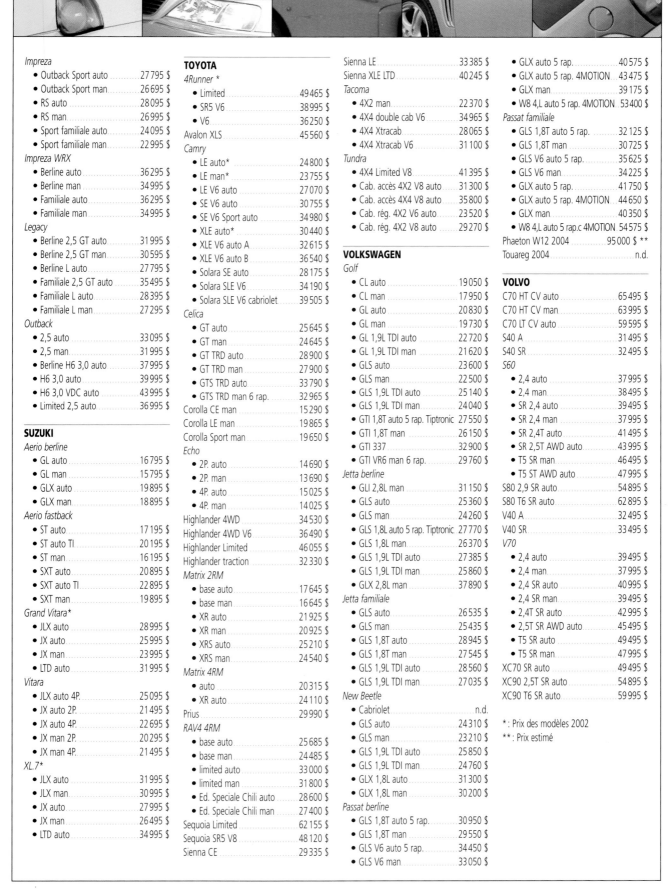

**Impreza**
- Outback Sport auto .......... 27 795 $
- Outback Sport man .......... 26 695 $
- RS auto .......... 28 095 $
- RS man .......... 26 995 $
- Sport familiale auto .......... 24 095 $
- Sport familiale man .......... 22 995 $

**Impreza WRX**
- Berline auto .......... 36 295 $
- Berline man .......... 34 995 $
- Familiale auto .......... 36 295 $
- Familiale man .......... 34 995 $

**Legacy**
- Berline 2,5 GT auto .......... 31 995 $
- Berline 2,5 GT man .......... 30 595 $
- Berline L auto .......... 27 795 $
- Familiale 2,5 GT auto .......... 35 495 $
- Familiale L auto .......... 28 395 $
- Familiale L man .......... 27 295 $

**Outback**
- 2,5 auto .......... 33 095 $
- 2,5 man .......... 31 995 $
- Berline H6 3,0 auto .......... 37 995 $
- H6 3,0 auto .......... 39 995 $
- H6 3,0 VDC auto .......... 43 995 $
- Limited 2,5 auto .......... 36 995 $

## SUZUKI

**Aerio berline**
- GL auto .......... 16 795 $
- GL man .......... 15 795 $
- GLX auto .......... 19 895 $
- GLX man .......... 18 895 $

**Aerio fastback**
- ST auto .......... 17 195 $
- ST auto TI .......... 20 195 $
- ST man .......... 16 195 $
- SXT auto .......... 20 895 $
- SXT auto TI .......... 22 895 $
- SXT man .......... 19 895 $

**Grand Vitara***
- JLX auto .......... 28 995 $
- JX auto .......... 25 995 $
- JX man .......... 23 995 $
- LTD auto .......... 31 995 $

**Vitara**
- JLX auto 4P. .......... 25 095 $
- JX auto 2P. .......... 21 495 $
- JX auto 4P. .......... 22 695 $
- JX man 2P. .......... 20 295 $
- JX man 4P. .......... 21 495 $

**XL.7***
- JLX auto .......... 31 995 $
- JLX man .......... 30 995 $
- JX auto .......... 27 995 $
- JX man .......... 26 495 $
- LTD auto .......... 34 995 $

## TOYOTA

**4Runner ***
- Limited .......... 49 465 $
- SR5 V6 .......... 38 995 $
- V6 .......... 36 250 $

**Avalon XLS** .......... 45 560 $

**Camry**
- LE auto* .......... 24 800 $
- LE man* .......... 23 755 $
- LE V6 auto .......... 27 070 $
- SE V6 auto .......... 30 755 $
- SE V6 Sport auto .......... 34 980 $
- XLE auto* .......... 30 440 $
- XLE V6 auto A .......... 32 615 $
- XLE V6 auto B .......... 36 540 $
- Solara SE auto .......... 28 175 $
- Solara SLE V6 .......... 34 190 $
- Solara SLE V6 cabriolet .......... 39 505 $

**Celica**
- GT auto .......... 25 645 $
- GT man .......... 24 645 $
- GT TRD auto .......... 28 900 $
- GT TRD man .......... 27 900 $
- GTS TRD auto .......... 33 790 $
- GTS TRD man 6 rap. .......... 32 965 $

**Corolla CE man** .......... 15 290 $
**Corolla LE man** .......... 19 865 $
**Corolla Sport man** .......... 19 650 $

**Echo**
- 2P. auto .......... 14 690 $
- 2P. man .......... 13 690 $
- 4P. auto .......... 15 025 $
- 4P. man .......... 14 025 $

**Highlander 4WD** .......... 34 530 $
**Highlander 4WD V6** .......... 36 490 $
**Highlander Limited** .......... 46 055 $
**Highlander traction** .......... 32 330 $

**Matrix 2RM**
- base auto .......... 17 645 $
- base man .......... 16 645 $
- XR auto .......... 21 925 $
- XR man .......... 20 925 $
- XRS auto .......... 25 210 $
- XRS man .......... 24 540 $

**Matrix 4RM**
- auto .......... 20 315 $
- XR auto .......... 24 110 $

**Prius** .......... 29 990 $

**RAV4 4RM**
- base auto .......... 25 685 $
- base man .......... 24 485 $
- limited auto .......... 33 000 $
- limited man .......... 31 800 $
- Ed. Speciale Chili auto .......... 28 600 $
- Ed. Speciale Chili man .......... 27 400 $

**Sequoia Limited** .......... 62 155 $
**Sequoia SR5 V8** .......... 48 120 $
**Sienna CE** .......... 29 335 $

**Sienna LE** .......... 33 385 $
**Sienna XLE LTD** .......... 40 245 $

**Tacoma**
- 4X2 man .......... 22 370 $
- 4X4 double cab V6 .......... 34 965 $
- 4X4 Xtracab .......... 28 065 $
- 4X4 Xtracab V6 .......... 31 100 $

**Tundra**
- 4X4 Limited V8 .......... 41 395 $
- Cab. accès 4X2 V8 auto .......... 31 300 $
- Cab. accès 4X4 V8 auto .......... 35 800 $
- Cab. rég. 4X2 V6 auto .......... 23 520 $
- Cab. rég. 4X2 V8 auto .......... 29 270 $

## VOLKSWAGEN

**Golf**
- CL auto .......... 19 050 $
- CL man .......... 17 950 $
- GL auto .......... 20 830 $
- GL man .......... 19 730 $
- GL 1,9L TDI auto .......... 22 720 $
- GL 1,9L TDI man .......... 21 620 $
- GLS auto .......... 23 600 $
- GLS man .......... 22 500 $
- GLS 1,9L TDI auto .......... 25 140 $
- GLS 1,9L TDI man .......... 24 040 $
- GTI 1,8T auto 5 rap. Tiptronic 27 550 $
- GTI 1,8T man .......... 26 150 $
- GTI 337 .......... 32 900 $
- GTI VR6 man 6 rap. .......... 29 760 $

**Jetta berline**
- GLI 2,8L man .......... 31 150 $
- GLS auto .......... 25 360 $
- GLS man .......... 24 260 $
- GLS 1,8L auto 5 rap. Tiptronic 27 770 $
- GLS 1,8L man .......... 26 370 $
- GLS 1,9L TDI auto .......... 27 385 $
- GLS 1,9L TDI man .......... 25 860 $
- GLX 2,8L man .......... 37 890 $

**Jetta familiale**
- GLS auto .......... 26 535 $
- GLS man .......... 25 435 $
- GLS 1,8T auto .......... 28 945 $
- GLS 1,8T man .......... 27 545 $
- GLS 1,9L TDI auto .......... 28 560 $
- GLS 1,9L TDI man .......... 27 035 $

**New Beetle**
- Cabriolet .......... n.d.
- GLS auto .......... 24 310 $
- GLS man .......... 23 210 $
- GLS 1,9L TDI auto .......... 25 850 $
- GLS 1,9L TDI man .......... 24 760 $
- GLX 1,8L auto .......... 31 300 $
- GLX 1,8L man .......... 30 200 $

**Passat berline**
- GLS 1,8T auto 5 rap. .......... 30 950 $
- GLS 1,8T man .......... 29 550 $
- GLS V6 auto 5 rap. .......... 34 450 $
- GLS V6 man .......... 33 050 $

- GLX auto 5 rap. .......... 40 575 $
- GLX auto 5 rap. 4MOTION .......... 43 475 $
- GLX man .......... 39 175 $
- W8 4,L auto 5 rap. 4MOTION .......... 53 400 $

**Passat familiale**
- GLS 1,8T auto 5 rap. .......... 32 125 $
- GLS 1,8T man .......... 30 725 $
- GLS V6 auto 5 rap. .......... 35 625 $
- GLS V6 man .......... 34 225 $
- GLX auto 5 rap. .......... 41 750 $
- GLX auto 5 rap. 4MOTION .......... 44 650 $
- GLX man .......... 40 350 $
- W8 4,L auto 5 rap.c 4MOTION .......... 54 575 $

**Phaeton W12 2004** .......... 95 000 $ **
**Touareg 2004** .......... n.d.

## VOLVO

**C70 HT CV auto** .......... 65 495 $
**C70 HT CV man** .......... 63 995 $
**C70 LT CV auto** .......... 59 595 $
**S40 A** .......... 31 495 $
**S40 SR** .......... 32 495 $

**S60**
- 2,4 auto .......... 37 995 $
- 2,4 man .......... 38 495 $
- SR 2,4 auto .......... 39 495 $
- SR 2,4 man .......... 37 995 $
- SR 2,4T auto .......... 41 495 $
- SR 2,5T AWD auto .......... 43 995 $
- T5 SR man .......... 46 495 $
- T5 ST AWD auto .......... 47 995 $

**S80 2,9 SR auto** .......... 54 895 $
**S80 T6 SR auto** .......... 62 895 $
**V40 A** .......... 32 495 $
**V40 SR** .......... 33 495 $

**V70**
- 2,4 auto .......... 39 495 $
- 2,4 man .......... 37 995 $
- 2,4 SR auto .......... 40 995 $
- 2,4 SR man .......... 39 495 $
- 2,4T SR auto .......... 42 995 $
- 2,5T SR AWD auto .......... 45 495 $
- T5 SR auto .......... 49 495 $
- T5 SR man .......... 47 995 $

**XC70 SR auto** .......... 49 495 $
**XC90 2,5T SR auto** .......... 54 895 $
**XC90 T6 SR auto** .......... 59 995 $

\* : Prix des modèles 2002
\*\* : Prix estimé

# La fiche
# TECHNIQUE

Nous vous présentons dans ce qui suit une explication de certains éléments de la fiche technique qui accompagne les essais, question de vous faciliter la lecture du *Guide de l'auto*. Précisons que pour les nouveaux modèles dont l'essai est présenté sur quatre pages, la fiche comporte un plus grand nombre de renseignements, notamment Niveau sonore, Équipement de série et Équipement en option.

### • Modèle à l'essai
Modèle qui a fait l'objet de l'essai présenté et dont les caractéristiques sont présentées dans la fiche.

### • Prix du modèle à l'essai
Le prix du modèle qui a fait l'objet de l'essai. À noter que ce prix, à cause des options qui sont parfois nombreuses, peut dépasser l'échelle de prix figurant dans la fiche.

### • Échelle de prix
Prix de vente suggéré du modèle de base et prix de vente du modèle le plus haut de gamme (sans options ni taxes). Les options peuvent évidemment faire varier ces prix. À noter qu'il n'y a pas d'échelle de prix pour certains modèles.

### • Assurances
Dans le but d'obtenir une base commune de comparaison, le coût présenté correspond, pour tous les modèles à l'essai, à la prime de police d'assurance souscrite par un conducteur âgé de 45 ans, résidant de Beloeil, n'ayant présenté aucune réclamation, étant propriétaire du véhicule (et non locataire) et qui n'a pas souscrit à la clause «protection valeur à neuf». À noter que pour certains modèles, les assureurs exigent l'installation du système de repérage Boomerang (cas signalés par l'astérisque (*) figurant après le coût). Rappelons aussi que les primes d'assurance peuvent varier fortement en fonction de plusieurs facteurs (âge du conducteur, lieu de résidence, réclamations, infractions, type de véhicule, etc.).

Les coûts mentionnés ont été compilés par Carole Dugré du Groupe Vezina et Associés et n'engagent nullement la responsabilité du *Guide de l'auto*.

### • Garanties
Un exemple pour illustrer: 3 ans 60 000 km / 5 ans 100 000 km. Le modèle en question est garanti «pare-chocs à pare-chocs» pour 3 ans ou 60 000 km, selon la première de ces éventualités. C'est ce qu'on appelle la garantie de base. En outre, le groupe motopropulseur est garanti pour 5 ans ou 100 000 km, selon la première de ces éventualités, cette garantie couvrant le moteur, la transmission et certains autres éléments mécaniques importants. La plupart des constructeurs offrent aussi, moyennant supplément, une garantie prolongée qu'il faut se procurer lors de l'achat.

### • Transmission
Outre le type de boîte de vitesses (manuelle/automatique), cette donnée comprend le type de rouage d'entraînement, c'est-à-dire traction, propulsion, intégrale...

### • Reprises 80-120 km/h
Mesure du temps (en secondes) qu'il faut pour accélérer de 80 à 120 km/h sur une route plane et droite. Sur un modèle à boîte de vitesses manuelle, cette mesure est effectuée lorsque la boîte est en 4e vitesse, ce qui permet d'évaluer de façon uniforme «les reprises», c'est-à-dire l'aptitude du véhicule à accélérer, par exemple lors d'un dépassement ou de l'engagement sur l'autoroute.

Dans un modèle à boîte de vitesses automatique, lorsque vous enfoncez l'accélérateur à fond, la boîte va rétrograder en 3e ou en 2e et les reprises seront plus meilleures qu'avec une boîte manuelle qui reste en 4e. La qualité des reprises dépend essentiellement du couple développé par le moteur, contrairement à l'accélération de 0 à 100 km/h qui dépend de la puissance au régime maximal du moteur. Dans la vie de tous les jours, il est évident que les reprises revêtent plus d'importance que l'accélération 0-100 km/h.

### • Niveau sonore
Cette valeur, qui ne figure que pour les nouveaux modèles, mesure en décibels le bruit que l'on entend dans l'habitacle au ralenti, en accélération et à 100 km/h.

### • Verdict
Représenté par un total de cinq étoiles.
### Agrément de conduite
Réponse à la question: prend-on plaisir à conduire ce véhicule?

### • Fiabilité
Ce véhicule roule-t-il sans problèmes ou, au contraire, a-t-il besoin de visites fréquentes au garage?

### • Sécurité
Note accordée en fonction de la sécurité passive (nombre de coussins de sécurité et cote obtenue lors des essais de collision) et de la sécurité active (freins efficaces et endurants, bonne tenue de route, facilité de conduite, bonne visibilité, etc.).

### • Qualités hivernales
Évaluation du comportement en hiver. Les modèles à transmission intégrale reçoivent généralement une meilleure cote, car ils permettent de mieux affronter les conditions routières en hiver, tandis que les modèles propulsion reçoivent généralement une cote moindre à cause du manque de tenue de route sur surface glissante.

### • Espace intérieur
Volume intérieur de l'habitacle, là où prennent place les occupants.

### • Confort
Confort des sièges et confort de suspension, ces deux éléments se conjuguant pour déterminer le confort général. Ainsi, si le véhicule est doté d'une suspension confortable (qui absorbe bien les inégalités de la route) mais que les sièges sont inconfortables, la note accordée à cette rubrique sera moindre.

A.R.

# SOUS-COMPACTES

## moins de 20 000 $

### *Meilleur achat*

**Mazda** Protegé/Protegé5

### 2 **Honda** Civic

### 3 **Ford** Focus

## *Nominations*

- Chevrolet Cavalier
- Dodge SX
- Ford Focus
- Honda Civic
- Hyundai Accent
- Hyundai Elantra
- Kia Rio
- Kia Spectra
- Mazda Protegé/Protegé5
- Pontiac Sunfire
- Mitsubishi Lancer
- Nissan Sentra
- Saturn ION
- Suzuki Aerio
- Toyota Echo

# COMPACTES

## de 20 000 $ à 25 000 $

### *Meilleur achat*

**Toyota** Corolla

### 2 ex æquo

**Pontiac** Vibe          **Toyota** Matrix

### 3 **Volkswagen** Jetta

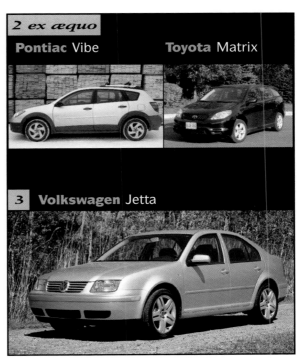

## *Nominations*

- Acura 1,7EL
- Chrysler PT Cruiser
- Hyundai Sonata
- Mitsubishi Galant
- Oldsmobile Alero
- Pontiac Grand Am
- Pontiac Vibe
- Saturn L
- Subaru Impreza TS
- Toyota Corolla
- Toyota Matrix
- Volkswagen Golf
- Volkswagen Jetta
- Volkswagen New Beetle

## GRANDES COMPACTES
### de 25 000 $ à 30 000 $

## BERLINES
### de 30 000 $ à 40 000 $

*Meilleur achat*

**Honda** Accord berline

*Meilleur achat*

**Audi** A4 CVT

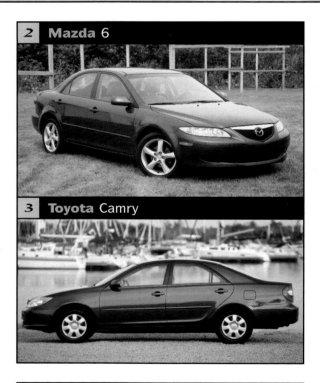

**2 Mazda 6**

**3 Toyota** Camry

**2 Volkswagen** Passat

**3 Acura TL**

### Nominations

- Buick Century
- Buick Regal
- Chevrolet Malibu
- Chrysler Sebring
- Ford Taurus
- Honda Accord berline
- Kia Magentis
- Mazda 6
- Nissan Altima
- Subaru Legacy
- Toyota Camry

### Nominations

- Audi A4 CVT
- Acura TL
- Buick Le Sabre
- Chevrolet Impala
- Chrysler Concorde
- Chrysler Intrepid
- Hyundai XG350
- Mercury Grand Marquis
- Nissan Maxima
- Pontiac Bonneville
- Pontiac Grand Prix
- Toyota Avalon
- Volkswagen Passat
- Volvo S40

# BERLINES SPORT

## moins de 60 000 $

# BERLINES DE LUXE

## moins de 60 000 $

### *Meilleur achat*

**Infiniti** G35

### *Meilleur achat*

**Audi** A6 2,7T

**2** | **Audi** A4 Quattro 3,0

**3** | **BMW** 325 et 330

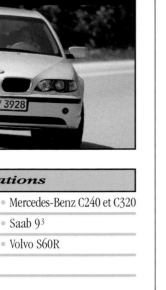

**2** | **Lexus** ES 300

**3** | **Volkswagen** Passat 4Motion

### *Nominations*

- Audi A4 Quattro 3,0
- BMW 325 et 330
- Cadillac CTS
- Chrysler 300M
- Infiniti G35
- Jaguar X-Type
- Lexus IS 300
- Lincoln LS
- Mercedes-Benz C240 et C320
- Saab 9[3]
- Volvo S60R

### *Nominations*

- Acura RL
- Audi A6
- Audi A6 2,7T
- Buick Park Avenue
- Infiniti I35
- Lexus ES 300
- Oldsmobile Aurora
- Saab 9[5]
- Volkswagen Passat 4Motion et W8
- Volvo S80

## VOITURES DE GRAND LUXE

## BERLINES ET COUPÉS SPORT
### moins de 35 000 $

### Meilleur achat
### Mercedes-Benz Classe S

### Meilleur achat
### Volkswagen Golf GTI 337

**2 Mercedes-Benz Classe E**

**3 ex æquo**

**BMW Série 5**   **Volkswagen Phaeton**

**2 Subaru Impreza WRX**

**3 Acura RSX**

### Nominations

| | |
|---|---|
| • Audi A6 4,2 Quattro | • Lexus GS 430 |
| • Audi A8 | • Lexus LS 430 |
| • BMW Série 5 | • Mercedes-Benz Classe E |
| • BMW Série 7 | • Mercedes-Benz Classe S |
| • Cadillac Seville / STS | • Volkswagen Phaeton |
| • Infiniti Q45 | |
| • Jaguar S-Type V8 | |
| • Jaguar XJ | |

### Nominations

| | |
|---|---|
| • Acura RSX | • Saturn ION Coupé |
| • Ford Focus SVT | • Subaru Impreza WRX |
| • Honda Civic SiR | • Toyota Celica |
| • Hyundai Tiburon | • Volkswagen Golf GTI 337 |
| • Mazda Speed | • Volkswagen Jetta 1,8T |
| • Mercedes-Benz C230 | |
| • Mitsubishi Eclipse | |
| • Nissan Sentra SE-R | |

# CABRIOLETS, ROADSTERS ET GT

## moins de 60 000 $

### Meilleur achat

**Infiniti** G35 coupé

**2** **Nissan** 350Z

**3** **Audi** TT

### Nominations

- Audi TT
- BMW Z4
- Ford Mustang SVT
- Ford Thunderbird
- Honda S2000
- Infiniti G35 coupé
- Mazda Miata
- Mercedes-Benz SLK
- Nissan 350Z
- Saab 9³ cabriolet
- Volkswagen New Beetle cabrio
- Volvo C70

# VOITURES SPORT ET CABRIOLETS

## de 60 000 $ à 200 000 $

### Meilleur achat

**Porsche** Boxster S

**2** **Mercedes-Benz** SL55 AMG

**3** **Porsche** 911

### Nominations

- Acura NSX-T
- BMW Z8
- Chevrolet Corvette Z06
- Dodge Viper
- Jaguar XK8
- Lexus SC 430
- Mercedes-Benz CL500
- Mercedes-Benz CLK430
- Mercedes-Benz SL55AMG
- Mercedes-Benz SL500
- Porsche Boxster / Boxster S
- Porsche 911 / Targa / Carrera 4S / Turbo

## UTILITAIRES SPORT COMPACTS
### moins de 35 000 $

## UTILITAIRES SPORT
### de 35 000 $ à 60 000 $

*Meilleur achat*

**Subaru** Forester

*Meilleur achat*

**Volvo** XC90

**2** **Toyota** Highlander

**2 ex æquo**

**Acura** MDX     **Honda** Pilot

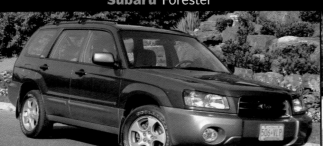

**3** **Jeep** Liberty

**3** **GMC** Envoy

### Nominations

- Ford Escape
- Honda CR-V
- Hyundai Santa Fe
- Jeep Liberty
- Kia Sorento
- Land Rover Freelander
- Mazda Tribute
- Mitsubishi Outlander
- Nissan Xterra
- Saturn VUE
- Subaru Forester
- Subaru Outback
- Suzuki XL.7
- Toyota Highlander
- Toyota RAV4

### Nominations

- Acura MDX
- BMW X5 3,0
- Chevrolet TrailBlazer
- Dodge Durango
- Ford Explorer
- GMC Envoy
- Honda Pilot
- Infiniti QX4
- Jeep Grand Cherokee
- Land Rover Discovery
- Lexus RX 300
- Mercedes-Benz ML320
- Mitsubishi Montero
- Nissan Pathfinder
- Toyota 4Runner
- Volkswagen Touareg
- Volvo XC90

# VOITURE DE L'ANNÉE

*Gagnante*

**Infiniti G35**

## Nominations

- Audi A4 cabriolet
- Audi A8
- BMW 745i
- BMW Z4
- Cadillac CTS
- Dodge Viper
- Ford Focus SVT

- Honda Civic SiR
- Honda Accord
- Hyundai Tiburon
- Infiniti G35 berline / coupé
- Infiniti M45
- Jaguar Type-S R
- Maserati coupé / spyder

- Mazda 6
- Mercedes-Benz CLK
- Mercedes-Benz Classe E
- Mercedes-Benz Classe S
- MINI Cooper / Cooper S
- Nissan 350Z
- Pontiac Vibe

- Saab 9[3]
- Saturn ION
- Suzuki Aerio
- Toyota Matrix
- Volkswagen Phaeton
- Volvo S60R

# UTILITAIRE SPORT DE L'ANNÉE

*Gagnant*

**Volvo XC90**

## Nominations

- Ford Expedition
- Honda Pilot
- Hummer H2
- Kia Sorento
- Land Rover Range Rover
- Lincoln Aviator
- Lincoln Navigator

- Mitsubishi Outlander
- Porsche Cayenne
- Subaru Baja
- Subaru Forester
- VW Touareg
- Volvo XC90

# Des *matchs comparatifs révélateurs*

La seule manière de vraiment évaluer une voiture est de la comparer aux autres modèles de la même catégorie placés dans le même environnement. C'est ce que fait *Le Guide de l'auto* depuis déjà 30 ans avec l'aide d'une équipe d'essayeurs regroupant la clientèle cible des voitures analysées. Fidèle à cette tradition, l'édition 2003 du *Guide de l'auto* comporte quelques matchs comparatifs qui vous aideront à mieux départager les modèles en présence et à découvrir celui qui constitue le meilleur achat de la catégorie.

Pour éviter la répétition, nous tentons d'organiser chaque année des matchs différents de ceux des années antérieures. Toutefois, les résultats des études comparatives les plus récentes sont encore valables et pour compléter l'information déjà contenue dans ce livre, nous avons cru bon y ajouter ceux qui paraissent encore pertinents.

Voici donc le classement de nos matchs les plus significatifs réalisés au cours des dernières années.

## DES AUBAINES À LA DOUZAINE

*Le Guide de l'auto 2000* proposait l'un des matchs comparatifs les plus importants de son histoire titré « Des aubaines à la douzaine ». Pour souligner l'arrivée de la Ford Focus sur le marché des petites voitures bon marché, pas moins de 12 modèles faisaient partie de ce face à face destiné à couronner la sous-compacte offrant le meilleur rapport qualité/prix. Le résultat final fut le suivant :

| | | | |
|---|---|---|---|
| 1<sup>re</sup> | **Mazda Protegé** | 7<sup>e</sup> | **Chrysler Neon** |
| 2<sup>e</sup> | **Ford Focus** | 8<sup>e</sup> | **Hyundai Elantra** |
| 3<sup>e</sup> | **Volkswagen Jetta** | 9<sup>e</sup> | **Daewoo Nubira** |
| 4<sup>e</sup> | **Subaru Impreza** | 10<sup>e</sup> | **Kia Sephia** |
| 5<sup>e</sup> | **Toyota Corolla** (précédente génération) | 11<sup>e</sup> | **Chevrolet Cavalier** |
| 6<sup>e</sup> | **Honda Civic** (précédente génération) | 12<sup>e</sup> | **Saturn SL** |

## INTÉGRALES : 5 BERLINES, 20 ROUES MOTRICES

Pour marquer la popularité croissante des voitures à traction intégrale ou à quatre roues motrices, *Le Guide de l'auto 2002* a organisé une confrontation entre les cinq berlines offrant ce type de transmission. À la suite d'une journée d'essais aussi bien sur pavé sec que mouillé, les résultats furent les suivants :

| | | | |
|---|---|---|---|
| 1<sup>re</sup> | **Audi A4 3,0** | 4<sup>e</sup> | **Subaru Legacy Outback H6** |
| 2<sup>e</sup> | **BMW 325 Xi** | 5<sup>e</sup> | **Jaguar X-Type 2,5** |
| 3<sup>e</sup> | **Volkswagen Passat 4 Motion** | | |

## L'AFFRONTEMENT DES FAMILIALES

Un autre type de véhicule qui gagne du terrain dans l'échelle des ventes est la familiale. Moins gourmande et moins encombrante que la fourgonnette, elle s'avère souvent un choix plus rationnel pour les petites familles en quête d'espace. L'an dernier, *Le Guide de l'auto* a confronté sept modèles de cette catégorie. Voici le palmarès :

1<sup>re</sup> **Volkswagen Jetta**
2<sup>e</sup> **Mazda Protegé5**
3<sup>e</sup> **Subaru Impreza**
4<sup>e</sup> **Ford Focus**

5<sup>e</sup> **Chrysler PT Cruiser**
6<sup>e</sup> **Suzuki Esteem**
7<sup>e</sup> **Daewoo Nubira**

## LE MEILLEUR 4X4 COMPACT SUR LE MARCHÉ

L'an dernier, afin de souligner l'arrivée sur le marché du Jeep Liberty, *Le Guide de l'auto* avait organisé un match regroupant 10 véhicules appartenant à la catégorie des utilitaires sport compacts, un des segments du marché les plus animés à l'heure actuelle. Voici quels furent les résultats de ce match mémorable :

1<sup>re</sup> **Jeep Liberty**
2<sup>e</sup> **Subaru Forester** (précédente génération)
3<sup>e</sup> **Ford Escape**
4<sup>e</sup> **Toyota RAV4**
5<sup>e</sup> **Mazda Tribute**

6<sup>e</sup> **Nissan Xterra**
7<sup>e</sup> **Suzuki XL-7**
8<sup>e</sup> **Hyundai Santa Fe**
9<sup>e</sup> **Honda CR-V** (ancienne génération)
10<sup>e</sup> **Kia Sportage**

## LES ROADSTERS

Le marché des *roadsters* est dominé en grande partie par l'industrie automobile allemande. En 2001, *Le Guide de l'auto* avait organisé un match opposant trois des têtes d'affiche de cette catégorie, l'Audi TT 225 chevaux, la Porsche Boxster S et la Mercedes-Benz SLK320 qui étrennait alors un moteur 6 cylindres de 3,2 litres. Après moults tours de piste, et divers essais chronométrés, le verdict fut le suivant :

1<sup>re</sup> **Porsche Boxster S**        2<sup>e</sup> **Mercedes-Benz SLK320**        3<sup>e</sup> **Audi TT**

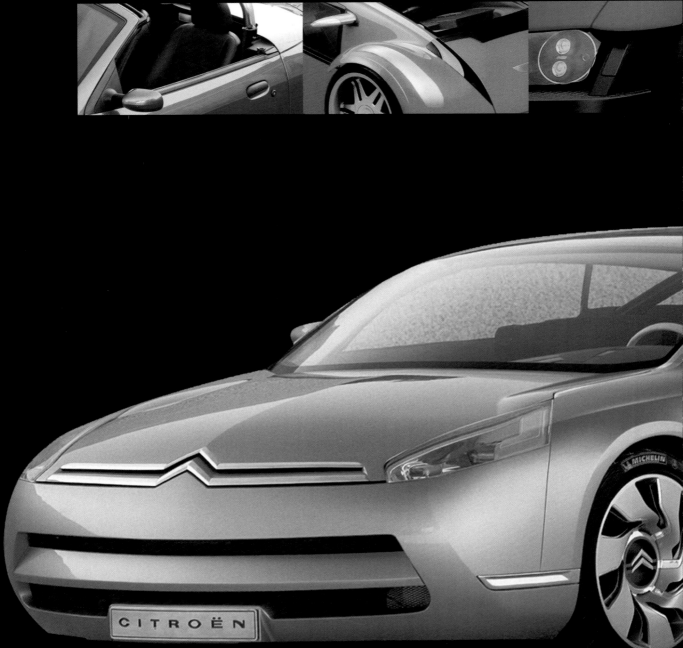

CITROËN

Le Guide
de l'auto

02003

ACURA
ALFA ROMEO
ASTON MARTIN
AUDI
BUGATTI
BUICK
CADILLAC
CITROËN
CHEVROLET
DC DESIGN
DODGE
FORD
JEEP
LARAKI
LEXUS
MAZDA
MERCEDES-BENZ
MITSUBISHI
NISSAN
PEUGEOT
PONTIAC
RENAULT
RINSPEED
SAAB
SMART
SPYKER
TATA
TOYOTA
VENTURI

# Les
# *prototypes*

# Prototypes 2003

## ACURA RD-X

L'Acura RD-X est un coupé sport tentant de marier les performances sportives de cette catégorie aux qualités pratiques d'une transmission intégrale. Une carrosserie de conception originale avec grande ouverture arrière permet de transporter des objets aux dimensions encombrantes.

L'Acura RD-X se distingue également par son groupe propulseur. Sous le capot ronronne un moteur à essence de 2,4 litres relié à une boîte de vitesses à 6 rapports avec embrayage électrique associé aux roues avant. Les roues arrière sont reliées à deux moteurs électriques.

## ALFA ROMEO BRERA

Dessinée et produite dans les ateliers de Turin de Giorgetto Giugiaro, l'Alfa Romeo Brera a été la coqueluche du Salon de Genève en mars 2002. Selon plusieurs observateurs, cet élégant coupé quatre places pourrait éventuellement être produit en série. D'ailleurs, cette voiture a été conçue en fonction d'une éventuelle commercialisation.

La Brera ne se contente pas de respecter la lignée des réussites esthétiques du créateur turinois. Elle possède les éléments pour offrir de bonnes performances avec son moteur V8 longitudinal de 4 litres associé à une boîte de vitesses manuelle à 6 rapports montée à l'arrière.

# 2003

## ASTON MARTIN *DB7 ZAGATO*

Le carrossier italien Zagato a toujours eu la main heureuse dans l'élaboration de modèles spéciaux sur des bases Aston Martin. C'est de nouveau le cas avec cette DB7 Zagato dévoilée au Salon de Paris 2002. La carrosserie en aluminium reprend plusieurs des éléments de style des anciennes Aston Zagato dont un capot très long assorti d'un arrière tronqué avec un toit à double bossage (*double bubble roof*). La voiture sera construite en petite série en 2003 pour des clients triés sur le volet.

## AUDI S4

« Attention, ça va donner un grand coup ! »
Audi a dévoilé au Mondial de Paris, cette S4 supervitaminée grâce à un moteur V8 4,2 litres de 344 chevaux jumelé à une boîte à 6 rapports et à la traction intégrale Quattro. Cette Audi S4 passe de 0 à 100 km/h en 5,6 petites secondes et de 0 à 200 km/h en 20,6 secondes. La messe est dite.

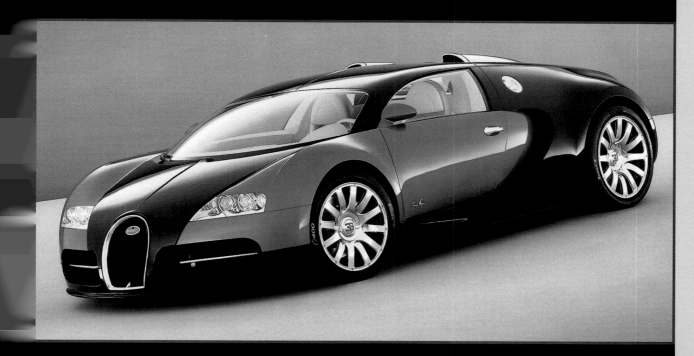

## BUGATTI VEYRON

La première Bugatti du 21e siècle devrait prendre la route d'ici quelques mois après avoir trôné dans plusieurs salons automobile au cours des dernières années. La Veyron 16,4 a recours à la technologie de la fibre de carbone pour un maximum de rigidité. Et elle aura besoin de cette rigidité pour encaisser la poussée des 1001 chevaux de son moteur W16 composé de 2 blocs 8 cylindres réunis dans un angle de 90 degrés. Gerée par une boîte séquentielle 7 rapports, le moteur permet à la Bugatti Veyron d'atteindre les 300 km/h en 14 secondes, en route vers une vitesse de pointe de 406 km/h. Ayoye !

## CITROËN *AIRDREAM*

Autre voiture concept dévoilée au Mondial de l'Auto 2002 à Paris, cet élégant coupé 2+2 est encore une preuve de la résurgence de Citroën, trop longtemps contraint à jouer les faire-valoir à Peugeot, sa marque sœur. Si son arrière n'est pas sans ressembler à celui d'une certaine SM, cette même impression de flotter sur l'air se retrouve dans l'habitacle puisque les sièges semblent suspendus avec leur fixation « mono-point » qui a le désavantage de les rendre immobiles.

En plus de sa silhouette du tonnerre, le Citroën Airdream est également un banc d'essai de la technique « by Wire » qui abandonne les liens mécaniques pour effectuer les principales fonctions de contrôle que sont la direction, le freinage, l'accélération et les passages de vitesses. C'est une approche technologique que plusieurs autres constructeurs ont adoptée.

## CITROËN C3 PLURIEL

Voici la reine de la transformation et de la modularité. Cette berline avec une capote en toile se découvre d'abord pour offrir un toit ouvrant sur toute la longueur. Cette opération est gérée par des moteurs électriques. Pour le bricoleur du dimanche, il est possible de démonter les deux arches qui constituent les côtés du toit pour obtenir une authentique décapotable. Plusieurs voient la Pluriel comme la réincarnation de la 2 chevaux.

## CITROËN C-CROSSER

Il ne faut pas s'attarder à sa désignation qui n'est pas politiquement correcte pour s'intéresser à la grande modularité de ce monospace capable d'accueillir six occupants avec tout le confort d'une berline de luxe. Son rouage intégral vous assure de passer presque partout, tandis que ses mécanismes de contrôle « by Wire » permettent d'installer le volant à gauche ou à droite selon les conditions et le pays visité.

## DODGE RAZOR

La direction de la division Dodge veut faire revivre les petites voitures sport des années 50 et 60 avec le Razor. Comme celles-ci, il privilégie l'agrément de conduite tandis que sa silhouette fait l'unanimité. Un détail en passant, l'identification Razor est empruntée à une marque de scooter de trottoir. Comme à l'époque des MG Midget, le Razor est une propulsion dotée d'un moteur quatre cylindres. Mais celui-ci est passablement musclé puisqu'il produit 250 chevaux. Compte tenu que la voiture ne pèse que 1 134 kg, cette puissance permet de boucler le 0-100 km/h en 6 secondes tandis que la vitesse de pointe est de 225 km/h.

## DC DESIGN ARYA

Parmi les autres créations de DC, soulignons l'Arya. Dérivé de la plate-forme de la Tata Sierra, une autre voiture produite en Inde, ce prototype accentue l'écart entre la partie inférieure, la partie sale, et la partie supérieure, l'élément propre. La suspension a été surélevée.

## DC DESIGN **INFIDEL**

Cette maison était assez peu connue avant de présenter son modèle Infidel au Salon de Genève en 2002. Dilip Chhabria, DC pour les intimes, est un styliste fort connu en Inde. L'Infidel se veut un concurrent aux Ferrari et aux Lamborghini. Des éléments mécaniques Toyota et des roues de 19 pouces sont utilisés.

## DC DESIGN **L'IL**

Ne vous marrez pas, la L'il est la réponse de Dilip Chhabria à la Smart. Le véhicule a été dessiné et produit en moins de 60 jours. Ça paraît !

## FORD FOCUS *C-MAX*

Sur le marché européen, les monospaces compactes comme la Renault Mégane Scenic et l'Opel Zéfira, bien que plus volumineuse, font un malheur. Ford a donc décidé de joindre les rangs avec la Focus C Max dont l'habitacle est à la fois convivial et pratique. En plus du lecteur DVD avec écran mobile, il est doté d'un système de surveillance vidéo à distance avec caméra «Webcam».

## FORD *STREETKA*

Dessinée et produite en collaboration avec Pininfarina, la Streetka sera la seule Ford à être produite en Italie. Même si la plate-forme est empruntée à la Ka «régulière», la carrosserie est exclusive à ce modèle qui est propulsé par un moteur Duratec de 1,6 litre de 95 chevaux. Il s'agit du premier roadster de cette catégorie jamais commercialisé par Ford.

## GM-BUICK *CONCEPT*

Appelée simplement Concept, cette Buick s'inscrit dans la catégorie mal définie des *Crossover* (véhicule à usage multiple) en offrant le meilleur de deux mondes : celui des utilitaires sport et celui des berlines conventionnelles.

## GM-CHEVROLET *CHEYENNE*

Le concept Chevrolet Cheyenne est un camion grand format conçu pour satisfaire aussi bien le nouvel acheteur de ce type de véhicule que le camionneur pur et dur.

## GM-CHEVROLET SS

Ce dessin illustre la Chevrolet SS, une interprétation moderne de l'héritage Super Sport de la marque. Il affiche la transformation d'une berline quatre portes en voiture sport avec propulsion et moteur V8.

## GM-PONTIAC CONCEPT

Chez Pontiac, on a conçu cette berline quatre portes qui se prend pour un coupé deux portes avec sa traction intégrale et son moteur V6 à compresseur.

## GM-CHEVROLET *BELAIR*

Cette Chevrolet Belair cabriolet est un clin d'œil aux années 50. Avec son châssis autonome et sa propulsion, elle tente de retrouver la magie de ces belles années. D'ailleurs, pour respecter la tradition, le bouchon du réservoir d'essence est placé derrière l'un des feux arrière.

La fiche technique du Belair est bien de notre époque cependant avec un tout nouveau moteur cinq cylindres en ligne de 3,5 litres d'une puissance de 315 chevaux. Il est relié à une boîte automatique Hydra-Matic à quatre rapports.

## GM-CADILLAC *CIEN*

Sans contredit la voiture concept 2002 la plus spectaculaire en Amérique. Cette Cadillac est la preuve que Detroit peut concevoir une automobile sport dont la silhouette est en mesure de séduire les Européens comme les Nord-Américains. Les stylistes se sont inspirés des avions chasseurs furtifs F-22 de l'aviation américaine.

Le châssis et la carrosserie sont en fibre de carbone, assurant ainsi un ensemble extrêmement rigide. Le moteur Northstar V12 produit 750 chevaux et est relié à une boîte de vitesses semi-automatique à 6 rapports dérivée de celles utilisées en F1.

## GENERAL MOTORS *HY WIRE*
### *Au volant de la voiture de demain*

J'ai conduit la voiture de l'avenir ou du moins ce qui s'en rapproche le plus selon General Motors et croyez-moi il faut réapprendre à conduire pour maîtriser la chose. La chose, incidemment s'appelle Hy Wire et il s'agit de la première voiture à utiliser conjointement un système de propulsion par piles à combustible alimenté à l'hydrogène et un guidage électronique baptisé Drive by Wire qui fait abstraction du volant, des pédales, du levier de vitesses et de tout ce que l'on trouve habituellement sur une voiture ordinaire. La carrosserie possède une telle surface vitrée qu'on a l'impression d'être assis dans le paysage. La Hy Wire se conduit au moyen d'une sorte de guidon dont on doit tordre les poignées pour accélérer, les serrer pour freiner et les pousser vers le haut ou le bas pour diriger la voiture, un peu comme sur une moto.

Bref, c'est loin d'être évident de prime abord, mais l'important est de savoir que l'on aura au moins sept ans pour se familiariser avec cette technique puisque GM ne prévoit pas commercialiser cette voiture futuriste avant 2010. La Hy Wire se distingue par son plancher très plat à l'intérieur duquel on a placé toutes les composantes électroniques ainsi que les 200 piles à combustible. La voiture a une puissance variant

entre 94 et 129 kilowatts et peut atteindre 160 km/h. Elle est le résultat d'un effort conjoint de GM US (pour le châssis), GM Allemagne (pour le système des piles à combustible à hydrogène), la firme suédoise SKF (pour le système Drive by Wire) et Bertone (pour la carrosserie). Du haut de ses roues de 20 pouces à l'avant et 22 pouces à l'arrière, la Hy Wire est une merveille de technologie qui devra cependant progresser encore énormément avant de venir jouer dans le trafic. Il reste encore à solutionner son coût de revient trop élevé et surtout l'infrastructure qui permettra de stocker l'hydrogène et de rendre ce combustible accessible à grande échelle. Bref, ce n'est pas demain la veille, mais il est rassurant de constater que le premier constructeur automobile mondial songe à l'avenir.

**Jacques Duval**

## JEEP COMPASS

Ce véhicule tente de combiner les qualités routières d'une voiture urbaine aux performances d'une sportive. Ce concept vise une clientèle jeune intéressée par l'agrément de conduite, mais ne voulant pas déroger à la mode des VUS. Son moteur V6 3,7 litres de 210 chevaux permet de boucler le 0-100 km/h en 9 secondes.

## JEEP WYLLIS

Environ 60 ans après le lancement du premier véhicule 4X4 par Wyllis, la division Jeep a décidé de réinventer ce modèle avec le Wyllis 2, une version à toit amovible du Wyllis 1 dévoilé l'an dernier. Comme ce dernier, il possède une structure en fibre de carbone greffée à un châssis en aluminium. Très léger, il est propulsé par un moteur quatre cylindres 1,6 litre de 160 chevaux.

## LARAKI *FULGURA*

Laraki est un styliste établi à Casablanca au Maroc. Peu connu à date, sa toute dernière création, la Fulgura, risque de rendre son nom célèbre de par le monde. Le châssis en carbone et en aluminium assure une rigidité hors norme.

## LARAKI *FULGURA*

Les performances ne feront pas défaut grâce à un moteur V12 6 litres de 720 chevaux. Puisque le véhicule ne pèse que 1 150 kg, le Fulgura – «éclair» en latin – porte bien son nom.

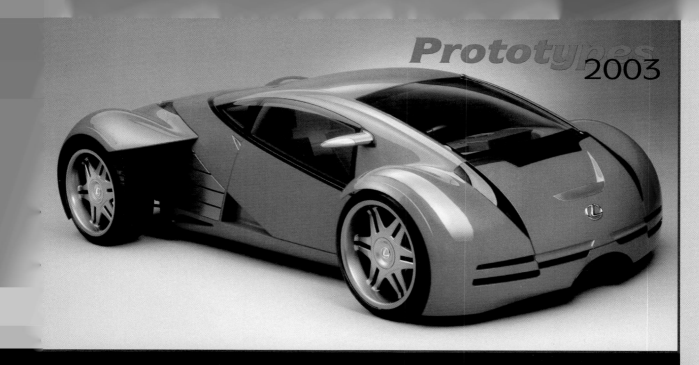

## LEXUS *(du film* Rapport minoritaire*)*

Cette Lexus est la voiture que Tom Cruise conduit dans le film *Rapport minoritaire* produit par Steven Spielberg. Ce prototype est la vision du concepteur Harald Belker de ce que sera l'automobile sport de demain. Ce dernier n'est pas dépourvu d'imagination car il a déjà conçu la voiture de Batman. Détail intéressant, cette Lexus futuriste a été conçue en fonction des dimensions physiques de l'acteur et elle est donc très petite.

## MAZDA MPS

Cette Mazda est considérée comme la «Zoom Zoom Machine» et a été développée en Allemagne. Cette Mazda 6 plus musclée aurait certainement pu être le modèle de série tant cette présentation plus agressive lui convient. La «6» est propulsée par un moteur quatre cylindres de 2,3 litres de 280 chevaux, permettant ainsi de respecter les nouvelles normes de faibles émissions. La transmission est intégrale.

## MAZDA *HIDEOUT*

Lorsque la direction de Mazda a demandé aux stylistes de concevoir un véhicule qui leur permettrait de pratiquer leurs activités de loisirs, ils ont concocté le Hideout. Un peu à la manière du Honda Element, il s'agit d'un cube sur roues. L'habitacle est très polyvalent avec ses sièges coulissants. Comme la Honda, les portes arrière sont de type «suicide».

## MERCEDES-BENZ *F400 MB CARVER*

Il est difficile de décrire la Mercedes F400, un roadster très sportif dépourvu de pare-brise. Ce qui oblige ses occupants à porter des vêtements de protection. Pas besoin d'être très observateur pour réaliser que sa silhouette est une version « Extrême » de la nouvelle SL. Elle est également quelque peu inspirée de la Lotus Elise.

## MERCEDES-BENZ *F400 MB CARVER*

Comme les stylistes, les ingénieurs se sont éclatés sur la F400. La suspension active est de type hydropneumatique et les disques de freins fabriqués d'un composite de céramique et de carbone. L'exclusivité technologique de cette voilure sont ses roues qui penchent dans les virages à un angle pouvant aller jusqu'à 20 degrés.

## MITSUBISHI *CZ3 TARMAC*

Ce *hatchback* cinq portes ressemble en fait à un coupé tant son stylisme est agressif, La CZ3 Tarmac, si jamais elle était produite dans un délai raisonnable, aurait un impact majeur dans sa catégorie. Cette fois, un écran LCD central est l'élément dominant de la planche de bord.

Aussi pratique qu'élégant, la CZ3 est une voiture de ville qui ne se fait pas prier au chapitre des performances. Son moteur quatre cylindres ,5 litre turbocompressé à injection d'essence directe est associé à une transmission intégrale empruntée à la Lancer Evolution.

## MITSUBISHI CZ2

Mitsubishi est supposé avoir la responsabilité de développer les petites voitures du groupe DaimlerChrysler à l'avenir. Le CZ2 augure de bien belles choses en raison d'une silhouette élégante associée à un habitacle spacieux par rapport aux dimensions extérieures.

Le tableau de bord est très dépouillé tandis que le sélecteur de vitesses de la boîte à rapports constamment variables est monté sur le volant. Le CZ2 est propulsé par un moteur quatre cylindres de 1,3 litre à calage variable des soupapes.

## MITSUBISHI S.U.P.

Le cabriolet S.U.P. (Sport Utility Pack) est l'une des voitures concepts les plus excentriques à avoir été lancées récemment. Sa silhouette est non seulement à part des autres, mais cette originale comprend des espaces de rangement amovibles intégrés dans les panneaux extérieurs des portières.

## MITSUBISHI S.U.P.

Les stylistes ont pensé à tout ou presque. Les accessoires pouvant être rangés un peu partout sont légion. L'élément le plus original est la douche intégrée. Le groupe propulseur est hybride. Un moteur à gaz actionne les roues avant tandis que les roues arrière ont chacun leur moteur électrique d'appoint.

## NISSAN *CROSSBOW*

De dimensions imposantes ce Nissan 4 roues motrices 4+2 est propulsé par un moteur V8. Comme le célèbre Hummer, le Crossbow est muni d'un dispositif spécial permettant de gonfler et dégonfler les pneus tout en roulant. S'inspirant de ces derniers, les stylistes ont conservé les parois latérales plates tout en arrondissant les angles.

## NISSAN *MICRA C + C*

Appelée à remplacer la Micra actuelle, la Micra C+C est une voiture concept fort intéressante. Malgré de très petites dimensions, elle permet de proposer un cabriolet à toit rigide et quatre vraies places. Elle est munie d'un toit *hardtop* révolutionnaire en verre qui se replie en moins de 20 secondes derrière le siège arrière. Même une fois le toit replié, la capacité du coffre est de 200 litres.

## NISSAN *IDEO*

Le tableau de bord est constitué d'un écran sur toute la longueur. Il permet d'obtenir les informations habituelles en plus d'être une source de divertissement et d'informations provenant de l'extérieur. Face au passager, un centre de navigation à vue tridimensionnelle permet d'obtenir des renseignements ultraprécis sur le positionnement de la voiture.

## NISSAN *NAILS*

Sans doute le véhicule concept le plus ésotérique de l'année, le Nails est une camionnette dont la cabine biplace en forme de A repose sur un plancher qui fait toute la longueur du camion. Le fini extérieur est d'une texture qui résiste aussi bien aux éraflures qu'aux impacts. Des pièces translucides de diverses couleurs permettent même de jeter un coup d'œil à la mécanique.

Cette camionnette est essentiellement conçue pour transporter des objets légers ou des articles de sport tels une planche de surf, un vélo de montagne ou un attirail de plongée. Un toile, retenue par des crochets, permet de donner accès à la caisse de chargement à partir de la cabine.

## PEUGEOT *RC*

Le coupé quatre places RC de Peugeot dévoilé au récent Salon de Paris ressemble à un modèle de production même si son constructeur nie le fait. Il peut être équipé d'un moteur à essence ou d'un diesel 2,2 litres. Malgré la petite cylindrée des moteurs, cet élégant coupé duo boucle le 0-100 km/h en 6 secondes et sa vitesse de pointe est de 230 km/h.

## PEUGEOT *SÉSAME*

Les concepteurs se sont amusés à greffer des portières coulissantes à une toute petite voiture. En fait, ces portières représentent plus du tiers de la longueur de cette Peugeot urbaine. Il faut avouer que l'idée n'est pas dépourvue de sens. Aidée par sa petite taille et ses portières à faible dégagement, la Sésame peut s'insérer presque partout.

## RENAULT *ELLYPSE*

Une fois de plus, Renault nous propose un monospace pas plus grand qu'une CLIO doté de quatre portes à battants. Cette configuration facilite grandement l'accessibilité à bord. Les ingénieurs ont également fait appel à des matériaux recyclables et doté le moteur diesel 1,2 litre de 100 chevaux d'un démarreur multifonction.

## RINSPEED *PRESTO*

Le Presto est un cabriolet extensible qui se transforme en deux ou quatre places selon les besoins. Pour réaliser cette transformation, les sièges arrière s'escamotent tandis que les parties avant et arrière coulissent sur des longerons. Il est propulsé par un moteur Mercedes quatre cylindres 1,7 litre de 120 chevaux capable de fonctionner alternativement au gazole ou au gaz naturel.

## SAAB BERTONE « NOVANTA »

Pour célébrer les 90 ans d'existence de la firme, Bertone a conçu la « Novanta ». Curieusement, il s'agit d'un concept lui-même dérivé d'une voiture concept, la Saab 3X. Les angles de la caisse sont plus aigus que ceux de l'original, accentuant la signature visuelle Bertone.

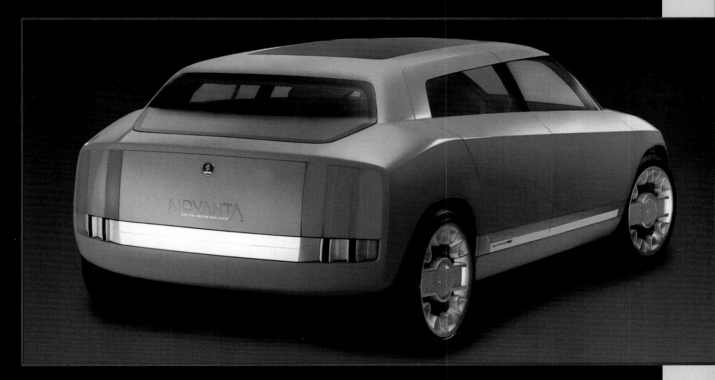

## SAAB BERTONE « NOVANTA »

Réalisé en collaboration avec SKF, la « Novanta » réussit à mieux intégrer que jamais les systèmes de freinage et de conduite par fil ou « Drive by Wire ». Il s'agit de la deuxième génération de ce système.

## SMART ROADSTER COUPE

La gamme de modèles Smart s'élargit au propre et au figuré. En effet, nous connaissons tous la diminutive City dont les dimensions lilliputiennes et la silhouette verticale en ont fait une voiture culte. Cette fois, la présentation est un peu plus conventionnelle. Avec un capot allongé et une partie arrière normale.

## SMART ROADSTER COUPE

Même s'il est plus long que la City, le coupé roadster n'est pas très gros non plus avec une longueur de 342 cm. Ce modèle sera commercialisé en Europe au printemps 2003 et il y a de fortes chances qu'ils soit distribué en Amérique du Nord un peu plus tard. Il est propulsé par un moteur trois cylindres de 600 cc.

## SPYKER *C8 LAVIOLETTE*

Dans le cadre du Concours d'Élégance de Pebble Beach l'été dernier, la firme hollandaise Spyker a présenté le concept C8 Laviolette inspiré des avions de chasse. En plus de ses portes en élytre, ce modèle se distingue par son châssis-cadre, ses suspensions avant et arrière réglables en alliage léger et son moteur Audi V8 de 4,2 litres et 400 chevaux. Extrêmement léger (1059 kilos), le Spyker C8 accélère de 0 à 100 km/h en 4,2 secondes et peut atteindre plus de 300 km/h. Sa commercialisation est prévue pour l'été 2003.

## TATA *INDIVA*

Malgré son nom assez peu politiquement correct, cette compagnie est l'un des grands constructeurs indien. L'Indiva est un autre véhicule «multifonction» comme c'est présentement la mode sur tous les continents. Cette voiture concept est dérivée de la plate-forme de l'Indica, le meilleur vendeur de Tata en Inde et a été dessinée par IDEA, la célèbre maison de design Italienne.

## TOYOTA POD

Voici la voiture qui nous transmet les états d'âme de son conducteur et même ses propres sensations si ce terme peut s'appliquer. Des bandes de diodes électroluminescentes placées à l'avant changent de couleur en fonction de l'humeur du conducteur. Par exemple, la couleur du bonheur est jaune, celle de la colère rouge tandis que le bleu exprime la tristesse.

## TOYOTA POD

L'avant et l'arrière du POD sont rigoureusement identiques. L'arrière se distingue toutefois par l'absence de diodes et la présence d'une «queue qui s'agite au gré des émotions. L'habitacle peut être modifié en trois arrangements des sièges : conduite, bienvenue et communication. Si les capteurs perçoivent que le conducteur est stressé, le système fera jouer de la musique apaisante pour le calmer.

## VENTURI FÉTISH

La première Venturi est née en 1984 du génie créatif de Claude Poiraud et Gérard Godfroy. Elle avait pour objectif d'être la seule voiture française de grand tourisme, mais en restant légère, 850 kg pour une cylindrée de 2 litres. Dix-huit ans plus tard, c'est de ce cahier des charges que naît la Venturi Fétish. Celle-ci se veut une voiture racée grâce à une carrosserie signée Sacha Lakic.

Cette authentique voiture sport française respecte la conception de légèreté de la marque en faisant osciller la balance à 850 kg. Son moteur quatre cylindres 2 litres développe seulement 180 chevaux, ce qui est quand même suffisant pour assurer un 0-100 km/h en 6 secondes.

# Lamborghini

## VEUT SORTIR DE L'OMBRE DE FERRARI

PAR **JACQUES DUVAL** PHOTOGRAPHE **UMBERTO GUIZZARDI**

*Sant'Agata, Bolognese, Italie. Il y a quelques années à peine, la marque italienne Lamborghini était à l'agonie. Malgré l'adulation dont elle faisait l'objet auprès des fanatiques de voitures hyperperformantes, les ventes stagnaient et la qualité des quelques Diablo qui sortaient laborieusement des chaînes de montage était loin d'être à la hauteur du prix astronomique demandé pour ce que certains considéraient comme des pseudo-Ferrari. Rescapée au bon moment par le consortium Volkswagen et mise sous la tutelle d'Audi en juillet 1998, la petite firme bolognaise de Sant'Agata peut maintenant envisager l'avenir avec optimisme, forte d'une crédibilité, d'un respect et d'une image fortement à la hausse. C'est cette ambiance rassurante et empreinte de détermination que j'ai retrouvée chez Lamborghini lors de ma visite en mai dernier.*

# Un nouveau départ cautionné par Audi

**S**ur le babillard de la cafétéria où défilent chaque jour les 540 employés d'Automobili Lamborghini S.p.A., quelqu'un s'est chargé d'épingler une page du journal Corriere Dello Sport (le pendant italien de L'Équipe) entièrement consacrée à la petite usine italienne et à sa dernière-née, la Murciélago. À première vue, le geste semble banal, sauf qu'il illustre de manière particulièrement éloquente un urgent besoin de notoriété pour une marque qui, malgré sa réputation internationale, cherche toujours la consécration dans son Italie natale. Il s'écrit annuellement des tonnes d'articles sur Lamborghini un peu partout dans le monde mais, curieusement, très peu dans la presse italienne qui préfère consacrer ses manchettes à Ferrari, le voisin d'à côté. Dès lors, on

V10 que notre ami Paul Frère nous avait fait découvrir dans les pages du Guide de l'auto 1996. Avec l'addition de ce second modèle à sa gamme, la marque fondée par Ferrucio Lamborghini en 1963 prévoit construire environ 1 700 voitures par année à partir de la fin de 2003.

### Le fruit d'une chicane

Il s'agira d'un chiffre record pour une compagnie née d'une dispute entre MM. Lamborghini et Ferrari. Constructeur de tracteurs agricoles et propriétaire d'une Ferrari GT plutôt problématique, le premier s'était

comprend mieux la place d'honneur réservée par les artisans de Lamborghini à l'article du grand quotidien de sport sur le mur de la cafétéria. Car la petite entreprise de Sant'Agata a de grandes ambitions, dont la plus pressante semble être de sortir enfin de l'ombre du grand seigneur de Maranello. On veut rejoindre le duo Ferrari/Maserati et faire partie de cette trilogie naturelle regroupant les trois constructeurs de « supercars » (pour reprendre l'appellation italienne) qui siègent en Émilie-Romagne.

### La manne d'Audi

Depuis plus de quatre ans maintenant, on a les outils, le savoir-faire et surtout les vastes ressources financières du groupe Volkswagen-Audi pour atteindre un tel objectif. « Désormais, quand on demande à un fournisseur de nous fabriquer... disons 400 essuie-glaces pour la Murciélago, il est beaucoup plus attentif à notre requête que dans le passé », nous a fait remarquer la sympathique Eleonora Negrin du service des relations publiques de Lamborghini. « Dans le passé, il pouvait nous envoyer promener si nous passions une commande aussi peu importante mais, aujourd'hui, il entrevoit la possibilité d'un contrat plus alléchant de la part d'Audi et il est beaucoup plus réceptif. » Si l'on ajoute à cela le bassin d'ingénieurs de la firme allemande, sa soufflerie et ses centres de recherche, on a une assez bonne idée des effets bénéfiques de sa présence aux commandes de Lamborghini.

La plus belle preuve de cet apport est très certainement la qualité d'assemblage (et sans doute aussi la fiabilité) de la Murcié-

lago, le premier modèle conçu, élaboré et construit sous la férule d'Audi.

### Roadster et « piccolo »

Si l'optimisme règne à Sant'Agata, c'est que la petite firme locale a de grandes ambitions. En quelques années, le personnel a pratiquement doublé, passant de 300 à 540 employés (dont 140 affectés à la recherche) et les cadences de production ne cessent d'augmenter. Pour 2002, on planifie de construire pas moins de 400 Murciélago au rythme de 1,7 voiture par jour, soit une centaine de plus que la Diablo 2001. L'année 2003 verra l'entrée en production d'une version roadster tandis que le prototype L140 devrait se matérialiser d'ici quelques mois. Il s'agit, précisons-le, d'une Lamborghini plus petite (« piccolo ») et de prix plus abordable destinée à rivaliser avec la Ferrari 360 Modena, les Maserati Spyder ou coupé et la Porsche 911 Turbo. Ce modèle ne sera pas sans rappeler, d'ailleurs, la superbe Calà à moteur

« *Lamborghini prévoit construire environ 1 700 voitures par année à partir de la fin de 2003.* »

adressé au « Commendatore » pour lui faire part de ses doléances et lui dire comment améliorer ses voitures. L'histoire veut que M. Ferrari ait suggéré à M. Lamborghini d'aller s'occuper de ses tracteurs et de se mêler de ses affaires. Ce à quoi le bouillant Ferrucio répondit en créant sa propre usine de voitures sport haute performance afin d'entretenir la chicane. L'entreprise a eu ses moments forts, notamment avec l'extraordinaire Miura (Guide de l'auto 1972) et la plus récente Diablo, mais elle a aussi connu sa large part de jours sombres dont une quasi-faillite en 1977. La marque a vivoté pendant la majeure partie de son existence, passant entre les mains de quatre propriétaires (dont Chrysler de 1987 à 1994) avant d'être rachetée par Audi.

# Le musée : F1, 4X4 et offshore

Pendant mon séjour chez Lamborghini pour l'essai de la Murciélago, j'ai eu l'occasion de visiter le magnifique musée de la marque, récemment rénové par Audi. Couvrant deux étages, l'endroit regroupe une collection étonnamment complète des plus célèbres réalisations de Lamborghini. On y trouve la toute première 350 GT de 1964 qui fit ses débuts au Salon de Genève cette année-là. Dotée d'un moteur V12 à 4 arbres à cames en tête de 3,5 litres développant 280 chevaux,

*La première voiture commercialisée par Lamborghini fut cette 350 GT 1964.*

*La Countach (à gauche) et la Diablo encadrent ici leur fameux châssis.*

elle n'avait rien à envier sur papier aux Ferrari de l'époque avec une vitesse de pointe de 250 km/h.

On peut aussi y admirer deux exemplaires de la spectaculaire Miura, l'une datant de son entrée en production en 1966 et l'autre, une version S 1970 peinte en jaune, identique à celle que j'avais poussée à 173 mi/h sur la route 30 au cours de l'été 1971.

La place d'honneur du musée revient au plus célèbre duo de l'histoire de Lamborghini, la Countach et la Diablo qui sont présentées côte à côte, encadrant le fameux châssis tubulaire qui les caractérisait. La première Countach LP 400 date de 1974 tandis que le dernier exemplaire fut produit en 1989 avant de céder sa place à la futuriste

*C'est avec la Miura (ici en version S) que Lamborghini a acquis ses lettres de noblesse en 1966. Le Guide de l'auto l'avait poussée à 173 mi/h.*

Diablo, introduite en 1990 comme la voiture de série la plus rapide au monde avec une vitesse de pointe de 202 mi/h ou 325 km/h.

La visite du musée permet aussi de se familiariser avec les diverses autres activités de Lamborghini dont les moteurs marins

*Lamborghini a aussi fait une brève incursion en Formule 1 entre 1989 et 1993, notamment avec l'écurie Larrousse.*

haute performance qui propulsent les bateaux de type offshore. Un V12 de 950 chevaux a d'ailleurs donné à la marque italienne le championnat du monde de la Classe 1 en 1994.

L'emblème du taureau n'a toutefois pas connu un épisode aussi fructueux en Formule 1 où les écuries Lola, Lotus, Ligier, Venturi, Minardi et Larrousse n'ont récolté que 9 points au championnat des constructeurs entre 1989 et 1993 avec des moteurs Lamborghini. Pour la saison 1991, la firme bolognaise avait même construit son propre châssis, mais les pilotes maison Nicola Larini et Eric van de Poele furent incapables de terminer dans les six premiers une seule fois. Malgré tout, trois monoplaces occupent une place de choix au second étage du musée Lamborghini.

Pas très loin de celles-ci, un imposant 4X4 baptisé LM001 rappelle le bref passage de la marque dans le créneau des utilitaires sport entre 1977 et 1982. Avec ses allures de Hummer, cet imposant engin était livré avec un moteur V12 de 4,7 litres ou encore un V8 Chrysler de 360 chevaux. Comme le soulignait si bien notre guide, Eleonora Negrin, ce 4X4 aurait fait fureur… si seulement il était arrivé quelques années plus tard au moment où l'engouement pour ce genre de véhicule a commencé à se manifester.

Parmi les autres perles rares du musée, on peut mentionner un nombre imposant de modèles GT dont l'Islero 400 GT (1968), le coupé 4 places Espada (1968 également), la

*Le bon véhicule au mauvais moment : le 4X4 Lamborghini LM001 à moteur V12 (dont on voit ici la structure) fut produit entre 1977 et 1982. C'était le Hummer de son temps.*

*L'une des premières voitures sport 4 places, la Lamborghini Espada de 1968.*

Jarama (1970), l'Uracco P250 (1972) ainsi que la Jalpa à moteur V8 central (1982), une voiture plus petite et moins coûteuse qui devait permettre à Lamborghini d'accroître ses ventes. Mais toutes ces belles réalisations

ont été victimes d'une série d'événements malheureux et d'un manque de fiabilité qui ont considérablement nui à l'image de la marque jusqu'à ce qu'Audi la remette sur les rails il y a un peu plus de quatre ans.

# Des voitures cousues-main

Aujourd'hui, l'usine de 100 000 m² bourdonne d'activité et une visite des lieux tranche carrément avec ce que l'on voit habituellement chez les grands constructeurs automobiles. Une bonne part de l'assemblage des Murciélago est faite à la main comme à la belle époque des artisans de l'automobile. Les tâches les plus délicates sont confiées à des femmes et il faut voir avec quel doigté elles coupent les grandes peaux de cuir multicolores qui serviront à l'habillage du tableau de bord. Tout à côté, une ouvrière toute souriante s'affaire devant sa machine à coudre pendant qu'un collègue fignole un bloc d'instruments regroupant l'indicateur de vitesse affichant 360 km/h et le compte-tours gradué à 9 000 tr/min.

Les carrosseries, précisons-le, sont fabriquées à l'extérieur par un fournisseur qui les livre à l'usine entièrement peintes et prêtes à habiller les châssis tubulaires et tous les éléments mécaniques de la Murciélago. Elles sont couvertes d'une bâche protectrice de la même couleur que la peinture, soigneusement alignées et numérotées selon la destination de la voiture et le nom du client.

*Du cuir de toutes les couleurs.*

*La machine à coudre des tableaux de bord.*

*La carrosserie entièrement dénudée de la Murciélago telle qu'elle arrive à l'usine.*

*Un indicateur de vitesses qui affichera bientôt autour de 330 km/h.*

*L'assemblage commence.*

À environ 400 000 $ l'unité, il va sans dire que chacune de ces Lamborghini n'est construite qu'une fois qu'elle a été vendue. L'acheteur peut d'ailleurs s'offrir plusieurs options personnelles, dont des couleurs tout à fait exclusives.

Une autre opération faite entièrement à la main est l'assemblage du moteur et de la boîte de vitesses. Ainsi, chaque moteur est sous la responsabilité des deux mêmes employés qui, du début à la fin, réunissent toutes les pièces qui permettront à ce gigantesque V12 de tourner à 7 000 tr/min dans une symphonie de sons et de puissance.

J'ai eu beau chercher, je n'ai pas vu un seul robot dans cette usine superbement

*L'assemblage achève.*

**Des Murciélago de toutes les couleurs.**

éclairée et d'une impeccable propreté. Bref, quand on dit que ces voitures sont cousues main, on n'est pas très loin de la vérité.

Si j'en juge par ce que j'ai vu à Sant'Agata, Lamborghini est en plein redressement (ou en pleine renaissance) et, pour la première fois de son histoire, la petite marque italienne semble à l'abri de l'humeur changeante du marché automobile. Sous le parapluie financier d'Audi, avec une voiture aussi désirable que la Murciélago et des projets plein ses cartons, il serait étonnant que le duo Ferrari/Maserati continue de dormir sur ses deux oreilles.

**L'assemblage du moteur et de la boîte de vitesses est fait à la main.**

# Entre l'art
## et l'automobile
### Au volant de la voiture de série la plus rapide au monde

Luc Donckerwolke

PAR **JACQUES DUVAL** PHOTOGRAPHE **UMBERTO GUIZZARDI**

*Rien ne peut lui tenir tête. Ni une Porsche 911 Turbo, ni une Aston-Martin Vanquish, ni même la nouvelle Ferrari 575 Maranello. Record dûment homologué en poche, la sublime Lamborghini Murciélago est la voiture sport la plus rapide sur cette planète. Elle est aussi la plus puissante. Jacques Duval l'a essayée chez elle, en Italie.*

*Sant'Agata, Bolognese, Italie.*

Umberto en était au moins à sa 500e photo et chaque fois qu'il changeait d'angle pour prendre un nouveau cliché, je ne pouvais m'empêcher de regarder la voiture vers laquelle pointait son objectif. La Lamborghini Murciélago est à ce point envoûtante, fascinante, attirante que l'on ne se lasse jamais de l'admirer. Telle une œuvre d'art que l'on contemple un long moment afin d'en saisir toutes les subtilités, cette voiture se renouvelle à chaque regard. Pas étonnant que le photographe que j'avais embauché pour la circonstance m'ait remis à la fin de la journée 21 rouleaux de film, soit 756 photos de la dernière création de Lamborghini. Lui aussi avait été hypnotisé par la robe radieuse de cette Murciélago.

Pourtant, ce n'est pas l'un des grands carrossiers italiens qui est à l'origine de cette magnifique synthèse entre l'art et l'automobile. La voiture a été dessinée par Luc Donckerwolke, un styliste belge qui fait carrière chez Audi. Son design a ceci de particulier qu'il marie avec une harmonie peu commune certains traits de caractère des anciennes

Lamborghini aux lignes provocantes et viriles de modèles plus récents tout en étant parfaitement épuré.

D'ailleurs, dès que j'ai jeté un coup d'œil dans le rétroviseur pour essayer de voir si je pouvais changer de voie sans entendre hurler l'Italie tout entière, je me suis subitement retrouvé 32 ans plus tôt au volant d'une certaine Lamborghini Miura. Avec ces volets qui traversent la lunette arrière, la Murciélago reprend un des éléments de style de sa célèbre devancière, héritant du même

coup d'une visibilité assez précaire. Toutefois, un tout petit coup d'accélérateur m'a vite ramené à la réalité des 580 chevaux qui piaffaient dans mon dos, soit 210 de plus que dans l'ancienne Miura qui m'avait emmené à 173 mi/h (280 km/h) par un beau matin de l'été 1971. Mais trêve de souvenirs…

### Format XXL
Nous venons de sortir d'Automobili Lamborghini, via Modena à Sant'Agata, moi au volant et Moreno, le pilote d'essai maison,

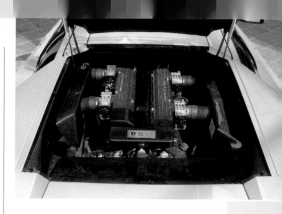

à mes côtés. Je ne fais que commencer à apprivoiser la bête dans la circulation d'un vendredi matin. L'embrayage est ferme mais pas trop et les risques de caler le moteur en partant sont quasi inexistants, comme j'ai pu le constater il y a un instant. Malgré ses airs d'extraterrestre, la Murciélago fait preuve de civilité. Comme dans les anciennes Diablo, la position de conduite n'est pas terrible et l'on ne sait pas très bien quoi faire de son pied gauche entre les changements de rapport. Il y a bien un repose-pied au plancher, mais on manque d'espace pour détendre la jambe. En plus, il vaut mieux porter des souliers étroits plutôt que des baskets pour conduire,

dure de la route. Première leçon : la Murciélago est large, très large et son rayon de braquage (12,5 mètres) est énorme. Oubliez la maniabilité et les espaces de stationnement serrés. Et la piètre visibilité de ¾ arrière n'arrange pas les choses non plus.

### Le spectacle des portes

Que dire d'autre d'un aménagement intérieur bien secondaire compte tenu de la vocation plus ludique que pragmatique d'une telle voiture ? Parlons tout de même de ces fameuses portes en élytre qui, comme dans la précédente Diablo, restent la signature visuelle la plus spectaculaire de la Mur-

d'arthrite pour s'engouffrer ou s'extraire d'une automobile dans laquelle l'esthétique transcende l'aspect pratique. Il ne faut pas compter non plus sur les espaces de rangement qui sont plutôt clairsemés dans l'habitacle. À moins d'être seul à bord et d'utiliser le siège de droite pour y déposer certains objets, même le porte-document devra trouver refuge dans le coffre avant où il pourra être rejoint par un ou deux petits sacs de voyage souples, rien de plus.

Ces détails viennent nous rappeler que nous sommes en présence d'une vraie voiture sport plutôt que d'une GT. Encore une fois, la performance optimale a préséance sur les considérations purement pratiques.

Le conducteur peut d'ailleurs surveiller de près sa mécanique et ses performances grâce à une série de cadrans bien alignés où domine l'indicateur de vitesse gradué jusqu'à 360 km/h et le compte-tours dont la zone interdite débute à 7 700 tr/min. De part et d'autre se trouvent la jauge de température et le manomètre de pression d'huile (à droite) ainsi que la jauge à essence et l'ampèremètre (à gauche). Quant à la console centrale, elle accueille l'imposant levier de vitesses chromé qui se tient bien droit dans sa grille métallique à proximité du petit bouton servant à régler manuellement les quatre modes d'amortissement de la suspension, allant de ferme à extraferme. Les plus braves disposent aussi d'un interrupteur qui annule l'antipatinage tandis qu'un autre bouton sert à faire sortir l'aileron arrière qui, autrement, ne se déploie que graduellement à des vitesses préréglées : 50 % à partir de 130 km/h, 70 % à 220 km/h et complètement à 220 km/h et plus. Allô police !

Eu égard à sa largeur extrême (2 cm de plus qu'un Chevrolet Avalanche), la Murciélago peut se faire plus mince au besoin grâce à une autre petite touche qui rabat les rétroviseurs extérieurs afin de pouvoir circuler

car les pédales sont assez rapprochées. Après quelques minutes, tout se passe déjà mieux... jusqu'à ce que mon guide pousse un cri d'avertissement. En virant à gauche sur une route secondaire, je suis passé à moins d'un millimètre (bref, l'épaisseur de vous savez quoi) d'un petit poteau en bor-

ciélago. Faciles à ouvrir ou à fermer de l'extérieur, elles le sont un peu moins quand on est calé dans le siège du conducteur et l'effort exigé, surtout pour les faire descendre de leur perchoir, est notable. Un mécanisme électrique eût été le bienvenu dans les circonstances. Bref, mieux vaut ne pas souffrir

dans les rues étroites de certains villages italiens. Cette Lamborghini sait aussi se hisser sur le bout des pieds si les conditions l'exigent. Mon accompagnateur vient justement de me demander d'arrêter la voiture avant d'aborder l'entrée d'une cour qui n'est pas tout à fait au même niveau que la route. Il appuie sur le bouton de réglage de l'essieu avant et la voiture voit sa garde au sol gagner un précieux 4,5 cm, juste assez pour ne pas racler le sol comme cela se produisait souvent avec l'ancienne Miura.

### L'appréhension en prélude au plaisir

La fiche technique est assez éloquente en elle-même, mais ne saurait être complète sans quelques informations additionnelles. Par exemple, la fibre de carbone a joué un rôle prépondérant dans le maintien du poids à un niveau inférieur à celui d'une Ferrari 575 Maranello. Utilisée pour renforcer le châssis tubulaire, elle habille aussi la carrosserie à l'exception des portes et du toit. Comme la Diablo VT, la Murciélago réussit à contenir ses 580 chevaux en ayant recours à une traction intégrale permanente contrôlée par un visco-coupleur central. La nouvelle boîte de vitesses manuelle à 6 rapports (la seule au catalogue) est placée en avant du moteur, selon la tradition Lamborghini. Le moteur V12 de 6,2 litres a pu être installé 5 cm plus bas grâce à l'utilisation d'un système de lubrification par carter sec dans lequel les 12 litres d'huile reposent dans un réservoir séparé.

Même après plus de 35 ans de métier, j'ai toujours une certaine appréhension

quand je prends le volant d'une voiture d'exception comme celle-ci. Son prix, ses performances et sa conduite sont autant de détails qui font peur de prime abord, surtout quand vous avez l'impression que vos moindres gestes sont épiés. Après l'incident du poteau, ce fut celui du giratoire vers lequel je m'amenais à haute vitesse en assumant que j'avais priorité et que le camionneur qui arrivait sur ma droite m'avait vu et me céderait le passage. Pas du tout et Moreno en fut quitte pour sa deuxième crise d'apoplexie. Mais les freins de la Murciélago ont sauvé les honneurs et du même coup ma réputation. On s'imagine mal avoir à revenir d'un tel essai sur un camion-remorque.

Cela dit, la voiture m'inspire une grande confiance et je me hasarde à exploiter ses phénoménales accélérations. J'enfonce l'accélérateur à fond en seconde et, arrivé au régime maximal de 7 700 tr/min, je jette un rapide coup d'œil sur l'indicateur de vitesse : 150 km/h. Je n'en crois pas mes yeux. Cinquante kilomètres au-dessus de la vitesse maximale permise au Québec et il reste 4 autres rapports à enclencher. La sensation est d'autant plus impressionnante que chaque montée en régime s'accompagne, vers 4 500 tr/min, d'une vibration qui se répercute dans la caisse et qui me rappelle une certaine Formule 1 essayée il y a deux ans sur le circuit de Shannonville, en Ontario. À 200 km/h, mon copilote me fait savoir que nous sommes toujours sur une petite route secondaire et que ce serait sans doute plus prudent de ralentir. J'en profite pour rétro-

grader et utiliser pleinement la puissance du moteur à moyen régime. Le levier de vitesses se laisse guider sans effort avec ce petit « clunk » bien particulier qui fait si plaisir à l'oreille et le V12 fait preuve d'une belle souplesse même si j'ai pu me rendre compte que c'est autour de 4000 à 4500 tr/min qu'il commence à pousser sérieusement.

### Le record du monde

Tout va si vite que je n'ai plus le temps de regarder le compte-tours et l'indicateur de vitesse en même temps. Tout ce que je peux vous dire, c'est que la Murciélago possède un 6e rapport dont chaque plage de 1000 tours équivaut à 54 km/h, ce qui signifie que la voiture pourrait théoriquement atteindre 415 km/h à 7 700 tr/min. En pratique, cependant, et en raison de facteurs aérodynamiques, la vitesse maximale se situe autour de 330 km/h. Et ce n'est pas du bluff. Afin de prouver que la Murciélago était bel et bien la voiture sport la plus rapide au monde, Lamborghini s'est attaquée à plusieurs records dans la nuit du 16 février 2002 sur la piste de Nardò/Puglia en Italie. Malgré des conditions climatiques défavorables, une Murciélago jaune de série a couvert la distance de 305,041 km en une heure en plus de réaliser plusieurs tours de ce circuit de 12 km à plus de 320 km/h de moyenne. Lamborghini a aussi établi une autre marque mondiale pour les voitures de série de catégorie B (avec moteurs à aspiration normale de plus de 6 litres) et empoché le record sur la distance de 100 km avec une moyenne de 320,023 km/h. Même si ces records ont été entérinés par la FIA

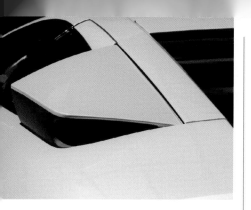

| LAMBORGHINI MURCIÉLAGO | |
| --- | --- |
| Prix | 378 900 $ |
| Garantie | 2 ans kilométrage illimité |
| Type | coupé 2 portes en ailes de mouette à moteur central et traction intégrale |
| Carrosserie | fibre de carbone et acier |
| Châssis | cadre tubulaire en acier renforcé de fibre de carbone |
| Emp. /Long. /Larg. / Haut. (cm) | 266,5 / 458 / 204,5 / 113,5 |
| Poids | 1 650 kg |
| Répartition du poids | av. 42 % ; arr. 58 % |
| Réservoir à essence/huile | 100 litres / 12 litres |
| Suspension av./arr. | leviers triangulaires transversaux doubles, barres anti-dévers, roues indépendantes |
| Freins | disque ventilé |
| Direction | à crémaillère, assistée |
| Diamètre de braquage | 12,5 mètres |
| Pneus av./arr. | P245/35ZR18 / P335/30ZR18 |
| Moteur | 12 cylindres en V à 60 ° 6,2 litres 48 soupapes |
| Puissance | 580 ch à 7 500 tr/min; 575 ch (version nord-américaine) |
| Couple | 480 lb-pi à 5 400 tr/min |
| Type / Transmission | intégrale à visco-coupleur central / manuelle 6 rapports |

| PERFORMANCES | |
| --- | --- |
| Accélération | 0-100 km/h 3,8 secondes, 0-200 km/h 11,4 secondes |
| Vitesse maximale | plus de 330 km/h |
| Consommation (100 km) | de 15 à 30 litres |

| POUR | |
| --- | --- |

Performances diaboliques • Tenue de route phénoménale • Ligne spectaculaire • Finition soignée • Confort adéquat

| CONTRE | |
| --- | --- |

Niveau sonore élevé • Utilisation limitée • Piètre visibilité • Prix astronomique • Largeur excessive • Vibrations du châssis

(Fédération internationale de l'automobile), la marque italienne compte récidiver prochainement et est convaincue de pouvoir faire mieux par une température plus clémente.

Mais, revenons sur les petites routes de la région de Bologne où de telles vitesses auraient été suicidaires. La Murciélago est une voiture qui a besoin de grands espaces pour se mettre en vedette et sa largeur est telle qu'il faut pratiquement s'arrêter et se ranger sur le bas-côté de la route quand vient le moment de croiser un autre véhicule.

J'ai tout de même profité de l'absence de mon accompagnateur au moment où il conduisait la voiture du photographe pour explorer un peu la tenue de route. Celle-ci se caractérise par une absence totale de roulis ou de tangage. La voiture est parfaitement ancrée au sol et refuse de s'écarter de sa trajectoire. Pour cela, toutefois, il faut avoir préalablement réchauffé les pneus qui, autrement, montrent assez peu de mordant.

Les freins aussi exigent d'être sollicités à quelques reprises avant d'atteindre leur plein potentiel tandis que la direction a cette

légèreté qui caractérise la plupart des voitures à moteur central.

Bien qu'elle exige une bonne dose de concentration et un certain effort physique, la conduite de cette Murciélago s'avère relativement confortable grâce à une suspension qui n'est jamais trop brutale. En plus, si les 7 800 km au compteur de la voiture d'essai sont un indice, la qualité de construction a fait des progrès.

Me revoilà devant l'usine Lamborghini à l'issue d'une journée de rêve. Les voitures comme celle que je viens de conduire sont rares et l'essai de chacune est une expérience unique. Sans vous dévoiler mon âge, je peux vous dire que j'ai depuis longtemps dépassé le temps de l'exaltation et de l'enthousiasme immodéré. Mais la passion est toujours là et celle que j'ai éprouvée ce jour-là pour la Lamborghini Murciélago fait partie des plus beaux souvenirs d'un journaliste automobile.

# Maybach

## Le summum du raffinement automobile

PAR **JACQUES DUVAL**

*La voiture des gens riches et célèbres a un nouveau nom : Maybach. C'est du moins ce qu'espère son constructeur, Mercedes-Benz, qui n'a rien ménagé pour que sa dernière création se hisse devant les Rolls Royce ou Bentley au pinacle du raffinement automobile. Nouvelle référence du nec plus ultra dans l'étroit créneau des limousines de prestige, cette Maybach ne badine pas avec les chiffres. Avec ses 2 855 kilos (plus de trois tonnes), ses 6,2 mètres (plus de 20 pieds), ses 550 chevaux, son couple de 900 Nm (663 lb-pi) et son prix de 700 000 $, elle est destinée à l'élite mondiale. Témoin, son carnet de commandes qui regroupe déjà sa bonne part de têtes couronnées, de rois du pétrole, de magnats de la haute finance et de superstars.*

Cette voiture d'exception a eu droit, en juillet dernier, à une première mondiale… exceptionnelle. Achevée de construire le 24 juin 2002 dans sa propre manufacture de Sindelfingen en Allemagne, la première Maybach à voir le jour a ensuite entamé un long périple sur terre, sur mer et dans les airs. Elle a d'abord été acheminée vers Southampton en Angleterre où elle a été placée dans une cage de verre avant d'être embarquée sur le pont supérieur du *Queen Elizabeth II*, le vaisseau amiral de la compagnie maritime Cunard. Le luxueux paquebot a ensuite entrepris sa longue traversée de l'Altantique en direction de New York où il a fait une entrée triomphale dans la rivière Hudson aux petites heures du matin le 2 juillet. Passant tour à tour sous le pont

# 700 000 $,
# 20 pieds
# de longueur,
# 3 tonnes,
# 550 chevaux

Verrazano reliant Staten Island au quartier de Brooklyn et devant la statue de la Liberté, le *Queen Elizabeth II* a été accueilli par plusieurs centaines de journalistes, de caméramans, de dignitaires et de curieux avant d'être dépouillé de sa précieuse cargaison par un hélicoptère Sikorsky. Dans un suspense digne de Hollywood. la Maybach a été soulevée dans les airs et transportée jusqu'au quai de Wall Street avant d'être conduite dans les rues de Manhattan en direction de la salle de bal de l'hôtel Regent. C'est là que le professeur Jürgen Hubbert, membre de la haute direction de Mercedes-Benz a fouillé dans le dictionnaire des superlatifs pour nous présenter le dernier joyau de l'industrie automobile. Ce fut, soulignons-le, un moment privilégié et il ne fait aucun doute qu'avec l'arrivée de la Maybach, une nouvelle page de l'histoire de l'automobile vient de s'écrire.

## Un brin d'histoire

À propos d'histoire justement, rappelons que cette voiture n'est pas un nouveau modèle de la gamme Mercedes et que l'étoile à trois pointes, emblème de la marque, en

est complètement absente. Bien qu'appartenant au groupe DaimlerChrysler, Maybach est une marque en elle-même qui a d'ailleurs déjà existé entre 1919 et 1941. Spécialisée dans les automobiles de luxe exclusives, la firme fabriqua 1 800 véhicules de grande valeur au cours de 22 ans d'existence, dont le plus célèbre fut sans aucun doute le DS8 « Zeppelin » construit en 1931. Le point commun entre Mercedes et Maybach est que Wilhelm Maybach fut directeur technique de la Daimler-Motoren-Gesellschaft et qu'il construisit la première

Mercedes en 1901. Il se tourna ensuite vers la fabrication de moteurs à grande puissance pour les dirigeables du comte Ferdinand von Zeppelin pendant que son frère Karl lançait l'entreprise automobile Maybach.

La renaissance de cette marque légendaire fait revivre également son emblème en forme de double M : les deux lettres entrelacées étaient autrefois l'abréviation de « Maybach Motorenbau » alors qu'elles sont aujourd'hui le logo de la Manufacture Maybach.

Ceux et celles qui se demandent s'il existe une clientèle pour une voiture semblable seront surpris d'apprendre que le marché annuel pour des limousines de ce genre est estimé à environ 8 000 unités. C'est donc dire qu'avec une production prévue de 1000 exemplaires, Mercedes n'a aucune raison de s'inquiéter de la rentabilité de l'opération. La firme allemande a d'ailleurs grandement bénéficié dans cette aventure de la guerre que se sont livrée BMW et Volkswagen pour le rachat des marques Rolls Royce et Bentley. Pendant que ces deux adversaires perdaient leur temps à se chamailler, Mercedes se penchait sur sa table à dessins et préparait son assaut sur le marché de la voiture de prestige.

## Salle de concert et bureau roulant

Mais qu'est-ce que la Maybach peut bien avoir à offrir pour justifier un prix aussi faramineux? Si cela peut vous rassurer, précisons d'abord que vous pourrez économiser 200 000 $ en optant pour la version «économique». Pour un simple demi-million de nos pauvres dollars, vous aurez droit à la version à empattement court désignée comme la 57 (pour 5,7 mètres) tandis que la version allongée 62 (6,2 mètres) est considérée comme le modèle-phare de la gamme. Il donne, c'est le cas de le dire, une nouvelle dimension au luxe automobile avec une distance-record de 1,57 mètre entre les sièges avant et arrière. C'est l'espace qu'il fallait pour permettre de transformer les sièges arrière en couchette comme dans les fauteuils de première classe à bord d'un 747.

La Maybach 62 se veut nécessairement une salle de concert et un bureau roulant. À cette fin, elle dispose d'une chaîne audio de 600 watts à 21 haut-parleurs à effet «sur-round», de deux téléviseurs et de lecteurs DVD et CD. Et pour faciliter la communication entre les occupants de la voiture et le monde extérieur, la voiture comporte 77 calculateurs électroniques travaillant en interaction en échangeant leurs informations via cinq réseaux ultraperformants.

Si jamais vos invités ont soif malgré la présence de deux climatiseurs, vous pourrez toujours avoir recours au minibar réfrigéré et en extraire une bouteille de champagne que vous pourrez servir dans des coupes en argent Sterling aux armoiries de la voiture et pour lesquelles on a prévu un porte-verres spécial. Les concepteurs de la Maybach ont voulu que la voiture incarne

la grandeur avec une élégance infinie et on peut dire que leur but a été atteint même si la ligne de cette limousine est loin d'être irrésistible. Imposante oui mais sûrement pas séduisante.

## 2 millions d'aménagements différents

Sachant très bien que le client d'une Maybach recherche une certaine exclusivité dans tout ce qu'il achète, le programme d'équipements optionnels de la voiture offre plus de deux millions de possibilités différentes d'aménager cette limousine de grand luxe selon leurs goûts personnels.

On propose aussi trois

## LISTE DES PRINCIPAUX ÉQUIPEMENTS MAYBACH 62

- Allumage automatique des phares
- Aluminium pour les portières, le pavillon, les ailes et le capot moteur
- Boiseries en ronce de noyer, amboine ou merisier
- Capteur de pluie pour les essuie-glaces
- Capteur de pollution pour l'air arrivant de l'extérieur
- Capteur solaire pour la climatisation de l'habitacle
- Casque d'écoute sans fil pour les passagers arrière
- Chargeur 6 CD à l'arrière
- Ventilation autonome alimentée par électricité solaire
- Chauffage du volant
- Clé électronique
- Deux climatiseurs à quatre zones
- Cloison de séparation avec vitre escamotable et verre électrotransparent
- Centre de contrôle avec écran couleur pour navigation, lecteur DVD et réception TV
- Contrôle de pression des pneus durant la marche
- Dossiers à redressement automatique sur les sièges arrière de relaxation
- Dossiers multicontours avec fonction massage
- Double allumage à courant alternatif
- Éclairage d'ambiance durant la conduite
- Fermeture assistée des portières et du couvercle du coffre
- Feux arrière totalisant 528 diodes
- Filtres à charbon actifs
- Filtre antipoussières et pollen
- Installation téléphonique avec deux combinés sans fil
- Interphone
- Lamelles décoratives de bois précieux avec discrets filets de chrome
- Lave-phares
- Lecteur DVD à l'arrière
- Minibar réfrigéré avec compresseur autonome
- Peinture métallique bicolore
- Planche de bord habillée de cuir
- Projecteurs bi-xénon
- Récepteur TV à l'arrière
- Son Dolby Surround à toutes les places
- Système de navigation avec guidage dynamique
- Toit panoramique avec vitre électrotransparente et ciel coulissant éclairé
- Ventilation active des sièges
- Vitrage infrarouges

types de placages (le merisier, l'amboine, ou la ronce de noyer) pour la centaine de pièces en bois qui ornent les contre-portes et la console centrale. La liste des options est particulière et fait état d'accessoires spéciaux allant de l'ensemble de valises au sac de golf en passant par le tapis de sol en velours extradoux et l'humidificateur.

Les designers de la Maybach ont aussi mis au point un éclairage d'ambiance dont la principale attraction est sans doute le ciel coulissant du toit panoramique. À base de cristaux liquides, il devient transparent ou opaque sur simple pression d'un bouton Il s'agit là d'une innovation dans le secteur automobile puisque les films électroluminescents n'étaient utilisés jusqu'ici que pour l'éclairage des petites surfaces comme le visuel d'un téléphone.

Finalement, si jamais votre chauffeur (non fourni) vous faisait le coup de l'infortunée Lady Dy, on a prévu un total de 10 coussins de sécurité pour protéger votre précieuse personne.

| MAYBACH 62 (Données de l'usine) | |
|---|---|
| Moteur | V12 bi-turbo 5,5 litres 3 soupapes par cylindre |
| Puissance | 550 ch à 5250 tr/min |
| Couple | 663 lb-pi entre 2300 et 3000 tr/min |
| Transmission | propulsion, automatique 5 rapports |
| Suspension avant | essieu à doubles bras transversaux, suspension pneumatique avec correcteur d'assiette, géométrie antiplongée et barre de torsion |
| Suspension arrière | essieu multibras, suspension pneumatique avec correcteur d'assiette, géométrie anticabrage et antiplongée, barre de torsion |
| Freinage | électrohydraulique, freins à disque ventilé à l'avant et à l'arrière, ABS et freinage d'urgence assisté |
| Direction | assistée à circulation de billes avec amortisseur |
| Diamètre de braquage | 14,8 mètres |
| Pneus | P275/50R19 |
| Emp. / Long. / Larg. / Haut. (cm) | 383 / 616,5 / 198 / 157 |
| Poids en ordre de marche | 2 855 kg |
| Coffre / Réservoir | 600 litres / 110 litres |
| Accélération 0-100 km/h | 5,4 secondes |
| Vitesse maximale | 250 km/h (limitée) |
| Consommation (100 km) | 25 litres (ville) |

## C'est aussi une automobile

À ce stade-ci, on a pratiquement oublié que cette description est celle d'une automobile et non pas d'un chic appartement. Or, ce véritable salon particulier peut aussi rouler et même vous emmener à votre prochain rendez-vous plutôt rapidement.

Si l'étoile à trois pointes de Mercedes n'apparaît nulle part dans la Maybach, les ressources technologiques de la grande firme allemande sont présentes partout dans cette limousine. Cela va du moteur V12 de 5,5 litres gavé par deux turbocompresseurs dont la puissance atteint 550 chevaux assorti d'un couple de 663 lb-pi entre 2300 et 3000 tr/min au nouveau système de freinage électrohydraulique mis au point par Mercedes pour la dernière SL. Dans la Maybach, ce dispositif possède deux unités centrales, deux accumulateurs haute pression et deux blocs hydrauliques assurant au total huit circuits de freinage. Il en va de même pour la suspension pneumatique à système d'amortissement « adaptatif » et pour toutes les autres composantes mécaniques.

Excessive, prestigieuse, fascinante, unique et outrageusement chère, la Maybach ne contribuera sans doute d'aucune façon à l'évolution de l'automobile. Pour les mêmes raisons toutefois, elle en enrichira l'histoire.

# Les petites
# *polyvalentes*
## *se mesurent*

TEXTE ET PHOTOS **DENIS DUQUET**

*La popularité des véhicules utilitaires sport en agace plusieurs, mais il faut au moins admettre que cet engouement a également des effets positifs. Les gens sont en effet de plus en plus sensibilisés au côté pratique de leur automobile et les familiales se retrouvent plus en demande qu'avant. Plusieurs en apprécient l'aspect pratique, mais sont un peu déroutés par leur format. Il s'est donc développé un intéressant marché de petites familiales dont la configuration s'apparente davantage à celle d'une* hatchback *cinq portes qu'à une familiale proprement dite.*

La ligne de démarcation est mince entre les deux catégories, mais certains constructeurs tiennent mordicus à appeler leur véhicule *hatchback* et non pas familiale. Il faut dire que ce type d'automobile n'a pas toujours eu bonne presse chez nos voisins du Sud. Leur image est souvent associée à une utilisation en tant que taxi familial qui sert plus à se rendre aux centres commerciaux et à conduire les enfants à l'école qu'à effectuer des randonnées stimulantes sur une route parsemée de virages serrés. Vous trouvez ça ridicule de choisir une auto en fonction de son image et pas nécessairement selon ses besoins? Vous avez raison à 100%, mais le marché de l'automobile semble plutôt basé sur les émotions que sur autre chose.

C'est pourquoi nous avons vu poindre cette catégorie de *hatchbacks* dont la capacité de chargement est généralement

moindre que celle d'une familiale pure et dure. Pour compenser, ils sont supposés offrir un agrément de conduite supérieur à la moyenne.

Pour les besoins de notre essai, nous avons regroupé quatre véhicules théoriquement similaires. Le premier à être invité a été la Protegé5 de Mazda. Non seulement ce véhicule est devenu le coup de cœur des automobilistes québécois qui l'ont adopté avec enthousiasme depuis son arrivée sur notre marché l'an dernier, mais c'était également la voiture de l'année selon *Le Guide de l'auto 2002*. Pour lui faire face, les Pontiac Vibe et Toyota Matrix, deux voitures presque jumelles, mais possédant quand même des éléments différents, ont également été convoquées à la piste de Sanair. Ces deux modèles étaient équipés d'une transmission intégrale. Puisque les deux autres véhicules participant à ce match sont des tractions, il est facile de conclure que nous comparons des pommes avec des oranges. C'est vrai en partie, mais compte tenu de tout le tapage fait autour du duo Vibe/Matrix, de très nombreux lecteurs nous ont demandé si ces deux modèles à traction intégrale étaient préférables à la Protegé5. Nous avons tenté de répondre à leur interrogation. Et puisque ces dernières ne sont offertes qu'avec une boîte automatique, toutes les voitures de ce test sont sans pédale d'embrayage.

Le dernier membre de ce quatuor est la Suzuki Aerio qui devait nous parvenir en version *hatchback*. Quelle ne fut notre surprise de découvrir au matin du match qu'elle s'était métamorphosée en berline. Notre première idée a été de la mettre de côté. Mais tant qu'à l'avoir sur place, nous avons décidé de l'évaluer par rapport aux autres. D'ailleurs, lors d'essais précédents, nous avions constaté que les deux configurations de carrosserie diffèrent très peu en fait de conduite, tenue de route et autres. Seule la capacité du coffre différencie un modèle de l'autre. Alors, il suffisait d'imaginer que nous avions affaire à un *hatchback* qui avait subi une mutation génétique !

Et voilà ! C'est parti !

# La voiture de l'année affronte ses rivales

| Fiche technique | MAZDA PROTEGÉ5 | PONTIAC VIBE | SUZUKI AERIO | TOYOTA MATRIX |
|---|---|---|---|---|
| Empattement | 261 cm | 260 cm | 248 cm | 260 cm |
| Longueur | 433 cm | 436,5 cm | 423 cm | 435 cm |
| Largeur | 170,5 cm | 177,5 cm | 169 cm | 177,5 cm |
| Hauteur | 142 cm | 154 cm | 155 cm | 155 cm |
| Poids | 1231 kg | 1254 kg | 1180 kg | 1340 kg |
| Transmission | automatique | automatique | automatique | automatique |
| Nombre de rapports | 4 | 4 | 4 | 4 |
| Moteur | 4L | 4L | 4L | 4L |
| Cylindrée | 2 litres | 1,8 litres | 2 litres | 1,8 litres |
| Puissance | 130 ch | 123 ch | 145 ch | 123 ch |
| Couple | 214 lb-pi | 218 lb-pi | 260 lb-pi | |
| Suspension avant | indépendante | indépendante | indépendante | indépendante |
| Suspension arrière | indépendante | indépendante | indépendante | indépendante |
| Freins avant | disque | disque | disque | disque |
| Freins arrière | disque | tambour | tambour | tambour |
| ABS | oui | oui | oui | oui |
| Pneus | P195/50R16 | P205/55R16 | P185/65R14 | P205/55R16 |
| Direction | crémaillère, assistée | crémaillère, assistée | crémaillère, assistée | crémaillère, assistée |
| Diamètre de braquage | 10,7 mètres | 10,8 mètres | 10,7 mètres | 10,8 mètres |
| Coussins gonflables | frontaux | fr., lat. | frontaux | frontaux |
| Réservoir de carburant | 55 litres | 50 litres | 50 litres | 45 litres |
| Capacité du coffre | 561/812 litres | 547/1 533 litres | 413 litres | 428/1 506 litres |
| Accélération 0-100 km/h | 9,5 secondes | 11,5 secondes | 11,1 secondes | 11,4 secondes |
| Vitesse de pointe | 195 km/h | 194 km/h | 186 km/h | 185 km/h |
| Consommation (100 km) | 9 litres | 8,3 litres | 9,1 litres | 8,8 litres |
| Prix | 21,485 $ | 26,650 $ | 18,885 $ | 25,210 $ |

# ① Mazda Protegé5

## *Haut la main !*

**À** vaincre sans péril, on triomphe sans gloire ! Et c'est ce qui s'est passé lors de notre match : la Mazda l'a remporté avec une relative facilité. Il est certain que la Protegé5 est celle qui se rapproche le plus d'une automobile proprement dite et non d'une familiale. Même si elle adopte l'allure de celle-ci, il s'agit davantage d'une *hatchback* cinq portes à la silhouette allongée. Elle partage d'ailleurs un châssis très performant avec la berline du même nom, ce qui lui permet de briller tant en slalom que dans l'épreuve des tours de piste.

En fait, c'est son équilibre général qui explique sa domination. Sa silhouette n'est peut-être pas aussi flamboyante que celle d'une Pontiac Vibe ou d'une Toyota Matrix et certainement pas aussi extraterrestre que celle de la Suzuki Aerio, mais c'est justement cette réserve qui lui permet de faire craquer les gens. Son nez fuyant, son arrière à angle inversé et une grande surface vitrée donnent beaucoup de dynamisme à la présentation visuelle, accentuant son caractère sportif. Son habitacle a été également bien noté par nos essayeurs. Il suffit de cadrans à fond blanc et d'un module central cerclé de plastique couleur titane pour donner un aspect dynamique sans surcharger. Par rapport à ce que la concurrence proposait à ce chapitre, ce fut partie facile pour cette

Mazda. Nos essayeurs ont préféré cet équilibre réservé à la pyrotechnie visuelle du tandem Vibe/Matrix ou encore au côté bricolage maison de l'Aerio.

Si la Protegé5 a réussi à obtenir la meilleure note au bloc d'évaluation « confort », c'est surtout son comportement routier et ses performances qui l'ont propulsée à la tête du classement cumulatif. Elle surpasse toutes ses concurrentes en ce qui concerne l'agrément de conduite. Son châssis très rigide et une suspension bien calibrée s'associent à un moteur moyennement puissant mais très souple pour surpasser les trois autres concurrentes. La direction est précise et la boîte automatique s'acquitte bien de sa tâche. Par contre, les freins perdent rapidement leur efficacité si on les sollicite trop. Malgré tout, c'est la Protegé5 qui a établi le meilleur temps en slalom.

Mais son agilité en piste et un comportement impressionnant sur la route n'ont pas nécessairement fait la différence. Ce ne sont pas un ou deux éléments dominants qui l'avantagent, mais le cumul de plusieurs. Débutez avec une silhouette élégante et sportive et ajoutez un moteur plus perfor-

mant que les autres et une direction précise pour obtenir la recette du succès dans n'importe laquelle des catégories.

En général, les voitures les plus performantes sont plus chères que les autres. C'est le prix à payer pour obtenir une conduite plus inspirante et une meilleure qualité. Cette fois, c'est presque le contraire, car la Mazda se vend beaucoup moins cher que les versions à traction intégrale de la Vibe et de la Matrix. Et les résultats n'auraient pas été différents si ces deux modèles avaient été des tractions équipées d'un moteur de 130 chevaux.

Bref, la Protegé5 confirme sa domination dans cette catégorie et le fait d'être une traction ne l'a pas handicapée.

---

**▶ POUR :**

*En plus de posséder une gueule à tout casser, son moteur s'avère plus allumé que les autres.*
**Alain Morin**

**▶ CONTRE :**

*Une seule faiblesse, des freins qui s'échauffent trop rapidement.*

**Daniel Duquet**

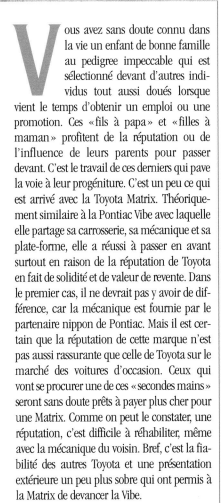

## ②

# Toyota Matrix

## *Avantagée par son nom*

**V**ous avez sans doute connu dans la vie un enfant de bonne famille au pedigree impeccable qui est sélectionné devant d'autres individus tout aussi doués lorsque vient le temps d'obtenir un emploi ou une promotion. Ces «fils à papa» et «filles à maman» profitent de la réputation ou de l'influence de leurs parents pour passer devant. C'est le travail de ces derniers qui pave la voie à leur progéniture. C'est un peu ce qui est arrivé avec la Toyota Matrix. Théoriquement similaire à la Pontiac Vibe avec laquelle elle partage sa carrosserie, sa mécanique et sa plate-forme, elle a réussi à passer en avant surtout en raison de la réputation de Toyota en fait de solidité et de valeur de revente. Dans le premier cas, il ne devrait pas y avoir de différence, car la mécanique est fournie par le partenaire nippon de Pontiac. Mais il est certain que la réputation de cette marque n'est pas aussi rassurante que celle de Toyota sur le marché des voitures d'occasion. Ceux qui vont se procurer une de ces «secondes mains» seront sans doute prêts à payer plus cher pour une Matrix. Comme on peut le constater, une réputation, c'est difficile à réhabiliter, même avec la mécanique du voisin. Bref, c'est la fiabilité des autres Toyota et une présentation extérieure un peu plus sobre qui ont permis à la Matrix de devancer la Vibe.

Si la Protegé la bat d'une vingtaine de points, c'est que les deux voitures ne font pas tout à fait partie de la même catégorie. Comme le soulignait avec justesse l'un de nos essayeurs, cette voiture est davantage une microfourgonnette qu'une *hatchback*, même s'il n'y a pas de mal à la classer dans cette famille. Par contre, elle n'a pas la même agilité autant sur la piste que sur la route.

Pour répondre à la demande de plusieurs lecteurs et auditeurs, nous voulions également vérifier s'il y avait un avantage à opter pour la transmission intégrale de la Matrix/Vibe par rapport à la traction de la Mazda. Une chose est certaine, sur pavé sec, ce n'est nullement un avantage. Si notre match s'était déroulé sur une patinoire, le résultat aurait sans doute été différent, mais telle qu'évaluée, la Mazda s'est démarquée aisément. Cela nous a également permis de constater à quel point la transmission intégrale de ce duo était transparente puisque sa présence s'est avérée imperceptible. Même lorsque les roues avant commençaient à patiner dans les virages rapides, le transfert du couple s'effectuait presque instantanément.

Théoriquement, un moteur de 123 chevaux dans une voiture à transmission intégrale est défavorisé, surtout avec une boîte automatique. Malgré tout, celui-ci se défend très honnêtement. Toutefois, il semble toujours travailler fort : il doit souvent adopter un régime élevé pour permettre à la voiture de suivre le rythme. Mais il est conçu comme tel et il ne devrait pas connaître de problèmes de durabilité et de fiabilité. Par contre, malgré de vaillants efforts, il ne peut rivaliser avec le moteur 2 litres du Mazda.

En revanche, en slalom, la Matrix devance sa sœur jumelle de quelques poussières. Sa direction s'est révélée plus précise et l'enchaînement des virages s'effectuait avec plus d'assurance. Pourtant, les deux voitures avaient des pneus identiques et sont supposées être identiques. Allez donc savoir !

---

▶ **POUR :**

*Une autre Toyota : bien assemblée, tenue de route saine, fiabilité assurée et cette fois, en bonus, plus de personnalité.*

**Claude Carrière**

▶ **CONTRE :**

*Le moteur est sans doute solide, mais il est toujours sollicité. Ceux qui aiment un moteur moins bruyant devront chercher ailleurs.*

**Yvan Fournier**

**③**

# **Pontiac** vibe

························································

*Presque deuxième*

Chaque fois qu'on invite deux véhicules pratiquement identiques à un match, il y en a toujours un qui se démarque de l'autre. Cette fois, la Toyota Matrix devance la Pontiac par quelques points. Cette différence vient de son comportement routier légèrement inférieur à celui de sa jumelle, ce qui lui a fait perdre des points. Même si les réglages et les pneumatiques sont supposés être identiques, la direction de la Vibe coinçait plus rapidement en slalom tandis que son comportement sur piste était un tantinet plus erratique. Enfin, vendue plus chère que la Matrix qui bénéficiera sans doute d'une meilleure valeur de revente en raison de son nom, elle a été pénalisée dans l'évaluation de la « valeur pour le prix ». Ce prix de détail suggéré plus élevé s'explique par un équipement plus complet.

Si vous préférez le look de la Vibe, n'hésitez pas, car les deux véhicules sont pratiquement identiques, notamment dans l'habitacle. Ils comportent tous les deux un espace de chargement impressionnant compte tenu de leurs dimensions extérieures. Il est difficile de trouver un véhicule de cette grosseur pouvant accepter autant de bagages. De plus, le confort des sièges avant est très bon. Par contre, le petit moteur 1,8 litre de 123 chevaux travaille très fort. Imaginez la scène : quatre adultes avec leurs bagages se rendent à Chicoutimi en Vibe ou en Matrix en traversant le parc des Laurentides. Le bruit du moteur deviendra agaçant à la longue parce qu'il devra toujours tourner à un régime élevé pour grimper les nombreuses côtes.

D'ailleurs, il faut ajouter que si la Mazda Protegé offre un choix de modèle et d'équipement relativement simple à un prix très compétitif, il n'est pas facile de se décider dans le cas d'une Vibe ou d'une Matrix. Il y a bien le modèle de base avec son moteur de 130 chevaux, sa boîte manuelle à 5 rapports et un essieu arrière rigide. Il faut également préciser qu'en raison de son équipement toujours plus complet, la Pontiac se vend quand même plus cher que sa jumelle japonaise. Le modèle à transmission intégrale possède un essieu arrière indépendant, ce qui permet de mieux négocier les routes bosselées de notre coin de pays. Par contre, déception, seule la boîte automatique est disponible tandis que le moteur perd 7 chevaux dans cette équation. Enfin, il y a le modèle GT avec son moteur 1,8 litre de 180 chevaux et sa boîte manuelle à 6 rapports. Curieusement, les ingénieurs l'ont affublé du même essieu arrière rigide que le modèle de base. De plus, ce moteur est délicat à piloter, nécessitant un régime très élevé pour performer. Idem chez Toyota.

La Vibe est « preeesssque » identique à la Toyota et il me semble que les différences enregistrées en piste et en slalom s'expliquent par de légères divergences de réglage. Malgré tout, la Toyota assemblée au Canada a défait la Pontiac assemblée à l'usine NUMI de Californie. Détail intéressant, c'est ce dernier modèle qui est vendu au Japon en tant que Toyota Voltz.

▶ **POUR :**

*Voilà un produit GM qui ne manque pas de personnalité et sa finition est supérieure à la moyenne. J'ai souvent interverti mes notes entre la Pontiac et la Toyota ; voilà une bonne nouvelle pour Pontiac.*

**Alain Morin**

▶ **CONTRE :**

*Il est certain que le museau de la Pontiac est plus agressif que celui de la Matrix. Certains vont aimer, d'autres pas. À mon avis, cette présentation aurait pu être plus subtile.*

**Christian Rochon**

④

# Suzuki Aerio

## *Le mouton vert !*

’est à la surprise générale qu’une berline est venue défendre les couleurs de la Suzuki Aerio dans ce match des *hatchbacks*. Pourtant, nous avions effectué un nombre impressionnant d’appels téléphoniques à Toronto et à Montréal pour avoir un véhicule de même configuration que les autres. Je ne sais pas si un représentant étourdi n’a pas écouté assez attentivement nos demandes ou s’il s’est effectué une métamorphose pendant la nuit, mais nous avons hérité de la mauvaise voiture. Nous avons décidé de la conserver dans le match puisque des essais antérieurs nous ont démontré que la *hatchback* et la berline démontraient un comportement similaire. Seul l’espace de chargement était modifié, ce dont nous avons tenu compte dans l’évaluation finale.

Mais, bon modèle ou pas, la nouvelle Suzuki s’est fait passablement varloper par les trois autres concurrentes. Sur le marché depuis à peine quelques mois, elle montre quand même une silhouette quasiment rétro par rapport aux trois autres tandis que son tableau de bord est quelque chose de très spécial à voir. Non seulement il est totalement symétrique de part et d’autre, mais il est affublé de cadrans indicateurs à affichage numérique regroupés dans un espace en forme de croissant. Leur affichage est de couleur jaune et les chiffres difficiles à lire. Selon Alain Morin, cela rappelle l’Oldsmobile Cutlass 1967.

Il ne faut pas en conclure que l’Aerio est un échec total et qu’elle est totalement déclassée par les autres. Il est vrai qu’elle ne fait pas le poids au chapitre de la conduite et de la tenue de route, mais son habitacle est très spacieux et éminemment pratique. Même la berline possède un très grand coffre en proportion de ses dimensions tandis que la *hatchback* est encore mieux pourvue à ce chapitre. Et si la présentation de l’habitacle s’avère quelque peu rébarbative, la finition et la qualité des matériaux se situent dans la bonne moyenne.

Sa hauteur en fait une voiture pratique, mais l’Aerio est handicapée par sa verticalité lorsque vient le temps d’effectuer des parcours de slalom et des tours de piste rapides. Tous ceux qui ont tenté de la conduire avec une certaine vélocité se sentaient assis très haut et constataient que la caisse penchait passablement dans les courbes. Bref, ils levaient instinctivement le pied avant de découvrir ce qui allait se passer par la suite. Malgré des sensations contraires, l’Aerio se révèle tout de même solide sur ses pneus.

Même si cette Suzuki est supposée profiter du moteur le plus puissant du groupe, on le découvre plus bruyant que rapide et ses

performances sont les moins impressionnantes du lot. De plus le passage des rapports est très perceptible : cette boîte automatique à 4 rapports souligne chaque passage par un coup assez sec lorsqu’on accélère à fond. En conduite plus nuancée, c’est mieux.

La moins chère du groupe et l’une des plus pratiques, l’Aerio est dotée d’une tenue de route sans surprise qui ne s’accommode cependant pas de la haute vitesse. À défaut d’avoir autant de panache que les trois autres, elle est un moyen de transport honnête et économique qui doit s’incliner devant des concurrentes plus sophistiquées et plus agréables à conduire.

▶ **POUR :**

*Malgré plusieurs faiblesses par rapport aux autres, elle possède les meilleurs rétroviseurs extérieurs, les meilleures places arrière et, fait non négligeable, le prix le plus bas.*
**Alain Morin**

▶ **CONTRE :**

*Je crois que les stylistes de Suzuki lisent trop de bandes dessinées. Leur voiture m’étourdit. Je parle bien sûr de la version hatchback. Quant à la berline, c’est une Saab japonaise.*
**Claude Carrière**

# Joindre l'utile à l'agréable

Ce match nous prouve hors de tout doute qu'il est possible de joindre l'utile à l'agréable. La Mazda Protegé5 n'a pas nécessairement le plus gros coffre à bagages ou la plus grande capacité de charge, mais elle est la plus douée sur la route tout en se révélant assez pratique pour répondre à la plupart des besoins des gens. Il n'est pas nécessaire de posséder le comportement routier d'un véhicule industriel et l'habitacle d'un camion de livraison pour être en mesure de transporter une horloge grand-père, des sacs de terre ou encore des skis dans la soute à bagages. La Mazda est capable de tout cela et se comporte comme une berline. Son principal défaut est que sa silhouette est tellement réussie qu'on s'attend à des performances très sportives alors qu'elles ne sont que moyennes. Une Protegé5 Mazdaspeed serait sans doute quelque chose de super.

Ceux qui ont des besoins de transport plus importants ou qui craquent pour leur silhouette mi-familiale, mi-fourgonnette ne seront pas déçus par la Pontiac Vibe ou la Toyota Matrix. Leur capacité de chargement est la meilleure du lot et les places arrière permettent à deux adultes de s'y sentir à l'aise. Et si ce genre de gadget vous intéresse, sachez que ce sont les seules voitures sur le marché à proposer une prise de courant alternatif 115 volts au tableau de bord. Mais ne croyez pas que vous pourrez y brancher votre grille-pain ou un outil électrique. Avec une capacité d'un ampère, cette fiche est réservée à un ordinateur portable ou à tout autre appareil du genre. Même si ces deux véhicules ne sont pas assemblés à la même usine, leur fiabilité et leur durabilité devraient être similaires.

La plus originale du groupe, l'Aerio, est un véhicule éminemment pratique vendu à un prix très compétitif. Mais il fallait plus que cela pour remporter ce match. Sa présentation intérieure rétro et biscornue à la fois est sans doute sa principale faiblesse en plus de son comportement routier plutôt conservateur. Et si vous croyez que les 141 chevaux inscrits à la fiche technique pourraient faire une différence, abandonnez cette idée. Il faut parler davantage de poneys que de chevaux tant les performances ne sont pas en rapport avec la puissance annoncée.

Mais, si le rapport qualité/prix est important pour vous, cette Suzuki se défend pas trop mal. C'est la voiture de tous les jours qui ne brille jamais plus que les autres, mais qui n'est jamais prise au dépourvu. Par contre, il faudrait certainement améliorer les pneumatiques qui nuisent au comportement routier en favorisant un important survirage.

Une fois encore, le sort en est jeté. Déjà favorisée au départ par son titre de voiture de l'année du *Guide* l'an dernier, la Mazda a été capable de démontrer ses incontournables qualités à tous les chapitres et de devancer ainsi les trois autres *hatchbacks* évaluées. La défense de ce titre risque cependant de devenir de plus en plus difficile au fil des années alors que plusieurs nouvelles concurrentes devraient venir se greffer à la catégorie. En attendant...

## Fiche *d'évaluation*

| | | SUZUKI AERIO | TOYOTA MATRIX | MAZDA PROTEGÉ 5 | PONTIAC VIBE |
|---|---|---|---|---|---|
| **STYLE** | | | | | |
| Extérieur | 10 | 6,3 | 7,9 | 9,2 | 7,6 |
| Intérieur | 10 | 5,7 | 7,6 | 8 | 7,6 |
| | **20 pts** | 12 | 15,5 | 17,2 | 15,2 |
| **CARROSSERIE** | | | | | |
| Finition intérieure et extérieure | 10 | 6,4 | 8,3 | 8,7 | 8,1 |
| Qualité des matériaux | 10 | 6,4 | 7,8 | 7,9 | 7,8 |
| Coffre (accès/volume) | 10 | 8,1 | 8,2 | 7,8 | 8,2 |
| Espaces de rangement | 10 | 6,8 | 8,3 | 8,5 | 8,3 |
| Astuces et originalité | 10 | 6,4 | 8,1 | 7 | 8,1 |
| Équipement | 5 | 3,3 | 4 | 4 | 4,3 |
| Tableau de bord | 5 | 2,5 | 3,8 | 3,6 | 3,8 |
| | **60 pts** | 39,9 | 48,5 | 47,5 | 48,6 |
| **CONFORT** | | | | | |
| Position de conduite/volant/sièges av. | 10 | 7,5 | 8,4 | 8,6 | 8,7 |
| Places arrière | 10 | 7,9 | 7,3 | 7,4 | 7,3 |
| Ergonomie | 10 | 7,9 | 8,3 | 8,6 | 8,3 |
| Silence de roulement | 10 | 7 | 8 | 8,5 | 7,8 |
| | **40 pts** | 30,3 | 32 | 33,1 | 32,1 |
| **CONDUITE** | | | | | |
| Moteur | 40 | 27,6 | 31,6 | 33,4 | 31,6 |
| Transmission | 30 | 21,2 | 24,2 | 24,6 | 24,2 |
| Direction | 30 | 19,8 | 23 | 25,4 | 22,2 |
| Tenue de route | 30 | 19,2 | 25,2 | 25,8 | 24,2 |
| Freins | 30 | 20 | 24 | 24,6 | 24,2 |
| Confort de la suspension | 20 | 16 | 16,8 | 17 | 16,7 |
| | **180 pts** | 123,8 | 144,8 | 150,8 | 143,1 |
| **SÉCURITÉ** | | | | | |
| Visibilité | 10 | 7,5 | 7,4 | 7,8 | 7,4 |
| Rétroviseurs | 10 | 7,7 | 8,6 | 7,5 | 8,6 |
| Nombre de coussins de sécurité | 10 | 8 | 8 | 8 | 10 |
| | **30 pts** | 23,2 | 24 | 23,3 | 26 |
| **PERFORMANCES MESURÉES** | | | | | |
| Reprises | 20 | 18 | 17 | 20 | 17 |
| Accélération | 20 | 16 | 18 | 20 | 17,5 |
| Freinage | 20 | 17 | 20 | 18 | 20 |
| Slalom | 20 | 16 | 18 | 20 | 17 |
| Tour de piste | 20 | 16 | 18 | 20 | 17 |
| Niveau sonore | 10 | 8 | 7 | 10 | 7 |
| | **110 pts** | 91 | 98 | 108 | 95,5 |
| **RAPPORT QUALITÉ/PRIX** | | | | | |
| Agrément de conduite | 10 | 5,9 | 7,3 | 8,4 | 7,6 |
| Choix des essayeurs | 40 | 36 | 38 | 40 | 37 |
| Valeur pour le prix | 10 | 7,5 | 7,1 | 8,4 | 6,9 |
| | **60 pts** | 49,4 | 52,4 | 56,8 | 51,5 |
| **Total** | **500 pts** | 369,6 | 415,2 | 436,7 | 412,0 |
| **CLASSEMENT** | | 4 | 2 | 1 | 3 |

# Et l'hiver?

PAR **DENIS DUQUET**

**Subaru Impreza LS**

A u fil des ans, l'équipe du *Guide de l'auto* a toujours voulu effectuer un essai en hiver, histoire d'en savoir davantage sur le comportement de certaines voitures confrontées à des conditions routières plus difficiles. L'occasion s'est présentée en mars 2002 avec l'inauguration du centre de glisse Mécaglisse situé à Notre-Dame-de-la-Merci dans la région de Lanaudière. Ce nouveau site comporte des kilomètres de pistes spécialement aménagées et recouvertes de neige et de glace pour mettre à l'épreuve la tenue hivernale des voitures. C'était parfait pour notre projet.

Nous avons donc recruté la Subaru Impreza TS afin de la comparer aux nouvelles Pontiac Vibe et Toyota Matrix à transmission intégrale. La réputation de Subaru en la matière n'est plus à faire et elle représentait un étalon parfait pour confronter ces deux petites familiales équipées d'un système à temps partiel contrairement à celui du Subaru. La plupart du temps, la Vibe et la Matrix sont donc des tractions qui se transforment progressivement en intégrales au fur et à mesure que les roues avant perdent de l'adhérence. En revanche, le rouage de la Subaru répartit continuellement le couple aux quatre roues.

Voyons donc comment ce trio s'est débrouillé sur les sentiers enneigés d'un centre spécialisé dans la conduite sur des surfaces à faible coefficient.

### ▶ Subaru en tête !

Dans les matchs où les Subaru sont inscrites, les essayeurs soulignent presque à tout coup que le moteur 2,5 litres de 165 chevaux ne fait pas le poids en matière de puissance. Cette fois, c'est le contraire qui s'est produit puisque ce 4 cylindres Boxer s'est avéré le plus musclé. Il possède un avantage de 42 che-

vaux sur ses deux adversaires. De plus, la bonne répartition du couple permet de bien doser les accélérations sur mauvaise surface.

Équipée de pneus d'hiver Bridgestone Blizzak en plus de sa transmission intégrale, la Subaru s'est avérée la plus impressionnante grâce à sa motricité en ligne droite et à son adhérence en virage. Dès que les roues avant patinaient une fraction de seconde, les roues arrière étaient davantage alimentées en couple afin de mieux répartir la puissance aux quatre roues. Par contre, même si la motricité est excellente, il faut quand même adapter sa conduite et surtout ne pas se montrer trop audacieux. Les lois de la physique sont immuables et un essayeur a appris à ses dépens qu'une perte de contrôle est toujours possible. Il faut cependant souligner que plusieurs ont ressenti un certain temps mort en sortie de virage qui semble être causé par le réglage du système de commande électronique de la boîte automatique.

Notre lauréate ne s'est pas attiré que des éloges. Tous ont déploré sa silhouette conservatrice et son tableau de bord banal. Cela nuit à la diffusion de ce véhicule qui est très bien adapté à la conduite hivernale en plus de se vendre à prix d'aubaine.

### ▶ La Vibe séduit

Il faut souligner que cette évaluation s'est effectuée quelques semaines à peine après l'arrivée sur le marché de la Vibe et de la Matrix. L'effet de nouveauté était toujours très perceptible. D'emblée, toutes les personnes présentes ont privilégié la Pontiac en fait d'apparence. Elles ont trouvé sa présentation extérieure plus dynamique. Certains ont même eu la sensation que les tôles de la Vibe étaient plus épaisses. Impression certainement causée par les formes de la carrosserie alors que les formes moins galbées de la Matrix rendaient les tôles plus souples. À la décharge de la Toyota, il faut préciser que sa couleur noire ne l'aidait pas tellement à créer une impression positive, d'autant plus que le ciel de ce Vendredi saint était bouché et sombre.

Ces considérations d'ordre esthétique mises à part, la faible puissance du moteur 4 cylindres de 1,8 litre de la Vibe en a déçu plusieurs. Pour se rendre au centre Mécaglisse, il faut grimper plusieurs côtes et les 123 chevaux négociés à travers une boîte automatique et un rouage intégral, même à temps partiel, ont fait travailler cette petite cylindrée. Par contre, sur la glace et la neige, cette pénurie de chevaux n'est pas un

**Pontiac Vibe**

traire. Au lieu d'être haut perché dans un mastodonte de métal souvent propulsé par un rouage 4X4 à temps partiel qu'on a oublié d'enclencher, nos trois petites familiales ont démontré non seulement une grande maniabilité, mais un excellent comportement sur la neige et la glace. Ce qui a permis à tous de négocier des surfaces aux conditions d'adhérence quasiment nulles avec aplomb. Il est certain que la Subaru Impreza TS était la mieux outillée pour ce genre d'exercice avec sa transmission intégrale en tout temps et ses pneus d'hiver très bien adaptés. Mais il ne faut pas non plus ignorer le fait que la Vibe et la Matrix n'ont jamais connu de perte de

désavantage, loin de là. Notre voiture d'essai était équipée de pneus quatre saisons et si les accélérations étaient moins vives que celles de la Toyota et l'entrée en virage moins précise, la transmission intégrale à temps partiel entrait en action en une fraction de seconde pour stabiliser la voiture.

Moins agile sur chaussée enneigée que la Matrix équipée de pneus d'hiver, la Vibe s'est retrouvée légèrement devant la Toyota dans cet essai grâce à son comportement général sur pavé sec et à sa silhouette.

### ▶ La Matrix : presque ex œquo

Lors de notre évaluation Vibe/Matrix réalisée en été, c'est la Toyota qui a eu le dessus en raison d'une direction plus précise et d'une tenue de route un peu plus rassurante. En hiver, ce fut le contraire. En effet, la suspension plus molle et une direction un peu moins précise n'ont pas avantagé la Matrix dans les courbes rapides face à une Pontiac mieux desservie à ce chapitre. Cette disparité s'explique sans doute par les tolérances de production qui causent toujours des différences. Sur la neige et la glace, ses pneus d'hiver Yokohama Guardex ont permis d'obtenir des accélérations initiales plus incisives et une meilleure stabilité en amorce de virage. Mais la répartition du couple aux roues arrière s'effectue tellement rapidement que la différence entre ces deux « jumelles » se percevait très peu. Curieusement, quelques essayeurs ont semblé mieux apprécier le comportement de la Vibe sur la neige, même si l'adhérence de ses pneus n'était pas aussi bonne. Cette dérobade des

**Toyota Matrix**

pneus pendant une fraction de seconde permettait sans doute de mieux évaluer les conditions d'adhérence. Qui sait ?

À part ces quelques considérations mineures, les deux modèles sont pratiquement identiques. Par contre, si leur silhouette générale est similaire, des détails de présentation les démarquent et notre Matrix noire n'a pas fait fureur face à une Vibe mieux habillée.

### Nouvelle tendance

Si vous faites partie de ces gens qui croient qu'un gros VUS est la solution à la conduite hivernale, la moitié d'un tour du circuit Mécaglisse vous aurait convaincu du con-

trôle spectaculaire en dépit de leur système moins performant. Sur pavé sec, c'est surtout le manque de vigueur de leur moteur de 123 chevaux qui a été en cause. Somme toute, pas besoin de rouler en gros 4X4 pour dompter les conditions routières de l'hiver. Au contraire, la maniabilité, un moteur de puissance moyenne et de bons pneus d'hiver sont des atouts plus astucieux. Et de la troïka essayée, c'est la Subaru TS avec son intégrale à plein temps et son moteur de 165 chevaux qui tire le mieux son épingle du jeu. En revanche, la Vibe comme la Matrix profitent de plus d'espace de chargement et d'une présentation plus moderne. À vous de décider si le style a préséance sur la fonction.

| CLASSEMENT | Neige | Pavé sec | Présentation | Total |
|---|---|---|---|---|
| **Pontiac Vibe** | 8 | 10 | 9 | 27 |
| **Subaru Impreza LS** | 10 | 10 | 8 | 28 |
| **Toyota Matrix** | 9 | 8 | 9 | 26 |

# À vos casquettes !
## Prêts ? **PARTEZ !**

PAR **ALAIN RAYMOND** PHOTOS **MICHEL FYEN-GAGNON**

*La formule existe depuis toujours : prenez une voiture ordinaire, greffez-lui quelques accessoires, trafiquez le moteur, revoyez les suspensions et – élément essentiel – installez un silencieux pas très... silencieux et, bingo, vous pourrez vous mesurer à des machines plus musclées et bien plus coûteuses et épater ainsi la galerie par les prouesses de votre petite bombe vitaminée.*

Q 'il s'agisse des *hot-rod* américains des années 50, des petites européennes des années 60 ou des GTI des années 80, la voiture modifiée a toujours fasciné l'amateur de clé anglaise et l'amoureux de mécanique. À tel point que les constructeurs, toujours avides d'occuper un quelconque nouveau créneau, se sont efforcés d'offrir

# Les minis répondent à la MINI

des versions « modifiées » à partir de simples modèles de grande série. Shelby, Cobra, Gordini, Cooper, AMG, M. Power et de nombreux autres « préparateurs » ont ainsi mis leur talent au service des constructeurs souhaitant se donner une image plus sportive, plus dynamique et plus jeune.

De nos jours, l'art et la science des voitures modifiées portent le nom de *tuning* et les adeptes de ce « sport mécanique » se réunissent souvent en soirée dans les terrains de stationnement des centres commerciaux afin d'exposer leur dernière trouvaille ornant – souvent à grands frais – la Civic, la Golf, la Mustang ou l'Integra adorée.

Soucieux de profiter de ce marché fortement animé par les moins de 30 ans, plusieurs constructeurs proposent aujourd'hui des modèles aux origines modestes mais qui bénéficient de quelques améliorations visant à en rehausser les performances sans toutefois crever le portefeuille. En somme, du *tuning* d'usine, qui présente, par rapport au *tuning* bricolé, l'avantage de ne pas annuler la garantie et d'être conforme aux normes antipollution et de sécurité.

Pour ce match des minibombes, *Le Guide de l'auto* a choisi quatre modèles à trois portes qui partagent la même philo-

sophie axée sur la performance, l'agrément de conduite et l'équilibre d'ensemble à prix relativement abordable. Certes, les adeptes de l'esthétique tape-à-l'œil, des ailerons aussi proéminents qu'inutiles et des suspensions abaissées au point de frôler le bitume seront déçus. Ici, ce sont les performances qui comptent ; les vraies : accélérations, reprises, tenue de route,

freinage et confort, car sans confort, les performances finissent par dépérir. Ajoutons aussi prix abordable, équipement et, pourquoi pas, un look agréable. Tels sont les principaux critères que nous avons retenus pour mener ce face-à-face opposant la Ford Focus SVT, la Honda Civic SiR, la MINI Cooper S et la Volkswagen Golf 1,8T.

## Fiche *technique*

| | FORD FOCUS SVT | HONDA CIVIC SiR | MINI COOPER S | VW GOLF GTI 1,8T |
|---|---|---|---|---|
| • Prix de base | 27 395 $ | 25 495 $ | 29 600 $ | 26 150 $ (27 550 $ Tiptronic) |
| • Prix du modèle à l'essai | 30 700 $ | 25 495 $ | 32 990 $ | 29 535 $ |
| • Poids | 1247 kg | 1225 kg | 1215 kg | 1330 kg |
| • Coffre / Réservoir | 350 litres / 50 litres | 504 litres / 50 litres | 160 litres / 50 litres | 500 litres / 55 litres |
| • Coussins de sécurité | frontaux et latéraux | frontaux | frontaux et latéraux | frontaux et latéraux |
| • Suspension avant | indépendante | indépendante | indépendante | indépendante |
| • Suspension arrière | indépendante | indépendante | indépendante | indépendante |
| • Freins av. / arr. | disque, ABS | disque, ABS | disque, ABS | disque, ABS |
| • Système antipatinage | option | non | oui | oui |
| • Pneus av. / arr. | P215/45HR17 | P195/60VR15 | P205/55R16 | P205/55R16 |
| **MOTORISATION** | | | | |
| • Moteur | 4L 2 litres | 4L 2 litres | 4L 1,6 litre compresseur | 4L 1,8 litre turbo |
| • Type / Transmission | traction / man. 6 rapports | traction / man. 5 rapports | traction / man. 6 rapports | traction / auto. 4 rapports |
| • Puissance | 170 ch à 7 000 tr/min | 160 ch à 6 500 tr/min | 163 ch à 6 000 tr/min | 180 ch à 5 500 tr/min |
| • Couple | 145 lb-pi à 5 500 tr/min | 132 lb-pi à 5 000 tr/min | 155 lb-pi à 4 000 tr/min | 174 lb-pi à 1 950 tr/min |

# 1 Ford **FOCUS SVT**

## Surprenante Focus

**N**ous l'avons souvent dit: la Focus est une voiture bien née, notamment en matière de châssis. Les ingénieurs du *Special Vehicle Team*, créateurs de la Mustang Cobra SVT et du F-150 Lightning SVT, ont donc amélioré la suspension, avec l'aide de leurs homologues européens: ressorts et barres antiroulis plus fermes, amortisseurs recalibrés, excellents pneus Continental montés sur des roues en alliage de 17 pouces. À cela s'ajoute une direction plus précise et, surtout, des freins à disque de 300 mm à l'avant et 280 mm à l'arrière.

Ces changements transforment la Focus en une redoutable voiture de piste. La Focus vire à plat, freine avec conviction et amorce les virages dans un équilibre presque parfait. Solidement retenu dans un siège baquet profondément sculpté, le conducteur dispose d'un pédalier en alu parfaitement placé pour le talon-pointe et d'un levier court qui actionne avec netteté la boîte manuelle à 6 vitesses à rapports rapprochés, signée Getrag, la même boîte qui équipe la MINI Cooper S.

Sous le capot de la Focus SVT, pas de compresseur ni de turbo. Rien que le 4 cylindres Zetec de 2 litres qui équipe les Focus «ordinaires». Avec quelques différences qui font... toute la différence: tubulure d'admission à longueur variable, bielles et pistons renforcés et allégés, taux de compression plus élevé, culasse retravaillée, arbre à cames d'admission à distribution variable et, pour conclure, un système d'échappement plus libre qui émet un vroum-vroum charmeur. Résultats: la puissance du 2 litres Ford passe de 130 à 170 chevaux et le couple, de 135 lb-pi à 145 lb-pi, 85 % du couple maximum étant livré à partir de 2 200 tr/min.

À l'intérieur, Ford a conservé le tableau d'origine en y ajoutant un manomètre d'huile et – vous ne le devinerez jamais – un thermomètre d'huile! Ultime preuve du sérieux de cette équipe SVT, ces petits indicateurs valent leur pesant d'or pour qui veut savoir comment va le moteur.

Quant aux défauts, puisqu'il y en a toujours, mentionnons une suspension dure et bruyante à l'arrière, un coffre limité, des matériaux de qualité quelconque, des espaces de rangement qui se font rares, un prix corsé et, surtout, le souci de fiabilité qui semble encore inquiéter nos essayeurs.

Mais sur l'essentiel dans le cas de notre match, c'est-à-dire les performances, la Focus SVT est imbattable: 0-100 km/h, 100-0 km/h, slalom, tour de piste; la SVT règne en championne et décroche sans conteste la 1re place. Avis aux familles nombreuses: la SVT cinq portes figurera bientôt au catalogue.

▶ **POUR:**

«Je n'en reviens pas encore.»

**Denis Boisvert**

▶ **CONTRE:**

«Dommage que les Américains montent toujours des suspensions trop dures sur leurs modèles sport. Ils devraient consulter les Allemands afin de nous donner des sportives que l'on peut utiliser tous les jours sans avoir besoin de consulter un chiro.»

**Claude Carrière**

# 2 *Honda* **CIVIC SiR**

## Fidèle Civic

Exemple typique de la voiture du *tuner,* la Honda Civic fait depuis quelques années le bonheur des accessoiristes et des préparateurs. La nouvelle SiR se distingue du reste de la gamme Civic par sa ligne en coin et par son tableau de bord spécifique. En fait, cette Civic construite en Grande-Bretagne est conforme aux versions commercialisées en Europe et au Japon et diffère des Civic nord-américaines. L'arrivée de la MINI Cooper et le regain d'intérêt qu'elle suscite chez les amateurs de minis vitaminées a sans doute incité Honda à nous livrer cette SiR, version assagie de la Civic Type R euro-japonaise (200 chevaux), faisant ainsi revivre la belle époque de la CRX des années 80 et des plus récentes Si.

Animée par le moteur 2 litres de l'Acura RSX, la SiR, à l'instar de la Focus, se passe de suralimentation et compte, entre autres, sur la distribution variable pour livrer ses 160 chevaux. D'une souplesse et d'un silence remarquables, le 2 litres signé Honda bénéficie aussi d'un couple plus important que les anciens moteurs VTEC, mais avec ses 132 lb-pi, il ne rivalise pas encore avec les 145 lb-pi du moteur Ford. Parions que les 200 chevaux de la Civic Type R dont nous sommes privés auraient mieux relevé le défi de ce match. Malgré tout, le 0-100 km/h est bouclé en 8 secondes, valeur très honorable pour une sous-compacte et qui ferait rougir plus d'une prétendante.

Parmi les particularités notées par les essayeurs, signalons la présence du levier de vitesses accroché au tableau de bord, à la façon d'une vieille Citroën 2 CV. Malgré cette position inhabituelle, le levier tombe parfaitement en main et son maniement d'une très grande souplesse favorise l'agrément en conduite sportive. Mais là aussi, dommage que nous n'ayons pas droit aux 6 rapports de la Type R euro-japonaise...

Malgré son originalité, le style de la carrosserie laisse indifférent, tandis que l'inté-rieur plaît même s'il ne regorge pas de gaieté. Comme prévu, notre Honda brille au chapitre de la finition et de la qualité des matériaux et ses sièges baquets type Recaro font l'unanimité parmi les essayeurs.

Jusqu'ici, le bilan général s'avère donc positif, mais – car il y a un mais – la fidèle Civic doit s'incliner devant ses rivales au chapitre de la tenue de route. Les coupables: les pneus « trop étroits, trop petits et mal adaptés à toute forme de conduite sportive ». D'ailleurs, la même voiture chaussée de pneus haute performance a réussi à égaler le chrono en slalom de l'étonnante Focus SVT (31,23 s), soit 1,5 seconde de moins que la SiR avec pneus d'origine! En choisissant d'économiser là où il ne fallait pas, surtout pour une sportive, Honda doit donc se contenter de la 2e place au classement général de notre match.

> ▶ **POUR :**
>
> *« Mon premier choix à cause de son équilibre, excellente en tout et sans surprises en tenue de route, malgré ses pneus en plastique. De nouveau, la référence... »*
>
> **Claude Carrière**

> ▶ **CONTRE :**
>
> *« Plus civilisée que la SVT, mais moins jolie et moins performante. Honda aurait pu faire un peu mieux. »*
>
> **Jacques Deshaies**

# **3** *Volkswagen* **GOLF GTI 1,8T**

## *Bourgeoise Golf*

C'est en 1977 que VW lançait en Europe sa Golf GTI qui fut importée chez nous en 1983 sous le patronyme Rabbit GTI. Avec ses 870 kg et ses 90 chevaux, la première GTI bouclait le 0-100 km/h en moins de 10 secondes et procurait un bel agrément de conduite grâce à sa « tenue de route spectaculaire » *(Le Guide de l'auto 1987)*. Légère, agile et incisive, telle était la GTI de l'époque. Mais les années passèrent et le poids augmenta pour culminer, en 2002, à 1330 kg (53 % de plus). Pour compenser, la GTI fit appel à la suralimentation, faisant passer la puissance à 180 chevaux (100 % de plus). Certes, les performances sont encore au rendez-vous, mais qu'advient-il de l'agrément de conduite ? C'est ce que notre match comparatif nous a permis de découvrir.

C'est à l'unanimité que notre jury a répondu positivement à cette question. « Plus une bourgeoise à prétention sportive qu'une vraie minisportive », affirme Claude Carrière. « Cette GTI demeure une valeur sure même si elle a perdu de son caractère "pt'it char baveux" », réplique Denis Duquet. C'est donc par son caractère cossu et luxueux que la Golf gagne des points face à ses rivales plus démunies. Qualité des matériaux et de la finition, équipement complet, places arrière plus accueillantes, coffre convenable et ergonomie soignée font qu'à bord de la Golf, « on se sent choyé dans un décor digne d'une Mercedes des années 80 » (C. Carrière). Puis il y a ce moteur… un véritable chef-d'œuvre de 1,8 litre et 20 soupapes, gavé par turbocompresseur avec échangeur air-air et développant 180 chevaux et 174 lb-pi de couple dès 1950 tr/min. Et grâce aux merveilles de l'électronique, la souplesse se conjugue à la progressivité pour livrer des reprises fulgurantes. Notons ici que notre Golf d'essai était équipée de la boîte automatique qui favorise les reprises puisqu'elle rétrograde plutôt que de rester en 4e.

Si les reprises sont au rendez-vous, les accélérations sont moins spectaculaires, en partie à cause de l'embonpoint de la bête, corpulence qui nuit aussi à la distance de freinage et surtout au chrono du slalom. La Golf pique du nez, roule de gauche à droite, faisant souffrir les pneus avant, bref, « elle sous-vire de façon exagérée » (J. Duval).

En somme, « la minisportive pour les 30 ans et plus qui ont compris que pour une utilisation de tous les jours, un compromis confort-performances est un *must* » (C. Carrière). Restera aussi à soigner la fiabilité moins que reluisante dont souffrent depuis quelque temps plusieurs produits siglés VW.

> ▶ **POUR :**

*« Wow ! La 1,8T est superbe… la voiture la mieux équilibrée du groupe. À la fois civilisée et silencieuse, tantôt racée, tantôt sportive. »*

**Alexandre Doré**

> ▶ **CONTRE :**

*« Une Rabbit des années 2000. Volkswagen aurait intérêt à innover, surtout que sur le plan des performances, le but est atteint. Un modèle qu'on a assez vu. »*

**Jacques Deshaies**

# 4 MINI COOPER S

## Pauvre MINI

Quelle belle gueule! Quelle allure! Que de promesses non tenues! disait Duquet. Que peut-on dire de plus? Le jury a été une fois de plus unanime.

La MINI Cooper S remporte le concours de beauté, mais pour le reste? «Complètement inadaptée à nos routes québécoises» (C. Carrière) avec sa suspension plus que ferme et son empattement court. Certes, l'intérieur très *design* et les nombreuses touches rétro plaisent à l'œil, mais la qualité des plastiques rappelle certaines coréennes et on craint que le tout ne tombe en miettes après deux ans de tape-cul sur nos routes tiers-mondistes. Oui, la caisse est rigide et les suspensions compétentes sur piste, mais l'intégrité de la caisse tiendra-t-elle le coup, surtout que notre modèle d'essai présentait déjà des signes de faiblesse?

Quant aux places arrière, si le dégagement à la tête est convenable, il faut être contorsionniste pour y parvenir, sans parler du coffre qui, avec ses 150 litres, s'apparente plutôt à une boîte à gants. Et dire que la vieille Mini, avec 63 cm de moins en longueur, offrait mieux en matière de coffre...

Les 163 chevaux du moteur d'origine brésilo-américano-germanique soufflé par compresseur ne sont pas à dénigrer, mais ils n'arrivent pas à déplacer les 1 215 kg de la Mini avec suffisamment d'allégresse par rapport à la Civic et à la Focus. Par contre, en slalom, épreuve qui récompense l'agilité, la MINI obtient le 2e chrono, sa faible longueur, son empattement court et sa direction extra-vive se traduisant par une maniabilité de kart. Un rappel à l'intention des ingénieurs de BMW: la Mini d'origine ne faisait que 600 kg, d'où son extraordinaire agilité et ses performances redoutables. Efforcez-vous de supprimer une centaine

de kilos à votre MINI, et nous pourrons en reparler.

Fidèle à la tradition BMW, la MINI bénéficie – ou est affublée, selon votre point de vue – d'une liste interminable d'options. Tout y est, depuis le toit ouvrant panoramique jusqu'à la climatisation automatique, en passant par la boîte à gants réfrigérée, question de garder vos Perrier à une température civilisée...

Autrement dit, un beau jouet, une expression de votre personnalité, un comportement de kart, une gueule et un habitacle à faire craquer les BCBG. Le tout à un prix très Chanel. Chez les deux seuls concessionnaires MINI/BMW du Québec!

> **POUR:**

«Cette Minimini est sans aucun doute la plus jolie, coquine, mignonne et charmante du groupe.»
**Alexandre Doré**

> **CONTRE:**

«Être si belle et si décevante. BMW a manqué son coup. C'est comme bâtir une maison et mettre 75% du budget sur le revêtement extérieur; vous n'avez pas intérêt à recevoir des invités. Sois belle et tais-toi.»

**Jacques Deshaies**

| Performances *mesurées* | FORD FOCUS SVT | HONDA CIVIC SiR | MINI COOPER S | VW GOLF GTI 1,8T |
|---|---|---|---|---|
| **ACCÉLÉRATION** | | | | |
| • 0-100 km/h | 7,8 s | 8 s | 8,3 s | 8,8 s |
| • 80-120 km/h | 7,6 s (4ᵉ) | 7,5 s (4ᵉ) | 8,2 s (4ᵉ) | 6,75 s (D) |
| **FREINAGE** | | | | |
| • 100-0 km/h | 37,4 m | 41,5 m | 42,3 m | 43,3 m |
| **¼ MILLE** | | | | |
| | 15,9 s / 144 km/h | 16,1 s / 142 km/h | 15,9 s / 145 km/h | 15,5 s / 150 km/h |
| **SLALOM** | | | | |
| • Meilleur temps | 31,2 s | 32,8 s | 31,7 s | 32,6 s |
| **TOURS DE PISTE** | | | | |
| • Meilleur temps | 46,9 s | 48,3 s | 48,4 s | 47,7 s |
| **NIVEAU SONORE** | | | | |
| • Ralenti | 45,6 dB | 42,2 dB | 46,6 dB | 47,1 dB |
| • Accélération | 73,7 dB | 70,5 dB | 74,9 dB | 75,5 dB |
| • 100 km/h | 65,3 dB | 64,5 dB | 67,2 dB | 68,5 dB |

# CONCLUSION

Pas facile d'être une minibombe en 2002! Faut avoir une belle gueule, des accélérations de F1, être scotché à la route, freiner comme une Porsche, se vêtir de cuir, jouer des CD, être bardé de coussins de sécurité, offrir une palette interminable de couleurs, permettre aux quinquagénaires de se souvenir de leurs 20 ans et aux gars de 20 ans de faire tourner les têtes des blondes de 18 ans, tout en s'inscrivant dans la catégorie des voitures abordables à l'achat et économiques à l'usage, question de ne pas effaroucher les compagnies d'assurance et de ne pas démunir les comptes en banque. Ouf!

La solution? Suivre la suggestion de Carl Lapointe: «Il me faut une SVT pour les sorties du samedi soir, une MINI pour épater les amis, une SiR pour le plaisir et la Golf pour les jours de semaine.» D'autres auraient pu les placer dans un ordre différent, mais contentons-nous de rappeler que les quatre minibombes à l'essai sont des voitures très compétentes qui, pour une somme variant entre 25 000 $ et 30 000 $, vous donneront, chacune à sa façon, des raisons de sourire.

## DERNIÈRE MINUTE

Elle vient de nous être livrée, celle qui aurait pu détrôner la Ford Focus SVT! C'est la VW Golf GTI 337 qui, 25 ans après la première GTI, renoue avec le véritable esprit de ces petites bombes qui ont fait dans les années 70 le bonheur de toute une génération. Dotée de la suspension Sport de la Golf 1,8T et de roues BBS chaussées de Michelin Pilot de 18 pouces à taille ultrabasse et, surtout, d'impressionnants freins avant et arrière à disques ventilés, la 337 affiche un comportement routier et des prestations qui pourraient fort bien en faire la «mini» la plus redoutable du plateau.

Pour vous mettre en appétit, sachez que la 337, dont il n'y aura que 1750 exemplaires en Amérique du Nord, boucle le 0-100 km/h en 7,9 secondes. Quant aux reprises en 4ᵉ de 80 à 120 km/h: 6,4 secondes, mieux qu'une Boxster S!

Pour 32 900 $. Sièges Racaro, boîte 6 vitesses et chaîne audio Monsoon 200 watts compris. Faites vite!

## Les tours de piste de Jacques Duval

Un mot d'abord sur les sièges pour souligner la domination de la Civic SiR à ce chapitre. Les sièges de type Recaro sont impeccables, tant par leur confort que par le maintien qu'ils procurent en virage. Je mettrais ceux de la Focus en 2e place… bon maintien aussi, mais peut être un peu plus fermes et moins confortables pour de longs trajets. Les sièges de la Golf sont confortables, mais moins bien en conduite sportive, car le cuir s'avère glissant et le maintien latéral insuffisant. Enfin, les exécrables sièges de la MINI la relèguent en dernière place à ce chapitre et seront, pour bien des gens, un obstacle majeur à l'achat de cette voiture.

Sur piste, on le devine, la Honda est sérieusement handicapée par ses pneus trop étroits, trop petits et mal adaptés à toute forme de conduite sportive, sous-virage massif et comportement à la limite frisant la zone dangereuse. J'ai failli m'encarter dans le mur de pneus en quittant l'ovale pour aborder le petit circuit intérieur. Des pneus à refiler à la tante Emma pour sa Kia Rio.

La Focus est de loin la voiture la plus facile à utiliser dans ces conditions grâce à une direction ultraprécise qui place le nez de la voiture là où on le veut et à une suspension qui limite le roulis ou le tangage. Une superbe cohésion de freinage, de performances et de tenue de route, la seule voiture à afficher un comportement assez neutre alors que toutes les autres ont une tendance marquée au sous-virage.

La Golf sous-vire de façon exagérée. Bonne direction, excellent freinage et excellentes reprises, mais le train avant refuse de plaquer la puissance au sol et fait perdre beaucoup de temps.

La MINI dont on vante à tout vent la tenue de route est facile à conduire sportivement, mais elle n'arrive pas à donner cette assurance que l'on obtient au volant de la SVT. Bon équilibre entre sous-virage (en attaque) et survirage (en fin de virage). La direction demande une certaine habitude vu sa spontanéité et le freinage est résistant. Mais il se dégage de cette voiture une impression de lourdeur qui gâte le plaisir.

## Fiche *évaluation*

| | | FORD FOCUS SVT | HONDA CIVIC SiR | MINI COOPER S | VW GOLF GTI 1,8T |
|---|---|---|---|---|---|
| **STYLE** | | | | | |
| Extérieur | 10 | 7,3 | 6,9 | 9 | 6,7 |
| Intérieur | 10 | 7,2 | 7,6 | 8,4 | 7,9 |
| | **40 pts** | **14,5** | **14,5** | **17,4** | **14,6** |
| **CARROSSERIE** | | | | | |
| Finition intérieure et extérieure | 10 | 7,1 | 8,2 | 6,7 | 8,5 |
| Qualité des matériaux | 10 | 5,9 | 8,2 | 5 | 8 |
| Coffre (accès/volume) | 10 | 7,2 | 7,7 | 4 | 8,6 |
| Espaces de rangement | 10 | 5,4 | 7,8 | 5,2 | 6,4 |
| Astuces et originalité | 10 | 4,1 | 8,2 | 9,7 | 4,4 |
| Équipement | 5 | 4,1 | 3,7 | 4,8 | 4,3 |
| Tableau de bord | 5 | 3,6 | 3,9 | 3,4 | 4,1 |
| | **60 pts** | **37,4** | **47,7** | **38,8** | **44,3** |
| **CONFORT** | | | | | |
| Position de conduite/volant/sièges av. | 10 | 8,5 | 8,2 | 7,9 | 8,4 |
| Places arrière | 10 | 7 | 6,9 | 5 | 7,3 |
| Ergonomie | 10 | 8,2 | 8,6 | 6,9 | 8,7 |
| Silence de roulement | 10 | 7,2 | 6,7 | 6,5 | 7,6 |
| | **40 pts** | **30,9** | **30,4** | **26,3** | **32** |
| **CONDUITE** | | | | | |
| Moteur | 40 | 35 | 30,4 | 27,3 | 33,1 |
| Transmission | 30 | 24,9 | 26,9 | 20,6 | 21,4 |
| Direction | 30 | 25,7 | 25 | 21,6 | 27,1 |
| Tenue de route | 30 | 28,3 | 25,7 | 21,4 | 27 |
| Freins | 30 | 28,3 | 22,2 | 21,7 | 23,4 |
| Confort de la suspension | 20 | 16,9 | 17 | 14,3 | 18,3 |
| | **180 pts** | **159,1** | **147,2** | **126,9** | **150,3** |
| **SÉCURITÉ** | | | | | |
| Visibilité | 10 | 7,3 | 6,5 | 8,1 | 8,1 |
| Rétroviseurs | 10 | 7,5 | 8,1 | 8,1 | 8,3 |
| Nombre de coussins de sécurité | 10 | 10 | 5 | 10 | 10 |
| | **30 pts** | **24,8** | **19,6** | **26,2** | **26,4** |
| **PERFORMANCES MESURÉES** | | | | | |
| Reprises | 20 | 17 | 18 | 14 | 20 |
| Accélération | 20 | 20 | 18 | 16 | 14 |
| Freinage | 20 | 20 | 18 | 16 | 14 |
| Slalom | 20 | 20 | 16 | 18 | 15 |
| Tour de piste | 20 | 20 | 16 | 15 | 18 |
| Niveau sonore | 10 | 9 | 10 | 8 | 7 |
| | **110 pts** | **106** | **96** | **87** | **88** |
| **RAPPORT QUALITÉ/PRIX** | | | | | |
| Agrément de conduite | 10 | 8,4 | 8,4 | 6,6 | 8 |
| Choix des essayeurs | 40 | 32,3 | 33,6 | 23,7 | 26,4 |
| Valeur pour le prix | 10 | 7,4 | 9,2 | 4,4 | 6,3 |
| | **60 pts** | **48,1** | **51,2** | **34,7** | **40,7** |
| **Total** | **500 pts** | **420.8** | **406.6** | **357.3** | **396.3** |
| **CLASSEMENT** | | **1** | **2** | **4** | **3** |

# L'échelle *tuning*

PAR **ALAIN McKENNA**

*L'histoire se répète. Il y a eu les **hot rods** des années 50. Sont ensuite apparus les **muscle cars** des années 70. Et la dernière génération de nouveaux conducteurs n'est pas en reste, car l'industrie des voitures compactes de performance est officiellement le nouveau chouchou des jeunes amateurs de voitures d'Amérique du Nord, de la Californie au Québec. Pas étonnant que les fabricants de pièces et accessoires se voient soudainement secondés par les grands constructeurs automobiles pour conquérir ce lucratif marché de plusieurs milliards de dollars.*

Fait inusité, après quelques années d'observation, on remarque une tendance spécifique au Québec. Tandis que de nombreux jeunes propriétaires américains de voitures importées achètent sans tracas des ensembles mécaniques, esthétiques ou tout autre vendus par des détaillants établis aux États-Unis, les Québécois sont plus nombreux à faire confiance au carrossier du coin ou au mécanicien de quartier pour leur bricoler une petite bombe aux allures uniques. La raison? Très peu de détaillants de pièces et accessoires vendent en sol québécois leurs ensembles de pièces. Inversement, commander directement de Californie une calandre personnalisée relève d'une magie pécuniaire que seuls quelques heureux fortunés peuvent se permettre. Ainsi, il est plus avantageux pour de nombreux amateurs de performance de mouler de la fibre de verre au goût du jour que de l'importer de l'autre côté de la frontière.

Cela dit, on ne modifie pas une voiture n'importe comment. Enfin, en théorie. Car nombreux sont les propriétaires de Honda Civic, de Volkswagen Golf ou d'Acura Integra qui sont en même temps à la recherche de commandites ou de bourses pour financer ces modifications. D'où la popularité des concours de beauté et des courses d'accélération. Côté sono, des compétitions sont aussi organisées. Tout ça donne lieu à des événements assez hétéroclites où se réunissent différents types d'amateurs : c'est ce que l'on pourrait appeler l'Échelle *tuning*. En voici une illustration.

## ❶ Le civilisé

Les premières modifications apportées à un véhicule sont généralement consacrées à l'amélioration des qualités dynamiques du véhicule. On peut commencer par améliorer l'entrée d'air, ne serait-ce que par l'utilisation d'un filtre à air moins obstruant. Idem pour la sortie des gaz brûlés: un échappement à plus haut débit, par exemple, peut vous faire gagner quelques chevaux.

On peut aussi trafiquer avantageusement les proportions d'air et d'essence qui alimentent la combustion. Il s'agit d'installer une puce reprogrammée dans l'ordinateur de bord afin d'en améliorer les résultats. Comme ces proportions sont généralement programmées à l'usine pour l'économie d'essence, il est facile de gagner là aussi quelques chevaux de plus.

Bien sûr, on peut rapidement monter en grade en changeant carrément le moteur. Quelques mécaniques méritent l'acclamation de nombreux amateurs de voitures importées: chez les propriétaires de voitures japonaises, le moteur H22 qui équipait la Honda Prelude de dernière génération est sans conteste le plus populaire à l'heure actuelle. Sinon, on pense au moteur de l'Acura Integra Type R. Les amateurs de Volkswagen ou d'Audi sont nombreux pour leur part à opter pour le fougueux 1,8T du constructeur allemand.

Dans cette catégorie, on retrouve notamment des amateurs de performance brute, qui recherchent la pure puissance débridée, mais on retrouve aussi des gens qui penchent plutôt vers une expérience plus globale. Ceux-ci préfèrent le slalom ou le *lapping* au quart de mille. Dans tous les cas, la suspension, la transmission et les pneumatiques sont des éléments qui sont également repensés.

Mais illustrons un peu. Lors du match impliquant les «bombes» à SANAIR, étaient aussi présentes trois de ces voitures modifiées. La Golf GLS 2001 de Stéphane D'Amato, président du Club Autosport des Laurentides (CADL), représente ce premier échelon de modifications. Puce de marque Neuspeed, filtre à air K&N, bougies, barre antiroulis, ressorts et amortisseurs plus performants constituent les principales améliorations apportées à l'auto.

Fallait observer la différence au décollage! L'arrière de la voiture s'écrasait visiblement sous la traction. En courbe, l'adhérence au sol était remarquable. Stéphane a judicieusement contre-balancé

**Volkswagen Golf GLS 1,8T 2001**

**MOTEUR**
- 180 chevaux (220 lb-pi)
- Puce Neuspeed
- Filtre à air K&N
- Bougies Bosch haute performance
- Bypass valve de turbo Bosch

**ROUES, SUSPENSION, FREINS**
- Amortisseurs Bilstein Sport
- Ressorts H&R Race
- Jambe de réaction (upper strut bar) OMP
- Barre antiroulis ajustable de 28 mm Neuspeed à l'arrière
- Disques de frein avant Brembo rainurés
- Plaquettes avant Hawk HP Plus
- Plaquettes arrière MetalMaster
- Roues BBS RC 16 pouces x 7,5 pouces
- Pneus TOYO RA-1 225-50-16

le surplus de puissance fourni par le moteur avec une suspension raffermie par des amortisseurs et des ressorts de caractère sportif. À ce niveau relativement sommaire de modifications, c'est pourtant l'auto qui s'est avérée la plus rapide sur le circuit de slalom qui servait de piste d'essai.

## ❷ Le rapide

Jacques Dupuis travaille chez un concessionnaire Honda de Montréal-Nord. Pas étonnant que son coupé Civic Si 1993 profite d'une quantité alarmante de pièces de performance. Toutefois, à ce stade-ci, il se retrouve à mi-chemin entre la voiture montée pour la course et la voiture génétiquement modifiée.

Jacques a d'abord installé un moteur d'Acura Integra GS-R 1999 dans le ventre du coupé. L'entrée d'air, les pistons, l'échappement complet, la transmission et le système de refroidissement ont tous été changés ou

### Honda Civic 1993

**MOTEUR**
- 200 chevaux
- Moteur d'Acura Integra GS-R 1999
- Pistons de Civic SiR 1999-2000
- Prise d'air de Civic Type R JDM
- Échappement d'Acura Integra Type R
- Ressort de soupapes double (prise d'air + échappement)
- Transmission ITR avec glissement limité
- Échappement Greedy
- Collecteur (header) DC Sports
- Refroidisseur d'huile B&M refroidi à l'air
- Système d'air refroidi AEM
- Contrôleur VTEC
- Cadrans Auto Meter : pression d'huile, température du liquide de refroidissement

**ROUES, SUSPENSION, FREINS**
- Amortisseurs Koni, ressorts Neuspeed Race
- Bar antiroulis arrière ITR
- Disques perforés Brembo aux 4 roues
- Plaquettes Hawks HP + à l'avant et KVR à l'arrière
- *Fuel rail* et régulateur de pression AEM
- Poulies de cames ajustables AEM
- Crémaillère à direction assistée Integra 1997
- Conduits à freins en acier inoxydable aux 4 roues
- Barres de rapprochement DC Sports à l'arrière (2)
- *Upper tie bar* DC Sports avant
- Bar antiroulis avant, Civic Si 1993 coupé
- Pommeau de levier de vitesses Acura RSX Type S 2002

améliorés. À l'intérieur, au bas de la console centrale, se retrouve un contrôleur VTEC, qui permet d'optimiser électroniquement le comportement du système de calage variable propre aux moteurs Honda à même le siège du conducteur.

Sur le tableau de bord, des cadrans additionnels permettent de vérifier à tout moment avec une précision indiscutable la pression d'huile, la température du liquide de refroidissement et le régime du moteur.

Le châssis est renforcé à quatre emplacements : deux barres de rapprochement sont situées à l'arrière du véhicule et deux barres stabilisatrices à l'avant. Elles permettent d'amoindrir les effets de distorsion provoquées par la rencontre de forces contraires. Pensez à une boîte à souliers, avec et sans couvercle : voyez-vous la différence de rigidité au niveau de la structure ? L'idée est la même.

Amateur de vitesse, Jacques s'est créé un véhicule qui peut redoutablement tenir tête à la compétition lors de courses d'accélération, mais aussi offrir des sensations de conduite enivrantes sur circuit routier. Lors de notre essai, ce ne sont que quelques poussières qui ont permis à la Golf de la coiffer au fil d'arrivée.

## ❸ Le remarquable

Le vrai, le seul, l'unique, c'est celui qui parvient à en mettre plein la vue non seulement par ses performances, mais parce que la grâce combinée des divers éléments visuels qui habillent sa voiture lui confère une sorte d'aura qui n'a pas d'égal.

Déjà, avant même d'avoir ne serait-ce qu'effleuré du coin du pneu la piste d'essai, on sait que cette voiture nous réserve quelques surprises. Il y a quelque chose de félin dans la démarche d'un tel bolide. Souple, agile, rapide. Cette béatitude jumelée à l'admiration lisible dans les yeux de chaque spectateur est le carburant qui alimente les rêves de tous ces aficionados de la personnalisation automobile.

À ce stade-ci, le budget n'a plus d'importance : capot en fibre de carbone, pare-chocs avec grille chromée importé de Californie, roues de 20 pouces, bas de caisse moulés, etc.

Souvent, l'intérieur aussi mérite une attention toute particulière. Notez bien pour la postérité que 2002 est l'année des écrans à cristaux liquides et du lecteur

### Ford Focus ZX3 2001

**MOTEUR**
- 195 chevaux
- Corps d'accélération (T-Body) 65 mm
- Ensemble de tête et d'arbre à cames personnalisé
- Prise d'air Mac
- Puce Diablo
- Câbles d'allumage Ford Racing
- Poulies haute performance Focus Central
- Poulies d'arbre à cames ajustables
- Collecteur d'échappement court
- Échappement en acier inoxydable Magnaflow

**ROUES, SUSPENSION, FREINS**
- Ressorts Eibach Pro Kit
- Amortisseurs de Focus SVT
- Pneus Goodyear F1 GS-D2 (225/35ZR18)
- Jantes Motegi MR7 18 pouces x 7,5 pouces

**EXTÉRIEUR**
- Calandre et pare-chocs arrière de la T320 européenne
- Capot Mach 5 Cervini
- Aileron WRC

**INTÉRIEUR**
- Levier de vitesses court Focus Central
- Roues en aluminium de 17 pouces
- Grille de pare-chocs avant unique
- Phares teintés exclusifs
- Pédalier d'allure sportive
- Sièges en cuir noir et rouge

DVD pour auto. Dans la console et dans les appuie-tête, il est maintenant possible de voir son film préféré en pleine heure de pointe. Ou de se taper une ou deux courses sur Gran Turismo 3 A-Spec, à même le système PlayStation 2 logé dans le coffre à gants.

La Focus ZX3 de Chomedey Ford a mérité des trophées lors de compétitions d'esthétique. À l'avant, on reconnaît les traits de la version européenne de la Focus, tout comme à l'arrière, bien qu'avec des phares, un capot, des feux arrière et un aileron plus rares, on ne le remarque qu'accessoirement. Sous le capot, d'ailleurs, on avait aussi installé un turbocompresseur, à un certain moment. Mais voilà, cette Focus démontre qu'il est souvent possible de bien paraître, mais qu'il faut plus que des modifications d'allure sportive pour bien performer.

Et ce n'est que la pointe de l'iceberg !

# Suivre la vague

PAR **ALAIN McKENNA**

*De nombreux nouveaux modèles de voitures compactes destinées aux amateurs de performance sont maintenant offerts chez les constructeurs. Qu'il s'agisse de modèles à tirage limité ou, à l'opposé, d'une division entière consacrée à la fabrication et à la vente de pièces et d'accessoires pour des modèles déjà existants, de moins en moins de marques tournent le dos à ce qui est en train de devenir un marché très lucratif, soit la personnalisation automobile. Voici donc ce qu'il est possible de trouver chez les concessionnaires en 2003.*

### ● Acura RSX Type S

La RSX reprend là où l'Integra a laissé. Au grand bonheur des amateurs, Acura en a profité pour lancer de nouvelles versions Type S de certains de ses modèles, comprenant bien sûr la RSX. Compte tenu des résultats sur route, le prix de détail avantage toutefois la version de base, à laquelle il est évidemment possible d'ajouter quelques chevaux en ajustant l'échappement, entre autres. Une

chose à faire même sur la Type S, puisque nombreux sont ceux qui ne peuvent tolérer le bruit strident de son moteur. Très agaçant. Mais avec 200 chevaux dès le départ et un comportement très fougueux, le coupé a de quoi surpasser son prédécesseur.

### ● Chevrolet Cavalier/ Pontiac Sunfire « Street Force »

C'est à l'occasion de l'événement Sport Compact Performance de l'année dernière

que General Motors a annoncé son alliance avec une entreprise montréalaise nommée Street Force, afin de produire des Chevrolet Cavalier et Pontiac Sunfire un peu plus agressives. Esthétiquement, du moins, puisqu'un capot unique, des pare-chocs révisés et un échappement plus imposant équipent ces modèles, offerts chez les concessionnaires québécois. De plus, le retour de modèles SS signifie peut-être aussi l'arrivée de modèles compacts plus performants. Pas juste l'Impala, espère-t-on…

### ● Dodge SRT-4

La SRT-4 est conçue pour faire chavirer le marché des voitures modifiées grâce entre autres à un chrono au 0-100 km/h ne dépassant pas les 6 secondes. Un moteur turbocompressé de 215 chevaux vise avant tout le titre de véhicule le plus rapide au monde pour moins de 20 000 $ US. C'est du moins le défi que s'est lancé DaimlerChrysler. Esthétiquement aussi, on a apporté quelques touches spécifiques : phares, pare-chocs et cuir deux tons mur à mur à l'intérieur. La sortie officielle de la SRT-4 n'a pas encore été annoncée. Mais ça ne devrait pas tarder, car après tout, il s'agit bel et bien d'un modèle millésimé 2003.

### ● Ford Focus SVT

Si ce n'est déjà fait, vous verrez dans ces pages la Focus SVT dans le dossier

Honda a fait de la SiR son modèle sport, mais en voulant recréer l'engouement des acheteurs envers ce qui était autrefois la Civic Si, le constructeur a oublié de considérer l'aspect budget. Désolant. La SiR est décrite en détail dans le dossier des petites bombes.

### Lexus IS 300 L-Tuned

était équipée ainsi: puce reprogrammée, entrée d'air et filtre plus performants, échappement plus généreux. Différences esthétiques: la grille, à l'avant, des roues uniques, de même qu'un effet de sol pas mal du tout. Avis aux propriétaires de Lexus, puisque de nombreux ensembles de pièces d'esthétique sont maintenant vendus chez les concessionnaires. Ne manque plus que des freins plus puissants et une transmission manuelle plus sportive, tiens...

### ● MazdaSpeed Protegé

du collègue Alain Raymond sur les petites bombes. Vous y trouverez les détails sur cette voiture, qui est en train de se tailler une réputation fort enviable, grâce à une mécanique solide et entraînante et à un freinage à toute épreuve.

### ● Honda Civic SiR

Deux cent cinquante chevaux pour une Lexus IS 300 qui ne manquait déjà pas de volonté (et qui a finalement eu droit à une transmission manuelle) ne peut être qu'une bonne nouvelle. En fait, le suffixe « L-Tuned » ne signifie pas une nouvelle ligne de modèles de performance mais, un peu comme pour TRD chez Toyota, qu'il est possible d'acquérir des ensembles de pièces à installer sur sa voiture. L'IS 300 L-Tuned que Lexus nous a prêtée pour ce dossier

Protegé selon Mitsubishi », est donc livrée au Canada en trois versions, incluant l'OZ, une édition destinée au marché des amateurs de la retouche mécanique. C'est d'ailleurs ce qu'il reste à faire, l'ensemble de jupes, les pneus et la peinture ayant déjà fait les frais de révisions, à l'usine. Pour le prix, ce modèle risque de s'avérer très attrayant.

## ● Nissan Sentra SE-R Spec V

La Protegé orange que vous croiserez sur les routes cet automne n'est pas une édition spéciale pour l'Halloween. Le badge MazdaSpeed indique qu'il s'agit d'un véhicule de performance, ni plus ni moins. Pour Mazda, cela signifie un moteur de 2 litres turbocompressé, de 170 chevaux (0-100km/h en 8 secondes), des freins très puissants et une sono Kenwood à tout casser. Le résultat n'est pas mauvais, mais on aurait pu faire mieux avec le turbo, puisque ses capacités sont sous-exploitées. Si l'effet de couple est bien présent et le comfort marginal, la tenue de route est cependant de très haut niveau. Cela dit, le petit bolide demeure un engin très plaisant à conduire, et son tirage limité fera de la poignée de propriétaires éventuels de la MazdaSpeed une classe de gens qui se distingueront du lot.

175 chevaux, toutefois, la mécanique de la Spec V n'est pas la plus puissante de sa catégorie. On n'a qu'à penser à la Volkswagen GTI, par exemple, qui fait 180 chevaux et qui profite d'un turbo, en prime. Par comparaison, la Spec V se trouve un peu en deçà des attentes. Mais pour ceux qui désirent apporter des modifications additionnelles, ou encore qui aiment bien son style qui ne compromet pas tellement le confort des occupants, il s'agit d'un choix logique.

## ● Mitsubishi Lancer OZ

Il ne faudrait pas oublier l'arrivée de Mitsubishi en sol québécois et ce que cela nous amène au chapitre des voitures compactes de performance. La Lancer, que l'on peut résumer grossièrement par l'expression « la

Nissan a développé une lignée de modèles sport qui devrait lui permettre de fidéliser une clientèle plus jeune. D'abord, le lancement de la Sentra SE-R Spec V a permis à plusieurs de considérer une première fois de se tourner vers la marque nippone. À

## ● Toyota Celica TRD

Toyota Racing Division (TRD) fonctionne sur le principe de pièces et accessoires vendus au détail aux propriétaires de produits Toyota. C'est pourquoi on ne trouve pas comme tel de modèle TRD. Cependant, une édition spéciale de la Celica a vu le jour qui a permis d'évaluer le sérieux de la démarche de TRD. Et le bilan est très positif! Évidemment, plusieurs voudront revoir le

## Fiche Tuning

### Acura RSX Type S

**KIT PERFORMANCE**
- Amortisseurs et ressorts haute performance
- Disques de freins perforés et plaquettes plus performantes
- Jantes en alliage léger de 17 pouces
- Pneus haute performance P225/45VR17
- Aileron arrière surélevé
- Ensemble de jupes exclusif
- Pommeau de levier de vitesses unique

### Chevrolet Cavalier/Pontiac Sunfire

**KIT STREET FORCE**
**Cavalier**
- Capot personnalisé
- Pare-chocs avant avec grille surdimensionnée
- Aileron arrière Street Force
- Roues en alliage KMC Velocity de 17 pouces
- Silencieux et embout d'échappement à haut débit
- Sièges en cuir deux tons blanc et gris

**Sunfire**
- Capot personnalisé
- Pare-chocs avant avec grille surdimensionnée
- Aileron arrière Street Force
- Roues en alliage KMC Spyder de 17 pouces
- Silencieux et embout d'échappement à haut débit
- Sièges en cuir deux tons blanc et rouge

### Dodge SRT-4

- 4L 2,4 litres turbocompressé (215 chevaux)
- Échappement en acier inoxydable de 2,5 pouces de diamètre
- Roues en aluminium de 17 pouces
- Suspension modifiée
- Barres antiroulis
- Freins à disque plus gros et étriers plus puissants
- Capot, aileron, calandre et effet de sol uniques
- Sièges style Viper et intérieur en cuir et fibre de verre

### Ford Focus SVT

- 4L de 170 chevaux
- Transmission manuelle Getrag à 6 rapports
- Suspension MacPherson indépendante
- Freins à disque de 11,8 et 11,65 pouces (avant et arrière)
- Roues en aluminium de 17 pouces
- Grille de pare-chocs avant unique
- Phares teintés exclusifs
- Pédalier d'allure sportive
- Sièges en cuir noir et rouge

### Honda Civic SiR

- 4L i-VTEC de 160 chevaux
- Ressorts de suspension rigidifiés
- Barres stabilisatrices à l'avant et à l'arrière
- Freins à disque à large diamètre
- Roues plus larges à profil bas
- Sièges à l'allure sportive noirs brodés de rouge
- Cadrans blancs

### Lexus IS 300 L-Tuned

- Calandre avec grille L-Tuned
- Feux antibrouillards
- Aileron arrière L-Tuned
- Silencieux sport avec embout unique
- Barres stabilisatrices à l'avant et à l'arrière
- Ressorts de suspension rigidifiés
- Puce reprogrammée (MTM)

### MazdaSpeed Protegé

- 4L turbocompressé de 2 litres
- Turbocompresseur Garrett T25 avec refroidisseur intermédiaire (170 chevaux)
- Échappement en acier inoxydable avec silencieux Racing Beat
- Suspension Racing Beat avec ressorts à taux de flexion accru
- Amortisseurs Tokico
- Barres stabilisatrices à l'avant et à l'arrière
- Freins à disque antiblocage avec disques de 11 pouces et plaquettes à coefficient de friction élevé
- Roues Racing Hart en alliage de 17 pouces
- Couleur unique avec bouclier avant exclusif
- Intérieur en cuir deux tons gris et noir
- Pommeau de levier de vitesses et pédalier Sparco
- Radio Kenwood de 450 watts avec caisson de graves de 8 pouces

### Mitsubishi Lancer OZ

- Roues en alliage de 15 pouces OZ
- Extensions de pare-chocs avant et arrière
- Prise d'air latérales
- Aileron arrière
- Finition intérieure style aluminium brossé
- Volant, pommeau de levier de vitesses et frein à main stylisés
- Cadrans inspirés de la Lancer EVO VII

### Nissan Sentra SE-R Spec V

- 4L de 175 chevaux
- Transmission manuelle à 6 rapports
- Suspension avant à jambes de force avec ressorts rigidifiés
- Barres stabilisatrices avant et arrière
- Freins à disque aux quatre roues
- Roues de 17 pouces
- Calandre inspirée de la Nissan Skyline
- Aileron arrière
- Système audio Rockford Fosgate de 300 watts
- Volant et pommeau de levier de vitesses en cuir brodés de rouge
- Sièges style Skyline en tissu à maille rouge et noir

### Toyota Celica TRD

- 4L de 194 chevaux
- Échappement à haut débit en acier inoxydable
- Suspension baissée de 1 pouce
- Barres stabilisatrices à l'avant et à l'arrière
- Feux antibrouillards
- Grille surdimensionnée
- Jupes latérales
- Aileron arrière ajustable
- Roues de 17 pouces

### Volkswagen Golf GTI 337

- 4L turbocompressé de 180 chevaux
- Puce ECU reprogrammée pour un meilleur mélange air/essence
- Échappement en acier inoxydable
- Freins à disque de 16 pouces avec étriers rouges
- Roues en alliage de 18 pouces
- Pare-chocs avant unique
- Phares teintés
- Jupes latérales assorties
- Aileron arrière
- Pneus à cote de vitesse Z
- Volant, pommeau de levier de vitesses et frein à main en cuir noir brodé rouge
- Pédalier en aluminium brossé

comportement du moteur qui, un peu à cause de la technologie du calage variable, prend du temps avant de livrer la marchandise (6 000 tr/min). Mais qu'à cela ne tienne, le constructeur japonais voulait surtout faire comprendre que si vous possédez une Toyota et désirez en améliorer les performances, c'est désormais plus facile.

## ● Volkswagen Golf GTI 337

Volkswagen marque le 25e anniversaire de la GTI d'une façon tout à fait prévisible : une édition spéciale du populaire coupé. Mais pas n'importe quoi ! La GTI 337, en hommage au nom de code de la Golf des années 70, sera équipée du 4 cylindres turbocompressé 1,8T de Volkswagen, de roues uniques de 18 pouces, de freins à disque de 16 pouces (!) munis d'étriers uniques rouges, de pneus de performance à cote Z, d'un aileron lui aussi unique, d'un ensemble de jupes et d'un échappement en acier inoxydable. Beaucoup d'éléments qui feront certainement plaisir aux aficionados de la marque allemande.

# Huit pneus performances à l'essai

PAR **MICHEL POIRIER-DEFOY**

*Le phénomène* tuning *prend le Québec d'assaut et les manufacturiers adaptent leurs pneus aux besoins de la génération montante qui personnalise sa voiture. Huit manufacturiers – Bridgestone, Dunlop, Falken, Hankook, Michelin, Pirelli, Toyo et Yokohama – ont relevé le défi de mettre à l'essai des pneus destinés à ce créneau mais aussi à plusieurs berlines sport. Ce qui veut dire que beaucoup d'acheteurs y trouveront leur compte. Nous les avons soumis à des tests représentant une conduite sportive. Les évaluations proviennent de jeunes pilotes-essayeurs, Kuno Wittmer et Mathieu Audette.*

## Situations de conduite sportive

Nous avons divisé l'essai en six sous-tests. Deux slaloms qui trahissent le type d'adhérence et la stabilité. Le bruit : à 100 km/h, il permet de déceler si la pénétration de l'air et la friction sur la route incommodent. Courbe qui se referme : il faut réagir sans quitter la route. Accélération : sans traction asservie, on détermine la perte d'adhérence lorsqu'on applique la puissance. Freinage : sans antiblocage, on s'immobilise en ligne droite, sans décrochage.

## Le pneu, objet de design

Rarement disons-nous que des pneus sont… *beaux*! C'est pourtant un critère de sélection dans ce créneau. L'adepte du *tuning* cherche à personnaliser tout en embellissant. Le pneu, jumelé à la jante d'alliage, doit réussir cette épreuve.

## Et le gagnant est....

Le vrai gagnant sera l'acheteur qui se procurera le produit qui correspond à ses besoins. Passons en revue le pour et le contre de chaque participant.

| Marque | GRANDEUR | POINTAGE | DESIGN | TOTAL | % | RANG |
|---|---|---|---|---|---|---|
| Bridgestone Potenza RE-730 | 205/55R15 | 101 | 13,5 | 114,5 | 98,7 | 2 |
| Dunlop FM 901 | 205/55R15 | 94 | 13 | 107 | 92,2 | 6 |
| Falken FK-451 | 205/45R16 | 98,5 | 17,5 | 116 | 100 | 1 |
| Hankook K-104 | 205/45R16 | 100 | 14,5 | 114,5 | 98,7 | 2 |
| Michelin Pilot Exalto | 205/45R16 | 79 | 11 | 90 | 77,5 | 8 |
| Pirelli P7000 Super Sport | 205/45R16 | 99 | 14,5 | 113,5 | 97,8 | 4 |
| Toyo Proxes T1-S | 205/55R15 | 90 | 15,5 | 105,5 | 90,9 | 7 |
| Yokohama Parada Spec II | 205/45R16 | 96 | 17,5 | 113,5 | 97,8 | 4 |

### Bridgestone

Ce Potenza soutient la réputation acquise en F1. Le meilleur en piste malgré un poids excessif. Il n'est cependant pas un exemple d'esthétique. Le plus dispendieux.

### Dunlop

Le FM possède un look vraiment invitant et un prix fort alléchant. Cependant, ses performances moins électrisantes et son code d'usure plutôt bas en font un choix pour les petits budgets. On en a souvent pour son argent dans le merveilleux monde du pneu!

### Falken

Le meilleur compromis avec ses sculptures d'enfer et ses performances intéressantes, malgré une structure moins rigide. Le FK-451 gagnera des adeptes parce qu'il est moins connu.

### Hankook

Produit coréen à prix modique, ce petit nouveau a très bien fait en piste, sans faire l'unanimité par son esthétique. Le K-104 est la preuve roulante que les Coréens s'améliorent à chaque génération.

### Michelin

Rare qu'un Bibendum paraisse aussi mal. La marque possède de meilleures armes dans son arsenal, mais pas dans ce segment. En monte d'origine d'habitude, l'Exalto ne pouvait tenir le coup contre l'opposition.

### Pirelli

Pirelli rime avec performance et notre italien monte sur le podium. D'allure sobre, le P7000 a un code d'usure élevé et une cote M & S signifiant qu'on peut le garder en hiver!

### Toyo

Nous espérions plus du T1-S, habitué à la piste. Son look séduisant plaira sûrement. Nous avions des 15 pouces au lieu des 16, ce qui explique la contre-performance.

### Yokohama

Seul pneu directionnel et asymétrique, le Parada mérite la palme du design et fait partie du gratin du segment avec d'excellentes performances.

| Marque | VITESSE | USURE | TRACTION | PAYS | PRIX |
|---|---|---|---|---|---|
| Bridgestone | Z | 300 | AA | Japon | 345 |
| Dunlop | V | 200 | A | Japon | 202 |
| Falken | Z | 280 | AA | Japon | 304 |
| Hankook | Y | 280 | AA | Corée | 246 |
| Michelin | V | 240 | A | France | 286 |
| Pirelli | W | 320 | A | Italie | 298 |
| Toyo | V | 280 | AA | Japon | 345 |
| Yokohama | Z | 300 | A | Japon | 302 |

* Code de vitesse (vitesse maximum que le pneu peut soutenir)   V = 240 km/h   W = 270 km/h   Y = 300 km/h   Z = 240 km/h et +
* Prix : Déduire un escompte de 25 à 40 %.

### Dans votre quête du bon produit,

posez bien des questions et rendez-vous chez trois ou quatre revendeurs. Vous aurez plus d'un avis, plus d'une cotation de prix et vous pourrez évaluer le service et la garantie. Préoccupez-vous des conséquences sur la mécanique, la lecture de l'ordinateur et la suspension.

# Quelle est
# *la meilleure berline sport*
## *sur le marché ?*

PAR **JACQUES DUVAL** PHOTOS **PATRICK JÉRÔME**

*Si, comme dans la musique ou la chanson, le palmarès automobile comportait une catégorie pour couronner la révélation de l'année, je pense que la récente Infiniti G35 serait une sérieuse candidate à ce titre. Alors que l'on s'attendait à voir débarquer une autre de ces berlines sport un peu tièdes publicisées comme une sérieuse menace à la plus célèbre d'entre elles, la BMW 330i, cette nouvelle venue nous en a mis plein la vue. Déjà, sur papier, on pouvait s'attendre à du sérieux mais c'est en prenant le volant de la G35 que j'ai pleinement réalisé qu'il s'agissait sans aucun doute de la première voiture susceptible de déloger l'incontournable petite BMW de son poste tant convoité de championne des berlines sport.*

*La seule manière de trancher cette épineuse question était d'organiser un match comparatif opposant la «merveille de Munich» à sa dernière rivale japonaise, la G35. Et tant qu'à faire, pourquoi ne pas y inscrire l'autre aspirante au titre, la Cadillac CTS ? Tout comme l'Infiniti, cette américaine veut séduire une clientèle jeune en quête de cet agrément de conduite qui semblait jusqu'ici la propriété exclusive des berlines bavaroises. Est-ce toujours le cas ? Voilà la question à laquelle ce match tente de répondre.*

Répondons d'abord à la question que je devine déjà. Pourquoi n'avoir pas inclus toutes les autres voitures de la même catégorie dans ce match ? Tout simplement parce que la plupart ont déjà été évaluées lors de matchs précédents et qu'elles n'ont pas réussi à évincer la BMW Série 3 de son piédestal. Il y a bien eu l'Audi A4 qui l'a devancée à l'occasion grâce à sa traction intégrale, mais quand il est question de vraies berlines sport strictement à propulsion, les candidates sont peu nombreuses. En plus, nous avons voulu que ce match oppose uniquement la championne de la catégorie à ses deux rivales les plus récentes de manière à bien les situer les unes par rapport aux autres.

Ce match a aussi l'avantage de réunir des voitures aux caractéristiques très similaires. Non seulement nous avons affaire à trois propulsions, mais elles sont toutes animées par des moteurs 6 cylindres jumelés à la transmission automatique. Certains vont pousser les hauts cris devant un tel sacrilège mais l'Infiniti G35, au moment de sa sortie en avril dernier, n'était proposée qu'avec une boîte automatique. Cette petite entrave à la conduite sportive nous a permis de découvrir chez la Cadillac CTS une transmission automatique si performante que

## La BMW 330i affronte ses plus récentes rivales, la Cadillac CTS et l'Infiniti G35

### Fiche technique

| | BMW 330i | CADILLAC CTS | INFINITI G35 |
|---|---|---|---|
| Empattement | 272 cm | 288 cm | 285 cm |
| Longueur | 447 cm | 483 cm | 473 cm |
| Largeur | 174 cm | 179 cm | 175 cm |
| Hauteur | 141 cm | 144 cm | 147 cm |
| Poids | 1 530 kg | 1 592 kg | 1 579 kg |
| Transmission | automatique | automatique | automatique |
| Nombre de rapports | 5 | 5 | 5 |
| Moteur | 6L | V6 | V6 |
| Cylindrée | 3 litres | 3,2 litres | 3,5 litres |
| Puissance | 225 ch | 220 ch | 260 ch |
| Couple | 214 lb-pi | 218 lb-pi | 260 lb-pi |
| Suspension avant | indépendante | indépendante | indépendante |
| Suspension arrière | indépendante | indépendante | indépendante |
| Freins avant/ arrière | disque | disque | disque |
| ABS | oui | oui | oui |
| Pneus | P225/45R17 | P225/50VR17 | P215/55R17 |
| Direction | crém. / ass. var. | crém. / ass.var. | crém. / ass. |
| Diamètre de braquage | 10,5 mètres | 10,8 mètres | 10,9 mètres |
| Coussins gonflables | fr./lat./tête/av.-arr. | fr./lat./tête | fr./lat. |
| Réservoir de carburant | 63 litres | 66,2 litres | 75 litres |
| Capacité du coffre | 440 litres | 362 litres | 410 litres |
| Accélération 0-100 km/h | 7,2 secondes | 7,9 secondes | 7,1 secondes |
| Vitesse de pointe | 210 km/h | 225 km/h | 233 km/h |
| Consommation (100 km) | 11,8 litres | 12,9 litres | 13,2 litres |
| Prix | 53 295 $ | 48 235 $ | 44 595 $ |

personne ne songerait à lui préférer une boîte manuelle. Bref, si les Formule 1 en font leurs beaux dimanches, pourquoi pas les berlines sport?

Ceux qui se demandent encore ce que vient faire une Cadillac dans cette confrontation ne suivent pas les développements de l'industrie automobile de très près. Car la marque de prestige de General Motors a entrepris cette année de redorer son blason et de se départir de son image vieillotte. La voiture qui doit lui permettre de se frotter à l'élite mondiale est justement la CTS.

Dans un tel contexte, il nous apparaissait intéressant de déterminer laquelle de ces trois voitures méritait de monter sur la plus haute marche du podium couronnant la reine des berlines sport.

### Route et circuit

Notre match a été disputé en deux rondes, l'une sur la route et une autre sur le circuit de Sanair où nos trois rivales ont eu à faire preuve de leur compétence dans toutes les phases d'une conduite sportive : tours de piste, slalom, freinage d'urgence, accélérations, reprises. Notre équipement a permis de chiffrer les performances des voitures à la toute limite de leurs capacités de façon parfaitement objective. Les impressions de

conduite sur route sont venues s'ajouter, de manière plus subjective, au bilan final. Nos tableaux vous permettront de vérifier les résultats à tous les postes d'évaluation et de constater si vous différez ou non d'opinion avec nos experts. Seuls les chiffres reliés aux performances sur piste sont immuables. Précisons ici que pour les accélérations, les tours de piste et le slalom, nous avions débranché le système antipatinage afin de permettre au caractère sportif des voitures de mieux s'exprimer. En plus, nous avions pris soin d'exiger que nos trois protagonistes soient dotées de la suspension Sport optionnelle.

### Performances mesurées

| | BMW 330i | CADILLAC CTS | INFINITI G35 |
|---|---|---|---|
| **ACCÉLÉRATION** | | | |
| 0-20 km/h | 1,1 s | 1,2 s | 1,3 s |
| 0-40 km/h | 2,3 s | 2,5 s | 2,4 s |
| 0-60 km/h | 3,5 s | 3,9 s | 3,7 s |
| 0-80 km/h | 5,3 s | 5,7 s | 5,3 s |
| 0-100 km/h | 7,2 s | 7,9 s | 7,1 s |
| **FREINAGE** | | | |
| 100-0 km/h | 38 mètres | 41,8 mètres | 39,2 mètres |
| **REPRISES** | | | |
| 80-120 km/h | 6,22 secondes | 6,46 secondes | 5,95 secondes |
| **¼ MILLE** | | | |
| Temps / vitesse | 15,8 s / 153,4 km/h | 16,5 s / 152,8 km/h | 16,7 s / 150,6 km/h |
| **SLALOM** | | | |
| Parcours 1 | 32,82 secondes | 33,4 secondes | 32 secondes |
| Parcours 2 | 32,76 secondes | 32,59 secondes | 31,53 secondes |
| **TOURS DE PISTE** | | | |
| 1 | 65,01 secondes | 66,66 secondes | 63,88 secondes |
| 2 | 64,88 secondes | 67,01 secondes | 64,00 secondes |
| 3 | | 65,86 secondes | |
| **NIVEAU SONORE** | | | |
| Ralenti | 44,3 dB | 44,2 dB | 44,1 dB |
| Accélération | 78,6 dB | 78,1 dB | 80,3 dB |
| 100 km/h | 66,4 dB | 65,5 dB | 66,2 dB |

**BMW 330i**

# La reine déchue

Qui l'eût cru ? Jusqu'ici la reine incontestée des berlines sport, la BMW 330i a non seulement été dépouillée de sa couronne, mais elle a été littéralement aplatie par la concurrence. Il fallait entendre les commentaires de nos essayeurs après quelques tours du circuit routier de Sanair. Tous ont été à la fois étonnés et déçus du manque d'aplomb de la 330i en conduite sportive. Comment une voiture aussi louangée pour son comportement routier avait-elle pu se dégrader à ce point ? Malgré la présence de pneus haute performance de taille beaucoup plus basse que chez ses rivales d'un jour, la petite Béhème a très mal paru, se montrant mal à l'aise aussi bien dans le slalom que sur piste. Difficile à contrôler, elle semblait légère et instable en virage (surtout dans le S rapide du circuit), ce qui a fait dire à plusieurs qu'ils ne se sentaient pas aussi en sécurité à son volant que dans les autres voitures. Un de nos participants a même osé affirmer qu'elle mimait les manières d'une Cadillac alors que la CTS se prenait pour une BMW. Bref, cette allemande bien née s'est considérablement « ramollie » au fil des ans, « à l'instar sans doute de ses anciens propriétaires », a précisé en blaguant l'un de nos invités.

Au chapitre de la conduite, la 330i ne s'est rachetée qu'au freinage avec une plus grande précision en attaque et surtout une endurance supérieure à celle des autres voitures en piste ce jour-là. Nos conducteurs se sont aussi réconciliés avec la BMW dans le segment de conduite sur route où ils ont retrouvé un certain agrément de conduite attribuable à la belle homogénéité de l'ensemble. Son moteur brille toujours par sa douceur et sa souplesse tandis que la position de conduite combinée à d'excellents sièges permet de faire corps avec la voiture.

La 330i est toutefois recalée par un prix qui dépasse de plusieurs milliers de dollars celui de la G35 et par des performances moteur sans doute enviables mais bien infé-rieures à celles de sa rivale nippone. Sa faible habitabilité la fait aussi souffrir dans le pointage accordé aux places arrière. Son style plaît toujours, mais ce match tend à démontrer qu'elle n'est plus tout à fait dans le coup par rapport aux deux aspirantes au titre de meilleure berline sport.

## Ils ont dit :

« La suspension est souple, trop souple et le volant plutôt nerveux. On a l'impression de conduire une voiture du début des années 90. Elle est d'une autre époque comparée à la CTS et à la G35. »
**Denis Duquet**

« Pour moi, ce fut une joie de conduire cette BMW... jusqu'à ce que je la compare aux autres. Elle est moins intéressante qu'elle n'en a l'air. »
**Alexandre Doré**

« On ne peut compter que sur un emblème pour justifier le prix de cette BMW. »
**Jacques Deshaies**

« Malgré ma déception sur piste (la voiture est très décevante quand on la pousse à la limite), en conduite normale, elle offre une expérience intéressante. Elle est la preuve que l'harmonie de toutes les composantes crée une certaine magie au volant. »
**Richard Petit**

« Son 6 cylindres en ligne fonctionne en douceur et la transmission répond avec une grande souplesse. »
**Yvan Fournier**

# *L'agréable surprise*

urprise, surprise... la représentante de Cadillac a été la découverte de ce match comparatif pour nos six essayeurs. Bref, tout le contraire de la BMW. Autant cette dernière n'a pas répondu aux attentes, autant la CTS les a excédées. Ses deux qualités maîtresses sont indéniablement sa tenue de route et sa superbe transmission automatique à 5 rapports. « Avec une boîte automatique comme celle-là, qui a besoin d'une transmission manuelle ? » Cette phrase résume assez bien le sentiment de ceux qui ont conduit la CTS ce jour-là. Par sa rapidité d'action et des changements de rapports vifs comme l'éclair, la transmission vient littéralement au secours d'un moteur qui gagnerait à posséder une vingtaine de chevaux supplémentaires. Elle contribue largement à assurer à cette voiture des performances quasi honorables. Pas étonnant dans un tel contexte que BMW ait décidé d'acheter cette transmission GM pour ses modèles de Série 5.

Le châssis de cette Cadillac nouvelle vague a aussi fait très belle impression. La voiture affiche un survirage facile à contrôler à la limite et on a l'impression que l'on peut la lancer dans les virages à des allures folles sans courir le moindre risque. « On se sent vraiment en sécurité à son volant », a noté l'un de nos essayeurs tandis qu'un autre renchérissait en soulignant « son agilité en virage ». « Il faut le voir pour le croire », précisait un troisième. N'eût été d'un freinage qui manquait d'endurance en conduite sportive et qui fut incapable de résister à plus d'un tour de piste, la voiture aurait « chauffé » la G35 au classement réservé à la conduite.

Néanmoins, la 2ᵉ place de la CTS semble indiquer que Cadillac est sur la bonne voie dans sa tentative de créer une voiture à l'européenne capable de rivaliser avec les meilleures berlines sport.

La CTS a aussi brillé par son confort, son habitabilité, son silence de roulement et son agrément général. Son style reste toutefois controversé et l'a pénalisée au classement tout comme la piètre qualité (du moins en appa-

rence) des matériaux utilisés pour la finition intérieure. Malgré ses honorables prestations, la CTS réussira-t-elle à surmonter le handicap de son appartenance à une marque qui est très loin d'avoir la même image de prestige que ses rivales ? C'est la question que se sont posée nos essayeurs et à laquelle même un match comparatif comme celui-ci est incapable de répondre. Qui vivra verra.

**Infiniti**
G35

# La nouvelle référence

C'est le comportement spectaculaire de la nouvelle Infiniti G35 lors d'un essai en solo qui fut à l'origine de ce match comparatif. Pour une fois, avions-nous constaté, les Japonais ont créé une voiture ayant tous les attributs d'une allemande : châssis solide, performances robustes et une sensation de conduite que l'on croirait provenir de Stuttgart, de Munich ou d'Ingolstadt. Après avoir longtemps erré dans leur tentative de créer une berline sport pouvant se mesurer à ce qui se fait de mieux dans le monde, les ingénieurs nippons ont finalement trouvé la recette. Après le coup de cœur initial, il restait à savoir si la G35 était capable d'affronter la championne de la catégorie sans se couvrir de ridicule. Or, non seulement elle a poursuivi son petit numéro de séduction, mais elle a mis K.-O. son adversaire allemande. Elle a accumulé les premières places les unes après les autres : meilleure finition, meilleur équipement, meilleur espace arrière, meilleur moteur, meilleure tenue de route et meilleures performances. Son moteur est son argument majeur, inévitablement. Avec ses 3,5 litres, le V6 de la G35 alignait 260 chevaux à la ligne de départ et cet avantage a été crucial dans presque toutes les mesures vérifiées par instruments. C'est uniquement au compte des décibels et de la distance de freinage qu'elle a baissé pavillon, d'abord devant la CTS et ensuite face à la BMW. Pour les reprises, les accélérations, le slalom et le tour de piste, elle a mis ses adversaires dans son coffre arrière. En conduite sportive, elle démontre une agilité remarquable et donne l'impression d'être à la fois plus petite et plus légère que la CTS alors que les deux voitures partagent des chiffres à peu près identiques. Et tout cela en affichant la plus petite facture de notre trio de berlines sport, ce qui lui a valu un gain notable au poste du rapport qualité/prix.

Elle arrache aussi une petite poignée de points au poste des astuces et originalités grâce à sa banquette arrière à dossier inclinable, à son lecteur CD à six disques dans le tableau de bord et à son écran d'affichage de données qui émerge « astucieusement » du dessus de la console centrale. « Voilà une belle synthèse de luxe, de confort, d'aspect pratique et, bien sûr, de performance », écrivait l'un de nos évaluateurs. Sa ligne ne fait pas l'unanimité, mais ses qualités dynamiques ont tôt fait de nous faire oublier ces menus détails.

## L'éloquence des chiffres

Les résultats de ce match vont, à coup sûr, faire jaser. Les fervents adeptes de la Série 3 de BMW n'ont pas fini de trouver des failles à ce match comparatif. C'est leur droit, mais il n'en demeure pas moins que le titre de championne des berlines sport appartient désormais à la G35 selon *Le Guide de l'auto*. Certes, elle n'a pas l'aura d'une BMW, mais s'il faut rendre à César ce qui appartient à César, on doit s'incliner devant la récente création d'Infiniti. Car s'il est une chose que personne ne peut contester, ce sont les chiffres qui témoignent ici de la victoire bien méritée de la G35.

## ET LES CHAÎNES STÉRÉO ?

L'un des participants à notre match comparatif peut être considéré comme un spécialiste des chaînes stéréo. Il a bien voulu prendre quelques minutes pour prêter une oreille avertie à la sonorité des appareils offerts par BMW, Cadillac et Infiniti dans les modèles mis à l'essai.

| | BMW | CADILLAC | INFINITI |
|---|---|---|---|
| Utilisation | 9 | 4 | 7 |
| Sonorité | 8 | 5 | 8 |
| **Total** | **17** | **9** | **15** |
| **CLASSEMENT** | **1** | **3** | **2** |

| Fiche d'évaluation | | BMW 330i | CADILLAC CTS | INFINITI G35 |
|---|---|---|---|---|
| **STYLE** | | | | |
| Extérieur | 10 | 7,4 | 6,6 | 7,3 |
| Intérieur | 10 | 7,9 | 6,9 | 7,6 |
| | **20 pts** | **15,3** | **13,5** | **14,9** |
| **CARROSSERIE** | | | | |
| Finition intérieure et extérieure | 10 | 7,6 | 7,5 | 8,3 |
| Qualité des matériaux | 10 | 7,8 | 6,6 | 7,7 |
| Coffre (accès/volume) | 10 | 6,4 | 8,1 | 6,8 |
| Espaces de rangement | 10 | 6,3 | 7,0 | 8,2 |
| Astuces et originalité | 10 | 2,6 | 3,5 | 8,3 |
| Équipement | 5 | 3,9 | 3,7 | 4,6 |
| Tableau de bord | 5 | 3,3 | 2,9 | 3,5 |
| | **60 pts** | **37,9** | **39,3** | **47,4** |
| **CONFORT** | | | | |
| Position de conduite/volant/sièges av. | 10 | 8,3 | 7,5 | 8,2 |
| Places arrière | 10 | 5,8 | 7,2 | 8 |
| Ergonomie | 10 | 8,2 | 8,1 | 6,9 |
| Silence de roulement | 10 | 7,3 | 8,4 | 8,4 |
| | **40 pts** | **29,6** | **31,2** | **31,5** |
| **CONDUITE** | | | | |
| Moteur | 40 | 31,8 | 30,5 | 35,5 |
| Transmission | 30 | 21,7 | 27,1 | 23,6 |
| Direction | 30 | 22,2 | 25,5 | 25,7 |
| Tenue de route | 30 | 20,9 | 26,3 | 27,3 |
| Freins | 30 | 26,6 | 20,6 | 25,6 |
| Confort de la suspension | 20 | 18 | 18,7 | 18,7 |
| | **180 pts** | **141,2** | **148,7** | **156,4** |
| **SÉCURITÉ** | | | | |
| Visibilité | 10 | 8,7 | 6,6 | 6,6 |
| Rétroviseurs | 10 | 7,6 | 7,8 | 7,2 |
| Nombre de coussins de sécurité | 10 | 8 | 9,2 | 7,3 |
| | **30 pts** | **24,3** | **23,6** | **21,1** |
| **PERFORMANCES MESURÉES** | | | | |
| Reprises | 20 | 18 | 16 | 20 |
| Accélération | 20 | 18 | 16 | 20 |
| Freinage | 20 | 20 | 16 | 18 |
| Slalom | 20 | 16 | 18 | 20 |
| Tour de piste | 20 | 18 | 16 | 20 |
| Niveau sonore | 10 | 8 | 10 | 6 |
| | **110 pts** | **98** | **92** | **104** |
| **RAPPORT QUALITÉ/PRIX** | | | | |
| Agrément de conduite | 10 | 6,2 | 8,1 | 8 |
| Choix des essayeurs | 40 | 27,6 | 27,5 | 31,8 |
| Valeur pour le prix | 10 | 4,8 | 8 | 8,9 |
| | **60 pts** | **38,6** | **43,6** | **48,7** |
| **Total** | **500 pts** | **384,9** | **391,9** | **424** |
| **CLASSEMENT** | | **3** | **2** | **1** |

# En quête *de la meilleure* *fourgonnette*

PAR **DENIS DUQUET**
PHOTOS **MICHEL FYEN-GAGNON**

*Depuis que les véhicules utilitaires sport sont devenus les « zamours » de la plupart des Nord-Américains, la fourgonnette a été détrônée de son piédestal. Plusieurs d'entre vous s'en souviennent, au cours des années 80 et même jusqu'au milieu des années 90, la fourgonnette était le véhicule le plus adulé sur notre continent. Tous appréciaient son incroyable habitabilité, la polyvalence de son intérieur et un comportement routier pas tellement éloigné de celui d'une grosse familiale. Comme toute bonne chose a une fin, cette hégémonie s'est partiellement effritée aux dépens des VUS qui sont toujours en demande.*

**P**ourtant, lorsqu'on parle de véhicule « utilitaire », on utilise une épithète qui convient beaucoup mieux à une fourgonnette qu'à un 4X4. Ce dernier est un véhicule à usage spécialisé dont la vocation initiale est de pouvoir franchir des obstacles et des routes qu'aucune voiture ne peut dompter. Et puisque les utilisateurs sont susceptibles d'aller en camping ou de pratiquer toute autre activité de plein air nécessitant une bonne quantité de bagages, on leur offre une bonne capacité de chargement.

Cette description est quelque peu faussée puisque la grande majorité des acheteurs de tout-terrains ne s'en servent pratiquement jamais en conduite hors route et se contentent de l'utiliser comme familiale. Par contre, la fourgonnette a un rôle carrément plus utilitaire. En fait, sa vocation est de transporter plus de gens et d'objets qu'une berline conventionnelle. Ses portes coulissantes latérales, son hayon pratique, un seuil d'accès généralement bas, des

# Les vraies utilitaires confrontées...

sièges arrière amovibles, une soute à bagages haute, autant d'éléments qui permettent de transporter facilement personnes, bagages, animaux domestiques et une foule d'objets hétéroclites.

Au fil des années, ce caractère polyvalent s'est raffiné alors que les habitacles sont devenus de plus en plus luxueux et confortables. Les concepteurs ont développé une foule d'accessoires, notamment des lecteurs de cassettes VHS ou de DVD reliés à un écran à affichage par cristaux liquides. Les jeunes peuvent même y brancher leur console de jeu. Donc, en plus d'être pratiques, ces véhicules tout usage sont également ludiques.

Si leur aura ne brille plus avec la même intensité qu'avant, les fourgonnettes occupent toujours une bonne partie du marché des véhicules neufs. Puisque nous n'avions pas effectué de match comparatif de la catégorie depuis que Chrysler avait révisé sa fourgonnette, que Honda avait augmenté la puissance du moteur et que Kia avait lancé la Sedona, le temps était venu de voir de quoi il retournait dans cette catégorie. D'autant plus que Mazda vient à peine de revoir la MPV en injectant une trentaine de che-

vaux sous le capot. Les Ford Windstar, Toyota Sienna et Pontiac Montana n'ont pas changé récemment de façon significative, mais il est pourtant bon de savoir comment elles se défendent face à des modèles théoriquement mieux nantis.

C'est dans le cadre d'une randonnée sur les berges du Richelieu que nous avons comparé ces fourgonnettes pour faire le point. Comme vous allez le constater, cette comparaison nous a réservé une surprise de taille.

| *Fiche* technique | DODGE GR CARAVAN | FORD WINDSTAR | HONDA ODYSSEY | KIA SEDONA | MAZDA MPV | PONTIAC MONTANA | TOYOTA SIENNA |
|---|---|---|---|---|---|---|---|
| Empattement | 303 cm | 306 cm | 300 cm | 291 cm | 284 cm | 305 cm | 290 cm |
| Longueur | 509 cm | 511 cm | 511 cm | 493 cm | 477 cm | 511 cm | 493 cm |
| Largeur | 200 cm | 191 cm | 192 cm | 189 cm | 183 cm | 185 cm | 186 cm |
| Hauteur | 175 cm | 166 cm | 177 cm | 173 cm | 176 cm | 173 cm | 170 cm |
| Poids | 1895 kg | 1875 kg | 1945 kg | 2136 kg | 1729 kg | 1790 kg | 1780 kg |
| Transmission | automatique | automatique | automatique | automatique | automatique | automatique | automatique |
| Nombre de rapports | 4 | 4 | 5 | 5 | 5 | 4 | 4 |
| Moteur | V6 | V6 | V6 | V6 | V6 | V6 | V6 |
| Cylindrée | 3,8 litres | 3,8 litres | 3,5 litres | 3,5 litres | 3 litres | 3,4 litres | 3 litres |
| Puissance | 215 ch | 200 ch | 240 ch | 195 ch | 200 ch | 185 ch | 210 ch |
| Suspension avant | indépendante | indépendante | indépendante | indépendante | indépendante | indépendante | indépendante |
| Suspension arrière | demi ind. | essieu rigide | indépendante | essieu rigide | demi ind. | demi ind. | essieu rigide |
| Freins avant | disque | disque | disque | disque | disque | disque | disque |
| Freins arrière | disque | tambour | disque | tambour | tambour | tambour | tambour |
| ABS | oui | oui | oui | oui | oui | oui | oui |
| Pneus | P215/65R16 | P215/70R15 | P225/60R16 | P215/70R15 | P215/60R16 | P215/70R15 | P215/70R15 |
| Direction | à crémaillère | à crémaillère | à crémaillère | à crémaillère | à crémaillère | à crémaillère | à crémaillère |
| Diamètre de braquage | 12 mètres | 12,3 mètres | 11,7 mètres | 12,6 mètres | 11,4 mètres | 11,8 mètres | 12,2 mètres |
| Coussins gonflables | frt/lat | frt/lat | frontaux | frontaux | frt/lat | frt/lat | frontaux |
| Réservoir | 76 litres | 98 litres | 76 litres | 75 litres | 75 litres | 95 litres | 79 litres |
| Capacité du coffre | 500 l / 4750 l | 646 l / 4025 l | 711 l / 4264 l | 617 l / 1999 l | 487 l / 3596 l | 915 l / 3984 l | 507 l / 4057 l |
| Accélération 0-100 km/h | 11,6 secondes | 9,6 secondes | 8,6 secondes | 11 secondes | 10,2 secondes | 12,6 secondes | 11,3 secondes |
| Vitesse de pointe | 180 km/h | 180 km/h | 200 km/h | 180 km/h | 175 km/h | 180 km/h | 180 km/h |
| Consommation | 13,8 litres | 12,9 litres | 12,7 litres | 13,7 litres | 12,3 litres | 13,2 litres | 12,7 litres |
| Prix | 42 995 $ | 41 205 $ | 39 100 $ | 28 995 $ | 36 995 $ | 40 050 $ | 40 245 $ |

# *Mazda MPV*

## Dans les p'tits pots...

La MPV de Mazda a réalisé un coup d'éclat en devançant les grosses pointures de la catégorie. C'est en effet la plus courte et la plus agile qui a damé le pion à tous les autres modèles. Honnêtement, je croyais que son empattement plus court et une capacité de chargement inférieure allaient être un handicap. Il semble que non si on se fie au pointage de nos essayeurs qui ont vanté son agilité, la position de conduite, la tenue de route et même sa silhouette.

Pour nos essayeurs, cette petite japonaise représente le meilleur compromis entre la capacité de chargement, l'habitabilité, les performances et l'agrément de conduite. Auparavant, la MPV ne manquait pas de qualités, mais les 170 chevaux de son moteur étaient trop souvent appelés à travailler très fort. Le moteur semblait toujours peiner à la tâche et le niveau sonore dans l'habitacle en souffrait.

Les 200 chevaux sous le capot font toute la différence. Le véhicule réagit rapidement et ses performances sont légèrement supérieures à la moyenne. Il faut également souligner que la boîte automatique à 5 rapports permet de mieux utiliser la puissance du moteur et que les passages des vitesses sont moins saccadés qu'auparavant. Plusieurs ont également apprécié le réglage de

la suspension qui offre un bon équilibre entre le confort et la possibilité de transporter des lourdes charges. De plus, la présentation du tableau de bord est inspirée de celle des berlines, ce que plusieurs ont également aimé. Comme le soulignait Francine Duval-Gariépy, les dimensions « normales » de la MPV seront les bienvenues en ville : comme nous ne passons pas toute l'année en vacances, un véhicule plus agile est un atout pour le reste de l'année.

Si c'est la sportive du groupe, la MPV s'avère également pratique. En effet, les sièges du milieu coulissent latéralement sur des rails, comme dans la Honda Odyssey. Il est ainsi possible d'obtenir une banquette ou deux sièges individuels. La 3e rangée se révèle assez confortable en dépit du fait que la MPV soit plus étroite et plus courte que les autres. Et, toujours comme dans sa vis-à-vis de chez Honda, ce siège s'escamote dans le plancher pour augmenter l'espace de chargement. Relativement lourd, il nécessite un peu de prudence au moment de le ranger.

Somme toute, cette Mazda n'a rien à envier à ses concurrentes plus longues, plus spacieuses, mais également plus lourdes et moins maniables. La MPV offre pratiquement ce que toutes les autres comportent côté pratique, mais en dorlotant son pilote avec une conduite plus sûre, une tenue de

▶ **POUR :**
*Plus compacte, elle est très agréable à conduire et son intérieur est très réussi.*
**Claude Carrière**

▶ **CONTRE :**
*Elle m'a impressionné sur la route, mais certaines commandes devraient être revues, notamment le levier de vitesses.*

**Jacques Deshaies**

route moins « camion » et une agilité qui sera appréciée tant en ville que dans les terrains de stationnement. Notre modèle d'essai n'en était pas équipé, mais il sera possible en 2003 de commander un lecteur DVD, une invention merveilleuse pour les enfants comme pour les plus grands.

La « petite » fait donc un pied de nez aux grandes. Et comme si cela n'était pas suffisant, son rapport qualité/prix est l'un des meilleurs. Dévoilée sans tambour ni trompette au printemps 2002, cette Mazda possède un équilibre presque parfait que nos essayeurs ont découvert avec plaisir.

## *Honda Odyssey*
### Espace et raffinement

La plus grosse des Honda perd par des poussières. Si elle se fait devancer par une poignée de points au classement final, elle demeure la championne des fourgonnettes à empattement long. Si notre test avait privilégié le déplacement d'objets et nous avait permis de jouer au déménageur, elle l'aurait sans doute emporté au classement général.

Il ne faut pas en conclure pour autant que l'Odyssey soit un lourd pachyderme seulement capable de transporter une ribambelle d'enfants et tous leurs jouets. Son moteur de 240 chevaux est non seulement le plus puissant de la catégorie, il est également l'un des plus sophistiqués avec son système de calage automatique des soupapes V-TEC. Il faut également ajouter qu'elle a été la première fourgonnette à être équipée d'une boîte de vitesses automatique à 5 rapports. Sa suspension arrière indépendante demeure toujours une exception dans la catégorie. L'Odyssey est d'ailleurs la plus rapide en accélération et l'une des meilleures au freinage. En fait, son seul point faible est un encombrement supérieur à celui de la MPV, ce qui rend sa conduite moins agréable pour la personne qui aime piloter. Reste à savoir si la Mazda serait aussi performante en empattement long. Mais comme cette option n'existe pas, la question ne pourra jamais être réglée.

Notre équipe d'essayeurs a été plus que favorablement impressionnée par le stylisme extérieur, la présentation générale de l'habitacle de même que la qualité des matériaux et de la finition de l'Odyssey. Curieusement, notre modèle d'essai laissait entendre quelques bruits de caisse à l'arrière, un fait rare chez ce constructeur. Ce qui était d'autant plus étonnant que le véhicule avait franchi peu de kilomètres. Et même si ces points ne sont pas évalués dans cet essai comparatif, la fiabilité et la valeur de revente supérieures à la moyenne des Honda ont été soulignées à plusieurs reprises.

Si la MPV est la sportive du groupe, l'Odyssey est la fourgonnette qui se comporte le plus comme une berline. Ce n'est pas une Accord, mais elle est stable sur la grand-route, sa direction est précise et le roulis assez peu prononcé dans les virages. Par contre, il faut sans doute expliquer une certaine lourdeur dans le volant et un manque d'empressement à l'accélération par ses dimensions et un poids élevé.

Honda a fait école en étant la première à installer des sièges médians coulissant latéralement et une banquette arrière escamotable. Voilà pour les bonnes nouvelles. Il y a maintenant place pour de l'amélioration.

Parmi les éléments à perfectionner, l'unanimité s'est faite sur les portes coulissantes. Celles-ci sont d'une lenteur énervante. De

▶ **POUR :**
*J'ai bien aimé la qualité de son habitacle, sa polyvalence et évidemment son système DVD. La finition est impeccable.*
**Louis Butcher**

▶ **CONTRE :**
*J'ai été surpris d'entendre des bruits de caisse dans une Honda. Espérons que c'est une exception.*
**Alexandre Doré**

plus, alors que toutes les autres fourgonnettes qui en sont équipées offrent un bouton de déclenchement monté le long du pilier B, les ingénieurs de Honda ont préféré l'intégrer dans un levier monté sur la portière.

Cette deuxième place n'est nullement usurpée : l'Odyssey est la fourgonnette qui combine le mieux un espace de chargement important et un comportement routier qui n'a aucun lien avec celui d'une camionnette. Il est difficile de trouver mieux chez les modèles allongés, hormis une conduite un peu plus dynamique.

# Dodge Grand Caravan

## La polyvalence incarnée

**A**près avoir dominé le classement des fourgonnettes pendant plus d'une décennie, la Grand Caravan se retrouve au 3e rang de cet essai après avoir été évincée de la tête par la Honda Odyssey lors de la confrontation précédente. Il ne faut cependant pas voir là une débandade, encore moins une glissade vers les bas-fonds des classements. Elle demeure toujours l'un des meilleurs achats de la catégorie.

La Dodge se retrouve en 3e position pour un raison très simple. Les stylistes et concepteurs ont accordé plus d'importance au côté pratique et polyvalent de l'habitacle qu'à la présentation extérieure et à la dynamique du châssis. À ce chapitre, la Grand Caravan n'a pas évolué aussi rapidement que les modèles qui la devancent. Le moteur n'a pas la vivacité de ceux des MPV et Odyssey et la boîte automatique à 4 rapports semble lui dérober une bonne partie de sa puissance. Cela donne l'impression de conduire un véhicule lourd qui ne réagit pas immédiatement aux sollicitations de l'accélérateur. Notre modèle était une version à empattement allongé et à transmission intégrale, ce qui n'a pas arrangé les choses. Précisons que Chrysler est le seul manufacturier avec General Motors à offrir le choix entre un empattement long et court.

Si les qualités dynamiques n'ont pas progressé aussi rapidement et que la silhouette ne se démarque pas suffisamment de celle des modèles antérieurs, il ne faut pas oublier que c'est Chrysler qui a créé cette catégorie. Son expérience se reflète surtout dans l'habitacle. Aucune autre participante ne possède une console mobile qui peut être installée entre les sièges avant ou arrière quand elle n'est pas tout simplement enlevée. Mais l'élément le plus impressionnant de cette Dodge est son hayon arrière motorisé. Plusieurs de nos essayeurs croyaient de prime abord qu'il s'agissait d'un gadget plus ou moins utile. Mais au fil des arrêts, cet accessoire a été rapidement apprécié à sa juste valeur. Même remarque pour les portes latérales coulissantes motorisées. Alors que la plupart sont lentes et difficiles à déclencher, celles de la Dodge sont non seulement plus rapides que les autres, mais un détecteur désactive le moteur dès que vous ouvrez ou fermez la portière manuellement. Il faut également souligner la présence de nombreux espaces de rangement et d'un ingénieux support de téléphone cellulaire dans le couvercle de la console mobile. Un autre accessoire digne de mention est ce panier de chargement à panneaux mobiles qui est déposé à plat dans la soute à bagages.

Bref, la Grand Caravan gagne la bataille de la polyvalence. Plusieurs ont également souligné qu'elle serait leur premier choix pour entreprendre un long voyage en raison

de son confort et de son caractère pratique. Par contre, ils ont déploré la lourdeur des sièges amovibles.

Toujours présente sur le podium de la catégorie et le véhicule le plus vendu au Canada, cette Dodge est sans doute la plus pratique et la plus agréable à utiliser dans la conduite de tous les jours. Il faudrait dans la prochaine refonte avoir un peu plus d'audace visuelle et offrir une conduite un peu plus incisive en fait de reprises et de feed-back.

# Ford Windstar
## Opinions contradictoires

La Windstar se fait devancer de très peu par la Dodge. C'est suffisamment près pour parler de match nul ou presque. Mais il y a plus que les chiffres. Au-delà de cette comparaison mathématique, il faut considérer le comportement général du véhicule de même que sa conduite proprement dite. C'est ainsi que même si les stylistes de Dodge ont joué la carte de la sagesse, le résultat est encore plus conservateur chez Ford. Et si les deux silhouettes s'équivalent, le tableau de bord de la Windstar ne fait pas le poids en fait de présentation. Tandis que toutes les compagnies s'ingénient à rendre les cadrans indicateurs accrocheurs, les décideurs de Dearborn ont choisi la présentation la plus sobre qui soit. En fait, on a l'impression que quelqu'un a utilisé ce graphisme en attendant de trouver quelque chose de mieux et a oublié de remédier au problème. Heureusement, la qualité des matériaux est l'un des points forts de cette fourgonnette.

L'aménagement de l'habitacle est également supérieur à la moyenne. Comme la Montana et l'Odyssey, notre Windstar d'essai était équipée d'un système de divertissement audiovisuel. Cependant, on y trouvait des écouteurs avec fils et non à rayons infrarouges ainsi qu'un lecteur à cassette VHS alors que la concurrence propose des lecteurs DVD depuis plusieurs mois. Par contre, elle était la seule fourgonnette à posséder un petit miroir à grand champ de vision qui permet aux occupants des places avant de savoir au premier coup d'œil ce qui se passe à l'arrière. Une astuce que les parents ont tous bien appréciée. Plusieurs ont souligné que la finition était bonne et même supérieure à celle de plusieurs autres produits Ford. Enfin, le niveau d'équipement est vraiment complet.

Mais là où la belle unanimité s'effrite, c'est au chapitre du comportement routier. Certains ont bien aimé leur expérience derrière le volant tandis que d'autres n'ont pas apprécié, mais pas du tout. Une fois la compilation terminée, il est certain que c'est la seconde opinion qui a prévalu. La Windstar est la seule fourgonnette qui donne l'impression de conduire un minibus et sa suspension avant est toujours allergique aux imperfections de la chaussée. Elle sautille presque continuellement sur mauvaise route et les vents latéraux obligent le pilote à se concentrer. L'insonorisation n'est pas non plus son point fort. Les modèles 2003 profitent d'un habitacle plus silencieux grâce à des glaces plus épaisses et à plusieurs autres mesures destinées à filtrer les sons.

Le moteur est adéquat, mais passablement gourmand, tandis que la boîte auto-

matique à 4 rapports se situe dans la bonne moyenne. Ce groupe propulseur fait presque match nul avec celui du Dodge Caravan qui l'emporte de peu. Les deux auraient besoin d'une injection de puissance et de rendement.

La Windstar est un mode de transport familial. Elle plaira aux gens pratiques qui ont un penchant pour les produits Ford. Si elle vous laisse indifférent, la prochaine version prévue pour 2004 pourrait vous intéresser. Mais, soyez prévenu, elle ressemble au modèle actuel.

# Pontiac Montana

## Seule ou avec d'autres

Si vous possédez une Pontiac Montana et que son rang dans ce match vous déprime, voici des nouvelles en mesure de vous rassurer. Non seulement il s'agit de l'un des modèles les plus vendus dans la catégorie, mais le taux de satisfaction de ses propriétaires est l'un des plus élevés sur le marché. Enfin, si son moteur 3,4 litres de 185 chevaux n'a pas été le champion de notre match, son réservoir de 95 litres permet de rouler plus longtemps. Une considération appréciée lors de longs voyages. Par exemple, tous les réservoirs étaient pleins au départ, mais, tandis que ceux des Sienna, MPV et Grand Caravan ont terminé notre randonnée avec un niveau passablement bas, celui de la Montana en contenait davantage bien que les cotes de consommation ne la favorisent pas par rapport à ses concurrentes.

La perception des gens envers les fourgonnettes de GM a également progressé. Lors de notre précédent test, il a quasiment fallu faire des pressions auprès d'un couple d'essayeurs pour les convaincre de monter sans préjugés à bord de l'Oldsmobile Silhouette tant leur estime de ce constructeur était basse. Curieusement, ils avaient été si agréablement surpris par cette fourgonnette qu'ils lui avaient probablement accordé de meilleures notes qu'elle ne le méritait.

Cette fois, tous ont apprécié le Montana sans rechigner. Comme il fallait s'y attendre, la présentation esthétique de cette Pontiac n'a pas fait l'unanimité. Plusieurs essayeurs ont trouvé que sa silhouette était un peu surchargée et ont été encore plus critiques quant au tableau de bord qui leur a paru trop baroque. D'autres ont bien apprécié cette différence et se sont montrés beaucoup plus déçus de la Sienna dont le conservatisme visuel a été pénalisé. La finition des produits GM est en progrès, mais la Montana a quand même perdu des points à ce chapitre. Toutefois, son astucieux système qui permet de replier les sièges à plat de même que la polyvalence des agencements intérieurs sont à porter à la colonne des plus. Enfin, le lecteur DVD et son écran LCD ont été fort bien notés par les parents qui ont souligné la pertinence de cet accessoire si vous avez à effectuer de longs voyages avec la petite famille.

La Montana ne décevra pas son propriétaire; c'est le genre de véhicule qui va être apprécié pour son côté pratique plus que pour son agrément de conduite. À ce chapitre, c'est moyen sur toute la ligne. Les performances du moteur sont bonnes, mais sans plus, et la tenue de route se situe, elle aussi, dans la moyenne. Malheureusement pour Pontiac, la Montana ne se trouve pas au même niveau que plusieurs modèles concurrents et il lui manque le panache et le raffinement pour lui

▶ **POUR :**

*Sa silhouette ne plaira pas à tout le monde, mais j'ai bien apprécié son habitacle pratique et la consommation raisonnable du moteur.*

*Jacques Deshaies*

▶ **CONTRE :**

*Le tableau de bord est définitivement trop chargé avec toutes ces commandes multicolores et les boutons à gogo.*

*Brigitte Duval*

permettre de mieux figurer à notre palmarès. Il est en effet difficile, avec un moteur V6 à soupapes en tête de 185 chevaux, de soutenir la comparaison avec le moteur V6 3,5 litres de 240 chevaux de la Honda Odyssey. Et surtout lorsqu'on découvre que les deux modèles sont vendus pratiquement pour le même prix.

Heureusement que la gamme Montana comprend plusieurs variantes vendues moins chères, mais toujours capables d'effectuer un travail honnête à défaut de nous impressionner par leur brio.

6

# Toyota Sienna
## La qualité ne passe pas avant tout

Cette fois, la magie du nom Toyota n'a pas fonctionné. La Sienna a beau offrir une finition impeccable, des éléments mécaniques de qualité et sans doute une fiabilité sans faille, ces qualités n'ont pas été en mesure de compenser pour un manque flagrant de personnalité et un agrément de conduite assez mince. Comme le soulignait avec justesse un essayeur, il est temps que la compagnie renouvelle son offre. Ce qui sera fait dès l'an prochain. Curieusement, ce modèle jugé trop ennuyant est venu remplacer l'une des fourgonnettes les plus originales de son époque, la Previa. Celle-ci faisait tourner les têtes par son allure futuriste, mais était handicapée par son moteur central trop peu puissant. Lancée en 1998, la Sienna rentrait dans le rang en tant que fourgonnette plus conventionnelle. Beaucoup trop d'ailleurs s'il faut se fier aux remarques inscrites sur les feuilles d'évaluation. Il faut également souligner que l'équipement de ce modèle d'essai était un peu moins étoffé que celui des autres véhicules de ce match, à l'exclusion de la Kia Sedona. D'ailleurs, l'une des enfants participant à notre essai a même souligné que les portes coulissantes non motorisées de la Sienna étaient trop lourdes pour qu'elle puisse les actionner.

La Sienna ne charme pas non plus par sa silhouette que tous ont trouvée très, très banale. D'ailleurs, elle s'est retrouvée en fond de classement à ce chapitre et la présentation intérieure est de la même cuvée. Même la Sedona a mieux fait que la Toyota à ce chapitre. Par contre, la Sienna devance toutes ses concurrentes en fait de finition et se trouve parmi les meilleures pour son silence de roulement. Elle intéressera donc les personnes à la recherche d'un véhicule fiable, silencieux, d'une finition impeccable et qui ne privilégient pas nécessairement l'agrément de conduite.

Il faut également faire la différence entre les qualités routières proprement dites et le feed-back transmis au pilote. Avec son moteur V6 de 3 litres d'une puissance de 210 chevaux et une boîte automatique à 4 rapports d'un fonctionnement très doux, elle surpasse plusieurs modèles concurrents. De plus, sa direction est précise et le roulis en virage bien contrôlé. Mais ces qualités sont gommées par une direction engourdie et des sensations de conduite assez minces. Il est vrai qu'une fourgonnette est un produit à vocation pratique, mais il faut quand même offrir un minimum de plaisir derrière le volant. Dans plusieurs autres catégories, Toyota trouve le moyen de bien équilibrer ses qualités traditionnelles de robustesse et de fiabilité avec une conduite agréable. Cette fois, le premier point surpasse de beaucoup le second

et la Sienna se trouve pénalisée dans l'appréciation des gens.

Le marché des fourgonnettes est très compétitif et il est difficile de se démarquer sans effectuer des changements fréquents. La Sienna était le plus ancien modèle parmi nos véhicules d'essai, même si son arrivée sur le marché date de 1998. Dès l'an prochain, Toyota offrira d'offrir une version considérablement revue et corrigée de la Sienna. Nul doute qu'elle sera mieux en mesure de faire face à la concurrence.

7

# Kia Sedona
## Classe économie

La Sedona était de très loin la fourgonnette la moins chère de ce match. Avec un prix de détail affiché sous la barre des 30 000 $, elle permet d'économiser plus de 10 000 $ par rapport à quatre des sept modèles en lice. À ce prix, pas de roues en alliage, pas de portes coulissantes motorisées et encore moins de sellerie en cuir. Puisque Kia ne propose qu'un seul groupe propulseur avec ce modèle, vous bénéficiez quand même du moteur V6 3,5 litres de 195 chevaux et d'une boîte automatique à 5 rapports. Parmi les autres éléments positifs, il faut mentionner des sièges arrière confortables, une silhouette dans la bonne moyenne et un équipement de série tout de même étoffé compte tenu du prix.

Cette fourgonnette est surtout handicapée par un poids élevé qui se traduit par une consommation de carburant et des performances moyennes. Le moteur V6 ne se fait pas prier pour monter en régime, mais il semble s'essouffler et devenir bruyant. La Sedona se tire pas trop mal d'affaires, pour autant qu'on se contente de suivre le trafic. Mais dès que les choses se précipitent, les limites de la suspension deviennent très faciles à détecter. De plus, la direction est trop lente pour ce rythme accéléré tandis que la pédale de freins ne répond pas très

rapidement. Et il faut y songer à deux fois avant de se lancer à grande vitesse sur un parcours sinueux : le roulis est prononcé et la voiture sous-vire de plus en plus au fil des virages. Il ne faut pas oublier non plus de souligner que l'effet de couple dans le volant est très perceptible lorsqu'on accélère à fond.

Plusieurs de nos participants ont également mentionné leur inquiétude quant à la fiabilité et au réseau de concessionnaires de cette marque, encore toute récente au pays. Le nombre d'établissements franchisés augmente progressivement et, surtout, la qualité de leurs installations s'améliore, mais si vous voyagez fréquemment hors du Québec, vous ne pourrez compter sur autant de points de service Kia que les autres marques. Par contre, Kia est très solidement établie aux États-Unis. Sur le marché depuis un an à peine, cette fourgonnette n'a pas non plus des états de service bien longs en fait de fiabilité. Toutefois, au cours d'un essai prolongé de plus de 15 000 km, la Sedona n'a connu aucun ennui majeur sur le plan mécanique. Et sa garantie 5 ans 100 000 km en rassure plusieurs.

Moins chère que les autres, la Sedona nous donne l'impression de conduire une Windstar de la 1re génération. Et le tableau de bord de même que l'habitacle semble

être de la même cuvée. Enfin, la lourdeur du hayon arrière et la difficulté à le refermer nous rappelle les premières générations chez les autres marques. Le prix est moins élevé, mais le véhicule montre un certain retard sur les autres. Cependant, pour qui veut se procurer une fourgonnette à prix compétitif et que le manque de données quant à la fiabilité n'effraie pas, la Sedona est un véhicule pratique aux performances honnêtes. Pour plusieurs, ce sera le dilemme entre acheter une Sedona neuve ou une Windstar d'occasion.

# Le **peloton** *se resserre* **toujours**

À la surprise générale, c'est la MPV qui l'emporte. Nos essayeurs ont apprécié son comportement routier et son agilité. Ces résultats devraient servir de leçon aux planificateurs des compagnies qui ont toujours tendance à considérer que gros et meilleur sont des synonymes. Cette Mazda revue et corrigée en 2002 est capable de transporter six personnes dans un confort digne de mention tout en acceptant presque autant de bagages que des modèles plus longs. Et s'il est important de prévoir qu'on pourra transporter plus de gens et d'objets, il est à parier que les capacités de notre gagnante feront l'affaire la plupart du temps. Enfin, notre lauréate démontre qu'il est possible de concilier agrément de conduite et polyvalence.

L'Odyssey suit de près. Tous ont vanté les qualités de son groupe propulseur, l'élégance de sa silhouette et le confort de sa suspension. Si elle se fait devancer par une fourgonnette plus maniable, c'est justement que ses dimensions viennent quelque peu entraver sa maniabilité. Vous avouerez qu'il est cocasse qu'un constructeur comme Honda soit pénalisé pour la grosseur de l'un de ses véhicules. Mais le champion de la petite voiture doit se plier aux exigences du marché et l'Odyssey convient à merveille

Mazda MPV

Honda Odyssey

Dodge Grand Caravan

Ford Windstar

Pontiac Montana

Toyota Sienna

Kia Sedona

Forte de sa sécurité 5 étoiles, la Windstar est une fourgonnette surtout consacrée aux besoins de la famille. Sa finition est sérieuse et sa fiabilité a progressé. Par contre, ceux qui la conduiront vont drôlement s'ennuyer derrière son volant. Les passagers, pour leur part, n'auront pas grand-chose à redire. Par contre, le lecteur de vidéocassette devrait être remplacé par un DVD.

La Pontiac Montana termine à quelques dixièmes de point devant la Toyota Sienna. En réalité, c'est match égal entre les deux. Au cours des dernières années, General Motors a apporté plusieurs améliorations à la qualité d'assemblage de ses produits tout en révisant plusieurs caractéristiques techniques et esthétiques. Son moteur est le moins puissant du lot, mais s'acquitte quand même bien de sa tâche. Enfin, l'habitacle est très polyvalent à défaut d'offrir une présentation soignée.

La Toyota Sienna est la plus politiquement correcte et sans doute la plus fiable. Elle est malheureusement d'un ennui profond à conduire tandis que sa silhouette trahit son âge.

La Sedona était la moins chère et la moins bien équipée du lot. Elle devrait plaire aux personnes à la recherche d'un véhicule pratique, équipé d'un moteur V6 et de sièges arrière confortables. Elle deviendra un meilleur achat au fur et à mesure que sa fiabilité sera mieux connue.

Cette catégorie est dorénavant dans l'ombre des VUS, mais les vrais véhicules utilitaires, ce sont les fourgonnettes. Les sept modèles essayés nous ont prouvé que le peloton se resserre et qu'il est de plus en plus difficile de devancer la concurrence. D'ailleurs, les deux véhicules de tête sont aussi ceux qui viennent de connaître des révisions.

aux besoins des gens à la recherche d'une fourgonnette pleine longueur capable de se comporter avec brio sur la route.

La Dodge Grand Caravan termine au 3e rang, même si elle impressionne par son habitacle très pratique, son hayon arrière motorisé, ses portes coulissantes avec moteur intégré et un choix de modèles presque variable à l'infini. Il semble que

ces qualités pratiques aient été privilégiées par rapport au stylisme extérieur et même aux performances en général. C'est le couteau suisse des fourgonnettes avec tous ces gadgets, mais elle ne domine plus au chapitre de la conduite et de la motorisation. Il faudra que Chrysler soit plus audacieuse dans l'élaboration de la prochaine génération.

## Fiche *technique*

| | | DODGE GR CARAVAN | FORD WINDSTAR | HONDA ODYSSEY | KIA SEDONA | MAZDA MPV | PONTIAC MONTANA | TOYOTA SIENNA |
|---|---|---|---|---|---|---|---|---|
| **STYLE** | | | | | | | | |
| • Extérieur | 10 | 6,8 | 6,7 | 9,2 | 6,3 | 9,3 | 7,7 | 6,1 |
| • Intérieur | 10 | 7,8 | 7,5 | 8,1 | 6,2 | 8,3 | 7,6 | 5,9 |
| | **20 pts** | 14,6 | 14,2 | 17,3 | 12,5 | **17,6** | 15,3 | 12 |
| **CARROSSERIE** | | | | | | | | |
| • Finition intérieure et extérieure | 10 | 7,8 | 8 | 9 | 6,4 | 8,7 | 7,7 | 9,1 |
| • Qualité des matériaux | 10 | 7,6 | 8 | 8,6 | 6,1 | 7,9 | 7,0 | 7,6 |
| • Coffre (accès/volume) | 10 | 7,5 | 7,7 | 9 | 6,6 | 8,7 | 7,8 | 6,8 |
| • Espaces de rangement | 10 | 7,9 | 8,4 | 8,8 | 7,1 | 7,4 | 7,5 | 6,9 |
| • Astuces et originalité | 10 | 8,3 | 7,5 | 7,7 | 6,3 | 7,7 | 7,8 | 6 |
| • Équipement | 5 | 4,3 | 4,6 | 4,2 | 3,1 | 3,7 | 4,5 | 2,7 |
| • Tableau de bord | 5 | 3,8 | 3,2 | 2,9 | 2,8 | 4,2 | 3,5 | 3,6 |
| | **60 pts** | 47,2 | 47,4 | 50,2 | 38,4 | 48,3 | 45,8 | 42,7 |
| **CONFORT** | | | | | | | | |
| • Position de conduite/volant/sièges avant | 10 | 7,4 | 7,7 | 7,8 | 7 | 8,8 | 7,5 | 7,4 |
| • Places arrière | 10 | 8,6 | 7,8 | 8,1 | 8,2 | 7,4 | 8,4 | 7,5 |
| • Ergonomie | 10 | 8,0 | 8 | 8,3 | 7 | 7,4 | 7,8 | 8,1 |
| • Silence de roulement | 10 | 7,7 | 6,9 | 7,2 | 7,1 | 7,7 | 7,4 | 7,7 |
| | **40 pts** | **31,7** | 30,4 | 31,4 | 29,3 | 31,3 | 31,1 | 30,7 |
| **CONDUITE** | | | | | | | | |
| • Moteur | 40 | 33,5 | 30 | 35,7 | 28,3 | 34,2 | 29,6 | 31,2 |
| • Transmission | 30 | 23,5 | 24,2 | 26,5 | 24,2 | 27,2 | 23,8 | 26,2 |
| • Direction | 30 | 22,5 | 21,5 | 26,5 | 21 | 27,5 | 22 | 24,5 |
| • Tenue de route | 30 | 24,2 | 24 | 26,5 | 21,3 | 27,5 | 24,1 | 24,2 |
| • Freins | 30 | 23,4 | 24 | 26,2 | 22,6 | 26,4 | 23 | 24,8 |
| • Confort de la suspension | 20 | 16,5 | 16,8 | 16,3 | 15,2 | 16,0 | 16,2 | 17 |
| | **180 pts** | 143,6 | 140,5 | 157,7 | 132,6 | **158,8** | 138,7 | 147,9 |
| **SÉCURITÉ** | | | | | | | | |
| • Visibilité | 10 | 8,3 | 7,8 | 8,4 | 8 | 6 | 8 | 8,1 |
| • Rétroviseurs | 10 | 8,0 | 9 | 5 | 8 | 7,5 | 8,6 | 7,5 |
| • Nombre de coussins de sécurité | 10 | 10 | 10 | 5 | 5 | 10 | 10 | 5 |
| | **30 pts** | 26,3 | **26,8** | 18,4 | 21 | 23,5 | 26,6 | 20,6 |
| **PERFORMANCES MESURÉES** | | | | | | | | |
| • Reprises | 20 | 16 | 19 | 20 | 16 | 17 | 18 | 17 |
| • Accélération | 20 | 16 | 19 | 20 | 15 | 18 | 14 | 17 |
| • Freinage | 20 | 18 | 19 | 17 | 16 | 20 | 17 | 18 |
| • Capacité de remorquage | 20 | 20 | 18 | 18 | 18 | 18 | 18 | 18 |
| • Soute à bagages | 20 | 20 | 17 | 19 | 14 | 15 | 18 | 16 |
| | **100 pts** | 90 | 92 | **94** | 79 | 88 | 85 | 86 |
| **RAPPORT QUALITÉ/PRIX** | | | | | | | | |
| • Agrément de conduite | 10 | 7,8 | 7 | 8,4 | 6,9 | 8,5 | 7,8 | 7,2 |
| • Choix des essayeurs | 50 | 46 | 45 | 48 | 42 | 50 | 43 | 44 |
| • Valeur pour le prix | 10 | 7,5 | 8 | 8 | 10 | 9,0 | 7,3 | 8 |
| | **70 pts** | 61,3 | 60 | 64,4 | 58,9 | **67,5** | 58,1 | 59,2 |
| **Total** | **500 pts** | 414,7 | 411,3 | 433,4 | 371,7 | 435 | 400,8 | 399,1 |
| **CLASSEMENT** | | 3 | 4 | 2 | 7 | 1 | 5 | 6 |

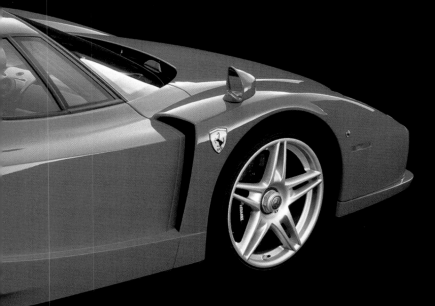

ACURA
ASTON MARTIN
AUDI
BENTLEY
BMW
BUICK
CADILLAC
CHEVROLET
CHRYSLER
DODGE
FERRARI
FORD
GMC
HONDA
HUMMER
HYUNDAI
INFINITI
ISUZU
JAGUAR
JEEP
KIA
LAND ROVER
LEXUS
LINCOLN
MASERATI
MAZDA
MERCEDES-BENZ
MERCURY
MINI
MITSUBISHI
NISSAN
OLDSMOBILE
PONTIAC
PORSCHE
SAAB
SATURN
SUBARU
SUZUKI
TOYOTA
VOLKSWAGEN
VOLVO

# Essais et analyses

# ACURA 1,7EL

# Une Acura en quête d'identité

**Vous aimez votre Honda Civic. Elle vous a bien servi toutes ces années, mais votre fidèle monture se fait vieille et il est temps de penser à la retraite. Mais que choisir d'autre ? L'éternelle question de l'automobiliste satisfait qui veut passer à autre chose, mais qui ne veut pas risquer d'être déçu. Rassurez-vous, Honda a pensé à vous. Question de vous garder dans son giron, elle a confié à sa division Acura le soin de vous concocter une Civic endimanchée et plus cossue. Rien que pour le marché canadien, d'ailleurs. Voici l'Acura 1,7EL.**

Née à Alliston, en Ontario, sur la même chaîne de montage que la Honda Civic, la plus petite des Acura a vu le jour pour le millésime 1997. Modestement équipée du moteur 1,6 litre, la 1,6EL a gagné un dixième en devenant 1,7EL. Ces 100 cc de plus à la cylindrée du moteur n'augmentent en rien la puissance du 4 cylindres à distribution variable (VTEC-E) qui reste à 127 chevaux, mais le couple passe de 107 à 114 lb-pi, le maximum arrivant à un régime plus faible (4 800 tr/min au lieu de 5 500). Autant dire que Honda (ou Acura si vous préférez) a entendu nos critiques d'il y a deux ans : « accélérations pathétiques en circulation urbaine, des reprises lymphatiques sur grand-route... ». Fait à noter : le moteur tombe dans la catégorie ULEV (très faible pollution).

L'exercice de révision du moteur s'est aussi accompagné de la révision de la boîte de vitesses de façon à corriger ce manque flagrant de nerf. Résultat : gain en accélérations et en reprises, d'où un meilleur agrément de conduite et une meilleure sécurité active. Précisons aussi que la boîte automatique travaille mieux avec le moteur, sans doute grâce à la révision de la courbe de couple. Toujours sur le plan mécanique, la 1,7EL bénéficie d'une direction moins « guimauve » (et d'un volant réglable en hauteur) qui contribue aussi à rehausser l'agrément de conduite. Ces changements ne signifient cependant pas que la petite Acura s'est métamorphosée ; il s'agit encore d'une Civic fardée, dotée d'un comportement moelleux et dont les détails de carrosserie, surtout à l'avant, cherchent à la rapprocher de la gamme Acura, question de vous inviter à rester fidèle à la grande famille Honda/Acura.

## CARACTÉRISTIQUES

| | |
|---|---|
| **Prix du modèle à l'essai** | 24 700 $ |
| **Échelle de prix** | de 22 700 $ à 26 747 $ |
| **Assurances** | de 741 $ à 825 $ |
| **Garanties** | 3 ans 60 000 km / 5 ans 100 000 km |
| **Emp. / Long. / Larg. / Haut. (cm)** | 262 / 449 / 171,5 / 144 |
| **Poids** | 1 172 kg |
| **Coffre / Réservoir** | 365 litres / 50 litres |
| **Coussins de sécurité** | frontaux et latéraux |
| **Suspension avant** | indépendante, jambes élastiques |
| **Suspension arrière** | indépendante, triangles obliques |
| **Freins av. / arr.** | disque, ABS |
| **Système antipatinage** | non |
| **Direction** | à crémaillère, assistée |
| **Diamètre de braquage** | 10,4 mètres |
| **Pneus av. / arr.** | P185/65R15 |

## MOTORISATION ET PERFORMANCES

| | |
|---|---|
| **Moteur** | 4L 1,7 litre |
| **Transmission** | traction, automatique 4 rapports |
| **Puissance** | 127 ch à 6 300 tr/min |
| **Couple** | 114 lb-pi à 4 800 tr/min |
| **Autre(s) moteur(s)** | aucun |
| **Autre(s) transmission(s)** | manuelle 5 rapports |
| **Accélération 0-100 km/h** | 9,3 secondes |
| **Reprises 80-120 km/h** | 8,5 secondes |
| **Vitesse maximale** | 195 km/h |
| **Freinage 100-0 km/h** | 41,7 mètres |
| **Consommation (100 km)** | 7,5 litres (ordinaire) |
| • Valeur de revente | très bonne |
| • Renouvellement du modèle | n.d. |

à disque doublés de l'ABS, mais l'antipatinage ne figure pas au catalogue.

Tout ça pour en arriver à la conclusion que la 1,7EL nous a laissés plutôt indifférent. À notre humble avis, pour vraiment se démarquer et proposer à la clientèle une petite voiture qui fasse jaser, Acura aurait dû accorder plus d'importance à l'agrément de conduite, tant sur le plan mécanique que sur celui de l'aménagement intérieur. Car qui dit voiture de luxe, dit aussi (dans notre vocabulaire de passionné, du moins) voiture agré-

## Simililuxe

Comme il fallait s'y attendre, les concepteurs ont cherché à enjoliver l'habitacle afin de lui procurer une apparence de luxe. Opération partiellement réussie, car les changements se limitent à des garnitures, à l'exception des sièges qui gagnent en volume, en confort et en soutien, tant à l'avant qu'à l'arrière. Notons que si les sièges avant sont réglables en hauteur, ce réglage est manuel, même dans les versions Premium et Limited qui bénéficient du revêtement en cuir. Autre différence notable avec les Civic : les coussins de sécurité latéraux de série dans les trois versions de la 1,7EL. À l'arrière, les dossiers de la banquette se rabattent séparément, ce qui augmente la contenance déjà respectable du coffre. Le confort des sièges est raisonnable, mais l'accès à l'arrière posera des petits problèmes, surtout aux grands, à cause de la faible hauteur de la porte arrière.

Quant au tableau de bord, c'est encore celui de la Civic, auquel vient se greffer une applique en simili-libois qui encadre le bloc central où niche la radio AM/FM/CD et les molettes de chauffage/climatisation. Une console centrale révisée dotée d'un casier de rangement occupe l'espace entre les deux sièges et les accessoires de série comptent la climatisation (automatiques sur la Premium), les sièges et les rétroviseurs chauffants, le régulateur de vitesse, les glaces électriques, le téléverrouillage et l'antivol. Un équipement complet, donc, mais un intérieur esthétiquement décevant car démuni de charme et d'originalité, qualités souhaitables dans une voiture qui se veut « de luxe ».

## Sage, trop sage

Sur route, l'Acura se comporte – je sens que je vais me répéter – comme une Civic... plus cossue. Les pneus de 15 pouces qui chaussent les belles roues en alliage léger contribuent à vous faire monter d'un cran, tout comme l'insonorisation de meilleure qualité qui réussit à atténuer les bruits de vent à vitesse d'autoroute. Reste quand même le bruit du moteur qui affirme sa présence en forte accélération. N'oublions pas que le moteur ne fait que 1,7 litre et qu'il doit traîner près de 1200 kg.

Quoique saine grâce aux suspensions indépendantes aux quatre roues, la tenue de route n'inspire pas d'envolées lyriques. Elle rappelle plutôt le slogan du Holiday Inn : pas de surprises. Acura a quand même jugé bon de nous offrir quatre freins

able à conduire et voiture « différente ». En partant de la base saine de la Civic, il aurait fallu repenser notamment ce tableau de bord tristement « plate » et équiper la petite Acura de pneus plus appropriés, à la manière de la Mazda Protegé5. Si cet exercice de marketing qu'est la 1,7EL rapporte des dividendes à Acura et que le constructeur nippon songe à conserver ce modèle au catalogue canadien, il serait souhaitable qu'il fasse un autre pas en avant comme celui qu'il a accompli en passant de la première 1,6EL à la 1,7EL d'aujourd'hui. Nous votons pour une 2,0EL et pour le recrutement d'un nouveau designer pour l'intérieur. Question de pouvoir répondre, entre autres, à la MINI, à la Toyota Matrix et à la Pontiac Vibe.

*Alain Raymond*

---

### MODÈLES CONCURRENTS

- *Chrysler PT Cruiser • MINI Cooper • Pontiac Vibe*
- *Toyota Matrix*

### QUOI DE NEUF ?

- *Aucun changement majeur*

### VERDICT

| | |
|---|---|
| **Agrément de conduite** | ★★★ |
| **Fiabilité** | ★★★★★ |
| **Sécurité** | ★★★★ |
| **Qualités hivernales** | ★★⯪ |
| **Espace intérieur** | ★★★ |
| **Confort** | ★★★⯪ |

### ▲ POUR

- Économique et peu polluant
- Fiabilité éprouvée • Sièges confortables
- Silencieuse sur autoroute

### ▼ CONTRE

- Faible agrément de conduite
- Performances moyennes
- Tableau de bord quelconque

# « *Passé date* »

**Il faut se rappeler que la division Acura de Honda a été la première à s'attaquer à la chasse gardée des européennes en s'intéressant au marché des voitures de luxe. Comme les constructeurs japonais se livrent une guerre de tous les instants, Toyota et Nissan ont rapidement emboîté le pas avec leurs divisions Lexus et Infiniti respectivement. Les premières Acura étaient des modèles compacts offrant une mécanique sophistiquée et un comportement routier supérieur à la moyenne. Les succès de la Lexus LS 400 sont venus modifier ces plans.**

P our répliquer à l'arrivée de ce modèle plus gros et beaucoup plus luxueux que la Legend de l'époque, les responsables de chez Acura ont concocté la RL. Cette berline se voulait une voiture tout aussi luxueuse que la LS, mais vendue plusieurs milliers de dollars moins cher. Logiquement, cette stratégie ne devait pas rater la cible. Pourtant, il semble que la logique et le gros bon sens n'ont pas toujours le dessus dans le monde de l'automobile. Plus ostentatoire, plus luxueuse et carrément plus bourgeoise, la grosse Lexus a pris le dessus sur toutes les autres japonaises de luxe, laissant les Acura RL et Infiniti Q45 jouer les seconds violons.

C'est d'ailleurs pourquoi les apparitions de la RL sur nos routes sont si rares. Cette voiture connaît une diffusion confidentielle, les fidèles de la marque lui préférant la TL Type S dont les 260 chevaux font mal paraître son aînée qui doit en concéder 35

à sa cadette. De plus, celle-ci possède une silhouette et un habitacle plus modernes.

### Une autre époque

Les raisons de se procurer une RL sont donc assez peu nombreuses. Par contre, si vous aimez le style vaguement rétro, la RL vous ravira. Sans être carrément d'une autre époque, sa présentation extérieure la fait ressembler à une vieille Mercedes qui aurait tenté un *face lift* qui se serait mal terminé. Il semble que les stylistes se sont inspirés de la berline allemande, mais ont manqué de cran en cours de route pour nous offrir en fin de compte quelque chose de totalement anonyme. S'il y avait un produit générique dans la catégorie des berlines de luxe, la 3,5RL en serait un. Ses défenseurs auront beau avancer que cette présentation est quasiment

| CARACTÉRISTIQUES | |
|---|---|
| Prix du modèle à l'essai | 54 000 $ (2002) |
| Échelle de prix | n.d. |
| Assurances | 1044 $ |
| Garanties | 3 ans 60 000 km / 5 ans 100 000 km |
| Emp. / Long. / Larg. / Haut. (cm) | 291 / 499 / 182 / 138 |
| Poids | 1775 kg |
| Coffre / Réservoir | 419 litres / 68 litres |
| Coussins de sécurité | frontaux et latéraux |
| Suspension avant | indépendante, leviers triangulés |

| | |
|---|---|
| Suspension arrière | indépendante, leviers transversaux |
| Freins av. / arr. | disque, ABS |
| Système antipatinage | oui |
| Direction | à crémaillère, assistance variable |
| Diamètre de braquage | 11,8 mètres |
| Pneus av. / arr. | P225/55R16 |

| MOTORISATION ET PERFORMANCES | |
|---|---|
| Moteur | V6 3,5 litres |
| Transmission | traction, automatique 4 rapports |
| Puissance | 225 ch à 5200 tr/min |

| | |
|---|---|
| Couple | 231 lb-pi à 2 800 tr/min |
| Autre(s) moteur(s) | aucun |
| Autre(s) transmission(s) | aucune |
| Accélération 0-100 km/h | 9,1 secondes |
| Reprises 80-120 km/h | 8,2 secondes |
| Vitesse maximale | 225 km/h |
| Freinage 100-0 km/h | 41 mètres |
| Consommation (100 km) | 12,8 litres (super) |
| • Valeur de revente | moyenne |
| • Renouvellement du modèle | 2004 |

nous démontre que cette voiture souffre d'un comportement routier lui aussi «passé date». Dès qu'on pousse les limites, il est facile de découvrir que le châssis est plus souple que certains de ses concurrents de conception plus récente. Il en résulte une imprécision en virage alors que la suspension, malheureusement trop molle, n'arrive pas toujours à contrôler les transferts de masse de la voiture, d'où la présence d'un sous-virage assez prononcé. Et comme la direction est trop assistée, il est très facile de trop corriger et de déstabiliser la voiture davan-

intemporelle, il est urgent de procéder à un rajeunissement de la carrosserie.

C'est un peu mieux dans l'habitacle. Mais là encore, ses concurrentes adoptent des présentations de plus en plus audacieuses. La planche de bord et les commandes sont inspirées d'une Mercedes du début des années 1990. Malheureusement pour Acura, cette marque assez conservatrice y est allée de deux révisions complètes depuis. Il suffit d'ailleurs de prendre en main le volant pour constater que son boudin très petit est d'une autre période. En revanche, les commandes du régulateur de vitesse et du volume de la radio placées en périphérie du moyeu du volant ajoutent une touche de modernisme en plus d'être pratiques.

Avant de passer à la fiche mécanique, il faut souligner l'impeccable finition de l'habitacle, la finesse de la sellerie de cuir, le fini des appliques de bois de même que le confort des sièges avant. Par contre, leur support latéral est de beaucoup perfectible. Ajoutons que notre voiture d'essai avait franchi plusieurs milliers de kilomètres et que son intégrité était intacte. Pas de bruits de caisse ou de cliquetis, annonciateurs d'une détérioration de la rigidité de la caisse.

### Douceur assurée

À défaut d'en découdre au chapitre de la puissance avec les moteurs V8 des Lexus LS 430 et Infiniti Q45, l'Acura RL est propulsée par un superbe moteur V6 3,5 litres d'une irréprochable douceur. Il y a bien ce «bang» qu'on entend lorsque le système VTEC entre en action aux alentours de 3 500 tr/min, mais

c'est à peu près le seul bruit mécanique qui filtre dans l'habitacle. Tout sophistiqué soit-il, la puissance de ce moteur semble bien maigre avec ses 225 chevaux en comparaison même de la modeste Nissan Altima qui lui fait la nique de 25 chevaux. Et si l'Acura MDX destiné à conduire son propriétaire à la chasse et à la pêche est équipé d'une boîte automatique à 5 rapports, la RL lui concède un rapport, malgré son standing dans la famille Acura.

Somme toute, les ingénieurs semblent avoir privilégié le silence de roulement et la précision de la conduite par rapport à des performances plus élevées et à une tenue de route plus pointue. Malheureusement, cette équation n'est pas tout à fait correcte. Il est vrai que la 3,5RL affiche une insonorisation poussée et que sa suspension est très sophistiquée. Par contre, l'expérience de la conduite

tage. À tel point que l'antidérapage entre en action. Bref, les ingénieurs d'Acura peuvent faire mieux.

La RL est une voiture anachronique. Son luxe et la qualité de sa finition sont impeccables et même supérieurs à ceux de plusieurs voitures de cette catégorie. De plus, à moins de 60 000 $, c'est une aubaine, toutes proportions gardées. Malheureusement, sa présentation visuelle, ses performances et son comportement routier n'arrivent plus à faire le poids face à ses concurrentes. Et comme si cela n'était pas assez, son agrément de conduite est quasiment nul. Bref, il lui manque tout ce que la TL de Type S nous offre pour moins cher. Il est donc très facile de comprendre pourquoi vous n'en croisez pratiquement jamais sur la route.

*Denis Duquet*

---

### MODÈLES CONCURRENTS

- Audi A6 • BMW Série 5 • Cadillac Seville
- Infiniti M45 • Lexus GS 300 • Lincoln LS
- Mercedes-Benz Classe E • Volvo S80

### QUOI DE NEUF?

- Feux arrière et grille de calande modifiés
- Nouvelles jantes • Système LATCH

### VERDICT

| | |
|---|---|
| Agrément de conduite | ★★★ |
| Fiabilité | ★★★★★ |
| Sécurité | ★★★★ |
| Qualités hivernales | ★★★★ |
| Espace intérieur | ★★★★ |
| Confort | ★★★⯪ |

### ▲ POUR

- Fiabilité assurée • Prix compétitif
- Finition sans faille • Direction précise

### ▼ CONTRE

- Modèle en sursis • Silhouette générique
- Performances moyennes • Agrément de conduite mitigé • Puissance modeste

<br>

# ACURA CL / TL

# *Entre deux chaises*

**Les constructeurs japonais ont toujours eu une approche assez particulière lorsque vient le temps de concocter des voitures de luxe à vocation sportive. Il en résulte presque toujours un compromis qui me laisse perplexe. Les ingénieurs ont beau développer des éléments mécaniques d'une sophistication poussée, il est difficile d'y retrouver cette homogénéité qui fait pratiquement partie de toute allemande de même catégorie.**

Les Acura TL et CL sont des exemples parfaits de cette ambiguïté qui nous donne l'impression d'être assis entre deux chaises. Et puisque le coupé comme la berline partagent la même plate-forme et les mêmes moteurs, peu de choses les différencient, si ce n'est le style de leur carrosserie.

### *Personnalité estivale*

L'an dernier, Jacques Duval nous faisait part des impressions de conduite d'un essai hivernal réalisé au volant d'une Acura CL Type S. Il semble que la suspension supporte mal le froid puisque force a été de constater que ça cognait pas mal dur et que les pneus contribuaient également à cet inconfort. Curieusement, c'est en pleine canicule que mon essai s'est déroulé cette année. Non seulement les bruits de caisse ne se sont pas manifestés tout au long de la semaine, mais la suspension est apparue beaucoup plus civilisée bien que les réglages soient les mêmes.

Par contre, une chose n'a pas changé et c'est le caractère mi-figue, mi-raisin de ce coupé Type S.

Avec un moteur V6 de 260 chevaux, une boîte de vitesses manuelle à 6 rapports et des pneus Michelin Pilot de 17 pouces, les attentes sont élevées. D'autant plus que la division Acura a pour vocation de nous proposer des modèles plus sportifs que chez Honda. Pourtant, non seulement la silhouette est plus bourgeoise qu'autre chose, mais l'agrément de conduite est loin d'être comparable à celui du coupé G35 d'Infiniti.

En ligne droite, les performances sont sans bavures. C'est un plaisir d'entendre le système VTEC s'enclencher aux alentours de 4 000 tr/min et nous bercer d'un grognement sportif confirmant qu'il y a de l'action sous les cache-soupapes. La boîte manuelle à 6 rapports de notre véhicule d'essai était gérée par un levier de vitesses dont la course était courte et le guidage précis. Par contre, en

## CARACTÉRISTIQUES

| | |
|---|---|
| Prix du modèle à l'essai | CL 41 295 $ |
| Échelle de prix | de 37 800 $ à 41 800 $ |
| Assurances | 867 $* |
| Garanties | 3 ans 60 000 km / 5 ans 100 000 km |
| Emp. / Long. / Larg. / Haut. (cm) | 271 / 488 / 179 / 141 |
| Poids | 1 592 kg |
| Coffre / Réservoir | 385 litres / 65 litres |
| Coussins de sécurité | frontaux et latéraux |
| Suspension avant | indépendante, bras longitudinaux |
| Suspension arrière | indépendante , leviers transversaux |
| Freins av. / arr. | disque, ABS |
| Système antipatinage | oui |
| Direction | à crémaillère, assistance variable |
| Diamètre de braquage | 12 mètres |
| Pneus av. / arr. | P215/50R17 |

## MOTORISATION ET PERFORMANCES

| | |
|---|---|
| Moteur | V6 3,2 litres |
| Transmission | traction, manuelle 6 rapports |
| Puissance | 260 ch à 6 100 tr/min |
| Couple | 232 lb-pi à 3500-6500 tr/min |
| Autre(s) moteur(s) | V6 3,2 litres 225 ch |
| Autre(s) transmission(s) | automatique 5 rapports |
| Accélération 0-100 km/h | 6,7 secondes |
| Reprises 80-120 km/h | 6,6 secondes (4e) |
| Vitesse maximale | 230 km/h |
| Freinage 100-0 km/h | 41,5 mètres |
| Consommation (100 km) | 11,6 litres (super) |

| | |
|---|---|
| • Valeur de revente | bonne |
| • Renouvellement du modèle | 2006 |

le rapport prix/qualité-performances est parmi ce qu'il y a de mieux dans la catégorie. Cette TL du gros bon sens a tous les éléments pour faire la vie dure à la Lexus ES 300. Son habitacle plus raffiné, sa finition plus luxueuse et un comportement supérieur à celui de la Lexus sont autant d'éléments en sa faveur. Si la suspension et les pneus s'harmonisent mal dans la version Type S, le modèle régulier est plus équilibré à ce chapitre.

Celui-ci possède un équipement de série comparable à celui de toutes les autres berlines de cette

accélération à pleins gaz, il fallait pousser un peu plus fort pour engager le 2e rapport. Ce V6 en alliage léger ne se fait pas prier pour monter en régime et le 0-100 km/h se boucle en un peu moins de 7 secondes. Cet exercice exige de bien doser la pédale de l'accélérateur, faute de quoi les roues avant patinent avec enthousiasme. L'effet de couple dans le volant est bien contrôlé en dépit de cette puissance aux roues avant. Il faut quand même faire attention lors du passage du 1er au 2e rapport puisque ça tire quand même pas mal vers la gauche.

Il est malheureusement difficile de profiter au maximum des capacités du groupe propulseur en raison d'une direction capricieuse. L'assistance variable est plus linéaire que jadis, mais certaines transitions sont toujours sous le signe de « trop léger ou trop lourd ». De plus, dans les virages serrés pris rapidement, un sous-virage persistant accompagné d'un roulis prononcé nous incitent à lever le pied.

Somme toute, Type S ou pas, le coupé CL est davantage une voiture de grand-tourisme qui vous dorlotera sur l'autoroute avec ses sièges confortables, son tableau de bord bien dessiné et une finition impeccable. Les places arrière sont difficiles d'accès comme dans tous les coupés, mais une fois assis dans l'un des deux sièges baquets séparés par un vide-poches et un accoudoir, le confort est adéquat même si l'assise des sièges est un peu basse. Claustrophobes s'abstenir !

À part une allure plutôt pépère, qui n'est pas sans rappeler le nouveau coupé CLK de Mercedes, le coupé CL Type S a tous les éléments pour inté-

resser les conducteurs de coupés sport, mais son manque d'homogénéité risque de les décevoir.

### Une valeur sûre

Il ne faut pas oublier la berline TL dont la silhouette et la mécanique sont très proches de celles du coupé. Ce modèle peut être considéré comme un coupé quatre portes et le coupé comme une berline deux portes, à votre choix. Au chapitre de la conduite, la TL Type S est handicapée par le même comportement incertain. Et les deux modèles ont un diamètre de braquage assez important qui risque d'en irriter plusieurs.

Si vos visées sont plus modestes, la version régulière de la TL avec ses 225 chevaux et sa boîte automatique à 5 rapports est un modèle à ne pas ignorer. Il lui faut une seconde et demie de plus pour boucler le 0-100 km/h qu'un modèle de Type S, mais

catégorie en plus d'offrir une excellente boîte automatique à 5 rapports malgré une grille crantée trop accentuée. Le système Sportshift permettant de passer les vitesses manuellement est nettement plus rapide et efficace que le légendaire Tiptronic. La direction est toujours trop assistée, mais c'est plus tolérable sur un modèle dont les ambitions ne sont pas nécessairement sportives. Les sièges confortables, le tableau de bord complet et une finition tout aussi impeccable que dans les versions plus luxueuses font de la 3,2TL une berline capable de faire plaisir à ceux qui recherchent une voiture qui leur en donne pour leur argent sur le plan de la fiabilité et de l'équipement. Parfois, la raison l'emporte sur la recherche des performances à tout crin et la 3,2TL représente cette tendance.

*Denis Duquet*

## MODÈLES CONCURRENTS

• *Audi A4* • *Infiniti I35* • *Lexus ES 300* • *Saab 9³*
• *VW Passat* • *Volvo S60 et C70*

## QUOI DE NEUF ?

• *Aucun changement majeur*

## VERDICT

| | |
|---|---|
| Agrément de conduite | ★★★⯪ |
| Fiabilité | ★★★★★ |
| Sécurité | ★★★★ |
| Qualités hivernales | ★★★⯪ |
| Espace intérieur | ★★★★ |
| Confort | ★★★⯪ |

## ▲ POUR

• Mécanique sophistiquée • Performances élevées
• Finition impeccable • Boîtes de vitesses efficaces
• Équipement complet

## ▼ CONTRE

• Suspension mal calibrée • Direction trop assistée
• Diamètre de braquage important
• Silhouette trop générique

# Droit d'aînesse

**Pendant deux ans, la division Acura était la seule dans la famille Honda à offrir un véhicule utilitaire sport à moteur V6. L'arrivée du nouveau Honda Pilot vient modifier la donne. Mais il ne faut cependant pas commettre l'erreur de conclure que c'est un meilleur achat en se basant sur le fait que le Pilot offre la même mécanique à un prix inférieur. Il est vrai que les similitudes sont nombreuses, à partir du moteur V6 de 3,5 litres, de la transmission automatique à 5 rapports et du rouage d'entraînement intégral VTN-4.**

Par contre, il existe de nombreuses différences de style, d'équipement et de réglages de la suspension. Le Pilot est intéressant en raison de son prix plus modeste, c'est vrai. Par contre, sa silhouette est plus en demi-teintes, son habitacle moins luxueux et sa tenue de route un peu moins aiguisé. Enfin, pour certains, le seul fait de posséder un véhicule commercialisé par une marque de prestige comme Acura est un argument sans appel.

### Faire fi de la tradition !

Pendant des décennies, tous les véhicules de type 4X4 étaient des camionnettes modifiées avec plus ou moins de succès. Malgré les inconvénients d'une tenue de route semblable à celle d'une bille de bois, d'un confort élémentaire et d'un agrément de conduite fortement diminué, plusieurs croyaient qu'il n'y avait pas d'autre façon de faire. Même Mercedes a cru bon d'utiliser un châssis de type échelle dans son modèle ML, pourtant plus

citadin que campagnard. L'équipe chargée de la conception du MDX a ignoré cette tradition en agençant de façon astucieuse de nombreuses composantes de la Honda Odyssey. Plusieurs ont une réaction négative lorsqu'ils apprennent que c'est une fourgonnette qui a servi de point de départ au MDX. Ils s'imaginent que ce n'est pas suffisamment robuste pour répondre aux besoins d'un tout-terrain. Pourtant, ce dernier est généralement moins chargé et les exigences de la conduite hors route portent davantage sur l'importance de la garde au sol que de la rigidité du châssis. Cet emprunt a permis de concevoir un VUS doté d'une suspension indépendante aux quatre roues qui assure un comportement routier supérieur à la moyenne de la catégorie. Ce faisant, Acura vient jouer dans les plates-bandes du Lexus RX 300, lui

## CARACTÉRISTIQUES

| | |
|---|---|
| Prix du modèle à l'essai | 48 595 $ |
| Échelle de prix | Prix unique. |
| Assurances | 1 100 $ |
| Garanties | 3 ans 60 000 km / 5 ans 100 000 km |
| Emp. / Long. / Larg. / Haut. (cm) | 270 / 479 / 195 / 181 |
| Poids | 1 992 kg |
| Coffre / Réservoir | de 419 à 1406 litres / 73 litres |
| Coussins de sécurité | frontaux et latéraux |
| Suspension avant | indépendante, leviers triangulés |
| Suspension arrière | indépendante, à bras multiples |
| Freins av. / arr. | disque, ABS |
| Système antipatinage | oui |
| Direction | à crémaillère, assistance variable |
| Diamètre de braquage | 11,6 mètres |
| Pneus av. / arr. | P235/65R17 |

## MOTORISATION ET PERFORMANCES

| | |
|---|---|
| Moteur | V6 3,5 litres VTEC |
| Transmission | intégrale, automatique 5 rapports |
| Puissance | 260 ch à 5 300 tr/min |
| Couple | 250 lb-pi 3 000 à 5 000 tr/min |
| Autre(s) moteur(s) | aucun |
| Autre(s) transmission(s) | aucune |
| Accélération 0-100 km/h | 8,4 secondes |
| Reprises 80-120 km/h | 7,0 secondes |
| Vitesse maximale | 195 km/h |
| Freinage 100-0 km/h | 42,4 mètres |
| Consommation (100 km) | 12,8 litres (super) |

| | |
|---|---|
| • Valeur de revente | excellente |
| • Renouvellement du modèle | 2005 |

Mais de là à le comparer avec une automobile, il y a une marge.

En premier lieu, la suspension passablement ferme ne fait pas bon ménage avec les mauvaises routes, pas plus que les pneus de 17 pouces. En second lieu, même si la suspension est bien réglée et le châssis efficace, le centre de gravité est quand même plus élevé que celui d'une auto, vocation hors route oblige. De plus, pour un véhicule de luxe, l'insonorisation est insuffisante : les bruits de roulement s'infiltrent dans l'habitacle.

aussi doté d'une suspension similaire et dont la tenue de route ne s'apparente nullement à celle d'une camionnette.

### Noblesse oblige

Comme chez toute marque de luxe qui se respecte, l'habitacle du MDX est cossu. Vous y retrouvez donc les incontournables attributs du luxe que sont les appliques de bois, les moquettes épaisses, les lampes de lecture, un toit ouvrant, le réglage des sièges par commandes électriques et la liste s'éternise. Force est d'admettre que c'est réussi. On se croirait quasiment dans un véhicule d'origine allemande. Le côté gadget des véhicules nippons est représenté par un écran à affichage par cristaux liquides placé au centre de la planche de bord. Aux États-Unis, il est l'élément clé du système de navigation électronique. Au Canada, il sert à transmettre les données de l'ordinateur de bord, de la boussole et d'un économètre. Cet écran est véritablement un gadget. De plus, en plein soleil, il est pratiquement impossible de le consulter. Contrairement au Pilot dont le levier de vitesses est situé sur la colonne de direction, celui du MDX est au centre de la console montée sur le plancher. Et les deux années de réflexion accordées aux ingénieurs du Pilot leur ont permis de concevoir des commandes de climatisation plus simples et plus faciles d'accès que celles de l'Acura.

Sept personnes peuvent prendre place à bord. Si le confort est adéquat à l'avant et moyen au centre, il est minimaliste à l'arrière. Ces deux places sont destinées aux enfants. Il faut d'ailleurs une bonne

dose de souplesse pour y accéder. Les coussins sont faiblement rembourrés et l'assise trop basse pour des adultes.

### Tel que promis ?

Avec sa suspension arrière indépendante, son moteur V6 3,5 litres de 260 chevaux et des freins à disque aux quatre roues, la fiche technique de cet Acura ressemble à celle d'une berline intermédiaire. Et la compagnie nous promet un comportement routier presque semblable à celui d'une automobile. En fait, cette promesse est à moitié tenue. Il est vrai que le MDX est capable d'enchaîner les virages sans coup férir, que les tressautements de la suspension sont inexistants et que la consommation de carburant est agréablement faible pour la cylindrée. Bref, il se démarque des autres VUS dérivés de camionnettes.

Même si l'accent est mis sur le comportement routier, le MDX surprend agréablement en conduite tout-terrain. La garde au sol est adéquate pour la plupart des obstacles, la largeur du véhicule assure une bonne stabilité et le système de transmission intégrale permet de transférer rapidement le couple aux roues arrière au besoin. De plus, le fait de pouvoir verrouiller le différentiel arrière en certaines circonstances est un autre avantage. Dernier détail, la capacité de remorquage est de 2 040 kg. Pas mal pour une fourgonnette aménagée en VUS de luxe.

Autant d'arguments qui militent en faveur de cet Acura à tout faire qui demeure toujours sans conteste l'une des références dans sa catégorie.

*Denis Duquet*

---

### MODÈLES CONCURRENTS

- Audi Allroad Quattro • Infiniti QX4
- Jeep Grand Cherokee • Lexus RX 300
- Mercedes-Benz ML320

### QUOI DE NEUF ?

- Moteur plus puissant • Système intégral révisé
- DVD • Nouvelle boîte automatique

### VERDICT

| | |
|---|---|
| Agrément de conduite | ★★★★ |
| Fiabilité | ★★★★ |
| Sécurité | ★★★★ |
| Qualités hivernales | ★★★★⯪ |
| Espace intérieur | ★★★★ |
| Confort | ★★★⯪ |

### ▲ POUR

- Moteur sophistiqué • Boîte automatique 5 rapports
- Finition impeccable • Habitacle polyvalent
- Consommation modérée

### ▼ CONTRE

- Suspension ferme • 3e rangée de sièges symbolique
- Bruits éoliens • Écran ACL peu pratique
- Lunette arrière salissante

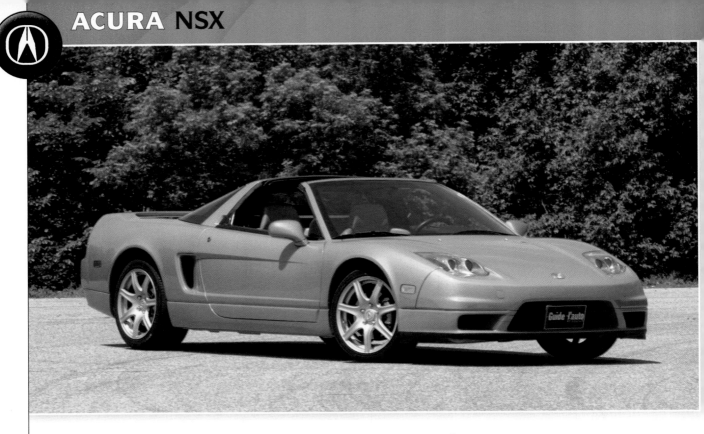

# Survivante d'une autre époque

**L'Acura NSX est une voiture âgée, pour ne pas dire ancienne. Présenté en 1990, ce coupé sport à moteur central qui devait permettre à la marque japonaise de marcher dans les plates-bandes de Ferrari a raté la cible. Si bien que sa supposée rivale, la 348, a connu deux refontes majeures (355 et 360) alors que la NSX est restée figée dans le temps. Et on ne peut pas dire qu'elle a vieilli en beauté.**

S
i le porte-étendard de la gamme Acura pouvait en début de carrière se comparer timidement à une Ferrari 348, il se situe aujourd'hui bien en retrait de ce que la concurrence a à offrir. J'en ai eu la preuve irréfutable lors d'un match impromptu à la piste de Sanair réunissant la NSX, une Porsche Carrera 4 et la dernière SL500 de Mercedes. Conduite séparément, sans aucun modèle concurrent dans les parages, la NSX fait plutôt bonne impression, surtout dans sa livrée « orange perlé » qui attire autant l'attention qu'un nudiste dans un congrès de témoins de Jéhovah. C'est une sportive très docile qui se laisse conduire facilement contrairement à certaines de ses rivales. La seule vraie contrainte vient du fait que l'on descend au lieu de monter dans une NSX, ce qui implique une certaine souplesse qui n'est pas toujours présente quand on a atteint l'âge de pouvoir s'offrir une voiture de 140 000 $.

### Quelques rides ici et là
Là où la voiture accuse son âge cependant, c'est dans l'absence de certaines commodités qui sont

monnaie courante de nos jours. Ne cherchez pas la télécommande d'ouverture des portes, les porte-verres ou même un espace de rangement pour votre cellulaire. Même la transmission automatique offerte en option avec un moteur moins puissant

n'a que 4 rapports. Nous sommes carrément à une autre époque. Pourtant, Acura aurait pu corriger le tir à l'occasion du léger remaniement de la voiture effectué l'an dernier. Or, on s'est contenté de retoucher la ligne du capot et de remplacer les phares escamotables par des phares fixes au xénon, ce qui a permis de faire chuter le coefficient de traînée de 0,32 à 0,30 et de hausser la vitesse de pointe de 269 à 280 km/h. On aurait aussi pu du même coup redessiner le tableau de bord qui est aussi fade que celui d'une vulgaire Honda Civic et remplacer le lecteur

de cassettes par quelque chose de plus moderne. Heureusement que le cuir orange de la sellerie contribue à égayer l'intérieur. Avec sa lunette arrière étroite, la visibilité n'est pas l'un des attributs de cette NSX tandis que le coffre à bagages placé derrière le moteur central est minuscule. On pourra toutefois l'utiliser pour faire la livraison de pizzas tellement il y règne une chaleur élevée après quelques kilomètres de route. Un vrai réchaud ! Offerte depuis quelques années avec un toit en métal amovible, la voiture peut se transformer en un quasi-cabriolet si

*La NSX en queue de peloton derrière deux de ses rivales, la Mercedes SL500 et la Porsche Carrera 4S.*

l'on a la patience de lire les huit pages du manuel d'instructions expliquant comment « décoiffer » la NSX et fixer son panneau de toit sous la lunette arrière. Et gare aux orages imprévus...

### Un moteur mélodieux

Que ce soit sur piste ou sur route, les grandes qualités de la NSX proviennent principalement de son groupe propulseur. Le moteur ne vous donne jamais la claque dans le dos que l'on ressent dans une 911, mais sa souplesse et, surtout, sa magnifique sonorité sont un régal pour l'oreille d'un conducteur sportif. On a toujours envie de faire basculer l'aiguille du compte-tours jusqu'au seuil de la zone rouge pour l'écouter chanter. Quant au levier de vitesses, on ne se lasse jamais de le tripoter afin de savourer son levier court et précis qui s'enclenche avec le bruit bien particulier de celui d'une voiture de course.

Sans être fragile, la mécanique de la NSX vous laisse subtilement savoir toutefois qu'elle préfère

## CARACTÉRISTIQUES

| | |
|---|---|
| **Prix du modèle à l'essai** | NSX manuelle 140 000 $ |
| **Échelle de prix** | prix unique |
| **Assurances** | n.d. |
| **Garanties** | 3 ans 60 000 km / 5 ans 100 000 km |
| **Emp. / Long. / Larg. / Haut. (cm)** | 253 / 442,5 / 181 / 117 |
| **Poids** | 1410 kg |
| **Coffre / Réservoir** | 153 litres / 70 litres |
| **Coussins de sécurité** | frontaux |
| **Suspension avant** | double levier triangulé |
| **Suspension arrière** | double levier triangulé, indép. |
| **Freins av. / arr.** | disque, ABS |
| **Système antipatinage** | oui |
| **Direction** | à crémaillère, assistance variable |
| **Diamètre de braquage** | 11,6 mètres |
| **Pneus av. / arr.** | P215/40ZR17 / P255/40R17 |

## MOTORISATION ET PERFORMANCES

| | |
|---|---|
| **Moteur** | V6 3,2 litres (position centrale) |
| **Transmission** | propulsion, manuelle 6 rapports |
| **Puissance** | 290 ch à 7100 tr/min |
| **Couple** | 224 lb-pi à 5 500 tr/min |
| **Autre(s) moteur(s)** | V6 3 litres 252 ch (automatique) |
| **Autre(s) transmission(s)** | automatique 4 rapports |
| **Accélération 0-100 km/h** | 5,5 secondes |
| **Reprises 80-120 km/h** | 6,7 secondes (5e) |
| **Vitesse maximale** | 280 km/h |
| **Freinage 100-0 km/h** | 36,6 mètres |
| **Consommation (100 km)** | 12 litres (super) |
| **Niveau sonore** | n.d. |

proéminence des ailes avant combinée à une direction d'une grande justesse la rend facile à inscrire en virage. Si seulement Honda (à qui appartient la marque Acura) s'était donné la peine de faire progresser la NSX au même rythme que son prix, cette voiture pourrait certainement mieux justifier son existence. Dans sa présentation actuelle, elle appartient à une autre époque, une époque dépassée. Ce qui donne l'impression, en la conduisant, d'être au volant d'une voiture ancienne... neuve.

**Jacques Duval**

ne pas être rudoyée. Par exemple, l'embrayage supporte mal les tests d'accélération et patine joyeusement si l'on abuse un peu trop des tours/minute.

Il suffit de passer de la Porsche 911 à la NSX pour se rendre compte des tempéraments différents de ces deux voitures. La première est tout d'un bloc, ferme et rigide tandis que la seconde est plutôt souple et immensément plus confortable. Le châssis, bien qu'il soit en aluminium, n'a pas par exemple cette rigueur que l'on retrouve dans la plupart des voitures modernes bien nées. Avec des pneus (Potenza) de plus petite taille moins agressifs que ceux de la 911, la NSX gagne nécessairement en confort mais en sacrifiant sa tenue de route.

À l'entrée d'un virage, la direction, curieusement, se durcit considérablement et la voiture demande une bonne dose d'attention compte tenu qu'elle passe rapidement du sous-virage au survirage sans trop d'avertissement. Sans avoir la même précision de conduite que la NSX ou la 911, la Mercedes SL500 ne semble pas trop souffrir de son excès de poids et il fallait voir avec quelle aisance elle négociait le premier virage du circuit de Sanair. Pas étonnant qu'elle ait réussi à s'approcher à trois dixièmes de seconde de la NSX dans son meilleur tour de piste. Cette dernière s'est trouvée pénalisée aussi par son freinage qui n'arrivait pas à supporter plus d'un tour de piste sans surchauffer.

### Une voiture ancienne... neuve
Malgré sa ligne de supervoiture qui suscite encore des regards admiratifs, l'Acura NSX est une voiture qui sait surtout se faire apprécier sur la route. La

| | ACURA NSX | MERCEDES-BENZ SL500 | PORSCHE 911 CARRERA 4S |
|---|---|---|---|
| **Accélération** | | | |
| 0-100 km/h | 5,6 s | 6,3 s | 5,3 s |
| ¼ de mille | 13,7 s / 170 km/h | 14,5 s / 158,3 km/h | 13,5 s / 170 km/h |
| **Freinage** | | | |
| 100-0 km/h | 35,7 mètres | 36,3 mètres | 35,3 mètres |
| **Meilleur tour de piste** | | | |
| | 63,12 s | 63,41 s | 61,54 s |
| **Niveau sonore** | | | |
| Ralenti | 46,9 dB | 46,1 dB | 52,5 dB |
| Accélération | 77,8 dB | 74,7 dB | 78,4 dB |
| 100 km/h | 69,2 dB | 62,3 dB | 72,4 dB |

### MODÈLES CONCURRENTS

- Chevrolet Corvette • Dodge Viper
- Ferrari 360 Modena • Jaguar XKR • Porsche 911

### VERDICT

| | |
|---|---|
| Agrément de conduite | ★★★★ |
| Fiabilité | ★★★⬩ |
| Sécurité | ★★★ |
| Qualités hivernales | ★ |
| Espace intérieur | ★★ |
| Confort | ★★★⬩ |

### ▲ POUR

• Grande facilité de conduite • Agrément du groupe moteur/boîte de vitesses • Confort notable
• Bonnes performances

### ▼ CONTRE

• Prix exorbitant • Tenue de route sous la moyenne
• Freinage peu endurant • Lacunes d'équipement (voir texte) • Toit amovible peu pratique

# A-t-elle réussi à remplacer l'Integra ?

**La réponse courte : oui. Avec la RSX, Acura nous propose une Integra améliorée sur de nombreux plans. Reste à savoir si les coupés sport compacts ont encore la faveur des automobilistes. La raison de ce doute : l'avènement de sous-compactes vitaminées qui offrent, sous des couverts souvent anonymes, des performances aussi alléchantes et un caractère fonctionnel qui fait défaut aux coupés sport, le tout à prix fort concurrentiel.**

Mais avant d'explorer plus en profondeur cette question existentielle, passons en revue les attributs de l'Acura RSX qui a vu le jour en 2001 comme modèle 2002. Fort attendue, la RSX a donc remplacé l'Integra dont la remarquable carrière avait commencé en 1986. Rappelons que c'est l'Integra qui a souvent soutenu le carnet de commandes des concessionnaires de la marque japonaise dont les autres modèles, souvent pantouflards, n'ont pas remporté les succès escomptés

auprès d'un public qui ne comprenait plus trop la vocation de cette marque.

### La famille Honda
Plus rigide, plus trapue et démunie de l'inutile aileron arrière, la RSX rappelle quand même l'Integra et son appartenance à la famille Honda est bien évidente, notamment le dessin générique de l'arrière. À l'intérieur, les designers se sont efforcés de faire preuve d'originalité. Le résultat, sans être aussi éclatant que celui d'une Audi TT, n'est pas déplaisant. Notons en

particulier les trois commandes de chauffage/climatisation agréables et faciles à manier, le volant bien galbé et, surtout, les magnifiques sièges baquets.

Autre chapitre ayant retenu l'attention des concepteurs : l'habitabilité. Avec des dimensions extérieures très proches de celles de l'Integra, la RSX bénéficie d'un intérieur plus vaste. Le gain se remarque notamment à l'avant car, le moteur plus compact occupant moins de place sous le capot, il a été possible d'avancer l'habitacle et d'incliner fortement le capot. La visibilité et le confort des occupants des places avant en bénéficient. Par contre, vu la ligne « sport » de la RSX, le dégagement à la tête demeure limité et les plus de 1,85 m auront la tête dans le plafond.

Pour agrandir le coffre, les ingénieurs ont modifié la suspension arrière et le système d'échappe-

## CARACTÉRISTIQUES

| | |
|---|---|
| **Prix du modèle à l'essai** | Premium 27 000 $ (2002) |
| **Échelle de prix** | de 24 300 $ à 31 300 $ |
| **Assurances** | 1 045 $ |
| **Garanties** | 3 ans 60 000 km / 5 ans 100 000 km |
| **Emp. / Long. / Larg. / Haut. (cm)** | 257 / 437,5 / 172,5 / 140 |
| **Poids** | 1 225 kg |
| **Coffre / Réservoir** | 504 litres / 50 litres |
| **Coussins de sécurité** | frontaux et latéraux |
| **Suspension avant** | indépendante |
| **Suspension arrière** | indépendante |
| **Freins av. / arr.** | disque, ABS |
| **Système antipatinage** | non |
| **Direction** | à crémaillère, assistée |
| **Diamètre de braquage** | 11,4 mètres |
| **Pneus av. / arr.** | P205/55R16 |

## MOTORISATION ET PERFORMANCES

| | |
|---|---|
| **Moteur** | 4L 2 litres |
| **Transmission** | traction, automatique 5 rapports |
| **Puissance** | 160 ch à 6 500 tr/min |
| **Couple** | 141 lb-pi à 4 000 tr/min |
| **Autre(s) moteur(s)** | 4L 2 litres 200 ch |
| **Autre(s) transmission(s)** | man. 5 ou 6 rapports (Type S) |
| **Accélération 0-100 km/h** | 8,5 secondes |
| **Reprises 80-120 km/h** | n.d. |
| **Vitesse maximale** | 210 km/h |
| **Freinage 100-0 km/h** | 42 mètres |
| **Consommation (100 km)** | 8 litres (ordinaire) |

| | |
|---|---|
| • Valeur de revente | très bonne |
| • Renouvellement du modèle | n.d. |

porte mal l'épreuve des tours de piste qui fait rapidement paraître le spectre de l'évanouissement. Notons aussi que les RSX, avec 61 % du poids sur le train avant, piquent copieusement du nez lors d'un freinage vigoureux. Mais dans l'ensemble, avec une boîte agréable à manier, des moteurs qui aiment monter dans les tours, une tenue de route enviable et une direction précise, l'agrément de conduite – pour qui aime se servir de sa mécanique – est au rendez-vous.

Revenons, si vous le permettez, à la « question existentielle » du début : les coupés sport compacts

ment, gagnant ainsi de l'espace sous le plancher. À l'arrière, comme il fallait s'y attendre et malgré les deux creux accentués de la banquette, les places restent carrément symboliques, le dégagement aux jambes et surtout à la tête étant tout simplement insuffisant pour la très grande majorité des habitants de notre planète. Heureusement, les dossiers de la banquette se rabattent, augmentant du même coup la contenance du coffre.

### Puissance, mais...

Sur le plan mécanique, la RSX crie aussi fort son appartenance au clan Honda, avec deux moteurs inscrits au catalogue, tous deux des 4 cylindres affichant la même cylindrée de 2 litres, mais l'un développant 160 chevaux et l'autre 200. Notez bien que j'ai dit 2 litres et 200 chevaux... soit la puissance qui provient généralement d'un 3 litres. La réputation de Honda à titre de motoriste n'est plus à faire et, malgré ses actuels déboires en Formule 1, le constructeur nippon maîtrise mieux que la plupart de ses concurrents la science des petits moteurs performants, économiques et propres. Mais si la puissance est au rendez-vous, en partie grâce à la technique de la distribution variable (i-VETC), le couple, lui, laisse à désirer, notamment à bas régime. Certes, les deux moteurs RSX affichent un meilleur couple que les versions précédentes, mais c'est encore insuffisant et ça vous oblige à chatouiller souvent la ligne rouge du compte-tours et à manier le levier de vitesses – très maniable – pour obtenir des reprises valables.

Pour la transmission, Acura propose trois boîtes de vitesses, dont l'une automatique à 5 rapports

et l'autre manuelle à 5 vitesses pour la RSX de base. Quant à la Type S (moteur 200 ch), elle reçoit de série la boîte manuelle à 6 vitesses. Si les rapports inférieurs sont convenablement rapprochés, le 6e est long, trop long, ce qui le rend inutile pour les dépassements. Dommage, car avec un moteur en verve et un châssis bien né, la Type S aurait dû garder jusqu'au bout son caractère sportif.

Parlant de châssis, notons que celui de la RSX affiche une rigidité supérieure à celle de sa devancière. Les suspensions fermes et la direction très vive viennent confirmer le tempérament sportif. Il en résulte une tenue de route très neutre, au point que l'on a de la difficulté à croire qu'il s'agit d'une traction. Reste le freinage qui est confié à quatre disques de dimensions généreuses sur la Type S mais plutôt anémiques sur la RSX de base, avec pour résultat que celle-ci sup-

sont-ils voués à la disparition ? Disparition, peut-être pas, mais perte de popularité, oui, principalement auprès des jeunes qui risquent fort bien de trouver dans la nouvelle cuvée de « petites bombes » ou des GTI, si vous préférez, une meilleure réponse à leurs attentes. C'est-à-dire, d'une part de vraies performances, tant sur le plan des moteurs que sur celui des suspensions et des freins et, d'autre part, un habitacle plus accueillant pour promener les copains, le tout à moins de 30 000 $. La MINI Cooper S et ses rivales que nous analysons dans le comparatif que vous trouverez dans ces pages illustrent bien le retour en force de cette formule qui, si elle se généralise, risque fort bien de nuire aux Acura RSX, Toyota Celica et autres bibittes du même acabit.

*Alain Raymond*

---

## MODÈLES CONCURRENTS

• *Ford Focus SVT* • *Hyundai Tiburon* • *MINI Cooper S*
• *Toyota Celica* • *VW Golf GTi*

## QUOI DE NEUF ?

• *Aucun changement majeur*

## VERDICT

| | |
|---|---|
| **Agrément de conduite** | ★★★★ |
| **Fiabilité** | ★★★★⯪ |
| **Sécurité** | ★★★★⯪ |
| **Qualités hivernales** | ★★★ |
| **Espace intérieur** | ★★⯪ |
| **Confort** | ★★⯪ |

## ▲ POUR

• **Moteur performant (Type S)** • **Consommation raisonnable** • **Bonne boîte manuelle** • **Excellente tenue de route** • **Sièges baquets confortables**

## ▼ CONTRE

• **Sièges arrière symboliques** • **Insonorisation perfectible** • **Faible visibilité arrière**
• **Manque de couple à bas régime (base)**

# Belle anglaise

**Vendues au compte-gouttes à des prix faramineux, les Aston Martin ne courent pas les rues. Cette marque anglaise rachetée par Ford en 1987 alors qu'elle était menacée d'extinction est toutefois en pleine restructuration et le géant américain entend bien lui redonner son prestige d'antan tout en rentabilisant son investissement. La gamme se limite pour l'instant à trois modèles, mais le petit constructeur britannique s'affaire à la mise au point d'une Aston Martin plus modeste mais à moteur central destinée à concurrencer la future petite Lamborghini et, bien sûr, les Porsche 911 dans un créneau où la marque allemande semble faire cavalier seul.**

Les Aston Martin ont toutes un point en commun : leurs lignes irrésistibles. Si irrésistibles que tous les grands designers automobiles choisissent irrémédiablement la DB7 Vantage en tout premier lieu quand on leur demande de dresser une liste des plus belles voitures du monde. Ce superbe coupé 2+2 existe également en version cabriolet sous l'appellation DB7 Vantage Volante. Ces deux modèles qui seront remplacés sous peu appartiennent au passé d'Aston Martin, un passé qui n'a pas toujours été très glorieux si j'en juge par mes expériences au volant de ces Ferrari britanniques. Une fiabilité ternie par des problèmes électriques et une finition faisant appel à une quincaillerie Ford n'étaient pas de nature à vous inciter à débour-

ser plus de 200 000 $ pour ces voitures d'une autre école.

### Beauté mobile

La voiture qui montre la voie de l'avenir chez Aston Martin est incontestablement l'extraordinaire Vanquish introduite l'an dernier, qui possède toutes les qualités pour faire saliver les passionnés d'automobiles. Performante à souhait et belle à mourir, cette sculpture mobile est devenue l'objet de convoitise de tous ceux qui ont suffisamment d'argent pour se l'offrir. Comme elle est produite en toute petite série au rythme de 300 exemplaires par année, même les riches doivent s'armer de patience avant de pouvoir en stationner une devant leur garage.

Animée par un moteur V12 de 6 litres issu de l'union de deux V6 Ford Duratec de 3 litres,

## CARACTÉRISTIQUES

| | |
|---|---|
| Prix du modèle à l'essai | Vanquish 337 500 $ |
| Échelle de prix | de 206 500 $ à 337 500 $ |
| Assurances | n.d. |
| Garanties | 24 mois / kilo. illimité |
| Emp. / Long. / Larg. / Haut. (cm) | 269 / 467 / 192 / 132 |
| Poids | 1 835 kg |
| Coffre / Réservoir | 240 litres / 80 litres |
| Coussins de sécurité | frontaux et latéraux |
| Suspension avant | indépendante, leviers triangulés |
| Suspension arrière | indépendante, leviers triangulés |
| Freins av. / arr. | disque ventilé, ABS |
| Système antipatinage | oui |
| Direction | à crémaillère, assistée |
| Diamètre de braquage | 12,8 mètres |
| Pneus av. / arr. | P255/40ZR19 / P285/40ZR19 |

## MOTORISATION ET PERFORMANCES

| | |
|---|---|
| Moteur | V12 6 litres 48 soupapes |
| Transmission | propulsion, séquent. semi-auto. 6 rap. |
| Puissance | 460 ch à 6 500 tr/min |
| Couple | 400 lb-pi à 5 000 tr/min |
| Autre(s) moteur(s) | aucun |
| Autre(s) transmission(s) | aucune |
| Accélération 0-100 km/h | 4,8 secondes |
| Reprises 80-120 km/h | 4,1 secondes |
| Vitesse maximale | 305 km/h |
| Freinage 100-0 km/h | n.d. |
| Consommation (100 km) | 21 litres (super) |
| • Valeur de revente | excellente |
| • Renouvellement du modèle | n.d. |

y a quelques années, dont les poignées de porte extérieures étaient rigoureusement identiques à celles de la Mazda Miata.

Pour 2003, Aston Martin n'a effectué que des changements mineurs à la Vanquish. À l'extérieur, le boîtier des rétroviseurs est plus stylisé tandis que l'intérieur hérite d'une nouvelle chaîne audio Linn de 1200 watts assortie de 13 haut-parleurs. La console centrale a été modifiée en conséquence et reçoit du même coup un fini métallique poli.

la Vanquish dispose de 460 chevaux pour disputer la « pole position » à la Ferrari 456 GT de 442 chevaux. Elle est par contre légèrement plus lourde que sa rivale italienne. C'est toutefois la nouvelle Mercedes-Benz SL55 AMG qui emporte le morceau au chapitre du rapport poids/puissance avec ses 476 chevaux et ses 1845 kilos. La Vanquish n'en demeure pas moins plus sportive que ses concurrentes en raison, principalement, de sa boîte de vitesse séquentielle à 6 rapports à commande électro-hydraulique d'une rare efficacité. Conçue par la même firme italienne (Magneti-Marelli) qui a mis au point la boîte séquentielle F1 de Ferrari (utilisée dans les 360 et 575), cette transmission se distingue par la rapidité avec laquelle elle enchaîne les rapports. En 240 millisecondes, un clin d'œil quoi, on passe d'une vitesse à l'autre en se servant des palettes placées derrière le volant, un accessoire que l'on ne trouve ni dans la SL55 AMG ni dans la 456 GT. Le seul petit inconvénient de cette boîte magique est l'enclenchement de la marche arrière qui oblige à manipuler les deux palettes simultanément et à enfoncer un bouton au tableau de bord. Disons que dans une situation d'urgence, ce n'est pas tout à fait la situation idéale.

Le tempérament sportif de cette Aston Martin s'exprime aussi par la présence d'un bouton pour la mise en route du moteur comme dans la BMW Z8 ou la Honda S2000. À ce jeu des comparaisons, on peut ajouter que la Vanquish partage certaines caractéristiques avec les Audi A8 et Acura NSX. L'ensemble châssis-carrosserie est fait d'aluminium et de fibre de carbone.

*Aston Martin DB7*

### Civile, malgré tout

Deux éléments ressortent d'un bref essai de l'Aston Martin Vanquish : l'énergie débordante de son groupe motopropulseur et la civilité avec laquelle cette supervoiture exploite ses remarquables performances. Le V12 et la boîte semi-automatique forment un duo stimulant quand on le désire et apaisant si l'on a envie de prendre son temps. En somme, un bel amalgame de sportivité et de grand-tourisme.

Dommage que l'intérieur ne s'avère pas aussi flamboyant que l'extérieur. La console, notamment, nous sert une myriade de petits boutons que l'on a déjà vus quelque part tandis que les aérateurs aux extrémités du tableau de bord ont aussi été repiqués, soit chez Ford, soit chez Jaguar. Remarquez que c'est mieux que la Vantage Volante essayée il

Sur les DB7 Vantage et Volante, la baguette chromée des prises d'air latérales est légèrement plus grosse et la grille de calandre est désormais peinte.

À l'intérieur, le très beau volant de la Vanquish est offert en option dans les DB7. Trois de ses six sections peuvent porter une couleur se mariant à celle des sièges. Et, suprême gâterie, le parapluie qui accompagne chaque Vanquish peut être commandé, moyennant supplément, pour votre DB7. Car, il ne faut pas l'oublier, les Aston Martin nous arrivent du pays de la pluie et du brouillard. Ce qui ne les empêche pas d'être de sacrées belles anglaises.

*Jacques Duval*

---

## MODÈLES CONCURRENTS

• *Ferrari 456 GT* • *Ferrari 575 M Maranello*
• *Mercedes-Benz SL55 AMG*

## QUOI DE NEUF?

• *Nouvelle chaîne audio Linn* • *Rétroviseurs redessinés*

## VERDICT

| | |
|---|---|
| **Agrément de conduite** | ★★★★⯪ |
| **Fiabilité** | *données insuffisantes* |
| **Sécurité** | ★★★★ |
| **Qualités hivernales** | ★★⯪ |
| **Espace intérieur** | ★★★ |
| **Confort** | ★★★★ |

## ▲ POUR

• Ligne superbe • Performances exceptionnelles
• Transmission séquentielle très réussie • Stabilité étonnante • Confort adéquat • Finition soignée

## ▼ CONTRE

• Prix astronomique • Longs délais de livraison
• Marche arrière difficile à sélectionner

# *Traction ou traction intégrale?*

**Chez Audi, comme chez d'autres constructeurs, le modèle le plus cher n'est pas nécessairement le plus attrayant. Cela est particulièrement vrai au sein de la gamme A4 où la version la plus coûteuse, le cabriolet, est une voiture fade et sans grande saveur tandis que l'économique A4 à traction et transmission CVT est une petite voiture vive, enjouée et adorable à conduire. Depuis l'an dernier, la clientèle canadienne peut aussi profiter de la version familiale de l'A4, l'Avant, qui n'était offerte jusque-là que chez nos voisins du Sud.**

Après avoir conduit une Avant Quattro (traction intégrale) à moteur V6 de 3 litres et une berline traction à moteur 1,8 turbo et transmission CVT (Continually Variable Transmission), je dois avouer que la seconde m'a davantage impressionné que la première. Si l'on tient compte en plus du fait que cette berline coûte un gros 10 000 $ de moins que la familiale, on a toutes les raisons du monde de plaider sa cause. D'accord, Audi et Quattro vont

de pair, mais j'ai néanmoins été surpris de constater qu'une A4 traction se débrouille pas si mal merci sur des routes enneigées. Plus légère, elle y gagne en maniabilité et en agrément de conduite. Son poids inférieur lui vaut également de faire pratiquement match nul avec l'Avant Quattro 3 litres au chapitre des performances et cela même si cette dernière peut compter sur 220 chevaux par rapport à seulement 170 pour la 1,8 T. Cela s'explique en partie par la présence de l'excellente transmission

à rapports continuellement variables qui équipe la version CVT, dont on trouvera une explication technique dans *Le Guide de l'auto 2002*. Celle-ci permet de mieux exploiter la puissance disponible en assurant des accélérations comparables à celles d'une boîte manuelle sans pour autant pénaliser la consommation.

### Confort et consommation

En contraste, la transmission automatique Tiptronic à commandes sur le volant qui équipait la Quattro mise à l'essai met beaucoup de temps à digérer électroniquement l'information qui lui est transmise par l'accélérateur, ce qui résulte en un temps mort important qui allonge les temps d'accélération et de reprise. Et ce groupe propulseur engloutit facilement ses 13 litres aux 100 km contre seulement

## CARACTÉRISTIQUES

| | |
|---|---|
| Prix du modèle à l'essai | 1,8 T CVT 36 475 $ |
| Échelle de prix | de 33 600 $ à 45 995 $ |
| Assurances | 805 $ |
| Garanties | 4 ans 80 000 km / 4 ans 80 000 km |
| Emp. / Long. / Larg. / Haut. (cm) | 265 / 455 / 177 / 143 |
| Poids | 1 475 kg |
| Coffre / Réservoir | 445 litres / 66 litres |
| Coussins de sécurité | fr., latéraux (option) et tête |
| Suspension avant | leviers transversaux doubles |
| Suspension arrière | essieu à leviers trapèzes, indép. |
| Freins av. / arr. | disque, ABS |
| Système antipatinage | oui |
| Direction | à crémaillère, assistance variable |
| Diamètre de braquage | 11,1 mètres |
| Pneus av. / arr. | P205/65H15 |

## MOTORISATION ET PERFORMANCES

| | |
|---|---|
| Moteur | 4L 1,8 litre turbo |
| Transmission | traction, automatique CVT |
| Puissance | 170 ch à 5 900 tr/min |
| Couple | 166 lb-pi 1950 à 5 000 tr/min |
| Autre(s) moteur(s) | V6 3 litres 220 ch |
| Autre(s) transmission(s) | manuelle et auto. 5 rapports |
| Accélération 0-100 km/h | 8,7 s ; 8,2 s (V6) |
| Reprises 80-120 km/h | 6,6 s ; 6,5 s (V6) |
| Vitesse maximale | 210 km/h |
| Freinage 100-0 km/h | 41,1 mètres |
| Consommation (100 km) | 8,9 l ; 13 l (V6) (super) |

| | |
|---|---|
| • Valeur de revente | bonne |
| • Renouvellement du modèle | n.d. |

Bien qu'elle soit plutôt chouette, la familiale Avant n'a pas ce côté pratique relié habituellement à ce type de carrosserie et l'espace pour les bagages est lui aussi assez limité. Le compartiment arrière est d'ailleurs si luxueusement aménagé que l'on hésitera à y transporter autre chose que des objets d'une propreté immaculée. Sur la partie droite d'un tableau de bord d'une indiscutable élégance, on trouve par contre un coffre à gants à deux compartiments très commode. Un dernier point: si la qualité de l'appareil de radio ne fait aucun doute,

8,9 pour celui de la 1,8 T CVT. Le V6 est en revanche d'une douceur et d'une discrétion absolues sur autoroute. Son faible niveau sonore combiné à une carrosserie qui encaisse les pires secousses sans broncher contribuent d'ailleurs largement au confort de cette A4.

Si l'on devait émettre une seule petite critique à l'endroit de la transmission CVT, ce serait sur son fonctionnement à froid qui donne lieu à des à-coups désagréables. Pour le reste, son rendement est tel que le commun des mortels aura de la difficulté à la différencier d'une boîte automatique conventionnelle.

Pour ce qui est du comportement routier, la CVT semble encore une fois en avance sur la Quattro et cela en dépit de pneus de 15 pouces peu performants de série 65. La direction affiche un léger effet de couple qui est malgré tout de loin préférable à la sensation de légèreté de l'A4 V6. Avec ses roues de 16 pouces, cette dernière a aussi besoin de beaucoup d'espace pour faire demi-tour comme en témoigne un diamètre de braquage de 11,1 mètres. La suspension pourrait aussi bénéficier d'un plus grand débattement afin de diminuer le talonnement qui se produit à l'occasion sur les bosses ou les ondulations. Finalement, dans la familiale, l'absence d'une cloison entre l'habitacle et le compartiment à bagages se traduit aussi par des bruits de route plus prononcés sur certains revêtements.

### Au coude à coude

Ce n'est vraiment que sur le plan de l'aménagement intérieur que la version 1,8 T se fait plus

modeste. Son prix d'environ 36 000 $ se révèle sous la forme d'un tableau de bord dénudé beaucoup moins reluisant que celui de la version Quattro 3 litres. Le bois cède notamment sa place à un plastique gris assez terne et les sièges sont privés de réglage électrique. Ces sièges, incidemment, donnent l'impression d'être rembourrés avec du plomb tellement ils sont durs. Leur fermeté est telle que l'on arrive même à ressentir la démarcation entre les trois coussins.

Les places arrière de ces petites Audi sont, est-il besoin de le répéter, très coincées et deux adultes y seront au coude à coude. Quant à l'espace pour les jambes, il est si restreint que l'on a été condamné à pratiquer une entaille dans le dossier des sièges avant pour offrir un meilleur dégagement.

la présence d'une antenne intégrée au pare-brise nuit considérablement à l'écoute de stations éloignées une fois à l'extérieur de la ville. Ainsi, à 100 km à l'est de Montréal, la réception d'Info 690 est brouillée par des parasites alors qu'elle est parfaitement claire dans les voitures dotées d'une antenne conventionnelle.

Même si Audi a bâti sa clientèle sur les précieuses qualités de sa traction intégrale Quattro, on aurait tort de négliger les modèles qui se contentent de leurs 2 roues motrices avant. Avec la prolifération des systèmes antipatinage et de contrôle de la stabilité, une traction comme l'A4 1,8 T CTV peut s'avérer un choix judicieux. Surtout que son prix et sa consommation la rendent encore plus attrayante.

*Jacques Duval*

---

### MODÈLES CONCURRENTS

• BMW Série 3 • Infiniti G35 • Jaguar X-Type
• Lexus IS 300 • Mercedes-Benz Classe C
• VW Passat • Volvo S60

### QUOI DE NEUF ?

• Nouveaux revêtements cuir (sièges)
• Ceinture de caisse en alu remplacée par fibre de verre
• Attaches pour sièges bébé à l'arrière

### VERDICT

| | |
|---|---|
| *Agrément de conduite* | ★★★★ |
| *Fiabilité* | ★★★★ |
| *Sécurité* | ★★★★ |
| *Qualités hivernales* | ★★★★ |
| *Espace intérieur* | ★★⦶ |
| *Confort* | ★★★⦶ |

### ▲ POUR

• Excellente transmission (CVT) • Tenue de route sûre
• Excellent moteur (1,8T) • Châssis-carrosserie solide
• Prix intéressant (CVT)

### ▼ CONTRE

• Équipement sommaire (1,8 T CVT) • Sièges durs
• Places arrière exiguës • Consommation élevée (V6)
• Familiale peu logeable

# AUDI A4 CABRIOLET

# *Docteur Cabriolet*

Comme le soulignait justement Bernd Pischesrieder, le PDG du Groupe Volkswagen, la marque Audi a attendu beaucoup trop longtemps avant d'offrir une version cabriolet de la populaire A4. Après avoir abandonné ce marché très lucratif à BMW, les gens d'Ingolstadt se sont finalement soumis aux désirs de leur nouveau patron en créant une A4 décapotable qui, comble de malheur, nous arrive juste avant l'hiver. En plus, la voiture initialement proposée doit faire son deuil du rouage intégral Quattro et se contenter du V6 3 litres à transmission CVT ou rapports variables.

**M**ais n'allez pas croire pour autant qu'Audi ait fait les choses à moitié. Pour concurrencer les Mercedes-Benz CLK320, BMW 330Ci et autres Saab 9³ Convertible de ce monde, ça aurait été du suicide. La sécurité des occupants et leur confort sont deux facteurs qui côtoient l'aspect ludique du cabriolet en tête de liste des priorités du constructeur. À la mécanique sirupeuse est associée une suspension identique à la berline et au débattement douillet mais tout de même raffermi. Celle-ci a d'ailleurs été abaissée de 2 cm. Résultat : les qualités dynamiques du véhicule s'expriment surtout via une adhérence accrue et c'est dans l'assurance de la voiture en courbe que son caractère fonceur devient apparent.

## Du sang bleu

Malgré un chrono de 8 secondes au 0-100 km/h, l'accélération ne décoiffera pas votre douce moitié sise à votre droite. Les reprises non plus, pour la simple raison que le poids de la voiture est très élevé. Mais c'était le compromis à faire pour obtenir un cabriolet sécuritaire.

De solides poutres en alliage rigide ont été installées dans le bas des portières pour rediriger la force d'un éventuel impact latéral. Un ingénieux mécanisme de déploiement d'arceaux de protection en cas de renversement du véhicule, qui se trouve logé derrière les sièges arrière, pèse lui aussi lourd, à la fois sur la route et sur la facture.

Malgré un couple de 221 lb-pi exploité à fond par la CVT, l'A4 Cabriolet offre une prestance nonchalante qui favorise largement le confort par rapport à la

## CARACTÉRISTIQUES

| | |
|---|---|
| **Prix du modèle à l'essai** | Cabriolet 61 200 $ |
| **Échelle de prix** | Prix unique |
| **Assurances** | n.d. |
| **Garanties** | 4 ans 80 000 km / 4 ans 80 000 km |
| **Emp. / Long. / Larg. / Haut. (cm)** | 355 / 457 / 178 / 139 |
| **Poids** | 1 660 kg |
| **Coffre / Réservoir** | de 245 à 315 litres. / 70 litres |
| **Coussins de sécurité** | frontaux et latéraux |
| **Suspension avant** | indépendante, essieu à 4 leviers |
| **Suspension arrière** | indépendante, multibras |
| **Freins av. / arr.** | disque, ABS |
| **Système antipatinage** | oui |
| **Direction** | à crémaillère, assistée |
| **Diamètre de braquage** | 11,1 mètres |
| **Pneus av. / arr.** | P215/55HR16 |

## MOTORISATION ET PERFORMANCES

| | |
|---|---|
| **Moteur** | V6 3 litres |
| **Transmission** | traction, à variation continue (CVT) |
| **Puissance** | 220 ch à 6 300 tr/min |
| **Couple** | 221 lb-pi à 3 200 tr/min |
| **Autre(s) moteur(s)** | 4L 1,8 litre (2004) |
| **Autre(s) transmission(s)** | aucune |
| **Accélération 0-100 km/h** | 8 secondes |
| **Reprises 80-120 km/h** | 6,7 secondes |
| **Vitesse maximale** | 208 km/h |
| **Freinage 100-0 km/h** | 40,2 mètres |
| **Consommation (100 km)** | 10,9 litres (super) |
| • **Valeur de revente** | nouveau modèle |
| • **Renouvellement du modèle** | nouveau modèle |

d'être serré. L'option deux adultes et deux enfants est beaucoup plus réaliste

Mais à deux, pas de problème : le déflecteur pour le vent s'installe derrière l'appuie-tête des sièges avant.

Chez Audi, on précise qu'il existe trois types d'amateurs de voiture décapotable : les m'as-tu-vu, les aficionados du roadster et, enfin, ceux qui aiment « vivre les expériences de la vie ». C'est cette catégorie d'acheteurs qui sera intéressée par l'A4 Cabriolet, vraisemblablement.

performance. Un comportement en accord avec l'habitacle richement garni de cuir et de boiseries (lesquelles seront remplacées par de la fibre de verre dans le modèle 1,8T, offert plus tard). Comme dans la berline, le tableau de bord et la console détonnent dans leurs atours de plastique noir. Mais d'autres vous diront que ça ajoute un cachet moderne et sportif à l'ensemble. Allez savoir.

### Dans le vent

Il faut 24 secondes pour passer à travers toutes les étapes automatisées de la disparition de la coiffe du cabriolet. Apparemment, ce temps représente en moyenne un peu moins que ce qu'il en faut à un feu rouge pour passer au vert.

Véritablement dessiné pour satisfaire la fortunée clientèle des États chauds et ensoleillés de la Floride, de la Californie et du Texas, ce toit en tissu peut selon Audi subir les difficiles conditions d'un hiver québécois sans broncher. À preuve, le sac inclus lors de l'achat du cabriolet, qui reçoit facilement soit trois paires de skis ou deux planches à neige (ah ! ou un sac de golf, des fois que…). L'isolation, sonore et thermique, mérite effectivement qu'on lui lève notre chapeau, au risque que le vent l'emporte… Mais pas besoin d'avoir un diplôme en génie physique pour savoir que sur un pavé glacé, l'édition Quattro à rouage intégral, qui sera offerte en octobre 2003, s'avère un bien meilleur choix.

Parlant de versions ultérieures, sachez qu'on retrouvera dès février 2003 le populaire 1,8T de 170 chevaux sous le capot, toujours secondé par la transmission CVT d'Audi. Et tant qu'à y être, il existe de

très minces chances que soit produite une édition Cabriolet de la S4 à venir en 2003; une version survitaminée de l'A4 Cabriolet qui s'attaquerait d'abord à la BMW M3 Convertible. Du lot, ce sera la version équipée du 4 cylindres turbocompressé qui sera la plus abordable.

### Hé, les filles !

De me dire un collègue lors de la présentation de ce cabriolet 4 places : « On pourrait faire asseoir nos blondes à l'arrière, peut-être… » Vous savez comment les places arrière de la berline A4 étaient reconnues pour leur étroitesse. À preuve, l'arrière des sièges, concave pour donner de l'espace aux genoux des occupants de la banquette. L'A4 Cabriolet, malheureusement, est pire. Quatre adultes peuvent prendre place dans l'habitacle, mais ça risque

Car même visuellement, la décapotable reste un symbole de sobriété. Les sièges sont très bas et la caisse, par opposition, élevée. Seules les épaules et la tête en dépassent, contrairement à ce qui est le cas dans certains roadsters. Une bordure grise style acier inoxydable fait le tour du pare-brise et est reproduite autour de l'habitacle. Lorsque l'auto est décapotée, cela donne au cabriolet des airs un peu moins ternes, car le choix de couleurs, dont certaines sont exclusives, est surtout constitué de teintes foncées. Comme pour les réfrigérateurs, la magie de l'acier inoxydable opère très bien pour l'A4 Cabriolet ! Elle résume aussi la personnalité de la voiture : le soin des détails, qui fera des propriétaires de l'A4 Cabriolet des gens qui se distingueront sur la route sans pour autant détonner.

*Alain Mc Kenna*

---

### MODÈLES CONCURRENTS

• BMW 330 Ci • Mercedes-Benz CLK • Saab 9³ Cabriolet
• Volvo LT C70 Cabriolet

### QUOI DE NEUF ?

• Nouveau modèle

### VERDICT

| | |
|---|---|
| **Agrément de conduite** | ★★★✦ |
| **Fiabilité** | ★★★✦ |
| **Sécurité** | ★★★✦ |
| **Qualités hivernales** | ★★★ |
| **Espace intérieur** | ★★★★ |
| **Confort** | ★★★★ |

### ▲ POUR

• Douceur de roulement • Élégance du design
• Insonorisation du toit réussie • Confort soigné

### ▼ CONTRE

• Pas de boîte manuelle • Absence de Quattro
• Prix élevé • Places arrière coincées

# *Look et luxe*

Il est près de minuit sur la route 117, un peu au nord de Tremblant. Une grosse neige de carte postale tombe depuis une heure, forçant la circulation à ralentir et à se tasser frileusement sur la voie de droite. Je m'obstine à garder la gauche, sans lever le pied. Les enfants sommeillent à l'arrière, pendant que Madame dodeline un peu de la tête, décontractée, sachant qu'elle est en sécurité. Je souris car, loin d'appréhender la météo, j'espère plutôt mettre à l'épreuve ma formidable monture, une Audi S6 Avant.

Jugez-en vous-même. Un V8 qui pompe 340 chevaux à travers ses 40 soupapes, sans turbo, ni compresseur. On n'appuie plus sur un accélérateur, mais sur un véritable rhéostat. Ce moteur vous entraîne instantanément à la vitesse sélectionnée par votre pied droit, dans un ronronnement feutré toujours présent, mais jamais envahissant. Et surtout, dans ces conditions d'adhérence précaire, je peux compter sur le remarquable rouage d'entraînement Quattro, qui demeure encore le plus efficace. Qui d'autre peut en effet se targuer d'offrir un différentiel central Torsen (Torque Sensing), avec à chaque extrémité deux autres différentiels à commande électronique (EDL) et l'antipatinage. Sélectionnez le mode Sport de la boîte Tiptronic, et elle devient potentiellement aussi explosive qu'un grizzly auquel vous auriez subtilisé son premier repas à son réveil d'hibernation. Et, ce qui ne gâche rien, elle est magnifique, cette imposante familiale.

### Une sobriété bien assumée

Car il y a les voitures que l'on aime regarder et celles que l'on aime conduire. L'A6 réussit à réconcilier ce paradoxe. Elle paraît pourtant bien sage, surtout la version de base, certains traits à peine plus accentués en version S6 Avant ou V8 4,2. Ce profil sied aux clients qui ne veulent pas s'afficher derrière l'étoile Mercedes qu'ils considèrent un brin prétentieuse, ou l'hélice d'une BMW, trop ostentatoire. Ils recherchent plutôt le style, les performances, la qualité, et… la discrétion. À preuve, l'ahurissement d'un bel aréopage rencontré durant mon essai de cette S6 Avant, lorsque j'ai mentionné le prix de ma monture. Comment expliquer qu'à mon avis, elle vaut chaque cent de cette facture pourtant salée ?

Sans prétendre qu'il y a une A6 pour toutes les bourses, disons que la gamme est quand même

## CARACTÉRISTIQUES

| | |
|---|---|
| Prix du modèle à l'essai | S6 Avant 88 500 $ |
| Échelle de prix | de 54 640 $ à 88 500 $ |
| Assurances | n.d. |
| Garanties | 4 ans 80 000 km / 4 ans 80 000 km |
| Emp. / Long. / Larg. / Haut. (cm) | 276 / 491 / 193 / 145 |
| Poids | 1 825 kg |
| Coffre / Réservoir | de 1 030 à 2 072 litres / 82 litres |
| Coussins de sécurité | frontaux, latéraux et tête |
| Suspension avant | indépendante, jambes élastiques |
| Suspension arrière | indépendante, leviers triangulés |
| Freins av. / arr. | disque, ABS |
| Système antipatinage | oui |
| Direction | à crémaillère, assistance variable |
| Diamètre de braquage | 11,7 mètres |
| Pneus av. / arr. | P255/40ZR17 |

## MOTORISATION ET PERFORMANCES

| | |
|---|---|
| Moteur | V8 DACT 4,2 litres 40 soupapes |
| Transmission | intégrale Quattro, Tiptronic 5 rapports |
| Puissance | 340 ch à 7 000 tr/min |
| Couple | 310 lb-pi à 3 400 tr/min |
| Autre(s) moteur(s) | V6 220 ch ; V6 250 ch ; V8 300 ch |
| Autre(s) transmission(s) | manuelle 6 rapports |
| Accélération 0-100 km/h | 6,5 secondes |
| Reprises 80-120 km/h | 5,8 secondes |
| Vitesse maximale | 250 km/h (limitée) |
| Freinage 100-0 km/h | 41 mètres |
| Consommation (100 km) | 13,9 litres (super) |
| • Valeur de revente | bonne |
| • Renouvellement du modèle | 2005 |

qui nous entoure. Toutes les A6 sont aussi équipées d'un mécanisme de stabilité électronique ESP et d'un système hydraulique BrakeAssist qui augmente automatiquement la pression de freinage en cas d'urgence.

Que dire maintenant de l'habitacle, sinon que dans toutes les versions, il obéit aux mêmes critères, c'est-à-dire style, qualité et bon ton. L'ergonomie satisfait les plus difficiles, bien qu'on puisse chipoter à propos du levier du régulateur de vitesse dissimulé par le volant ou de la console centrale

assez étoffée pour convenir à plusieurs. À la base, elle reçoit depuis l'année dernière un V6 3 litres de 220 chevaux qui l'entraîne un peu plus vaillamment que l'ancien 2,8 litres. Cependant, avec la boîte automatique Tiptronic, les accélérations sont encore un peu en retrait par rapport à la concurrence, en partie à cause de la surcharge pondérale occasionnée par le mécanisme Quattro.

### Technologiquement avancée
Pour pallier cet embarras, le manufacturier d'Ingolstadt propose depuis l'année dernière la transmission Multitronic aux rapports continuellement variables, une primeur pour une auto aussi puissante. Cette boîte représente un progrès considérable à tous les points de vue par rapport à une automatique conventionnelle, et démontre une efficacité mécanique aussi bonne que celle d'une « manuelle menée de main de maître », d'autant plus que vous pouvez l'utiliser comme une séquentielle à 6 rapports. Par ailleurs, la Multitronic est offerte pour le moment avec la traction seulement, bien qu'un ingénieur de chez Audi m'ait confirmé qu'elle sera intégrée dans le rouage Quattro dans un proche avenir. Qu'à cela ne tienne, une berline ainsi équipée s'avère d'autant plus rapide (8 secondes pour le 0-100 km/h) qu'elle est plus légère de 105 kg. Dans les deux versions, les suspensions demeurent identiques, c'est-à-dire généralement confortables, mais à la limite d'une certaine mollesse qui se manifeste par un pompage inopportun au passage de longues ondulations. Il leur faut aussi un certain temps pour que la caisse prenne vraiment son appui

latéral en entrée de courbe. Ces deux dernières caractéristiques ne se retrouvent heureusement pas dans la 2,7 T et la V8 4,2 (qui peuvent aussi recevoir une suspension sport avec roues de 17 pouces), qui affichent un comportement routier plus pointu, sans jamais chahuter leurs passagers.

Parlant de la 2,7 T, elle devrait constituer à mon avis la porte d'entrée dans la gamme A6. Ses 250 chevaux, et surtout ses 258 lb-pi de couple à seulement 1 850 tr/min, vous convaincront de la justesse de mon affirmation. Ce costaud biturbo peut aussi être couplé à une boîte manuelle à 6 rapports qui a la faculté de vous remonter très facilement le moral dans le cas d'une petite déprime passagère. Pour les maux plus profonds encore, je vous prescris la V8 4,2 qui, avec ses 300 chevaux, constitue presque une panacée en regard du monde parfois ingrat

trop large, sur laquelle vient constamment se frotter votre jambe droite. Mais ce ne sont que des broutilles si on considère l'agencement des contrôles, la qualité générale des matériaux et leur ajustement maniaque, en un mot, la présentation extrêmement soignée et cossue de la cabine et de son mobilier. La sécurité des occupants est assurée par six coussins gonflables de série, et le système SideGuard en option en ajoute deux autres pour vos invités à l'arrière.

Depuis sa naissance en 1995, l'A6 a su garder la tête haute parmi les rivales qui deviennent de plus en plus performantes et menaçantes. Elle demeure encore absolument compétitive, et quant à moi, résolument en tête du peloton des familiales hautes performances avec la S6 Avant.

**Jean-Georges Laliberté**

---

### MODÈLES CONCURRENTS

• BMW 530 • Jaguar S-Type • Lexus GS 430
• Mercedes-Benz E320 • Volvo S80 • VW Passat W8

### QUOI DE NEUF ?

• Nouveaux groupes d'options • Boutons de transmission sur le volant discontinués • RS6 (environ 450 ch) offerte dans quelques mois

### VERDICT

| | |
|---|---|
| Agrément de conduite | ★★★★⯪ |
| Fiabilité | ★★★⯪ |
| Sécurité | ★★★★⯪ |
| Qualités hivernales | ★★★★⯪ |
| Espace intérieur | ★★★★ |
| Confort | ★★★★ |

### ▲ POUR

• Moteur performant • Traction Quattro sans rivale
• Finition superbe • Design intérieur irréprochable
• Discrétion appréciable

### ▼ CONTRE

• Fiabilité discutable (V6 3 litres) • Console centrale encombrante • Carrosserie trop discrète ? • Moteur de base amorphe • Suspension trop souple (base)

# Un nouveau départ

**Saluée par de nombreux connaisseurs comme la meilleure voiture au monde, l'Audi A8 n'a pourtant pas connu jusqu'ici une carrière remarquable en Amérique. Trahie par une silhouette vieillissante et un peu fade, elle a toujours évolué dans l'ombre de ses rivales directes que sont la Mercedes de Classe S et la BMW Série 7. Le modèle de 3e génération, déjà vendu en Europe et prévu ici pour 2004, doit redresser la situation. Il s'y applique en adoptant un caractère sportif plus marqué sans renier pour autant les qualités qui ont permis à l'A8 de se forger une clientèle très loyale. Et pour nous la rendre encore plus sympathique, Audi l'a fait dessiner par un Québécois (voir encadré).**

Dévoilée à Barcelone, la nouvelle capitale mondiale du design, l'A8 a abandonné son style un peu lourdaud au profit d'une ligne arquée caractérisée par un minimum de porte-à-faux à l'avant et un aérodynamisme très poussé. En plus d'afficher un Cx très favorable de 0,27, le profil met parfaitement en relief les efforts investis dans l'allègement de la voiture. Naturellement, l'aluminium joue encore un rôle considérable dans la construction du véhicule, que ce soit sur le plan de la carrosserie, des trains roulants ou du châssis qui continue de faire appel à la technologie dite *Space Frame*. Celle-ci consiste en une structure de caisse ultrarésistante en aluminium à laquelle sont intégrés de larges panneaux d'aluminium interactifs qui supportent l'ensemble de la construction. Réputée pour sa solidité en cas d'accident, cette technologie bénéficie dans sa dernière application sur l'A8 d'une rigidité accrue de 60 %. Elle a aussi permis de réaliser la voiture la plus légère de sa catégorie et cela en dépit du fait que cette berline présente des dimensions supérieures à celles de ses concurrentes tout en étant dotée de la traction intégrale Quattro. Profitons-en pour souligner que seule la version à empattement allongé de 13 cm sera commercialisée en Amérique et que l'empattement normal ne sera utilisé que pour la S8 qui n'arrivera, hélas, que dans deux ans.

## Suspension pneumatique et 6 vitesses

L'A8 innove encore en ayant recours à une suspension pneumatique à hauteur variable dont la garde au sol oscille entre 9,5 et 14,5 selon les conditions d'utilisation et qui fonctionne en parallèle avec un amortissement à pilotage électronique qui s'adapte lui aussi aux exigences de la conduite. Le conducteur a le choix entre quatre modes différents d'amortissement et de hauteur de caisse. En mode «dynamic», par exemple, le centre de gravité de la voiture est abaissé et la suspension adopte une rigidité accrue, deux facteurs qui favorisent une conduite sportive.

En insistant beaucoup sur la sportivité de la nouvelle A8, il est clair que les gens d'Audi veulent récupérer une partie de la clientèle abandonnée par BMW avec sa récente Série 7. S'appuyant sur ses récentes victoires aux 24 Heures du Mans avec les R8, la firme d'Ingolstadt a mis au point une voiture carrément axée sur l'agrément de conduite avec un moteur V8 40 soupapes accusant un gain de 20 chevaux par rapport à l'ancien et une transmission Tiptronic ZF à 6 rapports. Cette dernière étrenne une paire de palettes solidaires du volant semblables aux systèmes utilisés dans certaines Ferrari et qui permet de passer les rapports manuellement. Ces deux leviers ont l'avantage de suivre les mouvements du volant, mais leur emplacement ne correspond pas à la position normale des mains et me sont apparus peu ergonomiques lors de l'essai. Tout comme les nouvelles Jaguar S-Type, la dernière A8 utilise un frein de stationnement à commande électromécanique contrôlé à partir d'un actionneur placé sur la console centrale.

## L'électronique simplifiée

Depuis quelques années, l'automobile de luxe est entrée dans l'ère de la communication en faisant

### La boucle catalane

C'est sur une boucle d'environ 200 km à travers la Catalogne que j'ai pu évaluer la version 2004 de l'Audi A8. Parti de l'aéroport de Barcelone, l'itinéraire nous a menés vers Sant Andreu de la Barca et Igualada tantôt par l'autoroute, tantôt par de petites routes aux virages révélateurs. L'impression générale est celle d'une voiture qui n'est pas trahie par son gabarit et qui donne l'impression d'être plus petite qu'elle ne l'est en réalité. Elle reste agile dans les virages pointus, bien plantée sur ses quatre

appel à des systèmes de commandes dont la complexité a atteint son apogée dans la dernière BMW 745i. En multipliant les fonctions que l'on peut contrôler à partir d'un écran et d'une commande centrale, ces systèmes sont, à première vue, impressionnants. À l'usage toutefois, ils deviennent de véritables cauchemars en abusant de la patience des conducteurs même les plus futés. Audi a voulu simplifier ce concept en dotant la nouvelle A8 d'une interface appelée MMI (Multi Media Interface) qui se distingue par sa grande logique de fonctionnement. Le terminal comporte huit touches de fonction réparties en quatre groupes : chaîne audio, téléphonie cellulaire, navigation et accessoires. En appuyant sur l'une des touches correspondantes, on peut ensuite naviguer sur un écran couleur de 18 cm à l'aide d'un bouton central rotatif. En bref, le système est plus facile à faire

fonctionner qu'à décrire et marque un progrès considérable par rapport aux inextricables cafouillis en usage ailleurs. Et c'est un nul qui vous le dit.

Finalement, l'Audi A8 2004 fait aussi un premier pas vers des systèmes d'éclairage qui pourront d'ici peu s'en remettre au GPS (système de positionnement par satellite) pour offrir un éclairage adapté à l'environnement du véhicule. Pour l'instant, Audi propose un troisième faisceau lumineux pour les phares avant. Son fonctionnement est dicté par l'angle de braquage de manière à éclairer dans un virage des zones précédemment vouées à l'obscurité et ce jusqu'à un angle de 90° par rapport à l'axe de déplacement de la voiture. En marche arrière, un système particulièrement complexe active automatiquement deux projecteurs additionnels. Voilà une idée bien lumineuse !

roues motrices sans succomber au moindre roulis. La mollesse que l'on reproche quelquefois aux produits Audi a disparu et je dirais que la nouvelle A8 se situe à mi-chemin entre le modèle antérieur et sa version S8. Confortable, silencieuse même à 200 km/h et jamais prise au dépourvu en conduite sportive. Des collègues ont trouvé la direction trop légère, ce qui est vrai à faible vitesse, mais l'assistance variable règle le problème à plus vive allure. Le freinage reste impressionnant et, sans être spectaculaires, les performances s'avèrent stimulantes avec un 0-100 km/h bouclé en moins de 7 secondes.

Audi a aussi réussi à éliminer le fameux « temps de réponse » de la transmission automatique avec une nouvelle boîte à 6 rapports qui rétrograde instantanément lorsqu'on enfonce l'accélérateur.

# *Joliment redessinée par un Québécois*

Si la nouvelle A8 a si bonne mine, il faut dire merci à Dany Garand, un designer québécois qui s'est vu confier la tâche peu facile de redessiner le modèle de pointe de la gamme Audi. Né à Sherbrooke en 1960, ce grand amateur de voitures sport s'est découvert une passion pour le design automobile en admirant la Jaguar E-Type, l'Aston Martin DB7 et, surtout, la Lotus Esprit de 1978 qui a été l'élément déclencheur de sa carrière. Il en a d'ailleurs acheté une il y a quelques années. Dany a fait ses débuts chez Bombardier où il a travaillé dans la division des produits récréatifs aux côtés de Sam Lapointe. Il considère d'ailleurs ce dernier, décédé en 1999, comme son père spirituel. Dany Garand a par la suite étudié deux ans en Angleterre afin d'obtenir une maîtrise de la réputée Royal Academy of Arts. Cela lui a permis de décrocher un emploi au studio de design de Honda en Allemagne où, pendant deux ans, il a travaillé à l'élaboration des versions européennes de l'Accord et de la Civic.

Attiré par le rêve de participer à la création d'une voiture vraiment québécoise, il est revenu au Canada en 1995 pour accepter la direction du design chez Bombardier et participer notamment à la création du NEV (*Le Guide de l'auto 1998*, page 168). Après l'abandon de ce projet, Dany est retourné en Allemagne en 2000 et, par un heureux concours de circonstances, s'est retrouvé à l'emploi d'Audi. Dès son arrivée à Ingolstadt, il a été affecté au projet A8, ce qui constituait une marque de confiance assez exceptionnelle compte tenu du défi énorme que constituait le remplacement de la voiture la plus prestigieuse du constructeur allemand. Et le défi était d'autant plus considérable que le service de design d'Audi semblait avoir de la difficulté à créer un nouveau modèle répondant aux goûts du très pointilleux D$^r$ Piëch.

Comme le souligne de façon colorée Dany Garand, « nous avons eu les deux pieds dans la soupe à temps plein pendant deux ans avant d'en arriver au modèle définitif et à la voiture que vous pouvez admirer aujourd'hui ». Cette Audi A8 2004 est effectivement une très belle réussite. Nul doute qu'elle sera aussi le laissez-passer qui permettra à Dany Garand de rejoindre l'élite mondiale du design automobile.

P. S. Dany Garand promet que « le style Audi sera plus jazzé à l'avenir ». Il travaille d'ailleurs en ce moment sur la S8 et nous promet de belles surprises, dont un coupé dérivé de l'A4. C'est à suivre.

*J. D.*

| CARACTÉRISTIQUES | |
|---|---|
| Prix du modèle à l'essai | LW 95 450 $ (2003) |
| Échelle de prix | de 86 500 $ à 98 000 $ (2003) |
| Assurances | n.d. |
| Garanties | 4 ans 80 000 km / 4 ans 80 000 km |
| Emp. / Long. / Larg. / Haut. (cm) | 301 / 517 / 189 / 144 |
| Poids | 1 792 kg |
| Coffre / Réservoir | 500 litres / 92 litres |
| Coussins de sécurité | frontaux, latéraux av./arr. et tête |
| Suspension avant | pneumatique, multibras |
| Suspension arrière | pneumatique à bras trapézoïdaux |
| Freins av. / arr. | disque ventilé, ABS |
| Système antipatinage | oui |
| Direction | à crémaillère, assistance variable |
| Diamètre de braquage | 12,1 mètres |
| Pneus av. / arr. | P235/55R17 |

| MOTORISATION ET PERFORMANCES | |
|---|---|
| Moteur | V8 4,2 litres |
| Transmission | intégrale, automatique 6 rapports |
| Puissance | 330 ch à 6 500 tr/min |
| Couple | 317 lb-pi à 3 500 tr/min |
| Autre(s) moteur(s) | aucun |
| Autre(s) transmission(s) | aucune |
| Accélération 0-100 km/h | 6,7 secondes |
| Reprises 80-120 km/h | 5,4 secondes |
| Vitesse maximale | 250 km/h |
| Freinage 100-0 km/h | n.d. |
| Consommation (100 km) | 12 litres (super) |
| Niveau sonore | n.d. |

**Croquis de l'Audi A8 par son concepteur Dany Garand.**

plement d'espace et d'une petite console regroupant un briquet et les boutons de réglage pour la climatisation.

Comme sa devancière, l'A8 2004 s'adresse à une clientèle non conformiste qui recherche une voiture différente des autres et dont les qualités intrinsèques ont préséance sur le standing. Comme elle était déjà considérée comme la meilleure au monde dans sa classe, les progrès réalisés dans le nouveau modèle laissent peu de

À l'intérieur, Audi n'a pas perdu la touche et le tableau de bord a le mérite d'être nouveau tout en conservant les attributs habituels des voitures d'Ingolstadt. Beaucoup de bois, de l'aluminium, des touches d'originalité (le bouton de la commande centrale notamment) et des cadrans qui,

sans qu'on l'ait voulu, affichent un petit air rétro. L'indicateur de vitesse et le compte-tours sont logés au fond d'une sorte de cylindre qui n'est pas sans rappeler certaines américaines des années 50.

Même dans la version à empattement normal mise à l'essai, les passagers arrière disposent d'am-

place à la critique. Habilement redessinée par Dany Garand et améliorée à presque tous les points de vue, l'Audi A8 devrait enfin connaître le succès qu'elle mérite.

*Jacques Duval*

---

## MODÈLES CONCURRENTS

• BMW 740i • Infiniti Q45 • Jaguar XJ • Lexus LS 430
• Mercedes-Benz S500 • Volkswagen Phaeton

## VERDICT

| | |
|---|---|
| Agrément de conduite | ★★★★⌐ |
| Fiabilité | nouveau modèle |
| Sécurité | ★★★★⌐ |
| Qualités hivernales | ★★★★⌐ |
| Espace intérieur | ★★★★★ |
| Confort | ★★★★ |

## ▲ POUR

• Technologie d'avant-garde • Caractère sportif plus prononcé • Sécurité incomparable • Aménagement somptueux • Éclairage novateur

## ▼ CONTRE

• Complexité de l'aluminium (réparations) • Prix élevé • Commandes de vitesses sous le volant peu ergonomiques • Faible visibilité 3/4 arrière • Mise en marché tardive

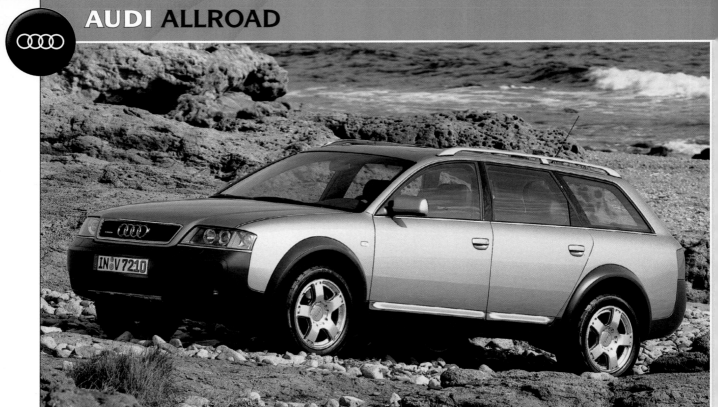

# Une familiale songée

**Avant de nous intéresser de plus près à l'Allroad, il est important de souligner qu'Audi n'est pas un intrus dans le domaine des VUS. Après tout, c'est cette compagnie qui a été la première à installer avec succès une transmission intégrale dans une voiture de tourisme. Et au lieu d'alourdir cette automobile et de la rendre difficile à conduire, elle en a faite une auto de performances et de conduite sportive. D'ailleurs, de nos jours, aucun autre constructeur n'affiche une telle maîtrise du rouage intégral.**

Lorsque le temps est venu chez Audi de répondre à la demande de ses clients qui voulaient eux aussi se joindre à la horde des propriétaires de véhicules utilitaires sport, les ingénieurs d'Ingolstadt ne se sont pas contentés de transformer une camionnette en 4X4 avec toutes les limites que cela impose. D'ailleurs, ce constructeur ne fabrique pas de camions. Il a donc été plus sage d'adapter la familiale A6 Avant à une nouvelle vocation. Il fallait toutefois privilégier l'agilité, la traction en toutes circonstances et un comportement routier supérieur à la moyenne pour un tout-terrain.

Pour remplir adéquatement ce cahier de charges, il a fallu trouver une solution qui permettrait à cette nouvelle venue de rouler quasiment comme une sportive sur la route et comme une chèvre de montagne sur les sentiers forestiers. Une traction supérieure à la moyenne était donc essentielle. Cette partie de l'équation était déjà réglée puisque le sys-tème Quattro était en place depuis plusieurs années et reconnu comme l'un des meilleurs, sinon le meilleur. Il est toujours en prise et le couple est constamment réparti aux quatre roues, d'où l'appellation Quattro qui signifie quatre en italien. Un différentiel central de type Torsen répartit la puissance aux roues qui ont le plus de traction.

Il restait donc à trouver le moyen d'avoir une garde au sol suffisamment haute pour rouler hors piste tout en étant en mesure de ne pas handicaper la tenue en virage sur l'autoroute. La solution est simple mais complexe à réaliser : faire varier la hauteur selon les circonstances. Pour ce faire, une suspension dotée de jambes élastiques à contrôle pneumatique est réglable en quatre positions au toucher d'un bouton placé sur le tableau de bord. Il devient alors possible de faire varier la garde au

## CARACTÉRISTIQUES

| | |
|---|---|
| **Prix du modèle à l'essai** | Quattro 61 595 $ |
| **Échelle de prix** | de 58 800 $ à 59 990 $ |
| **Assurances** | 891 $ |
| **Garanties** | 3 ans 80 000 km / 4 ans 80 000 km |
| **Emp. / Long. / Larg. / Haut. (cm)** | 276 / 481 / 193 / 153 |
| **Poids** | 1 995 kg |
| **Coffre / Réservoir** | 455 litres; 1 590 litres / 70 litres |
| **Coussins de sécurité** | frontaux, latéraux et tête |
| **Suspension avant** | indépendante, 4 leviers |
| **Suspension arrière** | indépendante, leviers transversaux |
| **Freins av. / arr.** | disque, ABS |
| **Système antipatinage** | oui |
| **Direction** | à crémaillère, assistance variable |
| **Diamètre de braquage** | 11,7 mètres |
| **Pneus av. / arr.** | P255/55R17 |

## MOTORISATION ET PERFORMANCES

| | |
|---|---|
| **Moteur** | V6 2,7 litres |
| **Transmission** | intégrale, automatique 5 rapports |
| **Puissance** | 250 ch à 5 800 tr/min |
| **Couple** | 258 lb-pi à 1 850 tr/min |
| **Autre(s) moteur(s)** | V8 4,2 litres 300 ch |
| **Autre(s) transmission(s)** | manuelle 6 rapports |
| **Accélération 0-100 km/h** | 7,7 secondes (V6 auto) |
| **Reprises 80-120 km/h** | 6,8 secondes |
| **Vitesse maximale** | 209 km/h (limitée) |
| **Freinage 100-0 km/h** | 39,7 mètres |
| **Consommation (100 km)** | 14 litres (super) |

| | |
|---|---|
| • Valeur de revente | moyenne |
| • Renouvellement du modèle | 2005-2006 |

d'essai alors que les virages serrés nous font connaître assez rapidement les limites de sa suspension. Par contre, les changements rapides de voie s'effectuent sans problème.

Pour déplacer cette masse, les 250 chevaux du moteur V6 2,7 litres biturbo ne sont pas de trop. Grâce à la boîte automatique Tiptronic à 5 rapports, il est possible d'obtenir de bons temps d'accélérations. Malgré un léger temps de réponse du turbo, le 0-100 km/h se boucle en moins de 8 secondes. De plus, Audi nous promet depuis des mois l'arrivée

sol de 14,2 cm à 20,8 cm. Malgré tout, les organes mécaniques vitaux sont protégés grâce à une plaque en acier inoxydable. À son plus haut, l'Allroad n'a rien à envier à plusieurs VUS purs et durs. Par exemple, la garde au sol d'un Chevrolet TrailBlazer, un vrai 4X4, est de 20,3 cm !

Mais tandis que ce dernier demeure sur ses talons hauts sur l'autoroute, l'Allroad retrouve une hauteur normale, ce qui lui permet de profiter d'un centre de gravité similaire à celui d'une automobile. D'ailleurs, la suspension s'abaisse automatiquement à plus de 120 km/h. Cette brillante conception technologique se paie et il faudra débourser un peu plus de 60 000 $ pour en profiter. Le rouage intégral de même que le système pneumatique ont également pour effet d'alourdir le véhicule qui pèse 2 tonnes. Pas surprenant qu'il atteigne une consommation moyenne de plus de 14 litres aux 100 km même si on conduit avec circonspection.

### Conduite ou bagages ?

Si ces qualités vous intéressent, il vous faudra déterminer vos priorités. Ceux qui aiment voyager avec beaucoup de bagages devront sans doute regarder ailleurs, car la soute à bagages est l'une des plus petites de la catégorie. Par exemple, la Volvo XC70 comporte un espace pour les bagages plus important, que la banquette arrière soit repliée ou en place. Parlant de sièges, il est possible d'ajouter une banquette deux places à l'arrière. Deux enfants peuvent y prendre place, tournant le dos au conducteur. Leur présence aura pour effet d'obstruer la lunette arrière et d'éliminer tout espace de chargement.

Par contre, si vous voyagez avec un minimum de valises et aimez conduire, vous aller apprécier cette Audi capable de rouler partout ou presque. Il est vrai que la direction est trop légère pour les conducteurs sportifs, mais elle se fait pardonner ce défaut lorsqu'on aborde une route secondaire boueuse ou un champ de cailloux. Et malgré ses origines de voiture de tourisme, l'Allroad s'avère capable de se défendre très honorablement face à des obstacles assez intimidants. Elle n'a pas la robustesse nécessaire pour être mise à rude épreuve sur une base quotidienne et se faire treuiller fréquemment, mais elle sera en mesure d'offrir à son conducteur une traction efficace sur toutes les surfaces en plus de pouvoir faire 80 % de ce que peuvent réussir les authentiques VUS.

Ce véhicule est un compromis sur toute la ligne et il est facile de s'en rendre compte sur une piste

du moteur V8 4,2 litres de 300 chevaux qui permettra d'abaisser ce temps d'au moins 1 seconde et de fournir des reprises plus incisives. Reste à voir si la compagnie va tenir sa promesse.

Cette Audi n'est pas pour tout le monde compte tenu de son prix et également de ses caractéristiques routières qui ne plairont qu'à une partie du public. Malgré tout, de plus en plus de constructeurs ont décidé d'adopter cette solution de compromis « route-sentier » qui permet de pouvoir compter sur une conduite agréable sur la route tout en étant capable d'affronter avec assurance des chemins à faible coefficient d'adhérence ou dont le relief est accidenté.

*Denis Duquet*

---

#### MODÈLES CONCURRENTS

• *Volvo XC70* • *Volvo XC90*

#### QUOI DE NEUF ?

• *Moteur V8 4,2 litres* • *Modifications mineures à la mécanique* • *Commandes Tiptronic au volant abandonnées*

#### VERDICT

| | |
|---|---|
| *Agrément de conduite* | ★★★⯪ |
| *Fiabilité* | ★★★★ |
| *Sécurité* | ★★★★★ |
| *Qualités hivernales* | ★★★★★ |
| *Espace intérieur* | ★★★⯪ |
| *Confort* | ★★★★ |

#### ▲ POUR

• Habitacle cossu • Système Quattro • Suspension pneumatique • Performances adéquates • Tenue de route saine

#### ▼ CONTRE

• Consommation élevée • Temps de réponse du turbo
• Véhicule lourd • Espace pour bagages moyen

# Art moderne

Dérivée du concept dévoilé en 1995, l'Audi TT a fait couler beaucoup d'encre depuis son lancement et les avis demeurent partagés quant à sa silhouette de coccinelle aplatie. Résistera-t-elle à l'épreuve du temps ? P'têt ben qu'oui, p'têt ben qu'non. Mais une chose est certaine : la TT ne passe pas inaperçue et son mélange de modernisme et de touches rétro a marqué le design automobile de la fin du XXe siècle et inspiré plus d'un designer.

Conçus pour rehausser l'image sportive d'Audi, le coupé et le roadster TT (Tourist Trophy, célèbre course contre la montre qui se déroule dans les rues de l'île de Man, dans la mer d'Irlande) reprennent la plate-forme de la New Beetle, ainsi que les trains roulants, les moteurs (4 cylindres 1,8 litre turbo de 180 et 225 chevaux) et les deux transmissions (traction avant ou intégrale).

La ligne extérieure surprend et fait tourner les têtes, notamment en ce qui concerne la vue de pro-fil marquée par le petit pare-brise très incliné, les passages de roues proéminents meublés par les superbes jantes style Bugatti et par la ligne fuyante de la lunette arrière qui se marie avec grâce à l'arrière très arrondi. En somme, un design dominé par le cercle, symbole de la marque Audi. Si le dessin massif de l'avant laisse indifférent (calandre redessinée pour 2003), on ne peut qu'admirer la beauté esthétique de la vue ¾ arrière, marquée par le superbe couvercle en aluminium brossé du bouchon du réservoir d'essence.

Même beauté esthétique à l'intérieur où se mêlent cuirs de bonne qualité et aluminium brossé rappelant les belles d'autrefois. Le magnifique volant à trois branches, les montants métal-cuir de la console centrale, le couvercle en alu qui cache la radio, les cercles métalliques des aérateurs, le repose-pied et les pédales revêtues d'aluminium ; tout est là pour le plaisir des yeux.

### Claustrophobes et familles, s'abstenir

Première réaction du conducteur confortablement calé dans le baquet garni de cuir : la faible hauteur du pare-brise qui accentue l'impression d'être assis dans un œuf. Claustrophobes, s'abstenir ! Deuxième constat immédiat : l'absence d'espace à l'arrière, même pour des enfants. Familles, s'abstenir !

## CARACTÉRISTIQUES

| | |
|---|---|
| Prix du modèle à l'essai | Coupé 54 900 $ |
| Échelle de prix | de 48 650 $ à 59 000 $ |
| Assurances | 1 120 $ |
| Garanties | 4 ans 80 000 km / 4 ans 80 000 km |
| Emp. / Long. / Larg. / Haut. (cm) | 242 / 404 / 176,5 / 134,5 |
| Poids | 1 485 kg |
| Coffre / Réservoir | 300 litres / 62 litres |
| Coussins de sécurité | frontaux et latéraux |
| Suspension avant | indépendante, jambes élastiques |
| Suspension arrière | essieu semi-rigide |
| Freins av. / arr. | disque, ABS |
| Système antipatinage | oui |
| Direction | à crémaillère, assistée |
| Diamètre de braquage | 10,5 mètres |
| Pneus av. / arr. | P225/45R17 |

## MOTORISATION ET PERFORMANCES

| | |
|---|---|
| Moteur | 4L 1,8 litre |
| Transmission | intégrale, manuelle 6 rapports |
| Puissance | 225 ch à 5 900 tr/min |
| Couple | 207 lb-pi à 5 500 tr/min |
| Autre(s) moteur(s) | 4L 1,8 litre 180 ch |
| Autre(s) transmission(s) | auto. 6 rapports (180 ch) |
| Accélération 0-100 km/h | 6,6 secondes |
| Reprises 80-120 km/h | 230 km/h (limitée) |
| Vitesse maximale | 6,6 secondes |
| Freinage 100-0 km/h | 31,3 mètres |
| Consommation (100 km) | 10,5 litres (super) |

| | |
|---|---|
| • Valeur de revente | moyenne |
| • Renouvellement du modèle | n.d. |

ques sorties de route spectaculaires – et retentissantes – qui ont nui à la renommée de la TT en Europe. Autres points susceptibles d'amélioration : le bruit de vent excessif sur autoroute, provenant notamment de l'arrière, et une mauvaise visibilité latérale.

### Un roadster qui décoiffe

La gamme TT compte aussi le roadster doté d'un châssis rigidifié et coiffé de deux arceaux de protection en aluminium qui lui assurent une ligne exclusive. Le roadster est livrable en version 180 chevaux, traction

En somme, un coupé deux portes pour amateurs d'objets d'art et de belle mécanique.

Parlant de mécanique, notre TT d'essai était dotée de l'extraordinaire 4 cylindres 1,8 litre turbo à 20 soupapes. Extraordinaire, d'abord, car aucun autre moteur au monde n'équipe autant de modèles différents (une quinzaine). Extraordinaire aussi, car il développe 225 chevaux, puissance remarquable pour une telle cylindrée (comparez par exemple aux 140 chevaux du 1,8 litre de la Mazda Miata). Parmi les autres qualités de ce moteur, une belle souplesse et une consommation raisonnable en conduite « normale ». Mais il y a un hic que l'on peut résumer en répétant les paroles de Jacques Duval : « Une demi-heure plus tard dans les Maritimes ! » De quoi s'agit-il ? De l'infâme « turbo lag », le retard dans la réaction du turbo. Autrement dit : vous pesez sur l'accélérateur et, pendant quelques fractions de secondes, on dirait que vous disposez d'un banal petit 4 cylindres. Puis, brutalement, la puissance arrive en vrac, surprenant le conducteur et soumettant le passager à des mouvements de va-et-vient qui finissent par agacer. Il faut donc réapprendre à doser l'accélérateur, sinon l'agrément de conduite en souffre, d'autant plus que la suspension plutôt sèche se plaît à vous secouer allègrement sur nos belles routes de billard.

Certains diront que c'est le prix à payer pour des performances hors du commun (0 à 100 km/h en 6,2 secondes) et pour une tenue de route… époustouflante. « Scotchée à la route », tel est le commentaire que je me plais à répéter. Chaussée de redoutables pneus taille basse de 17 pouces, notre TT se

moque des virages avec une désinvolture presque magique. Au point où vous risquez de forcer un peu trop la dose sur des chemins qui sont quand même publics. Tout aussi à la hauteur, les freins à disque aux quatre roues, doublés de l'ABS et de l'antidérapage, sans oublier la superbe transmission intégrale signée Audi. En somme, une voiture offrant une sécurité active de très haut niveau, mais – car il y a un mais – qu'il ne faut pas placer entre toutes les mains, justement à cause des 225 chevaux qui sortent tous en même temps de l'écurie. Heureux propriétaires de l'Audi TT, prenez donc le temps de faire connaissance avec votre monture. Rappelons aussi qu'à très haute vitesse, l'arrière a tendance à s'alléger, ce qui explique la présence depuis 1999 du petit béquet sur le coffre arrière et des modifications apportées aux suspensions, à la suite des quel-

et 225 chevaux, intégrale, tandis que le coupé peut être commandé en trois versions : traction (180 chevaux, 5 rapports) et transmission intégrale (180 chevaux, 5 rapports ou 225 chevaux, 6 rapports). Dès le début de 2003, les versions traction 180 chevaux du coupé et du roadster seront livrables avec une boîte automatique à 6 rapports et Audi prévoit des roues de 18 pouces pour les modèles à 225 chevaux. En outre, toutes les TT reçoivent le système antidérapage (ESP), la climatisation automatique et un nouveau système audio avec lecteur de CD au tableau de bord.

Pour conclure, une question. Paieriez-vous entre 50 000 et 60 000 $ pour une Golf ou une New Beetle vitaminée et enjolivée ? « Oui », répondront ceux pour qui l'exclusivité n'a de prix. « Vous voulez rire ? » diront les autres.

*Alain Raymond*

---

### MODÈLES CONCURRENTS

• BMW Z3 • Honda S2000 • Mercedes-Benz SLK
• Nissan 350Z • Porsche Boxster

### QUOI DE NEUF ?

• Boîte automatique 6 rapports (traction, 180 ch)
• Roues 18 pouces (option, 225 ch)
• Nouvelle chaîne audio

### VERDICT

| | |
|---|---|
| Agrément de conduite | ★★★★ |
| Fiabilité | ★★★★ |
| Sécurité | ★★★★⯪ |
| Qualités hivernales | ★★★★⯪ |
| Espace intérieur | ★★ |
| Confort | ★★⯪ |

### ▲ POUR

• Sécurité active et passive remarquable
• Très belle tenue de route • Freinage performant
• Moteur en verve

### ▼ CONTRE

• Confort précaire • Bruits de roulement
• Prix élevé • Habitabilité limitée
• Turbo à maîtriser

Continental GT

# *Performances et prestige avec un grand P*

Gêné de devoir se faire conduire dans une vulgaire Passat au lieu d'une limousine digne de son rang lors de ses déplacements en Amérique, le D<sup>r</sup> Ferdinand Piëch, alors PDG du groupe Volkswagen, avait tout simplement décidé d'acheter le duo Rolls-Royce/Bentley. Évidemment, l'histoire de cette acquisition va bien au-delà de cette petite pointe de vanité et est beaucoup plus complexe qu'il n'y paraît. Pour ne pas vous ennuyer avec des détails que vous connaissez sans doute, rappelons simplement que VW s'est retrouvée dans de beaux draps lors de cette mémorable transaction. Croyant acquérir une compagnie regroupant deux grandes marques de prestige (Rolls-Royce et Bentley), la firme allemande a appris à ses dépens que la plus connue des deux, Rolls-Royce, ne faisait pas partie de l'entente. Celle-ci avait été cédée à BMW selon un contrat intervenu plus tôt et dont Volkswagen ignorait les modalités. M. Piëch pouvait garder Rolls-Royce dans son giron mais pas au delà de 2003, date à laquelle BMW devenait la seule propriétaire de la marque des rois.

C hez VW, on s'est donc employé à étoffer la gamme Bentley et surtout à lui donner une autonomie qu'elle ne possédait plus depuis des lustres puisqu'elle ne servait que de « duplicata » à des modèles Rolls-Royce. La nouvelle direction allemande a aussi voulu redonner à ce label tout le prestige de ses antécédents sportifs. D'où l'apparition en piste de voitures sport-prototypes spécialement construites pour les 24 Heures du Mans, une épreuve d'endurance que la marque britannique a gagnée à maintes reprises dans les années 20.

## *Un coupé GT Continental*
Dans cette optique, il ne faut donc pas s'étonner que les nouvelles Bentley mettent l'accent sur la haute performance, sans pour autant abandonner leur vocation de voitures de très grand luxe. Le plus bel exemple de cette approche est le coupé GT dévoilé dans sa version finale au récent Salon de l'auto de Paris. Le fait d'appartenir au groupe VW a permis aux ingénieurs britanniques basés à Crewe, en Angleterre, d'utiliser le fameux moteur 12 cylindres en W que le constructeur allemand installe également dans les Phaeton et Touareg ainsi que dans l'Audi A8. Pour les besoins de la cause, le W12 de 6 litres voit sa puissance passer au-delà

## CARACTÉRISTIQUES

| | |
|---|---|
| Prix du modèle à l'essai | Arnage T 334 985 $ |
| Échelle de prix | de 292 985 $ à 554 990 $ |
| Assurances | n.d. |
| Garanties | 3 ans kilométrage illimité |
| Emp. / Long. / Larg. / Haut. (cm) | 312 / 540 / 212,5 / 151,5 |
| Poids | 2 585 kg |
| Coffre / Réservoir | 374 litres / 100 litres |
| Coussins de sécurité | front., latéraux avant et arrière |
| Suspension avant | indépendante, leviers triangulés |
| Suspension arrière | indépendante, leviers triangulés |
| Freins av. / arr. | disque ventilé, ABS |
| Système antipatinage | oui |
| Direction | à crémaillère, assistée |
| Diamètre de braquage | 12,9 mètres |
| Pneus av. / arr. | P255/50R18 |

## MOTORISATION ET PERFORMANCES

| | |
|---|---|
| Moteur | V8 6,75 litres biturbo |
| Transmission | propulsion, auto 4 rapports |
| Puissance | 450 ch à 4100 tr/min |
| Couple | 645 lb-pi à 3250 tr/min |
| Autre(s) moteur(s) | aucun |
| Autre(s) transmission(s) | aucune |
| Accélération 0-100 km/h | 5,8 secondes |
| Reprises 80-120 km/h | n.d. |
| Vitesse maximale | 270 km/h |
| Freinage 100-0 km/h | 36,47 mètres (usine) |
| Consommation (100 km) | 20,6 litres (super) |
| • Valeur de revente | moyenne |
| • Renouvellement du modèle | n.d. |

Dans les coupés Continental R et T, un niveau de mise au point différent du gros V8 de 6,75 litres donne des puissances respectives de 400 et 420 chevaux. Dans ce dernier cas toutefois, on a réussi à faire progresser le couple à 650 lb-pi, un chiffre qui éclipse celui de moteurs aussi en forme que le V12 d'une Ferrari 575 Maranello ou celui encore plus déchaîné de la Lamborghini Murciélago. Précisons que les Bentley Continental offrent eux aussi quatre places comme le nouveau coupé GT.

des 500 chevaux grâce à l'apport de deux turbocompresseurs. Il en résulte un temps de passage de moins de 5 secondes entre 0 et 100 km/h et une vitesse de pointe excédant 300 km/h.

La plus performante des Bentley peut aussi compter sur une transmission automatique à 6 rapports contrôlée à partir du volant par des palettes semblables à celles que l'on retrouve dans la Ferrari 575 Maranello. Une puissance aussi élevée ne pouvait être gérée adéquatement que par la présence de quatre roues motrices et le coupé Bentley bénéficie conséquemment de la traction intégrale. Son châssis hérite d'une suspension à essieu arrière multibras avec des leviers triangulaires doubles à l'avant et des amortisseurs à réglage variable contrôlés par électronique.

Par rapport aux coupés 2+2 dont les places arrière sont souvent réservées à un excédent de bagages, le coupé Bentley est un vrai quatre places doté d'un coffre d'un volume raisonnable de 355 litres. Ce nouveau coupé GT qui adoptera le nom de Continental arrivera sur le marché au cours de la seconde moitié de 2003.

Continental GT

### Arnage, Continental et Azure

Les autres modèles de la gamme restent proches parents de ce que l'on trouve chez Rolls-Royce et il faudra attendre encore quelques années avant que Bentley puisse offrir des voitures qui lui seront exclusives.

Pour l'instant, l'offre se compose de la berline Arnage R qui a pris le relais de la version Red Label et dont le moteur est un V8 de 6,75 litres développant 400 chevaux grâce à l'apport d'un

double turbocompresseur Garrett T3. En faisant appel à deux turbocompresseurs plus petits, on a réussi à éliminer une bonne partie du temps de réponse associé habituellement à ce type de suralimentation. Plusieurs seront surpris d'apprendre que Bentley utilise une transmission automatique General Motors à 4 rapports seulement. Il s'agit de la 4L80-E qui a été modifiée afin de réduire de 0,4 seconde le temps de passage des rapports. Quand on dit que GM fabrique les meilleures transmissions automatiques au monde, en voilà une autre preuve concluante.

Dans l'Arnage T, le même moteur développe 450 chevaux tandis que le couple s'affiche à 645 lb-pi, ce qui est nettement suffisant pour faire de cette limousine la berline la plus rapide au monde. C'est aussi la plus véloce de toutes les Bentley jamais produites.

La plus rare et la plus chère des Bentley est le cabriolet Azure qui se fait appeler Corniche dans la gamme Rolls-Royce. Il partage son châssis et son empattement avec les coupés Continental et est animé par le moteur le plus «sage» de la marque britannique, le V8 de 6,75 litres d'une puissance de 400 chevaux.

Les marques Bentley et Rolls-Royce étant en pleine réorganisation, il ne nous a pas été possible de faire l'essai de l'un ou l'autre des modèles décrits plus haut. Si ces voitures vous intéressent, vous trouverez bien un milliardaire quelconque qui pourra vous dire si le mariage germano-britannique d'une fille du peuple (Volkswagen) avec un aristocrate (Bentley) est une réussite.

*Jacques Duval*

#### MODÈLES CONCURRENTS

• *Maybach 5,7 Zeppelin* • *Rolls-Royce Silver Seraph*

#### QUOI DE NEUF?

• *Nouveau coupé GT Continental*

# La réconciliation

**La Série 3 de BMW est la grande perdante d'un match comparatif qu'elle aurait dû gagner. Du moins aux yeux de plusieurs observateurs. Les essayeurs du *Guide de l'auto* en ont toutefois décidé autrement. Le constructeur allemand n'a maintenant d'autre choix que de refaire ses devoirs dans un créneau où elle ne représente plus la référence. Fort heureusement, il y a la M3, la plus sportive de la gamme, qui nous réconcilie avec la famille.**

Pour un chroniqueur automobile, conduire, ou plutôt piloter une M3, c'est comme une récompense. Après une semaine passée à bord d'une camionnette ou d'une berline sans âme, on retrouve le bon côté de la profession.

Cette sportive, car il faut vraiment parler de sportive, on la reconnaît par son imposante prise d'air sur le bouclier avant, ses roues de 18 pouces impressionnantes, son léger béquet à l'arrière et surtout par sa ligne d'échappement si imposante et

si encombrante qu'elle prive la voiture d'une roue de secours !

L'habitacle, lui, est fidèle à la marque : sévère, mais néanmoins soigné. Qu'importe, tout est à la portée de celui, le chanceux, qui aura le privilège de défier cette sportive.

Le volant ajustable dans les deux sens permet d'adopter une position de conduite idéale. Les sièges sport proposent des réglages sur tous les plans. En conduite sportive, ils vous gardent bien en place. Ces éléments essentiels procurent

une ambiance que seule la M3 est capable de créer.

Quant à la finition, elle ne s'attire aucun reproche. L'impression de « bon marché » qui se dégage de certaines autres sportives (comme la Nissan 350Z) n'existe pas dans la M3.

Les commandes sont parfaitement localisées. Au centre de la planche de bord se trouve un bouton servant à engager le système de contrôle de la trajectoire. Un autre, à proximité, est destiné à modifier la course de l'accélérateur. Complexe, direz-vous ? La BMW s'est ajustée aux normes du marché avec tous ces dispositifs électroniques qui rendent la conduite plus prévisible et moins périlleuse, surtout en hiver.

Ajoutez à cela six coussins de sécurité pour rassurer les occupants, et tous ces éléments ont tôt fait

## CARACTÉRISTIQUES

| | |
|---|---|
| Prix du modèle à l'essai | M3 coupé 81 250 $ |
| Échelle de prix | de 78 500 $ à 83 800 $ |
| Assurances | 1 174 $ |
| Garanties | 4 ans 80 000 km / 4 ans 80 000 km |
| Emp. / Long. / Larg. / Haut. (cm) | 273 / 450 / 178 / 137 |
| Poids | 1 549 kg |
| Coffre / Réservoir | 410 litres / 61 litres |
| Coussins de sécurité | frontaux, latéraux et tête |
| Suspension avant | indépendante, leviers triangulés |
| Suspension arrière | indép., leviers transversaux |
| Freins av. / arr. | disque |
| Système antipatinage | oui |
| Direction | à crémaillère, assistée |
| Diamètre de braquage | 11 mètres |
| Pneus av. / arr. | P225/45ZR18 |

## MOTORISATION ET PERFORMANCES

| | |
|---|---|
| Moteur | 6L 3,2 litres |
| Transmission | manuelle 6 rapports |
| Puissance | 333 ch à 7 900 tr/min |
| Couple | 262 lb-pi à 4 900 tr/min |
| Autre(s) moteur(s) | aucun |
| Autre(s) transmission(s) | aucune |
| Accélération 0-100 km/h | 5,5 s ; 5,8 s (cabriolet) |
| Reprises 80-120 km/h | 5,3 secondes (4e) |
| Vitesse maximale | 250 km/h limitée |
| Freinage 100-0 km/h | 37,8 mètres |
| Consommation (100 km) | 13,5 litres (super) |

| | |
|---|---|
| • Valeur de revente | très bonne |
| • Renouvellement du modèle | 2004 |

très inconfortable. Sur les petites routes de campagne, la M3 se montre désagréable en raison des « ballottements » de sa caisse. Ce qui nous porte à dire que la M3 n'est vraiment pas conçue pour le Québec !

Et il y a sa consommation d'essence, révoltante, exagérée. En fait, utilisez tous les superlatifs. Imaginez si BMW avait réalisé son projet de lui greffer un moteur 8 cylindres… Puis, pour boucler la boucle, sa facture salée n'est certes pas à la portée de toutes les bourses.

d'engraisser la M3 d'un bon 100 kilos, par rapport au modèle de la génération précédente. Fort heureusement, le moteur (rangé sous un capot en aluminium) vient compenser cet excès de poids avec ses 22 chevaux supplémentaires.

Signalons que la M3 compte quatre places, mais, vocation oblige, la banquette arrière n'est pas particulièrement accueillante. Faut-il s'en surprendre ?

### Une bête de la route

Passons aux choses sérieuses, beaucoup plus sérieuses : son comportement sur la route qui est sa raison d'être. Les puristes ne seront pas déçus. La M3 a tout d'une voiture sport, une vraie. Le hic, c'est qu'il faut des conditions idéales pour l'apprivoiser. Qui dit conditions favorables, dit circuit fermé, idéalement une piste de course, où il sera possible de découvrir tout le charme de sa conduite… et de vous amuser sans risquer d'être piégé par les forces policières.

Première impression, le 6 cylindres en ligne est généreux et évidemment puissant.

À tous les régimes, il offre une réponse cordiale, spontanée. Quelque peu discret sous la barre des 3 000 tr/min, mais déjà incisif, il se manifeste surtout entre 6 000 et 7 500 tr/min alors que les tempéraments les plus sportifs seront gâtés. À l'accélération, les réactions s'avèrent foudroyantes. La boîte de vitesses manuelle (cela va de soi) est précise et relativement rapide. Les 5e et 6e rapports doivent être enclenchés à haut régime pour exploiter toute la puissance du moteur. Qu'importe, la sonorité de l'engin, qui produit 333 chevaux, est loin d'être désagréable.

Le fameux petit bouton « sport », qu'elle partage avec la M5, contribue par ailleurs à donner une réponse encore plus franche à l'accélération.

La M3 épate également par la précision de sa direction. Elle attaque les virages avec une aisance déconcertante, sans le moindre déséquilibre, et elle nous met en parfait contrôle avec le train avant. Bien chaussée, elle s'est superbement comportée dans les virages du circuit de Jerez, en Espagne, où nous avions réalisé nos premiers tours de roues lors de son introduction.

Son freinage est stable, très stable même, mais on l'aurait souhaité plus résistant. Les critiques les plus sévères concernent toutefois la suspension, conçue davantage pour les pistes aussi lisses qu'une table de billard que pour des routes mal entretenues. Beaucoup trop ferme, cette suspension s'avère

### Un cabriolet, pour la forme

Le catalogue de la M3 compte également un cabriolet fort élégant qui, toutefois, trahit les qualités dynamiques de cette routière hors-pair. Comme la plupart des modèles adoptant cette configuration, la M3 cabriolet s'est soumise à des exercices de musculation pour augmenter sa rigidité. La voiture affiche un bon 20 kilos de plus, ce qui a tôt fait d'affecter son équilibre en général.

Qu'importe pour les adeptes, cette version, d'une rare élégance, fait bande à part avec ses quatre places. La M3 est d'ailleurs la seule du créneau à en proposer autant. À moins que sa grande rivale Audi ne décide de donner le feu vert à la production d'une S4 cabriolet, ce qui semble de plus en plus probable.

*Louis Butcher*

---

### MODÈLES CONCURRENTS

• *Audi S4* • *Jaguar S Type R*
• *Mercedes-Benz CLK55* • *Volvo S6OR*

### QUOI DE NEUF ?

• *Nouveau choix de couleurs*

### VERDICT

| | |
|---|---|
| **Agrément de conduite** | ★★★★⯪ |
| **Fiabilité** | ★★★⯪ |
| **Sécurité** | ★★★★ |
| **Qualités hivernales** | ★★★ |
| **Espace intérieur** | ★★★ |
| **Confort** | ★★⯪ |

### ▲ POUR

• Comportement routier exceptionnel • Moteur merveilleux • Direction exceptionnellement précise
• Freinage stable • Châssis équilibré

### ▼ CONTRE

• Prix élevé • Suspension arrière inconfortable • Consommation d'essence exagérée • Course du levier de vitesses trop longue (5e et 6e) • Places arrière limitées

# Que reste-t-il de nos amours ?

**Remaniées en 1999, les BMW de Série 3 commencent sérieusement à prendre de l'âge, d'autant plus que le remodelage d'il y a cinq ans n'était qu'une évolution d'un modèle datant de 1992. Onze ans, c'est une éternité dans le monde de l'automobile et après avoir été louangées de toute part, les petites Béhêmes ne sont plus tout à fait dans le coup face à une concurrence qui ne cesse de s'affiner. Notre match comparatif dont les résultats sont publiés en première partie de ce guide en a fait éloquemment la preuve, ce qui incite à se poser la question : que reste-t-il de nos amours ?**

**D**éjà l'an dernier, la 325 Xi avait dû baisser pavillon face à l'Audi A4 Quattro dans notre match des intégrales et voilà que l'Infiniti G35 lui fait subir une dégelée sur son terrain de prédilection, un circuit routier. Ces défaites sont cuisantes pour les inconditionnels de la marque, mais elles ne signifient pas pour autant que les BMW de Série 3 sont devenues de sombres figurantes dans le groupe des berlines sport. Malgré quelques rides, elles sont toujours d'un commerce agréable dans la vie de tous les jours. Leur agrément de conduite est cependant proportionnel à la puissance du moteur : faible avec le 2,2 (168 chevaux) de la 320 et superbe avec le 3,2 (333 chevaux) des M3 (voir texte séparé). Même la 325 est loin de procurer le même plaisir qu'une 330, mais à quel prix ?

Ayant conduit les berlines, coupés et cabriolets à maintes reprises pour les besoins du *Guide*, je me suis rabattu cette année sur la dernière configuration de la Série 3 à faire son apparition sur notre marché, la familiale. En plus d'un aspect pratique indéniable, ce type de carrosserie convient particulièrement bien à la traction intégrale que BMW propose depuis maintenant trois ans dans cette gamme. Cela porte à quatre le nombre de carrosseries offertes dans la Série 3 : berline, coupé, cabriolet et familiale. Doté du moteur 6 cylindres de 2,5 litres, ce modèle fait carrière sous l'appellation alphanumérique de 325 Xit ou Touring.

### Le statu quo

Dans sa livrée 2003, cette Série 3 observe le *statu quo*, ce qui laisse supposer que l'on peut s'attendre

## CARACTÉRISTIQUES

| | |
|---|---|
| **Prix du modèle à l'essai** | Xi Touring 46 000 $ |
| **Échelle de prix** | de 34 900 $ à 63 500 $ |
| **Assurances** | 860 $ |
| **Garanties** | 4 ans 80 000 km / 4 ans 80 000 km |
| **Emp. / Long. / Larg. / Haut. (cm)** | 272,5 / 448 / 174 / 141 |
| **Poids** | 1 460 kg |
| **Coffre / Réservoir** | de 435 à 1 345 litres / 63 litres |
| **Coussins de sécurité** | frontaux et latéraux av. et arr. |
| **Suspension avant** | indépendante, leviers triangulés |

| | |
|---|---|
| **Suspension arrière** | indépendante, multibras |
| **Freins av. / arr.** | disque, ABS |
| **Système antipatinage** | oui |
| **Direction** | à crémaillère, assistance variable |
| **Diamètre de braquage** | 10,5 mètres |
| **Pneus av. / arr.** | P205/55R16 |

## MOTORISATION ET PERFORMANCES

| | |
|---|---|
| **Moteur** | 6L 2,5 litres |
| **Transmission** | intégrale, manuelle 5 rapports |
| **Puissance** | 184 ch à 6 000 tr/min |

| | |
|---|---|
| **Couple** | 175 lb-pi à 3 500 tr/min |
| **Autre(s) moteur(s)** | 6L 2,2 l 168 ch; 6L 3 l 225 ch; |
| | 6L 3,2 l 333 ch |
| **Autre(s) transmission(s)** | auto. 5 rap.; man. 6 rap. (M3) |
| **Accélération 0-100 km/h** | 8,8 secondes |
| **Reprises 80-120 km/h** | 7,8 secondes |
| **Vitesse maximale** | 200 km/h |
| **Freinage 100-0 km/h** | 40,7 mètres |
| **Consommation (100 km)** | 12 litres (super) |
| • Valeur de revente | bonne |
| • Renouvellement du modèle | 2005 |

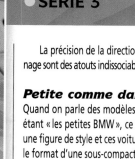

La précision de la direction et la qualité du freinage sont des atouts indissociables de ces petites BMW.

### Petite comme dans étriquée

Quand on parle des modèles de la Série 3 comme étant « les petites BMW », ce n'est pas simplement une figure de style et ces voitures ont pratiquement le format d'une sous-compacte. Sans doute à cause de leur image ou de leur prix, on ne s'imagine pas qu'une BMW 325 est plus petite qu'une Nissan Sentra et à peine plus volumineuse qu'une berline

à une remise à neuf de ces modèles BMW d'ici peu. Pour ceux qui veulent tout savoir, précisons tout de même que le millésime 2003 voit l'apparition du système de contrôle électronique de la stabilité en équipement de série dans toutes les versions. En plus, un appuie-tête central est venu s'ériger au-dessus de la banquette arrière. Finalement, les mains qui se poseront sur le volant ou le pommeau du levier de vitesses y trouveront du vrai cuir sans avoir à verser un sou de plus à BMW.

Ces menus détails maintenant classés, soulignons que la qualité dominante de la Xi Touring est de ne jamais vous laisser sentir que vous êtes au volant d'une familiale. Les bruits qui envahissent habituellement l'habitacle ne peuvent le faire grâce à une bonne insonorisation et la voiture a le même comportement routier que la berline dont elle est dérivée.

Il est dommage par contre que le moteur ne soit pas plus discret. Avec l'excellente boîte de vitesses manuelle, le 5e rapport est trop court et le régime élevé du moteur à 120 km/h le rend difficile à supporter lors de longs trajets. En revanche, cela permet au 6 cylindres 2,5 litres de la Xi Touring d'offrir de meilleures reprises pour doubler. Ce moteur n'offre toutefois pas les performances que l'on s'attend à retrouver dans une BMW et les accélérations ne sont guère meilleures que celles de certaines compactes bon marché. À une vitesse stabilisée sur autoroute, la consommation ne dépasse pas les 9 litres aux 100 km, mais une conduite mi-ville, mi-route a tôt fait de hausser la moyenne autour de 12 litres aux 100 km. Bref, comme toutes les voitures à traction intégrale, cette BMW n'échappe pas à l'impor-

tante pénalité imposée par son rouage d'entraînement. Comme toute chose, la sécurité a un prix.

Sur des routes enneigées, la Xi Touring est très rassurante mais contrairement à la 330 Xi conduite l'an dernier, elle est quelquefois trahie par son système de contrôle de la stabilité (DSC). Pour conserver l'agrément de conduite propre à une BMW, les ingénieurs ont mis au point un contrôle de la stabilité qui n'intervient qu'au moment où la voiture a amorcé un dérapage. Sur pavé sec, cela permet au conducteur de pratiquer une conduite sportive sans être gêné par l'électronique. Le revers de la médaille est que sur une chaussée glissante, quelquefois l'intervention tardive de l'antipatinage n'empêchera pas la voiture de partir en tête-à-queue. Cela dit, il faudrait vraiment aborder un virage à une vitesse insensée pour se retrouver dans une telle situation.

Honda Civic. Il ne faut donc pas s'étonner d'y trouver des places arrière étriquées où l'on cherche de l'espace pour poser ses jambes et que le modèle Touring mis à l'essai ait un compartiment à bagages plus petit que celui d'une Toyota Matrix ou d'une Pontiac Vibe. Heureusement, les sièges, qui sont d'un confort exceptionnel, réussissent à vous faire oublier l'exiguïté des lieux.

Finalement, que reste-t-il de nos amours pour reprendre la question posée en préambule ?

À cela, on peut répondre que les BMW de Série 3 n'ont pas tellement changé au cours des dernières années. Le problème, c'est que la concurrence s'est beaucoup améliorée et que les petites merveilles de Munich sont loin d'offrir le meilleur rapport qualité/prix sur le marché.

*Jacques Duval*

---

### MODÈLES CONCURRENTS

• *Audi A4* • *Cadillac CTS* • *Infiniti G35* • *Jaguar X-Type*
• *Mercedes-Benz C320 4Matic* • *Saab 9³*
• *Volvo S60 AWD*

### QUOI DE NEUF ?

• *Contrôle de stabilité de série* • *Appuie-tête central à l'arrière* • *Volant et pommeau de levier de vitesses en cuir de série*

### VERDICT

| | |
|---|---|
| Agrément de conduite | ★★★⯪ |
| Fiabilité | ★★★★ |
| Sécurité | ★★★★ |
| Qualités hivernales | ★★★★ |
| Espace intérieur | ★★★ |
| Confort | ★★★⯪ |

### ▲ POUR

• Bons moteurs • Comportement routier soigné
• Familiale agréable • Traction intégrale sécuritaire
• Excellents sièges

### ▼ CONTRE

• Performances modestes (325) • Moteur bruyant sur autoroute • Espace mesuré • Trop d'options coûteuses

# La surdouée de la famille

**Chez BMW, le style et les multiples commandes électroniques déroutantes de la Série 7 suscitent la controverse tandis que la série 3 commence a montrer des signes de vieillesse. Par contre, les modèles de la Série 5 représentent un équilibre presque parfait. Leur silhouette n'a pas ces formes discordantes qui sont le propre de la 745i et la carrosserie est plus élégante à mes yeux que celle de la 330. Par leurs dimensions, les divers modèles de la Série 5 sont également les BMW du juste milieu.**

En somme, même quelqu'un qui n'apprécie pas particulièrement les produits de ce constructeur allemand ne peut que s'incliner devant le bel équilibre de la Série 5. Et cela inclut l'incontournable M5, une berline capable de laisser derrière elle bien des sportives de fort calibre. C'est une voiture d'exception à tous les points de vue. Les 400 chevaux de son moteur, sa suspension inspirée de celle de voitures de course, des freins ultrapuissants forment un cocktail enivrant. Et compte tenu des performances

stratosphériques de cette voiture, il est préférable de louer un circuit de haute vitesse pour tenter d'en approcher les limites.

C'est la berline idéale pour se payer la tête des conducteurs de Porsche ou de Corvette.

Compte tenu du prix astronomique de la M5, l'acheteur peut rouler en Série 5 à moindre frais en sacrifiant plusieurs dizaines de chevaux vapeurs. Il est ainsi possible de commander les modèles 525i et 530i dont les moteurs sont similaires à ceux de la Série 3. Comme la désignation l'indique, la 525i

est propulsée par un 6 cylindres en ligne de 2,5 litres d'une puissance de 184 chevaux tandis que le moteur 3 litres de la 530i en produit 41 de plus. Mais si cette puissance peut paraître enviable dans une voiture de plus faible gabarit, il faut souligner que les Série 5 sont relativement lourdes et que ces moteurs de faible cylindrée ne leur permettent pas d'afficher leurs vraies couleurs. Ainsi, si l'on opte pour une 525i, il faut l'associer à la boîte manuelle à 5 rapports pour obtenir des performances convenables. En revanche, ces deux 6 cylindres en ligne se révèlent d'une douceur incomparable.

Mais il est certain que le moteur le mieux adapté au tempérament de cette voiture est le V8 de 4,4 litres dont les 282 chevaux permettent d'expérimenter l'agrément de conduite propre à toute BMW. Rarement a-t-on vu une voiture aussi bien équilibrée à

## CARACTÉRISTIQUES

| | |
|---|---|
| **Prix du modèle à l'essai** | 540i 78 595 $ |
| **Échelle de prix** | de 55 500 $ à 105 500 $ |
| **Assurances** | 1 131 $ |
| **Garanties** | 4 ans 80 000 km / 4 ans 80 000 km |
| **Emp. / Long. / Larg. / Haut. (cm)** | 283 / 478 / 180 / 144 |
| **Poids** | 1 685 kg |
| **Coffre / Réservoir** | 460 litres / 70 litres |
| **Coussins de sécurité** | frontaux, latéraux et de tête |
| **Suspension avant** | indépendante, jambes de force |
| **Suspension arrière** | indépendante, liens multiples |
| **Freins av. / arr.** | disque, ABS |
| **Système antipatinage** | oui |
| **Direction** | à crémaillère, assistance variable |
| **Diamètre de braquage** | 11,4 mètres |
| **Pneus av. / arr.** | P235/45R17 / P255/40R17 |

## MOTORISATION ET PERFORMANCES

| | |
|---|---|
| **Moteur** | V8 4,4 litres |
| **Transmission** | propulsion, automatique 5 rapports |
| **Puissance** | 282 ch à 5 400 tr/min |
| **Couple** | 324 lb-pi à 3 600 tr/min |
| **Autre(s) moteur(s)** | 6L 2,5 litres 184 ch; |
| | 6L 3 litres 225 ch |
| **Autre(s) transmission(s)** | manuelle 5 rapports |
| **Accélération 0-100 km/h** | 6,2 secondes |
| **Reprises 80-120 km/h** | 5,5 secondes |
| **Vitesse maximale** | 250 km/h (limitée) |
| **Freinage 100-0 km/h** | 39,8 mètres |
| **Consommation (100 km)** | 14,1 litres (super) |
| • Valeur de revente | bonne |
| • Renouvellement du modèle | 2004 |

par le comportement routier de haut niveau de la *Touring*. La voiture est dotée d'un châssis extrêmement rigide et cela est particulièrement évident lorsque l'on passe du volant d'une Audi A6 Avant à celui d'une BMW Touring. La carrosserie est solide comme le roc et les performances nettement plus relevées que dans la familiale Audi. En réalité, il faudrait plutôt comparer l'Audi Allroad à la BMW Touring de Série 5 pour obtenir des performances comparables.

De toute évidence, ce modèle permet de joindre l'utile à l'agréable et on peut simplement regretter

tous les points de vue. Sachez que même les essayeurs très coincés du *Consumers Report* américain n'ont que des éloges à faire à son égard. C'est tout dire.

### Berline sport ou d'affaires

Les gens d'affaires amateurs de belles et bonnes voitures sont souvent confrontés à un dilemme. Il leur faut choisir une berline suffisamment sérieuse pour ne pas effrayer les clients et fournisseurs mais ils ne veulent pas dans un même temps sacrifier leur plaisir. Les BMW de Série 5 constituent la solution idéale à leur problème. Elle est à la fois confortable, luxueuse et suffisamment spacieuse tout en offrant une expérience de conduite beaucoup plus stimulante que la majeure partie de ses concurrentes.

Certains jugeront les places arrière un peu serrées et le tableau de bord désuet mais ce sont de bien petits inconvénients compte tenu du comportement routier de haut niveau de ces berlines allemandes. Comme dans tous les modèles de la marque, (sauf les M3 et M5), la suspension est relativement souple mais cela n'empêche nullement la voiture de se montrer très stable en virage. Et si jamais vous dépassez les limites, une batterie de systèmes d'aides au pilotage vous remet dans le droit chemin. Ajoutons, en passant, que les freins sont parfaitement à la hauteur de toutes les situations.

### Modèle en fin de carrière

L'acheteur d'une BMW Série 5 doit savoir que cette gamme est sur le point d'être entièrement remaniée et que la valeur de revente d'un modèle 2003 risque de s'affaisser plus rapidement que d'habi-

tude. Fort heureusement, le style retenu pour la future génération de modèles semble moins discutable que celui de la 745i à laquelle plusieurs loyaux clients de la marque ne peuvent s'habituer. Pour son chant du cygne, la BMW Série 5 ne fait l'objet d'aucun changement majeur mais si vous voulez absolument tout savoir, on peut vous dire que le système de stabilité directionnelle est désormais monté en équipement de série sur la 525.

### Une familiale Touring

Même si la berline est une voiture surdouée, il ne faudrait surtout pas oublier l'existence d'une variante de la Série 5, la version Touring qui n'est rien d'autre qu'une familiale en tenue sportive. Sa capacité de chargement n'est pas terrible mais encore là cette carence est largement compensée

que la firme bavaroise n'ait pas encore adoptée la transmission intégrale pour ce modèle, Il serait ainsi mieux armé pour faire face à la Mercedes-Benz E320 4MATIC et, bien sûr, à la Audi Allroad Quattro. Car, malgré toutes ses qualités, il est bien évident que la familiale BMW Série 5 est quelque peu dépourvue pour affronter nos hivers.

En résumé, la gamme des BMW Série 5 est sans aucun doute la plus intéressante chez ce constructeur et il est dommage que l'on ait attendu si longtemps pour la rajeunir. Les fervents de la marque auraient donc intérêt à attendre les nouveaux modèles 2004 avant de faire l'acquisition d'une BMW Série 5. À moins de se laisser tenter par la M5 qui mettra sans doute du temps à se manifester dans son nouveau costume.

*Denis Duquet*

---

### MODÈLES CONCURRENTS

• *Acura RI* • *Audi A6* • *Jaguar S-Type* • *Lincoln LS*
• *Mercedes Classe E*

### QUOI DE NEUF?

• *Modèle remplacé en 2004*
• *DSC de série dans 525i*

### VERDICT

| | |
|---|---|
| **Agrément de conduite** | ★★★★⯪ |
| **Fiabilité** | ★★★ |
| **Sécurité** | ★★★★★ |
| **Qualités hivernales** | ★★★ |
| **Espace intérieur** | ★★★ |
| **Confort** | ★★★★ |

### ▲ POUR

• Silhouette élégante • Moteur V8 exceptionnel
• Tenue de route supérieure • Caisse rigide
• Version Touring

### ▼ CONTRE

• Modèle en fin de carrière • Tableau de bord complexe • Prix élevé • Places arrière moyennes

# *Diaboliquement vôtre !*

**Vous détestez prêter votre voiture ? Même à votre meilleur ami ? La nouvelle BMW 745i devrait vous plaire, car même si vous lui offrez les clés de votre nouvelle « BÉHÈÈÈME » de la Série 7, il y a de fortes chances pour qu'il revienne bredouille en avouant son incapacité à la conduire. Les concepteurs semblent avoir pris un malin plaisir à développer des commandes et des contrôles tellement hors normes qu'il faut pratiquement un cours de plusieurs minutes pour s'y retrouver. Comme le dirait si bien le coloré Yves Lambert de La Bottine Souriante : « C'est l'char du diable ! »**

Vous croyez que j'exagère ? Pour lancer le moteur, il faut insérer la télécommande dans une fente à droite d'un gros bouton identifié « Start/Stop », appuyer sur celui-ci tout en ayant le pied sur la pédale de frein. Une fois ces gestes faits, le gros moteur V8 de 4,4 litres se mettra à ronronner. Impossible de prendre la route sans bien régler les sièges. Les commandes sont placées sur le côté de l'accoudoir central et sont difficiles à atteindre une fois assis. Comme dans les Mercedes, chaque élément du siège est identifié par un bouton épousant la forme de chacun. Mais ça se complique par la suite. Il faut d'abord appuyer sur la touche illustrant la partie du siège à régler et ensuite manipuler un gros bouton placé à l'avant des touches de sélection.

Moteur lancé, siège réglé, ceinture bouclée, il est temps de prendre la route. Malheureusement, il faut encore déchiffrer une autre énigme : le fonctionnement du levier de vitesses constitué par un petit bras en aluminium brossé monté sur la colonne de direction. Pour passer de « Park » à « Drive », il faut appuyer sur le bouton latéral et abaisser le levier. Théoriquement, le 1er rapport de la boîte de vitesses sera engagé. Mais ce mécanisme semble avoir été conçu avec un esprit de contradiction gravé dans sa mémoire électronique. Il arrive parfois que la marche arrière soit difficile à engager ou encore qu'on se retrouve à la position « P ». De plus, par temps chaud, ce petit levier irritant au possible devient brûlant sous les rayons du soleil.

Chez BMW, on nous dit que ces commandes deviennent intuitives avec le temps. Mais après plusieurs jours d'essai, c'était loin d'être le cas.

## Appuyez, tournez et tempêtez !

Il s'agit d'irritants mineurs en comparaison de la commande i-Drive, l'élément de discorde le plus important de cette voiture. Ce gros bouton en alu-minium niché à l'extrémité de l'accoudoir central. Avec ce dispositif, les ingénieurs ont voulu éliminer la prolifération de boutons et de commandes de toutes sortes qui se sont multipliés au fur et à mesure que la mécanique et les accessoires devenaient plus sophistiqués. Il suffit d'appuyer dessus avec la paume de la main pour qu'une rose des vents apparaisse à l'écran LCD niché au centre de la planche de bord. En tournant ce gros champignon métallique, il vous est possible de régler la climatisation, la suspension, le système audio et de navigation en plus de centaines d'autres réglages.

L'enfer est pavé de bonnes intentions et il est certain que le fait de centrer en un seul élément le choix de centaines de réglages est théoriquement louable. Mais à l'usage, c'est très compliqué. La moindre modification ou même le passage de la bande AM à la bande FM oblige à naviguer par plusieurs menus. Il faut donc quitter la route des yeux pendant plusieurs secondes pour consulter l'écran et effectuer les modifications espérées. Opération qui n'est pas en conformité avec les règles les plus élémentaires de sécurité.

Heureusement, les ingénieurs ont prévu le coup en installant sur le tableau de bord des commandes traditionnelles pour la climatisation et le niveau sonore de la chaîne audio. Il faut ajouter sur une note plus optimiste que l'affichage du système de

de répéter en s'installant au volant. Il y a, selon moi, des réflexes naturels que l'on ne peut changer, surtout quand on a atteint l'âge ou l'on a assez d'argent pour s'offrir cette BMW. Là ou je suis en désaccord avec mon collègue, c'est à propos du système de navigation que j'ai trouvé têtu comme une mule et qui n'a amené à destination en me faisant prendre 36 détours que l'expérience m'a appris à éviter.

Ces précisions étant faites, l'habitacle de la 745i est somptueux et la richesse des matériaux (bois, cuir et métal) tranche carrément avec les plastiques

navigation est très précis et le programme bien conçu dans l'ensemble.

### Toujours la controverse !

L'équipe de conception de cette voiture n'a pas craint de sortir des sentiers battus aussi bien dans l'habitacle qu'à l'extérieur. La silhouette dessinée par l'Américain Chris Bangle ne fait pas l'unanimité. La partie avant est assez bien réussie. Les phares avant circulaires ont été retenus, mais sont maintenant enchâssés dans un bloc optique ovale tandis que le clignotant est monté en sa partie supérieure. Contrairement au modèle précédent, la voiture ne « regarde plus vers le sol », mais carrément vers l'avant, ce qui lui confère une allure plus dynamique. L'antenne en forme d'aileron de requin est également inspirée de cette même approche en fait de stylisme.

Si l'avant, les roues et les flancs s'harmonisent très bien les uns par rapport aux autres, l'arrière

semble se foutre de l'avant. C'est le couvercle du coffre qui s'intègre mal à l'ensemble. Celui-ci ressemble à l'un de ces éléments de camouflage que les compagnies utilisent pour empêcher l'identification de la voiture lors du développement. Cette fois, on semble l'avoir oublié là avant de passer à la production. Autre problème d'intégration, les rétroviseurs et les poignées des portières ne semblent pas appartenir à la même voiture.

Commandes excentriques à part, l'habitacle est à la hauteur de la catégorie avec toutes les appliques en bois requises, des sièges confortables recouverts de cuir souple et une climatisation qui peut refroidir ou réchauffer tous les recoins.

**Denis Duquet**

### À toi Jacques

Je partage tout à fait l'avis de Denis Duquet sur l'inutile complexité de la 745i. « Pourquoi faire compliqué quand on peut faire simple ? » a-t-on envie

bon marché de la Porsche 911 essayée au cours de la même période. Même le simple vide-poches de la console centrale ressemble à un coffre à bijoux tellement sa finition est soignée. Et que dire des places arrière où l'on a vraiment l'impression de se retrouver dans un salon grâce à une banquette inclinable avec sièges chauffants, deux porte-verres,

### ■ ÉQUIPEMENT DE SÉRIE

• Contrôle dynamique de stabilité • Freins de stationnement électromécaniques
• Volant chauffant • iDrive

### ■ ÉQUIPEMENT EN OPTION

• Appuie-tête actifs • Système audio Logic 7
• Pare-soleil électriques • Version allongée
• Sièges avant à 20 réglages

deux allume-cigarettes, quatre sorties d'air pour la climatisation et un grand espace de rangement aménagé dans l'accoudoir central. Dans un tel contexte, la version Li à empattement allongé paraît superflue.

### Du sérieux

Contrairement aux stylistes et aux responsables de la gestion électronique de la 745, les ingénieurs avaient les pieds bien sur terre. Au plan technique, la voiture est certes très avant-gardiste mais les solutions mises de l'avant ne sont pas gênantes pour le conducteur. En plus d'un système de calage de soupapes (Double Vanos) qui permet d'optimiser le rendement à tous les régimes, le moteur V8 de 4,4 litres hérite d'un nouveau dispositif (Valvetronic) qui élimine les papillons des gaz. Une modulation continuellement variable de l'ouverture des soupapes d'admission est effectuée grâce à un levier activé par un moteur électrique placé entre l'arbre à cames et les soupapes d'admission. Ces fluctuations assurent, selon BMW, un meilleur mélange air-essence, un rendement supérieur et une réponse instantanée du moteur. Ce V8 est présentement le seul à proposer une telle technologie. Idem pour le système d'admission d'air continuellement variable dont la capacité change constamment en fonction du régime et de la charge du moteur.

Autre raffinement technique, les barres antiroulis sont à commande active. Elles permettent à la voiture de n'avoir pratiquement aucun roulis de caisse en virage. Ce mécanisme comprend deux demi-stabilisateurs et un moteur pivotant à commande hydraulique. En virage, ce moteur effectue une torsion giratoire contraire à chacun de ces deux stabilisateurs dont les forces s'annulent. Ce qui permet de stabiliser la voiture sur un plan transversal.

### Douceur et bien-être

En relisant mon carnet de notes sur la 745i, j'y retrouve des mots probablement encore jamais utilisés pour dépeindre le comportement d'une BMW: soyeux, feutré, satiné. La voiture est d'une telle douceur que l'on cherche de nouveaux superlatifs pour décrire l'impression de bien-être que l'on éprouve à la conduire. Son confort s'associe davantage à celui d'une limousine que d'une berline de luxe. Est-ce à dire que l'on doive faire son deuil de l'agrément de conduite qui a toujours été l'apanage des créations de la marque bavaroise? Pas du tout si j'en juge par les performances du moteur, la qualité de la tenue de route, du freinage et de la direction.

Prenons le freinage dont la puissance est proche de celle d'une Porsche 911, une référence en la matière. Il suffit d'effleurer la pédale pour que cette grosse BM s'arrête sur des distances incroya-

---

| CARACTÉRISTIQUES | |
|---|---|
| **Prix du modèle à l'essai** | 745i 104 495 $ |
| **Échelle de prix** | de 96 500 $ à 102 900 $ |
| **Assurances** | 1329 $ |
| **Garanties** | 4 ans 80 000 km / 4 ans 80 000 km |
| **Emp. / Long. / Larg. / Haut. (cm)** | 299 / 503 / 190 / 149 |
| **Poids** | 2 078 kg |
| **Coffre / Réservoir** | 500 litres / 88 litres |
| **Coussins de sécurité** | frontaux, latéraux, tête et arrière |
| **Suspension avant** | indépendante, leviers transversaux |
| **Suspension arrière** | indépendante, à bras multiples |
| **Freins av. / arr.** | disque, ABS |
| **Système antipatinage** | oui |
| **Direction** | à crémaillère, assistance variable |
| **Diamètre de braquage** | 12,1 mètres |
| **Pneus av. / arr.** | P245/50VR18 |

| MOTORISATION ET PERFORMANCES | |
|---|---|
| **Moteur** | V8 4,4 litres |
| **Transmission** | propulsion, automatique 6 rapports |
| **Puissance** | 325 ch à 6 100 tr/min |
| **Couple** | 330 lb-pi à 3 600 tr/min |
| **Autre(s) moteur(s)** | V12 6 litres 408 ch |
| **Autre(s) transmission(s)** | aucune |
| **Accélération 0-100 km/h** | 7,2 secondes |
| **Reprises 80-120 km/h** | 4,9 secondes |
| **Vitesse maximale** | 250 km/h |
| **Freinage 100-0 km/h** | 36,5 mètres |
| **Consommation (100 km)** | 12,6 litres (super) |
| **Niveau sonore** | ralenti: 41,9 dB; |
| | accélération: 69,8 dB; |
| | 100 km/h: 66,8 dB |

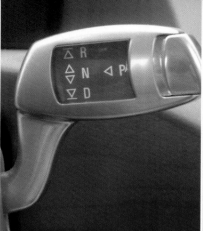

lis et du tangage tout en mettant à profit son système d'assistance au conducteur pour corriger rapidement toute maladresse au volant. Avec ses jantes et ses pneus de 18 pouces, la 745 se prête à une conduite sportive qui permet de découvrir une petite tendance au sous-virage. Et comme toute BMW, la voiture bénéficie d'un châssis dont la rigidité exclut toute forme de bruit de caisse sur mauvaise route.

Si l'on revient à la case départ, toutes les qualités dynamiques de la nouvelle 745i doivent être

blement courtes tout comme s'il s'agissait d'un petit roadster poids plume. Le moteur, quant à lui, s'exprime avec un minimum de bruit et un maximum de douceur. Ses 325 chevaux sont d'une belle éloquence mais les accélérations et les reprises seraient encore plus spectaculaires si la transmission automatique à 6 rapports était plus prompte à se mettre en action. Même en ayant recours aux petites touches

du mode manuel placées sur et sous le volant, elle marque un temps de réponse qui est d'autant plus prononcé que l'accélérateur se fait hésitant à l'occasion. Curieusement, il lui arrive aussi de se montrer trop sensible et nul doute que ces réactions sont imputables aux caprices de l'électronique.

Tel que prévu, la suspension active pilotée par microprocesseur exerce un contrôle parfait du rou-

remises en question en raison d'une complexité d'utilisation qui risque d'apeurer la clientèle. Chose certaine, la BMW 745i, plus que toute autre voiture, doit faire l'objet d'un essai routier approfondi avant l'achat sous peine de transformer le propriétaire le plus dévot en un blasphémateur éhonté.

*Jacques Duval*

---

### MODÈLES CONCURRENTS

- *Audi A8 • Infiniti Q45 • Jaguar Vanden Plas*
- *Lexus LS 430 • Mercedes-Benz Classe S*
- *VW Phaeton*

### VERDICT

| | |
|---|---|
| **Agrément de conduite** | ★★★★ |
| **Fiabilité** | *nouveau modèle* |
| **Sécurité** | ★★★★ |
| **Qualités hivernales** | ★★★★ |
| **Espace intérieur** | ★★★★ |
| **Confort** | ★★★★★ |

### ▲ POUR

- Technologie de pointe • Freinage puissant
- Moteur performant • Tenue de route remarquable

### ▼ CONTRE

- Ergonomie infernale • Mécanique complexe
- Silhouette controversée • Transmission lente
et brusque

# *Évolutionnisme élitiste*

**Le monde de l'automobile connaît lui aussi des mutations génétiques importantes. À preuve, le BMW X5, qui réussit à faire le pont entre un véhicule utilitaire sport et une grande routière performante. Alors que certains rustiques 4X4 parviennent péniblement à s'acclimater à l'environnement bitume, le constructeur munichois condescend pour la première fois à poser son pied dans la terre.**

É laboré à partir d'une interprétation très libre de la plate-forme de la Série 5, le X5 s'appuie sur une charpente monocoque et des épures de suspensions indépendantes. Il perd 11 cm de longueur dans la transition, alors que sa largeur s'accroît de 7 cm. Sa carrosserie élégante vous balance à pleine vue des flancs aux galbes puissants, et la partie avant coiffée par un capot fortement nervuré respire par les petites calandres caractéristiques aux autres produits de la marque.

La transmission intégrale apparue à l'origine dans la Série 3 iX au cours des années 90 est de type permanente. Ce mécanisme privilégie le comportement routier avant toute chose, tels qu'en font foi la répartition invariable du couple entre les essieux (38 % à l'avant et 62 % à l'arrière) et le demi-arbre de transmission de droite qui passe à travers le carter d'huile du moteur pour maintenir un centre de gravité plus bas. Allez jeter un coup d'œil en dessous, cela en vaut la peine.

Ne cherchez pas dans la cabine un quelconque interrupteur ou levier pour activer le mécanisme à 4 roues motrices, ou une gamme de rapports plus courts. Chez BMW, on remplace le tout par le Contrôle dynamique de la stabilité de dernière génération (DSC III-X), le Contrôle automatique de la stabilité et de la traction (ASC+T), le Contrôle dynamique de freinage (DBC), et le Contrôle logique en pente (HDC) emprunté à Land Rover. Vous n'avez donc plus aucune raison de perdre le... contrôle.

Les habitués de la marque ne seront pas dépaysés par la sombre planche de bord, recouverte du classique matériel anti-éblouissement. La dotation de base est impressionnante : conditionnement de l'air automatique à la carte pour le conducteur et le passager, fauteuils avant tendus d'un cuir résistant et tellement attrayant, chaîne audio de haut niveau,

## CARACTÉRISTIQUES

| | |
|---|---|
| **Prix du modèle à l'essai** | BMW X5 4.6iS 95 300 $ |
| **Échelle de prix** | de 57 800 $ à 94 500 $ |
| **Assurances** | 1 086 $ |
| **Garanties** | 4 ans 80 000 km / 4 ans 80 000 km |
| **Emp. / Long. / Larg. / Haut. (cm)** | 282 / 467 / 187 / 170 cm |
| **Poids** | 2 188 kg |
| **Coffre / Réservoir** | 455 litres / 93 litres |
| **Coussins de sécurité** | frontaux, latéraux, tête |
| **Suspension avant** | indépendante, jambes élastiques |
| **Suspension arrière** | indépendante, multibras |
| **Freins av. / arr.** | disque ABS, répartition électronique |
| **Système antipatinage** | oui |
| **Direction** | à crémaillère, assistance variable |
| **Diamètre de braquage** | 12,1 mètres |
| **Pneus av. / arr.** | P275/40R20 / P315/35R20 |

## MOTORISATION ET PERFORMANCES

| | |
|---|---|
| **Moteur** | V8 4,6 litres 32 soupapes |
| **Transmission** | intégrale, Steptronic 5 rapports |
| **Puissance** | 340 ch à 5 700 tr/min |
| **Couple** | 350 lb-pi à 3 700 tr/min |
| **Autre(s) moteur(s)** | 6L 3 litres 225 ch; |
| | V8 4,4 litres 290 ch |
| **Autre(s) transmission(s)** | manuelle 5 (3,0i) |
| **Accélération 0-100 km/h** | 6,7 secondes |
| **Reprises 80-120 km/h** | 6,2 secondes |
| **Vitesse maximale** | 240 km/h (constructeur) |
| **Freinage 100-0 km/h** | 39 mètres |
| **Consommation (100 km)** | 16,2 litres (super) |
| • Valeur de revente | très bonne |
| • Renouvellement du modèle | 2005 |

éviter un capotage. Le X5 qui affiche un centre de gravité plus raisonnable, enfile des chaussures sport tellement performantes (de 17 à 20 pouces!) que vous vous amuserez à laisser la circulation sur place, ahurie devant l'agilité et la vitesse d'un athlète de plus de 2 tonnes. Cependant, ne comptez pas trop sur le X5 pour vous amener à votre prochain safari au bout du monde, à moins que la route ne soit pas trop mal revêtue. Les beaux pneus qui font merveille sur l'asphalte deviennent rapidement inefficaces dans la boue, et toutes les assistances électroniques

les principales assistances électriques bien sûr, et tous les autres équipements que l'on peut imaginer dans une berline de luxe, certains en option, souvent trop coûteux d'ailleurs. Les fauteuils vous soutiennent fermement, et ceux du 4,6iS, ajustables dans tous les sens, se trouvent tout simplement dans une classe à part. Les occupants des places arrière sont bien traités, même si l'espace est compté pour le troisième, et le coffre permet d'embarquer tout ce qu'il faut pour un week-end à la campagne. Les X5 sont assemblés avec grand soin chez nos voisins du Sud, mais il faut se rappeler qu'ils ont connu certaines alertes mécaniques de prime jeunesse.

### Des moteurs, encore des moteurs

Mais, une BMW c'est avant tout un moteur, et à ce chapitre, le X5 nous comble. À la base, il reçoit le 3 litres de la marque, considéré à juste titre comme l'un des meilleurs de sa catégorie. À la lecture de la fiche technique, ses 225 chevaux semblent peu nombreux, mais ils répondent toujours présents à l'appel. Les performances se situent donc à un bon niveau, surtout si vous avez eu la bonne idée de retenir la boîte de vitesses manuelle. Déliez un peu plus les cordons de votre bourse, et vous pourrez «trôner» derrière le V8 4,4 litres, celui qui donne des complexes d'infériorité à la plupart de ses semblables. Ses 290 chevaux et son couple sont tellement bien répartis sur sa plage d'utilisation que le conducteur a plus de 80 % de l'écurie à son entière disposition dès 1 800 tr/min. Il émet un ronronnement profond qui se transforme en rugissement menaçant

avec les tours. De quoi vous faire perdre momentanément votre sens civique, car une telle puissance corrompt très aisément un conducteur. Elle le corrompt même absolument avec le nouveau 4,6iS dans lequel, comme son identification l'indique, le moteur passe à 4,6 litres, et la puissance à 340 chevaux. Pourquoi se contenter de malmener l'adversaire, quand on peut nonchalamment l'anéantir avec son pied droit? Surtout que la cabine de pilotage se pare de matériaux opulents et d'un équipement impressionnant comprenant entre autres un système de navigation, une chaîne audio numérique avec chargeur à 6 CD et 17 haut-parleurs, plusieurs fonctions à commande vocale, et j'en passe.

Certains mastodontes vous permettent de contempler le monde de très haut, de tellement haut que vous devez lever le pied dans les courbes pour

du monde ne sauraient remplacer un minimum d'adhérence. Par ailleurs, dans la neige, il offre des performances de très haut niveau.

J'avoue ne pas être un fervent de ce type de véhicule qui, malgré ses limites rapidement atteintes en usage quotidien, semble devenu indispensable à un certain type de poseurs. Le X5 réussit presque à me faire changer d'opinion, même si certaines berlines de la marque me semblent plus attrayantes, et certainement plus agiles et dynamiques. N'oubliez pas que pour le même prix qu'un 4,6iS, vous êtes l'heureux propriétaire d'une 745i, que pour environ 10 000 $ de plus vous repartez avec une M5, et qu'une M3 vous fera «épargner» 20 000 $. Entre ces véhicules d'exception, le choix devient vraiment problématique.

*Jean-Georges Laliberté*

---

### MODÈLES CONCURRENTS

- Infiniti QX4 • Lexus LX470 • Mercedes Classe M
- Porsche Cayenne • Range Rover

### QUOI DE NEUF?

- Système DVD de navigation • Coussins de tête arrière

### VERDICT

| | |
|---|---|
| **Agrément de conduite** | ★★★★ |
| **Fiabilité** | ★★★⯪ |
| **Sécurité** | ★★★★⯪ |
| **Qualités hivernales** | ★★★★⯪ |
| **Espace intérieur** | ★★★⯪ |
| **Confort** | ★★★ |

### ▲ POUR

- Moteur fabuleux (4,6is) • Moteur impressionnant (4,4i) • Style attrayant • Performances étonnantes
- Freins puissants

### ▼ CONTRE

- Prix élevé • Confort discutable (4,6iS)
- Consommation importante • Options coûteuses ( 3,0i litres) • Complexité rebutante

# En attente du verdict

**En créant il y a huit ans la très perfectible Z3, BMW avait surtout fait du neuf avec du vieux. Qu'importe, l'usine d'assemblage de la Caroline roulait à fond de train pour satisfaire à la demande et plus important encore, la Z3 est parvenue à venger l'échec que BMW avait essuyé avec son roadster 507, disparu en 1959 après n'avoir trouvé, en quatre ans, que 252 preneurs dont le plus célèbre fut sans contredit le King lui-même. Eh oui!**

Stimulée donc par le succès remporté par son petit roadster, la marque bavaroise a compris qu'il lui fallait changer sa démarche et utiliser cette fois tout son savoir-faire. « La Z3 n'est plus vive, vive la Z4 ? » Attendons de prendre son volant avant de nous prononcer puisque selon les premières informations officielles la dernière recrue de Munich semble s'être embourgeoisée un peu.

Par rapport au modèle précédent, le style de la Z4 est massif, directement issu de l'étrange étude X-Coupe présentée au Salon automobile de Detroit il y a deux ans. Une fois de plus, Chris Bangle est responsable de cette allure râblée, ce même styliste qui a signé l'année dernière la très controversée Série 7.

Dépourvue de tout angle vif, la carrosserie de la Z4 ne suggère pourtant pas la mollesse. Athlétique, moderne et bien proportionnée cette fois, la Z4 n'aura aucun mal à faire oublier le style plutôt baroque qui habillait le modèle antérieur. De plus, comparée aux Boxster et autres SLK, la Z4 demeure encore aujourd'hui la plus respectueuse de l'esprit roadster : long capot, porte-à-faux réduits et capote en toile. Cette dernière, de conception nouvelle, se replie toujours aussi facilement (son dessin permet même de se passer d'un couvre-capote), mais les montants arrière, passablement larges, restreignent toujours la visibilité. Bonne nouvelle cependant, la lunette arrière est chauffante et faite de verre et non de plastique.

### Moteurs : le statu quo

Petite déception : les mécaniques proposées pour animer la Z4 sont identiques à celles de l'année dernière. C'est sans doute « suffisant pour s'amuser » (dixit BMW), mais sans doute pas suffisant pour défier sans crainte le propriétaire d'une Boxster... Et si, à tout hasard, l'idée vous traversait l'esprit,

## CARACTÉRISTIQUES

| | |
|---|---|
| Prix du modèle à l'essai | n.d. |
| Échelle de prix | de 45 000 $ à 55 000 $ (estimation) |
| Assurances | n.d. |
| Garanties | 4 ans 80 000 km / 4 ans 80 000 km |
| Emp. / Long. / Larg. / Haut. (cm) | 249,5 / 409 / 178 / 129 |
| Poids | 1290 kg |
| Coffre / Réservoir | 260 litres / n.d. |
| Coussins de sécurité | frontaux et latéraux |
| Suspension avant | indépendante, jambes élastiques |
| Suspension arrière | indépendante, triangles obliques |
| Freins av. / arr. | disque, ABS |
| Système antipatinage | oui |
| Direction | à crémaillère, ass. électrique |
| Diamètre de braquage | n.d. |
| Pneus av. / arr. | P225/45ZR17 / P245/40ZR17 |

## MOTORISATION ET PERFORMANCES

| | |
|---|---|
| Moteur | 6L 3 litres |
| Transmission | manuelle, 6 rapports |
| Puissance | 225 ch à 5500 tr/min |
| Couple | 214 lb-pi à 3 500 tr/min |
| Autre(s) moteur(s) | 6L 2,5 litres 184 ch |
| Autre(s) transmission(s) | man. 5 rap. (2,5 l); semi-auto. |
| | 5 rap.; semi-auto. à commande séquentielle |
| Accélération 0-100 km/h | 6,2 s; 7,6 s; 2,5 l |
| Reprises 80-120 km/h | n.d. |
| Vitesse maximale | 250 km/h (limitée) |
| Freinage 100-0 km/h | 36,8 mètres |
| Consommation (100 km) | 10,6 litres |
| • Valeur de revente | bonne |
| • Renouvellement du modèle | nouveau modèle |

tures de sécurité nous scieront-elles encore les clavicules ? La colonne de direction s'inclinera-t-elle désormais sur deux axes (hauteur et profondeur) ? Seule certitude, les concepteurs de la Z4 nous assurent que nous ne nous sentirons plus à l'étroit à son bord. Nos bagages non plus puisque le coffre affiche une capacité maximale de 260 litres. « C'est suffisant pour y loger deux sacs de golf », m'assure l'un des porte-parole de la firme bavaroise. Plus accueillante, plus fonctionnelle, la Z4 s'est aussi enrichie d'un dispositif antiretournement, d'un sys-

assurez-vous que ce ne soit pas le 6 cylindres de 2,5 litres qui ronronne sous le capot.

Même si ce moteur permet de rouler en Z4 sans casser sa tirelire, reste que ses 184 chevaux suffiront seulement à larguer une Miata… Optez plutôt pour le 3 litres. Forte de 225 chevaux, cette mécanique s'arrime cette année à une transmission manuelle à 6 rapports. Plus mélodieux maintenant que les acousticiens de la marque ont révisé son timbre de voix et toujours aussi musclé en couple, ce moteur sied mieux au tempérament de ce roadster, mais à quel prix ? L'année dernière, rappelez-vous, BMW exigeait une prime de 9 000 $. Aussi, il sera intéressant de voir la somme exigée pour obtenir la transmission à commande séquentielle (SMG) à 6 rapports, laquelle sera offerte à compter du printemps prochain. Chose certaine, cette transmission ajoutera beaucoup au plaisir de piloter.

Et elle ne sera pas la seule. En effet, la Z4 bénéficiera enfin d'une suspension arrière moderne. Cette dernière, étroitement dérivée de l'actuelle Série 3, devrait non seulement permettre d'ancrer plus solidement ce roadster au sol, mais aussi de mieux filtrer les trous et les bosses qui se répandent comme de la mauvaise herbe sur nos routes.

### En quête d'équilibre

Les relationnistes de BMW se font un devoir de rappeler que le poids de la Z4 est toujours équitablement réparti entre les essieux avant et arrière. C'est très bien, mais est-elle plus lourde que sa devancière ? Motus et bouche cousue. À vérifier, car cela pourrait avoir une incidence sur les performances. En

revanche, nous savons que la direction de ce roadster utilise désormais un mécanisme électrique pour l'assister et qu'elle reçoit aussi une version évoluée du DSC (Dynamic Stability Control).

On retrouve également au rayon des nouveautés un nouveau dispositif électronique appelé DDC (Dynamic Drive Control). Ce système que l'on pourra activer à l'aide d'un bouton n'équipera que les Z4 avec la transmission automatique à cinq rapports. Il permettra une réponse plus spontanée à l'accélération ainsi qu'une démultiplication plus rapide de la direction et autorisera également des changements de rapports plus dynamiques.

### Habitacle agrandi

Au moment d'écrire ces lignes, plusieurs questions sont demeurées sans réponse. Par exemple, les cein-

tème de navigation DVD avec écran escamotable et d'une panoplie de nouveaux instruments au design renouvelé. Ceux-ci sont désormais regroupés sous des visières dans le but de chasser les rayons du soleil. Voilà, c'est tout ce que nous savons.

Ne reste plus maintenant qu'à sortir l'écharpe, les lunettes de soleil et la casquette et à attendre que la Z4 nous invite à prendre ses clefs. Pour juger du travail de ses concepteurs ? Assurément, mais aussi pour prendre un grand bol d'air bien frais.

*Éric Lefrançois*

---

### MODÈLES CONCURRENTS

• Audi TT • Honda S2000 • Mercedes SLK
• Porsche Boxster

### QUOI DE NEUF ?

• Nouveau modèle

### VERDICT          *données insuffisantes*

Agrément de conduite

Fiabilité

Sécurité

Qualités hivernales

Espace intérieur

Confort

### ▲ POUR

• *Données insuffisantes*

### ▼ CONTRE

• *Données insuffisantes*

# Le pur-sang

**Dans le but d'échapper à la monotonie des voitures aussi parfaites qu'ennuyeuses d'aujourd'hui, les constructeurs ressortent les vieux cartons de leurs archives pour y puiser l'inspiration, dans l'espoir de faire revivre les modèles qui ont fait leur gloire passée. Mais pour puiser dans le passé, il faut évidemment avoir eu un passé. Sinon, on copie. Heureusement pour BMW, le passé, sans être éminemment glorieux, a tout de même donné lieu à quelques créations intemporelles. La Z8 s'inspire justement de la plus célèbre.**

Façonnée par Chris Bangle, l'éblouissante Z8 a vu le jour au printemps 2000. Vendue au prix d'une Ferrari et construite au rythme d'une Aston Martin, la sublime BMW se veut une réinterprétation de l'élégant roadster 507 né en 1955 dont le succès commercial fut particulièrement éphémère (252 exemplaires). Mais comme aurait dit le Cid : aux âmes bien nées, la valeur n'attend point le nombre d'exemplaires construits... Autrement dit : au

diable les considérations matérielles, ce qui compte, c'est la beauté des lignes et la noblesse de la mécanique.

### Beauté allemande
Sur le plan de la beauté, la Z8 est tout simplement éblouissante. D'ailleurs, c'est l'une des rares voitures devant lesquelles j'ai véritablement senti le besoin de me recueillir, de faire le vide, le temps d'en admirer l'élégance, la pureté des lignes, l'ex-

quise finition des détails et les innombrables rappels au modèle historique que fut la 507, depuis l'immuable double haricot qui forme la calandre jusqu'aux ouïes chromées qui ornent les flancs, en passant par le capot long et les ailes bombées.

Saveurs néo-rétro aussi à l'intérieur où se mêlent harmonieusement les commandes en aluminium et les cuirs Nappa riches et odorants qui habillent les baquets et tapissent les contre-portes ainsi que le bas du tableau de bord, dont la finition évoque la haute couture. Comment aussi ne pas admirer le magnifique volant à trois branches « guitare », dans le pur style des belles d'antan, ainsi que les instruments nichés sous un saute-vent symbolique aux allures anciennes ? Certes, la position centrale du bloc d'instruments n'est pas un bon exemple d'ergo-

## CARACTÉRISTIQUES

| | |
|---|---|
| Prix du modèle à l'essai | 195 000 $ |
| Échelle de prix | 195 000 $ |
| Assurances | 1063 $ |
| Garanties | 4 ans 80 000 km / 6 ans kilo. illimité |
| Emp. / Long. / Larg. / Haut. (cm) | 251 / 440 / 183 / 132 |
| Poids | 1615 kg |
| Coffre / Réservoir | 195 litres / 73 litres |
| Coussins de sécurité | frontaux et latéraux |
| Suspension avant | indépendante, jambes élastiques |
| Suspension arrière | indépendante, multibras |
| Freins av. / arr. | disque, ABS |
| Système antipatinage | oui |
| Direction | à crémaillère, assistée |
| Diamètre de braquage | 11,6 mètres |
| Pneus av. / arr. | P245/45ZR18 / P275/40ZR18 |

## MOTORISATION ET PERFORMANCES

| | |
|---|---|
| Moteur | V8 5 litres |
| Transmission | propulsion, manuelle 6 rapports |
| Puissance | 394 ch à 6 600 tr/min |
| Couple | 368 lb-pi à 3 800 tr/min |
| Autre(s) moteur(s) | aucun |
| Autre(s) transmission(s) | aucune |
| Accélération 0-100 km/h | 4,9 secondes |
| Reprises 80-120 km/h | 4,5 secondes |
| Vitesse maximale | 250 km/h (limitée) |
| Freinage 100-0 km/h | 37,5 mètres |
| Consommation (100 km) | 14,5 litres (super) |
| • Valeur de revente | très bonne |
| • Renouvellement du modèle | n.d. |

piloter, de préférence sur un circuit fermé où les risques sont évidemment moindres. Là, vous pourrez exploiter l'énorme potentiel de son V8, la rigueur de ses suspensions, la perfection de la répartition du poids, la puissance de ses énormes freins à disque et aussi l'efficacité de tous les « anti » qui équipent la belle bavaroise : antiblocage, antipatinage, antidérapage, bref tous ces systèmes électroniques qui permettent aujourd'hui aux non-initiés à la course automobile de vivre en harmonie avec quelque 400 chevaux sous

nomie, surtout en conduite sportive, car il devient difficile de bien surveiller le compte-tours. Mais ciel, que c'est beau ! Un seul regret : le plastique qui cherche à imiter la tôle peinte des anciens tableaux de bord se mêle aux matériaux nobles qui habillent le reste de l'habitacle et n'est pas digne – aussi bien exécuté soit-il – d'une création de ce prix.

### Des serrures chauffantes !

Pour le reste, la Z8 est magnifiquement équipée : contrôle de pression des pneus, phares au xénon, clignotants et feux arrière au néon, essuie-glaces avant sensibles à la vitesse, arceaux de sécurité gainés de cuir, sièges sport superbement galbés, volant à réglage électrique en hauteur et en profondeur, chaîne audio avec lecteur à six CD logé dans la console arrière, entre les deux sièges et, raffinement suprême, des buses de lave-glace et des serrures de porte chauffantes, sans oublier le sac à outils assorti d'une paire de gants ! Des bémols ? Oui, il y en a, notamment la lunette arrière en plastique qui équipe la capote à commande électrique et les bruits de vent qui se manifestent lorsqu'on roule capote fermée. Il paraît que l'élégant toit rigide amovible dont vous pouvez coiffer votre Z8 contribue à assourdir les turbulences. Et si la manipulation de ce toit vous inquiète, rassurez-vous, il vient accompagné d'un diable qui en facilite la manutention.

### L'aluminium à l'honneur

Montée sur de grosses jantes de 18 pouces en alliage léger chaussés de Bridgestone hautes per-

formances, la Z8 comporte une « structure spatiale en aluminium » (un châssis, en termes clairs), des éléments de suspension en aluminium et une carrosserie en aluminium, ce qui ne l'empêche pas de peser 1 615 kg. C'est beaucoup, mais ça ne nuit que partiellement à l'agrément de conduite. Agrément et facilité d'ailleurs, car la Z8 est d'une docilité exemplaire en ville, son gros V8 de 5 litres – en aluminium – ronronnant tranquillement sous le long capot galbé. C'est le même V8 de près de 400 chevaux qui anime (le mot est faible) la « meilleure berline sport au monde », la BMW M5. Livrable avec la seule boîte manuelle à 6 vitesses, la Z8 ne s'adresse pas à ceux qui veulent tout simplement flâner sur la *Main*. Pour l'apprécier vraiment, et justifier ainsi en partie son prix astronomique, il faut non pas conduire la Z8, mais la

le pied droit. Certes, si le cœur vous en dit et si vous vous sentez le courage et la compétence, vous pouvez déconnecter les « anti » et vous mesurer aux lois de la physique qui chercheront à vous précipiter contre le garde-fou ou dans le ravin qui borde le virage que vous aurez négocié un peu trop vite ou dont vous aurez tenté de sortir en appuyant trop fort sur l'accélérateur électronique qui gère les 394 chevaux animant les roues arrière.

Construite en série limitée à 5 000 exemplaires, la Z8 constitue déjà un objet de collection et de contemplation. C'est peut-être pourquoi BMW garantit aux heureux propriétaires – et à leurs descendants – la disponibilité des pièces de rechange pendant 50 ans.

*Alain Raymond*

---

### MODÈLES CONCURRENTS

- *Acura NSX* • *Aston Martin DB7 Volante*
- *Ferrari 360 Modena* • *Porsche 911 Turbo*
- *Mercedes-Benz SL500*

### QUOI DE NEUF ?

- *Aucun changement majeur*

### VERDICT

| | |
|---|---|
| **Agrément de conduite** | ★★★★⯪ |
| **Fiabilité** | ★★★★ |
| **Sécurité** | ★★★★ |
| **Qualités hivernales** | ★★★ |
| **Espace intérieur** | ★★ |
| **Confort** | ★★★★ |

### ▲ POUR

- Performances remarquables • Freinage exceptionnel
- Superbe tenue de route • Ligne intemporelle
- Belle qualité d'assemblage

### ▼ CONTRE

- Prix élevé • Bruit de vent avec capote fermée
- Lunette en plastique • Forte consommation
- Coffre limité

# Certains préfèrent les grosses

**Il y a ceux qui n'ont d'yeux que pour les japonaises, ceux qui ne jurent que par les allemandes, et ceux, encore, qui n'achèteront jamais autre chose que des américaines. Ces derniers préfèrent généralement les grosses voitures pas compliquées, qui « portent » bien, avec des fauteuils dans lesquels on peut littéralement se caler.**

Si vous êtes de ce nombre, et si de surcroît vous êtes d'âge à utiliser fréquemment l'expression « dans mon temps », les produits de la division Buick devraient vous intéresser. Les deux modèles les moins onéreux, la Century et la Regal, partagent le même châssis et plusieurs éléments mécaniques. Ils montrent toutefois de substantielles différences là où ça compte vraiment, notamment sur le plan de la suspension et de la motorisation, de sorte que chacun possède une individualité ciblant des clientèles distinctes, ne serait-ce que par l'importance du compte en banque.

### Montréal-Québec facile

La Century constitue le modèle d'entrée de la gamme Buick. Elle a tous les attributs qui font la particularité de la marque apparue en 1903, à commencer par sa silhouette aux lignes fluides, sinon « ramollies », et d'un conservatisme un peu anodin qui la condamne à passer inaperçue. Ses dimensions la situent à la ligne de partage des grandes compactes et des berlines intermédiaires. Les sièges avant sont très moelleux, avec un soutien latéral quasiment nul, et les baquets inclus avec l'ensemble « Groupe Sport » ne remédient que médiocrement

à cette situation. La banquette arrière procure un confort acceptable, et laisse un bon dégagement pour les jambes. La soute, qui est munie d'un dispositif de sortie d'urgence, offre assez d'espace pour les besoins d'une famille moyenne, alors que l'habitacle peut théoriquement accueillir six occupants (en pratique, trois personnes assises côte à côte seront plutôt serrées aux encoignures).

La présentation générale est sobre, voire terne. Même si la finition apparaît quand même assez sérieuse, la texture de certains matériaux déçoit. En revanche, les cadrans se lisent bien (les très gros chiffres sont visibles autant pour les myopes que pour les presbytes), les commandes tombent aisément sous la main, et le niveau d'équipement s'avère avantageux pour le prix. Outre la transmission automatique que la concurrence nippone fait

| CARACTÉRISTIQUES | |
|---|---|
| Prix du modèle à l'essai | Century Custom 25 745 $ |
| Échelle de prix | de 25 745 $ à 34 085 $ |
| Assurances | 636 $ |
| Garanties | 3 ans 60 000 km / 3 ans 60 000 km |
| Emp. / Long. / Larg. / Haut. (cm) | 277 / 494 /184,5 / 144 |
| Poids | 1 521 kg |
| Coffre / Réservoir | 473 litres / 64 litres |
| Coussins de sécurité | frontaux et latéraux (en option) |
| Suspension avant | indépendante, jambes de force |
| Suspension arrière | indépendante, triangles obliques |
| Freins av. / arr. | disque / tambour ABS (option) |
| Système antipatinage | oui |
| Direction | à crémaillère, assistance variable |
| Diamètre de braquage | 11,4 mètres |
| Pneus av. / arr. | P205/70R15 |

| MOTORISATION ET PERFORMANCES | |
|---|---|
| Moteur | V6 3,1 litres 12 soupapes |
| Transmission | traction, automatique 4 rapports |
| Puissance | 175 ch à 5 200 tr/min |
| Couple | 195 lb-pi à 4 000 tr/min |
| Autre(s) moteur(s) | V6 3,8 l 200 ch LS; |
| | V6 3,8 l comp. 240 ch GS |
| Autre(s) transmission(s) | aucune |
| Accélération 0-100 km/h | 9,8 secondes |
| Reprises 80-120 km/h | 8,6 secondes |
| Vitesse maximale | 175 km/h (estimée) |
| Freinage 100-0 km/h | 48 mètres |
| Consommation (100 km) | 9,6 litres (ordinaire) |
| • Valeur de revente | moyenne |
| • Renouvellement du modèle | 2004-2005 |

en tout confort, sans que ça lui coûte la peau des fesses.

### Plus puissante, plus luxueuse

La Regal présente des dimensions extérieures légèrement supérieures à la Century, à l'image de sa silhouette plus flatteuse, mais son habitabilité est exactement la même si on considère qu'elle n'offre que les baquets à l'avant. Buick la qualifie de sportive en raison du V6 3,8 litres de 200 chevaux

cher payer, ne l'oublions pas, la Century Custom d'entrée de gamme offre la climatisation manuelle à deux zones, le verrouillage automatisé des portières, les glaces et rétroviseurs électriques, le régulateur de vitesse, en plus d'une sono à six haut-parleurs avec lecteur CD. Cette année, il n'y a plus à proprement parler de Century Limited, ses équipements particuliers faisant maintenant partie d'un groupe d'options. Tout de même curieux qu'il faille un « groupe luxe » pour obtenir la direction à assistance variable et la banquette arrière rabattable 70/30. Heureusement, le reste des « nananes » sauve la mise : climatisation automatique, rétros chauffants, commandes-radio au volant, réglages électriques du siège du conducteur et rétroviseur intérieur à coloration électrochimique pour atténuer les éblouissements nocturnes. Le toit ouvrant et les sièges de cuir sont offerts en option, mais pas les sièges chauffants.

Sous le capot, on retrouve le quasi moribond (j'exagère à peine) V6 de 3,1 litres auquel le dernier traitement au « défibrillateur » a ajouté 15 chevaux, pour un total de 175. Bien que rugueux et bruyant en accélération, il procure à la Century assez de puissance pour ne pas être à la peine dans le trafic. Il fait équipe avec la transmission automatique à 4 rapports pratiquement sans reproches, et qui lui est bien adaptée. On ne peut en dire autant des suspensions, dont la douceur ouatée est mise à mal sur les surfaces hostiles de nos routes, comme si l'huile des amortisseurs avait été remplacée par de la crème Chantilly. Entre tangage et sous-virage, le confort demeure tout de

même acceptable, et la direction s'avère raisonnablement précise, bien qu'elle ne renseigne guère plus sur l'état de la chaussée, bâillonnée par des pneus de format et de performances indignes. Les freins possèdent une puissance raisonnable, mais ils manquent d'endurance, et la pédale est plutôt spongieuse. Soulignons que cette année, l'ABS devient optionnel (décision inappropriée du constructeur, à mon avis) tandis qu'au chapitre de la sécurité passive, on note que le seul coussin gonflable latéral disponible est en option pour le conducteur seulement, ce qui cadre assez mal avec les prétentions familiales de cette berline. De fait, la Century semble plutôt destinée au représentant de commerce soucieux d'afficher une image de sérieux, et qui ne demande rien de plus à sa voiture que de faire l'aller-retour Montréal-Québec

qui équipe la LS, et surtout de la version suralimentée par un compresseur volumétrique qu'on retrouve dans la GS. Il est vrai que les 240 chevaux de cet engin impressionnent, mais la Regal ne dispose guère des atouts pour exploiter au mieux cette puissance, malgré des roues de 16 pouces et une suspension « Gran Touring » aux réglages plus fermes. Tout ce qui a été écrit précédemment sur la tenue de route de la Century pourrait en effet être répété ici, à quelques degrés près. Le V6 atmosphérique paraît donc mieux convenir en termes d'homogénéité, à moins que l'on tienne absolument à la sellerie de cuir et au prestige accru de la GS. Comme la Century, la Regal n'ajoute pas grand-chose de neuf cette année, à part quelques éléments qui ne la rendent pas vraiment plus attrayante.

*Jean-Georges Laliberté*

---

### MODÈLES CONCURRENTS

- *Chrysler Sebring • Ford Taurus • Hyundai Sonata*
- *Kia Magentis • Pontiac Grand Prix • Saturn Série L*

### QUOI DE NEUF ?

- *Retouches esthétiques extérieures • Groupe d'options Limited • ABS désormais optionnel*
- *Nouvelles couleurs de carrosseries*

### VERDICT

| | |
|---|---|
| **Agrément de conduite** | ★★★ |
| **Fiabilité** | ★★★⯪ |
| **Sécurité** | ★★★⯪ |
| **Qualités hivernales** | ★★★⯪ |
| **Espace intérieur** | ★★★★ |
| **Confort** | ★★★⯪ |

### ▲ POUR

- Motorisations correctes • Habitacle spacieux et confortable • Fiabilité satisfaisante • Prix intéressants
- Direction assez précise

### ▼ CONTRE

- Conduite ennuyeuse • Tangage et sous-virage
- Mauvais soutien latéral de la banquette avant
- Silhouette anonyme • Pneumatiques bas de gamme

# Une avenue méconnue

**Un de mes voisins nouvellement retraité prévoit changer d'automobile. Il recherche une grosse berline d'apparence classique, confortable et luxueuse, le genre de voiture qui lui permettrait de se rendre à son «pèlerinage» annuel en Floride le plus agréablement possible, avec conjointe, armes et bagages. Cette merveille doit se situer par son prix au bas de l'échelle des berlines de luxe, et son coût d'utilisation doit être raisonnable.**

**C**urieusement, la Buick Park Avenue ne se retrouve pas parmi la liste de six ou sept voitures dont il envisage l'achat, même si elle répond plus fidèlement à ses exigences que certaines des autres candidates. Voilà qui en dit long sur le désintéressement dont fait l'objet cette opulente voiture, malgré la notoriété d'une division dont elle constitue en principe le porte-étendard. Son homogénéité et ses qualités d'ensemble devraient pourtant lui permettre d'obtenir une meilleure note.

### Une enveloppe terne, un comportement insoupçonné

L'indifférence que semble susciter la Park Avenue est à l'image de ses formes anonymes. Non pas qu'elle soit laide, bien au contraire, elle a de la classe et de l'élégance, mais ses lignes vieillottes affichent un conservatisme qui gagnerait à être épicé d'une pincée de modernité. Et ce ne sont pas les quelques retouches dont elle fait l'objet pour 2003 qui changeront notre perception; on imagine encore avoir affaire à une autre de ces

vieilleries des années 70 aux manières de pachyderme !

Eh bien non ! une promenade à bord de la Park Avenue permet de constater combien son comportement satisfait dans l'ensemble, même s'il est vrai que plusieurs de ses éléments mécaniques ne font pas dans la nouveauté, à commencer par le V6 3,8 litres de 205 chevaux qui mène la version de base. Nonobstant son grand âge, il fournit encore et toujours des prestations intéressantes, même si sa puissance paraît un peu juste pour la corpulente Park Avenue. Si vos habitudes de conduite vous amènent à faire de fréquents dépassements, vous auriez avantage à retenir la version suralimentée, de série dans la plus luxueuse Ultra. Avec ses 240 chevaux et un couple de 280 lb-pi à 3 600 tr/min, il démontre l'ardeur nécessaire pour faire s'étrangler de surprise

## CARACTÉRISTIQUES

| | |
|---|---|
| **Prix du modèle à l'essai** | Ultra 45 540 $ |
| **Échelle de prix** | de 45 540 $ à 51 545 $ |
| **Assurances** | 745 $ |
| **Garanties** | 3 ans 60 000 km / 3 ans 60 000 km |
| **Emp. / Long. / Larg. / Haut. (cm)** | 289 / 525 / 190 / 146 |
| **Poids** | 1 773 kg |
| **Coffre / Réservoir** | 541 litres / 70 litres |
| **Coussins de sécurité** | frontaux et latéraux |
| **Suspension avant** | indépendante, jambes de force |
| **Suspension arrière** | indépendante, leviers triangulés |
| **Freins av. / arr.** | disque, ABS |
| **Système antipatinage** | oui |
| **Direction** | à crémaillère, assistance variable |
| **Diamètre de braquage** | 12,2 mètres |
| **Pneus av. / arr.** | P235/55R17 |

## MOTORISATION ET PERFORMANCES

| | |
|---|---|
| **Moteur** | V6 3,8 litres compresseur |
| **Transmission** | traction, automatique 4 rapports |
| **Puissance** | 240 ch à 5 200 tr/min |
| **Couple** | 280 lb-pi à 3 600 tr/min |
| **Autre(s) moteur(s)** | V6 3,8 litres 205 ch |
| **Autre(s) transmission(s)** | aucune |
| **Accélération 0-100 km/h** | 9,1 secondes |
| **Reprises 80-120 km/h** | 7,9 secondes |
| **Vitesse maximale** | 180 km/h (estimée) |
| **Freinage 100-0 km/h** | 46 mètres |
| **Consommation (100 km)** | 12,5 litres (super) |

| | |
|---|---|
| • Valeur de revente | moyenne |
| • Renouvellement du modèle | 2004-2005 |

assise au milieu. Les coussins mous qui n'offrent pratiquement pas de support latéral s'ajustent à l'aide de 10 réglages électriques, mais seuls ceux de l'Ultra sont pourvus de la fonction mémorisation. Un ensemble baquets et console centrale prodiguant un meilleur soutien est disponible en option. La banquette arrière permet quant à elle d'asseoir trois personnes à leur aise, mais le dossier, fixe, ne comporte pas d'ouverture permettant d'accéder au coffre. Heureusement, ce dernier est tellement vaste qu'on peut presque s'en passer.

les jeunes impudents qui oseraient vous faire le coup du «tasse-toé, mononcle!» Une seule boîte de vitesses, automatique à 4 rapports, est jumelée à l'un ou l'autre engin, et elle s'acquitte de sa tâche avec compétence et douceur.

Forte de son châssis très rigide, la Park Avenue aurait le potentiel voulu pour autoriser un style de pilotage assez enthousiaste, si Buick n'avait choisi de favoriser le confort en concoctant une suspension qui lénifie la conduite comme si on avait remplacé les pneus par des guimauves géantes. Résultat : on doit freiner ses ardeurs, car la caisse se dandine sur les bosses et s'incline fortement en virage. La suspension Gran Touring qui équipe la version Ultra raffermit un peu son caractère, mais elle manque encore de tonus. En contrepartie, l'on ne saurait trouver environnement plus calme et silencieux, ni conduite plus aisée, tant qu'on s'en tient aux autoroutes. La direction à assistance variable Magnasteer, de série dans l'Ultra (ou incluse avec le groupe d'options Gran Touring) est précise et assez ferme, à défaut de toujours bien renseigner sur l'état de la chaussée. La pédale de frein offre une résistance rassurante, mais il vaut mieux être prudent, car les distances de freinage sont aussi longues que l'on peut s'y attendre avec des pneus à l'adhérence très ordinaire. Outre un antipatinage assez «interventionniste», le système de stabilité électronique StabiliTrak (de série sur le modèle Ultra) aide le conducteur à garder le contrôle, dans l'éventualité (très peu probable) où il voudrait outrepasser les capacités de la voiture.

### Le charme soporifique de la bourgeoisie

Avec son gabarit quand même assez imposant, il eût été surprenant que l'habitacle de la Park Avenue ne soit pas spacieux. Par instants, il l'est même un peu trop, car il faut s'étirer les bras et se pencher pour rejoindre certaines commandes posées sur la planche de bord. Le conducteur profite heureusement des contrôles redondants de la sono et de la climatisation sur le volant. Si la qualité de l'assemblage semble bonne, certains plastiques déçoivent par leur apparence et leur dureté, tout comme le cuir des sièges qui m'a paru assez mince.

Théoriquement, six occupants peuvent prendre place à bord, mais la conception du dossier central de la banquette avant (qui sert aussi d'accoudoir repliable) impose un réel inconfort à la personne

La version de base offre la plupart des accessoires auxquels on s'attend dans une voiture de ce prix, y compris la climatisation à deux zones et une sono d'excellente qualité. Parmi les attentions supplémentaires que comporte l'Ultra, mentionnons l'ordinateur de bord et le système OnStar. Outre le toit ouvrant, la liste d'équipement optionnel comprend le système de visualisation «tête haute» qui projette l'affichage de la vitesse dans le pare-brise et un radar de stationnement arrière avec alarme sonore et visuelle détectant les objets derrière le véhicule.

En somme, une grosse américaine telle la Park Avenue demeure encore un des meilleurs moyens d'effectuer de longs trajets sur autoroute, confortablement, sereinement et en toute sécurité, si vous n'avez pas trop de difficulté à combattre le sommeil.

*Jean-Georges Laliberté*

---

### MODÈLES CONCURRENTS

• *Acura RL* • *Cadillac DeVille* • *Chrysler Concorde*
• *Lincoln Town Car* • *Mercury Grand Marquis*
• *Toyota Avalon*

### QUOI DE NEUF?

• *Quelques détails à la carrosserie* • *Groupe Tranquillité d'esprit livrable en option* • *3 nouvelles couleurs*

### VERDICT

| | |
|---|---|
| **Agrément de conduite** | ★★★ |
| **Fiabilité** | ★★★★◗ |
| **Sécurité** | ★★★★ |
| **Qualités hivernales** | ★★★ |
| **Espace intérieur** | ★★★★ |
| **Confort** | ★★★★◗ |

### ▲ POUR

• Habitabilité supérieure • Silence impressionnant
• Fiabilité intéressante • Équipement complet
• Prix concurrentiel

### ▼ CONTRE

• Suspension de base trop molle • Certains matériaux bas de gamme • Lignes banales • Banquette avant inconfortable

# La normale ?

**La beauté et le dédain sont parfois inséparables. À partir d'une même plate-forme, les ingénieurs de chez GM ont réalisé deux véhicules aussi différents que le joli Buick Rendezvous et le vilain gros canard Aztek. On sait que ce dernier cache une mécanique quand même assez compétente sous cette robe d'un goût douteux, mais en ce qui a trait au Buick, la beauté a-t-elle seulement l'épaisseur de la tôle ?**

À première vue, l'observateur tente vainement de deviner à « qui » il a affaire. Le Rendezvous n'est pas à proprement parler une fourgonnette puisque ses portières classiques à l'arrière ne coulissent pas, non plus un véhicule utilitaire sport, car son groupe motopropulseur est emprunté à la Pontiac Montana et parce qu'il ne possède pas de boîte de transferts pour sa version intégrale. En fait, on a encore affaire à un véhicule hybride, ou « multiusage », à qui on a donné la périlleuse mission

de plaire à tout le monde et à son père, et à la mère de famille, et surtout à une clientèle qui serait moins âgée que l'achalandage typique qui défile de plus en plus péniblement dans les concessions Buick. Mais, trêve de définition, et examinons plutôt en détail cette espèce de créature androgyne.

## Avantage Buick

Le Rendezvous et l'Aztek ont sensiblement la même taille même si l'empattement et la longueur hors tout du Buick s'étirent sur à peu près 10 cm de plus.

Ce dernier se distingue aussi par une suspension arrière indépendante même en version traction, mais ils partagent le même groupe motopropulseur. On retrouve en effet l'omniprésent tandem formé par le V6 3,4 litres, couplé impérieusement à une automatique à 4 rapports. C'est la boîte qui réussit la meilleure prestation, car elle fonctionne avec douceur et efficacité. Le moteur ne réussit plus à camoufler ses cheveux blancs et s'essouffle au-delà de 4 000 tr/min, bien qu'il fonctionne adéquatement en deçà de ce régime pourtant bien modeste. Les reprises satisfont dans l'ensemble, sauf à pleine charge où pépé devrait pouvoir compter sur une pompe pour lui dilater les bronches.

L'acheteur a le choix entre trois agencements des places assises puisque le Rendezvous qui se décline en CX et CXL offre à la base des baquets

## CARACTÉRISTIQUES

| | |
|---|---|
| **Prix du modèle à l'essai** | CXL Ti 43 785 $ |
| **Échelle de prix** | de 31 315 $ à 41 750 $ |
| **Assurances** | 835 $* |
| **Garanties** | 3 ans 60 000 km / 3 ans 60 000 km |
| **Emp. / Long. / Larg. / Haut. (cm)** | 285 / 473 / 187 / 182 |
| **Poids** | 1 890 kg |
| **Coffre / Réservoir** | 281 / 1 880 / 2 919 / 70 litres |
| **Coussins de sécurité** | frontaux et latéraux |
| **Suspension avant** | indépendante, leviers triangulés |
| **Suspension arrière** | indépendante, leviers triangulés |
| **Freins av. / arr.** | disque, ABS |
| **Système antipatinage** | oui |
| **Direction** | à crémaillère, assistée |
| **Diamètre de braquage** | 11,4 mètres |
| **Pneus av. / arr.** | P215/70R16 |

## MOTORISATION ET PERFORMANCES

| | |
|---|---|
| **Moteur** | V6 3,4 litres 12 soupapes |
| **Transmission** | intégrale, automatique 4 rapports |
| **Puissance** | 185 ch à 5 200 tr/min |
| **Couple** | 210 lb-pi à 4 000 tr/min |
| **Autre(s) moteur(s)** | aucun |
| **Autre(s) transmission(s)** | aucune |
| **Accélération 0-100 km/h** | 11,8 secondes |
| **Reprises 80-120 km/h** | 8,3 secondes |
| **Vitesse maximale** | 180 km/h (estimée) |
| **Freinage 100-0 km/h** | 43 mètres |
| **Consommation (100 km)** | 10,7 litres (ordinaire) |
| • Valeur de revente | moyenne |
| • Renouvellement du modèle | n.d. |

Le comportement routier du Rendezvous demeure un peu une énigme. Le véhicule de presse à traction intégrale essayé au Québec pendant une semaine avait une suspension tellement molle qu'il engendrait le mal de mer sur les grandes ondulations des autoroutes. Par ailleurs, un modèle 2003 à simple traction conduit peu après au Michigan (sur des routes aussi défoncées qu'au Québec) semblait beaucoup mieux contrôlé même s'il manquait encore de retenue. Un ingénieur responsable des suspensions chez Buick m'assure pourtant que les

à l'avant et une banquette 50/50 amovible dans la rangée médiane, avec la possibilité d'avoir des baquets pour la 2e rangée et une banquette complètement à l'arrière. Le dossier de cette dernière se replie pour augmenter la capacité de la soute à bagages qui n'est pas très imposante sans cette mesure. Le mobilier diffère complètement de celui de l'Aztek en ce sens qu'il fait dans le classique. Les tissus assez cossus ne heurtent pas le regard et le cuir deux tons, offert dans le CXL, semble de qualité honorable. La planche de bord plus conventionnelle est attrayante, mais le fond des instruments réalisé en plastique peint de couleur aluminium détonne un peu. Les contrôles et les touches au dessin et au toucher agréables redonnent confiance envers les designers de GM. L'habitacle plus vaste et aussi plus haut que celui de l'Aztek dégage un environnement aéré dans lequel il est agréable de rouler. Les fauteuils à l'avant vous assurent un confort appréciable, malgré la platitude de leur assise, et les passagers de la 2e rangée sont assez bien lotis. Le bât blesse davantage pour les perdants à la loterie qui échouent à l'arrière. Les espaces de rangement de bonne dimension abondent et un lecteur de CD/DVD avec écran à cristaux liquides est offert en option pour captiver les jeunes pendant le voyage. Le moins que l'on puisse dire, c'est qu'on s'éloigne de la gériatrie.

### Bien garni et compétent
Parlant de l'équipement, la version CX embarque entre autres des freins à disque partout, des roues

de 16 pouces, l'antipatinage toutes vitesses, un lecteur CD, la climatisation, le régulateur de vitesse et les principales assistances électriques. Le CXL ajoute principalement le groupe freins ABS/coussins de sécurité latéraux, (qui étaient de série en 2002), l'antipatinage, le système OnStar, la climatisation à deux zones, une galerie de toit, les sièges, rétroviseurs et radio avec mémorisation, ainsi qu'un indicateur de gonflage des pneus. Le Rendezvous peut aussi recevoir le système de traction intégrale VersaTrak dont l'intervention s'accomplit de façon complètement transparente. Lorsque les capteurs de l'ABS détectent un patinage des roues avant, la puissance est répartie vers le train arrière grâce à un différentiel autobloquant et à deux pompes de type gérotor. Simple, et efficace dans la plupart des circonstances.

ressorts et les amortisseurs sont identiques dans tous les modèles. Dans tous les cas cependant, les limites de l'adhérence sont rapidement atteintes avec un centre de gravité assez haut perché et des pneumatiques bien ordinaires en taille 70. Le mieux est de l'essayer vous-même si vous envisagez d'en faire l'achat.

Il n'est pas surprenant que les ventes du Rendezvous dépassent et de loin celles de l'Aztek. En offrant un véhicule original et compétent s'adressant à une clientèle plus jeune mais aisée, dont l'archétype est représenté jusqu'à un certain point par Tiger Woods, la division Buick enregistre une progression de son chiffre d'affaires, et peut maintenant compter sur une clientèle «élargie» vers le bas. Beau coup! On pourrait même compter un oiselet.

*Jean-Georges Laliberté*

---

### MODÈLES CONCURRENTS
• *Chrysler Town & Country* • *Pontiac Aztek et Montana*
• *Toyota Highlander et Matrix*

### QUOI DE NEUF?
• *Groupe freins ABS/coussins latéraux en option (CX, CX Plus)* • *Centre de divertissement DVD* • *Configuration 7 places en option partout*

### VERDICT

| | |
|---|---|
| **Agrément de conduite** | ★★★⯪ |
| **Fiabilité** | ★★★ |
| **Sécurité** | ★★★★ |
| **Qualités hivernales** | ★★★★⯪ |
| **Espace intérieur** | ★★★★ |
| **Confort** | ★★★★ |

### ▲ POUR
• **Silhouette plus flatteuse** • **Bonne habitabilité**
• **Intérieur attrayant** • **Traction VersaTrak efficace**
• **Équipement complet**

### ▼ CONTRE
• **Moteur désuet** • **Pneumatiques mal adaptés**
• **Coffre petit** • **ABS en option (de base)**
• **Suspension trop molle**

COUP DE CŒUR

# *Encore une marche à monter*

**Vous souvenez-vous de l'époque où le nom Cadillac était la norme d'excellence en Amérique, une référence incontournable pour identifier n'importe quel produit de haute qualité ? Cette époque est, hélas ! révolue et l'image de la marque américaine s'est sérieusement effritée depuis une vingtaine d'années. D'un symbole de réussite, les Cadillac sont devenues des voitures inintéressantes et d'un autre âge réservées à des retraités qui continuent a se delecter de la musique de Glen Miller. La génération actuelle leur préfère des berlines allemandes plus sophistiquées, du moins dans l'esprit des acheteurs. Pour renverser la vapeur, Cadillac vient de mettre en branle la phase 1 d'un programme de restructuration qui équivaut ni plus ni moins à la renaissance d'une marque autrefois auréolée de prestige.**

L e défi est immense et la voiture qui doit le relever est la CTS, une berline que l'on dit sportive, luxueuse et, surtout, de classe internationale, pour reprendre une expression un peu galvaudée. Apparue sur le marché au début de 2002 comme modèle 2003, cette petite Cadillac a le lourd mandat de courtiser une clientèle qui s'intéresse avant tout aux BMW, Audi, Mercedes-Benz ou Jaguar. Elle sera secondée d'ici quelques mois par la SRX, (voir photo) une sorte de familiale à traction intégrale, un peu dans le style de l'Audi Allroad.

### *Un châssis d'une redoutable efficacité*

Bien que construite en Amérique, la CTS a été élaborée en Europe et les ingénieurs chargés de sa mise au point se sont longuement attardés à l'agrément de conduite en optant notamment pour

la propulsion plutôt que pour la traction. Les prototypes ont aussi parcouru des centaines de kilomètres d'essai sur le circuit original du Nürburgring en Allemagne, un tracé truffé de pas moins de 176 *(sic)* virages disséminés sur 21 km. L'expérience a porté fruit. Sur des routes ordinaires plus ou moins rectilignes, la CTS ne laissait rien deviner de son comportement routier, mais il m'a suffi d'emprunter un petit chemin sinueux au revêtement assez dégradé pour constater que la voiture mérite pleinement l'appellation de berline sport. Le châssis, on le constate, a fait l'objet d'une attention particulière et sa rigidité, mesurée par l'absence totale de bruits de caisse, inspire une grande confiance. Bref, la CTS tient merveilleusement la route et n'a rien à envier à ce chapitre à ses rivales allemandes, aussi douées soient-elles.

Curieusement, il est préférable de s'en tenir à la suspension de base et de ne pas commettre l'er-

reur de cocher l'option « Sport Suspension » dont les réglages et les pneus de 17 pouces s'accommodent fort mal des nids-de-poule ou autres décadences de notre réseau routier.

Lors de mon premier essai (avec un modèle de base), j'avais eu l'occasion de découvrir une voiture fort agréable à conduire, mais la deuxième CTS mise à ma disposition par General Motors pour quelques milliers de kilomètres affichait un comportement beaucoup moins emballant. Le blâme revient à la suspension sport qui hypothèque considérablement le confort sans vraiment améliorer la tenue de route. Les trous et les bosses sont durement ressentis et gâchent énormément le plaisir que l'on peut éprouver à conduire cette Cadillac nouvelle vague. Et le correcteur électronique d'assiette arrière qui accompagne l'option sport n'ajoute vraiment rien au comportement de la voiture.

### *L'automatique, la meilleure amie du moteur*

La rigueur du châssis est telle qu'on l'on se plaît à souhaiter un moteur un peu plus costaud. Pourtant, le V6 3,2 litres de la CTS se défend assez bien et possède entre autres une sonorité sportive exquise. Ses 220 chevaux se comparent à ce que l'on trouve chez la concurrence et les performances sont aussi du même ordre avec un 0-100 km/h autour de 8 secondes (contre 8,1 secondes pour une Audi A4 3 litres).

Seul le couple paraît moins coopératif au moment de doubler un autre véhicule. Mesurée sur un parcours d'environ 3000 km (dont 80 % sur autoroute), la consommation s'est limitée à 11,6 litres aux 100 km, une moyenne très raisonnable pour une voiture de cette catégorie. Cadillac prépare déjà une version haute performance de la CTS qui fera son apparition en 2004. Il s'agit du modèle V-Series qui en plus d'un moteur V8 d'environ 340 chevaux recevra toute la panoplie propre aux voitures du genre : suspension raffermie, pneus à taille basse,

échappement double et un look (voir croquis) distinctif aussi bien à l'extérieur qu'à l'intérieur.

Quant à la CTS actuelle, sa transmission automatique à 5 rapports est l'une des meilleures du genre et certains constructeurs allemands (même Mercedes-Benz) auraient intérêt à s'en inspirer. D'ailleurs, BMW l'a déjà fait et ses modèles de

### ■ ÉQUIPEMENT DE SÉRIE

• Assistance OnStar • Climatisation deux zones
• Antipatinage • Sièges chauffants en cuir

### ■ ÉQUIPEMENT EN OPTION

• Toit ouvrant vitré • Chaîne stéréo à 8 haut-parleurs Bose • Phares au xénon • Suspension sport

*Cadillac SRX*

Série 5 (y compris l'utilitaire X5) sont équipés de la même boîte que GM France vend à la marque bavaroise. Elle s'avère le meilleur atout du groupe propulseur grâce à une réponse instantanée à la moindre sollicitation de l'accélérateur. Dans la CTS, on a droit à des passages de rapports vifs comme l'éclair sans jamais avoir à endurer ces délais ou ces hésitations issus d'une électronique mal gérée. Soulignons au passage que Cadillac n'a pas cru nécessaire de la doter d'un mode manuel comme on en trouve sur plusieurs modèles concurrents. En revanche, un bouton permet de modifier le fonctionnement de la boîte afin de l'adapter à une conduite sportive ou hivernale. Son seul handicap est qu'elle semble quelquefois avoir du mal à déterminer le rapport le plus souhaitable entre le 4e et le 5e, ce qui donne lieu à de fréquents changements de vitesse. Dans l'ensemble, le parfait rendement de la transmission automatique permet d'oublier la boîte manuelle Getrag à 5 rapports aussi offerte sur la CTS.

Cette Cadillac à l'européenne est bien servie pas une direction à crémaillère qui gagne en précision et en sensibilité grâce à l'élimination de tous ces isolants en caoutchouc habituellement utilisés pour gommer le volant des secousses de la route. Un autre avantage non négligeable est le diamètre de braquage très court qui facilite les manœuvres de stationnement en ville, ce qui compense pour une visibilité de ¾ arrière plutôt réduite en raison de la largeur du pilier C.

À partir de 140 km/h, la deuxième CTS mise à l'essai souffrait d'un grondement peu rassurant qui semblait provenir du rouage d'entraînement et qui s'amplifiait au fur et à mesure que la vitesse augmentait. Ce problème ne s'étant pas manifesté sur l'autre modèle conduit précédemment, il faut en déduire qu'il n'affecte pas l'ensemble de la production.

### La vie à bord

Outre un tableau de bord massif et d'une élégance discutable, la première chose qui frappe en s'installant au volant est l'étroitesse du pare-brise et, de façon moindre, celle de l'habitacle. Élaborée en fonction des marchés étrangers, cette Cadillac 2003 est moins large que beaucoup de voitures américaines afin de pouvoir circuler plus facilement dans les petites rues secondaires des grandes villes d'Europe. L'habitabilité en souffre nécessairement et il est hors de question de faire asseoir un 3e passager sur la banquette arrière. Un long séjour à l'arrière n'est d'ailleurs pas une expérience de tout repos en raison de la dureté des coussins des sièges et d'un espace pour la tête à peine convenable malgré le creux pratiqué dans le revêtement du plafond. À l'avant, le confort est très supérieur grâce à de bons sièges baquets et à une position de conduite bien étudiée. Toutefois, même en bénéficiant du réglage le plus élevé, les conducteurs de petite taille se trouveront assis trop bas. Pour une berline qui incite à la conduite sportive, on se demande aussi pourquoi la CTS est privée d'une poignée de maintien du côté passager. Le

### CARACTÉRISTIQUES

| | |
|---|---|
| Prix du modèle à l'essai | CTS 48 235 $ |
| Échelle de prix | de 39 900 $ à 45 675 $ |
| Assurances | 1214 $ |
| Garanties | 4 ans 80 000 km / 4 ans 80 000 km |
| Emp. / Long. / Larg. / Haut. (cm) | 288 / 483 / 179,5 / 144 |
| Poids | 1643 kg |
| Coffre / Réservoir | 362 litres / 66,3 litres |
| Coussins de sécurité | front., laté. et rideaux gonflables |
| Suspension avant | indépendante, bras asymétrique |
| Suspension arrière | indépendante, multibras |
| Freins av. / arr. | disque, ABS |
| Système antipatinage | oui |
| Direction | à crémaillère, assistance variable |
| Diamètre de braquage | 10,8 mètres |
| Pneus av. / arr. | P225/50R17 |

### MOTORISATION ET PERFORMANCES

| | |
|---|---|
| Moteur | V6 3,2 litres |
| Transmission | propulsion, automatique 5 rapports |
| Puissance | 220 ch à 6000 tr/min |
| Couple | 218 lb-pi à 3400 tr/min |
| Autre(s) moteur(s) | V8 5,7 litres 340 ch (2003 ¹/₂) |
| Autre(s) transmission(s) | manuelle 5 rapports Getrag |
| Accélération 0-100 km/h | 7,9 secondes |
| Reprises 80-120 km/h | 6,2 secondes |
| Vitesse maximale | 238 km/h |
| Freinage 100-0 km/h | 42,7 mètres |
| Consommation (100 km) | 11,6 litres |
| Niveau sonore | Ralenti : 44,2 dB |
| | Accélération : 78,1 dB |
| | 100 km/h : 65,5 dB |

### Trahie par son look

Malgré de belles prestations, la Cadillac CTS a encore une marche à monter avant de pouvoir accéder au podium des berlines sport. En revanche, elle s'est fort bien défendue lors de notre match comparatif l'opposant à la BMW 330i et à l'Infiniti G35. Sa ligne controversée, un tableau de bord très discutable et certains petits détails d'aménagement risquent de faire oublier ses qualités intrinsèques, dont son excellent comportement routier. Dans son désir de se démarquer, Cadillac est sans doute allé

CTS V-Series

gros volant mi-cuir, mi-bois comprend plusieurs commandes permettant notamment de contrôler les données d'un ordinateur de bord très complet et surtout moins complexe que celui des récentes BMW de Série 7 ou Mercedes de Classe S. J'ai moins aimé par contre le petit bouton rotatif servant à régler le volume de la radio. Il est trop facile de l'accrocher en tournant le volant, pro-

voquant du même coup une tonne de décibels dans l'habitacle. Cela permet à tout le moins de juger de l'excellente qualité de la chaîne audio Bose et de ses huit haut-parleurs. Les plus pointilleux regretteront aussi que le volant ne soit réglable que sur l'axe de la hauteur. La console centrale proéminente reste toutefois l'irritant majeur du tableau de bord de la CTS.

un peu trop loin en adoptant un style qui est loin de faire l'unanimité. C'est d'autant plus dommage que l'on voudrait aimer cette CTS, ne serait-ce que pour saluer le bel effort de ceux qui ont osé sortir des sentiers battus en créant ce qui est certainement la Cadillac la plus agréable qu'il m'ait été donné de conduire à ce jour.

*Jacques Duval*

### MODÈLES CONCURRENTS

• Audi A4 3 litres • BMW 330i • Infiniti G35
• Jaguar X-Type • Lexus IS 300 • M.-B. C320 • Volvo S60

### VERDICT

| | |
|---|---|
| Agrément de conduite | ★★★★ |
| Fiabilité | nouveau modèle |
| Sécurité | ★★★★ |
| Qualités hivernales | ★★★✦ |
| Espace intérieur | ★★★✦ |
| Confort | ★★★ |

### ▲ POUR

• Excellent comportement routier • Direction impeccable • Transmission automatique remarquable • Bon freinage • Faible niveau sonore

### ▼ CONTRE

• Ligne controversée • Tableau de bord massif • Places arrière restreintes et inconfortables • Suspension sport désagréable • Mauvaise visibilité arrière

# La pionnière

**Avec l'arrivée de la spectaculaire CTS et les succès des véhicules utilitaires sport Escalade et EXT arborant l'écusson Cadillac, il est certain que cette division est en voie de retrouver son prestige d'antan. Et pour mettre les choses en perspective, soulignons que la DeVille a été la première à sonner la charge de ce retour lors de sa révision en profondeur en 2001. Elle proposait alors les éléments qui allaient s'intégrer dans les autres modèles à venir et confirmer aux responsables de la division qu'ils avaient pris les bonnes décisions.**

Jadis d'un désolant manque de personnalité, la silhouette de la DeVille 2001 a été la première à mettre l'accent sur les angles plus aigus, les phares avant proéminents et les imposants feux arrière verticaux. De plus, son nez plutôt épaté lui confère un air plutôt agressif. Bref, qu'on soit d'accord ou pas avec cette approche esthétique, il est sûr que la DeVille est plus qu'une autre grosse voiture américaine empreinte de banalité. Elle a de la présence sur la route et ses caractéristiques visuelles ont tellement plu qu'elles ont été amplifiées sur la CTS.

Certains lui reprochent quand même un certain manque de définition des éléments visuels. Il ne faut toutefois pas perdre de vue que la DeVille est la Cadillac qui se vend le plus et que sa clientèle a toujours été assez conservatrice. Il ne fallait pas l'effrayer avec une présentation trop radicale. Le même choix a été fait dans l'habitacle où la planche de bord est très sobre. Mais, à défaut d'être original, ce tableau de bord est facile à consulter et on y trouve les commandes de façon très intuitive. Contrairement à ce qui est le cas dans certaines européennes parfois trop sophistiquées, pas besoin de potasser le manuel du propriétaire pendant des jours pour s'y retrouver.

### Version nocturne

Cette berline aux allures assez bourgeoises continue d'être le seul véhicule de tourisme à offrir un système de « vision nocturne » qui permet de voir en pleine obscurité. Un faisceau à rayons infrarouges scrute l'avant de la voiture et projette sur un écran tête haute ce que l'œil ne peut voir dans la nuit. Il est alors possible de détecter à l'avance la présence d'humains, d'animaux et même de véhicules en marche plusieurs

## CARACTÉRISTIQUES

| | |
|---|---|
| Prix du modèle à l'essai | DTS 64 925 $ |
| Échelle de prix | 54 925 $ à 64 925 $ |
| Assurances | 1 061 $ |
| Garanties | 4 ans 80 000 km / 4 ans 80 000 km |
| Emp. / Long. / Larg. / Haut. (cm) | 293 / 526 / 189 / 144 |
| Poids | 1 835 kg |
| Coffre / Réservoir | 541 litres / 66 litres |
| Coussins de sécurité | frontaux et latéraux |
| Suspension avant | indépendante, jambes de force |
| Suspension arrière | indépendante, bras asymétriques |
| Freins av. / arr. | disque ABS |
| Système antipatinage | oui |
| Direction | à crémaillère, assistance variable électro. |
| Diamètre de braquage | 12,6 mètres |
| Pneus av. / arr. | P235/55HR17 |

## MOTORISATION ET PERFORMANCES

| | |
|---|---|
| Moteur | V8 4,6 litres |
| Transmission | traction, automatique 4 rapports |
| Puissance | 300 ch à 6 000 tr/min |
| Couple | 295 lb-pi à 4 400 tr/min |
| Autre(s) moteur(s) | V8 4,6 litres 275 ch |
| Autre(s) transmission(s) | aucune |
| Accélération 0-100 km/h | 7,5 secondes |
| Reprises 80-120 km/h | 6,9 secondes |
| Vitesse maximale | 210 km/h (limitée) |
| Freinage 100-0 km/h | 42,3 mètres |
| Consommation (100 km) | 14,3 litres (ordinaire) |

| | |
|---|---|
| • Valeur de revente | faible |
| • Date de renouvellement du modèle | 2005 |

cer les pneus très souvent si vous voulez piloter cette limousine comme un coupé sport. Un détail en passant : la prochaine génération de ce modèle devrait être une propulsion. Voilà qui risque d'être intéressant.

Il ne faut pas croire non plus que les versions de base et DHS ne sont pas dignes de mention. Leur tenue de route est moins au point et leurs accélérations et reprises moins percutantes, mais le fait demeure que ces deux modèles font une bouchée de la Lincoln Town Car à tous les points

seconde avant que nos yeux les perçoivent. Par contre, il faut avouer que cet accessoire nécessite un certain temps pour s'y habituer. En effet, il est tentant de toujours consulter cet écran en noir et blanc projeté juste au bout du capot et de ne pas regarder la route elle-même !

### Du punch !

Il ne faut pas se laisser influencer par la taille et l'apparence de cette grosse Caddy. Sous ses airs de bourgeoise se cache une voiture capable d'une tenue de route et de performances assez impressionnantes. D'ailleurs, plusieurs amateurs de berlines de luxe importées ont eu la surprise de leur vie lorsqu'ils ont piloté la DeVille et voulu en connaître les limites. Celles-ci sont très élevées. D'ailleurs, un enthousiaste des voitures allemandes est sorti de son essai de la DeVille en avouant : « Ça c'est du char ! »

Il faut préciser qu'il a piloté la DTS, le modèle le plus performant et le plus affûté en fait de tenue de route. Il se démarque des modèles de base et DHS par son moteur Northstar L37 d'une puissance de 300 chevaux, soit 25 de plus que ce que produit la version LD8 de ce même V8 de 4,6 litres. Pour tirer un meilleur parti de cette puissance accrue, la DTS roule sur des pneus de 17 pouces en plus d'être dotée d'un réglage plus sportif de la suspension. Celle-ci est à commande électronique et à réglage continuellement variable. Si les premières générations de ces amortisseurs contrôlés par ordinateur étaient décevantes, force est d'admettre que Cadillac maîtrise bien le sujet. En dépit

de son gabarit et de son poids, la DTS ne perd jamais son aplomb : les changements de direction sont bien contrôlés, le roulis très raisonnable et la tenue en virage très neutre. Plusieurs par contre n'apprécient pas tellement la direction à assistance variable Magnasteer à commande électronique qui leur semble trop artificielle lorsqu'on passe de vitesse moyenne à haute vitesse. En passant, la Lexus LS 430 n'est pas mieux servie à ce chapitre.

Une précision s'impose toutefois. Malgré les qualités de son châssis et de son moteur, il n'en demeure pas moins qu'il s'agit d'une grosse berline de 2 tonnes et de 21 cm plus long qu'un Escalade. Les performances dynamiques de la DeVille sont donc limitées par les simples lois de la physique et les pneus sont très sollicités en virage, d'autant plus qu'il s'agit d'une traction. Attendez-vous à rempla-

de vue. Le comportement routier est réglé davantage sur le confort, mais le résultat est acceptable quand même. De plus, l'habitabilité est supérieure à la moyenne et les sièges confortables même si le support latéral des sièges baquets avant laisse à désirer.

Reste à Cadillac à améliorer une fiabilité incertaine pour convaincre la majorité que la DeVille est la Cadillac des grosses berlines.

*Denis Duquet*

---

### MODÈLES CONCURRENTS

• *Acura 3,5RL* • *Chrysler Concorde Lxi* • *Infiniti Q45*
• *Lexus LS 430* • *Lincoln Town Car*

### QUOI DE NEUF

• *Feux arrières modifiés* • *Nouvelles couleurs*
• *Indicateur de pression des pneus de série*

### VERDICT

| | |
|---|---|
| *Agrément de conduite* | ★★★◗ |
| *Fiabilité* | ★★★◗ |
| *Sécurité* | ★★★★ |
| *Qualités hivernales* | ★★★◗ |
| *Espace intérieur* | ★★★★★ |
| *Confort* | ★★★★★ |

### ▲ POUR

• Moteur Northstar • Tenue de route équilibrée
• Habitabilité impressionnante • Freins puissants
• Équipement très complet

### ▼ CONTRE

• Dimensions encombrantes • Direction Magnasteer peu appréciée • Manque de support latéral des sièges avant • Tableau de bord terne • Forte dépréciation

# Hélas ! le ridicule ne tue pas

**On dit que c'est le véhicule le plus « in » à l'heure actuelle à Hollywood et dans d'autres cercles branchés. On répète aussi qu'il a contribué à faire diminuer considérablement l'âge moyen des propriétaires de Cadillac. Il reste que même si l'on m'en donnait un, je ne suis pas sûr que j'accepterais de conduire un tel mastodonte. Je veux parler ici du Cadillac Escalade EXT, cette espèce de croisement entre une camionnette et un utilitaire sport.**

Comme plusieurs badauds rencontrés au cours de mon essai, vous vous demandez sans doute ce que viennent faire les mots Cadillac et camionnette dans la même phrase. La réponse est que les constructeurs automobiles feraient à peu près n'importe quoi pour répondre aux supposées exigences du marché. Qu'il me suffise de mentionner notamment que Porsche offrira cette année son propre véhicule utilitaire sport, un monstre de puissance appelé « Cayenne » dont il est question ailleurs dans ce guide.

### Un hybride à sa façon
Mais revenons à notre Cadillac EXT en soulignant que ce modèle est une « EXTrapolation » du 4X4 Escalade déjà commercialisé par la marque américaine depuis deux ans. On lui a simplement greffé une caisse de chargement comme au Chevrolet Avalanche dont il reprend les grandes lignes. À la base, c'est le Suburban qui a prêté sa plate-forme à cette fantaisie sur roues. Ou serait-ce une mauvaise blague ?

Quoi qu'il en soit, l'EXT se distingue de l'Avalanche par son moteur Vortec V8 de 6 litres dé-

veloppant la bagatelle de 345 chevaux, par un système de stabilité latérale (le StabiliTrak) et par un bip sonore qui fait office de radar lors des manœuvres en marche arrière. Et ce n'est pas un luxe, car la visibilité vers l'arrière est tellement aléatoire que ce système permet de mieux situer l'extrémité du véhicule en faisant entendre un trait sonore dont la rapidité s'amplifie au fur et à mesure que l'on s'approche d'un obstacle. Comme le Cadillac Escalade EXT peut aussi être doté du système de navigation OnStar offert dans plusieurs modèles GM, le conducteur a vraiment tout cuit dans le bec après avoir déboursé quelque 68 000 $ pour ce gros hybride. Car ce Cadillac est vraiment un hybride si l'on considère qu'il est à la fois un utilitaire sport, une camionnette... et fort probablement une voiture de luxe.

| CARACTÉRISTIQUES | |
| --- | --- |
| Prix du modèle à l'essai | EXT 67 890 $ |
| Échelle de prix | de 67 755 $ à 74 970 $ |
| Assurances | 826 $ |
| Garanties | 4 ans 80 000 km / 4 ans 80 000 km |
| Emp. / Long. / Larg. / Haut. (cm) | 330 / 562 / 207 / 192 |
| Poids | 2 609 kg |
| Coffre / Réservoir | 1 168 à 2 746 litres/117 litres |
| Coussins de sécurité | frontaux et latéraux |
| Suspension avant | indépendante, barres de torsion |

| | |
| --- | --- |
| Suspension arrière | essieu rigide, ressorts hélicoïdaux |
| Freins av. / arr. | disque, ABS |
| Système antipatinage | oui |
| Direction | à billes, assistance variable |
| Diamètre de braquage | 13,3 mètres |
| Pneus av. / arr. | P265/70R17 |

| MOTORISATION ET PERFORMANCES | |
| --- | --- |
| Moteur | V8 6 litres |
| Transmission | intégrale, automatique 4 rapports |
| Puissance | 345 ch à 5 200 tr/min |

| | |
| --- | --- |
| Couple | 380 lb-pi à 4 000 tr/min |
| Autre(s) moteur(s) | aucun |
| Autre(s) transmission(s) | aucune |
| Accélération 0-100 km/h | 9,8 secondes |
| Reprises 80-120 km/h | n.d. |
| Vitesse maximale | 175 km/h (limitée) |
| Freinage 100-0 km/h | 46,5 mètres |
| Consommation (100 km) | 17,5 litres (super) |

| | |
| --- | --- |
| • Valeur de revente | bonne |
| • Renouvellement du modèle | n.d. |

En plus d'un tableau de bord remanié, les modèles EXT 2003 se distinguent par une console centrale redessinée. L'Escalade tout court bénéficie des mêmes retouches et comme s'il n'était pas déjà assez encombrant, on pourra l'obtenir en version allongée ou opter pour des sièges baquets à la place d'une banquette à l'arrière. Cette version, l'ESV, est 56 cm plus longue qu'un Escalade « normal » et le plus gros Cadillac jamais produit.

En effet, mon essai m'a permis de découvrir un véhicule certes très encombrant mais dont le confort est carrément supérieur à celui de 4X4 moins cossus, à l'exception du récent Range Rover de Land Rover. La discrétion de la mécanique contribue elle aussi au bien-être des occupants tout comme le silence de roulement.

### Frileux, s'abstenir

Sur le plan des performances, l'EXT ne fera jamais la nique à un BMW X5 ou à un ML500, mais il rallie les 100 km/h en un peu moins de 10 secondes à partir d'un départ arrêté. S'il est aussi l'auteur de reprises rassurantes au moment de doubler, il exige de fréquents arrêts à la pompe avec une consommation qui atteint facilement les 17,5 litres aux 100 km, du moins en hiver. Et puisqu'il est question de la saison froide, j'ajouterai que le système de chauffage de l'EXT est inadéquat. Les grandes dimensions de la cabine y sont sans doute pour quelque chose, mais l'habitacle met une éternité à se réchauffer. Ce ne sont malheureusement pas les seuls irritants de ce Cadillac. Ainsi, l'absence d'un repose-pied à gauche de la pédale de freins rend fatigantes les longues heures passées au volant. Autant on se réjouit de la présence d'une infinité de jauges et de cadrans au tableau de bord (entièrement redessiné pour 2003), autant on se désole de constater que leur trop grande similitude de forme (circulaire) rend leur lecture difficile et confuse. On ne peut rien reprocher aux sièges côté confort, mais pourquoi faut-il qu'il soit nécessaire d'ouvrir la portière pour procéder à leur réglage ?

*Cadillac ESV*

C'est en effet la seule façon de faire compte tenu du peu d'espace entre les commandes placées sur le côté gauche du siège et la portière du véhicule. Parlant de portières, tiens, leur ouverture s'accompagne d'une jolie chute de neige dans l'habitacle au lendemain d'une tempête.

Si l'on peut toujours accepter quelques petits travers de ce genre en échange de qualités routières remarquables, cela n'est pas le cas avec le Cadillac Escalade EXT. La présence d'un pont arrière rigide (par rapport à un essieu à roues indépendantes) est un sérieux obstacle à la tenue de route sur les pavés dégradés qui prévalent dans notre réseau routier. Au passage de bosses, de trous ou autres irrégularités du revêtement, le véhicule y laisse toute sa prestance à cause du sautillement des roues arrière qui entraîne de sérieux écarts de trajectoire.

### Un côté pratique indéniable

Les défenseurs de la marque diront que je n'ai pas abordé le volet pratique de ce Cadillac et ils auront sans doute raison de me reprocher de ne pas avoir mentionné que sa boîte de chargement peut transporter 1 526 litres de pépites d'or (ou de n'importe quoi d'autre), que son couvercle en trois pièces est fait de composite rigide, que la lunette arrière est escamotable et que le véhicule peut tracter jusqu'à 3 628 kilos (8 000 livres). Qu'importe, je persiste à croire que Cadillac aurait pu faire mieux que d'emprunter une recette de chez Chevrolet et de l'apprêter à une sauce « utilitaire prestige » qui ne correspond pas très bien à l'image que la marque veut cultiver depuis un certain temps. Les nouveaux acheteurs de Cadillac méritaient mieux.

*Jacques Duval*

## MODÈLES CONCURRENTS

- *Land Rover Range Rover* • *Lexus LX 470*
- *Lincoln Navigator* • *Mercedes-Benz Classe G*
- *Volkswagen Touareg*

## QUOI DE NEUF

- *Tableau de bord et console redessinés*
- *Version allongée (ESV)* • *Climatisation à trois zones*
- *Centre de divertissement à l'arrière en option*

## VERDICT

| | |
|---|---|
| **Agrément de conduite** | ★★ |
| **Fiabilité** | ★★★ |
| **Sécurité** | ★★★★⯪ |
| **Qualités hivernales** | ★★★★★ |
| **Espace intérieur** | ★★★★ |
| **Confort** | ★★★ |

## ▲ POUR

- Confort appréciable • Bonnes performances
- Qualités hivernales poussées • Faible niveau sonore
- Espace de chargement gargantuesque

## ▼ CONTRE

- Essieu arrière rigide • Chauffage perfectible
- Consommation élevée • Instrumentation déroutante • Faible maniabilité

# Des ambitions jamais concrétisées

Ce n'est pas d'hier que Cadillac a des visées internationales. D'ailleurs, la Seville est encore là pour nous le rappeler. En effet, souvenez-vous que c'est à l'occasion du Salon automobile de Francfort 1997 — fief d'Audi, de BMW et de Mercedes — que la Seville actuelle a été dévoilée. Elle a par la suite refait son petit numéro dans l'arène des Acura, Infiniti et Lexus au Salon de Tokyo avant de se découvrir aux yeux de l'Amérique. Derrière cette magistrale mise en scène, son constructeur cherchait désespérément à obtenir la reconnaissance de ses pairs et rivaux. Et il la cherche encore.

Puisque, dans sa forme actuelle, ses jours sont comptés (une nouvelle génération est en cours de préparation), il ne faut pas s'étonner que les transformations apportées à la Seville soient, cette année, si peu nombreuses. Au premier regard, l'œil avisé notera, dans la version SLS, que le carénage avant intègre dorénavant des phares anti-brouillards et que la calandre gaufrée est désormais peinte de la même couleur que la carrosserie. Pour ne pas être en reste, la STS adopte pour sa part des embouts d'échappement ronds (autrefois, rappelez-vous, ils étaient rectangulaires) et chromés, bien sûr.

Ouvrons maintenant la portière pour nous rincer l'œil : sellerie de cuir impeccable, rehaussée d'appliques de bois et de chrome qui forment un métissage unique et invitant. Mais vous ne pourrez être que quatre à l'apprécier puisque la banquette arrière ne peut accueillir une troisième personne qu'en cas d'urgence et sur de courtes distances seulement. De plus, même si le coffre à bagages a vu son volume gonfler lors de la dernière refonte de la Seville, il faut préciser qu'il n'est toujours pas aussi gourmand que celui de plusieurs de ses rivales. Cuisine minceur recommandée !

### Sur des coussins d'air

Revenons sur les baquets avant qui, sous leur peau, dissimulent toujours un petit trésor d'ingénierie appelé *adaptive seating*. Ce dispositif, qui contrôle 10 cellules d'air reliées à des capteurs électroniques, corrige la forme des baquets en fonction de la morphologie des occupants et de la position de conduite du seul maître à bord. Autrefois

## CARACTÉRISTIQUES

| | |
|---|---|
| Prix du modèle à l'essai | 65 495 $ |
| Échelle de prix | de 61 825 $ à 68 175 $ |
| Assurances | 965 $ |
| Garanties | 4 ans 80 000 km / 4 ans 80 000 km |
| Emp. / Long. / Larg. / Haut. (cm) | 285 / 510 / 190 / 141 |
| Poids | 1811 kg (SLS) |
| Coffre / Réservoir | 445 litres / 70 litres |
| Coussins de sécurité | frontaux et latéraux |
| Suspension avant | indépendante, jambes de force |
| Suspension arrière | indépendante, triangles obliques |
| Freins av. / arr. | disque, ABS |
| Système antipatinage | oui |
| Direction | à crémaillère |
| Diamètre de braquage | 12,3 mètres |
| Pneus av. / arr. | P225/60SR16 |

## MOTORISATION ET PERFORMANCES

| | |
|---|---|
| Moteur | V8 4,6 litres |
| Transmission | traction, automatique, 4 rapports |
| Puissance | 275 ch à 5 600 tr/min |
| Couple | 300 lb-pi à 4 000 tr/min |
| Autre(s) moteur(s) | V8 4,6 litres 300 ch |
| Autre(s) transmission(s) | aucune |
| Accélération 0-100 km/h | 8,2 secondes |
| Reprises 80-120 km/h | n.d. |
| Vitesse maximale | 235 km/h |
| Freinage 100-0 km/h | 42,4 mètres |
| Consommation (100 km) | 12,3 litres (super) |
| • Valeur de revente | moyenne |
| • Renouvellement du modèle | 2005 |

à la fiabilité de l'ensemble et au coût des pièces de remplacement. En outre, ces mêmes puristes lèveront toujours le nez sur le fait que la Seville soit une traction et que, lors de fortes accélérations, par exemple, sa direction d'ordinaire engourdie soit affectée d'un léger effet de couple. On lui reproche également son comportement pas aussi homogène que celui de certaines rivales « propulsées » (roues motrices arrière). Bref, la Seville s'incline dans pratiquement tous les domaines de comparaison et ne parvient pas à suivre le rythme imposé par les

exclusifs à la STS, ces baquets s'installent dorénavant à bord de la SLS tandis que, pour justifier son statut haut de gamme, la STS propose toujours en option le siège du conducteur avec soutien lombaire électrique vibromassant (on se calme, messieurs dames !) durant la conduite. Mais aussi confortables soient-ils, ces baquets sont boulonnés dans un espace somme toute assez restreint pour une automobile aux dimensions extérieures aussi généreuses.

### On astique plus, on rénove moins

Petite mise en situation : ces dernières années, la Seville s'était déjà forgé une réputation d'agréable routière, sans doute pas la meilleure, mais assurément pas la pire non plus. Or voilà, depuis l'année dernière, elle parvient à faire encore mieux, depuis qu'elle adopte des amortisseurs à réglages continuellement variables. Et bonne nouvelle : cette « suspension » appelée MagnaRide que l'on retrouvera dans la future XLR (voir essai) est désormais offerte dans l'ensemble de la gamme Seville (de série dans la STS). Soulignons aussi que ce dispositif inauguré l'année dernière a fait depuis l'objet de raffinements dans le but d'offrir un compromis encore meilleur entre tenue de route, confort et stabilité.

Mais, à tout seigneur, tout honneur, intéressons-nous au cœur même de cette berline de luxe : son moteur Northstar qui, lancé il y a plus de 10 ans, en est aujourd'hui à sa troisième évolution. Que de fleurs ont été lancées aux pieds de ce moteur qui,

de l'aveu de plusieurs, est le meilleur jamais conçu par GM ! Et avec raison ! Musclé (la version de 300 chevaux surtout) et économique (considérant la cylindrée), ce moteur permet à la Seville de s'élever au rang des meneurs de sa catégorie au chapitre des performances. Et que dire de la transmission qui l'accompagne ? Souple et fiable, cette boîte offre des passages de vitesses imperceptibles. Les amateurs de haute technologie lui reprocheront toutefois de ne compter que 4 rapports alors que la concurrence en offre 1 de plus.

Sur la route, la nouvelle Seville se révèle toujours agréable à conduire, mais les puristes ne manqueront pas de souligner, avec raison, l'abondance des artifices technologiques (antipatinage, antidérapage, etc.) nécessaires pour en arriver là. D'où l'inquiétude qui plane toujours et avec raison quant

ténors de la catégorie. En revanche, cette Cadillac marque de précieux points (les seuls !) aux yeux de certains automobilistes qui ne jurent que par le « tout-à-l'avant » pour se déplacer durant la saison blanche.

En dépit des multiples améliorations dont elle a fait l'objet au fil des ans, la Seville est, dans sa forme actuelle, totalement larguée par ses rivales. Reste à attendre la 7e génération (promise à l'horizon de 2005) pour voir comment Cadillac compte s'immiscer dans ce peloton encombré de talents.

*Éric LeFrançois*

---

### MODÈLES CONCURRENTS

- BMW 540 • Infiniti M45 • Lexus GS 430
- Jaguar S-Type

### QUOI DE NEUF

- Suspension Magnetic Ride de série dans STS
- Système LATCH • Antibrouillards ajoutés au carénage de la SLS

### VERDICT

| | |
|---|---|
| Agrément de conduite | ★★★✦ |
| Fiabilité | ★★★ |
| Sécurité | ★★★✦ |
| Qualités hivernales | ★★★✦ |
| Espace intérieur | ★★★✦ |
| Confort | ★★★★ |

### ▲ POUR

- Suspension Magnetic Ride • Moteur Northstar
- Équipement complet

### ▼ CONTRE

- Direction trop assistée • Places arrière étriquées
- Direction engourdie

# La Cadillac renaissance

**S'il est une voiture qui doit faire retrouver à Cadillac sa renommée d'antan et lui permettre de redevenir un symbole d'excellence, c'est bien le nouveau coupé/cabriolet XLR 2004 qui fera son entrée sur le marché au printemps 2003. Dans le sillage de la CTS, ce modèle a pour rôle principal d'assurer la renaissance de Cadillac. A-t-il les arguments voulus pour relever un défi aussi gigantesque ? Un essai ultérieur d'un modèle de série pourra nous permettre de répondre plus précisément à cette question, mais disons que les premières impressions de conduite d'une XLR très proche de la version définitive s'avèrent plutôt encourageantes.**

Autant par son style que par ses performances, cette Cadillac devra affronter une concurrence aussi solide que prestigieuse allant de la Mercedes-Benz SL500 à la Lexus SC 430 en passant par la Jaguar XK-R. Elle pousse même l'audace jusqu'à emprunter le toit rigide escamotable des deux premières tout en misant sur une architecture et des organes mécaniques très semblables à ceux de ses rivales, dont un moteur V8 monté longitudinalement dans un châssis étudié en fonction de la propulsion.

À propos du toit, Cadillac n'a pas réinventé la roue et s'en est remise à la firme allemande Car Top System pour son exécution. Cela signifie que la XLR fait face au même problème que la SL500 ou la SC 430. Une fois dissimulé dans le coffre arrière, le couvre-chef de ce coupé/cabriolet devient tout aussi encombrant que les autres. Exprimé en chiffres, le volume d'espace pour les bagages passe de 280 à 125 litres. Il faudra donc apprendre à voyager « léger » si l'on veut rouler à ciel ouvert.

## Le châssis de la prochaine Corvette

Cela dit, ce modèle a bien d'autres attraits, dont un châssis qui est allé à la bonne école puisqu'il est dérivé de celui de la future Corvette, la C6. Comme cette dernière, la XLR possède une carrosserie dont les divers éléments sont en matière plastique et les deux voitures sont construites au même endroit, à Bowling Green, au Kentucky. Le châssis a l'avantage d'avoir été mis au point pour un cabriolet, ce qui lui assure une rigidité exceptionnelle. Il béné-

POUR TOUT SAVOIR

## CARACTÉRISTIQUES

| | |
|---|---|
| Prix du modèle à l'essai | Neiman Marcus 85 000 $US |
| Échelle de prix | de 95 000 $ à 110 000 $ (estimé) |
| Assurances | n.d. |
| Garanties | 4 ans 80 000 km / 4 ans 80 000 km |
| Emp. / Long. / Larg. / Haut. (cm) | 275,5 / 428 / 183,5 / 124 |
| Poids | 1 700 kg |
| Coffre / Réservoir | de 125 à 280 litres / 72 litres |
| Coussins de sécurité | frontaux, latéraux et tête |
| Suspension avant | indépendante, leviers triangulés |
| Suspension arrière | indépendante, leviers triangulés |
| Freins av. / arr. | disque, ABS |
| Système antipatinage | oui |
| Direction | à crémaillère, assistance variable |
| Diamètre de braquage | 12,8 mètres |
| Pneus av. / arr. | P235/50ZR18 |

## MOTORISATION ET PERFORMANCES

| | |
|---|---|
| Moteur | V8 4,6 litres |
| Transmission | propulsion, automatique 5 rapports |
| Puissance | 350 ch à 6 000 |
| Couple | 320 lb-pi à 4 400 tr/min |
| Autre(s) moteur(s) | aucun |
| Autre(s) transmission(s) | aucune |
| Accélération 0-100 km/h | 6,3 secondes (estimée) |
| Reprises 80-120 km/h | 5,2 secondes (estimée) |
| Vitesse maximale | 240 km/h (estimée) |
| Freinage 100-0 km/h | n.d. |
| Consommation (100 km) | n.d. |

- Valeur de revente — nouveau modèle
- Renouvellement du modèle — nouveau modèle

### Un intérieur signé Bulgari

L'esprit créatif du célèbre joaillier italien Bulgari a été mis à contribution non seulement pour le dessin de la pendulette mais aussi dans l'élaboration des instruments du tableau de bord. Le cuir, l'aluminium et des boiseries en eucalyptus contribuent également à rehausser un intérieur particulièrement cossu. La console centrale conserve des airs de CTS mais semble moins grotesque que dans la berline. Les sièges à réglages multiples s'avèrent d'un confort irréprochable et les espaces de rangement sont

ficie également d'innovations propres à Cadillac, tels le système de contrôle de la stabilité Stabilitrak et la suspension Selective Ride utilisée aussi dans la Corvette 2003. Brièvement, disons qu'il s'agit d'une suspension active dont les amortisseurs contiennent une huile à laquelle on a mélangé des particules de métal. Sous l'effet d'un courant électrique d'intensité variable, leur agglomération plus ou moins grande permet d'obtenir une modification instantanée des réglages de l'amortissement. L'avantage de ce principe est sa rapidité d'intervention par rapport à une suspension active conventionnelle. Cela est particulièrement évident, dit-on, lors de manœuvres soudaines à haute vitesse. L'utilisation d'aluminium, de magnésium et de bois balsa dans la construction de la XLR a permis d'en faire une voiture particulièrement svelte dont le poids d'environ 1 600 kg est inférieur à celui de ses rivales. Cadillac a aussi apporté une attention particulière à la distribution des masses de manière à obtenir une répartition du poids égale entre l'avant et l'arrière. Ce souci du détail a permis d'obtenir un comportement routier très sain combiné à une maniabilité surprenante.

Côté freinage, on n'a pas lésiné non plus en faisant appel au fournisseur le plus sollicité par les temps qui courent, la firme italienne Brembo. La XLR sera aussi la première voiture nord-américaine à offrir des pneumatiques conçus selon la nouvelle technologie PAX de Michelin. Ces pneus ont été étudiés pour rouler à plat et ont atteint un tel niveau de perfectionnement qu'il est même difficile d'y détecter une crevaison.

### Un capot bien rempli

Il suffit de jeter un bref coup d'œil sous le capot pour se rendre compte que le coupé cabriolet XLR ne sera pas avare de performances. Bien que les données à ce jour soient encore incomplètes, la puissance estimée se situe à près de 350 chevaux avec un couple approximatif de 320 lb-pi. Ces performances émanent d'une version modifiée du V8 Northstar Cadillac de 4,6 litres à double arbre à cames en tête. Ce moteur est jumelé à la seule transmission offerte, une automatique à 5 rapports dotée d'un mode manuel de style Tiptronic implantée juste en avant du différentiel.

Si l'on se fie à son rapport poids/puissance, la XLR a bien des chances d'être plus en forme que ses rivales, du moins lors d'un sprint 0-100 km/h.

secondés par un petit coffret de rangement situé entre les deux arceaux de sécurité. Ces derniers, comme dans la Porsche Boxster, sont fixes et suffisamment bien intégrés aux appuie-tête pour ne pas rompre l'harmonie du design.

Les 99 premiers clients à prendre livraison du nouveau porte-étendard de Cadillac seront ceux qui l'auront commandé de Neiman Marcus, une chaîne de magasins américaine spécialisée dans les produits de grand luxe qui, chaque année dans son catalogue de Noël, propose à sa distinguée clientèle une édition spéciale limitée d'une voiture d'exception. Après les Audi TT, BMW X5, Ford Thunderbird et Lexus SC 430, c'est au tour de la Cadillac XLR 2004 de prendre rendez-vous avec la postérité. L'avenir nous dira si c'est vraiment la Cadillac de la renaissance.

*Jacques Duval*

| MODÈLES CONCURRENTS | VERDICT | | ▲ POUR |
|---|---|---|---|
| • *Jaguar XK-R* • *Lexus SC 430* | Agrément de conduite | ★★★★ | • **Données insuffisantes** |
| • *Mercedes-Benz SL500* | Fiabilité | *nouveau modèle* | |
| | Sécurité | ★★★★ | |
| **QUOI DE NEUF** | Qualités hivernales | ★★★ | ▼ CONTRE |
| • *Nouveau modèle* | Espace intérieur | ★★✦ | • **Données insuffisantes** |
| | Confort | ★★★★ | |

# Seules sur leur étoile

**Mon beau-frère, un réparateur de gros appareils ménagers, doit parfois transporter les lourdes machines de ses clients jusqu'à son atelier, et vice-versa. Le soir venu, il mène aux quatre coins de la ville ses trois enfants accompagnés de leurs amis. Pendant la belle saison, c'est sa petite caravane qu'il trimballe dans tous les campings de la province, non sans réserver quelques week-ends à son bateau pour aller à la pêche.**

Pour effectuer tous ces déplacements, il ne peut compter que sur un seul véhicule, une Chevrolet Astro. C'est un choix qui s'impose, car cette fourgonnette constitue probablement le compromis le mieux apte à satisfaire ses besoins. Il faut dire qu'avec son clone, la GMC Safari, l'Astro est pratiquement seule de sa classe à allier robustesse, traction intégrale (optionnelle) et capacité élevée de remorquage, tout en pouvant accueillir huit passagers.

## Une conception traditionnelle

La chose s'explique aisément. Tandis que les autres fourgonnettes empruntaient l'architecture des voitures afin de reproduire leur comportement routier, l'Astro/Safari restait fidèle à ses origines utilitaires fondamentales : carrosserie fixée à un châssis à échelle, motricité confiée aux roues arrière, et suspension arrière à essieu rigide avec ressorts à lames d'acier plus résistants que les ressorts hélicoïdaux. Le meneur de jeu est le V6 Vortec 4,3 litres de 190 chevaux, pas très jeune, assez bruyant,

capable de tenir son bout dans le trafic, et qui donne le meilleur de lui-même à pleine charge. Fort de ses 250 lb-pi de couple efficacement réparties sur toute sa plage d'utilisation, il ne se fatigue pour ainsi dire jamais de tirer, comme en fait foi sa capacité maximale de remorquage variant de 2 449 à 2 360 kg, selon qu'il s'agit de la propulsion ou de la traction intégrale. Cette *All Wheel Drive* utilise un différentiel central afin de répartir une partie du couple sur le train avant lorsque celui d'en arrière patine. Rien de bien sophistiqué, mais les chaussées enneigées deviennent moins périlleuses, et ça vous sort rapidement d'un lac une remorque chargée d'une embarcation, même si la rampe est raide et glissante. En contrepartie, la consommation d'essence, qui n'est déjà pas modeste dans la propulsion, fait le plaisir des pétrolières.

## CARACTÉRISTIQUES

| | |
|---|---|
| Prix du modèle à l'essai | Astro LT 36 415 $ |
| Échelle de prix | de 27 470 $ à 36 415 $ |
| Assurances | 666 $ |
| Garanties | 3 ans 60 000 km / 3 ans 60 000 km |
| Emp. / Long. / Larg. / Haut. (cm) | 283 / 482 / 197 / 193 |
| Poids | 2 090 kg |
| Coffre / Réservoir | 1 169 litres / 102 litres |
| Coussins de sécurité | frontaux |
| Suspension avant | bras asymétriques, indépendante |
| Suspension arrière | ressorts elliptiques, essieu rigide |
| Freins av. / arr. | disque, ABS |
| Système antipatinage | non |
| Direction | à billes, assistée |
| Diamètre de braquage | 13,4 mètres |
| Pneus av. / arr. | P215/70R16 |

## MOTORISATION ET PERFORMANCES

| | |
|---|---|
| Moteur | V6 4,3 litres 12 soupapes |
| Transmission | intégrale, automatique 4 rapports |
| Puissance | 190 ch à 4 400 tr/min |
| Couple | 250 lb-pi à 2 800 tr/min |
| Autre(s) moteur(s) | aucun |
| Autre(s) transmission(s) | aucune |
| Accélération 0-100 km/h | 12 secondes |
| Reprises 80-120 km/h | 12,5 secondes |
| Vitesse maximale | 160 km/h (estimée) |
| Freinage 100-0 km/h | 51 mètres |
| Consommation (100 km) | 13,5 litres (ordinaire) |
| • Valeur de revente | moyenne |
| • Renouvellement du modèle | n.d. |

face vitrée pleine largeur, avec essuie-glace et dégivreur.

Malgré son nom bien actuel, l'Astro n'évoque guère l'idée qu'on pourrait se faire, par exemple, d'un astronef moderne. La cabine pourrait plutôt tenir lieu de machine à remonter le temps, celui d'avant les fourgonnettes modernes, avec le moteur placé longitudinalement qui gruge l'espace réservé aux jambes des passagers avant. Ceux-ci disposent de baquets, alors que les deux autres rangées sont occupées par des banquettes pouvant

Il n'y a qu'une seule transmission, automatique à 4 rapports, mais le constructeur offre le choix entre deux rapports de pont arrière selon qu'on recherche une conduite plus relaxe ou des accélérations plus vigoureuses et davantage de puissance de traction. Le ratio 3,42 devrait suffire dans la plupart des circonstances, mais si une remorque chargée comme un mulet s'ajoute en permanence à votre nombreuse famille, ou si vous circulez fréquemment sur des routes montagneuses, il serait peut-être sage d'opter pour le ratio 3,73. La transmission est munie d'un dispositif de démarrage en 2e vitesse qui favorise les départs sur les surfaces à faible adhérence. On peut aussi enclencher un mode « remorquage » afin que les changements de rapport s'effectuent plus tardivement, permettant de mieux exploiter la puissance du moteur.

Conçue pour être menée à la dure, l'Astro le rend bien à ses occupants. La suspension arrière réagit sèchement au passage des dénivellations, et, à vide, la caisse sautille sur routes bosselées. Une fois lestée, ses réactions deviennent moins « primesautières », mais quand ça secoue, ça secoue. Et ça penche, aussi, dans les virages, en raison du centre de gravité élevé. Malgré tout, l'Astro affiche un comportement routier décent, et n'exige pas – ou si peu – que l'on change ses habitudes de conduite ; simplement que l'on soit plus vigilant. La direction est légère et un peu vague à vitesse de croisière, mais assez rapide à corriger le cap. Il ne reste qu'à se méfier des trop longues distances d'arrêt, à cause surtout des pneumatiques mieux adaptés au transport qu'au... sport.

Cette année, des freins à disque partout remplacent la combinaison disque et tambour. L'antiblocage est aussi de série, mais pas d'antipatinage au menu, ni de coussins latéraux, malgré le fait que l'Astro n'obtienne que 3 étoiles sur 5 pour la protection du conducteur lors de collision frontale, et un score identique en ce qui concerne les risques de retournement.

### Simplicité des formes

Extérieurement, l'Astro a tout simplement l'air d'une boîte. En contrepartie, cette carrosserie anguleuse et les énormes rétroviseurs favorisent les manœuvres de recul et de stationnement. À l'arrière, le montant central des portes à battants obstrue la vision, mais on peut opter pour des portes mi-hauteur et un hayon supérieur offrant une sur-

« entasser » trois passagers chacune (celle du centre peut être remplacée par des baquets). Le mobilier est amovible mais lourd et difficile à déplacer, et seule la version LT offre les dossiers divisés rabattables. L'habitacle, et plus spécialement la planche de bord, est d'une simplicité qui frôle la disette, mais l'aménagement est malgré tout fonctionnel, et pourvu de plusieurs espaces de rangement.

Outre la LT, plus huppée, l'Astro se décline en versions LS et de base, cette dernière offrant les principales commodités et assistances électriques. Notons enfin que l'Astro/Safari existe en version utilitaire (par opposition aux versions tourisme) moins coûteuse, mais dépourvue de vitres sur les côtés arrière.

*Jean-Georges Laliberté*

---

### MODÈLES CONCURRENTS

• Dodge Caravan • Ford Windstar

### QUOI DE NEUF ?

• Freins à disque aux quatre roues avec ABS de série
• Nouvelles roues en aluminium de 16 pouces • Lecteurs de cassettes et CD maintenant optionnels dans la LS

### VERDICT

| | |
|---|---|
| Agrément de conduite | ★★★ |
| Fiabilité | ★★★ |
| Sécurité | ★★★ |
| Qualités hivernales | ★★★★ |
| Espace intérieur | ★★★★ |
| Confort | ★★★ |

### ▲ POUR

• Couple abondant du V6 • Grande capacité de remorquage • Boîte automatique compétente
• Bonne habitabilité • Polyvalence

### ▼ CONTRE

• Silhouette carrée • Suspension arrière sèche
• Roulis important • Longues distances d'arrêt
• Moteur envahissant

# *Départ imminent ?*

Il vous est sans doute arrivé d'avoir des invités pour le dîner qui ne semblent pas vouloir partir. Bien calés dans leur fauteuil, ils s'éternisent chez vous alors que vous tombez de sommeil. C'est un peu la même chose avec les **Chevrolet Blazer/GMC Jimmy** qui sont toujours parmi nous, même si leur départ est annoncé depuis belle lurette. L'arrivée des nouveaux modèles TrailBlazer et Envoy devait théoriquement signifier leur départ, mais ce tandem est toujours en place.

Cette insistance à nous revenir n'est pas le fruit du hasard. C'est que ces deux modèles sont suffisamment différents en taille par rapport à leurs remplaçants théoriques qu'il se trouve un marché pour eux. En effet, les TrailBlazer/Envoy sont nettement plus longs et plus larges. Leur prix est également plus élevé. Il y a bien le Tracker, mais il est sur la voie d'évitement en plus de ne pouvoir nullement se comparer au Jimmy

et au Blazer. Bref, ces derniers se retrouvent toujours au catalogue, car ils répondent à un besoin du public. De plus, leur prix est compétitif et leur mécanique éprouvée. Il faut également souligner que le Jimmy n'est vendu qu'au Canada et seulement en version 4 roues motrices. Le Blazer est plus démocratique, étant vendu tant ici qu'aux États-Unis. Il peut également être commandé en version 2 roues motrices.

## Retour en arrière

Il suffit de piloter un TrailBlazer et ensuite de prendre le volant d'un Blazer pour se rendre compte de la grande différence entre un véhicule moderne et un autre d'une certaine époque. Mais avant d'entrer davantage dans les détails, il faut également mentionner que si la silhouette de ces deux utilitaires a été revue il y a cinq ans environ, elle n'a pas le modernisme des concurrentes plus récentes dont le design a plus d'impact. Sur une note plus positive, les lignes de ces deux vétérans sont quand même agréables et devraient bien vieillir sur le plan esthétique. Il en est de même du tableau de bord qui a été revu en 1998. Il est très pratique avec ses cadrans à chiffres faciles à lire et ses commandes aussi simples que fonctionnelles. Par contre, la finition de l'habitacle est toujours perfectible tandis que

## CARACTÉRISTIQUES

| | |
|---|---|
| **Prix du modèle à l'essai** | LS 4 portes 33 495 $ |
| **Échelle de prix** | de 29 295 $ à 35 410 $ |
| **Assurances** | 700 $ |
| **Garanties** | 3 ans 60 000 km / 3 ans 60 000 km |
| **Emp. / Long. / Larg. / Haut. (cm)** | 272 / 465 / 172 / 163 |
| **Poids** | 1 835 kg |
| **Coffre / Réservoir** | de 1 056 à 2 098 litres / 69 litres |
| **Coussins de sécurité** | frontaux |
| **Suspension avant** | indépendante, barre de torsion |
| **Suspension arrière** | essieu rigide, ressorts elliptiques |
| **Freins av. / arr.** | disque, ABS |
| **Système antipatinage** | non |
| **Direction** | à billes, à assistance variable |
| **Diamètre de braquage** | 12 mètres |
| **Pneus av. / arr.** | P235/70R15 |

## MOTORISATION ET PERFORMANCES

| | |
|---|---|
| **Moteur** | V6 4,3 litres |
| **Transmission** | transmission intégrale, auto. 4 rapports |
| **Puissance** | 190 ch à 4 400 tr/min |
| **Couple** | 250 lb-pi à 2 800 tr/min |
| **Autre(s) moteur(s)** | aucun |
| **Autre(s) transmission(s)** | manuelle 5 rapports (2 portes) |
| **Accélération 0-100 km/h** | 10,7 secondes |
| **Reprises 80-120 km/h** | 9,1 secondes |
| **Vitesse maximale** | 165 km/h (limitée) |
| **Freinage 100-0 km/h** | 40 mètres |
| **Consommation (100 km)** | 14,6 litres |

| | |
|---|---|
| • **Valeur de revente** | faible |
| • **Renouvellement du modèle** | n.d. |

d'équipement de luxe telles les vitres teintées, le volant gainé de cuir et des roues spéciales.

Mais on aura beau déguiser ces deux vétérans et les affubler de tout l'équipement possible, leur châssis a connu de meilleurs jours. Ce n'est pas qu'il soit mauvais, mais il en existe des meilleurs de conception plus moderne. Malgré tout, dans sa version deux portes, le Blazer, tout comme le Jimmy, ne s'en laisse pas imposer par le Ford Explorer de même configuration qui a beaucoup plus de difficulté à se démarquer.

le tissu des sièges fait bon marché. Ce qui est curieux, car plusieurs personnes spécialisées dans la modification de véhicules me jurent que ces tissus sont non seulement très résistants et de bonne qualité, mais antitaches. Malgré tout, ils ne paient pas de mine.

Les sièges avant sont trop mous pour offrir quelque support que ce soit. Ils seront malgré tout appréciés lors de longs trajets sur les autoroutes, mais leur manque de support lombaire et latéral les rend inconfortables à la longue. Et le passager avant n'aura aucun avantage à se réfugier sur la banquette arrière, car c'est encore pire. Le siège est trop bas et le dossier semble avoir été conçu pour développer des maux de dos. Dans le cas du modèle deux portes, l'accès à la banquette arrière n'est pas tellement facile et la position pas plus confortable.

### Simple et solide

Ce duo a de plus en plus de difficulté à masquer ses rides au chapitre du comportement routier. Heureusement que les éléments mécaniques sont bien adaptés à l'usage anticipé de ce véhicule. Si GM utilise les lettres SS, pour Super Sport, sur plusieurs de ses modèles, il serait également possible d'associer ces deux lettres à nos deux vétérans. Toutefois, ce serait pour Simple et Solide. En effet, c'est l'incontournable Vortex 4600 avec ses 190 chevaux qui a la tâche de déplacer cette masse. De type à soupapes en tête, il bénéficie cette année d'un système d'injection multipoint qui permet d'obtenir un meilleur rendement et une consommation moindre. Et malgré une certaine vétusté, ce V6 est solide et capable d'en prendre. Il est même possible de l'as-

socier à une boîte manuelle à 5 rapports dans les versions deux portes tant chez GMC que chez Chevrolet. Malheureusement, cette boîte déçoit autant par l'espacement des rapports que par le manque de précision du levier de vitesses qui est drôlement situé. Mieux vaut s'en tenir à la boîte automatique à 4 rapports dont la fiabilité et l'efficacité ont été démontrées au fil des ans.

Autre modèle deux portes, le Jimmy ZR2 fera son entrée sur le marché en cours d'année. Sa suspension spéciale, sa voie plus large de même que des ressorts spéciaux vont permettre à son propriétaire de se livrer à une conduite hors route plus agressive sans arrière-pensée. Même chose chez Chevrolet alors que le modèle Xtreme est équipé de pneus plus larges, d'une suspension Z87 pour la conduite hors route en plus de nombreuses pièces

Ces deux vestiges des années 80 jouissent toujours d'une certaine popularité, car leur prix est alléchant, leur mécanique a fait ses preuves et ils n'offrent quand même pas une tenue de route trop moche. Autant le Blazer que le Jimmy s'avèrent relativement confortables sur la grand-route où leur suspension se révèle bien adaptée. Mais dès qu'on tente de pousser un peu trop, les limites du châssis sont rapidement atteintes et il faut alors négocier les virages avec plus de prudence. Par contre, à une époque où tous les modèles de la catégorie ont tendance à prendre de l'embonpoint et à augmenter leurs prix, ces deux valeurs sûres font l'affaire de plusieurs.

*Denis Duquet*

---

## MODÈLES CONCURRENTS

• *Ford Explorer* • *Jeep Grand Cherokee* • *Kia Sorento*
• *Nissan Pathfinder* • *Toyota 4Runner*

## QUOI DE NEUF ?

• *Injection de carburant multipoint* • *Sièges chauffants en option* • *Levier de vitesses de boîte automatique au plancher supprimé*

## VERDICT

| | |
|---|---|
| *Agrément de conduite* | ★★★ |
| *Fiabilité* | ★★★ |
| *Sécurité* | ★★★ |
| *Qualités hivernales* | ★★★★ |
| *Espace intérieur* | ★★★ |
| *Confort* | ★★★★ |

## ▲ POUR

• Tableau de bord pratique • Moteur amélioré
• Système Autotrak • Finition en progrès
• Suspension de base confortable

## ▼ CONTRE

• Modèle en fin de série • Direction floue
• Places arrière médiocres • Version deux portes peu pratique

# À la demande générale

**Même si la Chevrolet Cavalier manque cruellement de raffinement, elle n'en demeure pas moins, huit ans après sa dernière remise en forme, l'un des véhicules les plus vendus au Canada. Bel exploit à mettre sur le compte de la très efficace machine commerciale de General Motors qui, bon an mal an, incite, à l'aide d'alléchants rabais, des milliers de consommateurs à héberger cette Chevrolet dans leur entrée de garage. Et vous savez quoi ? Ça marche !**

L'équipe chargée d'élaborer une remplaçante à cette compacte américaine a pris un peu de retard. Si l'on prête foi à la rumeur, celle-ci ne pointera sa calandre que dans deux ou trois ans et reposera sur la toute nouvelle plate-forme Delta qu'étrenne cette année la Saturn Ion. C'est donc dire que pour une énième fois, la direction de Chevrolet ordonne à ses ingénieurs de revisiter la version actuelle.

Toujours offerte en versions coupé et berline, la Cavalier présente cette année une physionomie « nouvelle ». En effet, capot, calandre, phares, feux ainsi que carénages avant et arrière portent tous le sceau de la nouveauté. Rien pour écrire à sa mère, mais les transformations apportées donnent un semblant de jeunesse à cette automobile dont les origines remontent à plus de 20 ans maintenant.

Outre son allure renouvelée, la Cavalier connaît aussi des changements à la nomenclature de sa gamme. La berline LS disparaît du catalogue, mais les versions VL, VLX et Z24 demeurent, elles, en poste. Les deux dernières versions mentionnées proposent cette année de faire monter à leur bord le système OnStar et une paire de coussins gonflables latéraux. Soulignons aussi que tous les occupants de cette Chevrolet bénéficient désormais d'une ceinture de sécurité trois points et qu'un dispositif de sécurité pour siège d'enfant (système LATCH) a été installé.

### Tristounette

L'accès à bord ne pose aucun problème, et on y découvre un habitacle spacieux, mais d'une tristesse inouïe. L'apparence de certains matériaux fait pitié à voir, et comme un malheur ne vient jamais seul, la qualité de l'assemblage demeure perfectible. En revanche, les baquets avant procurent un certain confort (à l'arrière, c'est une autre histoire) et les principales commandes logent toutes à proximité

## CARACTÉRISTIQUES

| | |
|---|---|
| **Prix du modèle à l'essai** | berline VLX 18 540 $ |
| **Échelle de prix** | de 15 370 $ à 21 435 $ |
| **Assurances** | 630 $ |
| **Garanties** | 3 ans 60 000 km / 5 ans 100 000 km |
| **Emp. / Long. / Larg. / Haut. (cm)** | 264 / 459 / 172 / 139 |
| **Poids** | 1215 kg |
| **Coffre / Réservoir** | 385 litres / 54 litres |
| **Coussins de sécurité** | frontaux et latéraux (opt.) |
| **Suspension avant** | indépendante, jambes élastiques |
| **Suspension arrière** | essieu semi-rigide |
| **Freins av. / arr.** | disque / tambour (ABS en opt.) |
| **Système antipatinage** | non |
| **Direction** | à crémaillère |
| **Diamètre de braquage** | 10,9 mètres |
| **Pneus av. / arr.** | P195/70R14 |

## MOTORISATION ET PERFORMANCES

| | |
|---|---|
| **Moteur** | 4L 2,2 litres |
| **Transmission** | manuelle 5 rapports |
| **Puissance** | 140 ch à 5 600 tr/min |
| **Couple** | 150 lb-pi à 4 000 tr/min |
| **Autre(s) moteur(s)** | aucun |
| **Autre(s) transmission(s)** | automatique 4 rapports |
| **Accélération 0-100 km/h** | 9,1 secondes |
| **Reprises 80-120 km/h** | 8,3 secondes |
| **Vitesse maximale** | 185 km/h |
| **Freinage 100-0 km/h** | 43,5 mètres |
| **Consommation (100 km)** | 10,1 litres (ordinaire) |
| • **Valeur de revente** | faible |
| • **Renouvellement du modèle** | 2005 |

manifeste moins rapidement au volant de la version Z24 qui bénéficie, faut-il le rappeler, d'une monte pneumatique nettement plus adhérente (des 16 pouces) et d'une barre stabilisatrice à l'arrière (le coupé seulement) qui permet d'enfiler les virages avec plus de sérénité. Côté freinage, mentionnons que le diamètre des tambours a augmenté et que, hormis dans la version Z24, le système ABS se retrouve dorénavant au rayon des options. Doit-on s'offusquer de cette décision, sachant que le dispositif offert dans cette compacte est d'une sensi-

du conducteur. De plus, les espaces de rangement s'avèrent relativement pratiques et le coffre est du genre «capable d'en prendre», d'autant plus que son volume peut être accru en repliant le dossier de la banquette arrière.

### Du nouveau sous le capot

Jetez un coup d'œil sous le capot puisque les motoristes nous ont de nouveau fait le coup de la chaise musicale. Cette fois, une seule mécanique s'offre pour mouvoir la petite Chevrolet de sa position statique : le 4 cylindres 2,2 litres Ecotec. Autrefois exclusif aux intermédiaires de Saturn, ce moteur de conception moderne se glisse depuis un an sous les capots de plusieurs autres produits du numéro un de l'automobile. Coiffé d'une culasse en aluminium à l'intérieur de laquelle tourne une paire d'arbre à cames, ce moteur délivre 140 chevaux et 150 lb-pi de couple. L'important à retenir est qu'il n'aura aucun mal à faire oublier son prédécesseur qui, rappelez-vous, était lymphatique, rugueux, bruyant et j'en passe des meilleures encore.

Nettement plus discret, ce 4 cylindres offre des performances plus énergiques (accélérations et reprises), une meilleure consommation de carburant et, bonne nouvelle, file le parfait bonheur avec la transmission automatique à 4 rapports qui l'accompagne en option. Toutefois, la meilleure façon d'économiser consiste à conserver la boîte manuelle à 5 rapports livrée de série sur tous les modèles. Réalisée par la réputée maison Getrag, cette transmission prête difficilement flanc à la critique. Bien étagée, facile à guider, elle permet de relever de

quelques crans l'agrément de conduite et de tirer meilleur profit de la mécanique.

### Un châssis fatigué

Sur la route, la direction se révèle assez floue et dans les versions de base, sa (trop) grande légèreté gomme toute sensation. On ne peut en dire autant de la suspension qui encaisse avec sécheresse les imperfections de la chaussée. Qui plus est, la Cavalier éprouve beaucoup de difficultés à contrôler les mouvements de sa caisse qui « roule » constamment dans les virages. Dès que le rythme s'accélère, le conducteur devra « batailler » contre la nature très survireuse (l'avant cherche à tirer tout droit) de l'auto. Ne comptez surtout pas sur les pneumatiques d'origine, des 14 pouces, pour modérer les glissades du train avant. Ce trait de caractère se

bilité extrême et qu'il s'active pour un tout ou pour un rien ? ABS ou pas, le freinage de la Cavalier manque toujours de mordant et résiste faiblement à l'échauffement.

Lorsque le prix joue un rôle vital, la Cavalier l'emporte assez souvent. Mais si votre budget vous le permet, un conseil : allongez donc votre liste de magasinage. Il existe des automobiles beaucoup plus douées et surtout plus amusantes à conduire que celle-là.

*Éric LeFrançois*

---

## MODÈLES CONCURRENTS

• Dodge SX • Ford Focus • Kia Spectra
• Mitsubishi Lancer

## QUOI DE NEUF ?

• Transformations esthétiques • Ecotec 2,2 litres maintenant de série • ABS en option

## VERDICT

| | |
|---|---|
| Agrément de conduite | ★★ |
| Fiabilité | ★★ |
| Sécurité | ★★★ |
| Qualités hivernales | ★★★ |
| Espace intérieur | ★★★★⯪ |
| Confort | ★★★ |

## ▲ POUR

• Rapport prix/encombrement • Moteur 2,2 litres moderne • Transmissions efficaces • Espace intérieur

## ▼ CONTRE

• Faible valeur de revente • Qualité de l'assemblage à revoir • Pneumatiques médiocres et trop petits (sauf Z24) • Freinage déficient

# 50 ans et en pleine forme

Si je vous disais que j'ai réussi à placer dans le compartiment à bagages deux immenses valises et deux sacs de voyage qui ne rentraient pas dans le coffre d'une voiture taxi et que le moteur sait se contenter de 8 litres aux 100 km (environ 35 milles au gallon), vous penseriez bien sûr que je fais allusion à l'essai d'une quelconque familiale à vocation économique. Jamais de la grosse Corvette, édition 50e anniversaire ! Or, croyez-le ou non, la voiture qui est l'auteur d'un tel exploit est bel et bien la voiture sport qui fait l'orgueil de la marque Chevrolet depuis maintenant plus d'un demi-siècle et qui célèbre en 2003 son cinquantenaire. Comme quoi la Corvette possède des talents méconnus.

L'épisode dont il est question plus haut exige sans doute quelques explications. Des trois versions de la Corvette, la seule qui puisse avaler une telle quantité de valises est celle dotée d'un hayon arrière puisque le *hard top* et le cabriolet sont loin de posséder le même volume de rangement. Et la consommation digne d'une sous-compacte a été obtenue sur la route plutôt qu'en ville, à une vitesse de 100 à 120 km/h. Il n'en demeure pas moins que la Corvette, avec son V8 de 5,7 litres, a éloquemment fait la preuve que les grosses cylindrées ne sont pas toujours les plus coupables en matière de consommation élevée.

Cela dit, la Corvette C5 introduite en 1997 est sans contredit la plus crédible de tous les modèles ayant vu le jour depuis 1953. Bien sûr, elle abuse toujours du tape-à-l'œil et demeure beaucoup trop grosse pour jouer la carte de la maniabilité, mais sa tenue de route, son freinage et ses performances commandent le respect. Et je parle ici de la version ordinaire avec son moteur V8 LS1 de 350 chevaux.

Pour faire la loi devant les conducteurs de Porsche, d'Acura NSX et même de Ferrari, Chevrolet propose depuis quelques années la Z06 dont le moteur LS6 à haut rendement développe 405 chevaux qui font équipe avec une boîte de vitesses manuelle à 6 rapports et une suspension modifiée.

### La voiture qui pardonne

L'aspect le plus impressionnant de la Z06 ne tient pas à ses phénoménales accélérations (0-100 km/h en 4,5 secondes), ni à sa vitesse de pointe

POUR TOUT SAVOIR

## CARACTÉRISTIQUES

| | |
|---|---|
| Prix du modèle à l'essai | coupé 50e 76 570 $ |
| Échelle de prix | de 67 995 $ à 76 570 $ |
| Assurances | 2 924 $ |
| Garanties | 3 ans 60 000 km / 3 ans 60 000 km |
| Emp. / Long. / Larg. / Haut. (cm) | 265 / 457 / 187 / 121 |
| Poids | 1415 kg |
| Coffre / Réservoir | 377 litres / 72,3 litres |
| Coussins de sécurité | frontaux et latéraux |
| Suspension avant | indépendante, bras triangulaires |
| Suspension arrière | indépendante, bras asymétriques |
| Freins av. / arr. | disque, ABS |
| Système antipatinage | oui |
| Direction | à crémaillère, assistance variable |
| Diamètre de braquage | 12,9 mètres |
| Pneus av. / arr. | P265/40ZR17 / P295/35ZR18 |

## MOTORISATION ET PERFORMANCES

| | |
|---|---|
| Moteur | V8 5,7 litres |
| Transmission | propulsion, automatique 4 rapports |
| Puissance | 350 ch à 5 600 tr/min |
| Couple | 360 lb-pi à 4 400 tr/min |
| Autre(s) moteur(s) | Z06 404 ch |
| Autre(s) transmission(s) | automatique 4 rapports |
| Accélération 0-100 km/h | 6 secondes |
| Reprises 80-120 km/h | 4,4 secondes |
| Vitesse maximale | 285 km/h |
| Freinage 100-0 km/h | 34,7 mètres |
| Consommation (100 km) | 13,2 litres (super) |

| | |
|---|---|
| • Valeur de revente | bonne |
| • Renouvellement du modèle | 2005 |

pratique s'accompagne d'un inconvénient majeur. L'absence d'une cloison entre le l'habitacle et le coffre est à l'origine d'un niveau sonore très élevé sur la route. En plus, le bruit devient quasi insupportable si l'on décide de profiter du soleil en retirant le panneau de toit amovible. Tel un limiteur de vitesse, les turbulences, dès que l'on excède 100 km/h, deviennent assommantes. En plus, le panneau de toit qui vient se loger dans le compartiment à bagages ampute sérieusement sa capacité.

(285 km/h), ni même à son impressionnante tenue de route, mais bien à la facilité avec laquelle on arrive à exploiter ses qualités. Ainsi, la pédale d'embrayage n'est pas démesurément ferme malgré la puissance et le couple du moteur. En revanche, le levier de vitesses nécessite une bonne poigne et ne se déplace pas avec l'aisance de celui d'une Toyota Corolla. L'autre aspect réjouissant de cette Corvette est qu'elle pardonne les erreurs. Le système de contrôle de la stabilité veille au grain, mais lorsqu'il est débranché, les magistrales glissades du train arrière se corrigent à l'accélérateur. En général, le comportement routier est sain et la voiture plutôt neutre grâce à une répartition du poids très favorable et à un châssis périphérique très rigide. La suspension possède aussi deux modes de réglage : piste et route. En position « piste », son action est moins dictatoriale qu'en mode « route » alors que la voiture perd son élan tout net. La Z06, précisons-le, n'est pas toujours d'un commerce agréable sur mauvaise route et il faut être prêt à sacrifier une bonne partie de son confort pour bénéficier de son exceptionnelle adhérence. La version normale, grâce à des sièges confortables, entre autres, est cependant plus agréable à ce chapitre et se prête davantage à une utilisation quotidienne. Dans l'un ou l'autre des modèles, il faudra toutefois composer avec un accès plutôt pénible en raison de seuils de porte très bas.

### Une quinquagénaire rapide

Peu importe le modèle choisi, la Corvette est la quinquagénaire la plus rapide sur le marché. Pour souligner l'événement, Chevrolet a réalisé une édition 50e anniversaire des modèles coupé et cabriolet. Comme il fallait s'y attendre, elle comprend tous les poncifs du genre : couleur extérieure rouge, jantes spéciales, emblèmes commémoratifs, intérieur couleur graphite, etc. La seule nouveauté mécanique est le contrôle sélectif des amortisseurs à action magnétique. Ils sont remplis d'une huile dans laquelle flottent des millions de particules métalliques microscopiques. L'utilisation d'un condensateur électromagnétique dans chaque amortisseur permet de varier la densité de ce liquide et d'agglutiner ou d'éloigner les particules, modifiant par conséquent la fermeté de l'amortissement. Cette suspension dite « active » a l'avantage de réagir plus rapidement aux manœuvres soudaines à haute vitesse.

Pour revenir à mon essai du coupé à arrière ouvrant, son vaste compartiment à bagages fort

Même si la qualité de construction des Corvette a fait des progrès au cours des dernières années, quelques bruits de caisse persistent à l'occasion. Le coupé à toit rigide s'en tire toutefois beaucoup mieux à ce chapitre et reste le modèle le plus intéressant de la gamme Corvette. Pour le look, toutefois, il apparaît bien difficile de battre le cabriolet qui, même avec une transmission automatique à 4 rapports, reste le *cruiser* no 1 en Amérique. Facturée 76 570 $ (coupé 50e anniversaire), la Corvette n'est plus la voiture offrant le meilleur rapport prix/performance sur le marché. Mais avec une consommation moyenne de 9,5 litres aux 100, elle est peut-être devenue celle qui propose le meilleur rapport consommation/cylindrée.

*Denis Duquet/Jacques Duval*

---

### MODÈLES CONCURRENTS

- Acura NSX-T • Dodge Viper • Jaguar XKR
- Lexus SC 430 • Porsche 911 Carrera

### QUOI DE NEUF?

- Édition 50e anniversaire
- Suspension à action magnétique

### VERDICT

| | |
|---|---|
| Agrément de conduite | ★★★★ |
| Fiabilité | ★★★⯪ |
| Sécurité | ★★★★ |
| Qualités hivernales | ★ |
| Espace intérieur | ★★★ |
| Confort | ★★★ |

### ▲ POUR

- Performances très musclées • Freins ultrapuissants
- Tenue de route spectaculaire • Version Z06
- Compartiment à bagages surprenant (hayon)

### ▼ CONTRE

- Suspension ferme • Accès à bord difficile
- Absence de roue de secours • Instabilité sur mauvaise route • Diamètre de braquage irritant

# Futile réincarnation

J'ai un ami qui se fait une spécialité de trouver les détails anachroniques lorsqu'il visionne des films. Par exemple, une montre-bracelet au bras vengeur du bon gladiateur qui sauve l'héroïne. Récemment, nous regardions ensemble, pour une énième fois, *Bullitt* (1968) avec Steve McQueen déchaîné au volant de son électrisante Mustang. Eh bien, je suis convaincu qu'il n'aurait même pas remarqué une Chevrolet Impala 2003 qui se serait glissée dans le flot de la circulation.

De là à dire qu'elle s'adresse surtout aux nostalgiques d'une époque où les voitures se vendaient « à la livre », ou « au pied », il y a un pas… que je franchirai. L'Impala – drôle d'idée d'avoir choisi le nom d'un gracile animal pour un véhicule aussi lourdaud – n'est pas une si vilaine bagnole, mais elle n'offre que le minimum acceptable, tel un élève peu motivé qui se satisfait d'accumuler les notes de passage. Dans l'amas de banalités qu'elle affiche, on distingue essentielle-ment le cachet de ses lignes rétro – pour ceux qui aiment – et son gabarit dont l'importance évoque sûrement, pour ses utilisateurs, la puissance et la solidité.

## La voie du milieu

L'Impala est offerte en version de base, ou LS, la première disposant d'un V6 de 3,4 litres relative-ment économique à la pompe, qui se classe avec ses 180 chevaux dans la bonne moyenne de son groupe sur le plan de la puissance (200 chevaux pour l'Intrepid de base, et 155 pour la Taurus). Bien qu'il lui faille parfois souquer ferme pour répondre aux sollicitations de l'accélérateur, ses prestations donnent satisfaction aux conducteurs qui n'aspi-rent qu'à se fondre anonymement dans les flots du trafic. L'Impala LS hérite pour sa part du V6 3,8 litres de 200 chevaux, que GM accommode avec assez de succès (et surtout économiquement) à toutes sortes de sauces depuis quelques *décennies*. Vous excuserez j'espère la comparaison, mais ce moteur est la version mécanique du pâté chinois, c'est-à-dire qu'il est élémentaire, qu'il contente la plupart des clients, et que plus on le réchauffe, meilleur il est. Il se permet même d'afficher un cer-tain tempérament en accélération comme en reprise, et sa consommation est raisonnable compte tenu de sa cylindrée.

## CARACTÉRISTIQUES

| | |
|---|---|
| Prix du modèle à l'essai | 25 945 $ |
| Échelle de prix | de 24 945 $ à 30 010 $ |
| Assurances | 666 $ |
| Garanties | 3 ans 60 000 km / 3 ans 60 000 km |
| Emp. / Long. / Larg. / Haut. (cm) | 281 / 508 / 185 / 146 |
| Poids | 1 500 kg |
| Coffre / Réservoir | 527 litres / 64 litres |
| Coussins de sécurité | frontaux, latéral (conducteur) |
| Suspension avant | leviers triangulaires transversaux |
| Suspension arrière | jambes élastiques, indépendante |
| Freins av. / arr. | disque (ABS, LS) |
| Système antipatinage | non |
| Direction | à crémaillère, assistée |
| Diamètre de braquage | 11,6 mètres |
| Pneus av. / arr. | P225/60R16 |

## MOTORISATION ET PERFORMANCES

| | |
|---|---|
| Moteur | V6 3,4 litres |
| Transmission | traction, automatique 4 rapports |
| Puissance | 180 ch à 5 200 tr/min |
| Couple | 205 lb-pi à 4 000 tr/min |
| Autre(s) moteur(s) | V6 3,8 litres 200 ch |
| Autre(s) transmission(s) | aucune |
| Accélération 0-100 km/h | 9,6 secondes |
| Reprises 80-120 km/h | 8,2 secondes |
| Vitesse maximale | 180 km/h (estimée) |
| Freinage 100-0 km/h | 46 mètres |
| Consommation (100 km) | 8,9 litres (ordinaire) |

| | |
|---|---|
| • Valeur de revente | moyenne |
| • Renouvellement du modèle | 2005 |

veut – n'aidera malheureusement pas à améliorer la finition approximative et sans raffinement.

L'accès à l'intérieur s'effectue aisément grâce à la large ouverture des portières et à la ligne de toit élevée. Une molle banquette à trois places à l'avant, avec accoudoirs escamotables pour deux personnes, équipe la version de base, tandis que la LS propose deux baquets à réglages électriques accordant un meilleur support. La position de conduite est bonne, et la visibilité, supérieure à ce que laisseraient croire les dimensions extérieures. On

Une même boîte automatique à 4 rapports fait équipe avec les deux V6. Elle fonctionne avec bonheur, et dans une discrétion qui fait presque oublier sa présence. Les ingénieurs en sont également arrivés à des résultats assez heureux avec le calibrage des suspensions indépendantes. Le confort est à la hauteur des attentes sur autoroute, le débattement maximal des ressorts n'est pris en défaut que sur les inégalités de forte amplitude, et seuls les chemins cahoteux secouent les occupants pour la peine. La caisse accuse un fort penchant pour « pencher » en virage, mais le tangage est mieux contrôlé que ce à quoi les grosses berlines américaines nous ont habitués par le passé. Notons que la LS offre une suspension Tourisme qui ajoute un zeste de fermeté à la tenue des amortisseurs, sans sacrifier au confort. La direction vous renseigne peu sur l'état de la chaussée, mais elle guide avec précision, et la tenue de cap est somme toute foncièrement saine pour une voiture qui, on l'aura compris, n'a pas emprunté l'agilité de l'antilope africaine en même temps que son nom. Et si cela était, il resterait encore à la doter de sabots plus performants que les pneus de qualité générique dont on la chausse actuellement. Par contre, les freins à disque, avec ABS optionnel (compris dans la LS), permettent des distances d'arrêts convenables et font preuve d'une endurance rassurante.

### Une présentation rétro

La silhouette de l'Impala laisse rarement indifférent. On devine chez les dessinateurs la volonté de faire moderne dans le respect des traditions, ce qui

donne cette allure simpliste. Accordons-lui au moins le mérite de mettre un peu de couleur dans la grisaille des conventions esthétiquement correctes. Et puis elle n'agresse tout de même pas autant le regard qu'une Aztek !

Si vous aimez la carrosserie, vous adorerez la planche de bord, avec ses lignes aseptisées de comptoir de bar de sous-sol de bungalow. L'esprit rétro banlieusard qui lui tient lieu d'inspiration se manifeste jusque dans ses appliques de similibois. Mais, trêve de sarcasmes, l'instrumentation n'en est pas moins fonctionnelle, et les commandes, ergonomiques. Dommage, tout de même, que les matériaux fassent si bon marché. Ils sont destinés à perdre rapidement leur lustre, à moins que le propriétaire ne fasse usage régulier de Armor All et autres enduits protecteurs, ce qui – on aura beau frotter tant qu'on

peut accéder au vaste coffre par le dossier rabattable de la banquette arrière ou par une ouverture derrière l'accoudoir central, à la condition d'avoir payé un supplément pour cette option ou de s'être carrément offert la LS.

On comprend qu'à un prix de départ de quelque 25 000 $, il faut s'attendre à devoir faire certains compromis. En plus de la climatisation deux zones et du lecteur CD, la version de base dispose tout de même des glaces, coffre, portières et rétroviseurs électriques, mais pas du régulateur de vitesse, ni des rétroviseurs chauffants. L'équipement de la LS est beaucoup plus étoffé, et compte tenu de son groupe motopropulseur plus raffiné, il ne fait aucun doute qu'elle constitue le meilleur, sinon le moins pire achat.

*Jean-Georges Laliberté*

---

### MODÈLES CONCURRENTS

• *Buick Century/Regal* • *Chrysler Intrepid* • *Ford Taurus*
• *Pontiac Grand Prix* • *Toyota Camry*

### QUOI DE NEUF ?

• *Nouvelles roues* • *Quelques équipements autrefois de série maintenant en option* • *Quatre nouvelles couleurs de carrosserie*

### VERDICT

| | |
|---|---|
| **Agrément de conduite** | ★★★ |
| **Fiabilité** | ★★★★ |
| **Sécurité** | ★★★★ |
| **Qualités hivernales** | ★★★★ |
| **Espace intérieur** | ★★★★ |
| **Confort** | ★★★ |

### ▲ POUR

• Motorisation adéquate • Promenade confortable
• Direction correcte • Habitacle spacieux • Rapport prix/équipement avantageux

### ▼ CONTRE

• Apparence dépassée • Banquettes peu confortables
• Finition à améliorer • Matériaux bon marché
• Pneumatiques médiocres

# *Alerte à la Malibu !*

**O.K., je l'admets, c'est un jeu de mot facile. D'ailleurs, la Chevrolet Malibu n'a strictement aucun rapport avec les *babes* à maillot rouge, ni avec les surfeurs bien baraqués qui ont fait le succès de l'émission *Alerte à Malibu*.**

Non, s'il y a un point commun, outre leur nom, entre la voiture et la série télé, c'est du côté de leur longévité respective qu'il faut le chercher. Et cette année encore, il semble bien que l'un et l'autre ne nous offrent que du réchauffé à se mettre sous la dent.

### Fidèle à la légende

Pour vous dire, le Mitch de la Chevrolet Malibu, un V6 de 3,1 litres, est si vieux qu'il n'est pas loin d'avoir écumé les plages à l'époque où les maillots s'étendaient du cou jusqu'aux chevilles. C'était bien avant que les *beach bums* ne se mettent aux stéroïdes, comme en font foi les 170 chevaux que les ingénieurs extirpent de peine et de misère de son vieux bloc en fonte. Si l'on vous dit que ses capacités de remorquage sont faibles, vous aurez deviné qu'il ne faut pas compter sur lui pour jouer les maîtres nageurs. D'ailleurs, ses hurlements risqueraient de faire peur aux poissons. Par contre, il s'exprime posément lorsqu'il n'est pas bousculé dans son petit train-train, il a assez de souffle pour rendre les dépassements sécuritaires, il est fiable, et il consomme raisonnablement, de quoi faire craquer un certain type de belle-mère ! En aval, une boîte auto-

matique bien adaptée transmet son énergie au train avant sans qu'on trouve à redire.

La Malibu possède un châssis dont la rigidité laisse amplement de latitude au peaufinage des suspensions. Celles-ci dispensent un confort correct, tout en favorisant un sain comportement routier qui exclut la notion de performance. Les mouvements de caisse sont assez bien contrôlés, et les amortisseurs réussissent généralement à garder les pneus en contact avec la route. De toute façon, les cris de ces derniers ramènent vite à la raison dès qu'on pousse un peu trop en virage. La direction s'avère quant à elle assez précise et rapide, mais elle ne renseigne guère sur l'état de la chaussée. Pour le reste, oubliez les antipatinages et autres assistances à la traction, la Malibu préfère bouder les développements technologiques et rester fidèle à un

## CARACTÉRISTIQUES

| | |
|---|---|
| Prix du modèle à l'essai | LS 25 625 $ |
| Échelle de prix | de 22 980 $ à 25 800 $ |
| Assurances | 635 $ |
| Garanties | 3 ans 60 000 km / 3 ans 60 000 km |
| Emp. / Long. / Larg. / Haut. (cm) | 272 / 484 / 176 / 143 |
| Poids | 1 396 kg |
| Coffre / Réservoir | 490 litres / 54 litres |
| Coussins de sécurité | frontaux |
| Suspension avant | indépendante, jambes de force |
| Suspension arrière | indépendante, jambes de force |
| Freins av. / arr. | disque / tambour, ABS |
| Système antipatinage | non |
| Direction | à crémaillère, assistée |
| Diamètre de braquage | 11 mètres |
| Pneus av. / arr. | P215/60R15 |

## MOTORISATION ET PERFORMANCES

| | |
|---|---|
| Moteur | V6 3,1 litres 12 soupapes |
| Transmission | traction, automatique 4 rapports |
| Puissance | 170 ch à 5 200 tr/min |
| Couple | 190 lb-pi à 4 000 tr/min |
| Autre(s) moteur(s) | aucun |
| Autre(s) transmission(s) | aucune |
| Accélération 0-100 km/h | 9,6 secondes |
| Reprises 80-120 km/h | 8 secondes |
| Vitesse maximale | 170 km/h (estimée) |
| Freinage 100-0 km/h | 44 mètres |
| Consommation (100 km) | 9,6 litres (ordinaire) |
| • Valeur de revente | moyenne |
| • Renouvellement du modèle | 2004 |

d'apparence et d'ergonomie le rend parfaitement viable.

L'équipement de série du modèle de base est – modestement – comparable à ce qu'on propose ailleurs : climatisation, condamnation centrale des portières, antivol PASSLock, radio avec lecteur CD, et bien sûr la boîte automatique que l'on retrouve souvent en option chez ses rivales asiatiques. La version LS ajoute de meilleurs tissus, les roues en alliage, le régulateur de vitesse, le verrouillage à distance, les glaces et les rétroviseurs électriques, bref,

passé légendaire ! Cette année, on peut même parler de régression, puisque, comme pour d'autres produits GM (et, soyons justes, chez d'autres manufacturiers également), l'ABS n'est plus livré de série dans la version de base. Ce n'est rien pour rendre plus sûr un véhicule dont la sécurité était déjà perfectible, comme en témoignent les résultats de ses tests de collision. Quoi qu'il en soit, pour en revenir au freinage, le tandem disque/tambour satisfait tout de même dans l'ensemble, pourvu qu'on se garde d'en faire un usage intensif. Peut-être que de meilleurs pneus...

### Modeste mais accueillante

« Élégance sans prétention », clame la publicité, en parlant des lignes de la Malibu. Comme ces choses-là sont joliment dites, encore que le mot « élégance » paraisse immodéré pour décrire des formes impersonnelles qui puisent leur inspiration dans un passé révolu. Qu'on se le dise, même les carrosseries des japonaises, à l'origine dans son collimateur, évoluent ! Les dessinateurs n'en n'ont sans doute pas moins gagné leur pari, puisque les formes inoffensives de la Malibu lui valent une indifférence qui conforte dans ses choix une clientèle ne demandant pas mieux que de se fondre dans la multitude. Rien ne vient semblablement justifier, cependant, le laisser-aller que semble suggérer le montage imprécis des éléments de la carrosserie.

Cette « compacte grand format » qui se décline en version de base ou LS surprend par son habitabilité. Le coffre est l'un des plus spacieux de sa catégorie, et sa large découpe favorise le trans-

port d'objets encombrants. Il s'agrandit par le rabat du dossier de la banquette en tout ou en partie. Celle-ci permet à deux adultes de voyager à leur aise grâce au bon dégagement laissé aux jambes, et accommode une 3e personne (pas trop geignarde), si besoin est. Les rembourrages des fauteuils, particulièrement des baquets, sont typiquement américains, c'est-à-dire moelleux et sans soutien latéral. Dans la LS, celui du conducteur offre des réglages électriques en six sens. Les intrusions sonores de l'extérieur sont bien contrées, les cliquetis et grincements se font rares (du moins dans le véhicule à l'essai), bref, toutes les conditions sont réunies pour que les occupants fassent une promenade agréable. L'environnement – et les matériaux qui le composent – n'est peut-être pas très recherché, mais sa cohésion en termes

du luxe sans ostentation. Il ne reste d'options que la sellerie en cuir, le toit ouvrant et l'aileron arrière, mais considérant la vocation « socio-écono-pratico-pratique » de ce véhicule, on peut se demander s'il s'agit là d'un choix conséquent.

Comme celles qui l'ont précédée, cette Malibu réunit en un tout homogène des vertus satisfaisantes d'habitabilité, de compétence et de fiabilité. Après avoir eu dans sa mire des japonaises qui semblent aujourd'hui hors de portée, la Malibu doit maintenant se méfier des coréennes qui emplissent un peu plus chaque année le champ de ses rétroviseurs. Heureusement, elle s'apprête à faire peau neuve en deux versions: une berline, et une familiale à empattement allongé qui recevrait le nom de « MAX ». Il est grand temps...

*Jean-Georges Laliberté*

---

### MODÈLES CONCURRENTS

• *Chrysler Sebring* • *Honda Accord* • *Hyundai Sonata*
• *Mazda 6* • *Nissan Altima*

### QUOI DE NEUF ?

• *ABS maintenant en option dans le modèle de base*
• *Nouvelles garnitures en tissus dans la LS*
• *2 nouvelles couleurs*

### VERDICT

| | |
|---|---|
| **Agrément de conduite** | ★★☆ |
| **Fiabilité** | ★★★☆ |
| **Sécurité** | ★★★ |
| **Qualités hivernales** | ★★★ |
| **Espace intérieur** | ★★★★ |
| **Confort** | ★★★ |

### ▲ POUR

• Bonne habitabilité • Duo moteur/transmission éprouvé • Confort de roulement • Homogénéité
• Bon rapport prix/équipement

### CONTRE

• Présentation peu raffinée • Finition laissant à désirer
• Performances banales • Moteur dépassé
• Piètres pneumatiques

# Plus que passé

**Dans les années 70, la Chevrolet Monte Carlo avait la cote auprès d'une certaine clientèle. Sa silhouette, son équipement et les performances de ses gros moteurs V8 l'ont alors propulsée au sommet des palmarès de vente. Hélas ! Incapable de soutenir le souffle du modernisme, sa popularité a fléchi au fil des années et sa production a été interrompue en 1988.**

I fallut attendre à 1995 pour assister à un modeste retour en demi-teinte. Puis, en 2000, une toute nouvelle version était commercialisée. Cette fois, ce gros coupé possède une carrosserie inspirée de celle des voitures du même nom inscrites dans les épreuves de la Coupe Winston en NASCAR. D'ailleurs, la silhouette ainsi que la calandre avant et le déflecteur arrière ont été spécialement étudiés en soufflerie afin de permettre à cette Chevrolet de se conformer plus facilement aux règles de la série.

Dans ce contexte, il serait logique de se retrouver au volant d'une propulsion équipée d'un moteur V8 de plus de 300 chevaux ou, tout au moins, de l'incontournable moteur V6 de 3,8 litres suralimenté produisant 240 chevaux utilisé dans la Pontiac Grand Prix. La réalité est toutefois bien triste. Malgré ses prétentions et ses allures de bolide de Super Speedway, la Monte Carlo est une modeste traction devant se contenter d'un timide moteur V6 de 200 chevaux. Vous me direz que 200 chevaux, ce n'est pas si vilain. C'est vrai ! Mais c'est

quand même peu quand on s'arrête aux prétentions de la carrosserie et même de l'appellation. Le modèle LS est encore moins bien pourvu en fait de moteur, car il est équipé du V6 de 3,4 litres d'une puissance de 180 chevaux. Dans les deux cas, seule la boîte automatique à 4 rapports est offerte. Et pas question de sélection manuelle des vitesses « à la Tiptronic ».

La réalité est donc toute simple. En dépit des prétentions de son constructeur, il s'agit d'une Impala 2 portes enveloppée d'une carrosserie pour le moins bizarre.

### Le respect de la tradition
Comme à l'époque où les gros coupés intermédiaires étaient les chéris de l'Amérique, l'espace aux places avant est impressionnant. L'accès aux sièges baquets

## CARACTÉRISTIQUES

| | |
|---|---|
| Prix du modèle à l'essai | SS 32 895 $ |
| Échelle de prix | de 27 545 $ à 29 935 $ |
| Assurances | 916 $ |
| Garanties | 3 ans 60 000 km / 3 ans 60 000 km |
| Emp. / Long. / Larg. / Haut. (cm) | 281 / 508 / 185 / 146 |
| Poids | 1572 kg |
| Coffre / Réservoir | 447 litres / 64 litres |
| Coussins de sécurité | frontaux et latéraux |
| Suspension avant | indépendante, jambes de force |
| Suspension arrière | indépendante, jambes de force |
| Freins av. / arr. | disque, ABS |
| Système antipatinage | oui |
| Direction | à crémaillère, assistée |
| Diamètre de braquage | 11,6 mètres |
| Pneus av. / arr. | P225/60R16 |

## MOTORISATION ET PERFORMANCES

| | |
|---|---|
| Moteur | V6 3,8 litres |
| Transmission | traction, automatique 4 rapports |
| Puissance | 200 ch à 5200 tr/min |
| Couple | 225 lb-pi à 4000 tr/min |
| Autre(s) moteur(s) | V6 3,4 litres 180 ch |
| Autre(s) transmission(s) | aucune |
| Accélération 0-100 km/h | 9,5 secondes |
| Reprises 80-120 km/h | 6,8 secondes |
| Vitesse maximale | 190 km/h |
| Freinage 100-0 km/h | 40,8 mètres |
| Consommation (100 km) | 12,6 litres (ordinaire) |

| | |
|---|---|
| • Valeur de revente | faible |
| • Renouvellement du modèle | 2004 |

son équipement complet, sa chaîne audio de qualité et sa fiabilité mécanique que par ses prestations sur la route. De plus, ses dimensions hors catégorie ne sont pas nécessairement en harmonie avec la vocation affichée. Grosse et lourde, la Monte Carlo manque carrément d'agilité dans les courbes prises à haute vitesse et le roulis de la caisse est omniprésent. Les pneus se plaignent de ce mauvais traitement en émettant un mugissement prononcé tandis que le caoutchouc souffre en s'émiettant sur l'épaulement. Il faut également être prêt

s'effectue sans problème aussi bien en raison de la largeur des portières que de la hauteur des sièges. Toutefois, c'est une autre histoire pour rejoindre les places arrière. Il faut s'immiscer entre le siège avant et le pilier B tout en tentant de ne pas s'empêtrer dans la ceinture de sécurité qui semble prendre un malin plaisir à s'enrouler autour des jambes. Une fois en place, on constate que c'est moyennement confortable. Le hic, c'est que la banquette est basse, de sorte que petits et grands se retrouvent la tête entre les genoux. Et comme les fenêtres arrière sont petites et les dossiers des sièges avant particulièrement hauts, il ne faut pas être claustrophobe. À croire qu'aucun progrès n'a été réalisé en fait d'aménagement intérieur en 30 ans.

La présentation du tableau de bord est beaucoup mieux réussie que le reste. Ce n'est pas révolutionnaire, mais c'est assez bien élaboré et la disposition des commandes s'avère logique. Il faut souligner que, comme c'est le cas dans plusieurs véhicules de General Motors, la clé de contact n'est plus sur la colonne de direction, mais sur la planche de bord, une solution nettement plus pratique. Autant la radio que le centre de commande de la climatisation sont dotés de gros boutons faciles à détecter et à manipuler. Les mauvaises langues vont ajouter que cette approche en fait de stylisme et d'ergonomie a été adoptée pour les baby-boomers vieillissants dont la vue n'est plus ce qu'elle était. Il faut également souhaiter pour Chevrolet que leur vision déficiente les empêche de constater que la finition est perfectible et la texture des plastiques à revoir. D'ailleurs, ces remarques s'appliquaient

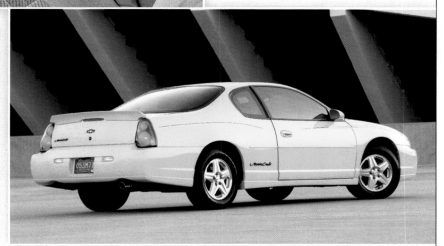

déjà aux premières versions des années 70. La tradition a la vie dure chez Chevrolet.

### Docile et prévisible

Malgré ses allures de bête de course ou de véhicule de fin de semaine de Batman, la Monte Carlo est docile à piloter. Son comportement routier s'apparente à celui de l'Impala. Ce n'est pas vilain en soi puisque cette berline est prévisible en virage et soutient fort bien la comparaison avec les autres véhicules de la catégorie. Par contre, ce n'est pas tellement reluisant pour un coupé aux prétentions sportives.

Avec un temps d'accélération d'un peu moins de 10 secondes pour boucler le 0-100 km/h, il ne faut pas parler de performance. Ce gros coupé bourgeois est donc plus susceptible d'intéresser les gens par

à un déhanchement de l'arrière si jamais vous effectuez une manœuvre de changement de voie à haute vitesse. Ce coupé s'accommode beaucoup mieux d'un pilotage en douceur. Si vous voulez pousser davantage, il faudra vous cramponner au volant, car la bête devient beaucoup moins docile. Non pas en raison de ses performances, mais de ses faibles aptitudes à rouler très vite sur un parcours exigeant. Les lois de la physique étant ce qu'elles sont, les déports latéraux d'une telle masse ne se contrôlent pas toujours facilement et les novices seront pris de court.

La Monte-Carlo possède donc une personnalité différente de son plumage et il ne faut pas se laisser endoctriner. À ce compte, l'Impala ne tente pas de nous en imposer par sa présentation tout en étant plus homogène. Alors ?

*Denis Duquet*

---

### MODÈLES CONCURRENTS

• *Acura CL* • *Chrysler Sebring* • *Toyota Solara*

### QUOI DE NEUF ?

• *Nouvelles roues de 16 pouces*
• *Nouveaux coloris extérieurs*

### VERDICT

| | |
|---|---|
| **Agrément de conduite** | ★★★⌐ |
| **Fiabilité** | ★★★★ |
| **Sécurité** | ★★★★ |
| **Qualités hivernales** | ★★★⌐ |
| **Espace intérieur** | ★★★ |
| **Confort** | ★★★ |

### ▲ POUR

• Sécurité passive • Mécanique fiable
• Équipement complet • Nombreux espaces de rangement • Consommation raisonnable

### ▼ CONTRE

• Finition perfectible • Banquette arrière trop basse
• Silhouette étrange • Dimensions hors catégorie
• Tempérament bourgeois

# EL CAMINO, la suite

**Lorsque la division Chevrolet a dévoilé son prototype SSR (Super Sport Roadster) au Salon de l'auto de Detroit en janvier 2000, personne ne se doutait que cette camionnette au toit rétractable allait susciter un tel enthousiasme. Avec sa silhouette rétro, sa taille svelte, ses ailes en relief et son museau sympathique, ce Chevrolet a été la vedette de l'événement. Pour répondre à la demande populaire General Motors a décidé que ce concept deviendrait réalité. En août 2001, la haute direction annonçait que le SSR allait être fabriqué en série.**

La décision s'est prise en un temps record, surtout pour ce constructeur qui a toujours eu la fâcheuse habitude de tergiverser et de remettre sa décision au lendemain. Puisque le SSR sera offert au public au début de 2003, il s'agit quasiment d'un record. Plusieurs étaient certains que le modèle, dans sa version finale, serait fort différent du prototype, notamment le toit mobile qui est complexe et onéreux à produire. Encore une fois, ce fut une agréable surprise lorsque la version définitive a été annoncée puisque le toit rétractable a été retenu. Celui-ci est constitué de deux parties mobiles et il se remise à la verticale entre la cabine et la caisse de chargement. Il suffit d'appuyer sur un bouton pour que cette coupole s'escamote. C'est la preuve que les Nord-Américains sont capables de faire aussi bien que les Allemands et les Japonais à ce chapitre. D'ailleurs, ceux qui ont quelques notions d'histoire de l'automobile se souviennent que ce sont les Américains, au cours des années 50, qui ont développé cette technologie. Les autres se sont contentés de moderniser et de raffiner le concept.

Par contre, le moteur offert de série n'est pas le même que celui du prototype qui était équipé d'un V8 de 6 litres. La version finale sera propulsée par une nouvelle version en alliage léger du V8 5,3 litres qui est devenu le moteur de choix de plusieurs acheteurs de camionnettes intermédiaires de GM. Cette nouvelle version inclut plusieurs raffinements technologiques, mais le moteur est toujours couplé à une boîte automatique à 4 rapports. Soulignons au passage qu'un différentiel de type Torsen sera utilisé afin d'optimiser la traction. Plusieurs auraient toutefois souhaité pouvoir commander le SSR avec une boîte manuelle à 5 rapports, ce qui est impossible pour le moment. Dommage,

## CARACTÉRISTIQUES

| | |
|---|---|
| **Prix du modèle à l'essai** | n.d. |
| **Échelle de prix** | de 52 000 $ à 60 000 $ |
| **Assurances** | n.d. |
| **Garanties** | 3 ans 60 000 km / 3 ans 60 000 km |
| **Emp. / Long. / Larg. / Haut. (cm)** | 294 / 303 / 200 / 162 |
| **Poids** | 2 086 kg |
| **Coffre / Réservoir** | 152 cm (caisse) / n.d. |
| **Coussins de sécurité** | frontaux et latéraux |
| **Suspension avant** | indépendante, liens asymétriques |
| **Suspension arrière** | essieu rigide, bras tirés |
| **Freins av. / arr.** | disque, ABS |
| **Système antipatinage** | oui |
| **Direction** | à crémaillère, assistance variable |
| **Diamètre de braquage** | 12,2 mètres |
| **Pneus av. / arr.** | P255/45R19 / P295/40R20 |

## MOTORISATION ET PERFORMANCES

| | |
|---|---|
| **Moteur** | V8, 5,3 litres |
| **Transmission** | propulsion, automatique 4 rapports |
| **Puissance** | 290 ch à 5200 tr/min |
| **Couple** | 325 lb-pi à 4 000 tr/min |
| **Autre(s) moteur(s)** | aucun |
| **Autre(s) transmission(s)** | aucune |
| **Accélération 0-100 km/h** | 7,8 secondes |
| **Reprises 80-120 km/h** | 6,5 secondes |
| **Vitesse maximale** | 200 km/h |
| **Freinage 100-0 km/h** | n.d. |
| **Consommation (100 km)** | 14,2 litres (ordinaire) (estimé) |

- **Valeur de revente** — nouveau modèle
- **Renouvellement du modèle** — nouveau modèle

tenue de route en plus de bien planter le véhicule sur la route.

L'habitacle est relativement petit. L'espace de rangement du toit mobile vient rogner de précieux centimètres dans l'habitacle et le dégagement pour les jambes en souffre. C'est quand même adéquat, à la condition qu'on veuille bien déposer ses bagages dans la boîte de chargement. La planche de bord se révèle dépouillée comme celle des camions des années 30. Mais, contrairement à ce qui était le cas dans le prototype, le levier de vitesses n'est plus sur

compte tenu du caractère sportif et ludique de cette camionnette sport.

Cette camionnette vraiment à part n'est pas la première à pouvoir se transformer en roadster. Pour le Dodge Dakota, on avait opté pour le même concept sans grand succès. Non seulement la silhouette était atroce une fois le toit souple en place, mais la rigidité de la cabine avait été sérieusement affectée par cette amputation. Le SSR a été conçu dès le début pour être un cabriolet et son châssis de type échelle a été développé en fonction de ce modèle. Ajoutons que dans le cas d'une camionnette, la cabine est autonome de la caisse arrière et qu'il est donc plus facile d'obtenir la rigidité voulue. Pour le SSR, le châssis a été initialement emprunté à la camionnette S-10, mais il a été énormément modernisé. L'utilisation de pièces formées par pression hydraulique a permis d'obtenir des éléments légers et rigides à la fois. De plus, comme dans les grosses camionnettes Silverado, les ingénieurs ont développé un châssis à flexibilité variable qui est en mesure de combiner rigidité et confort, deux caractéristiques qui font grandement défaut à la plupart des camions légers sur le marché.

### Rétro à la page

Le projet d'une camionnette hors de l'ordinaire a été initialement amorcé par les responsables du studio de design des camions Chevrolet qui voulaient créer un prototype illustrant le passé de la marque. Quatre projets ont été présentés par les stylistes et celui du SSR a immédiatement été sélec-

tionné. Sur le plan visuel, c'est aussi réussi que les New Beetle, Chrysler PT Cruiser et Ford Thunderbird. La mode est au rétro et ce Chevrolet touche la cible en plein centre.

La clé de l'élégance visuelle de ce camion est l'équilibre entre les passages de roues, le galbe du toit et l'avant tout en rondeurs. Et il faut également louanger la haute direction d'avoir très peu modifié le dessin original. Les ailes dégagées, par exemple, sont identiques à celles du véhicule-concept, sauf qu'il a fallu y installer des feux de position. L'utilisation d'un couvercle stylisé pour la boîte de chargement contribue aussi à donner une allure plus sophistiquée tout en améliorant le coefficient aérodynamique. Il faut ajouter que l'utilisation de roues de 19 pouces à l'avant et de 20 pouces à l'arrière favorise la

la colonne de direction, mais sur la console centrale puisque deux sièges baquets ont remplacé la banquette originale.

La sonorité du moteur est sportive à souhait et son ronronnement convient bien à l'utilisation anticipée par ses propriétaires, soit de s'amuser au volant. À ce chapitre, le très, très modeste essai partiel de ce modèle réalisé avant de mettre sous presse nous permet de croire que le ramage sera à la hauteur du plumage et que, sans être une voiture sport, cet hybride mi-cabriolet, mi-camionnette offrira un agrément de conduite particulier.

*Denis Duquet*

---

## MODÈLES CONCURRENTS

• *Aucun*

## QUOI DE NEUF ?

• *Nouveau modèle*

## VERDICT

| Agrément de conduite | ★★★⸗ |
| Fiabilité | *nouveau modèle* |
| Sécurité | ★★★★ |
| Qualités hivernales | ★★⸗ |
| Espace intérieur | ★★ |
| Confort | ★★★ |

## ▲ POUR

• Silhouette étourdissante • Toit rigide escamotable
• Mécanique connue • Pneumatiques sport
• Tenue impressionnante en virage

## ▼ CONTRE

• Cabine exiguë • Faible diffusion initiale
• Pneus mal adaptés à l'hiver • Essieu rigide
• Ergonomie perfectible

# Grosses pointures !

J'ai toujours cru que l'engouement des Nord-Américains pour les véhicules utilitaires sport n'était qu'une excuse pour remplacer les grosses berlines d'autrefois. Celles-ci ont pratiquement été éradiquées à la suite de la crise du pétrole du milieu des années 70 et elles ne sont plus politiquement correctes de nos jours. Les activités de plein air étant plus populaires que jamais, quoi de plus naturel que de se tourner vers ces gros VUS capables de tracter votre roulotte, d'aller en forêt ou encore d'assurer une meilleure traction lorsque les éléments se déchaînent.

**E**t il ne faut pas oublier l'excuse traditionnelle de plusieurs acheteurs qui concluent que « plus c'est gros, meilleure sera la sécurité en cas de collision ». Si vous voulez, mieux vaut écraser son voisin avec un gros bolide que de subir l'inverse. Bref, toutes les raisons sont bonnes pour suivre les tendances. Mais si jamais vous avez réellement besoin de l'un de ces véhicules, GM a au moins quatre modèles à vous proposer : un duo de colosses appelés Chevrolet Tahoe / GMC Yukon et deux modèles encore plus gros, les Chevrolet Suburban / Yukon XL.

Pour simplifier les choses, ce quatuor partage la même plate-forme tout en se démarquant individuellement au chapitre des dimensions, des moteurs et de l'équipement. Ainsi, l'empattement du tandem Tahoe / Yukon est de 295 cm tandis que celui des Suburban / Yukon XL est de 320 cm ! Pas surprenant alors que 52 cm les départagent sur la longueur totale.

### Les « petits »

À moins d'avoir des besoins très particuliers, le Yukon et le Tahoe sont suffisamment gros pour la majorité des tâches anticipées. Ils accueillent sept personnes dans un confort plus qu'acceptable tout en ayant quand même assez d'espace pour les bagages. Et si ceux-ci sont hors normes, il est toujours possible d'accrocher une remorque à l'arrière où on pourra empiler jusqu'à 3 493 kg d'objets de toutes sortes. Les 275 chevaux du moteur V8 4,8 litres expliquent de telles statistiques. Si cela n'est pas suffisant, vous pouvez opter pour le V8 5,3 litres de 285 chevaux. Vous aimez combiner puissance, luxe et factures de carburants hors du commun ? Le V8

## CARACTÉRISTIQUES

| | |
|---|---|
| Prix du modèle à l'essai | TL 54 495 $ |
| Échelle de prix | de 42 390 $ à 54 495 $ |
| Assurances | 200 $ |
| Garanties | 3 ans 60 000 km / 5 ans 100 000 km |
| Emp. / Long. / Larg. / Haut. (cm) | 295 / 505 / 200 / 195 |
| Poids | 2 461 kg |
| Coffre / Réservoir | de 462 l à 2 962 litres / 98 litres |
| Coussins de sécurité | frontaux et latéraux |
| Suspension avant | indépendante, leviers transversaux |
| Suspension arrière | rigide, ressorts à lames |
| Freins av. / arr. | disque, ABS |
| Système antipatinage | oui |
| Direction | à billes, assistée |
| Diamètre de braquage | 11,7 mètres |
| Pneus av. / arr. | P265/70R17 |

## MOTORISATION ET PERFORMANCES

| | |
|---|---|
| Moteur | V8 5,3 litres |
| Transmission | intégrale, automatique 4 rapports |
| Puissance | 285 ch à 5 200 tr/min |
| Couple | 325 lb-pi à 4 000 tr/min |
| Autre(s) moteur(s) | V8 4,8 l 275 ch ; V6 l 320 ch |
| | (Yukon) V8 8,1 l 340 ch (Suburban et XL) |
| Autre(s) transmission(s) | aucune |
| Accélération 0-100 km/h | 9,8 secondes |
| Reprises 80-120 km/h | 7,6 secondes |
| Vitesse maximale | 175 km/h |
| Freinage 100-0 km/h | 45,3 mètres |
| Consommation (100 km) | 14,8 litres (ordinaire) |
| • Valeur de revente | moyenne |
| • Renouvellement du modèle | 2006 |

320 chevaux qui est le plus musclé de la famille. Il permet au GMC Denali d'avoir le haut du pavé en fait de performances.

Selon le modèle choisi, l'habitacle peut être quasiment austère ou donner l'impression d'être dans un salon avec la sellerie en cuir, quatre sièges baquets et une interminable liste d'accessoires. Pour 2003, le tableau de bord est tout nouveau, se démarquant de celui des « petits » Tahoe et Yukon. Avec une présentation et une disposition des commandes similaire à celle de l'an dernier, il se dis-

6 litres de 320 chevaux devrait vous permettre d'atteindre ces objectifs. Soulignons au passage qu'il est de série sur le GMC Denali, le modèle le plus huppé de la famille Yukon.

Cette année, une nouvelle boîte de transfert à différentiel libre à 2 rapports Borg Warner équipe les modèles 4X4. Auparavant, on ne pouvait pas obtenir une démultipliée, ce qui limitait les capacités en conduite hors route. Parmi les autres nouveautés, il faut souligner les pédales à réglage électrique, les rétroviseurs à repli à commande électrique, la climatisation à trois zones ainsi que le système StabiliTrak à quatre canaux. Et si ce genre de détail vous passionne, vous pourrez commander des sièges baquets à la 2e rangée ainsi qu'un lecteur DVD pour amuser leurs occupants et ceux de la 3e rangée.

Ces véhicules sont essentiellement conçus pour le travail et les loisirs. Leurs prestations sur la route se veulent un compromis entre l'autoroute et les sentiers de l'arrière-pays. Malgré tout, il est impressionnant de constater que ces grosses caisses tiennent leur bout sur des routes secondaires sinueuses et se révèlent confortables sur l'autoroute. Et même si la pédale de freins est parfois spongieuse, les freins à disque aux quatre roues ont suffisamment de puissance pour vous immobiliser en moins de 45 m. Malgré ces caractéristiques routières plutôt positives, il faut toujours se rappeler qu'il s'agit de véhicules hauts sur pattes, lourds et dotés d'une suspension arrière rigide.

### Les « gros »

À moins de souffrir du complexe napoléonien, vous n'achèterez pas un Suburban ou un Yukon XL pour

leurs dimensions qui sont plus encombrantes qu'autre chose. Par contre, partez à l'aventure avec six membres de votre famille et vous n'aurez pas à limiter le nombre de valises à emporter. Même un gros bateau calé sur une remorque sera tracté sans que cela n'y paraisse. Cette année, la possibilité de commander le système Quadrasteer sur les modèles Suburban 2 500 facilitera la conduite. Initialement offert sur les camionnettes l'an dernier, ce mécanisme permet aux roues arrière de tourner en harmonie avec les roues avant et simplifie ainsi le pilotage. Les autres innovations sont partagées avec les autres modèles.

Naturellement, les mêmes puissants V8 que dans les Tahoe et Yukon sont offerts à l'exclusion du 4,8 litres dont les 275 chevaux sont jugés insuffisants. Encore une fois, c'est le Vortec 6 000 avec ses

tingue essentiellement par un centre d'information au bas de la nacelle des instruments et le positionnement de plusieurs commandes sur le volant.

La tenue de route de ces gros gabarits n'est pas celle d'une Corvette, mais ces pachydermes motorisés possèdent quand même de bonnes manières en fait de tenue en virage et de stabilité directionnelle tandis que leurs accélérations et reprises sont plus qu'adéquates. Parmi les bémols, il faut souligner une suspension arrière rigide, une direction quelque peu engourdie et une distance de freinage assez longue. Bien entendu, ces gros V8 ont des muscles à nourrir et la facture de carburant est toujours corsée.

Par contre, si vous avez besoin de ces gros outils, ce quatuor mérite qu'on s'y intéresse.

*Denis Duquet*

---

## MODÈLES CONCURRENTS

• Ford Expedition • GMC Yukon • Lincoln Navigator
• Toyota Sequoia

## QUOI DE NEUF ?

• Système Autotrak amélioré • Système Quadrasteer optionnel • Pédalier réglable • Tableau de bord révisé

## VERDICT

| | |
|---|---|
| **Agrément de conduite** | ★★★⁴ |
| **Fiabilité** | ★★★⁴ |
| **Sécurité** | ★★★★★ |
| **Qualités hivernales** | ★★★★ |
| **Espace intérieur** | ★★★★★ |
| **Confort** | ★★★★ |

## ▲ POUR

• **Raffinement en progrès** • **Système AutoTrak**
• **Choix de moteurs** • **Comportement routier sain**
• **Freins plus puissants**

## ▼ CONTRE

• **Consommation élevée** • **Prix prohibitifs (Denali)**
• **Places arrière moyennement confortables**
• **Hayon lourd**

# Chérie, j'ai réduit le Hummer !

**Les sociologues du futur auront bien du plaisir à analyser les habitudes des consommateurs du début du xxie siècle. Ces derniers achètent à prix d'or des véhicules à 4 roues motrices énormes et les utilisent uniquement sur l'asphalte. Heureusement, il reste une poignée d'irréductibles qui ont compris qu'un véhicule à 4 roues motrices, ça peut aller à peu près n'importe où !**

Chevrolet et Suzuki ont su résister à la tentation d'embourgeoiser leurs Tracker et Vitara qui sont, à quelques sigles près, identiques. Les prix débutent à 20 000 $ et s'échelonnent jusqu'à un peu plus de 30 000 $ pour la version la plus cossue. On est loin d'un Cadillac Escalade ! Les Suzuki Vitara et Chevrolet Tracker sont offerts en deux versions, l'une à deux portières décapotable, l'autre à quatre portières avec toit rigide. Dans les deux cas, deux niveaux d'équipement sont offerts, soit de base et LX. Suzuki s'est

réservé le droit de faire un peu plus de pognon en étant le seul à proposer un Vitara V6, appelé Grand Vitara bien qu'il ne soit pas plus grand. En temps normal, seules les roues arrière poussent ces mignons véhicules. Les trois modèles ont droit à un système 4X4 à temps partiel efficace qui peut être enclenché à la volée jusqu'à 90 km/h. Mais pour profiter pleinement de toutes ses ressources, on peut passer au mode « Lo » alors que le véhicule est immobile. Puis, vivement le trou de bouette le plus proche !

## Meurtre par compassion

Depuis plusieurs années, les journalistes automobiles du système solaire au complet ainsi que quiconque avait eu la mauvaise idée d'acheter un Tracker mû par le moteur 1,6 litre décriaient le traitement indécent imposé à ses pauvres 97 chevaux. Pour 2003, GM et Suzuki ont fait preuve de compassion et seul le moteur 2 litres est offert.

Ledit engin de 2 litres à double arbre à cames développant 127 chevaux se débrouille bien sans, toutefois, offrir de grandes performances. Celles-ci sont satisfaisantes sur la grand-route, mais c'est surtout lorsque vient le temps de s'amuser à côté de la route que ses 134 lb-pi disponibles à 3 000 tr/min se font apprécier. De plus, le flou ressenti au centre du volant en conduite normale sera apprécié lors de retours brusques du volant en

## CARACTÉRISTIQUES

| | |
|---|---|
| Prix du modèle à l'essai | 4 portières 26 080 |
| Échelle de prix | de 20 555 $ à 26 100 $ |
| Assurances | 808 $ |
| Garanties | 3 ans 60 000 km / 3 ans 60 000 km |
| Emp. / Long. / Larg. / Haut. (cm) | 248 / 413,5 / 171 / 168,5 |
| Poids | 1 355 kg |
| Coffre / Réservoir | de 202 à 1266 litres / 66 litres |
| Coussins de sécurité | frontaux |
| Suspension avant | indépendante, barres de torsion |
| Suspension arrière | essieu rigide, bras longitudinaux |
| Freins av. / arr. | disque / tambour (ABS optionnel) |
| Système antipatinage | non |
| Direction | à crémaillère, assistée |
| Diamètre de braquage | 10,9 mètres |
| Pneus av. / arr. | P205/75R15 |

## MOTORISATION ET PERFORMANCES

| | |
|---|---|
| Moteur | 4L 2 litres |
| Transmission | 4X4, automatique 4 rapports |
| Puissance | 127 ch à 6 000 tr/min |
| Couple | 134 lb-pi à 3 000 tr/min |
| Autre(s) moteur(s) | V6 2,5 litres 165 ch (Grand Vitara) |
| Autre(s) transmission(s) | manuelle 5 rapports |
| Accélération 0-100 km/h | 12,5 secondes |
| Reprises 80-120 km/h | 12,4 secondes |
| Vitesse maximale | 160 km/h |
| Freinage 100-0 km/h | 52,7 mètres |
| Consommation (100 km) | 11 litres (ordinaire) |
| • Valeur de revente | moyenne à faible |
| • Renouvellement du modèle | n.d. |

puissant) font sourire quand on en a vu des semblables dans la Mercury Comet 1966 de son père ! Les prises 12 volts sont de plus en plus à la mode et les Tracker et Vitara font un peu figure de parents pauvres à ce sujet en n'en offrant pas dans le compartiment arrière. Il faut commander le Grand Vitara pour avoir droit à un tel privilège ! Parlant du compartiment arrière, mentionnons que lorsque les sièges arrière sont baissés, ils forment un fond plat et fort accueillant. Lorsque les dossiers sont relevés, en plus d'être aussi durs qu'un

situation plus corsée. Malheureusement, il m'est quelquefois arrivé de me cogner le coude gauche (le plus beau) contre l'appuie-bras lors de ces manœuvres. Le Grand Vitara, lui, reçoit un moteur de 6 cylindres de 2,5 litres qui vous donnera droit à une écurie de 165 chevaux à 6 500 tr/min. Pas besoin d'un doctorat en mécanique quantique pour deviner que ses performances sont plus brillantes que celles du 4 cylindres. Et qu'il boit au minimum 1 litre d'essence supplémentaire tous les 100 km !

Si les Tracker et Vitara sont montés sur un châssis de type échelle, à la manière des camionnettes, cela ne veut pas nécessairement dire qu'ils vous broieront la colonne vertébrale au moindre trou. On sent que la suspension est plus sèche que la normale, mais il n'y a qu'au passage de bosses ou de trous prononcés qu'il faut se méfier d'un rapide et surprenant changement de cap. Admettons cependant que la version deux portières, avec son empattement très court (2,20 m) vous incitera à vous trouver un « ramancheur » le plus tôt possible ! Au chapitre de la tenue de route, les Tracker et compagnie s'accrochent passablement bien au pavé, mais ne tentez pas de suivre une Corvette, à moins qu'elle soit garée. La caisse, malgré une garde au sol assez élevée (20 cm), ne penche pas démesurément ; le roulis est bien maîtrisé mais on se lasse assez vite de se promener de gauche à droite dans l'habitacle, faute de support latéral du siège du conducteur. Quant aux freins, sans ABS, ils imposent des distances d'arrêt démesurément longues. Le Grand Vitara, au moins, peut

compter sur l'ABS de série. Chaque membre du trio vedette peut tirer une remorque de catégorie légère, soit 680 kg. Plus lourd que ça, je déconseille fortement la descente de la côte de Saint-Joseph-de-la-Rive !

L'habitacle de notre véhicule d'essai était parsemé d'espaces de rangement et de craquements qui faisaient s'interroger sur la qualité de l'assemblage intérieur. Désolé de douter de la qualité du travail des gens de l'usine CAMI en Ontario ! La position de conduite est facile à trouver pour un physique à peu près parfait comme le mien (pourquoi riez-vous ?), mais les gens de grande taille risquent de se frapper le menton avec les genoux ! Le tableau de bord, terne, est néanmoins agréable à consulter, la radio diffuse un son potable et les commandes à glissière du chauffage (pas très, très

Whippet oublié sur le comptoir depuis deux semaines, ils diminuent dramatiquement l'espace de chargement et leurs appuie-tête obstruent la visibilité arrière. Ces derniers sont d'ailleurs un peu aidés dans cette tâche par la roue de secours qui loge sur le hayon arrière. Celui-ci ouvre du mauvais côté, c'est-à-dire que les pentures sont sur la droite.

Pour le plaisir de vous faire brasser hors route et pour ne pas trop vous faire brasser sur les routes, les Tracker et Vitara quatre portières sont tout à fait désignés. Et si vous voulez simplement « flasher » sur la *Main* mais n'avez pas les moyens de vous payer un Hummer, sans doute que la version décapotable pourrait vous être utile.

*Alain Morin*

---

## MODÈLES CONCURRENTS

• *Ford Escape* • *Honda CR-V* • *Hyundai Santa Fe*
• *Jeep Liberty* • *Kia Sportage* • *Saturn VUE*
• *Toyota RAV4*

## QUOI DE NEUF ?

• *Ensemble décoratif LXT* • *Version ZR2*
• *Moteurs 1,6 litre abandonnés*
• *Quelques détails de présentation*

## VERDICT

| | |
|---|---|
| **Agrément de conduite** | ★★★ |
| **Fiabilité** | ★★☆ |
| **Sécurité** | ★★★★ |
| **Qualités hivernales** | ★★★☆ |
| **Espace intérieur** | ★★★ |
| **Confort** | ★★★ |

## ▲ POUR

• Frimousse intéressante • Système 4X4 simple et efficace • Châssis solide • Prix amical
• Moteur V6 allègre

## ▼ CONTRE

• Freins angoissants (sans ABS) • Suspension fourbe sur mauvais revêtement • pneus d'origine braillards
• Bancs d'église à l'arrière • Bruits de caisse

# En long et en large

**L'an dernier, General Motors a fait flèche de tout bois en dévoilant moult camionnettes et véhicules utilitaires sport. Dans cette dernière catégorie, les Chevrolet TrailBlazer, GMC Envoy et Oldsmobile Bravada ont permis à ce constructeur de redevenir compétitif chez les intermédiaires. Mieux encore, le Chevrolet TrailBlazer a remporté le titre de « camionnette nord-américaine de l'année ». Pour une fois, le produit était à la hauteur des attentes et comportait suffisamment d'innovations sur le plan technique pour se démarquer de la concurrence.**

Si les trois véhicules ont une mécanique similaire, ils se différencient par leur présentation et leur comportement routier. Le TrailBlazer a une vocation plus économique, ce qui explique un habitacle moins luxueux, l'absence d'une suspension arrière pneumatique et une liste d'équipement moins complète. L'Envoy est plus cossu tandis que le Bravada privilégie la conduite sur route. Les trois sont propulsés par un moteur 6 cylindres en ligne de 4,2 litres d'une puissance de 275 chevaux associé à une boîte automatique à 4 rapports. Le Chevy et le GMC peuvent également être commandés avec un moteur V8 de 5,3 litres et 290 chevaux. Les deux sont équipés du système Autotrak qui permet de passer du mode 2 roues motrices au 4X4 Auto, High ou Low selon les besoins. Chez Oldsmobile, on a préféré équiper le Bravada d'une intégrale, car celui-ci est plutôt considéré comme une grosse familiale rendue plus polyvalente par la répartition automatique du couple aux quatre roues, une suspension moins ferme et un comportement routier davantage axé sur la conduite sur autoroute. Pour plusieurs, le Bravada s'avère une solution intéressante, mais sa disparition éventuelle ne lui permet pas d'avoir un V8.

### Ils s'allongent

Les premiers exemplaires de cette troïka étaient tous de longueur régulière lors de leur lancement au printemps 2001. Par contre, au cours des mois qui ont suivi, une version XL est apparue dont l'empattement a été allongé de 40 cm afin de permettre l'installation d'une 3e rangée de sièges pour répondre à une très forte demande du public pour des VUS sept places. Même si les dimensions hors tout de ce véhicule demeurent raisonnables, cette 3e banquette est relativement facile d'accès et deux

## CARACTÉRISTIQUES

| | |
|---|---|
| **Prix du modèle à l'essai** | TrailBlazer EXT 44 555 $ |
| **Échelle de prix** | de 39 000 à 46 365 $ |
| **Assurances** | 1 303 $ |
| **Garanties** | 3 ans 60 000 km / 3 ans 60 000 km |
| **Emp. / Long. / Larg. / Haut. (cm)** | 327 / 528 / 189 / 192 |
| **Poids** | 2 250 kg |
| **Coffre / Réservoir** | de 631 à 2 839 litres / 96 litres |
| **Coussins de sécurité** | frontaux et latéraux |
| **Suspension avant** | indépendante, bras triangulaires |
| **Suspension arrière** | essieu rigide, multibras |
| **Freins av. / arr.** | disque, ABS |
| **Système antipatinage** | oui (4X2) |
| **Direction** | à crémaillère, assistée |
| **Diamètre de braquage** | 12 mètres |
| **Pneus av. / arr.** | P245/65R17 |

## MOTORISATION ET PERFORMANCES

| | |
|---|---|
| **Moteur** | 6L 4,2 litres |
| **Transmission** | 4X4 automatique 4 rapports |
| **Puissance** | 275 ch à 6000 tr/min |
| **Couple** | 275 lb-pi à 3600 tr/min |
| **Autre(s) moteur(s)** | V8 5,3 litres 290 ch |
| **Autre(s) transmission(s)** | aucune |
| **Accélération 0-100 km/h** | 10,2 secondes |
| **Reprises 80-120 km/h** | 9,1 secondes |
| **Vitesse maximale** | 190 km/h |
| **Freinage 100-0 km/h** | 44,6 mètres |
| **Consommation (100 km)** | 15,5 litres (ordinaire) |

| | |
|---|---|
| • Valeur de revente | bonne |
| • Renouvellement du modèle | n.d. |

le moteur 6 cylindres en ligne fait sentir la présence de ses 275 chevaux de façon linéaire. Par contre, l'accélération initiale pourrait être plus marquée, car on note un certain temps d'hésitation lors des premiers mètres. Et si la consommation des modèles à empattement régulier est d'un peu plus de 15 litres aux 100 km, cette moyenne augmente d'un litre au moins avec les versions allongées en raison de leur surplus de poids.

Parlant de poids, il est impossible d'ignorer les lois de la physique au freinage. Il s'agit de

adultes de taille moyenne peuvent y bénéficier d'un certain confort.

Il est facile de prendre place à l'arrière grâce à des sièges médians qui basculent facilement en deux étapes. Vous poussez d'abord un levier placé le long du siège pour replier le dossier, ensuite vous poussez de nouveau sur ce même levier et le tout bascule vers l'avant pour libérer le passage vers l'arrière. Pour dégager une grande surface de chargement, la 3e rangée se replie facilement. Le plancher n'est pas totalement plat, mais c'est quand même adéquat. Soulignons au passage que les modèles XL de l'Envoy et EXT du TrailBlazer peuvent être équipés d'un lecteur DVD et d'un écran amovible à cristaux liquides.

L'empattement allongé a une incidence directe sur le confort de la suspension. Les modèles réguliers sont confortables, certes, mais les rencontres avec les trous et les bosses y sont davantage ressenties que dans les versions disposant de plusieurs centimètres supplémentaires entre les essieux. Cette configuration est cependant pénalisée par un surplus de poids et un diamètre de braquage qui passe de 11 mètres à 12,6 mètres. À cela s'ajoutent un prix de vente plus élevé et une consommation de carburant à la hausse. Il faut vraiment avoir besoin de l'un de ces modèles pour le choisir. Précisons également que le Bravada n'est pas offert avec un empattement long.

### Double usage
Les ingénieurs affectés au développement de ces véhicules ont fait fi de la tendance actuelle qui est

**Buick Rainier**

de privilégier le comportement routier au détriment de la conduite hors route. Ici, les décideurs ont choisi le châssis autonome et l'essieu rigide arrière, deux caractéristiques reconnues par les connaisseurs pour être plus efficaces en utilisation hors route.

Cela dit, le comportement routier de ces véhicules est sain et la direction précise au centre. Sur l'autoroute, la tenue de cap est bonne et le vent latéral ne fait pas trop sentir sa présence. Par contre, les bruits éoliens sont assez prononcés. Sur une route parsemée de courbes, la tenue de route s'avère sans histoire même si les pneus sont relativement glissants et que la caisse penche. Même en dépassant les limites de vitesse d'une vingtaine de kilomètres/heure, le TrailBlazer EXT mis à l'essai est demeuré stable. Et il ne faut pas oublier que

véhicules de plus de 2 tonnes et malgré la présence de freins à disque aux quatre roues, il a fallu 44,6 mètres pour immobiliser le TrailBlazer EXT après avoir roulé à 100 km/h lors de notre dernier test. En plus, la pédale de freins était assez spongieuse.

Malgré ces quelques bémols, force est d'admettre que ces trois VUS figurent parmi les plus homogènes et les plus intéressants à conduire de leur catégorie. Il faut souhaiter que les nombreux rappels survenus au cours des 12 derniers mois soient choses du passé. Enfin, pour l'année-modèle 2004, Buick aura également son VUS dérivé de cette plate-forme. Il sera appelé Rainier et sera le seul modèle à empattement court avec un moteur V8.

*Denis Duquet*

---

### MODÈLES CONCURRENTS
• Ford Explorer • Jeep Grand Cherokee
• Mercedes-Benz ML320 • Nissan Pathfinder
• Toyota 4Runner

### QUOI DE NEUF?
• Version EXT à empattement allongé • Édition North Face • Plusieurs nouveaux accessoires • Deux nouvelles couleurs • Puissance portée à 175 chevaux

### VERDICT

| | |
|---|---|
| Agrément de conduite | ★★★⯪ |
| Fiabilité | ★★★ |
| Sécurité | ★★★★⯪ |
| Qualités hivernales | ★★★★ |
| Espace intérieur | ★★★★ |
| Confort | ★★★★ |

### ▲ POUR
• Version allongée • Moteur performant
• Accès facile aux places arrière
• Tenue de route saine • Plate-forme rigide

### ▼ CONTRE
• Performances du EXT et du XL
• Finition toujours légère • Freins spongieux
• Débuts mécaniques troubles

# L'aventure est au cinéma

**On trouve à la Venture un petit air de déjà-vu, et pour cause ! À sa naissance, déjà, en 1997, elle se contentait de reprendre les éléments d'une recette éprouvée chez ses compétiteurs. Sauf que depuis, et bien qu'elle se soit équipée en gadgets de toutes sortes au fil des ans, sa conception générale n'a pas évolué d'un brin. Elle demeure encore dans le coup en 2003, mais elle vieillit, ça ne fait aucun doute.**

Prenons le moteur, par exemple. Un seul est offert, toujours le même V6 de 3,4 litres, dont les 185 chevaux font pratiquement match égal avec le moteur de base de la Caravan, mais s'inclinent en nombre face au reste de la concurrence. Sûr qu'il n'est pas très rapide, mais ses prestations sont acceptables, et sa douceur de fonctionnement très correcte en deçà de 4 000 tr/min. Son association obligée avec la seule boîte offerte, une automatique à 4 rapports, est plutôt réussie. Et GM aime

à rappeler que Transport Canada lui attribue le meilleur indice de consommation d'essence chez les fourgonnettes... ce qui ne signifie pas pour autant qu'elle soit frugale !

## Des performances « routinières »

La Venture est à son mieux sur l'autoroute, où elle procure confort et sérénité à ses occupants. La suspension avant réagit en douceur au passage des trous et bosses, mais les amortisseurs manquent

de tonus à l'arrière. Elle devient donc sautillante sur chaussée dégradée, et vous envoie une ruade au passage des dos... d'âne. La tenue de cap est franchement stable, et la caisse s'incline raisonnablement en virage. Seuls les pneus très ordinaires vous empêchent de presser le pas. Le fait que les bruits du vent soient bien maîtrisés ajoute à la quiétude des occupants, qui n'a été perturbée, dans le véhicule à l'essai, que par un craquement provenant de la portière droite, nous rappelant ainsi de noter que l'ajustement des pièces est, comme dans la plupart des produits de ce fabricant, très perfectible !

La performance des freins à disque et tambour va de pair avec le reste : correcte, sans plus. Il y a un hic, cependant. D'ordinaire, il est de bonne guerre chez les fabricants que certains

## CARACTÉRISTIQUES

| | |
|---|---|
| Prix du modèle à l'essai | LS 32 620 $ |
| Échelle de prix | de 25 700 $ à 43 120 $ |
| Assurances | 790 $ |
| Garanties | 3 ans 60 000 km / 3 ans 60 000 km |
| Emp. / Long. / Larg. / Haut. (cm) | 305 / 510 / 183 / 173 |
| Poids | 1 767 kg |
| Coffre / Réservoir | de 915 à 3984 litres / 90 litres |
| Coussins de sécurité | frontaux et latéraux |
| Suspension avant | indépendante, jambes de force |
| Suspension arrière | essieu rigide, poutre déformante |
| Freins av. / arr. | disque / tambour |
| Système antipatinage | oui |
| Direction | à crémaillère, assistée |
| Diamètre de braquage | 12,1 mètres |
| Pneus av. / arr. | P215/70R15 |

## MOTORISATION ET PERFORMANCES

| | |
|---|---|
| Moteur | V6 ACC 3,4 litres 12 soupapes |
| Transmission | traction, automatique 4 rapports |
| Puissance | 185 ch à 5 200 tr/min |
| Couple | 210 lb-pi à 4 000 tr/min |
| Autre(s) moteur(s) | aucun |
| Autre(s) transmission(s) | traction intégrale |
| Accélération 0-100 km/h | 12,6 secondes |
| Reprises 80-120 km/h | 8 secondes |
| Vitesse maximale | 180 km/h |
| Freinage 100-0 km/h | 43 mètres |
| Consommation (100 km) | 11,8 litres (ordinaire) |
| • Valeur de revente | moyenne |
| • Renouvellement du modèle | n.d. |

paires d'écouteurs sans fil, un lecteur DVD et un écran à cristaux liquides de 7 po.

Sinon, le modèle de base renferme un équipement qui comprend la climatisation, un volant réglable, la condamnation centrale des portières, un lecteur CD, un système antivol, deux portes coulissantes (ouverture électrique en option), sans oublier une profusion d'espaces de rangement. La liste des accessoires s'allonge à mesure que vous déliez les cordons de votre bourse : traction asservie à toute vitesse (antipatinage), radar de stationnement

équipements optionnels dans les premières séries fassent plus tard partie de la dotation de base pour attirer de nouveau la clientèle. Cette année, GM a choisi la voie inverse pour la Venture et la Montana, dont les versions de base sont délestées des freins ABS et des coussins gonflables latéraux (la Silhouette n'est pas touchée par cette mesure). Néanmoins, ces équipements restent offerts en option, tout comme le système de traction intégrale Versatrak, qui achemine jusqu'à 70 % de la puissance du train avant aux roues arrière lors de pertes d'adhérence.

### Un habitacle transformable
La Venture a aussi vieilli sur le plan visuel. Là encore, convenons que sa silhouette n'a jamais versé dans l'avant-gardisme. Sans doute qu'un styliste échaudé craint l'eau, et l'audace, et qu'on voulait faire oublier le look « fer à repasser futuriste » des anciennes Chevrolet Lumina et Pontiac Transport.

La même philosophie conformiste prévaut dans l'habitacle, où la planche de bord brille par sa simplicité, et le tableau de bord par son dépouillement. La qualité des plastiques et leur montage sont honnêtes, ce qui au total nous vaut un environnement sobre qui n'est pas nécessairement désagréable à regarder.

On en arrive à ce qui constitue la force de ce véhicule familial : la polyvalence de son aménagement. Son habitacle se transforme de façon telle que vous trouverez toujours moyen d'accommoder vos passagers ou votre chargement. Vous avez le choix entre une banquette à dossiers divisés 60/40

ou des fauteuils individuels (sièges « capitaines » ou sièges baquets à dossiers rabattables) pour la 2e rangée. La 3e est occupée par une banquette amovible, ou bien une banquette escamotable qui se rabat pour former une surface plane sur laquelle on range valises et sacs d'épicerie. Notre véhicule était équipé de la banquette médiane, et les passagers se sont déclarés assez satisfaits du confort et de l'espace qui leur était alloué, malgré l'assise trop basse. Ajoutons que la visibilité est excellente sous tous les angles, incluant par les grands rétroviseurs.

La version allongée peut accommoder jusqu'à huit passagers ou servir au transport de panneaux en contreplaqué de 4 pi x 8 pi posés à plat, hayon arrière clos. On peut aussi opter pour le centre de divertissement de la luxueuse Warner Bros. Edition. Outre une prise pour jeux vidéo, il comprend quatre

arrière, système de communication par satellite OnStar, et jusqu'à un petit compresseur intégré avec la suspension arrière pneumatique « tourisme » optionnelle. Il suffit de choisir parmi les cinq versions qu'offrent chacune la Venture et la Montana (plus les versions allongées), ou les trois que propose la Silhouette.

Cette fourgonnette est donc essentiellement un véhicule pratico-pratique qui s'adapte aussi bien au transport de marchandises que de passagers, en somme, un véhicule qui vous procure la sainte paix, à un prix raisonnable. Et si d'aventure il vous arrive d'être en mal de sensation, vous pouvez toujours prendre place à l'arrière, et glisser une des versions du film *Taxi* dans le lecteur DVD, ou pourquoi pas : *L'aventure, c'est l'aventure*.

*Jean-Georges Laliberté*

---

### MODÈLES CONCURRENTS

• Dodge Caravan • Ford Windstar • Honda Odyssey
• Kia Sedona • Mazda MPV • Toyota Sienna

### QUOI DE NEUF ?

• *ABS et coussins latéraux en option sur modèles de base* • *Nouveaux groupes d'options*

### VERDICT

| | |
|---|---|
| Agrément de conduite | ★★★ |
| Fiabilité | ★★★⯪ |
| Sécurité | ★★★ |
| Qualités hivernales | ★★★ |
| Espace intérieur | ★★★★ |
| Confort | ★★★⯪ |

### ▲ POUR

• Moteur/transmission éprouvés • Habitacle transformable • Tenue de route saine • 2 portes coulissantes • Centre de divertissement

### ▼ CONTRE

• Moteur un peu juste • Suspension arrière sautillante • Freinage à améliorer • Finition moyenne
• Silhouette anonyme • Pneumatiques bon marché

*Essais et analyses* • **213**

# Tout pour vous plaire?

**Accueillante (ouvrez les portes pour voir) et juste assez racée, la 300 M a tout pour plaire. Elle plaît d'ailleurs beaucoup, même s'il y a beaucoup à voir ces jours-ci chez la compétition. La preuve : son nom demeure toujours scotché au sommet des ventes de sa catégorie. Pour y demeurer, la direction de DaimlerChrysler a donné naissance à une 300 M Special... Un nouveau suffixe qui tente d'allumer les amateurs de berlines sport et de fermer les bouches de ceux qui, hier encore, l'accusaient d'être une pâle imitation de la 300 M originale.**

Sans être aussi « bien portante » que sa bourgeoise de sœur, la Concord, la 300 M n'est pas une maigriotte, loin de là. Pourtant, à la regarder, on ne dirait pas qu'elle est presque aussi longue qu'une limousine, tant sa silhouette paraît dynamique. Plus étonnant encore, la 300 M n'a, depuis sa présentation il y a cinq ans, fait l'objet d'aucune chirurgie esthétique majeure. En fait, seules les jantes et la palette de couleurs ont été modifiées au fil des

années. Et l'année 2003 ne fait pas exception à la règle : de nouvelles roues (elles comptent dix rayons au lieu de sept) et quatre nouvelles teintes font leur apparition au catalogue.

Aussi subtiles sont les transformations apportées à l'intérieur. Tous les occupants apprécieront que six et non plus quatre de leurs opus préférés puissent trouver refuge dans le changeur de disques compacts. Oui, sauf peut-être le passager avant qui lui, se demandera s'il ne fait pas les frais de ce

nouvel ajout. Et pour cause, non seulement le barillet de serrure de « sa » porte a été supprimé, mais son baquet compte deux réglages en moins (quatre au lieu de six).

## Quelques rides

Cela dit, en matière d'élégance, la 300 M commence à montrer son âge. Certains matériaux utilisés dans la confection du tableau de bord n'ont ni l'apparence ni le toucher constatés chez la concurrence. Il faut en effet plus qu'une large bande de bois (du faux, naturellement) pour créer une atmosphère de richesse. Sa seule richesse, elle s'observe derrière la petite lucarne où patinent des aiguilles sur des nombres sérigraphiés à l'ancienne sur un fond blanc immaculé. Considérant l'image sportive qu'elle cherche à dégager, on se désole que l'in-

| CARACTÉRISTIQUES | |
|---|---|
| Prix du modèle à l'essai | 300 M Special 43 810 $ |
| Échelle de prix | de 40 335 $ à 43 810 $ |
| Assurances | 864 $ |
| Garanties | 3 ans 60 000 km / 7 ans 115 000 km |
| Emp. / Long. / Larg. / Haut. (cm) | 287 / 502 / 189 / 142 |
| Poids | 1 645 kg |
| Coffre / Réservoir | 476 litres / 66 litres |
| Coussins de sécurité | frontaux, latéraux |
| Suspension avant | indépendante, leviers transversaux |
| Suspension arrière | indépendante, bras longitudinaux |
| Freins av. / arr. | disque (ABS de série) |
| Système antipatinage | oui (faible vitesse seulement) |
| Direction | à crémaillère, assistance variable |
| Diamètre de braquage | 11,5 mètres |
| Pneus av. / arr. | P245/45R18 |

| MOTORISATION ET PERFORMANCES | |
|---|---|
| Moteur | V6 3,5 litres |
| Transmission | semi-automatique, 4 rapports |
| Puissance | 255 ch à 6 500 tr/min |
| Couple | 258 lb-pi à 3 900 tr/min |
| Autre(s) moteur(s) | V6 3,5 litres 250 ch |
| Autre(s) transmission(s) | aucune |
| Accélération 0-100 km/h | 8,12 secondes |
| Reprises 80-120 km/h | 7,8 secondes. |
| Vitesse maximale | 190 km/h |
| Freinage 100-0 km/h | 40,1 mètres |
| Consommation (100 km) | 12,2 litres (super) |
| • Valeur de revente | faible |
| • Renouvellement du modèle | 2004 |

patinage, qui ne fonctionne qu'à très faible vitesse. En revanche, les freins se révèlent une agréable surprise et immobilisent la 300 M sur une distance raisonnable.

Cela dit, sur un long et monotone ruban d'asphalte, qu'elle soit Special ou non, la 300 M fait preuve d'une grande stabilité et d'une prédisposition certaine à avaler, sans effort, les kilomètres qui s'allongent devant elle.

En résumé, la 300 M n'a ni le raffinement, ni l'agilité, ni le tempérament de ses rivales européennes

dicateur de vitesse de la 300 M s'arrête à un timide 200 km/h (240 km/h dans le cas de la 300 M Special) et que le frein d'urgence ne s'actionne que du bout des doigts... de pied.

Le volume intérieur demeure, pour tout dire, le seul domaine où la 300 M ne porte pas flanc à la critique. Spacieuse et confortable comme pas une, cette Chrysler accueille cinq adultes (et leurs bagages) sans que ceux-ci aient à jouer du coude. Y a-t-il une de ses concurrentes qui ait l'audace de prétendre faire mieux?

### Une sportive timide

Sous le capot de la 300 M, on retrouve toujours le même V6 à simple arbre à cames en tête de 3,5 litres qui, dans la Special, délivre 5 chevaux et 3 lb-pi additionnels. C'est maigre, vous en conviendrez, et coûteux aussi, puisque DaimlerChrysler a le culot de recommander aux acheteurs de la Special de l'abreuver avec de l'essence super, histoire d'obtenir « un meilleur rendement ». Cinq chevaux de plus, cinq chevaux de moins, quelle différence? Bien malin qui pourra la discerner. Surtout que toute cette puissance est transmise au sol via la vétuste transmission semi-automatique à 4 rapports (Autostick) qui ne contribue en rien à rehausser l'image sportive que cherche à véhiculer la 300 M. Peut-être que si la commande de passage des vitesses avait été dupliquée au volant, on éprouverait plus de plaisir qu'à baratter de gauche à droite (une manœuvre déjà inhabituelle) le levier de vitesses. Puisque ce n'est pas le cas (dans une autre vie, peut-être?), on se lasse rapidement, si

bien qu'on finit par le stationner de manière définitive en position D.

À défaut d'imprimer nos vertèbres dans ses baquets, la 300 M Special a le mérite de nous étonner par son comportement routier. Alors que la version de base nous donne l'impression d'être aux commandes d'une saprée grosse berline, la Special se montre, elle, plus athlétique. Certes, elle finira bien par sous-virer elle aussi, mais les limites d'adhérence mettent plus de temps à se manifester. Comment est-ce possible? Simple, les ingénieurs ont eu recours à la quincaillerie habituelle : suspension raffermie (lire plus sèche), pneus à taille basse (il s'agit ici de 18 pouces) et direction un brin plus lourde, mais plus directe pour établir la meilleure connexion possible entre la route et le volant. Seul hic, le peu d'utilité (et que dire des grincements !) de l'anti-

ou japonaises. Pis encore, sa valeur de revente n'est, elle non plus, pas exceptionnelle. Mais qu'à cela ne tienne, DaimlerChrysler se fait un devoir de nous rappeler que sa 300 M se vend beaucoup moins cher que ses rivales et est aussi beaucoup plus spacieuse pour vos passagers et leurs bagages. Un argument qui ne manque pas de poids et qui explique, en partie, pourquoi nous croisons autant de 300 M sur nos routes.

*Éric LeFrançois*

---

## MODÈLES CONCURRENTS

- *Cadillac CTS* • *Lincoln LS*
- *Pontiac Bonneville*

## QUOI DE NEUF?

- *Série Special* • *Nouvelles couleurs*
- *Changeur de six CD*

## VERDICT

| | |
|---|---|
| **Agrément de conduite** | ★★★★ |
| **Fiabilité** | ★★★⯪ |
| **Sécurité** | ★★★ |
| **Qualités hivernales** | ★★★⯪ |
| **Espace intérieur** | ★★★★⯪ |
| **Confort** | ★★★★ |

## ▲ POUR

- Spacieuse comme pas une • Prix compétitif
- Tenue de route étonnante

## ▼ CONTRE

- Bruits de roulement nombreux • Encombrement spectaculaire • Antipatinage limité

# Élégance grand format

**Les grosses berlines américaines qui dominaient le marché à la belle époque des années 50 et 60 ne sont plus qu'un vague souvenir. Deux des trois grands constructeurs de la ville de l'automobile ont même abandonné les modèles à châssis autonome. Mais tandis que Ford et General Motors ne semblent pas vouloir se décider quant à l'avenir de leurs grosses intermédiaires, Chrysler a tenté d'en faire des véhicules carrément de notre époque.**

Les Concorde et Intrepid respectent toujours les dimensions de jadis, mais leur silhouette est futuriste. À tel point que leurs concurrentes ressemblent à des antiquités. En désaccord avec cette affirmation ? Alors stationnez une Concorde à côté d'une Chevrolet Impala ou d'une Mercury Grand Marquis. Vous ne pourrez qu'être d'accord avec nous.

En plus de ses allures de voiture-concept, la Concorde se veut le modèle de grand luxe de la marque. À ce titre, elle héritait l'an dernier de la partie frontale, des appliques de bas de caisse et de quelques autres artifices visuels de la LHS, mise à la retraite. Cet exercice de maquillage avait pour but de la départager de l'Intrepid qui cible une clientèle plus jeune, moins intéressée par ces fioritures.

La Concorde se décline en trois modèles. Le Limited est le plus luxueux. Son équipement complet de même que son moteur V6 3,5 litres de 250 chevaux sont alléchants sur papier. Dans les faits, c'est une tout autre affaire. Les 250 chevaux sont appréciés, mais l'équilibre général de la voiture n'est pas au rendez-vous. Par exemple, les sièges ont une assise trop large et trop molle de même qu'un support latéral très marginal. Il faut donc se cramponner au volant dans les courbes, d'autant plus que la suspension souple est la cause d'un roulis prononcé en virage.

Le modèle le plus économique est le LX équipé d'un moteur V6 de 2,7 litres produisant 200 chevaux. Cela peut sembler beaucoup, mais c'est à peine suffisant pour une voiture de ce gabarit. L'équipement est correct sans plus et tant qu'à plonger dans le catalogue des options et des accessoires pour l'améliorer, mieux vaut opter d'emblée pour le LXi, le modèle le mieux équilibré des trois. Son moteur 3,5 litres concède 18 chevaux à celui du Limited, mais la différence est à peine notable en termes de temps d'accélération et de

## CARACTÉRISTIQUES

| | |
|---|---|
| Prix du modèle à l'essai | LXi 34 595 $ |
| Échelle de prix | de 30 240 $ à 37 695 $ |
| Assurances | 973 $ |
| Garanties | 3 ans 60 000 km / 7 ans 115 000 km |
| Emp. / Long. / Larg. / Haut. (cm) | 287 / 527 / 189 / 142 |
| Poids | 1 618 kg |
| Coffre / Réservoir | 530 litres / 65 litres |
| Coussins de sécurité | frontaux et latéraux |
| Suspension avant | indépendante, jambes de force |
| Suspension arrière | indép., cartouches Chapman |
| Freins av. / arr. | disque, ABS |
| Système antipatinage | oui |
| Direction | à crémaillère, assistance variable |
| Diamètre de braquage | 11,5 mètres |
| Pneus av. / arr. | P225/55R17 |

## MOTORISATION ET PERFORMANCES

| | |
|---|---|
| Moteur | V6 3,5 litres |
| Transmission | traction, automatique 4 rapports |
| Puissance | 232 ch à 6 200 tr/min |
| Couple | 241 lb-pi à 4 000 tr/min |
| Autre(s) moteur(s) | V6 2,7 l 200 ch ; V6 3,5 l 250 ch |
| Autre(s) transmission(s) | aucune |
| Accélération 0-100 km/h | 8,7 s ; 10,2 s (2,7 l) |
| Reprises 80-120 km/h | 6,4 secondes |
| Vitesse maximale | 210 km/h |
| Freinage 100-0 km/h | 39,2 mètres |
| Consommation (100 km) | 13,1 litres |
| | 11,1 litres (LX) (ordinaire) |
| • Valeur de revente | moyenne |
| • Renouvellement du modèle | 2004 |

les grandes dames de la route avec ses airs de bourgeoise, l'Intrepid R/T possède une allure plus sportive avec des jantes au dessin agressif, une calandre monochrome et un minuscule déflecteur arrière intégré à la forme du couvercle du coffre. En dépit de ce plumage, elle se démarque à peine d'une Concorde LXi en ce qui concerne la tenue de route et les performances. Sur la grand-route, elle est même handicapée comparée à celle-ci par une suspension plus sèche soulignant les irrégularités de la chaussée et une insonorisation moins efficace.

reprises. Et le fait de cocher le groupe d'accessoires Touring vous place au volant d'une voiture équipée de jantes de 17 pouces, de pneus Michelin MXV4 Plus et d'une direction à assistance variable. Enfin, ce groupe d'accessoires comprend également un système de traction asservie à basse vitesse qui s'est révélé fort efficace dans la neige. Son fonctionnement est à peine perceptible et permet de poursuivre sa route sans problème. Il est l'un des meilleurs que nous ayons essayés dans une voiture de ce prix.

### Une Intrepid à vocation différente

Au Canada, il est plus difficile de différencier les Intrepid et Concorde puisque les deux s'affichent comme des modèles de marque Chrysler. Chez nos voisins du Sud, l'Intrepid est un produit Dodge généralement vendu chez un concessionnaire exclusif de cette marque. Cette précision apportée, il faut également ajouter que la mise en marché de cette division dans notre pays est quasiment limitée aux fourgonnettes et aux camionnettes alors que c'est surtout une image de voiture sport qui est véhiculée aux États-Unis.

Malgré ces différences de vocation, la répartition des modèles est sensiblement la même, à quelques pièces d'équipement près. L'Intrepid la plus économique est la SE avec le même moteur V6 de 2,7 litres de 200 chevaux que la Concorde LX. L'habitacle est assez dépouillé tandis que l'insonorisation est l'un des points à améliorer dans ce modèle. Les bruits de la route s'infiltrent par les puits de roues et deviennent assourdissants sur une

route en béton. Empruntez un chemin en gravier et le bruit dans l'habitacle est presque insoutenable. Des freins ABS de série seraient également appréciés.

Sur une note plus positive, la tenue de route est prévisible et efficace. Le conducteur sera aussi agréablement surpris par l'agilité de cette voiture dont le gabarit est pourtant hors normes de nos jours. L'ES est la version de milieu de gamme. Bien qu'équipée d'un V6 3,5 litres de 234 chevaux, elle ne représente pas le meilleur compromis. Dans le délicat exercice visant à harmoniser prix, performances et équipement, ce modèle est quelque peu perdant. Mieux vaut investir quelques dollars de plus et choisir la R/T avec sa suspension plus ferme, ses freins à disque aux 4 roues, son moteur de 244 chevaux et ses pneus Michelin Pilot MXM4 de 17 pouces.

Contrairement à la Concorde Limited qui joue

Par contre, poussez davantage dans les courbes et vous êtes alors en mesure de profiter de cette suspension aux réglages plus fermes, d'une direction un peu moins floue au centre et de l'adhérence des pneus Michelin Pilot. C'est même impressionnant. Surtout si l'on tient compte du fait que les dimensions de cette Intrepid la rendent plus apte à jouer les taxis que les voitures sport.

Concorde ou Intrepid ? Elles ne sont pas parfaites, mais si vous avez besoin d'une berline d'une habitabilité supérieure à la moyenne et se défendant assez bien en termes de tenue de route, elles ne sont pas à dédaigner. Laquelle choisir ? C'est une affaire de goût. La première est plus bourgeoise, la seconde s'accommode mieux d'une conduite plus agressive.

*Denis Duquet*

---

### MODÈLES CONCURRENTS

- *Buick LeSabre/Chevrolet Impala/Pontiac Grand Prix*
- *Ford Taurus* • *Toyota Avalon*

### QUOI DE NEUF ?

- *Aucun changement majeur* • *Nouveaux coloris*

### VERDICT

| | |
|---|---|
| **Agrément de conduite** | ★★★★ |
| **Fiabilité** | ★★★⯨ |
| **Sécurité** | ★★★★ |
| **Qualités hivernales** | ★★★★ |
| **Espace intérieur** | ★★★★★ |
| **Confort** | ★★★★⯨ |

### ▲ POUR

- Choix de moteurs • Bonne tenue de route
- Habitabilité exemplaire • Silhouette moderne
- Antipatinage efficace

### ▼ CONTRE

- Insonorisation perfectible • Dimensions encombrantes
- Piètre visibilité arrière • Sièges avant trop mous
- Certains modèles superflus

# *Erreur ou révolution ?*

**Chez DaimlerChrysler, la direction est fière d'avoir contribué à modifier les habitudes d'achat des automobilistes. Après avoir vendu à l'Amérique les vertus de la fourgonnette avec l'Auto-beaucoup, ce constructeur a connu presque autant de succès avec la PT Cruiser qui a mis au goût du jour le rétro ainsi que les véhicules multifonctions. Cette fois, DaimlerChrysler tente de récidiver avec la Pacifica qui sera commercialisée au début de 2003 comme modèle 2004. La recette est pourtant simple, il s'agit de combiner les caractéristiques d'une catégorie avec celles d'une autre. Par exemple, la première fourgonnette Chrysler se voulait une fusion entre la familiale et les grosses fourgonnettes pleine grandeur qui ont connu leur heure de gloire au milieu des années 70. Avec la Pacifica, Chrysler tente de combiner les qualités d'une fourgon-nette à celles d'un VUS compact et d'une familiale. Ce type de véhicule est appelé *crossover* dans le jargon de l'automobile.**

Puisque la Pacifica emprunte certaines composantes de sa plate-forme à la fourgonnette Autobeaucoup, on peut compter sur des éléments éprouvés qui garantissent une certaine fiabilité mécanique. La suspension arrière est indépendante tandis que plusieurs modifications ont été apportées afin d'obtenir la rigidité voulue. Les portières latérales sont à battant tandis que le hayon arrière est motorisé. Comme le veut la tendance actuelle, ce nouveau venu comporte trois rangées de sièges, mais il ne faut pas se leurrer car la banquette arrière est assez peu confortable et ne devrait être utilisée qu'occasionnellement par des enfants. Après tout, seuls ces derniers ont l'agilité nécessaire pour s'y glisser.

## *Silhouette sympatique*
Une chose est certaine, les stylistes de Chrysler, sous la direction de Trevor Creed, ont eu le coup de crayon heureux. Les dimensions de ce véhicule sont passablement imposantes, mais ils ont réussi à obtenir un bel équilibre entre une partie avant proéminente avec sa grille de calandre à grande surface et un arrière tronqué. Ce véhicule ne ressemble pas à une fourgonnette transformée à la hâte en familiale. Les lignes sont musclées, mais pas excessivement, et leur répartition est impressionnante. Détail

## CARACTÉRISTIQUES

| | |
|---|---|
| **Prix du modèle à l'essai** | 62 995 $ (estimé) |
| **Échelle de prix** | de 56 995 $ à 63 995 $ |
| **Assurances** | n.d. |
| **Garanties** | 3 ans 60 000 km / 7 ans 115 000 km |
| **Emp. / Long. / Larg. / Haut. (cm)** | 295 / 505 / 199 / 169 |
| **Poids** | 1 885 kg (estimé) |
| **Coffre / Réservoir** | n.d. / n.d. |
| **Coussins de sécurité** | frontaux, latéraux et de tête |
| **Suspension avant** | indépendante, liens multiples |
| **Suspension arrière** | indépendante, MacPherson |
| **Freins av. / arr.** | disque, ABS |
| **Système antipatinage** | oui |
| **Direction** | à crémaillère, assistance variable |
| **Diamètre de braquage** | n.d. |
| **Pneus av. / arr.** | P255/50R19 |

## MOTORISATION ET PERFORMANCES

| | |
|---|---|
| **Moteur** | V6 3,5 litres |
| **Transmission** | intégrale, automatique 4 rapports |
| **Puissance** | 250 ch à 6 600 tr/min (estimé) |
| **Couple** | 265 lb-pi à 4 200 tr/min (estimé) |
| **Autre(s) moteur(s)** | aucun |
| **Autre(s) transmission(s)** | aucune |
| **Accélération 0-100 km/h** | 8,2 secondes (estimé) |
| **Reprises 80-120 km/h** | 7,3 secondes (estimé) |
| **Vitesse maximale** | 210 km/h |
| **Freinage 100-0 km/h** | n.d. |
| **Consommation (100 km)** | 14,3 litres (super) (estimé) |
| • Valeur de revente | nouveau modèle |
| • Renouvellement du modèle | nouveau modèle |

tenu du faible rapport poids/puissance, mais elles apparaissent suffisantes pour ce type de véhicule qui pourra boucler le 0-100 km en moins de 10 secondes. Notre prototype était équipé de roues de 19 pouces et les ingénieurs soulignent qu'elles seront offertes sur le modèle de production même s'il faut s'attendre à trouver des jantes de 17 pouces en équipement de série.

Il est facile de prendre place à bord : on se glisse dans le siège du conducteur plutôt que d'y monter comme dans une fourgonnette. La même remar-

intéressant, la compagnie Mercedes s'est livrée à un exercice de style du même genre avec son modèle GST, mais avec beaucoup moins de succès.

Le tableau de bord est fortement inspiré de celui des automobiles avec une touche de renouveau. Avant d'élaborer, disons que l'impression que j'ai eue lorsque je me suis glissé derrière le volant pour la première fois est que cette présentation avait un côté germanique. Le choix de la texture du plastique, la voûte surplombant le réceptacle des instruments en forme de demi-lune, les appliques en satin brossé de même que le recouvrement de certaines commandes avec le même matériau, tout dégage la précision et la qualité. En ce sens, Chrysler ne s'éloigne pas des nouvelles politiques de General Motors et de Ford qui semblent vouloir améliorer la perception initiale de qualité de leurs véhicules. Il faut souligner qu'il était plus que temps d'adopter cette approche puisque les Européens et les Japonais se trouvaient loin devant à ce chapitre. La position de conduite est très bonne et le fait de pouvoir compter sur un pédalier réglable à commande électrique devrait permettre aux conducteurs de toutes les tailles d'adopter une bonne position de conduite. Ce faisant, la sécurité est améliorée d'autant, car il n'est plus nécessaire pour les conducteurs ayant des jambes plus courtes de se rapprocher dangereusement du volant, une position critique si jamais le coussin se déploie.

Parmi les autres caractéristiques de l'habitacle, notons qu'il sera possible de commander un lecteur DVD, que les sièges des deux premières rangées sont chauffants tandis qu'un rideau de sécurité laté-

ral protège les sièges des occupants contre les intrusions d'objets en cas d'impact. De plus, le toit ouvrant fait presque toute la longueur du pavillon, une caractéristique qui ne devrait pas déplaire aux amateurs de plein air.

### Premier contact
Même si la Pacifica sera dévoilée quelques mois après la parution de cet ouvrage, nous avons quand même eu l'opportunité d'effectuer quelques tours de piste et de rouler un certain temps au volant d'un prototype du modèle de production. Le moteur était le même V6 3,5 litres de 250 chevaux qui équipera le modèle de série. Il est jumelé à une boîte automatique à 4 rapports et il sera possible de commander une traction ou une version 4 roues motrices. Les performances sont timides compte

que s'applique à la position de conduite, puisque le conducteur n'est pas assis trop haut. Cette configuration fait toute la différence en fait de sensations de conduite. Je n'avais pas l'impression d'être assis sur un escabeau comme c'est le cas avec certains autres hybrides. De plus, la largeur de la voie et une direction précise contribuent à assurer une bonne tenue en virage et la stabilité en ligne droite. L'essai d'un modèle de production plus tard dans l'année viendra confirmer ou infirmer ces premières impressions.

*Denis Duquet*

---

## MODÈLES CONCURRENTS

• BMW X5 • Mercedes Vision GST • Volvo XC90

## QUOI DE NEUF ?

• Nouveau modèle

## VERDICT*　　　*Données insuffisantes*

Agrément de conduite

Fiabilité

Sécurité

Qualités hivernales

Espace intérieur

Confort

## ▲ POUR

• Silhouette élégante • Habitacle cossu
• Moteur bien adapté • Polyvalence assurée
• Rouage intégral

## ▼ CONTRE

• Fiabilité inconnue • Popularité inconnue
• Valeur de revente à découvrir • Prix corsé

# Juste ce qu'il faut !

**La PT Cruiser a connu un succès monstre lors de son lancement au printemps 2000. Sa silhouette rétro d'ancien « Panel » quelque peu influencée par le style des hot rod a envoûté le public. Nommée « Voiture de l'année » par** *Le Guide de l'Auto 2001,* **la PT a également été plébiscitée par les chroniqueurs automobiles d'Amérique du Nord qui en ont fait la voiture de l'année à leur tour. Malgré ces débuts tonitruants, plusieurs s'attendaient à ce que l'engouement soit passager et que les gens se lassent de cette forme hybride inspirée des années 50.**

Pourtant, un peu plus de deux ans plus tard, la PT Cruiser jouit toujours d'une rassurante popularité. Cela s'explique surtout par son caractère polyvalent qui regroupe les caractéristiques de plusieurs catégories. C'est une fourgonnette sans en être vraiment une, avec un hayon donnant accès à une soute à bagages aux dimensions surprenantes par rapport aux dimensions extérieures. Le seuil de chargement est très bas et une ingé-nieuse tablette arrière réglable permet de mieux agencer la disposition des colis, boîtes et objets de toutes sortes. La PT est également une automobile sans en avoir toutes les caractéristiques. Cette Chrysler aux allures très spéciales se conduit comme une familiale dont la tenue de route est capable de soutenir la comparaison avec une berline sur un tracé sinueux.

Un essai à long terme effectué l'an dernier par l'équipe du *Guide* a permis de constater la fiabi-lité de cette Chrysler assemblée au Mexique. La finition de notre véhicule d'essai s'est avérée sans faille et aucun incident mécanique n'est venu ternir notre galop d'essai de six mois. Verdict qui a été confirmé tout récemment par le prestigieux magazine *Consu-mer's Reports.* Le moteur 4 cylindres de 2,4 litres a été fiable, bien que décevant au chapitre des per-formances.

De prime abord, un moteur de 150 chevaux semble adéquat pour un véhicule de cette caté-gorie. Mais si les performances ont été à peine acceptables et la consommation élevée, c'est que la masse à déplacer est élevée. Avec un poids à vide de 1411 kg, la puissance est juste. De sorte que le pilote doit souvent changer de vitesse s'il désire obtenir des performances un peu plus incisives. En fait, la boîte automatique représente un choix

POUR TOUT SAVOIR

## CARACTÉRISTIQUES

| | |
|---|---|
| Prix du modèle à l'essai | GT Turbo 27 700 $ |
| Échelle de prix | de 22 500 $ à 27 700 $ |
| Assurances | n.d. |
| Garanties | 3 ans 60 000 km / 7 ans 115 000 km |
| Emp. / Long. / Larg. / Haut. (cm) | 262 / 429 / 170 / 160 |
| Poids | 1411 kg |
| Coffre / Réservoir | 538 à 1812 litres / 57 litres |
| Coussins de sécurité | frontaux, latéraux |
| Suspension avant | indépendante, jambes de force |
| Suspension arrière | demi-ind., poutre de torsion |
| Freins av. / arr. | disque, ABS |
| Système antipatinage | oui |
| Direction | à crémaillère, assistée |
| Diamètre de braquage | 12,8 mètres |
| Pneus av. / arr. | P205/50R17 |

## MOTORISATION ET PERFORMANCES

| | |
|---|---|
| Moteur | 4L 2,4 litres turbo |
| Type / Transmission | traction, auto. 4 rapports |
| Puissance | 215 ch à 5 000 tr/min |
| Couple | 245 lb-pi couple à 3 600 tr/min |
| Autre(s) moteur(s) | 4L 2,4 litres 150 ch |
| Autre(s) transmission(s) | man. 5 rap. Getrag (Turbo); man. 5 rapports (150 ch) |
| Accélération 0-100 km/h | 8,3 s ; 9,8 s (150 ch) |
| Reprises 80-120 km/h | 7,7 secondes |
| Vitesse maximale | 175 km/h (limitée) |
| Freinage 100-0 km/h | 40,1 mètres |
| Consommation (100 km) | 12,2 l (super); 11,9 l (ord.) |
| • Valeur de revente | très bonne |
| • Renouvellement du modèle | n.d. |

ginale qui aura fort à faire pour convaincre les acheteurs d'ignorer son frère plus musclé.

### Cabriolet : le peuple a décidé

Dans le cadre du Salon de l'auto de New York 2001, Chrysler a dévoilé un prototype qui a fait beaucoup jaser : la PT Cruiser Cabrio. Son style a reçu un accueil très favorable de la part du public un peu partout en Amérique. Même si la direction de la compagnie niait à l'époque ses intentions de commercialiser ce

presque plus intéressant. Les accélérations sont un peu plus lentes, mais le conducteur n'est pas obligé de manœuvrer le levier de vitesses presque constamment.

Il était obligatoire pour Chrysler de corriger cette lacune. Et le remède est à la hauteur des attentes puisque la puissance du nouveau PT turbo est de 215 chevaux, un gain appréciable ! Plusieurs vont s'inquiéter d'une telle hausse, mais il est important de savoir que ce 4 cylindres de 2,4 litres a été conçu à l'origine pour développer plus de 200 chevaux. On a doté cette édition musclée d'un vilebrequin plus solide, d'un bloc moteur plus rigide et d'une foule d'astuces mécaniques afin de lui assurer une fiabilité exemplaire. Une transmission manuelle Getrag à 5 rapports est de série dans le modèle Turbo. Pour une première fois dans la PT, la boîte automatique à 4 rapports est commandée par le levier Autostick.

Cette version comprend également un système d'échappement moins restrictif, des freins à disque aux quatre roues, un système ABS couplé à un antipatinage, des jantes de 17 pouces et une suspension plus ferme. Dans l'habitacle, les sièges avant ont un meilleur support latéral, les cadrans indicateurs sont exclusifs et le pommeau du levier de vitesses est de couleur chrome.

Reste à savoir si le ramage est à la hauteur du plumage. Dans le cas qui nous intéresse, c'est juste ce qu'il fallait pour améliorer les accélérations et les reprises. Le temps de réponse du turbo est minime et l'apport de puissance linéaire. Ces 65 chevaux ne transforment pas la PT Cruiser en bolide

infernal, mais le résultat est fort bien équilibré. La boîte manuelle est exemplaire et la course du levier de vitesses précise, contrairement à celle du Jeep Liberty qui est une aberration. PT Cruiser ou pas, l'AutoStick est d'une utilité douteuse puisqu'il n'offre aucun avantage au pilote. La plupart du temps, le levier est planté à la position D sans bouger par la suite.

Cette puissance ajoutée rend également la conduite plus agréable : les reprises du moteur à la sortie des virages et les temps d'accélération plus courts ajoutent une dynamique que ne fournit pas le modèle régulier. Le sous-virage est facile à contrôler tandis que la voiture roule assez peu dans les virages. Les freins sont moyens, cependant. Et en plus d'être plus agréable à piloter, ce nouveau venu conserve la même polyvalence que la version ori-

modèle, la demande du public a obligé Chrysler à le mettre sur le marché en 2004. Les angles arrondis de la caisse ont favorisé la tâche des stylistes tandis que la disparition des portes arrière apporte plus de rigidité. Lorsque le toit isolé est replié, un arceau de sécurité central accorde plus de protection aux occupants et sert également à équilibrer l'esthétique. On a même réussi à intégrer des places arrière quand même acceptables et un coffre dont les dimensions sont similaires à celle de la Golf Cabriolet.

Il faudra patienter encore quelques mois avant de pouvoir passer une commande. Mais si les modèles de production sont aussi bien réussis que le prototype que nous avons conduit, les cabriolets Golf et New Beetle devront affronter toute une concurrence.

***Denis Duquet***

---

### MODÈLES CONCURRENTS

- *Ford Focus familiale* • *Mazda Protegé5*
- *Pontiac Vibe* • *Subaru Impreza*
- *Toyota Matrix*

### QUOI DE NEUF ?

- *Moteur turbocompressé de 215 ch*
- *Nouvelles roues* • *Nombreux accessoires et couleurs*

### VERDICT

| | |
|---|---|
| *Agrément de conduite* | ★★★★ |
| *Fiabilité* | ★★★★⯪ |
| *Sécurité* | ★★★⯪ |
| *Qualités hivernales* | ★★★⯪ |
| *Espace intérieur* | ★★★★ |
| *Confort* | ★★★⯪ |

### ▲ POUR

- • Moteur turbo • Version cabriolet en 2004
- • Mécanique fiable • Surprenante habitabilité
- • Comportement routier sain

### ▼ CONTRE

- • Moteur atmosphérique anémique • Sièges avant peu confortables • Piètre visibilité arrière
- • Pneumatiques moyens • Accessoires inutiles

# « *The look of marketing* »

**La Chrysler Sebring mise sur la séduction pour nous appâter, comme en font foi les publicités mettant en vedette la capiteuse chanteuse Diana Krall. C'est vrai, elle ne manque pas de superbe (et que dire de madame Krall !), mais sa fiabilité pas toujours exemplaire pourrait refroidir l'ardeur de ses prétendants. Sa dot, dont le contenu embrasse une longue liste d'équipements de série, allumera-t-elle définitivement *the look of love* dans les yeux du consommateur ?**

Deux années ont passé depuis que les Dodge Stratus, Plymouth Breeze et Chrysler Cirrus ont été chassées par les vents mauvais, laissant à la seule Chrysler Sebring le soin de défendre le créneau des intermédiaires. Le client n'y a guère perdu au choix, qui est d'ailleurs un peu étourdissant. La berline est offerte en trois versions, LX, LX Plus et LXi, et le cabriolet en quatre : LX, LXi, Limited, et la GTC, apparue en cours d'année 2002,

quelques mois après le retrait du coupé du marché canadien.

Le châssis plus rigide et mieux insonorisé reçoit un V6 2,7 litres de 200 chevaux en lieu et place du faiblard 2,5 litres. On le retrouve sous le capot des cabriolets et des berlines LXi et LX Plus, tandis que la berline LX continue d'offrir un 4 cylindres 2,4 litres de 150 chevaux. Ses prestations sont dans la norme pour une telle cylindrée, mais sa rugosité et les vibrations qu'il engendre n'incitent pas à

écraser l'accélérateur. En outre, il consomme à peine moins que le V6. Quelque peu bruyant sous l'effort, ce dernier donne satisfaction en reprise comme en accélération, grâce à son rendement linéaire.

Une transmission automatique à 4 rapports équipe tous les modèles. Convenant bien aux deux moteurs, elle effectue les changements de rapports avec douceur. L'Autostick, au mécanisme séquentiel, vient d'office dans le cabriolet Limited, ou à l'intérieur d'un groupe d'option « de luxe » destiné à la berline LXi. Une « vraie » manuelle à 5 rapports est offerte en option dans le cabriolet GTC, et les performances s'annoncent intéressantes avec le V6.

La suspension de base (des suspensions Tourisme et Sport sont disponibles) s'acquitte assez bien

## CARACTÉRISTIQUES

| | |
|---|---|
| Prix du modèle à l'essai | LX Plus 23 610 $ |
| Échelle de prix | de 23 610 $ à 38 035 $ |
| Assurances | 696 $ |
| Garanties | 3 ans 60 000 km / 7 ans 115 000 km |
| Emp. / Long. / Larg. / Haut. (cm) | 274 / 484 / 179 / 139 |
| Poids | 1 455 kg |
| Coffre / Réservoir | 453 litres / 61 litres |
| Coussins de sécurité | frontaux et latéraux (option) |
| Suspension avant | indépendante, leviers triangulés |
| Suspension arrière | indépendante, leviers triangulés |
| Freins av. / arr. | disque, ABS (option) |
| Système antipatinage | non |
| Direction | à crémaillère, assistée |
| Diamètre de braquage | 11,2 mètres |
| Pneus av. / arr. | P205/65TR15 |

## MOTORISATION ET PERFORMANCES

| | |
|---|---|
| Moteur | V6 2,7 litres DACT 24 soupapes |
| Transmission | traction, automatique 4 rapports |
| Puissance | 200 ch à 5 800 tr/min |
| Couple | 190 lb-pi à 4 850 tr/min |
| Autre(s) moteur(s) | 4L 2,4 litres 150 ch |
| Autre(s) transmission(s) | manuelle 5 rapports (GTC) |
| Accélération 0-100 km/h | 9,1 secondes |
| Reprises 80-120 km/h | 8,1 secondes |
| Vitesse maximale | 180 km/h (estimée) |
| Freinage 100-0 km/h | 45 mètres |
| Consommation (100 km) | 9,8 l ; 9,3 l 4L (ordinaire) |

| | |
|---|---|
| • Valeur de revente | moyenne |
| • Renouvellement du modèle | 2004-2005 |

gement pour les genoux suffit malgré l'assise trop basse de la banquette, mais vous devrez vous tordre les chevilles pour glisser les pieds sous le siège avant. Enfin, les espaces de rangement, assez nombreux, joueraient mieux leur rôle s'ils étaient plus grands.

La Sebring LX (de base) se présente avec un équipement assez complet qui comprend les glaces, serrures et rétroviseurs à commande électrique, le climatiseur, le régulateur de vitesse, ainsi qu'une chaîne AM/FM avec lecteur CD. Le débours des

de ses tâches. Son calibrage trahit un parti pris en faveur du confort plutôt que de l'adhérence maximale, mais dans l'ensemble, le compromis est acceptable. La précision de la direction et la résistance au sous-virage agrémentent la conduite sur route sinueuse, alors que sur autoroute, la Sebring se distingue par son confort et son silence de roulement. Les freins à disque aux quatre roues immobilisent la caisse avec efficacité, mais l'ABS n'est compris sans supplément que dans le cabriolet Limited.

### Un intérieur moins raffiné

Honnête routière, donc, la Sebring attire d'abord l'attention par sa silhouette digne d'une voiture haut de gamme. Personnellement, je lui reproche la longueur exagérée de son porte-à-faux avant, mais pour lui avoir fait partager mon garage pendant une semaine avec une Lexus ES 300, je dois admettre qu'elle était la plus racée des deux. La primauté accordée à l'apparence donne toutefois lieu à de petites bizarreries, comme la batterie placée hors de vue sous l'aile avant gauche, et à laquelle on a branché des bornes auxiliaires permettant le survoltage. Il faut aussi déplorer la finition parfois approximative : les panneaux de la carrosserie montrent un espace considérable et irrégulier entre eux.

Autre conséquence de la priorité donnée à l'esthétisme : la Sebring offre un peu moins d'habitabilité que ne le laisseraient croire ses dimensions. La berline loge confortablement quatre personnes, mais une cinquième se sentira coincée, et la ligne de toit assez basse complique l'accès aux personnes

de grande taille. Plus volumineux que la moyenne, le coffre s'agrandit encore en rabattant le dossier de la banquette. On apprécie sa forme régulière et les cylindres hydrauliques qui soutiennent son couvercle. Pour sa part, le cabriolet ne donne droit qu'à quatre places et à un coffre de dimension réduite (320 litres), ce qui ne l'empêche pas de se comparer avantageusement à ses concurrents.

La présentation intérieure manque un peu de raffinement, en raison notamment des matériaux d'apparence bien quelconque. Les contrôles sont simples, bien lisibles, et respectent généralement l'ergonomie, sauf le lecteur CD situé trop bas devant le porte-verres. Les sièges avant offrent un confort correct, et rien ne vient gêner la visibilité du conducteur, à l'exception de la ligne élevée du coffre lors de manœuvres de recul. À l'arrière, le déga-

dollars supplémentaires exigés pour la LX Plus ne semble pas nécessaire, sauf si l'on tient au télédéverrouillage et au réglage électrique du siège conducteur. Mieux vaut garder ses sous pour le V6... à moins que l'on ait les moyens de se l'offrir avec toutes les autres gâteries de la LXi : sellerie en cuir, ordinateur de bord, suspension Tourisme et roues d'aluminium de 16 pouces. Le toit ouvrant, les rideaux gonflables et les sièges chauffants sont à la carte.

Tout dépend de ce que vous êtes prêt à payer pour une belle voiture, compétente dans l'ensemble, sans qualité exceptionnelle ni défaut majeur. Le constructeur semble décidé à les laisser aller à un prix très étudié et multiplie les promotions. À vous de saisir une occasion.

*Jean-Georges Laliberté*

---

### MODÈLES CONCURRENTS

• *Buick Regal* • *Chevrolet Malibu* • *Ford Taurus*
• *Honda Accord* • *Nissan Altima* • *Toyota Camry*

### QUOI DE NEUF ?

• *V6 de série avec LX Plus* • *Nouvelles couleurs*
• *Quelques broutilles*

### VERDICT

| | |
|---|---|
| **Agrément de conduite** | ★★★⯪ |
| **Fiabilité** | ★★★ |
| **Sécurité** | ★★★⯪ |
| **Qualités hivernales** | ★★★⯪ |
| **Espace intérieur** | ★★★⯪ |
| **Confort** | ★★★⯪ |

### ▲ POUR

• Silhouette sexy • Bonne tenue de route
• Moteur adéquat (V6) • Rapport prix/équipement avantageux • Confort appréciable

### ▼ CONTRE

• Finition négligée • Fiabilité discutable
• ABS optionnel • Habitacle un peu serré
• Moteur juste (4L)

# Le véhicule des sans-souci

**Après 19 ans et neuf millions d'exemplaires vendus, on pourrait s'attendre à ce que le concepteur de la fourgonnette la plus répandue dans le monde nous présente un modèle sans faute. Rien n'est parfait dans ce bas monde, mais Chrysler a vraiment pris tous les moyens pour y arriver.**

La Town & Country constitue en effet la somme de tout ce que l'on peut souhaiter, ou presque, pour répondre aux besoins d'une famille moderne. Au programme: luxe, confort, quiétude et habitabilité, en plus d'un ensemble de petites et grandes attentions qui facilitent remarquablement la vie quotidienne.

Pendant cossu de la Dodge Grand Caravan, elle commande un coût additionnel qui n'apparaît pas déraisonnable dans les circonstances. À équipement équivalent, une Grand Caravan ES (haut de gamme) se négocie à quelques centaines de dollars de moins que la Town & Country LXi (de base), une différence qui peut se justifier par le prestige et le raffinement de cette dernière.

## Racée et accueillante
La Town & Country m'apparaît personnellement comme la plus racée des fourgonnettes. Le capot nervuré prolongeant la large calandre traversée du bel écusson Chrysler, les formes imposantes et suggestives et un choix judicieux de couleurs de peinture métallisée ajoutent le panache qui manquait aux lignes fluides mais un peu monotones qu'elle partage avec la Grand Caravan.

Dans l'habitacle, rien n'est négligé pour faire la vie belle aux occupants: présentation soignée, sellerie de cuir, climatisation «trizone» (conducteur, passager, et partie arrière) et *tutti quanti*. À l'avant, les fauteuils à réglages électriques accueillent si confortablement leurs hôtes qu'il ne leur manque qu'un dispositif d'alarme pour prévenir l'assoupissement du conducteur. La seconde rangée reçoit deux baquets qui se replient et s'enlèvent aisément, bien que l'opération exige quelques efforts supplémentaires d'une personne seule. À l'arrière, trois adultes peuvent occuper la banquette divisée 50-50, du moment qu'un d'entre eux accepte de s'asseoir sur la fente du milieu. Cette banquette est mobile et repliable, et les moitiés qui la composent s'enlèvent séparément, ce qui au total permet de nombreuses possibilités de configurations.

### CARACTÉRISTIQUES

| | |
|---|---|
| Prix du modèle à l'essai | Limited 49 995 $ |
| Échelle de prix | de 42 705 $ à 50 705 $ |
| Assurances | 850 $ |
| Garanties | 3 ans 60 000 km / 7 ans 115 000 km |
| Emp. / Long. / Larg. / Haut. (cm) | 303 / 509,5 / 200 / 175 |
| Poids | 2 105 kg |
| Coffre / Réservoir | 445 à 4080 litres / 76 litres |
| Coussins de sécurité | frontaux et latéraux |
| Suspension avant | indépendante, jambes élastiques |
| Suspension arrière | essieu rigide, ressorts à lames |
| Freins av. / arr. | disque, ABS |
| Système antipatinage | oui |
| Direction | à crémaillère, assistée |
| Diamètre de braquage | 12,5 mètres |
| Pneus av. / arr. | P215/65R16 |

### MOTORISATION ET PERFORMANCES

| | |
|---|---|
| Moteur | V6 3,8 litres 12 soupapes |
| Transmission | intégrale, automatique 4 rapports |
| Puissance | 215 ch à 5 000 tr/min |
| Couple | 245 lb-pi à 4 000 tr/min |
| Autre(s) moteur(s) | aucun |
| Autre(s) transmission(s) | aucune |
| Accélération 0-100 km/h | 9,8 secondes |
| Reprises 80-120 km/h | 9,2 secondes |
| Vitesse maximale | 180 km/h (estimée) |
| Freinage 100-0 km/h | 43 mètres |
| Consommation (100 km) | 11,6 litres (ordinaire) |
| • Valeur de revente | bonne |
| • Renouvellement du modèle | 2005-2006 |

des suspensions témoigne d'un bon compromis entre confort et tenue de route. Une suspension Tourisme plus ferme est proposée en option par la LXi, tandis que la Limited reçoit un correcteur d'assiette automatique à l'arrière. La direction se montre peu loquace sur l'état de la chaussée, mais elle est assez précise, rapide et bien calibrée. Même s'il y aurait encore place pour l'amélioration, les freins ont gagné en puissance. L'antiblocage arrive d'office, de même qu'un antipatinage qui prend malheureusement congé à partir de 56 km/h. On peut

Les porte-verres abondent, de même que les espaces de rangement de toute espèce. La console centrale se déplace fort astucieusement de la rangée avant à l'intermédiaire ; on peut même l'apporter chez soi comme un coffret. Elle est munie de l'éclairage et d'une prise d'alimentation permettant de recharger votre téléphone cellulaire. À l'arrière, le boîtier « range-tout » disponible en option est conçu spécialement pour accueillir six grands sacs d'épicerie en papier. On peut le déplacer en hauteur et rabattre ses compartiments pour qu'il serve de tablette. Les sacs à poignées ont aussi leur place désignée, suspendus aux crochets qui font saillie de l'endos de la banquette. Vous arrivez de faire des courses les bras chargés de colis ? actionnez par télécommande l'ouverture du hayon et des deux portières latérales coulissantes. Un mécanisme inverse leur mouvement dès qu'une obstruction se fait sentir, minimisant ainsi les risques d'accident.

L'édition Limited en remet avec les coussins gonflables latéraux, les sièges avant chauffants avec mémorisation des réglages, l'ajustement électrique des pédales (comprenant une fonction mémorisation exclusive à la Limited), des garnissages plus luxueux et quelques autres douceurs, tel le casque d'écoute sans fil. Il ne reste pratiquement qu'à cocher les options « toit ouvrant » et « lecteur DVD » pour avoir la satisfaction d'avoir une voiture tout équipée.

### Conduite agréable et tranquille

La motorisation est assumée par le V6 3,8 litres de 215 chevaux, mais qui se révèle d'une étonnante

douceur malgré son architecture à tiges et culbuteurs. Ses 245 lb-pi de couple font tout de même la barbe (par trois petits poils) au moderne VTEC de l'Odyssey. S'il a le souffle nécessaire pour mener à bien la plupart de ses tâches, il reste que ses performances peuvent être qualifiées de tranquilles. Les T & C qui transportent régulièrement de lourdes charges, a fortiori si elles sont lestées de la traction intégrale, profiteraient sans aucun doute d'un moteur plus puissant, surtout que la transmission automatique séquentielle Autostick disparaît discrètement du catalogue cette année.

Le comportement routier se révèle des plus satisfaisants et la douceur de roulement est au rendez-vous sur presque tous les types de surface. Le châssis démontre une bonne rigidité, les mouvements de caisse sont bien contrôlés et le calibrage

toujours se rabattre sur la sophistiquée traction intégrale d'origine Steyr-Puch, qui contribue à rendre la promenade sûre sur chaussée glissante.

Bref, la Town & Country propose de belles choses à ceux qui exigent d'une fourgonnette qu'elle soit aussi agréable à habiter que facile à conduire. Mais la touche d'exclusivité qui constituait sa carte maîtresse s'est amenuisée à cause des progrès de la concurrence, notamment de la Honda Odyssey, qui lui livre une chaude lutte. Si vous optez pour la T & C, considérez aussi l'achat de la nouvelle garantie prolongée sur le moteur et le rouage d'entraînement, car son historique de fiabilité discutable incite à la réflexion ; la frontière peut parfois être bien mince entre « sans-souci » et « cent soucis ». (Voir aussi match des fourgonnettes.)

*Jean-Georges Laliberté*

---

## MODÈLES CONCURRENTS

- Chevrolet Venture/Pontiac Montana
- Dodge Grand Caravan • Ford Windstar • Honda Odyssey • Toyota Sienna

## QUOI DE NEUF ?

- Nouvelles couleurs • Antipatinage de série (traction)
- Hayon électrique de série • Lecteur DVD livrable

## VERDICT

| | |
|---|---|
| **Agrément de conduite** | ★★★★ |
| **Fiabilité** | ★★★ |
| **Sécurité** | ★★★⭑ |
| **Qualités hivernales** | ★★★★⭑ |
| **Espace intérieur** | ★★★★⭑ |
| **Confort** | ★★★★ |

## ▲ POUR

- Comportement routier agréable • Bonne habitabilité • Silence de roulement appréciable
- Aménagements polyvalents • Équipement complet

## ▼ CONTRE

- Freinage perfectible • Problèmes de fiabilité
- Prix élevé • Sièges lourds • Moteur un peu dépassé

# *De bons arguments, mais aucun décisif*

**Il y a déjà dix-neuf ans, l'Autobeaucoup révolutionnait le monde de l'automobile, et par le fait même, suscitait de nombreuses émules. Au fil de ses refontes, elle est demeurée la source d'inspiration et la référence de sa catégorie, mais rien n'étant éternel ici-bas, on peut se demander si elle est finalement rattrapée par la concurrence.**

S'il lui reste encore de bons arguments à faire valoir, aucun de ceux-ci n'apparaît vraiment décisif. Le secret de sa réussite s'explique en partie par l'éventail de versions qu'elle offre au consommateur : deux empattements, deux moteurs, deux rouages d'entraînement, ainsi que par une interminable liste d'équipements. D'ailleurs, les nouveautés de cette année se résument presque essentiellement à un réaménagement du jeu des options.

### Deux formats

La Caravan à empattement court et la Grand Caravan plus longue de 29 cm partagent la même hauteur, la même largeur, et permettent d'accueillir sept personnes. La Grand Caravan procure 6,4 cm de dégagement supplémentaire pour les jambes à la rangée intermédiaire et près de 15 cm à la rangée arrière. En termes de volume, elle est avantagée de 144 litres avec les sièges en place, et d'au-delà de 700 litres sans les banquettes arrière. On retient de ces chiffres que l'habitabilité de la Caravan convient pour papa, maman

et les jeunes enfants, mais qu'elle devient potentiellement source de gêne à mesure que la famille grandit.

Offerte uniquement en traction, la Caravan se décline en versions SE et Sport qui proposent chacune deux ensembles d'équipement. Les prix imbattables que certaines publicités font miroiter reflètent le dénuement de la dotation de base : V6 3,3 litres un peu vétuste de 180 chevaux, boîte automatiques à 4 rapports (à l'inexplicable fragilité), freins à disque et tambour tout juste passables, pneus banals en taille 15 pouces, deux portes latérales coulissantes, deux banquettes, climatisation manuelle, et simple radio avec lecteur de cassettes. Au tableau des absents « indispensables » : le régulateur de vitesse, les assistances électriques, le lecteur CD et même le volant inclinable !

## CARACTÉRISTIQUES

| | |
|---|---|
| **Prix du modèle à l'essai** | Caravan Sport 29 185 $ |
| **Échelle de prix** | de 25 725 $ à 43 110 $ |
| **Assurances** | 636 $ |
| **Garanties** | 3 ans 60 000 km / 7 ans 115 000 km |
| **Emp. / Long. / Larg. / Haut. (cm)** | 288 / 480 / 200 / 175 |
| **Poids** | 1 832 kg |
| **Coffre / Réservoir** | de 445 à 4080 litres / 76 litres |
| **Coussins de sécurité** | frontaux et latéraux (option) |
| **Suspension avant** | jambes élastiques, indépendante |
| **Suspension arrière** | ressorts à lame, essieu rigide |
| **Freins av. / arr.** | disque / tambour |
| **Système antipatinage** | option |
| **Direction** | à crémaillère, assistée |
| **Diamètre de braquage** | 12 mètres |
| **Pneus av. / arr.** | P215/65R16 |

## MOTORISATION ET PERFORMANCES

| | |
|---|---|
| **Moteur** | V6 3,3 litres 12 soupapes |
| **Transmission** | traction, automatique 4 rapports |
| **Puissance** | 180 ch à 5200 tr/min |
| **Couple** | 210 lb-pi à 4 000 tr/min |
| **Autre(s) moteur(s)** | V6 3,8 litres 215 ch |
| **Autre(s) transmission(s)** | aucune |
| **Accélération 0-100 km/h** | 11 secondes |
| **Reprises 80-120 km/h** | 10,3 secondes |
| **Vitesse maximale** | 175 km/h (estimée) |
| **Freinage 100-0 km/h** | 46 mètres |
| **Consommation (100 km)** | 11,2 litres (ordinaire) |

| | |
|---|---|
| • Valeur de revente | bonne |
| • Renouvellement du modèle | 2005-2006 |

tion est rapide et précise, et les réactions prévisibles de la caisse rendent le voyage agréable à vitesse de croisière. Par ailleurs, même en version « Sport Sport », on se rend compte rapidement que cette fourgonnette n'est pas conçue pour faire la course. Les freins manquent un peu de progressivité et les distances d'arrêt assez longues incitent à opter pour l'ensemble à quatre disques, même s'il faut plutôt regarder du côté de l'adhérence limitée des pneus pour expliquer ce phénomène. Notons que la Caravan se révèle plus agile et maniable que sa grande sœur plus

La Grand Caravan, à traction ou intégrale, se conjugue pour sa part en versions Sport ou ES regroupant un total de sept versions différentes. La Sport comporte à quelques détails près les mêmes accessoires que son homonyme côté Caravan. Cette fois, les « indispensables » sont de la partie, en plus de l'ABS et d'un ensemble Tourisme sport en option (vous avez bien lu, l'ensemble « sport » est en supplément sur les versions Sport) comprenant quatre freins à disque, des pneus de 16 pouces et une suspension Tourisme plus ferme que je vous recommande chaudement. Mais il faut se tourner vers la plus luxueuse ES pour obtenir les deux portes latérales motorisées et l'antipatinage. Cette version haut de gamme partage cependant avec la Sport à traction intégrale son V6 de 3,8 litres. Quant aux commodités appréciables que sont le pédalier ajustable et le hayon motorisé, il faut les commander à la carte. Cette année, le lecteur DVD peut aussi être ajouté en supplément dans la Grand Caravan. Bref, vous voyez le principe : une fois que vous vous êtes commis pour la Dodge, vous en avez encore pour des heures à potasser les brochures.

### Fonctionnelle et civilisée

L'habitacle se raffine lui aussi au fur et à mesure qu'on délie les cordons de sa bourse. À l'avant, on trouve deux baquets à accoudoirs rabattables. Ils enveloppent bien les occupants, mais leurs formes épousent mal les personnes de gros gabarit. À l'arrière, les deux banquettes dispensent un confort très moyen, et vos passagers vous sauront gré d'avoir opté pour des baquets au milieu. La banquette du fond d'un seul tenant peut être remplacée par une de type 50/50 qui se rabat, se replie ou s'enlève grâce au système de roulettes Easy Out. C'est simple, mais madame risque de trouver l'opération un peu éreintante.

Pour le reste, la fonctionnalité des aménagements fait oublier l'aspect bon marché de certains plastiques. Parmi les trouvailles qui méritent une bonne note, mentionnons des crochets fixés au dossier du siège arrière pour recevoir des sacs à poignées, une console mobile se déplaçant d'avant en arrière entre les deux rangées des baquets et, dans le coffre à bagages, un vaste boîtier compartimenté pouvant aussi servir de tablette.

Sur la route, les occupants jouissent d'un bon silence de roulement et ne ressentent pas trop les inégalités du revêtement. Bien que surassistée, la direc-

encombrante. Elle est également mieux servie par le V6 de 3,3 litres qui risque de peiner à la tâche dans une Grand Caravan à pleine charge. Le V6 3,8 litres de 215 chevaux et 240 lb-pi de couple fournit quant à lui des performances qui sont adéquates sans être transcendantes. Il serait temps de penser à des groupes motopropulseurs plus modernes.

En définitive, la Caravan/Grand Caravan possède encore les éléments nécessaires pour demeurer attrayante, mais elle n'est plus la première de sa classe, d'autant plus que si le passé est garant de l'avenir, sa fiabilité risque de poser encore problème. Dodge pratique cependant une politique ponctuelle de rabais qui améliore considérablement son rapport qualité/prix. (À lire, le match comparatif des fourgonnettes.)

*Jean-Georges Laliberté*

---

### MODÈLES CONCURRENTS

- *Chevrolet Venture/Pontiac Montana* • *Ford Windstar*
- *Honda Odyssey* • *Kia Sedona* • *Mazda MPV*
- *Toyota Sienna*

### QUOI DE NEUF ?

- *V6 3,8 litres livrable dans le modèle Sport*
- *Disparition de la transmission Autostick*
- *Toit ouvrant livrable dans le modèle ES*

### VERDICT

| | |
|---|---|
| **Agrément de conduite** | ★★★⯪ |
| **Fiabilité** | ★★★ |
| **Sécurité** | ★★★⯪ |
| **Qualités hivernales** | ★★★★ |
| **Espace intérieur** | ★★★★ |
| **Confort** | ★★★⯪ |

### ▲ POUR

- Comportement routier agréable • Bonne habitabilité
- Silence de roulement appréciable • Aménagement fonctionnel • Grand choix de configurations

### ▼ CONTRE

- Freinage perfectible • Confort relatif de certains sièges • Banquettes lourdes à déplacer • Fiabilité encore incertaine • Certains plastiques peu engageants

# DODGE DURANGO

# Les années passent...

À son arrivée sur le marché, le Durango de Dodge promettait d'offrir davantage que la concurrence, rien de moins. Plus d'espace, plus de puissance, plus grande capacité de remorquage... le discours qui plaît aux Américains, quoi. « Un utilitaire compact qui pense comme un grand. » Mais les années ont passé et le Durango affiche aujourd'hui des rides de plus en plus prononcées.

**A**vant de faire un saut (c'est le cas de le dire) à l'intérieur, un mot sur la nomenclature et la physionomie de cet utilitaire. À la version de base SXT s'en ajoutent trois autres, à savoir SLT, SLT Plus et R/T. Physiquement, le Durango ne change pratiquement pas. La palette de couleurs s'est enrichie de nouvelles teintes (« vert bouteille » et « amande clair », si vous voulez savoir) alors que la SXT souligne en gris certains accessoires (marche-pieds, boucliers et élargisseurs d'aile). Sa calandre,

par ailleurs, adopte la même couleur que la carrosserie. À quelques détails près, toute la partie avant du Durango (du pare-chocs aux montants du pare-brise) est similaire à celle de la camionnette Dakota. C'est à croire que, chez Dodge, les comptables contribuent au dessin des véhicules, et non seulement en ce qui a trait aux formes extérieures, mais aussi aux habitacles, puisque le Durango puise encore une fois dans la garde-robe du Dakota pour habiller son intérieur. Sans prétendre à l'originalité, force est de reconnaître que tout est bien

exécuté (instrumentation complète et lisible, ergonomie étudiée, position de conduite confortable, etc.). Et l'œil avisé aura tôt fait de remarquer que pour rendre l'habitacle plus agréable encore, les appliques de similibois ont disparu au profit d'un garnissage argent satiné plus moderne et que le changeur de disques compacts se révèle plus accessible maintenant qu'on lui a fait une place au tableau de bord.

À l'exception d'un nouvel ensemble de sécurité et d'un lecteur CD, la liste des caractéristiques intérieures ne s'est pas allongée cette année. Le régulateur de vitesse, le climatiseur et la colonne de direction inclinable demeurent de série, mais il faut toujours débourser pour obtenir les rideaux gonflables. De plus, ces derniers ne protègent même pas les occupants de la 3e banquette.

## CARACTÉRISTIQUES

| | |
|---|---|
| Prix du modèle à l'essai | 46 850 $ |
| Échelle de prix | de 39 295 $ à 45 650 $ |
| Assurances | 800 $* |
| Garanties | 3 ans 60 000 km / 7 ans 115 000 km |
| Emp. / Long. / Larg. / Haut. (cm) | 295 / 491 / 182 / 183 |
| Poids | 2 100 kg |
| Coffre / Réservoir | 532 litres (3e banquette) / 95 litres |
| Coussins de sécurité | frontaux, latéraux et rideaux |
| Suspension avant | indépendante, leviers triangulés |
| Suspension arrière | essieu rigide, ressorts elliptiques |
| Freins av. / arr. | disque, ABS |
| Système antipatinage | non |
| Direction | à crémaillère |
| Diamètre de braquage | 11,9 mètres |
| Pneus av. / arr. | P265/60R16 |

## MOTORISATION ET PERFORMANCES

| | |
|---|---|
| Moteur | V8 4,7 litres |
| Transmission | automatique, 5 rapports |
| Puissance | 235 ch à 4 800 tr/min |
| Couple | 295 lb-pi à 3 200 tr/min |
| Autre(s) moteur(s) | V8 5,9 litres 245 ch; |
| | V8 5,9 litres 250 ch (R/T) |
| Autre(s) transmission(s) | automatique, 4 rapports |
| Accélération 0-100 km/h | 9 secondes |
| Reprises 80-120 km/h | 10,2 secondes |
| Vitesse maximale | 185 km/h |
| Freinage 100-0 km/h | 41,6 mètres |
| Consommation (100 km) | 16,4 litres (ordinaire) |
| • Valeur de revente | très bonne |
| • Renouvellement du modèle | 2006 |

## ● DURANGO

Vous optez pour le SLT ou SLT Plus ? On vous boulonne alors, moyennant supplément, le gros V8 de 5,9 litres qui ne s'acoquine, pour sa part, qu'à une transmission automatique à 4 rapports. Guère plus puissant (de 10 chevaux seulement) et guère plus musclé en couple (40 lb-pi de plus), ce 5,9 litres aura la faveur de ceux qui songent à tracter de — très — lourdes charges. À sujet, rappelons qu'en cochant les options appropriées, cet utilitaire peut remorquer une charge pouvant aller jusqu'à 3 311 kg. Quant à la version R/T, elle vous fera

En fait, ce qu'il faut surtout retenir pour 2003, c'est que l'on peut désormais compter, peu importe la version, sur une banquette médiane plus fonctionnelle (40-20-40 au lieu de 60-40). Quant à la 3e banquette, elle demeure toujours en poste, mais se révèle difficile d'accès et pratiquement taillée pour accueillir des enfants, tout au plus. Du reste, soyons objectifs : une 3e banquette, c'est bien beau, mais ça empiète sur le coffre, qui ne suffit franchement plus à la tâche lorsqu'il s'agit de charger les bagages de tous les occupants. La plus grande qualité de celle-ci est qu'on peut la dissimuler sous le plancher pour bénéficier d'une surface complètement plane.

### Manque de raffinement

Quelques kilomètres suffisent pour se rendre compte que cet utilitaire abrite une plate-forme de camionnette. En effet, dès que la qualité du revêtement de la chaussée se détériore, l'essieu arrière rigide du Durango se met à sautiller de tous bords, tous côtés. Dans ces pages, il se trouve des utilitaires qui font preuve de plus de sérénité dans la maîtrise de leurs mouvements de caisse en s'avérant à la fois plus stables, plus confortables et aussi plus sécurisants que le Durango. Autant de qualités auxquelles la génération actuelle ne peut que rêver. D'accord, la nouvelle monte pneumatique a permis d'améliorer le comportement routier et le confort de roulement, mais pas suffisamment pour inquiéter les ténors de la catégorie. La direction n'est pas désagréable non plus, mais le flou au centre s'avère gênant lorsque le vent souffle sur

les tôles. Le seul bonheur, les freins — un quatuor de disques cette année — qui font preuve d'une efficacité et d'un aplomb remarquables en plus d'être reliés à une pédale ferme et facile à moduler. On regrette seulement de devoir encore débourser une somme additionnelle pour que le dispositif antiblocage n'intervienne pas seulement sur les seules roues arrière.

Cela dit, approchez l'escabeau s'il le faut, mais venez saluer l'une des trois mécaniques invitées à remuer le Durango de sa position stationnaire. Ouvrez le capot du modèle du modèle de base et dites bonjour au V8 de 4,7 litres, qui délivre 235 chevaux. Plus moderne et plus sobre que les deux autres mécaniques proposées, ce moteur a également le « privilège » de s'associer à une transmission automatique à 5 rapports, la seule disponible.

entendre le borborygme de son V8 de 250 chevaux (une version vitaminée du 5,9 litres), un ogre prêt à engloutir 20 litres d'essence chaque fois qu'il parcourt 100 km.

Dans sa forme actuelle, le Durango est incapable de prendre l'ascendant sur ses concurrents dans pratiquement tous les domaines de comparaison. En revanche, il se révèle un choix à considérer pour peu que l'équation prix/dimensions figure au sommet de vos critères d'achat.

*Éric LeFrançois*

---

### MODÈLES CONCURRENTS

- Chevrolet Tahoe • Ford Explorer
- Toyota Sequoia

### QUOI DE NEUF ?

- Freins à disque aux quatre roues (de série)
- Banquette médiane 40-20-40 au lieu de 60-40

### VERDICT

| | |
|---|---|
| Agrément de conduite | ★★★ |
| Fiabilité | ★★★ |
| Sécurité | ★★★⌐ |
| Qualités hivernales | ★★★★ |
| Espace intérieur | ★★★★ |
| Confort | ★★★ |

### ▲ POUR

- Bonne capacité de remorquage • Prix compétitif
- Choix de moteurs

### ▼ CONTRE

- Encombrement • Essieu arrière sautillant sur mauvaise route • Consommation élevée (5,9 litres)
- 3e banquette inconfortable

# Oups ! On recommence !

**Il est toujours intéressant de constater avec quelle désinvolture les constructeurs automobiles butinent d'une philosophie de mise en marché à l'autre. De voir comment ils dénigrent un produit une journée pour l'embrasser le lendemain ! Nous en avons une belle preuve avec l'arrivée du nouveau Dodge SX 2,0 sur notre marché. Il y a quelques années, pour éviter une concurrence fratricide, la direction de DaimlerChrysler a décidé de confier les ventes de voitures à Chrysler et les ventes de véhicules à vocation utilitaire à Dodge.**

Cette année, cette décision est partiellement modifiée puisque la gamme Chrysler est amputée de la Neon qui refait surface en tant que Dodge SX 2,0 litres. Les stylistes lui ont concocté une nouvelle calandre, les responsables de la mise en marché ont abandonné avec soulagement la désignation Neon, et voilà, la SX 2,0 est parmi nous !

### Un astucieux changement

Lorsque la Neon est apparue au printemps 1994, elle a intéressé le public par sa silhouette dynamique, son habitacle spacieux et un moteur de base de 130 chevaux. Les acheteurs attirés par ces qualités et une campagne de marketing très réussie ont appris à leurs dépens que cette compacte créée pour la génération X n'était pas sans défauts. D'une fiabilité erratique, elle était également affligée d'une suspension mal calibrée, d'un moteur bruyant et surtout d'une boîte automatique à 3 rapports qui ne faisait rien pour arranger les choses. En peu de temps, Neon rimait pratiquement avec citron dans l'esprit des gens

Les ingénieurs ont corrigé plusieurs défauts de jeunesse dans le modèle de seconde génération apparu au début de 2000. Non seulement la plateforme était devenue plus rigide, mais l'insonorisation avait progressé et le moteur était moins rugueux. Mais le mal était fait et la seule mention de Neon continuait d'effrayer les clients. Pourtant, la fiabilité avait augmenté. Nous avons même fait subir à une Neon équipée d'une boîte manuelle un essai longue durée qui s'est avéré positif. Bien que d'une finition un peu fruste, cette compacte s'est révélée à la fois fiable et économique sur le plan de la consommation.

### CARACTÉRISTIQUES

| | |
|---|---|
| Prix du modèle à l'essai | 22 595 $ |
| Échelle de prix | de 14 995 $ à 20 795 $ |
| Assurances | n.d. |
| Garanties | 3 ans 60 000 km / 7 ans 115 000 km |
| Emp. / Long. / Larg. / Haut. (cm) | 267 / 440 / 171 / 142 |
| Poids | 1 175 kg |
| Coffre / Réservoir | 371 litres / 47 litres |
| Coussins de sécurité | frontaux (latéraux optionnels) |
| Suspension avant | indépendante, jambes de force |
| Suspension arrière | indépendante, jambes de force |
| Freins av. / arr. | disque / tambour |
| Système antipatinage | non |
| Direction | à crémaillère, assistée |
| Diamètre de braquage | 10,8 mètres |
| Pneus av. / arr. | P185/60R15 |

### MOTORISATION ET PERFORMANCES

| | |
|---|---|
| Moteur | 4L 2 litres |
| Transmission | traction, manuelle 5 rapports |
| Puissance | 132 ch à 5 600 tr/min |
| Couple | 130 lb-pi à 4 600 tr/min |
| Autre(s) moteur(s) | 4L 2 litres 150 ch ; |
| | 4L 2,4 litres 215 ch (SRT-4) |
| Autre(s) transmission(s) | automatique 4 rapports |
| Accélération 0-100 km/h | 9,7 s ; 8,4 s (R/T man.) |
| Reprises 80-120 km/h | 8,3 secondes (4e) |
| Vitesse maximale | 180 km/h ; 225 km/h (SRT-4) |
| Freinage 100-0 km/h | 41,2 mètres |
| Consommation (100 km) | 8,5 litres (ordinaire) |
| • Valeur de revente | faible |
| • Renouvellement du modèle | 2005-2006 |

routier n'aura aucun lien avec la SX 2,0 litres conventionnelle. Elle a été revue et corrigée par les sorciers de la vitesse du nouveau groupe PVO de DaimlerChrysler qui est l'équivalent de la section SVT chez Ford.

Cette Dodge toute en muscles est équipée d'un moteur 4 cylindres turbocompressé de 2,4 litres d'une puissance de 215 chevaux. Ce qui lui permet de devenir la Dodge la plus rapide en fait de temps d'accélération après la Viper. En plus de sa suspension révisée, d'une boîte manuelle renforcée et de pneus de 17 pouces, elle compte sur quatre freins

Malgré tout, le fait de s'appeler Neon nuisait certainement à sa diffusion. De plus, que faisait un modèle économique dans la gamme Chrysler qui veut se positionner comme une marque de luxe? En la transformant en Dodge SX 2,0, les décideurs ont réglé deux problèmes à la fois. Chrysler se débarrasse d'un modèle économique néfaste pour son image et la marque Dodge effectue un retour dans le secteur des automobiles. Et je ne serais pas surpris qu'il s'agisse d'un ballon d'essai et que la Chrysler Intrepid devienne une Dodge d'ici peu, comme elle l'est aux États-Unis. Ce qui permettrait à la branche canadienne de profiter des succès de ce modèle dans les courses NASCAR.

### De 132 à 215 chevaux

Malgré son changement de nom et une nouvelle présentation extérieure, la SX 2,0 litres ne renverse pas la vapeur en ce qui concerne les performances et le comportement routier. Il faut toutefois souligner que, cette année, les ingénieurs ont revu les algorithmes de la boîte automatique. Celle-ci travaille maintenant davantage en harmonie avec le moteur. L'an dernier, son arrivée représentait une amélioration par rapport à la boîte à 3 rapports utilisée précédemment, mais les passages de vitesses ne semblaient pas toujours arriver au bon moment. Cette fois, les accélérations s'effectuent plus en douceur et le beuglement du moteur a été sensiblement diminué. Et, bien entendu, la consommation de carburant est réduite.

Malgré ses atours voulant la faire passer pour une sportive, cette berline est une petite bourgeoise. Cela se traduit par des sièges trop mous, un roulis en

virage et une certaine imprécision de la direction. Au fur et à mesure qu'on tente de conduire plus vite, les limites du châssis se mettent en évidence. Bref, la SX 2,0 litres se trouve à sa place lorsqu'elle est utilisée comme véhicule familial assigné aux besognes de tous les jours. Ses dimensions un peu plus grosses que la moyenne permettent à quatre adultes d'y prendre leurs aises tandis que le coffre est quand même assez grand. Il ne faut donc pas trop en attendre de la version R/T dont les 150 chevaux du moteur de 2 litres nous ont semblé bien timides tandis que la suspension ne fait pas le poids avec les autres sportives de cette catégorie.

Si vous êtes du genre patient et un inconditionnel de la marque Dodge, l'arrivée au cours de 2003 de la SRT-4 mettra à votre disposition une version non seulement plus puissante, mais dont le comportement

à disque pour s'immobiliser. La SRT-4 n'est pas un modèle de douceur et de raffinement, mais elle est capable de répondre aux attentes des jeunes conducteurs qui veulent une voiture qui «a de la pédale», pour emprunter une expression populaire. Il va sans dire que sa production sera plutôt limitée. Son prix devrait excéder les 25 000 $ si on se fie aux allusions d'avant lancement.

Le fait de changer de nom n'a pas corrigé les faiblesses et les limites de cette berline, mais il faut également admettre que de nombreuses améliorations apportées au fil des mois lui ont permis de se raffiner et de devenir une automobile de plus en plus à la hauteur de ses concurrentes. Dorénavant, vous n'avez plus à rougir de votre Neon... oups! de votre Dodge SX...

*Denis Duquet*

---

### MODÈLES CONCURRENTS

- *Chevrolet Cavalier/Pontiac Sunfire* • *Ford Focus*
- *Honda Civic* • *Hyundai Elantra* • *Kia Spectra*
- *Mazda Protegé* • *Mitsubishi Lancer* • *Toyota Corolla*

### QUOI DE NEUF?

- *Modèle Dodge* • *Version SRT-4* • *Calandre modifiée*
- *Nouveau volant* • *Boîte automatique révisée*

### VERDICT

| | |
|---|---|
| Agrément de conduite | ★★★☆ |
| Fiabilité | ★★★☆ |
| Sécurité | ★★★☆ |
| Qualités hivernales | ★★★☆ |
| Espace intérieur | ★★★☆ |
| Confort | ★★★ |

### ▲ POUR

- Nouvelle présentation • Tenue de route sans surprise • Boîte automatique mieux calibrée
- Version SRT-4 • Bonne habitabilité

### ▼ CONTRE

- Version R/T décevante • Finition inégale
- Seuil du coffre élevé • Sièges de série trop mous
- Réputation à refaire

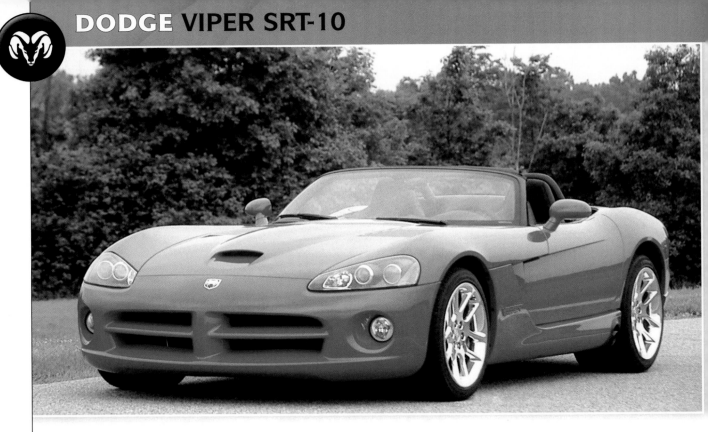

# Une brute à l'état pur

**Après avoir fait la belle sous la forme d'un prototype dans les salons de l'auto un peu partout à travers l'Amérique, la Dodge Viper SRT accède cette année à la production en série. En petite série devrions-nous dire puisque cette brute à l'état pur est loin d'être la voiture de monsieur Tout-le-Monde. On a eu beau la doter d'un ABS, d'un tableau de bord revu et corrigé par l'ex-Québécois Ralph Gilles, d'un habitacle plus spacieux et d'un toit souple moins artisanal, elle demeure une voiture d'exception qui s'adresse à une minorité de conducteurs dont la principale préoccupation est la performance avec un grand P.**

C'est, curieusement, la tentative de doter la Dodge Viper d'un toit cabriolet digne de ce nom qui a donné naissance au nouveau modèle qui voit le jour cette année. Les ingénieurs ont découvert qu'il leur fallait allonger la plate-forme de 6,6 cm afin d'installer le mécanisme du toit. Ce qui les obligeait en même temps à modifier plus de 50 % des pièces de la carrosserie et plusieurs composantes mécaniques. Constatant ce problème, ils ont décidé de repartir à zéro. En accord avec sa vocation première, la nouvelle Viper est également le premier véhicule à être lancé par la division PVO responsable du développement des voitures sport chez Chrysler.

Ces lettres signifient *Performance Vehicle Operation* et ce groupe a la charge du développement de tous les modèles sportifs et haute performance affichant les emblèmes Chrysler et Dodge. Comme modèle inaugural, il eût été difficile de trouver mieux que la Viper, l'une des voitures sport

les plus spectaculaires sur le marché. Et même si ce sont des considérations d'ordres pratique et esthétique qui ont mené à ce renouveau, soyez assuré que le volet haute performance de la Viper n'a pas été négligé.

## 505, 500, 525

Pour répondre aux attentes des propriétaires de Viper, les ingénieurs ont d'abord fourré leur nez sous le capot afin d'améliorer la puissance et le couple du moteur V10 qui équipe ce modèle depuis ses débuts sur le marché. La cylindrée a été augmentée à 8,3 litres (505 pouces cubes pour les conservateurs) tandis que la puissance est passée de 450 à 500 chevaux. Mais c'est surtout un couple hors du commun qui a toujours caractérisé ce gros V10. Le voici rendu à 525 lb-pi. Ce V10 est toujours couplé à une boîte manuelle Tremec T56 à 6 rapports dotée d'un mécanisme à commande électronique permettant de « sauter » les 2e et 3e rapports lorsque le système détecte une conduite lente et détendue. Dans sa

dernière version, la Viper hérite de freins Brembo qui sont non seulement plus gros mais munis d'étriers à quatre pistons. On retient surtout toutefois que ceux-ci sont enfin dotés d'un système ABS pouvant fonctionner jusqu'à plus de 300 km/h.

Toujours sur le plan technique, signalons que la plupart des éléments de la carrosserie sont fabriqués de matériaux composites. En plus, des essais poussés réalisés en soufflerie à Stuttgart, en Allemagne, ont mené au développement d'un bouclier aérodynamique placé sous la voiture qui crée un effet de dépression. Il en résulte une moins grande résistance à l'air et une voiture plus stable à grande vitesse.

### On s'attache

Même si l'habitacle est un brin plus spacieux qu'auparavant, il ne faut pas être claustrophobe pour conduire une Viper. Lorsque le toit est en place, on doit se contorsionner pour s'installer dans le siège du conducteur. Une fois l'exploit réalisé, on y est cependant très confortable. Toutefois, l'avant du siège est assez élevé, ce qui ne plaira pas à tout le monde. On souhaiterait aussi un plus grand nombre de réglages pour ce même siège. Heureusement que le volant et le pédalier sont réglables. Il est alors possible d'adopter une bonne position de conduite tandis que le repose-pied, également ajustable, s'avère fonctionnel. Même s'il est placé très haut sur

la console centrale, le levier de vitesses s'attrape facilement. Par contre, il exige une bonne poigne et l'enclenchement des rapports est parfois imprécis.

La pièce de résistance de la Viper demeure cependant son moteur dont la puissance permet de signer des chronos qu'une Ferrari ne renierait pas. Bref, autant les reprises que les accélérations sont foudroyantes. Vous pourrez, tout à loisir, brûler du caoutchouc et laisser votre marque sur le bitume, mais sachez que c'est une habitude qui risque de vous coûter cher, car les gros Michelin Pilot

ZP (P345/30ZR19) qui équipent la voiture ne sont pas donnés.

Avec ces pneus larges, un châssis plus rigide et une suspension de type course à amortisseurs en aluminium, la tenue de route a de quoi mettre votre bravoure à l'épreuve. Dans les virages serrés, la voiture reste rivée à la route et le roulis de

### ■ ÉQUIPEMENT DE SÉRIE

- Moteur V10 • Roues arrière 19 pouces
- Toit amovible • Boîte manuelle 6 rapports
- Suspension aluminium • Roues aluminium poli

### ■ ÉQUIPEMENT EN OPTION

- Coupé compétition • SRT-10 vendu sans option

caisse minimal. Il faut également souligner que la direction est plus précise et que cette SRT-10 possède désormais une tenue de cap qui exige moins de corrections qu'avant à haute vitesse. Relativement puissants, les freins gagnent cependant en efficacité une fois réchauffés. Et les freinages en catastrophe ne risquent plus de ruiner un jeu de pneus puisque cette Viper peut désormais compter sur un système ABS prévenant le blocage des roues.

Rien n'a été fait par ailleurs pour remédier au problème des sorties d'échappement le long des portes. L'air chaud entre dans l'habitacle lorsque la capote est baissée. Et il faut toujours être aussi prudent pour ne pas se brûler les jambes en descendant de la voiture.

En ne faisant que de très rares concessions au confort, la voiture devient rapidement désagréable sur des routes bosselées. La suspension est si dure que cela s'entend et le bruit finit par tom-

ber sur les nerfs. Le nouveau toit, une fois en place, limite à ce point la visibilité ¾ arrière qu'il faut pratiquement un copilote pour nous aider à y voir clair. Parions que les inconditionnels de la Viper ne s'en plaindront pas, car elle garde ce caractère pur et dur si cher aux adeptes de ce modèle.

## Dodge à l'écoute

Les propriétaires de Viper ont eu leur mot à dire dans l'élaboration du modèle de seconde génération. Ceux-ci souhaitaient une plus grande puissance, de meilleurs freins, une diminution du poids, un nouveau mécanisme pour le toit souple, un repose-pied et, dans l'ensemble, un confort accru.

Ingénieurs et stylistes savaient donc à quoi s'en tenir et ils se sont mis à l'œuvre. La responsabilité du look extérieur a été confiée à Osamu Shikado qui a amorcé les premiers dessins de ce projet au tournant du millénaire. Si les lignes de la première

Viper étaient quelque peu caricaturales, celles de la version 2003 s'avèrent nettement plus épurées. Le lourd capot monocoque de type coquille d'huître a été remplacé par un capot traditionnel et les ailes sont indépendantes de celui-ci.

## Un Québécois à la rescousse

Mais si l'extérieur de la Viper a toujours fait l'unanimité, son habitacle était moins réussi. Non seulement le manque d'espace était flagrant, mais le tableau de bord était passablement rudimentaire : cadrans et commandes avaient été disposés là où l'on pouvait, mais pas nécessairement là où il aurait fallu. C'est au Montréalais Ralph Gilles, le styliste responsable de l'habitacle du Jeep Liberty, qu'on a confié la responsabilité de remédier à ces faiblesses. Les cadrans indicateurs secondaires ne sont plus éparpillés sur la largeur de la planche de bord, mais disposés verticalement à

| CARACTÉRISTIQUES | |
| --- | --- |
| Prix du modèle à l'essai | SRT-10 125 600 $ |
| Échelle de prix | 125 600 $ |
| Assurances | 1559 $ |
| Garanties | 3 ans 60 000 km / 7 ans 115 000 km |
| Emp. / Long. / Larg. / Haut. (cm) | 251 / 446 / 194 / 121 |
| Poids | 1536 kg |
| Coffre / Réservoir | 239 litres / 70 litres |
| Coussins de sécurité | frontaux |
| Suspension avant | indépendante, levier triangulé |

| | |
| --- | --- |
| Suspension arrière | indépendante, levier triangulé |
| Freins av. / arr. | disque, ABS |
| Système antipatinage | non |
| Direction | à crémaillère, assistée |
| Diamètre de braquage | 12,3 mètres |
| Pneus av. / arr. | P275/35ZR18 / P345/30ZR19 |

| MOTORISATION ET PERFORMANCES | |
| --- | --- |
| Moteur | V10 8,3 litres |
| Transmission | propulsion, manuelle 6 rapports |
| Puissance | 500 ch à 5 600 tr/min |

| | |
| --- | --- |
| Couple | 525 lb-pi à 4 200 tr/min |
| Autre(s) moteur(s) | aucun |
| Autre(s) transmission(s) | aucune |
| Accélération 0-100 km/h | 4,2 secondes |
| Reprises 80-120 km/h | 3,8 secondes |
| Vitesse maximale | 310 km/h |
| Freinage 100-0 km/h | 36,5 mètres |
| Consommation (100 km) | 17,8 litres (super) |
| Niveau sonore | Ralenti : 53,6 dB |
| | Accélération : 78,2 dB |
| | 100 km/h : 74,5 dB |

ceinture à six points d'attache. Ces sièges sont de type course avec des bourrelets latéraux tant sur les côtés du siège que du dossier. Enfin, les éléments d'apparence métallique comme l'anneau de la gaine du levier de vitesses et les poignées de fermeture des portières sont en métal et non pas des imitations en plastique.

Et j'allais oublier, le toit souple qui a été à la source de tous ces changements est simple à faire fonctionner avec son unique point d'ancrage et sa légèreté attribuable à l'utilisation de titane dans sa structure. De plus, une fois replié, il n'est plus

la droite du volant. Le pilote est donc en mesure de les consulter très facilement. Un compte-tours imposant trône au milieu de la nacelle centrale. Après tout, dans une voiture sport, c'est l'élément clé en fait d'information. Il est flanqué à gauche de la jauge de carburant et à droite de l'indicateur de vitesse. À l'intérieur de ce dernier cadran, nous retrouvons l'odomètre et le totalisateur journalier. Toutefois, leur affichage numérique n'est pas facile à lire tandis que le bouton de remise à zéro s'avère difficile d'accès. Le pédalier est à réglage électrique et les pédales en aluminium sont recouvertes d'une couche antidérapante, une excellente idée. Soulignons également que les sièges mi-cuir/mi-suède ont déjà des ouvertures prévues pour une

nécessaire de le recouvrir d'une housse. Ce qui évite d'encombrer le coffre qui n'est déjà pas trop grand d'avance.

Tout cela fait de la nouvelle Viper une voiture plus pratique et plus esthétique que l'ancienne. Elle est également plus rapide que la précédente tout en étant également plus confortable et plus civilisée. Et si les performances vous semblent trop « timides », sachez que Dodge prévoit produire chaque année 25 exemplaires d'un coupé réservé à la piste. Avec 520 chevaux et une carrosserie partiellement en fibre de carbone, ce bolide fera parler de lui, même s'il ne sera disponible qu'au compte-gouttes.

*Denis Duquet / Jacques Duval*

## MODÈLES CONCURRENTS

- Acura NSX • Chevrolet Corvette Z06
- Ford Mustang Cobra • Porsche Carrera

## VERDICT

| | |
|---|---|
| Agrément de conduite | ★★★★ |
| Fiabilité | ★★★⭒ |
| Sécurité | ★★★ |
| Qualités hivernales | nulles |
| Espace intérieur | ★★⭒ |
| Confort | ★★ |

## ▲ POUR

- Performances époustouflantes • Toit souple pratique • Sièges efficaces • Finition en progrès
- Tableau de bord moderne

## ▼ CONTRE

- Habitacle exigu • Seuils des portières très chauds
- Visibilité 3/4 arrière exécrable • Insonorisation à revoir • Accès à bord difficile avec toit en place

# Son et plaisir

Si l'on fait exception de la nouvelle Enzo qui n'est pas un modèle de production courante, la 360 Modena est très certainement la plus sportive de toutes les Ferrari à vocation routière. Son moteur central et un meilleur rapport poids/puissance que ceux de la 575 Maranello et de la 456 GT en font une voiture pratiquement aussi à l'aise sur un circuit que sur la route. J'ai d'ailleurs eu l'occasion de m'en rendre compte l'an dernier lors d'une séance d'essais des trois Ferrari de route sur le circuit fraîchement rénové de Mont-Tremblant. Et on peut ajouter que c'est la 360 que l'on a choisie comme animatrice du Challenge Ferrari, la série de course monotype réservée aux voitures de la marque.

Après s'être assuré que son compte en banque est en très bonne santé, l'acheteur d'une 360 a deux choix à faire. Il doit opter pour le coupé ou pour le Spider et choisir la boîte de vitesses manuelle à 6 rapports ou la transmission automatique type F1. Pour votre information, près des trois quarts des 360 Modena vendues par Ferrari Québec sont des Spider majoritairement équipés de la boîte séquentielle F1.

Personnellement, je n'ai jamais été très chaud pour cette transmission automatique dotée d'un mode manuel permettant de monter ou de descendre les 6 rapports au moyen de palettes placées sous le volant. Il semble toutefois que l'on finisse par s'habituer aux saccades qui accompagnent les changements de rapports en conduite non sportive et même par en diminuer l'intensité. Lorsqu'on roule à fond ou sur un circuit, le système est une pure merveille et il n'est pas exagéré de dire que les changements de vitesse se font plus rapidement qu'avec une boîte manuelle classique. C'est surtout en ville que les choses se gâtent, mais il faut croire que les propriétaires de 360 Modena savent éviter les embouteillages. Bref, vous serez meilleur juge en prenant la précaution de faire l'essai de la voiture avant de l'acheter.

### Coupé ou Spider ?

En ce qui a trait au type de carrosserie, c'est matière de goût et de budget puisque le Spider vous coûtera une trentaine de milliers de dollars de plus que le coupé. Vous obtiendrez en retour non seu-

## CARACTÉRISTIQUES

| | |
|---|---|
| Prix du modèle à l'essai | Spider 264 300 $ |
| Échelle de prix | de 231 700 à 280 675 $ |
| Assurances | 8286 $ (coupé) 9832 $ (Spider) |
| Garanties | 3 ans kilo. illimité |
| Emp. / Long. / Larg. / Haut. (cm) | 260 / 447,5 / 193 / 122 |
| Poids | 1290 kg / 1350 kg |
| Coffre / Réservoir | 120 litres / 82 litres |
| Coussins de sécurité | frontaux et latéraux |
| Suspension avant | indépendante, leviers transversaux |
| Suspension arrière | indépendante, leviers transversaux |
| Freins av. / arr. | disque ventilé, ABS |
| Système antipatinage | oui |
| Direction | à crémaillère, assistée |
| Diamètre de braquage | 10,8 mètres |
| Pneus av. / arr. | P215/45ZR18 / P275/40ZR18 |

## MOTORISATION ET PERFORMANCES

| | |
|---|---|
| Moteur | V8 3,6 litres |
| Transmission | propulsion, manuelle 6 rapports |
| Puissance | 400 ch à 8 500 tr/min |
| Couple | 275 lb-pi à 4 750 tr/min |
| Autre(s) moteur(s) | aucun |
| Autre(s) transmission(s) | F1 séquentielle |
| Accélération 0-100 km/h | 4,5 secondes |
| Reprises 80-120 km/h | n.d. |
| Vitesse maximale | 295 km/h |
| Freinage 100-0 km/h | 36,4 mètres |
| Consommation (100 km) | 17 litres (super) |
| • Valeur de revente | exceptionnelle |
| • Renouvellement du modèle | n.d. |

tier que son fabuleux moteur qui alimente le plaisir que l'on ressent au volant. On a beau ne pas aimer le bruit, le son qui en émane à plein régime est plus mélodieux que dérangeant. Et s'il faut le voir pour le croire, on n'a qu'à regarder à travers le couvercle vitré qui abrite ce petit V8 aux culasses rouges posées en plein centre du châssis. Peu importe que l'on ait choisi la boîte manuelle ou F1, les performances sont pratiquement les mêmes, c'est-à-dire foudroyantes. Avant même que vous ayez eu le temps de compter jus-

lement le plaisir de rouler à ciel ouvert, mais aussi celui de pouvoir mieux savourer l'exquise sonorité du V8 de 3,6 litres qui piaffe dans votre dos. En plus, Ferrari s'est finalement mise au pas en optant pour une capote entièrement automatisée qui disparaît complètement sous son couvercle comme dans les Porsche Boxster et autres cabriolets civilisés. Il y aurait lieu toutefois de pousser l'exercice un peu plus loin et de se défaire de cette vilaine lunette arrière en plastique qui n'a pas sa place dans une voiture de cette classe. Dans la voiture relativement neuve mise à l'essai, le plastique était déjà jauni. On peut ajouter que le système de pliage de la capote combiné aux rayons du soleil semble provoquer une décoloration du tissu. Le bleu de la toile du Spider de nos photos était blanchi par endroits.

L'une des belles qualités du Spider 360 Modena est la rigidité de son châssis. J'ai été en mesure de le constater avec encore plus de conviction parce que j'avais fait l'essai du Spider Maserati Cambio Corsa quelques heures auparavant. Bien que les deux voitures soient issues de la même famille, il y a un monde de différence entre la solidité de la carrosserie de la 360 et le manque de robustesse du châssis Maserati (voir essai). Et comme la tenue de route d'une voiture sport tient en grande partie à la qualité de son châssis, la Ferrari se retrouve loin devant sa « rivale » à ce chapitre.

Il convient toutefois de souligner que comme toutes les voitures à moteur central, la 360 Modena exige un pilotage appliqué. Tous les pilotes qui participent au Challenge Ferrari vous diront que la 360

possède une superbe tenue de route, mais que la voiture devient très délicate à conduire lorsque la limite d'adhérence a été atteinte. Bref, la 360 ne pardonne pas facilement les excès d'enthousiasme et il faut être très alerte pour éviter le tête-à-queue.

Après plusieurs tours du circuit Mont-Tremblant, les freins n'avaient pas tendance à surchauffer comme cela se produit avec une Maranello ou une 456, toutes deux beaucoup plus lourdes.

### L'agrément de conduite avec un grand A

S'il fallait dresser la liste des voitures offrant le meilleur agrément de conduite, la Ferrari 360 Modena viendrait sûrement en tête du classement. Ce n'est toutefois pas tant son comportement rou-

qu'à 5, vous serez arrivé à 100 km/h et vous aurez franchi 1 kilomètre en moins de 30 secondes, départ arrêté.

Comme je l'écrivais l'an dernier, une Ferrari c'est d'abord un fabuleux moteur et une irrésistible carrosserie. Cela s'applique notamment à la 360 qui ne s'embarrasse pas de garnitures en bois ou en fibre de carbone, d'accessoires de luxe, de systèmes de navigation ou de tout autre équipement superflu. Le tableau de bord est correct sans plus, mais les sièges offrent le maintien et le confort nécessaire au pilotage d'une voiture haute performance. La visibilité vers l'arrière est presque nulle, mais, à bien y penser, a-t-on vraiment besoin de regarder derrière au volant d'une Ferrari ?

*Jacques Duval*

---

## MODÈLES CONCURRENTS

• Acura NSX-T • Aston Martin DB7 • BMW Z8
• Jaguar XK-R • Mercedes-Benz SL55 AMG
• Porsche 911 Turbo

## QUOI DE NEUF ?

• Aucun changement majeur

## VERDICT

| | |
|---|---|
| Agrément de conduite | ★★★★★ |
| Fiabilité | ★★★✦ |
| Sécurité | ★★★✦ |
| Qualités hivernales | ★ |
| Espace intérieur | ★★ |
| Confort | ★★★ |

## ▲ POUR

• Performances grisantes • Agrément de conduite indéniable • Châssis rigide • Excellent freinage
• Dépréciation très faible

## ▼ CONTRE

• Survirage brutal à la limite
• Lunette arrière en plastique (Spider)
• Boîte F1 désagréable en ville

# L'apothéose du grand-tourisme

Les Italiens sont passés maîtres dans l'art de construire des voitures grand-tourisme. Ce sont même eux qui ont créé l'appellation *Gran Turismo* qui sert à désigner une voiture de sport carrossée en coupé conçue pour franchir rapidement de longs trajets dans un maximum de confort et de luxe. Il ne faut donc pas se surprendre que ces mêmes Italiens soient à l'origine de la plus illustre représentante de cette catégorie, la superbe Ferrari 456 GT. J'ai eu le rare bonheur de faire l'essai des deux versions de ce modèle, l'une avec la boîte manuelle à 6 rapports et l'autre, la GTA, avec la transmission automatique à 4 rapports. Et pour que ce double essai soit encore plus complet, nous l'avons effectué aussi bien sur route que sur piste. Bref, un bonheur d'occasion, pour paraphraser Gabrielle Roy.

On dit souvent qu'une image est plus éloquente que mille mots et notre photo de l'an dernier (Festival Ferrari à Mont-Tremblant) montrant la 456 GT sur trois roues à la sortie des S du circuit Mont-Tremblant démontre clairement que la conduite sur piste n'est pas la vocation première d'une telle voiture. Bien qu'elle s'y comporte honorablement, elle laisse ce rôle à une 360 Modena ou à la 575 Maranello en se contentant d'offrir un comportement routier de premier plan conjugué au niveau de confort auquel s'attend l'acheteur d'une 456 GT. Cet acheteur, incidemment, est le plus âgé de tous les clients Ferrari et c'est ce qui explique que ce modèle soit le seul de la gamme à être offert avec une transmission entièrement automatique. Au risque d'offusquer les puristes, ajoutons que ladite transmission provient des entrepôts de pièces de la General Motors. Accolée au différentiel arrière (pour une meilleure répartition du poids), elle offre un fonctionnement satisfaisant mais tant qu'à négocier avec GM, Ferrari aurait intérêt à opter pour la nouvelle transmission automatique à 5 rapports que l'on retrouve dans la Cadillac CTS et dans les BMW de Série 5. Cela dit, le moteur conserve son exquise sonorité, mais il m'apparaît beaucoup plus amusant d'en être le chef d'orchestre en utilisant la boîte de vitesses manuelle plutôt que de laisser l'automatique s'occuper des crescendos.

## CARACTÉRISTIQUES

| | |
|---|---|
| **Prix du modèle à l'essai** | 456 GT 374 410 $ |
| **Échelle de prix** | 374 410 $ |
| **Assurances** | 12 930 $ |
| **Garanties** | 3 ans kilo. illimité |
| **Emp. / Long. / Larg. / Haut. (cm)** | 260 / 477 / 192 / 130 |
| **Poids** | 1690 kg; 1770 kg (GTA) |
| **Coffre / Réservoir** | n.d. / 110 litres |
| **Coussins de sécurité** | frontaux et latéraux |
| **Suspension avant** | triangles superposés |
| **Suspension arrière** | triangles superposés, roues ind. |
| **Freins av. / arr.** | disque ventilé, ABS |
| **Système antipatinage** | oui |
| **Direction** | à crémaillère, assistée |
| **Diamètre de braquage** | n.d. |
| **Pneus av. / arr.** | P255/45ZR17 / P285/40ZR17 |

## MOTORISATION ET PERFORMANCES

| | |
|---|---|
| **Moteur** | V12 5,5 litres |
| **Transmission** | propulsion / man. 6 rapports |
| **Puissance** | 442 ch à 6250 tr/min |
| **Couple** | 398 lb-pi à 4500 tr/min |
| **Autre(s) moteur(s)** | aucun |
| **Autre(s) transmission(s)** | automatique GM 4 rapports |
| **Accélération 0-100 km/h** | 5,2 secondes |
| **Reprises 80-120 km/h** | n.d. |
| **Vitesse maximale** | plus de 300 km/h |
| **Freinage 100-0 km/h** | 37,7 mètres |
| **Consommation (100 km)** | 18 litres (super) |
| • Valeur de revente | excellente |
| • Renouvellement du modèle | 2005-2006 |

nello en Formule 1 et de la grille en métal chromée qui accueille le levier de vitesses, l'intérieur de la 456 pourrait appartenir à n'importe quelle voiture de prix moyen.

Les sièges tendus de cuir sont confortables et la position de conduite irréprochable. Toutes les informations pertinentes à la conduite sportive sont fournies par une instrumentation abondante et bien disposée. Compte tenu des performances d'une telle voiture, le conducteur a besoin d'une visibilité parfaite sous tous les angles et cette Ferrari la lui offre.

### Un moteur jouissif

Car l'aspect le plus jouissif d'une Ferrari (le plus grand *thrill*, si vous préférez) est indéniablement son moteur. Le simple geste de le faire démarrer est le prélude à toute une série de petits plaisirs qu'aucune autre mécanique ne saurait procurer. Le son du V12 Ferrari est unique au monde et la poussée qu'il imprime à la 456 est une expérience qu'aucune autre automobile au monde n'est en mesure d'offrir. On ne se lasse jamais de faire grimper le régime à 7000 tr/min et de faire fonctionner les 48 soupapes et les 4 arbres à cames en tête de ce merveilleux moteur de 5,5 litres développant 442 chevaux.

Autrefois très pointus et tout à fait allergiques à l'humidité, les moteurs Ferrari d'aujourd'hui tranchent carrément avec leurs ancêtres qui n'avaient rien dans le ventre à bas régime et dont il fallait constamment changer les bougies pour les faire ronronner correctement. Même la conduite en ville à 1000 tr/min n'est plus un problème de nos jours tellement les moteurs ont gagné en souplesse.

La boîte manuelle à 6 rapports n'est plus aussi coriace que dans le temps. L'embrayage n'exige plus des mollets d'athlète et il suffit simplement de bien apprivoiser la petite grille métallique dans laquelle se glisse le levier de vitesses pour que tout se passe bien.

Malgré un poids substantiel, la 456 GT prend peu de roulis en virage et adopte un comportement relativement neutre. Si le poids de la voiture se fait oublier la plupart du temps, il nous rappelle à l'ordre de façon non équivoque après quelques tours de piste alors que le freinage voit son efficacité diminuer considérablement. Après un tour et demi

environ, les freins ont tendance à surchauffer et il faut s'y prendre de plus en plus tôt pour ralentir à l'entrée des virages. Précisons toutefois que ce problème n'est pas unique à la Ferrari 456 et que n'importe quelle voiture aussi lourde et aussi puissante éprouverait les mêmes ennuis.

### La sobriété a meilleur goût

Après le moteur, le grand pouvoir d'attraction d'une Ferrari tient à son look. Malgré sa sobriété, la ligne de la 456 ne passe pas inaperçue. On est cependant moins impressionné par la présentation intérieure où aucun effort particulier n'a été fait pour créer une ambiance hors du commun. À l'exception de la petite plaque «Campioni del Mondo» collée au tableau de bord pour souligner les trois championnats du monde de la marque de Mara-

Il faudra simplement se méfier du capot avant qui est plus long qu'on le croit et dont on ne voit pas l'extrémité.

Ce coupé grand-tourisme répond à la définition d'un 2+2, ce qui signifie qu'il y a de la place à l'arrière pour deux personnes, à condition que ce soient des enfants ou des adultes de petite taille. Et le coffre peut transporter le traditionnel sac de golf, mais au détriment de la roue de secours qui brille par son absence.

Belle, rapide et confortable, la 456 GT est véritablement l'apothéose de la voiture grand-tourisme. Avec son moteur V12 monté à l'avant et sa carrosserie de type 2+2, c'est aussi la Ferrari qui respecte le plus fidèlement la philosophie originale du créateur de cette marque mythique.

*Jacques Duval*

---

### MODÈLES CONCURRENTS

• Aston Martin Vanquish • BMW Z8
• Mercedes-Benz SL55 AMG • Mercedes-Benz CL V12
• Porsche 911 Turbo

### QUOI DE NEUF?

• Aucun changement majeur

### VERDICT

| | |
|---|---|
| Agrément de conduite | ★★★★⅃ |
| Fiabilité | ★★★⅃ |
| Sécurité | ★★★★ |
| Qualités hivernales | ★★ |
| Espace intérieur | ★★★⅃ |
| Confort | ★★★⅃ |

### ▲ POUR

• Le son et la puissance du V12 • Tenue de route remarquable • La Ferrari de tous les jours • Ligne irrésistible • Bonne visibilité

### ▼ CONTRE

• Présentation intérieure banale • Freins peu endurants • Absence de roue de secours
• Commandes fermes

# FERRARI 575M MARANELLO

# Encore plus haut

**Même si la 550 Maranello essayée l'an dernier lors du Festival Ferrari au circuit Mont-Tremblant m'avait semblé au sommet de sa forme, la prestigieuse marque italienne a trouvé le moyen de parfaire sa mise au point. Juste au moment où Aston Martin (avec la Vanquish) et Lamborghini (avec la Murciélago) pouvaient prétendre s'être hissées au niveau de la plus performante des Ferrari de route, voilà que Maranello place la barre encore plus haut. Et on ne parle même pas ici de la déjà célèbre Enzo mais plutôt de la 575 qui n'en demeure pas moins une héritière directe des trois championnats du monde d'affilée que Ferrari vient de récolter en Formule 1.**

Devant moi, sur la gauche, une petite plaque au tableau de bord fait d'ailleurs état du palmarès du constructeur de cette 575 Maranello que je m'apprête à découvrir sur les routes de l'Estrie.

Pour plusieurs, cette Ferrari est celle du juste milieu. C'est le choix de ceux qui trouvent la 360 Modena tape-à-l'œil ou un peu trop provo-cante et la 456 GT placide et un brin trop sérieuse. Bref, entre une sportive dévergondée et une GT très classique, la Maranello sait faire la part des choses. Elle marie habilement les performances de la première au confort de la seconde. Il suffit de quelques minutes au volant pour s'en rendre compte. Solide comme le roc, le carrosserie est un modèle de rigidité et c'est là le point de départ d'un comportement routier dont l'excellence est telle qu'il faut

impérativement rouler sur un circuit pour pouvoir en approcher les limites.

## *M pour* modificata

Mais qu'a donc fait Ferrari pour que ce coupé deux places à moteur V12 soit le digne successeur de quelques-uns des modèles les plus vénérés de l'histoire de la marque (250 GT, GTO, 275 GTB, 375 GTB 4) ? Beaucoup de choses même si cela ne se voit pas beaucoup. À l'extérieur, il y a bien la prise d'air sur le capot qui a été agrandie, le museau qui a été retouché et les jantes redessinées, mais il faut jeter un coup d'œil à l'intérieur pour trouver des différences plus notables. Le tableau de bord a été réaménagé et les instruments secondaires sont désormais regroupés face au conducteur plutôt qu'éparpillés sur la console centrale. Les sièges ont changé d'aspect et quelques

## CARACTÉRISTIQUES

| | |
|---|---|
| Prix du modèle à l'essai | F1 368 535 $ |
| Échelle de prix | de 351 745 $ à 368 535 $ |
| Assurances | 12 222 $ |
| Garanties | 3 ans kilométrage illimité |
| Emp. / Long. / Larg. / Haut. (cm) | 250 / 455 / 193,5 / 127 |
| Poids | 1 730 kg |
| Coffre / Réservoir | 185 litres / 105 litres |
| Coussins de sécurité | frontaux |
| Suspension avant | double leviers trans. triangulaires |
| Suspension arrière | double leviers transversaux, ind. |
| Freins av. / arr. | disque ventilé, ABS |
| Système antipatinage | oui |
| Direction | à crémaillère, assistance variable |
| Diamètre de braquage | 11,6 mètres |
| Pneus av. / arr. | P255/40ZR18/ P295/35ZR18 |

## MOTORISATION ET PERFORMANCES

| | |
|---|---|
| Moteur | V12 48 soupapes 5,75 litres |
| Transmission | propulsion, F1 électro-hydr. 6 rapports |
| Puissance | 515 ch à 7250 tr/min |
| Couple | 434 lb-pi à 5250 tr/min |
| Autre(s) moteur(s) | aucun |
| Autre(s) transmission(s) | manuelle, 6 rapports |
| Accélération 0-100 km/h | 4,2 secondes |
| Reprises 80-120 km/h | 3,7 secondes |
| Vitesse maximale | 325 km/h |
| Freinage 100-0 km/h | n.d. |
| Consommation (100 km) | 18,7 litres (super) |

- Valeur de revente — exceptionnelle
- Renouvellement du modèle — n.d.

disposition son *launch control,* un système qui favorise les départs canon. Pied gauche sur le frein, le droit appuyé sur l'accélérateur, antipatinage à « off » et boîte de vitesses en mode Sport, vous n'avez rien d'autre à faire que de relâcher le frein et de stopper votre chronomètre à 4,2 secondes une fois rendu à 100 km/h. L'embrayage en souffre un peu, mais bon, il faut bien s'amuser de temps en temps.

Contrairement à ce qui est le cas dans la Maserati Cambiocorsa ou à l'Audi A8 2004, les palettes

rangements sont venus s'ajouter à un intérieur qui en était plutôt dépourvu dans la 550.

Ce sont là toutefois de menus détails par rapport aux changements moins visibles apportés à la Maranello. Celle-ci est la première Ferrari de route à moteur V12 à pouvoir compter sur la boîte de vitesses de type F1 à commande électro-hydraulique utilisée jusqu'ici seulement dans la 360 Modena. Placée à l'arrière où elle fait corps avec le différentiel, elle permet de répartir le poids également entre les deux essieux. Le moteur, un V12 48 soupapes à 65 degrés, a lui aussi évolué en voyant sa cylindrée s'accroître à 5,75 litres (d'où l'appellation de la voiture). Avec ses composantes en alliage léger, son carter sec et son taux de compression plus élevé, la puissance a fait un bond de 30 chevaux. Sachant très bien que l'amélioration des performances n'est pas une voie à sens unique, Ferrari s'est attardée au freinage en optant d'abord pour de nouvelles plaquettes Ferodo HP 1000 et en s'assurant que celles-ci soient mieux ventilées au moyen de prises d'air additionnelles sous la voiture, une modification qui devrait diminuer la surchauffe notée l'an dernier en utilisation intensive.

### Plus vite que Schumi

Si les améliorations sont bel et bien là, il n'est pas facile de les cerner en conduisant la 575 un an après avoir pris le volant de la 550. Ce dont je peux attester toutefois, c'est que la voiture tire un excellent parti de la boîte de vitesses robotisée qui m'est apparue plus agréable à utiliser que dans la 360. Les à-coups qui accompagnent les changements de rapport ont été grandement atténués, à moins bien sûr que l'on

décide de faire appel au mode d'opération Sport qui ramène à 2 dixièmes de seconde l'intervalle entre les passages de vitesses. Même Schumacher n'arrive pas à faire mieux avec la boîte manuelle à 6 rapports. Enclenché par un interrupteur sur la console, ce mode est certes plus brutal mais tout à fait jouissif quand, au moment de rétrograder, l'électronique se charge pour vous de donner un léger coup d'accélérateur parfaitement coordonné qui vous fait passer à coup sûr pour un pilote aguerri. Bref, le confort diminue mais le plaisir monte. Ce même mode adapte aussi la fermeté de la suspension à une conduite plus sportive tout en débranchant l'antipatinage. Avec 515 chevaux sous le pied, on a toutefois intérêt à savoir ce que l'on fait avant de flirter avec les limites de la 575M.

La voiture vous permet également de goûter un peu à la technologie de la F1 en mettant à votre

situées derrière le volant qui servent à monter ou à descendre les rapports sont juste à la bonne place et faciles à manipuler. Justement, la qualité première de la 575M Maranello est sa grande facilité de conduite qui en fait la Ferrari de tous les jours : hyper rapide si on le désire et capable d'endurer un embouteillage sans piaffer d'impatience. Moins pointue à la limite qu'une 360, elle sait pardonner les fautes. Dommage pour ce léger bruit de vent à 220 km/h et pour cette sonorité moteur qui ne livre plus les mêmes frissons que les V12 d'avant.

En rapportant la voiture à son propriétaire, je me disais quand même qu'en visant toujours plus haut avec la 575M, Ferrari nous amène pas très loin du septième ciel.

*Jacques Duval*

| MODÈLES CONCURRENTS | VERDICT | | ▲ POUR |
|---|---|---|---|
| • *Aston Martin Vanquish* • *Lamborghini Murciélago* | Agrément de conduite | ★★★★★ | • Performances euphoriques • Boîte F1 bien intégrée |
| • *Mercedes-Benz SL55 AMG* • *Porsche 911 GT2* | Fiabilité | ★★★⯪ | • Freinage en progrès • Tenue de route flamboyante |
| | Sécurité | ★★★⯪ | • Confort étonnant • La plus désirable des Ferrari |
| **QUOI DE NEUF ?** | Qualités hivernales | ★★⯪ | ▼ CONTRE |
| • *Retouches esthétiques et aérodynamiques* | Espace intérieur | ★★⯪ | • Prix substantiel • Direction légère • Coffre étroit |
| • *Tableau de bord remanié* • *Puissance accrue* | Confort | ★★★★ | • Embrayage fragile • Sonorité moteur atténuée |
| • *Boîte de vitesses F1* • *Freins améliorés* | | | • Coût des assurances astronomique |

# Du podium à la route

**Il était temps. Oui, il était temps que l'on rende hommage au fondateur de la marque automobile la plus titrée et la plus célèbre d'entre toutes, Ferrari. On peut même se demander comment il se fait que l'on n'ait pas songé plus tôt à donner à l'une des voitures arborant l'emblème du cheval cabré le nom du créateur de quelques-uns des plus grands chefs-d'œuvre automobiles de l'histoire, Enzo Ferrari. C'est maintenant chose faite et celui que l'on surnommait le _Commendatore_ serait sans doute très fier de voir son prénom accolé à la toute dernière création de la petite usine de Maranello, l'Enzo Ferrari.**

Dans la lignée de ces autres modèles à tirage limité que furent la GTO, la F40 et la F50, l'Enzo est ce que l'on appelle dans toutes les langues du monde un _supercar_, c'est-à-dire une voiture d'exception produite en petite série (349 exemplaires sont prévus) sans aucune forme de compromis. Le seul mandat donné aux ingénieurs était d'en faire la voiture la plus performante au monde, à tous les points de vue. Conséquemment, rien n'a été épargné pour que l'Enzo Ferrari soit la voiture de sport « extrême » par excellence. Voyons un peu.

### Une Formule 1 avec des ailes
M. Ferrari a toujours dit que les succès en course de la _Scuderia_ (écurie) devaient contribuer à l'évolution des voitures de route. Dans cet esprit, la nouvelle Enzo est l'héritière directe des quatre championnats du monde des constructeurs remportés par la marque italienne depuis 1999. Le dessin par Pininfarina de la partie frontale en fait d'ailleurs clairement état avec un museau de Formule 1 auquel on aurait rattaché les ailes avant. Naturellement, le transfert de technologie du podium à la route ne se limite pas à ce rapprochement visuel. La carrosserie paraît plus achevée que celle des F40 ou F50 et bénéficie d'un aérodynamisme très poussé. Ainsi, les volets placés à l'avant et l'aileron arrière sont mobiles et se déplacent au fur et à mesure que la vitesse augmente. C'est ce qui fait que la poussée aérodynamique atteint 344 kg à 200 km/h et 775 kg à 300 km/h. Au-delà de 300 km/h, l'aileron arrière se rétracte complètement afin de privilégier la vitesse de pointe qui se situe à 350 km/h.

| CARACTÉRISTIQUES | |
|---|---|
| Prix | 1 000 000 $ |
| Emp. / Long. / Larg. / Haut. (cm) | 265 / 470 / 203,5 / 115 |
| Poids | 1 255 kg |
| Réservoir | 110 litres |
| Suspension | double leviers triangulaires et garde au sol réglable, roues indépendantes |
| Freins av. / arr. | disque ventilé, ABS |
| Système antipatinage | oui |
| Direction | à crémaillère, assistée |

| | |
|---|---|
| Pneus av. / arr. | P245/35ZR19 / P345/35ZR19 |

| MOTORISATION ET PERFORMANCES | |
|---|---|
| Moteur | V12 6 litres 48 soupapes |
| Transmission | propulsion, type F1 6 rapports |
| Puissance | 660 ch à 7800 tr/min |
| Couple | 485 lb-pi à 5 500 tr/min |
| Accélération 0-100 km/h | 3,65 secondes |
| Accélération 0-200 km/h | 9,5 secondes |
| Quart de mille | 11 secondes |
| Vitesse maximale | 350 km/h |

### Que diriez-vous de 660 chevaux?

Le moteur central est lui aussi directement inspiré du laboratoire de recherche que constitue la F1. Il s'agit d'un V12 à 65 degrés de 6 litres avec 48 soupapes, quatre arbres à cames en tête et des bielles en titane. Développant 660 chevaux, il donne à cette Ferrari un meilleur rapport poids/puissance (1,9 kg par cheval-vapeur) que la Lamborghini Murciélago mais il convient de souligner que l'Enzo, contrairement à sa rivale de Sant'Agata, n'est pas une voiture de série.

Très légère, l'Enzo Ferrari ne pèse que 1255 kg grâce à l'utilisation de matériaux composites comprenant un mélange de fibre de carbone et d'aluminium. Tant pour leur côté spectaculaire que pratique, on a adopté des portes en élytre qui s'articulent sur le toit de la voiture et près du garde-boue des roues avant comme dans les anciennes 512 M de course du début des années 70. Elles facilitent énormément l'accès à la voiture et à un siège type course ultraléger en fibre de carbone offert en 16 dimensions afin de s'adapter au gabarit de chacun des acheteurs.

### Des départs comme en F1

Un autre emprunt à la course automobile est le volant quasi identique à celui que l'on trouve dans le cockpit de la monoplace de Michael Schumacher. On y aperçoit six boutons associés aux divers réglages de la voiture et, sur le pourtour supérieur, une série de diodes lumineuses qui s'allument en séquence avec la montée en régime qui s'affiche au compte-tours. Sans bouger les mains du volant, le conducteur peut modifier la poussée aérodynamique, annuler l'antipatinage ou changer le mode de passage des 6 rapports de la boîte de vitesses. Cette boîte est identique à celle d'une Formule 1 et en mode «course», les passages de vitesse s'effectuent en 150 millisecondes à l'aide des palettes placées de part et d'autre du volant.

L'Enzo Ferrari est même équipée d'un système de lancement de la voiture (launch control) semblable à celui utilisé par les F1 modernes lors des départs de Grand Prix. Le conducteur désireux de faire un départ canon n'a qu'à appliquer le frein, à monter le régime du moteur et à accélérer à fond pour que l'embrayage s'engage électroniquement. De toute évidence, cette nouvelle Ferrari est ce qui se rapproche le plus d'une monoplace de Formule 1, tant sur le plan des performances que de la technologie.

Même les freins Brembo de 380 mm de diamètre et 34 mm d'épaisseur sont du même type que ceux que l'on retrouve en F1. Fabriqués d'un mélange de carbone et de céramique pour plus de légèreté, ils possèdent des étriers à six pistons à l'avant et quatre à l'arrière. Bridgestone a aussi été mise à contribution dans la mise au point de la voiture et a conçu des pneus de 19 pouces appelés *Scuderia* spécialement pour celle-ci.

Dévoilée officiellement au Salon de Paris à l'automne 2002, l'Enzo Ferrari ne sera offerte qu'aux meilleurs clients et amis de la marque qui devront s'abstenir de spéculer et de la revendre à un prix supérieur à celui qu'ils auront payé. Car, même avant d'avoir fait ses preuves, cette voiture est d'ores et déjà un modèle de collection appelé à devenir la plus fabuleuse de toutes les Ferrari. Enzo doit bomber le torse dans son cercueil.

*Jacques Duval*

# *Le moyen bon sens*

**Dans la tourmente qui secoue la compagnie Ford depuis plusieurs mois, il y a tout de même quelques rayons de soleil. La popularité de l'Escape doit certainement réjouir les dirigeants. En fait, la demande est telle qu'il a fallu accentuer la cadence de production. Ce succès s'explique en partie par un comportement routier sain et une bonne présentation d'ensemble. Mais ce sont surtout ses dimensions raisonnables et un bon équilibre général qui incitent les gens à choisir l'Escape.**

L'ère des mastodontes n'est pas terminée, mais les ventes plafonnent; les consommateurs semblent avoir retrouvé leur gros bon sens, cela dit sans jeu de mots. Ils se tournent donc vers des véhicules plus pratiques, moins encombrants et consommant moins. De par ses dimensions, ses groupes propulseurs et son habitabilité, ce Ford des forêts et des prés est donc en mesure de répondre à ces désirs plus réalistes. La silhouette est également sympathique, même si ce n'est pas ce qu'il y a de plus original. Elle est tout au moins mieux réussie que celle du nouvel Explorer qui bat tous les records en fait d'anonymat. Il faut cependant vous mettre en garde contre le marchepied qui prend un malin plaisir à souiller le bas des pantalons en plus d'être inutile et très glissant.

L'habitabilité est surprenante compte tenu des dimensions extérieures et les personnes de grande taille ne se sentiront pas à l'étroit. Malheureusement, les places avant sont d'un confort assez moyen. L'assise du siège pourrait être plus longue afin d'offrir un meilleur support aux cuisses. Curieusement, la banquette arrière est plus confortable : trois adultes peuvent y prendre place sans trop se serrer. Par contre, le dégagement pour les jambes convient à peine pour les « grands 6 pieds ».

Si la qualité de la finition est bonne, le tissu des sièges fait bon marché tandis que la texture de certaines pièces de plastique, surtout celles qui sont dans les portières, semble s'apparenter à celle de véhicules destinés aux pays du tiers-monde. Au tableau de bord, les cadrans indicateurs sont de lecture facile et les commandes de la climatisation à la portée de la main. Depuis l'an dernier, les responsables du tableau de bord ont réparé leur bourde :

## CARACTÉRISTIQUES

| | |
|---|---|
| **Prix du modèle à l'essai** | XLT 32 895 $ |
| **Échelle de prix** | de 21 595 $ à 30 295 $ |
| **Assurances** | 1 057 $ |
| **Garanties** | 3 ans 60 000 km / 3 ans 60 000 km |
| **Emp. / Long. / Larg. / Haut. (cm)** | 262 / 439 / 178 / 175 |
| **Poids** | 1 495 kg |
| **Coffre / Réservoir** | 937 à 1 820 l / 58 l / 62 l (V6) |
| **Coussins de sécurité** | frontaux et latéraux |
| **Suspension avant** | indépendante, jambes de force |
| **Suspension arrière** | indépendante, multibras |
| **Freins av. / arr.** | disque / tambour ABS; ABS opt. (XLS) |
| **Système antipatinage** | non |
| **Direction** | à crémaillère, assistance variable |
| **Diamètre de braquage** | 10,8 mètres; 11,2 mètres (XLT) |
| **Pneus av. / arr.** | P235/70R16 (XLT); P225/70R15 (XLS) |

## MOTORISATION ET PERFORMANCES

| | |
|---|---|
| **Moteur** | V6 3 litres |
| **Transmission** | intégrale, automatique 4 rapports |
| **Puissance** | 200 ch à 5 900 tr/min |
| **Couple** | 195 lb-pi à 4 700 tr/min |
| **Autre(s) moteur(s)** | 4L 2 litres 125 ch |
| **Autre(s) transmission(s)** | manuelle 5 rapports |
| **Accélération 0-100 km/h** | 10,2 s; 12,8 s (4L) |
| **Reprises 80-120 km/h** | 7,8 secondes |
| **Vitesse maximale** | 190 km/h (V6) |
| **Freinage 100-0 km/h** | 42,9 mètres; 41,6 mètres (4L) |
| **Consommation (100 km)** | 15 l; 11,5 l (4L) (ordinaire) |

- Valeur de revente — bonne
- Renouvellement du modèle — 2004

donc savoir pourquoi. La réalité doit se trouver entre les deux. D'autant que la puissance réelle d'un moteur de série peut varier de 10 à 20 % par rapport à celle proclamée par le constructeur. Parlez-en aux gens de chez Hyundai.

Le fait que la suspension soit plutôt ferme explique les sautillements verticaux sur mauvaise route bien que le comportement routier en général soit fort acceptable. Mais il faut toujours se souvenir qu'il s'agit d'un véhicule utilitaire sport dont le centre de gravité est plus élevé que la moyenne. La prudence est de mise

le levier de vitesses de la boîte automatique, monté sur la colonne de direction, n'obstrue plus l'accès aux boutons de commande de la radio. Il ne faut pas toutefois crier victoire, car la modification aurait pu être mieux réussie.

Comme il est sur le marché depuis tout près de deux ans maintenant, il est dorénavant possible de s'intéresser à la cote de fiabilité de l'Escape et force est d'admettre que ce n'est pas trop reluisant. Surtout dans les premiers mois, les rappels se sont succédé et aussi bien l'Escape que le Tribute, son jumeau chez Mazda, ont connu leur part de problèmes. Les deux compagnies insistent bien entendu pour annoncer que ces péchés de jeunesse sont choses du passé, mais mieux vaut être avisé que certains ennuis peuvent venir hanter les propriétaires, surtout si vous songez à acheter l'un de ces véhicules sur le marché de l'occasion.

### Un soiffard

Dans le carnet de notes, les remarques relatives au comportement routier et aux performances de la version XLT à moteur V6 sont plutôt positives. Bien que plus bruyant que la moyenne, ce V6 permet de compter sur des accélérations intéressantes pour la catégorie : le 80-120 s'effectue en 7,8 secondes et des poussières. Malheureusement, ce V6 est un soiffard invétéré. Jamais il n'a été possible d'obtenir une cote de consommation de moins de 15 litres aux 100 km. La plupart du temps, la moyenne était de 16 et 17 litres, même en conduisant avec grande réserve. C'est encore pire en hiver alors que par temps froid, sa gourmandise

en hydrocarbure flirtait parfois avec les 20 litres aux 100 km !

Curieusement, ce V6 3 litres est le même que celui utilisé dans la Taurus où sa consommation est beaucoup plus raisonnable. Et puisque la boîte manuelle n'est pas offerte avec le V6, on se prive ainsi de quelques économies potentielles. Si vous aimez choisir les vitesses vous-même, vous devrez jeter votre dévolu sur le modèle équipé du moteur 4 cylindres 2 litres de 125 chevaux. En théorie, cela semble un choix assez peu intéressant. Mais avant de le rejeter, il faut prendre note que cette traction est plus légère tout en étant plus agile et un peu moins lourdaude dans les courbes serrées. Détail assez curieux, la fiche technique du Mazda Tribute lui confère un avantage de 5 chevaux en fait de puissance par rapport à son vis-à-vis chez Ford. Allez

dans les virages et il faut également éviter les brusques changements de voie. Il est également tout aussi important de vérifier la pression des pneus régulièrement et de respecter les pressions de gonflage recommandées lorsque le véhicule est chargé ou tracte une remorque. En conduite sur une chaussée glissante ou lorsque les conditions du terrain deviennent plus intimidantes, il est possible de verrouiller la répartition de la puissance avant/arrière en mode 50/50, ce qui ajoute à la polyvalence du véhicule. Par contre, l'absence d'un rapport démultiplié à basse vitesse l'empêche d'être considéré comme un tout-terrain pur et dur; c'est plutôt un véhicule toutes-routes.

Enfin, bonne nouvelle pour les consommateurs écolos, Ford annonce une version à moteur hybride de ce modèle d'ici 2004.

*Denis Duquet*

---

### MODÈLES CONCURRENTS

- *Chevrolet Tracker/Suzuki Vitara*
- *Honda CR-V • Hyundai Santa Fe • Jeep Liberty*
- *Mazda Tribute • Saturn VUE • Toyota RAV4*

### QUOI DE NEUF ?

- *Version Limited • Modifications au tableau de bord*

### VERDICT

| | |
|---|---|
| **Agrément de conduite** | ★★★⬩ |
| **Fiabilité** | ★★⬩ |
| **Sécurité** | ★★★⬩ |
| **Qualités hivernales** | ★★★★ |
| **Espace intérieur** | ★★★★ |
| **Confort** | ★★★ |

### ▲ POUR

- **Rouage intégral intéressant • Bonne habitabilité**
- **Fiabilité en progrès • Silhouette typée**
- **Suspension arrière indépendante**

### ▼ CONTRE

- **Moteur V6 gourmand • Matériaux à revoir dans l'habitacle • Absence de boîte manuelle avec V6**
- **Marchepied inutile • Insonorisation perfectible**

# Du respect SVP !

**Vous connaissez sans doute cette chanson d'Aretha Franklin intitulée *Respect* dans laquelle la chanteuse épelle ce mot avec insistance. C'est probablement ce même refrain qu'avaient en tête les ingénieurs assignés au développement du Ford Expedition. Bien que ce gros VUS figure parmi les plus populaires sur le marché, personne ne semble le respecter. Pire encore, plusieurs personnes entretiennent une perception assez négative envers ces gros véhicules utilitaires sport trop peu écologiques. Ce modèle entièrement transformé est censé changer l'image de l'Expedition.**

**M**alheureusement, il faudra tenter de remonter dans l'estime du public sans l'apport d'une silhouette accrocheuse. Comme ce fut le cas avec l'Explorer, les stylistes de Ford ont de nouveau joué la carte du conservatisme. La partie avant est la mieux réussie : la grille de calandre et la grille d'aération du pare-chocs se superposent de belle façon. Il faut également souligner que le pare-chocs est maintenant de la même hauteur que celui des automobiles afin d'éliminer le chevauchement lors d'un impact.

Si l'avant est réussi, les commentaires sont moins flatteurs à l'arrière puisque le hayon et les feux sont ce qu'il y a de plus conventionnel. Et ce n'est guère mieux de profil. Pourquoi, me direz-vous, attacher autant d'importance au stylisme puisqu'il s'agit d'un véhicule à vocation utilitaire ? Mais c'est justement là le problème. Les gens se servent de ces utilitaires presque exclusivement pour leur usage personnel. Seule une petite minorité ose aller rouler en forêt. La présentation est donc un facteur d'achat déterminant.

Heureusement, le look de l'habitacle s'avère nettement plus intéressant. Le tableau de bord ne semble plus avoir été emprunté à une camionnette. Les stylistes ont même opté pour une présentation bicolore et une texture de plastique qui ressemble à celle d'une voiture de luxe. Les buses de ventilation circulaires sont cerclées d'une bande de couleur titane qui donne un peu plus de relief. Toutefois, les commandes de la radio et de la climatisation sont quelque peu difficiles à distinguer les unes des autres. Enfin, la finition a progressé par rapport au modèle précédent.

Puisque ce Ford est tout au moins le frère cadet du Lincoln Navigator, il peut également être équipé

## CARACTÉRISTIQUES

| | |
|---|---|
| Prix du modèle à l'essai | XLT 48 995 $ |
| Échelle de prix | de 42 520 $ à 52 395 $ |
| Assurances | 711 $ |
| Garanties | 3 ans 60 000 km / 5 ans 100 000 km |
| Emp. / Long. / Larg. / Haut. (cm) | 302 / 522 / 200 / 197 |
| Poids | 2 630 kg |
| Coffre / Réservoir | de 572 à 3 126 litres / 105 litres |
| Coussins de sécurité | frontaux et latéraux de tête |
| Suspension avant | indépendante, leviers triangulés |
| Suspension arrière | indépendante, leviers asymétriques |
| Freins av. / arr. | disque, ABS |
| Système antipatinage | oui |
| Direction | à crémaillère, assistance variable |
| Diamètre de braquage | 11,8 mètres |
| Pneus av. / arr. | P265/70R17 |

## MOTORISATION ET PERFORMANCES

| | |
|---|---|
| Moteur | V8, 5,4 litres |
| Transmission | intégrale, automatique 4 rapports |
| Puissance | 260 ch à 4 500 tr/min |
| Couple | 350 lb-pi à 2 500 tr/min |
| Autre(s) moteur(s) | V8 4,6 litres 232 ch |
| Autre(s) transmission(s) | aucune |
| Accélération 0-100 km/h | 10,8 s; 12,3 s (232 ch) |
| Reprises 80-120 km/h | 9,3 secondes |
| Vitesse maximale | 190 km/h |
| Freinage 100-0 km/h | 42,6 mètres |
| Consommation (100 km) | 16,3 litres (ordinaire) |

| | |
|---|---|
| • Valeur de revente | bonne |
| • Renouvellement du modèle | nouveau modèle |

intégrer dans cette équation le fait que ce tout-terrain est un poids lourd faisant osciller la balance à 2 630 kg. Donc, malgré la puissance, ce gros costaud prend 10,8 secondes avant d'atteindre 100 km/h, départ arrêté. Inutile de préciser que le moteur de série, un V8 de 4,6 litres produisant 232 chevaux, ne peut faire mieux. Il concède 1 296 kg en fait de capacité de remorquage tandis que l'aiguille du chronomètre s'immobilise 1,5 secondes plus tard lors d'un 0-100 km/h. C'est plus lent que le modèle précédent. Curieusement, même avec

d'un système motorisé contrôlant la 3e rangée de sièges. Il suffit d'appuyer sur un bouton pour que la banquette se transforme en plancher. C'est un peu ironique dans un véhicule pour gens actifs, mais c'est quand même un gadget ingénieux. Et même si cette banquette miracle n'est pas des plus confortables, elle surpasse la majorité des autres dans cette classe. Comme les sièges médians se replient à plat également, il n'est pas nécessaire de les enlever pour obtenir une surface de chargement plane.

### Tout compris

Il est indéniable que la fiche technique de l'Expedition n'a rien à envier à la concurrence. En fait, c'est plutôt le contraire. Non seulement la nouvelle plate-forme utilisée cette année est plus rigide grâce à des poutres formées par pression hydraulique et soudées au laser, mais la présence d'une suspension arrière indépendante n'est pas de la petite bière. Ni plus ni moins que copiée sur celle de l'Explorer, cette suspension est reliée au différentiel par des orifices pratiqués dans les longerons de la plate-forme. Cela permet d'obtenir une suspension très basse qui procure beaucoup d'espace pour installer la banquette arrière motorisée. Curieusement, cette suspension a surtout été développée pour installer une 3e rangée de sièges.

Il serait facile d'enchaîner dans la même phrase que le comportement routier bénéficie de cette indépendance du train arrière, mais c'est justement là le problème, il est parfois trop indépendant. Comme un élève agité qui n'a pas pris son Ritalin,

le véhicule a la bougeotte. Il est souvent instable sur mauvaise route en raison de ressorts et d'amortisseurs mal calibrés. C'est dommage de ne pouvoir utiliser à son maximum ce châssis plus rigide. Heureusement, la direction à crémaillère est moins vague que précédemment, mais elle est aussi trop directe, ce qui rend les pouces vulnérables si on heurte un obstacle en conduite hors route. Le retour de volant risque de faire mal. De plus, sur l'autoroute, cette direction trop entreprenante est la cause d'un certain louvoiement.

Le moteur optionnel est le V8 de 5,4 litres d'une puissance de 260 chevaux associé à une boîte automatique à 4 rapports. Compte tenu que ce tandem est capable de remorquer plus de 4 000 kg, il est permis de conclure que ses performances doivent être supérieures à la moyenne. Mais il faut

une suspension arrière indépendante qui est généralement plus légère, pratiquement toutes les versions de l'Expedition 2003 sont plus lourdes que l'ancien modèle.

En conduite hors route, ce gros Ford se débrouille assez bien. Comme dans la plupart des 4X4 de la marque, il suffit d'actionner un commutateur circulaire pour passer de 4 à 2 roues motrices et même en démultipliée. Toutefois, les premiers exemplaires étaient affligés d'un engagement assez lent.

Malgré ces quelques lacunes, l'habitabilité impressionnante, la polyvalence de l'habitacle et un prix très compétitif vont permettre à plusieurs d'oublier la silhouette quelconque et des performances en demi-teintes.

*Denis Duquet*

---

#### MODÈLES CONCURRENTS

- *Chevrolet Suburban/GMC Yukon XL*
- *Chevrolet Tahoe* • *Toyota Sequoia*

#### QUOI DE NEUF ?

- *Nouveau châssis* • *Système AdvanceTrac*
- *Nouvel habitacle* • *Suspension arrière indépendante*

#### VERDICT

| | |
|---|---|
| **Agrément de conduite** | ★★★⯪ |
| **Fiabilité** | ★★★⯪ |
| **Sécurité** | ★★★★ |
| **Qualités hivernales** | ★★★★ |
| **Espace intérieur** | ★★★★⯪ |
| **Confort** | ★★★★ |

#### ▲ POUR

- **Châssis rigide • Habitacle pratique • Banquette motorisée • Habitabilité impressionnante**
- **Bonne capacité de remorquage**

#### ▼ CONTRE

- **Performances moyennes • Essieu arrière instable**
- **Consommation élevée • Silhouette sans éclat**

# Un best-seller malgré tout

**Il est difficile de critiquer le succès. Malgré la débandade de l'image publique de Ford à la suite des capotages à répétition subis par la version précédente, en dépit aussi d'une silhouette très banale, l'Explorer de la nouvelle génération demeure toujours le plus vendu de sa catégorie. Pourtant, cette nouvelle version apparue l'an dernier n'a rien de très spectaculaire. Comme le soulignait un confrère qui s'y connaît en fait de VUS : « Plus drabe que ça, tu meurs ! » Et je partage cette opinion.**

**C**omment se fait-il que l'Explorer continue d'être le numéro un ? Tout simplement parce qu'il comprend un ensemble de caractéristiques qui répondent aux attentes des acheteurs. La silhouette est fade à faire peur ? Plusieurs préfèrent cette présentation générique qui saura bien vieillir au fil des ans. Malgré tout, les stylistes auraient pu être plus créatifs. Ils nous l'ont démontré avec le Mercury Mountaineer,

le frère jumeau de l'Explorer réservé au marché des États-Unis.

L'habitacle est du même acabit avec une présentation correcte, un tableau de bord quasiment identique à celui du Ranger et un aménagement tout ce qu'il y a de plus conventionnel. Il semble justement que la majorité des acheteurs ne soient pas impressionnés par des silhouettes hors du commun. L'Explorer ne fait pas tourner les têtes, mais c'est le véhicule du gros bon sens avec sa

lunette arrière s'ouvrant indépendamment du hayon, sa facilité d'accès à bord et son habitacle pratique. Comme le disent nos voisins du Sud, le tableau de bord est *idiot proof* avec des commandes surtout constituées de gros boutons, de pictogrammes bien définis et d'une disposition instinctive. Si l'on avait marié le jaune et le noir dans le panneau de commandes de la radio et de la climatisation, il serait possible d'affirmer qu'il a été dessiné chez De Walt, marque bien connue d'outils de construction et de bricolage. Il faut également ajouter que la finition est légèrement supérieure à la moyenne et la qualité des matériaux sans reproche. Enfin, si les places médianes sont adéquates pour des adultes, la banquette arrière est réservée aux enfants. Elle est non seulement peu confortable, mais difficile d'accès. Il faut

## CARACTÉRISTIQUES

| | |
|---|---|
| Prix du modèle à l'essai | XLT 43 495 $ |
| Échelle de prix | de 37 795 $ à 47 845 $ |
| Assurances | 890 $ |
| Garanties | 3 ans 60 000 km / 5 ans 100 000 km |
| Emp. / Long. / Larg. / Haut. (cm) | 289 / 481 / 183 / 182 |
| Poids | 1975 kg |
| Coffre / Réservoir | 1319 litres / 85 litres |
| Coussins de sécurité | frontaux et tête |
| Suspension avant | indépendante, leviers asymétriques |
| Suspension arrière | indépendante, leviers asymétriques |
| Freins av. / arr. | disque, ABS |
| Système antipatinage | oui |
| Direction | à crémaillère, assistée |
| Diamètre de braquage | 11,2 mètres |
| Pneus av. / arr. | P255/70R16 |

## MOTORISATION ET PERFORMANCES

| | |
|---|---|
| Moteur | V6 4 litres |
| Transmission | intégrale, automatique 5 rapports |
| Puissance | 210 ch à 5 100 tr/min |
| Couple | 254 lb-pi à 3 700 tr/min |
| Autre(s) moteur(s) | V8 4,6 litres 239 ch |
| Autre(s) transmission(s) | aucune |
| Accélération 0-100 km/h | 8,9 secondes |
| Reprises 80-120 km/h | 7,6 secondes |
| Vitesse maximale | 190 km/h |
| Freinage 100-0 km/h | 37,2 mètres |
| Consommation (100 km) | 13,6 litres (ordinaire) |

| | |
|---|---|
| • Valeur de revente | moyenne |
| • Renouvellement du modèle | 2006 |

personnalité tout en améliorant son caractère pratique.

Pour s'harmoniser avec le côté utilitaire d'un tel véhicule, il semble plus logique d'opter pour le système AWD qui permet de rouler en 2 roues motrices, en 4X4 et en mode automatique, le couple étant alors automatiquement réparti aux roues ayant le plus d'adhérence. Pourquoi se priver d'un tel avantage ?

À défaut de nous gâter en fait de sensation de conduite, l'Explorer assure une tenue de route correcte. La direction est floue, mais c'est quand même

encore une fois se demander qui a besoin d'un tout-terrain sept places ?

### Choix multiples

Comme tout modèle qui jouit d'une très grande popularité, l'Explorer est offert en de multiples configurations. Cette année, le modèle NBX avec son porte-bagages Yakima LoadWarrior vient s'ajouter à une lignée qui comprend les XLS, XL Sport, XLT, XLT Sport, Eddie Bauer et Limited. Et je dois en avoir oublié un ou deux. La même boulimie se retrouve au chapitre du rouage d'entraînement avec le choix entre les transmissions 4X2, 4X4 et intégrale. Curieusement, seulement deux moteurs sont au catalogue. Le V6 4 litres est de série. Avec ses 210 chevaux et une capacité de remorquage maximale de 2 630 kg, il est capable d'accomplir pratiquement toutes les tâches anticipées. Le moteur optionnel est un V8 de 4,6 litres d'une puissance de 239 chevaux. En fait, c'est son couple de 281 lb-pi qui est son point fort. Il est surtout choisi par les personnes devant remorquer quelque chose de plus lourd puisque sa capacité de remorquage maximale est de 3 250 kg. Il est également plus doux et plus silencieux que le V6 qui devient rapidement bruyant au fur et à mesure que le régime-moteur augmente. Ces deux moteurs sont couplés à une boîte de vitesses automatique à 5 rapports qui est à l'abri de toute critique.

Il est difficile de départager les modèles dans cette pluie de variantes tant en fait de présentation que d'options. Mais avant de tenter de s'y retrouver parmi ces choix multiples, il faut préciser que l'Explorer vous en donne plus que la moyenne en ce qui

concerne la sécurité passive. Le Safety Canopy est un système anticapotage doté de coussins gonflables en périphérie du pavillon qui sont déclenchés par un capteur spécial ; l'AdvanceTrac est un système de contrôle de traction et de stabilité latérale à commande électronique tandis que les coussins de sécurité sont à force de déploiement variable en fonction du poids et de la taille des occupants de même que de la sévérité de l'impact.

Parmi la débauche de modèles, le nouveau NBX est à souligner. L'ajout d'un porte-bagages pour usage intense, de pare-chocs deux tons, de roues spéciales à gros rayons, de pneus de 17 pouces de même qu'un habitacle comprenant des sièges sport, des tapis en caoutchouc à motif surélevé ainsi que la présence d'un sac de rangement dans la soute à bagages donnent à cet Explorer un peu plus de

à la limite de l'acceptable. Le véhicule survire toujours, mais c'est beaucoup mieux contrôlé que dans l'ancien modèle. Et il faut également ajouter que le sautillement du train avant a été éliminé. Comme il faut s'y attendre, la suspension arrière indépendante contribue énormément à améliorer le confort sur mauvaise route en plus de stabiliser l'arrière en virage rapide. Malgré tout, lors d'une manœuvre d'urgence, le véhicule se déhanche et il est heureux que le système AdvanceTrac intervienne.

Sobre mais efficace, l'Explorer est un compromis qui semble plaire au public qui l'achète en grand nombre. Cela demeure l'un des grands mystères de l'industrie automobile.

*Denis Duquet*

---

### MODÈLES CONCURRENTS

- Chevrolet TrailBlazer/GMC Envoy
- Jeep Grand Cherokee • Mitsubishi Montero
- Nissan Pathfinder • Toyota 4Runner

### QUOI DE NEUF ?

- Système AdvanceTrac • Modèle NBX • Lecteur DVD
- Roues en aluminium brossé • Modèle Limited
mieux équipé

### VERDICT

| | |
|---|---|
| Agrément de conduite | ★★★⯪ |
| Fiabilité | ★★★★ |
| Sécurité | ★★★★⯪ |
| Qualités hivernales | ★★★★ |
| Espace intérieur | ★★★★ |
| Confort | ★★★★ |

### ▲ POUR

- Suspension confortable • Tenue de route prévisible
- Moteurs bien adaptés • Système AdvanceTrac
- Habitacle pratique et confortable

### ▼ CONTRE

- Agrément de conduite mitigé • Consommation élevée • Silhouette générique • Prix élevés
- Rangée arrière peu confortable

# Bien née

« Aux âmes bien nées… », vous connaissez sans doute le reste. Oui, la Ford Focus est bien née. Design original, même s'il ne plaît pas à tous, gamme variée, châssis bien étudié. La voiture mondiale de Ford a réussi, depuis son lancement en 1998, à faire oublier un peu l'Escort qui, malgré une fin de règne paisible, a connu des années de tourment. Et quel meilleur moyen de faire la démonstration des qualités intrinsèques d'une voiture que d'en produire une version haute performance qui réussisse à épater la galerie… et à laisser les rivales loin derrière ! C'est précisément le rôle qui revient à la Focus SVT dont l'essai complet figure dans le match comparatif « sport jeunesse » que vous trouverez dans nos pages.

L'importance que les constructeurs nord-américains ont accordée aux camions leur a nui auprès des jeunes; ce marché a été envahi par les sous-compactes japonaises, européennes et coréennes. Première compagnie américaine à réagir sérieusement à cette invasion, Ford a confié à la descendante de l'Escort le soin de charmer les jeunes et les moins jeunes en quête d'une voiture bien pensée, économique, abordable et, en prime, amusante à conduire.

## Une gamme variée

Pour plaire au plus vaste public possible, la gamme Focus se décline en quatre types de carrosseries: une 3 portes (ZX3 et SVT), une berline 4 portes (SE, LX, et ZTW), une familiale (SE et ZTW) très populaire et une berline 5 portes (ZX5), réservée jusqu'à récemment au marché européen. Je vous concède que les désignations prêtent à confusion, mais l'important est de retenir l'existence de ces quatre configurations qui ciblent chacune une clientèle définie. À noter aussi qu'il existe trois versions du moteur 4 cylindres de 2 litres: 110, 130 et 170 chevaux (SVT seulement). Nous n'exposerons pas dans le détail chaque variante, car nous risquons de nous y perdre. Contentons-nous de souligner la variété de la gamme Focus qui s'est enrichie au printemps 2002 de la redoutable SVT. Que manque-t-il pour boucler la boucle ? Un diesel et un cabriolet. On sait que Ford propose à sa clientèle européenne deux turbodiesels destinés aux Focus; quant au cabriolet, face aux cabrio-

| CARACTÉRISTIQUES | |
|---|---|
| Prix du modèle à l'essai | ZX3 17 390 $ |
| Échelle de prix | de 16 275 $ à 27 240 $ |
| Assurances | 819 $ |
| Garanties | 3 ans 60 000 km / 5 ans 100 000 km |
| Emp. / Long. / Larg. / Haut. (cm) | 262 / 427 / 170 / 143 |
| Poids | 1 090 kg |
| Coffre / Réservoir | 350 litres / 50 litres |
| Coussins de sécurité | frontaux |
| Suspension avant | indépendante, jambes élastiques |
| Suspension arrière | indépendante, bras longitudinaux |
| Freins av. / arr. | disque / tambour |
| Système antipatinage | non |
| Direction | à crémaillère, assistée |
| Diamètre de braquage | 10,9 mètres |
| Pneus av. / arr. | P195/60R15 |

| MOTORISATION ET PERFORMANCES | |
|---|---|
| Moteur | 4L 2 litres |
| Transmission | traction, automatique 4 rapports |
| Puissance | 130 ch à 5 300 tr/min |
| Couple | 135 lb-pi à 4 500 tr/min |
| Autre(s) moteur(s) | 4L 2 litres (110 ch et 170 ch) |
| Autre(s) transmission(s) | man. 5 rap.; man. 6 rap. (SVT) |
| Accélération 0-100 km/h | 10 secondes |
| Reprises 80-120 km/h | 9 secondes |
| Vitesse maximale | 185 km/h |
| Freinage 100-0 km/h | 42 mètres |
| Consommation (100 km) | 8,4 litres (ordinaire) |
| • Valeur de revente | moyenne |
| • Renouvellement du modèle | 2005 |

surprenante SVT qui fera la joie des amateurs de vroum-vroum.

### Un vœu exaucé

Et puisqu'il est question de vroum-vroum, vous vous souviendrez que dans *Le Guide de l'auto 2002*, nous terminions notre essai de la Focus en souhaitant l'arrivée « d'une 3 portes véritablement sportive ». Eh bien ! c'est chose faite. La Focus SVT répond parfaitement au cahier des charges souhaité : moteur atmosphérique de 170 chevaux (toujours le même

lets Golf et PT Cruiser, il serait peut-être temps que Ford réagisse.

Outre la variété de la gamme, les Focus se distinguent aussi par un design différent qui, dans le cas des 3 portes, se traduit par une séduisante ligne en œuf. La 5 portes reprend ce thème, sauf que l'œuf y est un peu plus ovale. Quant aux berlines, si le dessin de l'avant reste le même, le profil et l'arrière adoptent un dessin qui leur est propre et qui, de l'avis de votre humble serviteur, manque singulièrement d'élégance. Notons aussi que les Focus sont toutes des « voitures verticales » affichant une hauteur supérieure à la moyenne (149 cm pour la ZX3, contre 144 cm pour une Civic). La position assise et le gain en habitabilité ainsi obtenus rappellent, entre autres, la Toyota Echo. La visibilité y gagne aussi et, par conséquent, la facilité de conduite en ville.

L'originalité du design se reflète aussi à l'intérieur, notamment sur le tableau de bord à nul autre pareil qui plaira à certains par son dessin original, mais risque de faire regimber les gens épris de classicisme. Mais tous s'entendront pour louanger l'ergonomie très saine de ce design qui réussit à placer les commandes aux bons endroits, à les rendre lisibles et faciles à manier. Reste ce volant un peu trop massif...

### Un comportement prometteur

Sur la route, la rigidité du châssis de la petite Ford et ses suspensions entièrement indépendantes lui confèrent un comportement satisfaisant dans l'ensemble. Le confort est appréciable et la tenue de

route saine. Certes, des ressorts et un amortissement plus fermes transformeraient cette paisible sous-compacte en sportive douée, comme le démontre si bien la petite SVT. Cet exercice de mise au point illustre d'ailleurs ce qu'il est possible de faire avec un châssis convenablement rigide. Il faudrait aussi remplacer les antiques tambours arrière par des disques et doter tous les modèles de l'ABS pour rehausser la sécurité active rendue quelque peu boiteuse par le blocage intempestif des freins arrière lors d'un freinage violent.

Côté moteur, le Zetec de 2 litres et 130 chevaux livre des performances honnêtes et une consommation raisonnable, tandis que le 2 litres de 110 chevaux privilégie l'économie au détriment du chronomètre. Reste le Zetec de 170 chevaux de la

Zetec de 2 litres), boîte Getrag à 6 rapports, suspensions et freins sérieusement revus (avec disques à l'arrière et ABS !), roues et pneus appropriés, aménagement intérieur plus sportif. Résultat : une petite traction superefficace et superamusante à conduire. Capable d'en montrer à des voitures bien plus prétentieuses et surtout bien plus coûteuses, la SVT fait la preuve irréfutable qu'il existe chez les constructeurs nord-américains des ingénieurs et des concepteurs fervents d'automobile, capables de nous livrer autre chose que des baleines molles ou des camions gargantuesques. Pour généraliser cette tendance, il faudrait sans doute que le bon sens et le souci d'économie qui animent les automobilistes québécois s'étendent au reste de l'Amérique du Nord.

*Alain Raymond*

---

### MODÈLES CONCURRENTS

- *Chevrolet Cavalier/Pontiac Sunfire* • *Honda Civic*
- *Hyundai Elantra* • *Kia Spectra* • *Mazda Protegé*
- *Nissan Sentra* • *Toyota Corolla* • *VW Golf*

### QUOI DE NEUF ?

- *Nouveau modèle SVT*

### VERDICT

| | |
|---|---|
| **Agrément de conduite** | ★★★⯪ |
| **Fiabilité** | ★★ |
| **Sécurité** | ★★★ |
| **Qualités hivernales** | ★★★ |
| **Espace intérieur** | ★★★⯪ |
| **Confort** | ★★★⯪ |

### ▲ POUR

- **Design réussi** • **Bon comportement routier**
- **Châssis rigide** • **Prix attrayant**
- **Gamme variée**

### ▼ CONTRE

- **Fiabilité perfectible** • **Freins à tambour arrière (sauf SVT)** • **Performances moyennes (surtout avec 110 ch)**

# FORD MUSTANG

## L'art de faire du neuf avec du vieux

**Maintenant que la General Motors a définitivement retiré la clef du contact de ses Camaro et Firebird, la société Ford, elle, réaffirme sa foi en la Mustang qui, dans sa forme actuelle, se prête une dernière fois au fantasme des ingénieurs de la filiale SVT, mais aussi aux gourous de la mise en marché.**

Une dernière fois ? En effet, puisque c'est en janvier prochain que la direction de la marque à l'ovale bleu entend nous présenter une nouvelle génération de ce modèle. Si l'on prête foi à la rumeur, cette Mustang entreprendra une carrière dans les salles d'exposition à compter du printemps 2004. Elle enfilera une robe qui ne sera pas sans nous rappeler celle qui habillait ce modèle en 1968. Et, autre bonne nouvelle pour les amateurs, cette nouvelle venue reposera désormais sur une plate-forme mécanique moderne, c'est-à-dire celle qui sert aujourd'hui de base aux Lincoln LS et autres Ford Thunderbird.

### Pour la forme

Soucieux de faire tinter encore le tiroir-caisse, les responsables de la mise en marché ont concocté pour l'année qui vient une autre « édition spéciale » : la Mach 1. Cette dernière se reconnaîtra à ses jantes Magnum de 17 pouces, à ses bandes décoratives et à sa prise d'air montée sur le capot. Plus kitsch que ça, tu meurs, mais la Mustang ne l'est-elle pas déjà avec ses fausses prises d'air latérales et l'étalon chromé tatoué sur sa calandre ? Seulement 500 exemplaires, tous numérotés, franchiront nos frontières au cours de la prochaine année. Au moment de mettre sous presse, la direction de Ford n'avait toujours pas communiqué officiellement la puissance de ce modèle, mais on promet cependant qu'elle sera de « 300 chevaux ou plus ».

Visuellement, la Cobra SVT, l'autre nouveauté de la gamme, est tout aussi baroque. En revanche, de manière à soutenir ses convictions, la marque à l'ovale bleu lui greffe au moins une mécanique qui pète le feu. Avec 390 chevaux, cette Mustang suralimentée à l'aide d'un compresseur remporte assurément la palme du véhicule offrant le meilleur rapport prix/puissance de l'industrie. Mais il n'y a pas que la puissance qui distingue cette Mustang des autres. On note également la présence d'une boîte manuelle à

### CARACTÉRISTIQUES

| | |
|---|---|
| Prix du modèle à l'essai | SVT 45 995 $ |
| Échelle de prix | de 22 990 $ à 49 995 $ |
| Assurances | 800 $ |
| Garanties | 3ans 60 000 km / 3ans 60 000 km |
| Emp. / Long. / Larg. / Haut. (cm) | 257 / 465 / 186 / 135 |
| Poids | 1485 kg |
| Coffre / Réservoir | 309 litres / 59 litres |
| Coussins de sécurité | frontaux |
| Suspension avant | indépendante, leviers triangulés |
| Suspension arrière | essieu rigide, triangles obliques |
| Freins av. / arr. | disque, ABS |
| Système antipatinage | oui |
| Direction | à crémaillère |
| Diamètre de braquage | 11,7 mètres |
| Pneus av. / arr. | P275/40ZR17 |

### MOTORISATION ET PERFORMANCES

| | |
|---|---|
| Moteur | V8 4,6 litres suralimenté |
| Transmission | manuelle 6 rapports |
| Puissance | 390 ch à 6 000 tr/min |
| Couple | 390 lb-pi à 3 500 tr/min |
| Autre(s) moteur(s) | V8 4,6 l +300 ch; V6 4,6 l 260 ch; V6 3,8 l 190 ch |
| Autre(s) transmission(s) | auto. 4 rapports (sauf SVT) |
| Accélération 0-100 km/h | 5,4 secondes |
| Reprises 80-120 km/h | n.d. |
| Vitesse maximale | 255 km/h |
| Freinage 100-0 km/h | 39,6 mètres (GT) |
| Consommation (100 km) | 18 litres (super ) |
| • Valeur de revente | élevée |
| • Renouvellement du modèle | 2004 |

À tout seigneur tout honneur, nous avons mis à l'essai la livrée de base équipée du V6. Ce dernier était, pour l'occasion, arrimé à une transmission manuelle à 5 rapports, une combinaison somme toute intéressante. Le V6 s'est avéré économique et performant, quoique son rendement demeure quelque peu rugueux. Quant à la boîte manuelle, sa commande reste sans doute un peu rigide, mais l'embrayage affiche, lui, une belle progressivité.

Le comportement routier de la Mustang est intimement lié à l'état de la chaussée. Autrement dit,

6 rapports, d'un système de freinage revitalisé et d'éléments suspenseurs modifiés. Mieux encore, ce « pur-sang » demeure le seul à recevoir une suspension arrière entièrement indépendante qui gomme avec un certain succès les imperfections du revêtement.

Si vous n'avez pas la chance de mettre la main sur l'une des deux versions mentionnées plus haut, ne reste plus qu'à jeter votre dévolu sur le groupe d'options Pony offert dans la version V6. Cet « ensemble » comprend des jantes spécifiques de 16 pouces, un capot de type GT (lire avec prise d'air), des bandes décoratives, un carénage arrière spécifique et un volant gainé de cuir.

### Complètement dépassée

Ce sont là des transformations qui, à plus d'un égard, nous valent une Mustang plus équilibrée et plus sophistiquée, mais qui nous rappellent, par moments aussi, qu'il n'est guère possible de faire du neuf avec du vieux. D'ailleurs, il suffit d'ouvrir les longues portières d'une Mustang pour s'en convaincre. Sauf dans la Cobra SVT, les baquets, toujours aussi étroits, n'assurent qu'un faible maintien dans les virages et se révèlent, de surcroît, difficiles à régler, ce qui compromet la recherche d'une position de conduite confortable, pourtant essentielle dans une auto au label aussi sportif. Une fois assis, on fait face à un tableau de bord moulé et fade dont la seule qualité est d'englober une instrumentation complète et lisible. Autres irritants : l'obligation d'appuyer sur une clenche pour retirer la clef de contact, les commandes trop petites de la radio, la qualité douteuse de l'assemblage et le manque

d'espaces de rangement, pour ne nommer que ceux-là. En outre, dans la version cabriolet, les points d'ancrage du toit aux montants du pare-brise se sont avérés, sur le modèle essayé à tout le moins, particulièrement difficiles à arrimer. J'arrête ici.

### La V6, la plus homogène

Le choix de la livrée dicte le degré de sportivité de la Mustang. Le modèle de base est sans doute le moins sportif, mais, n'en déplaise aux puristes, il demeure le plus recherché. Ford n'est pas sans le savoir et lui a de ce fait apporté plusieurs modifications au cours des dernières années, histoire de le rendre plus attirant encore. Et qu'on veuille l'admettre ou non, la Mustang V6 demeure la plus homogène, la plus civilisée et, quelle chance, la plus abordable du groupe.

du moment que celle-ci se montre aussi lisse qu'une table de billard, la Mustang fait preuve d'un comportement civilisé et fort acceptable ; par contre, les éléments suspenseurs s'accommodent avec moins de grâce d'une chaussée truffée de nids-de-poule et d'autres imperfections du genre, si bien que l'essieu arrière rigide de la livrée de base et de la GT se trémousse et entraîne des sautillements. Quoique un peu molle, la direction de la Mustang permet de l'inscrire avec facilité dans les virages et son diamètre de braquage moyen lui assure une bonne maniabilité en ville. Il convient enfin de noter que le freinage, quoique puissant, se révèle parfois difficile à moduler.

Petit conseil : à moins d'être nostalgique, attendez donc la sortie de la prochaine.

*Éric LeFrançois*

---

## MODÈLES CONCURRENTS

• *Sans équivalent*

## QUOI DE NEUF ?

• *Une nouvelle livrée (Mach1) et un nouveau modèle (SVT de 390 ch) • Groupe d'options Pony pour la V6*

## VERDICT

| | |
|---|---|
| **Agrément de conduite** | ★★★★ |
| **Fiabilité** | ★★★ |
| **Sécurité** | ★★★ |
| **Qualités hivernales** | ★★⁌ |
| **Espace intérieur** | ★★★ |
| **Confort** | ★★★ |

## ▲ POUR

• Performances électrisantes (SVT) • Version V6 homogène • Valeur de revente élevée

## ▼ CONTRE

• Modèle actuel en fin de carrière
• Ergonomie dépassée • Consommation élevée (SVT)
• Baquets inconfortables (sauf SVT)

# FORD TAURUS

# Encore loin des meneurs

**Résumé de l'intrigue : « La Ford Taurus, l'une des berlines les plus vendues en Amérique du Nord au début des années 90, a chuté de son piédestal à la suite de sa refonte de 1996, avant de revenir sous un nouveau jour, il y a trois ans, avec la ferme intention de reconquérir sa gloire perdue. »**

Voilà qui ressemble à l'un de ces scénarios édifiants dont raffole Hollywood, ne trouvez-vous pas ? À la différence que dans ce genre de film, l'ancien champion aurait regagné son titre au terme d'une âpre lutte, et que la Taurus, elle, devra patienter jusqu'au prochain remodelage pour faire valoir ses prétentions.

### Des promesses tenues...

Ce n'est pas que cette grosse intermédiaire soit dénuée de talent, mais toutes les améliorations qu'on lui a apportées n'ont pas réussi à l'extirper du milieu d'un peloton de course extrêmement relevé, mené par les japonaises Accord, Camry et Altima, pour ne nommer que celles-là. Il est vrai qu'elle partait de loin. La Taurus version 1996 constituait un recul à tout point de vue.

Dans l'édition 2000, Ford tentait de corriger les problèmes les plus criants, et y a réussi jusqu'à un certain point, à commencer par le design. Les lignes ovoïdes de la carrosserie ont fait place à des formes plus classiques qui sont, ma foi, un peu ennuyeuses, mais pas vilaines à regarder. La familiale, dont le galbe arrière se profile nerveusement, me semble particulièrement réussie, mais on apprécierait encore plus son fuselage s'il contenait mieux le bruit du vent.

Promesse tenue, aussi, en ce qui concerne l'habitabilité. Les places arrière très dégagées peuvent loger décemment jusqu'à trois personnes, et le coffre, bien servi par sa large ouverture, est l'un des plus spacieux de sa catégorie. Il est muni d'un filet pour retenir les objets, en plus d'un mécanisme d'ouverture intérieur au cas où des enfants iraient y jouer au docteur.

Le conducteur n'a pas de mal à trouver une bonne position de conduite, grâce au volant ainsi qu'aux pédales de freins et d'accélérateur ajustables. Les sièges avant consistent en une banquette pour trois personnes, ou en deux larges et moelleux

### CARACTÉRISTIQUES

| | |
|---|---|
| Prix du modèle à l'essai | fam. SEL 29 160 $ |
| Échelle de prix | de 24 650 $ à 29 160 $ |
| Assurances | 860 $ |
| Garanties | 3 ans 60 000 km / 5 ans 100 000 km |
| Emp. / Long. / Larg. / Haut. (cm) | 276 / 502 / 185 / 147 |
| Poids | 1 596 kg |
| Coffre / Réservoir | 1 087 à 2 302 litres / 68 litres |
| Coussins de sécurité | frontaux et latéraux (opt.) |
| Suspension avant | indépendante, jambes élastiques |
| Suspension arrière | indépendante, leviers transversaux |
| Freins av. / arr. | disque, ABS |
| Système antipatinage | oui |
| Direction | à crémaillère, assistance variable |
| Diamètre de braquage | 11,8 mètres |
| Pneus av. / arr. | P215/60SR16 |

### MOTORISATION ET PERFORMANCES

| | |
|---|---|
| Moteur | V6 3 litres DACT 24 soupapes |
| Transmission | traction, automatique 4 rapports |
| Puissance | 200 ch à 5 650 tr/min |
| Couple | 200 lb-pi à 4 400 tr/min |
| Autre(s) moteur(s) | V6 3 litres 155 ch |
| Autre(s) transmission(s) | aucune |
| Accélération 0-100 km/h | 10,5 secondes |
| Reprises 80-120 km/h | 8 secondes |
| Vitesse maximale | 175 km/h |
| Freinage 100-0 km/h | 45 mètres |
| Consommation (100 km) | 10,5 litres (ordinaire) |
| • Valeur de revente | moyenne |
| • Renouvellement du modèle | 2004-2005 |

est optionnel dans la version de base, et standard dans les autres livrées, mais les disques aux quatre roues ne sont même pas offerts en option, sauf pour les familiales qui les reçoivent en équipement de série.

Ironiquement, le constructeur fait grand état du « système de sécurité personnalisé » de la Taurus. Les éléments clés en sont les deux sacs gonflables frontaux, dont le déploiement variable est régi à l'aide de capteurs qui déterminent la force d'impact et la position du siège du conducteur. Certes,

baquets qui manquent cependant de soutien. Ceux du véhicule à l'essai, une familiale SEL, étaient revêtus d'un cuir de qualité très ordinaire qui respirait mal. La banquette arrière, on l'a dit, offre un espace convenable, et un confort correct malgré son manque de relief. L'on ne peut toutefois en dire autant du strapontin qu'on retrouve au 3e rang dans la familiale, installé en position inversée, face à l'arrière. L'accès y est encore plus malaisé que dans certains VUS, et le confort y est spartiate.

Le tableau de bord, autrefois caractérisé par un controversé panneau ovale regroupant les contrôles audio/température, verse maintenant dans l'excès contraire par son simplisme et son instrumentation d'un autre âge. Plusieurs boutons regroupés dans un ensemble central, en haut de la console, partagent la même forme, ce qui porte à confusion. Et dans la familiale, les interrupteurs pour l'essuie-glace arrière sont dissimulés à gauche sous la planche de bord. Les matériaux ont généralement bonne apparence, mais quelques plastiques font carrément bon marché, et la finition laisse parfois à désirer. Par contre, les nombreux espaces de rangement méritent une bonne mention.

### ... et d'autres moins !

La Taurus comporte comme moteur standard le Vulcan V6 3 litres de 155 chevaux. Il s'essouffle rapidement, mais ses performances sont acceptables, et il est assez économique à la pompe. Plus sophistiqué, le Duratec de même cylindrée produit 45 chevaux supplémentaires. Il répond assez vivement aux sollicitations de l'accélérateur en émettant un gron-

dement qui n'est pas désagréable à l'oreille. Ses performances n'ont cependant rien de transcendant. La faute en revient en partie à la boîte automatique à 4 rapports, jumelée d'office à l'un ou l'autre engin, dont les changements de vitesse s'opèrent encore paresseusement.

Le comportement routier procure une relative satisfaction, aidé en cela par les roues de 16 pouces. La direction à assistance variable est légère sans être trop assistée, tandis que la caisse réagit avec prévisibilité en virage ; entendez par là qu'elle indique vite jusqu'où ne pas pousser la note, car la Taurus n'a rien d'une sportive. Elle manque d'agilité dans les parcours sinueux, et la mollesse de ses suspensions l'amène à tanguer sur les déformations de forte amplitude. Le freinage est quant à lui décevant, même avec quatre disques. L'ABS

il est bien d'obtenir 5 étoiles pour la protection conducteur/passager lors de collisions frontales, mais un bon freinage permettant d'éviter les accidents, c'est encore mieux ! Et puisqu'on en est à ce chapitre, ajoutons que le mauvais éclairage assuré par les phares rend la conduite hasardeuse sous la pluie.

À un prix de détail suggéré de moins de 25 000 $, la Taurus LX (de base) offre une dotation de série intéressante qui comprend la climatisation et les principales assistances électriques. À l'autre bout de la gamme, la SEL propose à partir de 31 750 $ un équipement qui ne laisse pas grand-chose d'optionnel, incluant l'habillement de cuir. Mais peu importe votre choix, vous ne sortirez pas du milieu du peloton.

*Jean-Georges Laliberté*

---

### MODÈLES CONCURRENTS

• *Buick Regal* • *Chevrolet Impala* • *Chrysler Intrepid*
• *Pontiac Grand Prix* • *Toyota Camry*

### QUOI DE NEUF ?

• *Nouvelle configuration SEL pour la familiale* • *Sièges en cuir et sono avec lecteur de 6 CD de série sur berline et familiale SEL* • *Remplacée probablement en 2004 par la « 500 »*

### VERDICT

| | |
|---|---|
| Agrément de conduite | ★★★ |
| Fiabilité | ★★★ |
| Sécurité | ★★★★ |
| Qualités hivernales | ★★★ |
| Espace intérieur | ★★★★ |
| Confort | ★★★ |

### ▲ POUR

• Moteur Duratec moderne • Bonne habitabilité
• Pédaliers réglables • Grande diffusion
• Prix concurrentiel

### ▼ CONTRE

• Freins médiocres • Transmission paresseuse
• Suspension trop souple • Ergonomie à revoir
• Finition perfectible

# Rétro à tous points de vue

**Quel bel exercice de style ! Apparue sur le marché l'an dernier et offerte au compte-gouttes en raison d'une production très limitée, la nouvelle Thunderbird vous tombe dans l'œil comme toutes ces voitures évocatrices d'un passé où l'automobile était encore synonyme de liberté. Que ce soit la New Beetle, la PT Cruiser ou la MINI, il est difficile de résister à leur charme. La récente Thunderbird n'échappe pas à ce p'tit côté séducteur puisqu'elle joue elle aussi la carte rétro en faisant revivre le modèle original né en 1955. Cela dit, Ford a un peu trop poussé la note de la nostalgie puisque la voiture ne se contente pas de nous rappeler les bons moments des années 50 mais nous fait revivre aussi, sur certains plans, les mauvais jours de l'industrie automobile nord-américaine au milieu du siècle dernier.**

Je m'explique. Sans que l'on puisse mettre en doute la fiabilité mécanique de la voiture, on note que sa qualité d'assemblage laisse à désirer comme cela était souvent le cas au moment où la première Thunderbird est arrivée sur la scène automobile. Par exemple, la rigidité de la caisse est insuffisante, ce qui se traduit par une flexion au niveau du pare-brise et par un comportement général empreint d'une mollesse qui altère l'agrément de conduite. On dira que ces impressions de conduite sont contraires à ce que j'avais écrit l'an dernier et cela s'explique par un curieux manque d'uniformité dans la qualité de production de la Thunderbird. Ainsi,

celle essayée cette année était débarrassée de ce crépitement désagréable du pot d'échappement qui affligeait le modèle de l'an dernier. Par contre, elle était carrément plus bruyante sur l'autoroute (bruit de vent surtout) et la suspension paraissait encore plus sensible au tangage. Un peu plus et l'on se croirait dans un avion tellement la voiture montre une propension au décollage. Sur certaines bosses, il arrive que les roues quittent le sol en raison de la trop grande détente des amortisseurs. Il suffit d'observer le témoin lumineux annonçant le fonctionnement de l'antipatinage pour se rendre compte que les pertes de motricité sont fréquentes sur des routes accidentées. Cela rejoint notre observation de l'an dernier à l'effet que cette Thunderbird, en dépit de son look, d'un bon freinage et de ses performances, n'offre

## CARACTÉRISTIQUES

| | |
|---|---|
| Prix du modèle à l'essai | 56 615 $ |
| Échelle de prix | de 56 615 $ à 61 615 $ |
| Assurances | 1 852 $ |
| Garanties | 3 ans 60 000 km / 3 ans 60 000 km |
| Emp. / Long. / Larg. / Haut. (cm) | 272 / 473 / 183 / 132 |
| Poids | 1 699 kg |
| Coffre / Réservoir | 190 + 50 litres / 68 litres |
| Coussins de sécurité | frontaux et latéraux |
| Suspension avant | leviers transv., ressorts héli. |
| Suspension arrière | ressorts hélicoïdaux, roues ind. |
| Freins av. / arr. | disque ventilé, ABS |
| Système antipatinage | oui |
| Direction | à crémaillère, assistance variable |
| Diamètre de braquage | 11,4 mètres |
| Pneus av. / arr. | P235/50R17 |

## MOTORISATION ET PERFORMANCES

| | |
|---|---|
| Moteur | V8 DACT 3,9 litres |
| Type / Transmission | propulsion / auto. 5 rapports |
| Puissance | 280 ch à 6 000 tr/min |
| Couple | 286 lb-pi à 4 000 tr/min |
| Autre(s) moteur(s) | aucun |
| Autre(s) transmission(s) | aucune |
| Accélération 0-100 km/h | 7,2 secondes |
| Reprises 80-120 km/h | 5,1 secondes |
| Vitesse maximale | 215 km/h |
| Freinage 100-0 km/h | 39,6 mètres |
| Consommation (100 km) | 12 litres (ordinaire) |
| • Valeur de revente | excellente |
| • Renouvellement du modèle | n.d. |

rieur offre un coup d'œil plaisant, même si la qualité des matériaux n'est pas très relevée. Encore là, pour une voiture dont le prix excède les 50 000 $, Ford aurait pu faire mieux.

Comme bien des cabriolets, la voiture souffre d'une visibilité nulle à l'arrière, une situation que l'installation du toit rigide règle partiellement grâce à la présence du petit hublot rappelant le design original de la Thunderbird. Cet angle mort rend la conduite en ville quelquefois aléatoire, surtout quand vient le temps de loger la voiture entre

pas le comportement routier d'une voiture sport. C'est étonnant compte tenu qu'il s'agit en quelque sorte d'une version cabriolet du duo Lincoln LS/Jaguar S-Type dont elle reprend le châssis et les organes mécaniques.

### Rapide et inconfortable

Pourtant ça bouge sous le capot, surtout que la puissance passe cette année de 252 à 280 chevaux. Le V8 de 3,9 litres bénéficie d'une transmission automatique à 5 rapports qui a l'avantage d'assurer des passages de vitesses francs et rapides. Il suffit d'effleurer l'accélérateur pour voir la T-Bird bondir en avant comme un fauve, comme en témoigne un temps de reprise de seulement 5,1 secondes entre 80 et 120 km/h. Certains trouveront même que cet accélérateur est un peu trop sensible et qu'il donne lieu à une conduite saccadée, surtout à basse vitesse.

Le confort n'est pas non plus l'un des points forts de cette voiture. Passe encore pour la balade dominicale ou pour de courts trajets, mais je me verrais mal entreprendre un long voyage au volant de ce roadster. Malgré sa souplesse, la suspension réagit quelquefois brutalement aux imperfections du revêtement et le bruit dans l'habitacle devient vite agaçant. Les sièges ne font rien pour corriger la situation, d'abord parce qu'ils manquent de profondeur et ensuite parce qu'ils n'offrent à peu près aucun maintien latéral.

### À ciel ouvert

Bien sûr, le seul fait d'abaisser la capote par une belle journée ensoleillée fait oublier plusieurs des

faiblesses de la Thunderbird, d'autant plus que cela se fait électriquement sans autre effort que de déverrouiller l'attache centrale du toit. La mise en place du cache-capote est une tout autre histoire. En plus d'accaparer beaucoup d'espace dans un coffre qui n'est déjà pas très grand, elle n'est pas facile à manipuler et il faut faire preuve de patience pour l'installer convenablement. Et puisqu'il est ici question de la capote, soulignons que celle-ci a le mérite d'être très étanche même dans un lave-auto sans contact où la pression des jets d'eau est très élevée.

La présentation intérieure de la dernière Thunderbird témoigne elle aussi d'un bel effort de la part des responsables du design. Avec ses couleurs vives (rouge dans la voiture noire mise à l'essai) et son tableau de bord bardé d'aluminium brossé, l'inté-

deux autres véhicules dans un parc de stationnement. Une fois l'opération complétée, vous aurez la mauvaise surprise de constater que ce joli roadster rétro possède sans doute les portières les plus volumineuses de toute l'industrie automobile. On a donc intérêt à être prudent, soit pour ne pas racler le trottoir, soit pour ne pas heurter la voiture d'à côté.

Pour reprendre l'argument du début, la Ford Thunderbird réincarnée est un superbe exercice de style ruiné par une exécution bâclée et une qualité de construction relâchée. On peut seulement rêver à ce qu'aurait pu être une telle voiture entre les mains d'un constructeur automobile plus rigoureux.

**Jacques Duval**

---

### MODÈLES CONCURRENTS

- Audi A4 cabriolet • BMW 328 Ci
- Mercedes-Benz CLK • Saab 9³ cabriolet
- Volvo C70

### QUOI DE NEUF ?

- Moteur plus puissant • Version James Bond

### VERDICT

| | |
|---|---|
| **Agrément de conduite** | ★★★ |
| **Fiabilité** | ★★★★⌐ |
| **Sécurité** | ★★★ |
| **Qualités hivernales** | ★★★⌐ |
| **Espace intérieur** | ★★ |
| **Confort** | ★★★ |

### ▲ POUR

- Bonnes performances • Excellente transmission automatique • Design réussi • Bon freinage
- Capote étanche • Bonne valeur de revente

### ▼ CONTRE

- Tenue de route chancelante • Confort marginal
- Piètre visibilité • Sièges inconfortables
- Qualité d'assemblage inégale

# FORD WINDSTAR

## La fourgonnette de maman

Aux États-Unis, les fourgonnettes n'ont plus la cote de popularité qu'elles avaient. L'une des raisons de ce recul est la perception du public. Pour bon nombre de personnes, la fourgonnette est le véhicule de prédilection pour les «mamans soccer». Dans l'esprit du public, ces véhicules ne servent généralement qu'à permettre aux mères de conduire leur marmaille au terrain de soccer ou à l'aréna. Une image beaucoup moins gratifiante que celle d'un VUS en pleine brousse.

Et comme plusieurs personnes n'achètent que pour imiter les autres, les fourgonnettes ne bénéficient pas d'une perception positive, même si elles sont éminemment pratiques. Curieusement, Ford ne tente pas de changer cette situation. Au contraire, la direction a nommé plusieurs femmes à des postes clés dans le développement et la mise au point de la Windstar afin que celles-ci y incorporent plusieurs éléments qui seraient justement appréciés par ces «mamans soccer». Ce qui explique sans doute pourquoi ce modèle est le champion de la sécurité, ayant obtenu depuis plusieurs années une cote de sécurité 5 étoiles pour les impacts frontaux et latéraux lors de tests gouvernementaux. Parmi les autres éléments influencés par les «mères», soulignons la présence de veilleuses placées tout près du plancher afin de prévenir l'éblouissement des tout-petits par le plafonnier et d'un rétroviseur de conversation qui permet de voir ce qui se passe dans l'habitacle sans avoir à se retourner. Enfin, c'est une autre mère de famille qui a dirigé l'équipe de développement du nouveau système AdvanceTrac qui sera offert sur la Windstar au cours de l'année 2003. En passant, ce système avait été promis pour les modèles 2002.

Ce mécanisme est un système de stabilité latérale qui permet à Ford de reprendre quelque peu le terrain perdu par rapport à plusieurs concurrents. Comme dans tous les systèmes de ce genre, une perte de contrôle est compensée par une application sélective des freins et une réduction de la puissance du moteur. Toujours en matière de sécurité, signalons que la Windstar est équipée depuis l'an dernier d'un système de vérification de la pression des pneus avec témoins indicateurs au tableau de bord.

## POUR TOUT SAVOIR

### CARACTÉRISTIQUES

| | |
|---|---|
| Prix du modèle à l'essai | SEL 41 205 $ |
| Échelle de prix | de 26 195 $ à 41 870 $ |
| Assurances | 688 $ |
| Garanties | 3 ans 60 000 km / 5 ans 100 000 km |
| Emp. / Long. / Larg. / Haut. (cm) | 306 / 511 / 191 / 166 |
| Poids | 1 875 kg |
| Coffre / Réservoir | de 646 à 4 025 litres / 98 litres |
| Coussins de sécurité | frontaux et latéraux |
| Suspension avant | indépendante, jambes élastiques |
| Suspension arrière | essieu semi-rigide |
| Freins av. / arr. | disque / tambour, ABS |
| Système antipatinage | oui |
| Direction | à crémaillère, assistée |
| Diamètre de braquage | 12,3 mètres |
| Pneus av. / arr. | P215/70R15 |

### MOTORISATION ET PERFORMANCES

| | |
|---|---|
| Moteur | V6 3,8 litres |
| Transmission | traction, automatique 4 rapports |
| Puissance | 200 ch à 4 900 tr/min |
| Couple | 240 lb-pi à 3 600 tr/min |
| Autre(s) moteur(s) | aucun |
| Autre(s) transmission(s) | aucune |
| Accélération 0-100 km/h | 9,6 secondes |
| Reprises 80-120 km/h | 8,3 secondes |
| Vitesse maximale | 180 km/h |
| Freinage 100-0 km/h | 41,8 mètres |
| Consommation (100 km) | 12,9 litres (ordinaire) |

| | |
|---|---|
| • Valeur de revente | moyenne |
| • Renouvellement du modèle | 2004 |

moteur est adéquat sans plus, tout comme celui de la boîte de vitesses. En fait, dans ce véhicule, tout est dans la bonne moyenne, sans jamais la dépasser.

À peu près tout dans cette fourgonnette est en demi-teintes. Sans vouloir être méchant, c'est un bon véhicule familial qui plaira à maman et papa pour conduire les jeunes au terrain de jeu et aller faire les courses, mais comme tous les véhicules de ce genre, il exige une conduite attentive. Sur la grand-route, la Windstar est relativement stable ; seule la suspension avant se met à sautiller quelque

### Un seul moteur

La fiche technique demeure inchangée cette année et ce n'est pas une surprise puisque cette fourgonnette devrait être renouvelée l'an prochain. Et, détail à noter, la division Mercury aura elle aussi sa fourgonnette. En attendant, seul le moteur V6 3,8 litres de 200 chevaux est au catalogue. Il est associé à une boîte automatique à 4 rapports. Et si ce moteur pollue peu, sa consommation est légèrement supérieure à la moyenne. Sur le plan mécanique, ce millésime demeure fidèle à la suspension arrière à poutre déformante et de type MacPherson à l'avant. Le freinage est confié à la combinaison disques/tambours tandis que l'ABS est de série de même que le système électronique de répartition du freinage.

Cette année, les améliorations et modifications sont rares. En plus de l'AdvanceTrac, il faut mentionner une meilleure insonorisation de l'habitacle, des rétroviseurs extérieurs plus aérodynamiques, des glaces latérales avant plus épaisses et des retouches très mineures à la calandre.

Cette fourgonnette plaira à ceux qui aiment les véhicules sobres et simples. Ford a beau lui intégrer une foule de gadgets tels le pédalier réglable, la lumière stroboscopique d'ouverture des portières, des flèches clignotantes intégrées dans les rétroviseurs et un équipement de série fort complet, la Windstar ne suscite pas de grandes passions. Il suffit de jeter un coup d'œil à la planche de bord pour avoir une idée du comportement du véhicule. C'est bien disposé, mais d'une sagesse à faire bâiller. De plus, l'affichage des cadrans indicateurs est d'une banalité qui a dû faire grincer des dents J. Mays,

le styliste en chef de Ford, un maniaque des beaux tableaux de bord.

L'espace intérieur n'est pas aussi généreux que celui d'une Honda Odyssey ou d'une Dodge Grand Caravan, tandis que les sièges amovibles sont plus lourds que la moyenne. Comme dans la plupart des autres modèles de cette catégorie, il est possible de commander des portes coulissantes motorisées et un lecteur DVD avec écran à cristaux liquides.

### Vivement la relève !

Avec sa sécurité étoilée, son équipement complet et ses multiples options qui peuvent faire grimper son prix de vente à plus de 40 000 $, la Windstar nous laisse sérieusement sur notre appétit en fait d'agrément de conduite. C'est vraiment un véhicule plus pratique qu'agréable à conduire. Le rendement du

peu lorsque la route est mauvaise. Pour le reste, rien de négatif à souligner, mais rien de très positif. C'est le moyen de transport familial moyen, pour la famille moyenne.

En fait, les seuls moments un peu excitants proviendront des films d'aventure que les enfants vont visionner par l'intermédiaire du lecteur DVD. La piètre fiabilité de ce véhicule au cours des années est un autre facteur qui a fait monter la pression des propriétaires. Heureusement, cette tendance à l'autodestruction est en régression (Voir match comparatif des fourgonnettes).

*Denis Duquet*

---

## MODÈLES CONCURRENTS

- Chevrolet Venture/Pontiac Montana
- Dodge Caravan • Honda Odyssey • Kia Sedona
- Mazda MPV • Toyota Sienna

## QUOI DE NEUF ?

- Système AdvanceTrac enfin disponible • Insonorisation améliorée • Rétroviseurs extérieurs plus aérodynamiques
- Glaces latérales avant plus épaisses

## VERDICT

| | |
|---|---|
| **Agrément de conduite** | ★★★ |
| **Fiabilité** | ★★★ |
| **Sécurité** | ★★★★★ |
| **Qualités hivernales** | ★★★★ |
| **Espace intérieur** | ★★★★ |
| **Confort** | |

## ▲ POUR

- Sécurité assurée • Système AdvanceTrac enfin disponible • Nombreux modèles • Moteur adéquat
- Sièges confortables

## ▼ CONTRE

- Remplacement imminent • Consommation élevée
- Portes motorisées lentes • Sautillement du train avant • Tableau de bord de camion

COUP DE CŒUR

# Une septième vie

**Si la petite Civic a été la première voiture de grande diffusion signée Honda, c'est l'Accord qui a permis au constructeur nippon, dès 1976, de prendre sa place parmi les constructeurs sérieux. Le succès de l'entreprise et de ses concessionnaires repose donc en bonne partie sur celui de sa berline intermédiaire. Sa réussite est obligatoire pour l'avenir de Honda. Un lourd pari que la nouvelle Accord devrait remporter si l'on se fie aux premières impressions notées lors du dévoilement en avant-première de la berline et du coupé Accord 2003.**

Populaire et fiable à souhait, l'Accord meuble depuis 25 ans le paysage automobile nord-américain. Avec le temps, cette compacte a évolué, prenant centimètres et kilos, pour se placer en tête du créneau des intermédiaires, face à son éternelle rivale, la Toyota Camry. Le succès est donc acquis et c'est précisément là que se pose le grand défi. Comment améliorer la recette sans nuire au succès ? Tel fut donc le mandat confié à Charlie Baker, chef du projet Accord, cet Américain passionné de moto et de belle mécanique.

### Le guépard à l'attaque

Le guépard ? Oui, car selon les responsables de la nouvelle Accord, c'est le félin qui a servi d'inspiration pour cette 7e génération de la populaire berline japonaise. Museau effilé, corps élancé et flancs musclés, telle est l'image que Honda souhaite éveiller dans l'esprit du public. Mission essentiellement réussie sur le plan du design, grâce au dessin de l'avant qui ressemble à celui du roadster S2000, avec ses « yeux » tendus et son « nez » en pointe, le tout agrémenté par un capot plongeant ultralisse et des ailes musclées où se mêlent judicieusement formes concaves et convexes. De profil, on remarque l'importance de l'habitacle qui se termine par la lunette enveloppante surmontant le coffre court. À peine plus longue que le modèle antérieur, la nouvelle berline Accord repose sur un empattement légèrement plus important (2,5 cm) et affiche un porte-à-faux plus court à l'arrière, améliorant ainsi le dessin de la carrosserie. Seule fausse note à ce design autrement réussi : l'arrière. Générique à souhait, la forme du coffre, des feux et du pare-chocs arrière rappelle la berline Saturn.

Quant au coupé, tout aussi nouveau, il évoque aussi par sa partie avant la belle S2000. Le profil en coin lui procure une ligne dynamique et l'arrière, bien plus réussi que celui de la berline, ressemble à s'y méprendre à celui des Mercedes. Ce n'est pas laid, mais on dirait que les stylistes Honda manquent singulièrement d'imagination lorsqu'ils arrivent aux roues arrière !

Malgré ces « bémols postérieurs », le style des nouvelles Accord reflète un souci de modernisme et de distinction et parvient à s'éloigner de la ligne peu inspirante du modèle antérieur. Avant de terminer cet aperçu stylistique, précisons que ces nouvelles carrosseries se traduisent par une amélioration du coefficient de traînée aérodynamique (de 0,33 à 0,30 pour la berline et de 0,32 à 0,29 pour le coupé), d'où une diminution des bruits de vent et de la consommation. Le profilage soigné – jusqu'à la forme des rétroviseurs – se conjugue à une insonorisation à l'uréthane pour procurer à l'Accord un incroyable silence de fonctionnement.

### Des sièges étudiés. Enfin !

L'augmentation de l'empattement permet d'améliorer le dégagement aux jambes à l'arrière, tandis que le volume du coffre reste le même à 399 litres. L'accès à bord de la berline ne présente pas de difficulté et la bonne position de conduite est facile à trouver grâce au siège réglable en hauteur et au volant télescopique et réglable en hauteur, et ce, dans toutes les versions ! Autre particularité digne de mention : la forme des sièges. Sensible à l'importance de la position de conduite sur la sécurité et le confort, Charlie Baker précise que Honda a entrepris une grande étude à ce sujet, étude qui s'est soldée par un repositionnement de votre

Accord à moteur V6, quelle n'a pas été notre surprise de constater, en levant le capot, qu'il s'agissait plutôt d'un 4 cylindres ! C'est vous dire la souplesse et la verve de ce nouveau moteur de 2,4 litres signé Honda.

Deux arbres à cames en tête, 2 arbres d'équilibrage, 16 soupapes et le système de distribution i-VTEC permettent au moteur tout en aluminium de développer 160 chevaux et un couple de 161 lb-pi à 4 500 tr/min, un régime raisonnable, tout en consommant moins de 10 litres aux

auguste postérieur sur l'assise. Quand on voit le nombre de bonnes voitures affublées de mauvais sièges, on ne peut qu'applaudir l'initiative de Honda. D'ailleurs, les quelques centaines de kilomètres parcourus à bord de la berline et du coupé nous permettent de confirmer que l'effort en a valu la peine.

Moderne et plus aéré, l'habitacle conserve néanmoins l'aménagement typique des Honda, c'est-à-dire un tableau de bord dominé par un bloc central proéminent. Plus élégant et plus fonctionnel qu'auparavant, le tableau de bord se distingue aussi par son ergonomie et ses commandes intuitives. Constructeurs allemands, veuillez prendre note.

Une première dans cette catégorie de voitures : l'instrumentation à diodes électroluminescentes (DEL) à éclairage progressif. Notons aussi la présence de la climatisation de série dans tous les modèles et de la climatisation automatique bizone dans les ver-

sions EX-L Cuir et EX V6. En outre, le regroupement des commandes audio et de climatisation a permis d'aménager un gros casier de rangement dans la console centrale. Tous les modèles reçoivent le régulateur de vitesse avec commandes intégrées au volant, le télédéverrouillage avec fonction d'ouverture des glaces et le lecteur CD dans l'une des trois chaînes audio de qualité croissante qui peuvent agrémenter l'habitacle. En matière de sécurité passive, Honda équipe toutes les Accord, sauf la DX, de coussins de sécurité frontaux et latéraux aux places avant.

### Un 4 cylindres trompeur !

Nous étions trois chroniqueurs à bord de la berline au départ de l'hôtel californien niché sur le bord de la mer. Une petite demi-heure plus tard, nous roulions dans les montagnes qui entourent Los Angeles. Persuadés que nous étions à bord d'une

100 km. Plus puissant, plus souple, plus économique et plus propre, tel est le palmarès de ce moteur qui confirme l'enviable réputation de motoriste de Honda. Allié à une nouvelle boîte manuelle à 5 vitesses ou à la nouvelle boîte automatique à 5 rapports, le 4 cylindres procure à la berline un très bel équilibre.

**■ ÉQUIPEMENT DE SÉRIE**

• Climatisation auto • AM/FM/6 CD • Rétroviseurs chauffants • Régulateur de vitesse • Toit ouvrant
• Sièges commandes électriques

**■ ÉQUIPEMENT EN OPTION**

• Moteur V6 • Intérieur cuir
• Chaîne stéréo de luxe

Certes, Honda propose toujours un V6, un nouveau moteur plus léger et plus court qui affiche 40 chevaux de plus que le 3 litres de la version antérieure. Ses 240 chevaux qui s'alimentent encore à l'essence ordinaire consomment pratiquement la même quantité d'essence que les 200 chevaux du 3 litres antérieur, tout en étant plus propres. Sur route, le V6 procure à la berline et au coupé des performances supérieures. Cependant, le surplus de poids à l'avant et l'effort considérable que l'on demande aux roues avant chargées de transmettre ces 240 chevaux nuisent à l'équilibre général de la voiture et rappellent, une fois de plus, que la traction convient mieux aux petites cylindrées.

C'est ainsi que le nouveau 4 cylindres et ses 160 chevaux sauront satisfaire la plupart des automobilistes, à l'exception possible des fervents du 0 à 100 km/h. Associé à la nouvelle boîte automatique à 5 rapports, le 4 cylindres est le moteur de choix.

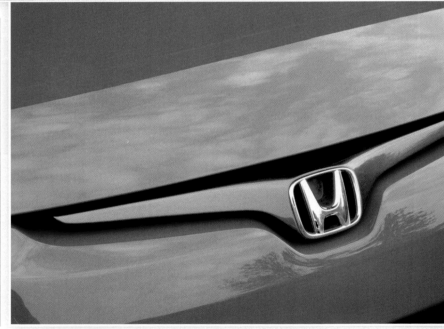

## CARACTÉRISTIQUES

| | |
|---|---|
| Prix du modèle à l'essai | EX V6 32 500 $. |
| Échelle de prix | de 24 800 $ à 32 700 $ |
| Assurances | 769 $ |
| Garanties | 3 ans 60 000 km / 5 ans 100 000 km |
| Emp. / Long. / Larg. / Haut. (cm) | 274 / 481 / 182 / 146 |
| Poids | 1 300 kg (env.) |
| Coffre / Réservoir | 399 litres / 64,7 litres |
| Coussins de sécurité | frontaux et latéraux |
| Suspension avant | indépendante, bras inégaux |
| Suspension arrière | indépendante, bras inégaux |
| Freins av. / arr. | disque, ABS |
| Système antipatinage | non |
| Direction | à crémaillère, assistée |
| Diamètre de braquage | n.d. |
| Pneus av. / arr. | P205/60R16 |

## MOTORISATION ET PERFORMANCES

| | |
|---|---|
| Moteur | V6 3 litres |
| Transmission | traction, automatique 5 rapports |
| Puissance | 240 ch à 6 240 tr/min |
| Couple | 212 lb-pi à 4 500 tr/min |
| Autre(s) moteur(s) | 4L 2,4 litres 160 ch |
| Autre(s) transmission(s) | man. 5 ou 6 rap. (V6 coupé) |
| Accélération 0-100 km/h | 7,6 secondes |
| Reprises 80-120 km/h | 6,5 secondes |
| Vitesse maximale | 210 km/h |
| Freinage 100-0 km/h | 43,3 mètres |
| Consommation (100 km) | 9,5 litres (ordinaire) |
| Niveau sonore | ralenti: 45 dB |
| | accélération: 70,8 dB |
| | 100 km/h: 68,9 dB |

à notre goût, et le volant au dessin vieillot détonne par rapport au modernisme du tableau de bord.

Refusant le compromis boiteux des freins arrière à tambour, sauf pour la DX, Honda adopte les quatre freins à disque sur la gamme Accord, ainsi que l'ABS qui équipe de série tous les modèles. Quant à l'antipatinage, seules les versions V6 peuvent en être équipées.

Convaincue que ses nouvelles Accord tranchent avec les précédentes, Honda n'a pas hésité,

Quant au coupé, il sera aussi livrable avec le 4 cylindres de 2,4 litres et le V6 de 3 litres avec boîte automatique ou – grande nouvelle – avec boîte manuelle à 6 vitesses, Honda corrigeant ainsi une lacune du précédent coupé.

### Un constat favorable

Sur le plan dynamique, l'Accord est montée sur des suspensions entièrement indépendantes à double triangulation. Les raffinements apportés aux suspensions permettent de réduire les mouvements de caisse en accélération et au freinage ainsi que le roulis en virage. Quoique précise, la direction à crémaillère est un peu légère, du moins

lors de l'avant-première, de mettre à notre disposition l'Accord 2002, question pour nous de mieux constater les différences. Exercice réussi, car les écarts sont bien présents, tant sur les plans visuel, mécanique que dynamique. Notre prévision : l'Accord de 7e génération permettra à Honda de consolider sa position sur le marché. Plus distinctive, plus habitable, plus performante, plus économique, plus propre et dotée d'un meilleur comportement routier, l'Accord est aussi bien plus agréable à conduire. Face à une concurrence de plus en plus étoffée, Honda demeure le chef de file de la catégorie.

*Alain Raymond*

---

## MODÈLES CONCURRENTS

• *Chevrolet Malibu* • *Chrysler Sebring* • *Mazda 6*
• *Nissan Altima* • *Saturn LS* • *Subaru Legacy*
• *Toyota Camry* • *VW Passat*

## VERDICT

| | |
|---|---|
| **Agrément de conduite** | ★★★★ |
| **Fiabilité** | *nouveau modèle* |
| **Sécurité** | ★★★★ |
| **Qualités hivernales** | ★★★★ |
| **Espace intérieur** | ★★★★ |
| **Confort** | ★★★★ |

## ▲ POUR

• **Style agréable** • **Silence de fonctionnement**
• **4 cylindres performant et économique**
• **Bonne tenue de route** • **Sièges confortables**

## ▼ CONTRE

• Ligne arrière quelconque • Direction trop assistée
• Sous-virage avec V6

# Une gamme un peu moins bourgeoise

**Septième génération de ce qui fut en ses débuts la petite boîte à savon copiée sur la légendaire Austin Mini, la Civic représente aujourd'hui l'exemple même de la voiture populaire sûre et durable. Son succès planétaire et sa position d'éternelle vedette au Québec reposent sur des atouts indéniables que sont la qualité de construction, la fiabilité, le prix abordable et, de temps à autre, un petit agrément de conduite qui ne fait pas de tort.**

Une berline en deux versions (DX et LX), un coupé en trois versions (DX, LX et Si), un hybride et une 3 portes sport (SiR), trois moteurs et trois boîtes de vitesses constituent la grande gamme Civic. Sans doute sensible aux commentaires faisant état de « l'embourgeoisement » de ses Civic, Honda propose pour 2003 quelques changements visant à rendre à la Civic certaines caractéristiques sport. C'est ainsi qu'on a revu les suspensions pour les rendre moins molles et donc plus sportives et que la direc-

tion permet dorénavant de mieux sentir la route. Notons aussi qu'un compte-tours orne désormais le tableau de bord de toutes les versions. En outre, la berline LX et le coupé Si dotés du groupe optionnel reçoivent l'ABS doublé de la répartition électronique du freinage et tous les modèles bénéficient de sièges redessinés et d'appuie-tête réglables aux quatre places. Enfin, la berline LX peut recevoir en option un groupe Sport avec toit ouvrant, la garniture « fibre de carbone » sur la console et des roues en alliage de 15 pouces, tandis que le coupé

LX s'équipe d'un siège du conducteur réglable en hauteur. Une suggestion pour 2004 : le siège du conducteur réglable en hauteur dans toutes les versions, car lorsque le conducteur est mieux assis, la sécurité active y gagne.

### Molle fiabilité
Côté mécanique, à part le raffermissement des suspensions et de la direction, rien de nouveau pour 2003 pour les berlines et les coupés. Le 4 cylindres de 1,7 litre et 16 soupapes qui anime les berlines et les coupés DX et LX développe 115 chevaux et 110 lb-pi de couple. C'est peu pour déplacer les 1 100 et quelques kilos, notamment à bas régime où la faiblesse du couple se traduit par des reprises assez molles qui vous obligent à rétrograder lors des dépassements. Si les performances sont mesurées,

## CARACTÉRISTIQUES

| | |
|---|---|
| Prix du modèle à l'essai | berline LX 19 400 $ |
| Échelle de prix | de 16 000 $ à 25 500 $ |
| Assurances | 696 $ |
| Garanties | 3 ans 60 000 km / 5 ans 100 000 km |
| Emp. / Long. / Larg. / Haut. (cm) | 262 / 444 / 171 / 144 |
| Poids | 1 135 kg |
| Coffre / Réservoir | 365 litres / 50 litres |
| Coussins de sécurité | frontaux |
| Suspension avant | indépendante, jambes élastiques |
| Suspension arrière | indépendante, triangles obliques |
| Freins av. / arr. | disque, tambour (ABS dans LX) |
| Système antipatinage | non |
| Direction | à crémaillère, assistance variable |
| Diamètre de braquage | 10,4 mètres |
| Pneus av. / arr. | P185/70R14 |

## MOTORISATION ET PERFORMANCES

| | |
|---|---|
| Moteur | 4L 1,7 litre 16 soupapes |
| Transmission | traction, manuelle 5 rapports |
| Puissance | 115 ch à 6 100 tr/min |
| Couple | 110 lb-pi à 4 500 tr/min |
| Autre(s) moteur(s) | 4L 2 litres 160 ch (SiR) |
| Autre(s) transmission(s) | automatique 4 rapports |
| Accélération 0-100 km/h | 9,5 secondes |
| Reprises 80-120 km/h | 9,6 secondes (4e) |
| Vitesse maximale | 190 km/h |
| Freinage 100-0 km/h | 43,5 mètres |
| Consommation (100 km) | 6,3 litres (ordinaire) |

| | |
|---|---|
| • Valeur de revente | excellente |
| • Renouvellement du modèle | 2004-2005 |

## ● CIVIC

par son moteur 2 litres VTEC de 160 chevaux, un aménagement sportif comprenant notamment des sièges style Recaro et une direction dont l'assistance électrique varie chaque fois que la vitesse change de 8 km/h et ce jusqu'à 160 km/h. Notre match comparatif des minisportives vous en dira plus long à son sujet, entre autres que son prix risque de refroidir considérablement la clientèle visée. Conduite d'abord sur les petits chemins en lacets de la Haute-Provence lors de son lancement, la SiR se distingue par un confort exceptionnel auquel les sièges ne

la souplesse, l'économie et la légendaire fiabilité sont parfaitement au rendez-vous. Mais pour le sport, il faudra penser à autre chose, comme par exemple le coupé Si dont le moteur 1,7 litre, coiffé de la culasse à distribution variable (VTEC), développe 127 chevaux et 114 lb-pi de couple. Accélérations plus franches et, surtout, reprises plus sécuritaires nous font souhaiter l'adoption du moteur VTEC pour l'ensemble de la gamme.

En matière de transmission, les choix se limitent à la boîte manuelle à 5 vitesses et à l'automatique à 4 rapports, tandis qu'ailleurs (notamment aux États-Unis), Honda commercialise des Civic à transmission à variation continue (CVT) semblable à celle qui équipe la Civic Hybrid.

Sur la route, les bruits de vent sont bien contrôlés, mais le bruit de roulement et celui du moteur à haut régime se font encore sentir. Le confort est convenable à toutes les places, mais on déplore l'accès étroit aux places arrière. En matière de freinage, là aussi, au nom de la sécurité active, nous préconisons l'abandon définitif des antiques freins à tambour arrière dans tous les modèles de la gamme. Dommage aussi que l'ABS n'équipe pour le moment que la berline LX et le coupé Si.

Si la tentative de procurer à la gamme un brin de sportivité est louable, Honda a néanmoins négligé un élément important: les pneumatiques. Talon d'Achille de nombreux modèles «populaires», notamment chez les Japonais, les pneus, notre seul contact avec le sol, sont souvent négligés au profit de certains gadgets sans doute plus vendeurs. Lorsqu'ils sont de qualité médiocre – et c'est le cas

de ceux des Civic –, les pneus nuisent à la tenue de route et au freinage, principaux éléments de la sécurité active. Automobilistes consciencieux, assurez-vous donc lors de l'achat que les pneus qu'on vous propose soient à la hauteur de vos légitimes attentes. Une assurance qui ne vous coûtera pas cher.

### La SiR à la rescousse

Lors de son dernier remaniement, la Honda Civic fut privée de sa carrosserie à hayon arrière et cela au grand dam de la clientèle jeune qui affectionnait ce modèle pour son petit côté sportif et son bas prix. La firme japonaise n'est pas restée insensible à ces doléances et ramène cette année une Civic *hatchback* vitaminée: la SiR. Construite en Angleterre, cette voiture se démarque des Civic plus «civiles»

sont pas étrangers. Au risque de paraître grotesque, cette Civic nous apprend aussi que le levier de la boîte manuelle (la seule au catalogue) planté au beau milieu du tableau de bord est bien à sa place. Il tombe parfaitement sous la main et contribue à rehausser l'agrément de conduite. Pour pousser le plaisir encore plus loin, il faudra toutefois se départir de ces pneus maigrichons (des P195/60R15) que Honda a eu le culot de monter sur les SiR.

Gamme variée, construction soignée, économie enviable, fiabilité remarquable et, en prime, une facilité de conduite qui finit par la rendre presque attachante, la Civic porte en somme bien son nom. Une voiture très «civique».

*Alain Raymond / Jacques Duval*

---

### MODÈLES CONCURRENTS

• *Ford Focus* • *Hyundai Elantra* • *Mazda Protegé*
• *Mitsubishi Lancer* • *Nissan Sentra* • *Toyota Echo*
• *VW Golf*

### QUOI DE NEUF?

• Insonorisation améliorée • Caisse plus rigide
• Direction révisée • Cadrans argentés avec éclairage blanc (berline)

### VERDICT

| | |
|---|---|
| **Agrément de conduite** | ★★★◖ |
| **Fiabilité** | ★★★★◖ |
| **Sécurité** | ★★★ |
| **Qualités hivernales** | ★★★ |
| **Espace intérieur** | ★★★ |
| **Confort** | ★★★◖ |

### ▲ POUR

• Faible consommation • Excellente fiabilité
• Gamme variée • Facilité de conduite
• Moteur et sièges excellents (SiR)

### ▼ CONTRE

• Performances moyennes (sauf SiR)
• Pneus médiocres • Freins à tambour arrière
• Roulis en virage • Prix élevé (SiR)

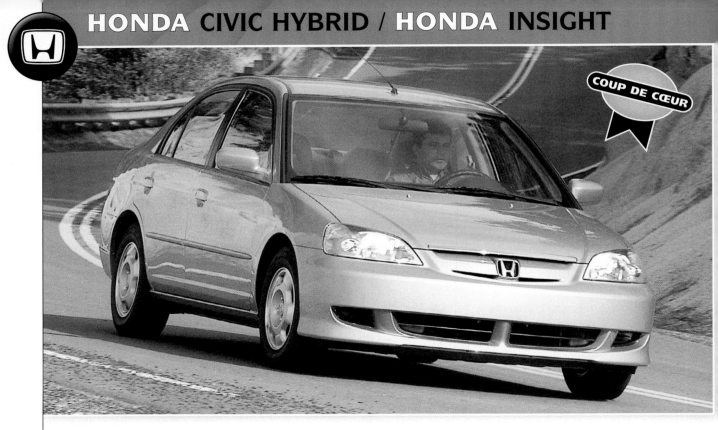

COUP DE CŒUR

# Verte famille

**Premier constructeur mondial à lancer une voiture à propulsion hybride sur le marché nord-américain avec l'Insight, Honda fait un autre pas vers la généralisation de la « voiture verte » avec l'arrivée de la Civic Hybrid, une berline quatre portes qui ressemble en tous points – ou presque – à la populaire petite Civic que nous connaissons si bien. La grande différence se cache sous le capot.**

Rappelons que c'est avec l'Insight que Honda a fait connaître au grand public son expertise en matière de propulsion hybride. La formule Honda : un petit moteur à essence 3 cylindres, 1 litre, ultra-propre et ultra-économique, jumelé à un moteur électrique alimenté par un bloc de batteries, elles-mêmes rechargées par le moteur électrique qui se transforme en génératrice lors des décélérations, le tout géré par une centrale électronique très perfectionnée. Et pour maximiser le rendement de ce groupe hybride, on l'installe dans un châssis ultra-léger en aluminium, habillé d'une carrosserie aussi en aluminium et dotée d'un profilage très aérodynamique. Résultat : une consommation très faible et, grâce à l'économie de poids, des performances honorables pour un si petit moteur. L'Insight a-t-elle réussi à charmer le public ? Non. Pourquoi ? Trop chère, trop petite (deux places seulement), trop... différente. Honda est-elle déçue ? Non. Pourquoi ? Avec l'Insight, Honda voulait faire la preuve de sa compétence en matière de motorisation hybride et de maîtrise de la construction en aluminium. D'ailleurs, Honda perd de l'argent à chaque Insight vendue, mais le message – celui de la compétence – est bien passé. Donc, mission accomplie pour l'Insight.

### Hybride, 2e génération

Passons à présent à la prochaine étape dans la démarche de Honda : populariser la propulsion hybride. Pour cela, il fallait proposer une voiture « normale », aux allures connues, qui se manie comme une bagnole ordinaire et qui se vend à un prix... abordable. Voici donc la Honda Civic Hybrid.

Précisons, à l'intention des amateurs de technologie, que cette Civic reprend le principe du groupe motopropulseur de l'Insight, mais non les mêmes composantes. En effet, le moteur à essence passe à 4 cylindres et 1,3 litre (84 chevaux) et pré-

## CARACTÉRISTIQUES

| | |
|---|---|
| Prix du modèle à l'essai | 28 500 $ |
| Échelle de prix | 28 500 $ |
| Assurances | 624 $ |
| Garanties | 3 ans 60 000 km / 5 ans 100 000 km |
| Emp. / Long. / Larg. / Haut. (cm) | 262 / 444 / 171 / 143 |
| Poids | 1 239 kg |
| Coffre / Réservoir | 286 litres / 50 litres |
| Coussins de sécurité | frontaux |
| Suspension avant | indépendante, leviers triangulés |
| Suspension arrière | indépendante, leviers triangulés |
| Freins av. / arr. | disque / tambour, ABS |
| Système antipatinage | non |
| Direction | à crémaillère, assistance électrique |
| Diamètre de braquage | 10,6 mètres |
| Pneus av. / arr. | P185/70R14 |

## MOTORISATION ET PERFORMANCES

| | |
|---|---|
| Moteur | 4L 1,3 litre 8 soupapes |
| Transmission | traction / variateur |
| Puissance | 84 ch à 5 700 tr/min (93 avec élect.) |
| Couple | 87 lb-pi à 4700 tr/min (105 lb-pi à 3000 tr/min) |
| Autre(s) moteur(s) | aucun |
| Autre(s) transmission(s) | aucune |
| Accélération 0-100 km/h | 13 secondes |
| Reprises 80-120 km/h | 12,8 secondes. |
| Vitesse maximale | 175 km/h. |
| Freinage 100-0 km/h | n.d. |
| Consommation (100 km) | 5 litres (ordinaire) |

| | |
|---|---|
| • Valeur de revente | nouveau modèle |
| • Renouvellement du modèle | 2004-2005. |

**Honda Insight**

sieurs plans : l'habitabilité (une vraie quatre places avec quatre portes et un coffre digne de ce nom) ; une ligne connue qui ne risque pas d'effrayer le grand public ; enfin, un comportement routier et des performances qui la rapprochent des autres Civic. Les grandes différences ? Le prix, la consommation et la pollution.

À 28 500 $, la Civic Hybrid n'est pas donnée lorsqu'on la compare à une Civic LX (19 100 $). Il reste donc du travail à faire à cet égard. La consommation : avec 5 litres aux 100 km, on peut dire « mis-

sente la particularité de pouvoir « neutraliser » 3 cylindres sur 4 en décélération, réduisant ainsi les frottements internes. Ce moteur est jumelé à un moteur électrique plus performant (13 chevaux, 10 kW) alimenté par un bloc de batteries à présent regroupées avec la centrale de gestion électronique et logé en un seul ensemble compact derrière le dossier du siège arrière, ce qui libère le plancher du coffre.

Autre différence majeure : le mode de transmission. En effet, la boîte manuelle à 5 vitesses cède la place à une transmission à variation continue (un variateur, si vous préférez), d'où l'économie de poids et d'espace et la sensation étrange qu'il n'y a pas de boîte de vitesses, ce qui est le cas puisque les rapports changent progressivement (comme sur un scooter ou une motoneige). Pour le reste, la Civic Hybrid bénéficie de quelques améliorations aérodynamiques, pour la plupart sous la voiture, question de minimiser la consommation sur autoroute. Au fait, si c'est si bon, pourquoi ne pas faire la même chose sur les Civic « ordinaires » ?

Dès les premiers tours de roue, l'Hybrid surprend par un silence de roulement remarquable. Le petit 4 cylindres est d'une très grande souplesse, même lorsque vous écrasez le champignon. C'est alors qu'interviennent, d'une part, le moteur électrique pour accroître le couple livré aux roues et, d'autre part, le variateur qui modifie graduellement le rapport de transmission. Seul le compte-tours vous permet de savoir que le régime moteur augmente pour favoriser les accélérations. Si j'utilise le mot « accélération », c'est avec un « a » minuscule, car ce n'est pas avec une Civic Hybrid que vous allez enregistrer des chronos records. C'est convenable, sans plus.

Mais là où elle brille, la petite, c'est en consommation et, évidemment, en « propreté ». Avec une consommation combinée d'environ 5 litres aux 100 km et un niveau de pollution qui la place dans la catégorie très sélecte des ULEV (pollution ultrafaible), la Honda Civic Hybrid donne une magistrale leçon de conscience écologique à la trop grande multitude de mastodontes qui encombrent nos routes et polluent l'air que nous respirons.

En matière d'équipements, Honda a choisi d'enjoliver sa Civic Hybrid pour en augmenter l'attrait : servodirection électrique, ABS, climatisation automatique, rétroviseurs chauffants, régulateur de vitesse, télédéverrouillage, roues en alliage, intérieur soigné, instrumentation de luxe et chaîne audio avec CD.

Réussira-t-elle là où l'Insight nous avait laissés sur notre faim ? La Civic Hybrid gagne sur plu-

sion accomplie ». Même commentaire pour le niveau de pollution. La Civic Hybrid réussira donc mieux que l'Insight (qui reste d'ailleurs au catalogue Honda pour 2003), mais sa diffusion restera limitée car elle compte encore trop sur un public écolo disposé à payer un supplément important pour sauver la planète. À moins que les gouvernements ne décident de se montrer à la hauteur de leurs paroles et d'encourager l'acquisition de voitures économiques par un dégrèvement fiscal. Mais ça, c'est de la science-fiction – ou de la politique-fiction, devrais-je dire... N'empêche qu'avec cette voiture hybride de 2e génération, Honda fait un autre pas important vers la voiture écologique ET de grande diffusion. Ce sera peut-être pour la 3e génération.

*Alain Raymond*

---

### MODÈLES CONCURRENTS

• *Toyota Prius*

### QUOI DE NEUF ?

• *Nouveau modèle*

### VERDICT

| | |
|---|---|
| **Agrément de conduite** | ★★★★ |
| **Fiabilité** | *nouveau modèle* |
| **Sécurité** | ★★★★ |
| **Qualités hivernales** | ★★★ |
| **Espace intérieur** | ★★★ |
| **Confort** | ★★★★ |

### ▲ POUR

• Faible consommation • Faible pollution
• Bonne qualité d'assemblage • Silence de fonctionnement • Équipement complet

### ▼ CONTRE

• Prix excessif • Poids élevé
• Performances moyennes • Faible diffusion
• Valeur de revente problématique

# HONDA CR-V

## Au lieu d'une familiale

**Profondément remanié l'an dernier, le Honda CR-V reprend une place honorable parmi les utilitaires compacts. Les changements ont principalement porté sur la motorisation, le comportement routier, l'habitabilité et le design de l'intérieur. Le but était d'offrir au CR-V, dans la mesure du possible, les qualités dynamiques d'une voiture pour mieux plaire à un public qui commence à déchanter à l'égard des gros utilitaires gourmands au comportement douteux.**

Honda s'est d'abord penchée sur le groupe motopropulseur, un 4 cylindres de 2,4 litres, affichant une puissance honorable (160 ch) et, surtout, un couple bien dosé (162 lb-pi) qui culmine à un régime relativement bas pour un moteur multisoupape. Ces résultats, qui proviennent essentiellement du système de distribution variable i-VTEC, autorisent des reprises satisfaisantes (80 à 120 km/h en 9 secondes en 4e), alors qu'elles étaient tout simplement minables dans la version précédente. La sécurité active (lors des dépassements) et l'agrément de conduite s'en trouvent améliorés, sans pénaliser la consommation. Il serait certes possible de loger un V6 plus puissant sous le capot du CR-V (comme dans le Hyundai Santa Fe), mais ce serait au prix d'une plus forte consommation. D'ailleurs, le nouveau et plus imposant Honda Pilot répondra sans doute aux désirs des amateurs de plus grosse mécanique.

Notons aussi que Honda a opté pour un système de transmission qui privilégie la traction dans les conditions normales, le système à 4 roues motrices n'intervenant que lorsque la chaussée est glissante. Le résultat est satisfaisant, car ce système à pompe hydraulique qui ne nécessite aucune intervention de la part du conducteur intervient instantanément lors d'un démarrage à pleins gaz sur surface enneigée, par exemple. Pour ceux qui se posent la question, sachez que la mise hors service de l'essieu arrière permet de réduire la consommation d'essence, car on économise l'énergie nécessaire à l'entraînement des roues arrière. Certes, un tel système de transmission intégrale partiel ne présente pas la même efficacité qu'un système permanent (comme celui de Audi ou de Subaru), ni les capacités

### CARACTÉRISTIQUES

| | |
|---|---|
| Prix du modèle à l'essai | LX 26 900 $ (2002) |
| Échelle de prix | de 26 900 $ à 32 200 $ (2002) |
| Assurances | 955 $ |
| Garanties | 3 ans 60 000 km / 5 ans 100 000 km |
| Emp. / Long. / Larg. / Haut. (cm) | 262 / 454 / 178 / 168 |
| Poids | 1 480 kg |
| Coffre / Réservoir | de 949 à 2 039 litres / 58 litres |
| Coussins de sécurité | frontaux (latéraux dans EX) |
| Suspension avant | indépendante, jambes élastiques |
| Suspension arrière | indép., bras triangulaires obliques |
| Freins av. / arr. | disque, ABS |
| Système antipatinage | non |
| Direction | à crémaillère, assistée |
| Diamètre de braquage | 10,4 mètres |
| Pneus av. / arr. | P215/70R15 |

### MOTORISATION ET PERFORMANCES

| | |
|---|---|
| Moteur | 4L 2,4 litres |
| Transmission | intégrale, manuelle 5 rapports |
| Puissance | 160 ch à 6 000 tr/min |
| Couple | 162 lb-pi à 3 600 tr/min |
| Autre(s) moteur(s) | aucun |
| Autre(s) transmission(s) | automatique 4 rapports |
| Accélération 0-100 km/h | 10 secondes |
| Reprises 80-120 km/h | 9 secondes |
| Vitesse maximale | 180 km/h |
| Freinage 100-0 km/h | 42,4 mètres |
| Consommation (100 km) | 11 litres (ordinaire) |

| | |
|---|---|
| • Valeur de revente | très bonne |
| • Renouvellement du modèle | n.d. |

ment en hauteur, mais nous aurions apprécié un peu plus d'espace pour les pieds du passager avant. À l'arrière, l'accès à la banquette ne présente pas de problème grâce à la bonne largeur des portes. Trois occupants peuvent y prendre place et le dégagement aux jambes est remarquable. Il est d'ailleurs possible d'agrandir le coffre en avançant la banquette qui coulisse sur des rails. La banquette se rabat aussi et culbute pour dégager complètement le plancher. Côté coffre, le seuil descend jusqu'au ras du plancher et la porte comporte une lunette qui s'ouvre vers

tout-terrains d'un vrai système 4X4 avec boîte de transfert. Mais pour la très grande majorité des automobilistes, le système Honda est amplement suffisant et assure une sécurité active très convenable, sans nécessiter le recours à un coûteux antipatinage électronique. Notons aussi que la garde au sol du CR-V convient parfaitement aux chemins non asphaltés et à la plupart des sentiers hors route.

### Presque amusant

Sur route, le CR-V offre donc un certain agrément de conduite. À la limite, on pourrait même dire qu'il est amusant à conduire. Sur autoroute, la tenue de cap ne présente pas de problème, mais la caisse s'incline encore en virage serré. Précisons que l'abaissement du centre de gravité par rapport au modèle précédent a permis d'améliorer la sensation de stabilité. Le freinage est confié à quatre freins à disque doublés de l'ABS, même dans la version de base. Un bon point donc à Honda en matière de freinage et un exemple que d'autres constructeurs devraient s'efforcer de suivre.

Maniable et confortable à la fois, le CR-V se conduit bien en ville et offre une excellente visibilité vers l'avant et sur les côtés. Vers l'arrière, par contre, les choses se gâtent sérieusement. La largeur des montants arrière, la présence des trois appuie-tête et les faibles dimensions de la lunette transforment les manœuvres de stationnement et de marche arrière en véritable cauchemar. De plus, la faible visibilité arrière nuit à la sécurité sur route, surtout de nuit.

### Moderne et même original

L'habitacle vieillot du modèle antérieur a cédé la place à un aménagement nettement plus moderne. Commandes lisibles, molettes de chauffage/climatisation bien dimensionnées et agréables à actionner, vide-poches et casiers de rangement abondants, radio (avec CD) placée bien haut et bien en vue et portant des boutons bien dimensionnés. Seul bémol, la radio est trop enfoncée dans le tableau de bord et nécessite qu'on tende le bras pour la rejoindre. Touches originales : le montant gauche de la console centrale sert de levier pour le frein de stationnement et le sélecteur de boîte automatique sort du tableau de bord, à droite du volant. Pratique et bien pensé !

Le conducteur et le passager avant bénéficient d'un siège confortable et d'un généreux dégage-

le haut. En prime, le plancher amovible du coffre se transforme en table de pique-nique. En somme, un aménagement pratique, spacieux et facile à moduler. Dommage que la porte arrière, qui s'ouvre encore de gauche à droite, gêne l'accès lorsque vous êtes garé le long d'un trottoir. La version EX reçoit des rétroviseurs chauffants, des coussins de sécurité latéraux, un CD à six disques et des roues en alliage. Pour le toit ouvrant et les sièges en cuir chauffants, il faut passer à la version EX Cuir.

La nouvelle génération du Honda CR-V a su gommer la plupart des lacunes de l'ancien modèle. Il s'agit d'un utilitaire compact, spacieux, confortable, polyvalent, fiable et doté de performances améliorées. De quoi plaire aux friands de ce type de véhicule… familial.

*Alain Raymond*

---

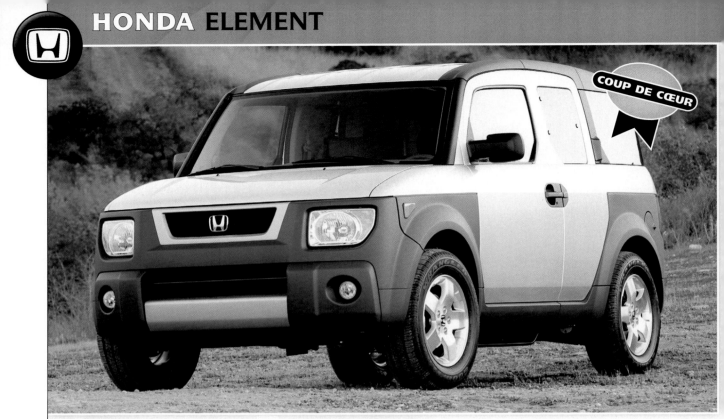

COUP DE CŒUR

# Le cube réinventé

L'un des dirigeants de Honda Canada me déclarait récemment qu'il n'avait jamais connu autant de nouveautés chez ce manufacturier alors qu'il y travaille depuis au moins deux décennies. Jadis à l'écart des grands de cette industrie, Honda se trouve maintenant à l'égal des leaders et se doit de répliquer modèle par modèle. Mais on ne veut pas non plus ignorer l'esprit innovateur qui a toujours été le fil directeur de cette compagnie. L'Element en est une nouvelle preuve.

Il est certain que ce nouveau venu sera le véhicule le plus controversé en 2003. Non pas en raison d'un moteur démesurément puissant ou d'une conception mécanique révolutionnaire, mais tout simplement à cause de sa silhouette hors du commun. C'est un cube stylisé jouant le rôle d'un véhicule multifonction qui renie toutes les règles de design et de conception.

## Deux gars, une plage

Il y a trois ans, deux concepteurs de Honda assistaient à une épreuve de sports extrêmes tenue sur une plage dans la région de San Diego en Californie. Ils se sont par la suite amusés à dessiner un véhicule en mesure de satisfaire les besoins des participants à ces épreuves et d'une foule d'autres jeunes sportifs. Le modèle X était né. Avec son extérieur fort dépouillé et un habitacle très fonctionnel, le projet a été approuvé par la haute direction et exhibé au

Salon de l'auto de Detroit en janvier 2001. La réponse du public a été tellement positive que son développement a été accéléré. Les ingénieurs ont certainement dû travailler tard dans la nuit à plusieurs reprises, car sa version définitive a été dévoilée au Salon de l'auto de New York en mars 2002. Dorénavant baptisé Element, il est commercialisé dix mois plus tard !

Il s'agit sans aucun doute du véhicule utilitaire le plus multidisciplinaire qui soit et il sera grandement apprécié des sportifs qui sont toujours confrontés au problème du transport de leurs bagages, accessoires et équipement. Les autos sont essentiellement conçues pour transporter des humains et un peu de bagages. C'est le contraire dans le cas d'une camionnette alors que la capacité de charge est prioritaire, obligeant les gens à voyager dans une cabine exiguë. Il y a bien les fourgonnettes,

## CARACTÉRISTIQUES

| | |
|---|---|
| Prix du modèle à l'essai | n.d. |
| Échelle de prix | de 24 000 $ à 30 000 $ (estimé) |
| Assurances | n.d. |
| Garanties | 3 ans 60 000 km / 5 ans 100 000 km |
| Emp. / Long. / Larg. / Haut. (cm) | 257 / 432 / 181 / 188 |
| Poids | de 1535 à 1631 kg selon modèle |
| Coffre / Réservoir | 691 litres; 714 litres / n.d. |
| Coussins de sécurité | frontaux et latéraux |
| Suspension avant | indépendante, jambes de force |

| | |
|---|---|
| Suspension arrière | indépendante, leviers triangulés |
| Freins av. / arr. | disque, ABS |
| Système antipatinage | non |
| Direction | à crémaillère, assistance variable |
| Diamètre de braquage | n.d. |
| Pneus av. / arr. | P215/70R16 |

## MOTORISATION ET PERFORMANCES

| | |
|---|---|
| Moteur | 4L 2,4 litres |
| Transmission | intégrale, manuelle 5 rapports |
| Puissance | 160 ch à 6 000 tr/min |

| | |
|---|---|
| Couple | 161 lb-pi à 3 600 tr/min |
| Autre(s) moteur(s) | aucun |
| Autre(s) transmission(s) | automatique 4 rapports |
| Accélération 0-100 km/h | 10, 9 secondes (estimé) |
| Reprises 80-120 km/h | 9,2 secondes (estimé) |
| Vitesse maximale | 180 km/h |
| Freinage 100-0 km/h | n.d. |
| Consommation (100 km) | 10,8 litres (ordinaire) (estimé) |

| | |
|---|---|
| • Valeur de revente | nouveau modèle |
| • Renouvellement du modèle | nouveau modèle. |

aux éraflures et faciles à nettoyer ont été choisis pour l'habitacle. Comme il se doit, l'équipement de série comprend une chaîne audio AM/FM très puissante avec lecteur CD et prises auxiliaires. C'est un véritable *ghetto blaster* sur roues.

L'une des raisons qui ont rendu possible un développement si rapide de l'Element est l'utilisation de la plate-forme du CR-V qui convient à merveille à ce nouveau concept. Elle a la robustesse voulue pour une utilisation hors route plus «dynamique» tout en assurant le confort nécessaire pour la conduite de

mais celles-ci sont presque toutes devenues des produits plus bourgeois que pratiques. L'Element est donc conçu pour convenir au style de vie mouvementé et diversifié du jeune consommateur qui s'adonne passionnément aux sports tels que le ski, la planche à neige, le vélo de montagne, le ski aquatique et j'en passe. Il a été conçu pour transporter tout ou presque.

### Le concept du «camp de base»

Les communiqués décrivent l'Element comme un «camp de base» pour les jeunes gens actifs. L'un des éléments clés est la présence de portes «pivotantes» centrales, sans montant B afin de faciliter au maximum le chargement. Les portes coulissantes souffrant d'une ouverture limitée, on a opté pour ces portières identiques à celles des camions de livraison qui créent une ouverture béante dans le flanc du véhicule. Mais si c'est ultrapratique, cela n'a pas été de la petite bière que de réussir à les adapter sans affaiblir la structure de la carrosserie et sans diminuer le niveau de sécurité en cas d'impact latéral.

Une fois encore, les ingénieurs de Honda ont accouché d'une solution astucieuse en dotant les portières de points d'ancrage à chaque extrémité. Cela a pour effet de transformer ces panneaux en parties intégrantes de la caisse. Non seulement la rigidité voulue est atteinte, mais Honda prévoit aussi obtenir une cote de sécurité d'impact «5 étoiles» pour ce véhicule.

Il ne faut pas oublier que cet outil de transport polyvalent n'est pas une grosse fourgonnette

pleine longueur, ni même une Odyssey déguisée en entrepôt roulant. Il s'agit d'un véhicule compact dont la longueur hors tout est inférieure de 22 cm à celle d'un CR-V. Il a été conçu pour accommoder quatre adultes et leurs bagages en tout confort sur la route, malgré des dimensions réduites. Et puisque la configuration de la plate-forme empêchait d'adopter un dispositif permettant aux sièges arrière d'être escamotés dans le plancher, ceux-ci peuvent se rabattre le long de la paroi de façon à créer un espace de chargement vaste et ouvert. Cette solution est non seulement très simple, mais permet d'alléger le véhicule puisque ces sièges ne sont pas supportés par une base lourde et encombrante. Il est également possible de les enlever à l'aide d'un outil. Compte tenu de l'utilisation anticipée du véhicule, des matériaux robustes, résistants

tous les jours. Ce véhicule est équipé d'un moteur *i*-VTEC 4 cylindres de 2,4 litres d'une puissance de 160 chevaux, offert soit avec traction ou avec une transmission intégrale. L'acheteur a également le choix entre la boîte de vitesses manuelle à 5 rapports ou automatique à 4 rapports.

Les dates de tombée nous ont empêchés de soumettre l'Element à nos tests habituels, mais une très courte prise de contact nous permet de conclure qu'il possède presque toutes les qualités routières du CR-V en plus d'être plus pratique. Reste à voir si vous êtes assez jeune pour accepter ce design pas très conventionnel. Mais puisque je trouve le concept *cool*, pour paraphraser une pub très connue, est-ce que cela signifie que je retourne en enfance ?

*Denis Duquet*

---

## MODÈLES CONCURRENTS

• *Aucun*

## QUOI DE NEUF ?

• *Tout nouveau modèle* • *Portes latérales à battants*
• *Sièges arrière repliables* • *Matériaux intérieurs robustes*

## VERDICT

| | |
|---|---|
| **Agrément de conduite** | données insuffisantes |
| **Fiabilité** | ★★★★ |
| **Sécurité** | ★★★★ |
| **Qualités hivernales** | ★★★★ |
| **Espace intérieur** | ★★★★★ |
| **Confort** | données insuffisantes |

## ▲ POUR

• Concept audacieux • Mécanique fiable • Puissance adéquate • Habitacle spacieux • Intégrale disponible

## ▼ CONTRE

• Silhouette controversée • Intégrité de la caisse inconnue • Clientèle limitée • Plus haut que large

# Presque grande routière

**La compagnie Honda a quelquefois mis du temps à s'intéresser à une certaine catégorie de véhicules, mais elle se démarque toujours une fois qu'elle y est impliquée. C'est du moins le scénario de l'Odyssey qui est devenue l'une des références chez les fourgonnettes après des débuts hésitants. Comme le démontrent les résultats du match comparatif publié dans la première partie de ce guide, une brillante conception et une exécution pratiquement sans faille compensent pour une arrivée tardive sur le marché. La première Odyssey se voulait différente, mais le public n'a pas embarqué. La seconde mouture, apparue en 1998, a visé dans le mille.**

Fidèle à sa politique de progression logique de ses modèles, Honda a apporté quelques modifications à sa fourgonnette l'an dernier, après trois années sur le marché. Ce qui semble être une règle quasiment incontournable chez ce constructeur, en attendant une révision plus en profondeur d'ici deux ans. Parmi les «améliorations», la plus impressionnante est le gain de puissance du moteur. Ce V6 3,5 litres se tirait passablement bien d'affaires avec 210 chevaux. Mais l'addition de 30 autres chevaux a non seulement permis de réduire les temps d'accélération, mais de diminuer également le niveau sonore de ce V6 VTEC dont le jeu des soupapes était un peu trop tonitruant. Et tant qu'à améliorer le groupe propulseur, l'ajout d'un 5e rapport à la boîte de vitesses automatique a permis de mieux utiliser cette puissance du moteur et de raffiner ses prestations. Toujours logiques avec eux-

mêmes, les ingénieurs de Honda ont ajouté de série des freins à disque à l'arrière afin d'améliorer la qualité du freinage. Enfin, la suspension plutôt rétive a été calibrée différemment afin d'assurer un meilleur confort sur mauvaise route.

## Sobriété de mise

Les stylistes ont résisté à l'envie d'y aller de quelques coups d'éclat au chapitre de la carrosserie. En fait, il faut y regarder deux fois afin de distinguer une Odyssey 2001 des cuvées 2002 et 2003, visuellement semblables. Par contre, les quelques petites retouches apportées aux phares avant et aux feux arrière ne sont pas de trop, permettant à cette Honda de soutenir la comparaison avec toutes les autres de sa catégorie. Il faut toutefois ajouter qu'un peu plus d'audace n'aurait pas fait de tort.

## CARACTÉRISTIQUES

| | |
|---|---|
| **Prix du modèle à l'essai** | EX-LTH 39 100 $ |
| **Échelle de prix** | de 32 300 à 39 400 $ |
| **Assurances** | 661 $ |
| **Garanties** | 3 ans 60 000 km / 5 ans 100 000 km |
| **Emp. / Long. / Larg. / Haut. (cm)** | 300 / 511 / 192 / 177 |
| **Poids** | 1 945 kg |
| **Coffre / Réservoir** | de 711 à 4 264 litres / 75 litres |
| **Coussins de sécurité** | frontaux et latéraux |
| **Suspension avant** | indépendante, leviers triangulés |
| **Suspension arrière** | indépendante, leviers asymétriques |
| **Freins av. / arr.** | disque, ABS |
| **Système antipatinage** | oui (EX) |
| **Direction** | à crémaillère, assistée |
| **Diamètre de braquage** | 11,7 mètres |
| **Pneus av. / arr.** | P225/60R16 |

## MOTORISATION ET PERFORMANCES

| | |
|---|---|
| **Moteur** | V6 3,5 litres |
| **Transmission** | traction, automatique 5 rapports |
| **Puissance** | 240 ch à 5 200 tr/min |
| **Couple** | 242 lb-pi à 4 300 tr/min |
| **Autre(s) moteur(s)** | aucun |
| **Autre(s) transmission(s)** | aucune |
| **Accélération 0-100 km/h** | 8,6 secondes |
| **Reprises 80-120 km/h** | 7,5 secondes |
| **Vitesse maximale** | 200 km/h |
| **Freinage 100-0 km/h** | 40,3 mètres |
| **Consommation (100 km)** | 12,7 litres (super) |

| | |
|---|---|
| • Valeur de revente | excellente |
| • Renouvellement du modèle | 2004 |

Le moteur de 240 chevaux n'est pas un atout à négliger. Toutefois, ses prestations à bas régime sont assez modestes. Il suffit par contre de dépasser la barre des 3 000 tr/min pour que la vélocité augmente de façon assez spectaculaire. Assez pour boucler le 0-100 km/h en moins de 9 secondes. La consommation pour sa part demeure toujours assez raisonnable à 12,7 litres au 100 km.

Parcourir des routes sinueuses n'est pas une corvée au volant de cette fourgonnette. Toutefois, le niveau sonore de l'habitacle est plus élevé que

Mais, au fil des années, le classicisme du style maison a fait ses preuves.

Pas surprenant alors que l'habitacle soit relativement sobre au chapitre de la présentation. Les couleurs sont discrètes, l'habitacle d'une belle exécution et la finition impeccable. Nous sommes loin du tableau de bord d'une Pontiac Montana avec ses boutons de couleur contrastante et son tableau de bord tape-à-l'œil. À défaut d'originalité, la planche de bord de l'Odyssey est pratique : la plupart des commandes se trouvent à la portée de la main. De gros boutons permettent de commander la chaîne audio et le climatiseur. Par contre, notre véhicule d'essai était équipé d'un lecteur DVD avec écran à affichage par cristaux liquides et il a fallu quelques minutes pour en décoder les contrôles, intégrés aux autres commandes audio. En revanche, ce lecteur fait des merveilles pour intéresser les jeunes et même les moins jeunes lors d'un long trajet.

Les sièges avant sont moyennement confortables et leur support latéral est à repenser. Les fauteuils de la rangée médiane peuvent être déplacés latéralement pour créer deux sièges ou une banquette. Là encore, le confort est couci-couça puisque le coussin est trop plat. La 3e rangée de sièges peut accueillir deux ados sans problème, mais sa caractéristique la plus spectaculaire est le fait qu'elle s'escamote en un rien de temps dans le plancher. Malheureusement, ce siège est lourd. Il faut une certaine force pour l'extirper de son nid et il se referme très rapidement par gravité. Attention à vos doigts !

Enfin, les portières électriques se sont avérées d'une extrême lenteur. À défaut d'avoir un bou-

ton d'activation le long du pilier B, les ingénieurs de Honda ont placé un commutateur dans le levier intérieur d'ouverture. Une légère pression et la portière se referme très, très, très lentement.

### Du sérieux

Rares sont les personnes qui se procurent une fourgonnette en raison de son agrément de conduite. Pourtant, le comportement routier et les prestations du moteur sont autant de raisons qui viennent s'ajouter au caractère pratique de cette Honda. Curieusement, ce n'est pas la puissance de son moteur ou encore la suspension arrière indépendante qui la démarquent davantage, ce sont surtout la précision de la direction et sa stabilité en ligne droite. De plus, dans les virages, elle tient bien le cap et les corrections du volant ne sont généralement pas nécessaires.

la moyenne, surtout lorsque la 3e banquette est déployée. Et, chose curieuse pour un produit Honda, notre modèle d'essai était affligé de quelques bruits de caisse, même si l'odomètre affichait moins de 9 000 km. Espérons qu'il s'agit d'une rare exception.

Malgré ces quelques réserves, cette Odyssey justifie son prix élevé par un équipement très complet tout en offrant un certain agréement de conduite et beaucoup de polyvalence. Il n'est pas surprenant qu'elle soit en forte demande, même si le prix de son modèle le plus économique est supérieur à celui de plusieurs concurrents directs.

*Denis Duquet*

---

### MODÈLES CONCURRENTS

- *Chevrolet Venture/Pontiac Montana*
- *Dodge Grand Caravan • Ford Windstar*
- *Kia Sedona • Mazda MPV • Toyota Sienna*

### QUOI DE NEUF ?

- *Nouvelle clé • Nouveau gicleur de lave-glace*
- *Vitre électrique automatique levée et abaissement*

### VERDICT

| | |
|---|---|
| **Agrément de conduite** | ★★★★ |
| **Fiabilité** | ★★★★ |
| **Sécurité** | ★★★★ |
| **Qualités hivernales** | ★★★⯪ |
| **Espace intérieur** | ★★★★⯪ |
| **Confort** | ★★★★ |

### ▲ POUR

- Tenue de route saine • Finition impeccable
- Habitacle polyvalent • Fiabilité rassurante
- Mécanique sophistiquée

### ▼ CONTRE

- Silhouette anonyme • Portières motorisées lentes
- Insonorisation perfectible • Siège escamotable lourd

# Esprit de famille

**Assez, c'est assez ! Honda a fini d'être un observateur dans la catégorie des véhicules utilitaires sport intermédiaires, l'une des plus lucratives sur le marché. Après avoir boudé ce créneau pendant que les autres engrangeaient les profits, ce constructeur va pouvoir bénéficier d'une demande toujours très forte grâce à l'arrivée du nouveau Pilot.**

C ette décision est d'autant plus logique que les éléments de base existaient déjà puisque l'Acura MDX, considéré comme la référence de la catégorie, sert d'élément de départ. La mécanique étant partagée entre les deux véhicules, restait aux stylistes et aux ingénieurs à harmoniser le tout.

Les stylistes maison n'apprécient pas tellement les carrosseries flamboyantes et les artifices visuels exagérés. Ce qui explique la présentation extérieure sobre, très sobre même. Il suffit de croiser un Pilot sur l'autoroute pour croire qu'il s'agit d'un CR-V

souffrant d'un problème glandulaire. Une analyse plus en détail permet de les différencier l'un de l'autre, la silhouette du Pilot étant plus anonyme. Peu de gens vont s'enflammer pour son look, mais cette discrétion devrait être appréciée au fil des ans.

La même remarque s'applique à la présentation de l'habitacle qui est d'une austérité quasiment germanique avec un tableau de bord dépouillé ayant pour seule interruption un centre de commandes de la climatisation et de la radio. Ici encore, pas de fla-fla. Heureusement, il y a les buses de ventilation avec leurs rangées d'ailettes horizontales, les

gros boutons de commande en position centrale et le moyeu du volant bordé de plastique de couleur titane pour ajouter un peu d'éclat à une présentation somme toute assez monotone.

En réponse aux demandes du public, trois rangées de sièges permettent d'accueillir sept ou huit personnes, selon le cas. La 3e rangée est naturellement réservée à des enfants. Pour sa part, la banquette centrale est confortable avec une assise assez haute. Des porte-verres dans les portières et sur l'appuie-bras permettront aux assoiffés de se désaltérer comme bon leur semble. Le confort des sièges avant est dans la norme bien que le support latéral soit moyen. Et le passager avant devra cohabiter avec une planche de bord dont la partie inférieure se prolonge jusqu'au plancher, ce qui enlève de l'espace pour les jambes.

## CARACTÉRISTIQUES

| | |
|---|---|
| **Prix du modèle à l'essai** | EX 41 000 $ |
| **Échelle de prix** | de 41 000 $ à 43 000 $ |
| **Assurances** | 728 $ |
| **Garanties** | 3 ans 60 000 km / 5 ans 100 000 km |
| **Emp. / Long. / Larg. / Haut. (cm)** | 270 / 477 / 195 / 18 |
| **Poids** | 2007 kg |
| **Coffre / Réservoir** | 461 à 2 557 litres / 72,7 litres |
| **Coussins de sécurité** | frontaux et latéraux |
| **Suspension avant** | indépendante, jambes de force |
| **Suspension arrière** | indép., liens multiples - bras tiré |
| **Freins av. / arr.** | disque ABS |
| **Système antipatinage** | oui |
| **Direction** | à crémaillère, assistance variable |
| **Diamètre de braquage** | 11,6 mètres |
| **Pneus av. / arr.** | P235/70R16 |

## MOTORISATION ET PERFORMANCES

| | |
|---|---|
| **Moteur** | V6 3,5 litres |
| **Transmission** | intégrale, automatique 5 rapports |
| **Puissance** | 240 ch à 2400 tr/min |
| **Couple** | 242 lb-pi à 4500 tr/min |
| **Autre(s) moteur(s)** | aucun |
| **Autre(s) transmission(s)** | aucune |
| **Accélération 0-100 km/h** | 9,2 secondes |
| **Reprises 80-120 km/h** | 7,5 secondes |
| **Vitesse maximale** | 175 km/h (limitée) |
| **Freinage 100-0 km/h** | 44,5 mètres |
| **Consommation (100 km)** | 12,6 litres (super) |
| • Valeur de revente | nouveau modèle |
| • Renouvellement du modèle | nouveau modèle |

Les 240 chevaux du V6 3,5 litres ne sont pas superflus puisque le Pilot pèse 2007 kg. Il peut quand même boucler le 0-100 km/h en 9,2 secondes et remorquer une charge maximale de 2041 kg. La boîte automatique figure également dans la tradition de la marque en effectuant les passages des rapports en douceur et en ne chassant pas inutilement dans les côtes. Par contre, la course du levier de vitesses monté sur la colonne est erratique et il n'y a pas de cran de résistance entre les positions « D » et « 3 ».

À part ces quelques irritants, l'habitacle est pratique, confortable et très bien fini, comme c'est la coutume chez ce constructeur. Et le Pilot est l'un des seuls véhicules capables de transporter l'incontournable feuille de contreplaqué 4X8 à plat dans la soute à bagages, une fois les deux rangées de bancs repliées, bien entendu.

### Esprit de famille

Le moteur V6 3,5 litres est identique à celui du MDX et produit lui aussi 240 chevaux tout en étant couplé à la même boîte automatique à 5 rapports. Pour respecter la hiérarchie des marques, le moteur du MDX produit 20 chevaux de plus en 2003. À quelques détails près, on retrouve également la même suspension indépendante à l'avant comme à l'arrière et le rouage intégral VTM-4 à gestion variable du couple. Ce dernier système fait appel à un embrayage multidisque à régulation électromagnétique. Il est géré par un ordinateur qui donne les « commandements » pour activer une répartition optimale du couple. Il est ainsi possible de répartir 52 % du couple aux roues arrière. De plus, lorsque la route est très glissante, on peut verrouiller l'essieu arrière au moyen d'un bouton monté sur le tableau de bord. Cette fonction peut être enclenchée à moins de 30 km/h en 1re et 2e vitesse et en marche arrière. Tests à l'appui, je puis témoigner de l'efficacité de ce système qui convient bien aux besoins de l'utilisateur moyen.

La fiche technique se complète par des freins ABS avec disque aux quatre roues et une direction à crémaillère à assistance variable. Soulignons en terminant qu'il s'agit d'un châssis monocoque avec

des renforts transversaux intégrés pour assurer plus de rigidité.

### Surdouée ?

Sur la route, le confort de la suspension et la tenue de route impressionnent. Ce n'est pas comparable à une berline, mais c'est supérieur aux Chevrolet TrailBlazer et Ford Explorer à châssis autonome. L'habitacle est bien insonorisé, les bruits de roulement bien filtrés. Seuls ceux du vent sont vraiment audibles. Les pneus 16 pouces de type 4 saisons ont une semelle davantage conçue pour la route que pour les bourbiers et se sont révélés un compromis acceptable. Leur profil de 70 leur permet d'augmenter le niveau de confort. Par comparaison, les pneus de 17 pouces à profil de 65 du MDX absorbent moins biens les trous et les bosses.

Il faut toutefois prendre note que malgré un comportement routier proche de celui d'une voiture, la garde au sol est de 20,3 cm. Ce centre de gravité plus élevé entre toujours en ligne de compte dans l'équation agrément de conduite/tenue de route en la réduisant d'autant.

Même si sa vocation première n'est pas d'être un baroudeur du désert, le Pilot se débrouille fort bien en conduite hors route. Son système de répartition de couple assure une bonne traction dans la boue tandis que sa garde au sol est assez haute pour franchir des obstacles moyens.

Tout vient à point à qui sait attendre et l'arrivée du Pilot en comblera plusieurs, malgré un stylisme conservateur et un prix élevé.

*Denis Duquet*

---

## MODÈLES CONCURRENTS

- *Chevrolet TrailBlazer/GMC Envoy • Ford Explorer*
- *Toyota Highlander*

## QUOI DE NEUF ?

- *Nouveau modèle*

## VERDICT

| | |
|---|---|
| **Agrément de conduite** | ★★★★ |
| **Fiabilité** | ★★★★ |
| **Sécurité** | ★★★★ |
| **Qualités hivernales** | ★★★★⯪ |
| **Espace intérieur** | ★★★★ |
| **Confort** | ★★★⯪ |

## ▲ POUR

- Finition impeccable • Rouage intégral efficace
- Moteur adéquat • Comportement routier équilibré
- Bonne habitabilité

## ▼ CONTRE

- Silhouette anonyme • Commandes de la radio
- Tissus des sièges à remplacer • Levier de vitesses récalcitrant

# HONDA S2000

# Émouvante et exigeante

Au cours des années 60, dans le but avoué de se tailler une réputation de motoriste, Honda avait soulevé la curiosité des amateurs en commercialisant des petites biplaces comme les S600 et S800, propulsées par de minuscules engins plus ou moins extrapolés des motos déjà très compétitives de ce constructeur. Après une longue éclipse, la filiation est claire entre la S2000 et ses illustres devancières.

Ce petit cabriolet aux lignes attirantes – particulièrement la proue, ciselée sur toutes ses facettes – reprend en effet l'architecture classique des petits roadsters de l'époque, soit deux places, les roues arrière motrices, et surtout, un moteur pouvant tourner à des régimes stratosphériques. Les ingénieurs n'ont en effet reculé devant aucun effort pour nous en mettre plein la vue et les oreilles. Jugez par vous-même : 120 chevaux au litre, un record en termes de puissance spécifique pour un moteur atmosphérique,

une ligne rouge presque négligemment tracée à 9 000 tr/min et un rapport poids/encombrement/cylindrée digne de la compétition. Des chiffres qui impressionnent même les européennes (voire italiennes) les plus blasées. Comme le groupe moto-propulseur est fixé derrière l'axe des roues avant, la répartition du poids est idéale à 50 % à chaque extrémité, avec les avantages que nous verrons en ce qui concerne le comportement routier.

Cette petite boule d'énergie représente en somme une vitrine technologique roulante pour ce

constructeur. La puissance du moteur passe en effet par un embrayage à simple disque, via une boîte manuelle à 6 rapports, jusqu'à un différentiel arrière de type Torsen. Le châssis comprend un large tunnel central pour lui permettre d'afficher une excellente rigidité, mais au détriment de l'habitabilité de la cabine. Avis d'ailleurs aux intéressés : ne se sent pas à l'aise qui veut, dans ce petit cabriolet. Si votre taille ne dépasse pas 1,90 m, vous réussirez tant bien que mal à trouver une position de conduite correcte et à déchiffrer, à travers le minuscule volant fixe, les quelques instruments comme le compteur de type digital pour la vitesse, et à diodes pour le tachymètre. Si votre tour de taille n'est pas trop imposant, vous réussirez à vous sentir à l'aise dans les petits baquets tendus de cuir. Tous les matériaux sont d'une qualité convaincante, et

**POUR TOUT SAVOIR**

## CARACTÉRISTIQUES

| | |
|---|---|
| Prix du modèle à l'essai | 48 600 $ |
| Échelle de prix | de 48 600 $ à 55 500 $ |
| Assurances | 891 $ |
| Garanties | 3 ans 60 000 km / 5 ans 100 000 km |
| Emp. / Long. / Larg. / Haut. (cm) | 240 / 412 / 175 / 128 |
| Poids | 1274 kg |
| Coffre / Réservoir | 152 litres / 50 litres |
| Coussins de sécurité | frontaux |
| Suspension avant | indépendante, leviers triangulés |
| Suspension arrière | indépendante, leviers triangulés |
| Freins av. / arr. | disque, ABS |
| Système antipatinage | non |
| Direction | à crémaillère, assistée |
| Diamètre de braquage | 10,8 mètres |
| Pneus av. / arr. | P205/55WR16 / P225/50WR16 |

## MOTORISATION ET PERFORMANCES

| | |
|---|---|
| Moteur | 4L 2 litres DACT 16 soupapes |
| Transmission | propulsion, manuelle 6 rapports |
| Puissance | 240 ch à 8 300 tr/min |
| Couple | 153 lb-pi à 7 500 tr/min |
| Autre(s) moteur(s) | aucun |
| Autre(s) transmission(s) | aucune |
| Accélération 0-100 km/h | 6,2 secondes |
| Reprises 80-120 km/h | 7,8 s (4e); 10,1 s (5e) |
| Vitesse maximale | 240 km/h |
| Freinage 100-0 km/h | 37 mètres |
| Consommation (100 km) | 9,9 litres (super) |
| • Valeur de revente | très bonne |
| • Renouvellement du modèle | n.d. |

variable, vive au milieu, et se calmant lorsque l'on tourne le volant vers les butées. Un vrai régal. Le freinage puissant et endurant complète parfaitement le portrait, sans que l'ABS intervienne trop abruptement. La visibilité est excellente, même la nuit grâce aux excellents phares au xénon, et le capot plonge tellement brutalement qu'il disparaît presque de votre vue. La capote assistée d'un mécanisme électrique demeure imperméable, même dans les lave-autos sous pression, et sa lunette arrière en verre renferme un dégivreur. Les

rigoureusement assemblés, mais l'ergonomie demande une certaine période d'adaptation. On retrouve par exemple un bien superflu bouton *starter* pour le moteur situé à gauche du volant alors que la clef de contact est à droite, ainsi que des contrôles redondants pour la chaîne stéréo, encore une fois à gauche du volant, la façade de la radio se dissimulant derrière un panneau. À trop vouloir faire original, on risque de se disperser inutilement, bien que de toute manière, on n'y pense déjà plus après avoir mis le moteur en marche.

### Une boîte à surprises

Première surprise, et de taille, le moteur ronronne comme un petit minet au ralenti, comme s'il s'agissait de celui d'une Civic. Deuxième surprise, la pédale d'embrayage douce et légère, et le lilliputien levier de vitesses qui sélectionne les rapports comme mû par votre seule volonté. Il faut vraiment l'essayer pour le croire. Troisième surprise; la puissance très mesurée jusqu'à 3 500 tr/min, légèrement supérieure à celle d'une Miata par exemple, mais très loin de celle d'un V6 de même puissance. Ensuite, court plateau jusqu'à près de 6 000 tr/min, où normalement la plupart de ses semblables commencent à s'essouffler. Mais pas celui-ci car, quatrième surprise, on a soudainement l'impression qu'un turbo se mêle à la partie, alors que c'est tout simplement l'entrée en scène du second jeu de cames de la culasse VTEC. Le moteur pousse alors un hurlement, comme s'il n'aspirait plus qu'à vous faire oublier la ligne rouge du compteur. Les accélérations sont honorables, sans être exceptionnelles;

vous pourrez descendre en deçà de 7 secondes pour le 0-100 km/h après quelques tentatives. L'exercice demeure envoûtant, mais demande de la concentration pour être bien mené, tout en étant particulièrement satisfaisant lorsqu'il est réussi. Heureusement que le châssis est, lui aussi, taillé pour cette gymnastique.

### Un bel équilibre

Car il est rare de rencontrer un cabriolet se comportant de la sorte, c'est-à-dire sans torsion, laissant les suspensions jouer pleinement leur rôle. La S2000 démontre un bel équilibre, conséquence bien entendu de sa parfaite répartition des masses, mais aussi de sa monte pneumatique très performante, sans que la taille des pneus sombre dans la caricature. La direction assistée électriquement est à pas

filets d'air sont bien contrôlés par un petit déflecteur derrière les sièges, et dans la plupart des circonstances, le bruit du moteur étouffe celui causé par les turbulences.

Argument non négligeable dans une inévitable comparaison avec certaines montures exotiques capricieuses, la S2000 est avant tout une Honda, c'est-à-dire que le fonctionnement de ses éléments mécaniques devrait être assuré pour une longue période, puisque de toute façon elle est garantie au même titre qu'une humble Civic. N'oubliez pas cependant que si elle peut faire de l'ombre à ses rivales sur le plan des performances pures, elle demande un effort constant pour en tirer la «substantifique moelle», et elle s'avère d'un inconfort de plus en plus difficile à supporter avec l'âge.

*Jean-Georges Laliberté*

---

### VERDICT

| | |
|---|---|
| **Agrément de conduite** | ★★★★⯪ |
| **Fiabilité** | ★★★★ |
| **Sécurité** | ★★★⯪ |
| **Qualités hivernales** | ★★ |
| **Espace intérieur** | ★★ |
| **Confort** | ★★★⯪ |

### ▲ POUR

• Moteur exceptionnel • Boîte d'horlogerie
• Châssis rigide • Lignes attractives
• Performances relevées

### ▼ CONTRE

• Moteur pointu • Rangement nul
• Certaines commandes gênantes
• Cabine exiguë

# Le « p'tit » nouveau

**Pendant que les chroniqueurs du jet-set s'émerveillaient sur la robustesse du Hummer H1 que pilo-tait Arnold Schwarzenegger et qui faisait la une des journaux à sensation, General Motors s'associait à la compagnie AMG, le constructeur du Hummer, pour développer un partenariat. Non seulement GM a obtenu les droits de distribution de cette marque partout dans le monde, mais elle a contri-bué au développement des modèles à venir. Le nouveau H2 est le fruit de cette collaboration.**

Il est non seulement plus petit que celui qui est maintenant identifié comme le H1, mais il n'a pratiquement rien en commun avec celui-ci. Et c'est tant mieux puisque ce dernier est très robuste, capable de passer pratiquement par-tout, mais d'un confort et d'une fiabilité pathéti-ques. Les concepteurs n'ont donc pas cru bon de con-server son caractère rustique. Sa largeur le rend très difficile à conduire en ville et son habitacle est très inconfortable. D'ailleurs, le véhicule le plus large sur nos routes est ironiquement celui dans lequel les occupants sont le plus à l'étroit. Bref, le Hummer ori-ginal est non seulement hors de portée sur le plan financier, mais peu adapté à une conduite de tous les jours. Toujours commercialisé, il sera donc rapi-dement éclipsé par son petit frère plus attrayant, vendu beaucoup moins cher et possédant d'excel-lentes caractéristiques en conduite hors route.

## Passe partout

Ses allures de matamores sur roues ne sont pas de la frime. Hors route, le H2 est presque impossible à stopper. Par exemple, sur une piste d'essai de GM au Michigan, j'ai escaladé des marches de béton de 36 pouces de hauteur, franchi un passage parsemé de roches énormes en plus de grimper sans effort une colline dont la pente était de 48 degrés. Ce der-nier exercice était facile en soi puisque ce Hum-mer peut négocier une pente de 60 degrés. Par con-tre, pas de système pour gonfler et dégonfler les pneus en roulant comme sur le H1. Après avoir réglé la pression d'air de façon manuelle en fonction du terrain, vous les gonflez de nouveau pour la route à l'aide d'un long tuyau relié à un compresseur situé à l'arrière. C'est moins *glamour*, mais ça fonctionne quand même. Toujours dans la même veine, il est également possible de commander votre H2 avec une suspension pneumatique.

Le H2 n'impressionne pas uniquement sur les pistes d'essai du constructeur. Un galop d'essai local sur une montagne en banlieue de Montréal, m'a démontré avec quelle aisance il a dompté des parcours qui avaient été problématiques pour d'autres VUS pourtant doués pour ce genre d'exer-cice. Dans la boue, les gravillons, les côtes abruptes et les rivières, rien ne l'arrête ou presque. Le H2 n'a

pas ce caractère à l'épreuve de tout de son aîné, mais c'est proche. Il est toutefois plus maniable en raison d'un plus faible gabarit.

Sur la route, le comportement est à la mesure de la silhouette. La suspension est assez ferme, mais c'est juste ce qu'il faut. En dépit d'un centre de gra-vité élevé, les virages sont relativement faciles à négocier avec un roulis à peine perceptible. Il faut ajouter que la voie large explique en bonne par-tie cette stabilité latérale. Par contre, la direction est plutôt imprécise au centre. Le pilote a l'impres-sion d'être au volant d'un Suburban dont la suspen-sion aurait été raffermie. Les reprises du moteur sont bonnes et le freinage correct.

## Du solide

Même s'il a été conçu dès le début pour répondre aux attentes des civils et non des militaires, le H2 demeure le véhicule le plus costaud sur le marché après le H1. Pour assurer toute la solidité nécessaire, son châssis est emprunté aux camionnettes et VUS de la série 2 500 de Chevrolet et GMC. Le moteur est le robuste V8 6 litres de 316 chevaux couplé à une boîte automatique à 4 rapports. Les performances sont adéquates malgré un poids frôlant les 3 000 kg. Il a été possible de boucler le 0-100 km/h en un peu plus de 12 secondes, une performance acceptable. La consommation est malheureusement à la mesure du poids du véhicule et de la cylindrée du moteur

avec une moyenne observée de 19,5 litres au 100 km. Le réservoir de 125 litres ne sera certainement pas superflu.

Les ingénieurs n'ont également pas lésiné sur les moyens pour lui permettre de franchir les obstacles les plus difficiles grâce à un rouage intégral très sophistiqué. La transmission intégrale assure une répartition moyenne de 60/40 la plupart du temps. Selon les conditions du terrain, il est possible de bloquer la distribution du couple avant/arrière à 50/50 en verrouillant le différentiel

central. Le différentiel arrière peut également être verrouillé. En fait, au toucher de quelques boutons, le conducteur peut choisir parmi huit options de réglages différents concernant la transmission de la puissance aux roues. De plus, les angles d'attaque et de départ, 40,4 et 39,6 degrés respectivement, sont sans égaux chez la concurrence, un avantage dans les terrains accidentés. Bien entendu, les parties mécaniques sont protégées par une multitude des boucliers placés sous le véhicule et si jamais vous abîmez un élément placé sous le véhicule, c'est sans doute que vous avez sauté dans un profond ravin.

### Une brique sur roues

Les stylistes aiment souvent raconter qu'un élément de la nature ou de leur environnement les a inspirés dans le dessin de la silhouette. Cette fois, il semble que ce soit une brique ou une livre de

## CAUCHEMAR URBAIN

Si la conduite d'un Hummer H2 sur l'autoroute est une expérience pratiquement sans histoire, une virée en ville n'est pas toujours de tout repos. Tant par son format qui rend le stationnement cauchemardesque que par la curiosité qu'il suscite, ce mastodonte risque de compliquer considérablement vos déplacements urbains. Parlez-en à un collègue qui a mis près de deux heures à aller chercher une simple « pinte » de lait. Bref, pour chaque heure passée au volant, il faut prévoir une autre heure pour répondre aux questions des badauds qui n'en finissent plus de s'étonner en voyant arriver le H2 dans le paysage automobile. Peint en jaune par surcroît, notre Hummer aurait volé la vedette à n'importe quelle Ferrari, aussi rouge eût-elle été.

Après avoir rassasié la curiosité populaire, il vous faudra résoudre le problème du stationnement. Deux facteurs rendent le H2 difficile à garer : il est énormément large et la visibilité n'est pas terrible. Ses 206 cm de largeur excèdent de 40 cm la dimension d'une Toyota Echo et de 24 cm celle d'un Jeep Liberty. On parle ici d'une largeur excédentaire considérable lorsque ce géant sur roues est stationné le long d'un trottoir. Et encore si la manœuvre était facile... Or, juché sur son promontoire, le conducteur est placé si haut et la surface vitrée est si étroite que l'on a beaucoup de difficulté à jauger ce qui se trouve dans l'environnement immédiat du H2. J'ai d'ailleurs failli transformer en accordéon une Miata garée juste derrière le Hummer pour la simple raison que je ne l'avais absolument pas vue.

Si une balade sur la route se solde en général par une consommation moyenne de 17 litres aux 100 km, la ville est beaucoup plus exigeante en matière de consommation. L'ordinateur de bord affichera jusqu'à 30 litres aux 100 km (trois fois plus que notre Toyota Echo) si jamais les embouteillages sont nombreux.

Sans empiéter sur les impressions de conduite hors route de mon collègue Denis Duquet, je dirais que le H2 fait preuve de bonnes manières sur autoroute et que son confort est plutôt surprenant. Je persiste à croire cependant qu'un moteur diesel eût été le bienvenu dans ce Hummer à la place de l'insatiable V8 de 6 litres. La clientèle ne semble toutefois pas contrariée puisque, au moment d'écrire ces lignes, un concessionnaire de Montréal avait déjà vendu plus de 50 H2 à un prix excédant les 70 000 $. Gageons que ces coûteux joujoux passeront plus de temps à faire du tape-à-l'œil rue Crescent qu'à explorer l'environnement aride du Grand Nord.

*Jacques Duval*

### CARACTÉRISTIQUES

| | |
|---|---|
| Prix du modèle à l'essai | H2 72 745 $ |
| Échelle de prix | de 70 745 $ à 72 745 $ |
| Assurances | n.d. |
| Garanties | 3 ans 60 000 km / 5 ans 100 000 km |
| Emp. / Long. / Larg. / Haut. (cm) | 312 / 482 / 206 / 198 |
| Poids | 2 909 kg |
| Coffre / Réservoir | 694 litres / 125 litres |
| Coussins de sécurité | frontaux et latéraux |
| Suspension avant | indépendante, barres de torsion |
| Suspension arrière | essieu rigide, multibras |
| Freins av. / arr. | disque, ABS |
| Système antipatinage | oui |
| Direction | à billes, assistance variable |
| Diamètre de braquage | 13,3 mètres |
| Pneus av. / arr. | LT315/70R17 |

### MOTORISATION ET PERFORMANCES

| | |
|---|---|
| Moteur | V8 6 litres |
| Transmission | intégrale, automatique 4 rapports |
| Puissance | 316 ch à 5 200 tr/min |
| Couple | 360 lb-pi à 4 000 tr/min |
| Autre(s) moteur(s) | aucun |
| Autre(s) transmission(s) | aucune |
| Accélération 0-100 km/h | 12,8 secondes |
| Reprises 80-120 km/h | 11,1 secondes |
| Vitesse maximale | 165 km/h |
| Freinage 100-0 km/h | n.d. |
| Consommation (100 km) | 19,5 litres (ordinaire) |
| Niveau sonore | Ralenti : 44,6 dB |
| | Accélération : 74,2 dB |
| | 100 km/h : 69,0 dB |

extérieures permettraient de le croire. Elles sont toutes aussi difficiles d'accès et la présence d'un marchepied amovible est la bienvenue. Toutefois, il faut enlever ces mêmes marchepieds si on désire rouler de façon agressive horsroute faute de quoi ils risquent d'être endommagés. Il faut bien quelques minutes pour les déboulonner et je suis persuadé que les vrais amateurs de 4X4 vont se lasser de les enlever à tout bout de champ. Il faut de plus déplorer le fait que le volume de la soute à baga-

beurre qui a été leur muse. C'est beaucoup plus raffiné que le H1, mais il faudra aller voir ailleurs pour trouver un soupçon de subtilité Les angles de la carrosserie sont moins prononcés, les portières plus larges et dotées de poignées plus stylisées. L'habitacle est de même inspiration avec une planche de bord garnie d'éléments en plastique fini aluminium. C'est du toc, mais ça donne à l'ensemble un feeling industriel assez réussi. Soulignons au passage que le levier de vitesses ressemble à la manette des gaz d'un avion et sa prise en main

est assez peu confortable. De plus, l'indicateur du positionnement de la boîte affiché au tableau de bord est très difficile à lire.

Les occupants des places avant peuvent y prendre leurs aises. Les sièges sont confortables et le dégagement pour les jambes, les coudes et la tête plus que généreux. Pour monter à bord, il faut lever la jambe allègrement, car c'est un véhicule haut sur pattes et les poignées d'accès sont fort utiles pour grimper dans l'habitacle En revanche, les places arrière ne sont pas aussi spacieuses que les dimensions

ges soit amputé de près du tiers de sa capacité par la présence d'une immense roue de secours placée à la verticale.

Bref, ce nouvel Hummer est un digne héritier du premier en fait de style, de prouesses hors route tout en le surpassant en fait de confort et de tenue de route. Donc, même si la marque est représentée par un seul concessionnaire au Québec, il est certain que le « petit » éclipsera son grand frère très facilement.

*Denis Duquet*

---

## MODÈLES CONCURRENTS

*Aucun*

**HUMMER**

## VERDICT

| | |
|---|---|
| **Agrément de conduite** | ★★★↙ |
| **Fiabilité** | *nouveau modèle* |
| **Sécurité** | ★★★★↙ |
| **Qualités hivernales** | ★★★★★ |
| **Espace intérieur** | ★★★★↙ |
| **Confort** | ★★★ |

### ▲ POUR

• Châssis robuste • Transmission intégrale efficace
• Dessous bien protégé • Suspension pneumatique en option • Moteur bien adapté

### ▼ CONTRE

• Dimensions encombrantes • Consommation excessive • Accès à bord difficile
• Direction floue au centre • Diffusion limitée

# Sortez la loupe

**Les dirigeants de Hyundai doivent beaucoup à l'Accent; notamment de leur permettre de faire figurer la marque au H stylisé au sommet du palmarès des ventes de sous-compactes au Québec. Ils lui sont aussi redevables du fait qu'elle représente une part plus qu'importante de leurs ventes totales au pays.**

Alors si vous avez moins de 15 000 $ à consacrer à l'achat d'un véhicule neuf, la Hyundai Accent se retrouvera assurément sur votre liste de magasinage.

En apparence, l'offre de Hyundai ne manque pas d'attraits (dégagement intérieur accru, prix attractif), mais allez y voir de plus près... Demandez par exemple à obtenir la servo-direction, le climatiseur ou la transmission automatique, autant d'accessoires qui refusent de monter à bord de la version vendue (et annoncée à grand renfort de publicité) pour moins de 13 000 $. Une fois de plus, la calculette est le meilleur ami de l'acheteur.

Avant de visiter l'habitacle, deux mots sur l'aspect extérieur partiellement redessiné cette année. Comme en font foi nos documents photographiques, phares, calandre, carénage et feux portent tous le sceau de la nouveauté.

## Berline ou coupé ?

Histoire de faire mentir les apparences, la berline et le coupé à hayon arrière ouvrant affichent à peu de chose près les mêmes dimensions et le même empattement, de sorte que le volume intérieur de ces deux véhicules ne présente guère de différence. Donc, peu importe le style de carrosserie, les places arrière sont relativement confortables mais toujours aussi difficiles d'accès. Par ailleurs, on s'étonne toujours que la version à hayon ne dispose pas d'un coffre à bagages aussi volumineux que celui de la berline. Curieux! Cependant, le hayon est toujours pourvu d'une ouverture béante qui facilite le chargement, et il demeure toujours possible de rabattre en tout ou en partie le dossier de la banquette arrière pour faciliter le transport des objets encombrants.

Maintenant, l'aménagement intérieur. Commençons par la position de conduite agréable (un peu ferme, rouspéteront certains), heureux contraste avec la négligence dont font preuve certains

## CARACTÉRISTIQUES

| | |
|---|---|
| **Prix du modèle à l'essai** | GS 14 495 $ |
| **Échelle de prix** | de 12 395 $ à 15 245 $ |
| **Assurances** | 626 $ |
| **Garanties** | 3 ans 60 000 km / 5 ans 100 000 km |
| **Emp. / Long. / Larg. / Haut. (cm)** | 244 / 423 / 167 / 139 |
| **Poids** | 992 kg |
| **Coffre / Réservoir** | 375 litres / 45 litres |
| **Coussins de sécurité** | frontal (conducteur) |
| **Suspension avant** | indépendante, jambes élastiques |
| **Suspension arrière** | indépendante, leviers transversaux |
| **Freins av. / arr.** | disque (ABS en option) |
| **Système antipatinage** | non |
| **Direction** | à crémaillère |
| **Diamètre de braquage** | 9,7 mètres |
| **Pneus av. / arr.** | P185/60R14 |

## MOTORISATION ET PERFORMANCES

| | |
|---|---|
| **Moteur** | 1,6 litre |
| **Transmission** | manuelle 5 rapports |
| **Puissance** | 106 ch à 5 800 tr/min |
| **Couple** | 107 lb-pi à 3 000 tr/min |
| **Autre(s) moteur(s)** | aucun |
| **Autre(s) transmission(s)** | automatique 4 rapports |
| **Accélération 0-100 km/h** | 10,5 secondes |
| **Reprises 80-120 km/h** | n.d. |
| **Vitesse maximale** | 180 km/h |
| **Freinage 100-0 km/h** | 43,2 mètres |
| **Consommation (100 km)** | 9,5 litres (ordinaire) |

| | |
|---|---|
| • **Valeur de revente** | moyenne |
| • **Renouvellement du modèle** | 2005 |

cier pour sa maniabilité (son diamètre de braquage est étonnamment court) qui la rend diaboliquement agile en milieu urbain.

En dépit de ses rachitiques pneus d'origine (P155/80R13), l'Accent se comporte joyeusement, car sa suspension indépendante lui permet de négocier les virages sans trop prendre de roulis et d'absorber les ondulations de la route avec aplomb pour une automobile de cette catégorie. Pour plus de « frissons », il est préférable d'opter pour la livrée GSi qui reçoit une suspension plus ferme et une monte

concurrents dans ce domaine pourtant fondamental. En effet, de série, le baquet du conducteur se règle en hauteur.

Avec sa sous-compacte, la direction de Hyundai au Canada fait taire, de nouveau, ceux qui lui reprochent de ne construire que des véhicules bon marché. La décoration intérieure plastifiée deux tons (couleur et texture) de l'Accent charme l'œil, mais se révèle en outre d'une belle facture. Bref, la qualité est au rendez-vous et la finition plus minutieuse qu'auparavant. Les principales commandes et instruments se regroupent dans l'environnement immédiat du conducteur et les espaces de rangement (vide-poches, console centrale, coffre à gants) sont nombreux et pratiques.

Deux qualificatifs que l'on ne peut accoler à l'équipement de série, alors que plusieurs accessoires offerts contre supplément nous rendraient la vie plus agréable, dans les modèles à hayon surtout. Un exemple ? En voici deux qui feront l'affaire : le lave-glace/essuie-glace de lunette arrière (offert uniquement dans la GSi) et l'ouverture télécommandée du hayon (absente au rayon des options des modèles hayon). Plus désolant encore : seul le conducteur a droit à la protection d'un coussin de sécurité gonflable. Inadmissible !

### Un pas en avant

Sur le plan technique, la GS, le modèle de base, abandonne le 4 cylindres 1,5 litre de 92 chevaux au profit d'un 1,6 litre (106 chevaux), jadis exclusif aux seules GSi et GL. Contrairement au 1,5 litre, ce moteur à double arbre à cames en tête fait bon

ménage avec la transmission automatique à 4 rapports offerte en option. Toutefois, pour s'assurer d'accélérations et de reprises intéressantes, mieux vaut arrimer cette mécanique à la transmission manuelle à 5 rapports. Cette dernière, autrefois talon d'Achille de l'Accent, a nettement progressé, même si la synchronisation demeure encore un brin déficiente.

Volant en main, l'Accent se révèle une automobile honnête, sans plus. La direction de la livrée de base est toujours privée d'un précieux mécanisme d'assistance. À moins de vouloir vous faire des bras, mieux vaut retenir ses services. C'est 400 $. Cela dit, la tenue de cap s'avère sans histoire (à condition que le vent ne souffle pas trop fort sur ses tôles) et la caisse bien suspendue considérant la vocation (et le prix) de l'auto. L'Accent se fera en outre appré-

pneumatique plus performante (P185/60R14). Deux ingrédients qui permettent de retarder l'apparition du sous-virage (train avant qui chasse à l'extérieur du virage) et de rendre la conduite plus agréable, plus incisive.

Le système de freinage (disques à l'avant et tambours à l'arrière) ne peut toujours pas être doublé d'un dispositif ABS. Dommage, car la stabilité en situation d'urgence s'en ressent, surtout sur une chaussée détrempée.

Fiable, agile et économique à l'achat comme à la pompe, l'Accent mérite considération. Méfiez-vous cependant de son alléchant prix de base, car il exclut nombre d'atouts précieux.

*Éric LeFrançois*

---

### MODÈLES CONCURRENTS

• *Kia Rio* • *Toyota Echo*

### QUOI DE NEUF ?

• *Remodelage de la carrosserie*
• *Abandon du moteur 1,5 litre*

### VERDICT

| | |
|---|---|
| **Agrément de conduite** | ★★★ |
| **Fiabilité** | ★★★ |
| **Sécurité** | ★ |
| **Qualités hivernales** | ★★★⯪ |
| **Espace intérieur** | ★★★ |
| **Confort** | ★★★ |

### ▲ POUR

• **Rapport qualité/prix** • **Moteur 1,6 litre**
• **Comportement routier sans surprise**

### ▼ CONTRE

• **Plusieurs options (GS)** • **Pas de coussin**
**de sécurité pour le passager avant**
• **Pneus de piètre qualité**

# À la recherche du temps perdu

**Ah! le merveilleux monde des voitures compactes. Au Québec, la concurrence y est très féroce et les produits offerts, par conséquent, généralement d'une qualité irréprochable. Les Japonais, spécialistes dans le domaine, se sont rapidement fait rattraper à la fois par les Américains et par les Coréens, et même l'ingénieux retour du hayon, initié par Subaru mais vraiment relancé par la Mazda Protegé5, a une fois de plus jeté de l'huile sur le feu. Heureusement pour Hyundai, cette conjoncture s'est produite au même moment où la qualité de ses produits ne souffrait plus d'une réputation qui a tenu bien des acheteurs potentiels loin de ses salles de montre.**

L'Elantra et, surtout, l'Elantra GT, sont issus de ce mouvement. Et le perpétuent, car la qualité de ce modèle ne réside pas seulement dans le prix abordable de la version de base, mais aussi dans l'ingéniosité du mélange qui ne compromet pas l'utilité au profit d'un prix moins élevé. Et, pourquoi pas, dans le bon goût des dessinateurs. Ils ont reproduit une miniberline qui pourrait, dans des proportions un peu plus généreuses, donner lieu à une berline aux allures prestigieuses.

Les gros phares clairs logés aux coins du bouclier avant, la calandre, sévère, qui donne naissance à deux rainures fuyant sur le capot et les panneaux latéraux proéminents donnent du galbe à un véhicule qui ne manque pas de muscle. Et

dans le cas de l'Elantra GT, celle qui profite du hayon, vous bénéficierez en plus d'un espace de rangement additionnel très intéressant. Les chiffres de ventes de ces nouvelles cinq portes indiquent d'ailleurs que les acheteurs sont déjà renseignés à ce sujet...

### Un 2 litres sobre
En fait, à 140 chevaux, le 4 cylindres qui anime l'Elantra est l'un des plus puissants de sa catégorie. C'est du moins la puissance que déclarait le constructeur avant de se faire prendre en flagrant délit d'exagération quant aux statistiques de ses moteurs. À tel point que cet élément d'information est disparu de la fiche technique de l'Accent. Mais puisque le couple affiché est de 132 lb-pi et qu'il est généralement un peu inférieur

## CARACTÉRISTIQUES

| | |
|---|---|
| Prix du modèle à l'essai | 17 995 $ |
| Échelle de prix | de 15 295 $ à 21 495 $ |
| Assurances | 700 $ |
| Garanties | 3 ans 60 000 km / 5 ans 100 000 km |
| Emp. / Long. / Larg. / Haut. (cm) | 261 / 449,5 / 172 / 142,5 |
| Poids | 1217 kg |
| Coffre / Réservoir | 367 litres / 55 litres |
| Coussins de sécurité | frontaux |
| Suspension avant | indépendante, jambes élastiques |
| Suspension arrière | essieu semi-rigide |
| Freins av. / arr. | disque / tambour |
| Système antipatinage | non |
| Direction | à crémaillère, assistée |
| Diamètre de braquage | 10 mètres |
| Pneus av. / arr. | P195/60R15 |

## MOTORISATION ET PERFORMANCES

| | |
|---|---|
| Moteur | 4L 2 litres |
| Transmission | traction, manuelle 5 rapports |
| Puissance | 140 ch à 6 000 tr/min (estimé) |
| Couple | 133 lb-pi à 4 800 tr/min |
| Autre(s) moteur(s) | aucun |
| Autre(s) transmission(s) | aucune |
| Accélération 0-100 km/h | 10,5 secondes |
| Reprises 80-120 km/h | 8,6 secondes |
| Vitesse maximale | 185 km/h |
| Freinage 100-0 km/h | 43,2 mètres |
| Consommation (100 km) | 8,1 litres (ordinaire) |
| • Valeur de revente | moyenne |
| • Renouvellement du modèle | n.d. |

de constater qu'on peut en mettre beaucoup dans un si petit véhicule. Seul hic, ne songez pas à inviter un cinquième passager à bord, à moins qu'il soit de taille très raisonnable ou qu'il aime les contacts. La banquette arrière est très confortable pour deux passagers, mais trois...

### Le bon filon

Bref, l'Elantra et l'Elantra GT offrent tout ce dont a besoin une petite famille pour pouvoir apprécier les week-ends et autres occasions de sortie. Avec un

à la puissance réelle, il est facile d'en arriver à une conclusion.

Donc même si les ingénieurs de Hyundai ne semblent pas forts en calcul, l'Elantra est quand même plus puissante que la majorité de ses concurrentes. Les Focus, Cavalier, Protegé et autres Corolla ne font jamais plus de 115, voire 125 chevaux, à moins qu'on opte pour un modèle mieux équipé, dans certains cas. Heureux hasard, ce 2 litres est également l'un des plus économiques à la pompe, derrière la Corolla, qui a un appétit d'oiseau. Il est vrai, toutefois, qu'il pourrait vous décevoir si vous désirez, disons, monter sur la Côte-Nord par Charlevoix et vous taper les côtes abruptes qui vous en séparent. Car il a tendance à s'essouffler bien vite. Dommage.

Par comparaison, la Focus familiale ou la Protegé5 vous attireront sûrement davantage si vous êtes de ceux pour qui la conduite est une seconde nature. L'Elantra ne laisse pas sa place, il va sans dire, mais une tenue de route limitée, peut-être en raison de pneus de moins bonne qualité, freine les ardeurs rapidement. À ce chapitre, sachez que la GT tire mieux son épingle du jeu, grâce à une suspension qui a été revue pour tenir compte d'une éventuelle charge plus imposante à l'arrière. Pour tout dire, à plus de 1000 $ de moins sur le prix de base des deux modèles, l'Elantra GT vous offrira une expérience de conduite très rentable.

### Boîte manuelle ?

Et de toute façon, il ne s'agit pas d'un créneau où l'aspect «performance» est considérable. À moins de

mettre quelques milliers de dollars sur d'autres accessoires, s'entend. Car l'une des premières choses à faire, dans ce cas-là, serait d'investir dans une nouvelle transmission manuelle. La course entre les rapports est très longue et, à moins de vouloir flatter les genoux du passager en même temps que vous passez en 5e, vous ne l'apprécierez peut-être pas.

Hormis cela, l'habitacle n'a pas grand-chose à se faire reprocher. L'équipement de série est généreux et comprend même un volant et un pommeau de levier de vitesses enrobés de cuir, dans le modèle à hayon. Le volant inclinable et le dossier de la banquette rabattable à l'arrière ne sont que des exemples de ce qu'offre de série l'Elantra. Pour tout dire, l'habitacle de cette compacte brille par sa simplicité mais aussi par son ergonomie. Il est impressionnant

prix très acceptable et une fiabilité qui serait en net contraste avec celle des véhicules Hyundai des années 80, si l'on se fie au prix de revente de ces produits qui ne cesse d'augmenter, il semblerait que le constructeur coréen ait frappé le bon filon. Enfin, l'acheteur qui ne désire pas y laisser sa chemise possède, au Québec, un choix de berlines compactes qui ne manque pas d'attrait. L'Elantra en est le parfait exemple.

*Alain Mc Kenna*

## MODÈLES CONCURRENTS

- *Chevrolet Cavalier* • *Ford Focus* • *Honda Civic*
- *Kia Spectra* • *Mazda Protegé* • *Nissan Sentra*
- *Pontiac Sunfire* • *Toyota Corolla*

## QUOI DE NEUF ?

- *Nouveaux pneus Michelin (GE/VL)*
- *Système d'alarme et télédéverrouillage (VL)*

## VERDICT

| | |
|---|---|
| **Agrément de conduite** | ★★★⯪ |
| **Fiabilité** | ★★★★ |
| **Sécurité** | ★★★⯪ |
| **Qualités hivernales** | ★★★★ |
| **Espace intérieur** | ★★★★ |
| **Confort** | ★★★⯪ |

## ▲ POUR

- **Prix abordable** • **Modèle GT spacieux**
- **Fiabilité accrue** • **Bon rapport qualité/prix**

## ▼ CONTRE

- **Pneus de qualité moyenne** • **Transmission manuelle peu agréable** • **Radio exécrable**

# Le bout du monde, c'est chez nous !

**Et ce n'est pas avec le Santa Fe de Hyundai que cette sage parole perdra son sens. Tant qu'à revenir à la maison après un long et périlleux périple, aussi bien y demeurer ! C'est moins fatigant et vous ne risquerez pas d'embourber votre Santa Fe dans la première rigole venue. Heureusement, le Santa Fe a d'autres qualités pour se faire apprécier.**

Cet utilitaire sport apparu il y a déjà deux ans puisait ses origines dans le châssis d'une Sonata. De là à affirmer qu'il s'agit plus d'une auto que d'un camion, il n'y a qu'un pas que je franchirai allègrement. Hyundai, sans doute bien conscient de ne pas posséder un bélier mécanique, offre depuis l'année dernière le Santa Fe en mode traction uniquement. Et selon un dirigeant de l'entreprise coréenne, la demande dépasse les capacités de production. Les gens ont-ils finalement compris qu'une traction intégrale ne réglait pas tous les problèmes du monde ?

Si ce n'était d'un volant un peu trop horizontal qui rappelle un International 1952 et d'une position de conduite aussi facile à trouver qu'un bleuet dans une Cherry Blossom, l'illusion de se balader dans une automobile haute sur pattes plutôt que dans un camion serait à peu près parfaite. Sur la route, le confort s'avère notable et l'insonorisation surprenante. Sur route fortement bosselée, par contre, la tenue de route nous ramène à la dure réalité des véhicules utilitaires sport. En conduite rapide sur un sentier recouvert de trous, de bosses et d'un peu d'asphalte, il faut jouer du

volant pour conserver la trajectoire. Et si l'envie vous prenait de tourner brutalement, ayez une petite pensée pour la pauvre suspension avant écrasée sous les quelque 1 600 kg du véhicule. Le centre de gravité élevé accentue cette impression (réalité plutôt !) d'écrasement. Sport, le Santa Fe ? Du tout.

### À deux ou à quatre pattes ?
En termes de performances, la version traction (roues avant motrices seulement) à moteur V6 permet de réaliser l'incontournable 0-100 km/h en 9,7 secondes, soit une grosse seconde de moins que la version intégrale. La consommation aussi s'en ressent agréablement. De 13 litres aux 100 km, on passe à moins de 12. Voilà quelques chiffres qui parlent d'eux-mêmes. À moins d'habiter sur une

### CARACTÉRISTIQUES

| | |
|---|---|
| Prix du modèle à l'essai | GL V6 24 445 $ (2002) |
| Échelle de prix | de 21 050 $ à 29 850 $ (2002) |
| Assurances | 797 $ |
| Garanties | 3 ans 60 000 km / 5 ans 100 000 km |
| Emp. / Long. / Larg. / Haut. (cm) | 262 / 450 / 182 / 167,5 |
| Poids | 1610 kg |
| Coffre / Réservoir | de 864 à 2 209 litres / 65 litres |
| Coussins de sécurité | frontaux |
| Suspension avant | indépendante, jambes élastiques |
| Suspension arrière | indépendante, jambes élastiques |
| Freins av. / arr. | disque (ABS sur GLS seulement) |
| Système antipatinage | non |
| Direction | à crémaillère, assistée |
| Diamètre de braquage | 11,9 mètres |
| Pneus av. / arr. | P225/70R16 |

### MOTORISATION ET PERFORMANCES

| | |
|---|---|
| Moteur | V6 2,7 litres |
| Transmission | traction, auto. 4 rap. (mode semi-manuel) |
| Puissance | 170 ch à 6 000 tr/min |
| Couple | 177 lb-pi à 4 000 tr/min |
| Autre(s) moteur(s) | 4L 2,4 litres 138 ch |
| Autre(s) transmission(s) | man. 5 rapports (4L) |
| Accélération 0-100 km/h | 9,7 secondes |
| Reprises 80-120 km/h | 6,8 secondes |
| Vitesse maximale | 174 km/h |
| Freinage 100-0 km/h | 37,2 mètres |
| Consommation (100 km) | 11,8 litres (ordinaire) |
| • Valeur de revente | moyenne |
| • Renouvellement du modèle | n.d. |

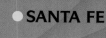

le design du tableau de bord ne laisse personne indifférent. Les rondeurs et les arêtes sont proéminentes et l'ensemble fait un peu trop ado au goût de certains et pas assez pour d'autres ! Les plastiques proviennent de la compagnie Tchipamorre et le tissu des sièges pourrait être plus discret. Parlant des sièges, autant ceux à l'avant sont confortables, autant ceux à l'arrière ne sont pas gentils pour les fesses et le dos. Tout comme les espaces de rangement, l'équipement ne fait pas défaut. L'énumérer ici prendrait trop d'espace, mais il est fort à

montagne, avez-vous vraiment besoin d'autant de roues motrices ? Autrement dit, à quoi ça sert de posséder une chaîne stéréo de 1 000 watts si vous habitez dans un deux et demie ?

Deux moteurs sont proposés. Le 4 cylindres de 2,4 litres offre 138 chevaux tandis que le V6 de 2,7 litres, plus généreux, présente 170 équidés, 11 de moins que la publicité le suggérait avant que la tactique de Hyundai ne soit découverte. Je n'ai pu essayer le 4 cylindres, mais si je me fie aux chiffres du V6, les dépassements devraient s'effectuer sur autoroute uniquement ! Ce dernier moteur est associé à une transmission manuelle à 5 rapports tandis que le V6 est combiné à une automatique à 4 rapports qui possède le douteux privilège du Shiftronic, ce semblant de transmission manuelle. Quiconque voulant jouer du levier pour améliorer ses départs est prié de noter qu'il arrive que le mode manuel s'amuse à « monter » de la 1re à la 3e vitesse tout seul dès que le régime moteur grimpe le moindrement. On se retrouve alors avec une chute brutale de puissance et c'est le contraire de l'effet désiré qui se produit. C'est à la fois frustrant et dangereux. Autrement, l'automatique fonctionne doucement, aidant ainsi le conducteur à oublier le mode manuel.

Si le Santa Fe n'a rien de sportif, il n'a rien non plus d'un utilitaire pur et dur. Le système de traction intégrale distribue, dans des conditions normales, 60 % du couple aux roues avant. Mais ce pourcentage varie dès qu'une roue perd de la motricité. Le tout se fait sans l'intervention du conducteur. Lors d'un match comparatif dont le

compte rendu a paru dans *Le Guide de l'auto 2002*, le Santa Fe à rouage intégral, malgré une garde au sol plutôt élevée. s'était classé en avant-dernière position devant un Honda CR-V à bout de souffle et, ex aequo, un Kia Sportage déprimant.

### Rue principale, dimanche après-midi...

Lorsque vient le temps d'attirer les regards, le Santa Fe ne donne pas sa place. Bien qu'on se soit habitué à sa silhouette potelée, il s'en dégage toujours un petit côté Tonka qui plaît à l'œil (au mien en tout cas !). Surtout lorsqu'il est habillé d'une couleur pâle qui fait ressortir les plastiques gris anthracite de la grille avant, des moulures de bas de caisse et des imposants pare-chocs. Un support de toit vient ajouter la touche finale. À l'intérieur,

propos de mentionner les trois prises électriques 12 volts.

Le Santa Fe de Hyundai n'est ni sportif ni vraiment utilitaire. Cependant, il a su, et saura, attirer plusieurs acheteurs. Sa frimousse de jouet, son confort et son habitabilité (plus de 2 200 litres d'espace de chargement, sièges arrière rabattus, c'est du grand vide !) plaident pour lui. D'un autre côté, son manque d'aptitudes sportives et tout-terrain, le nom Hyundai et une fiabilité encore loin d'être parfaite lui coûteront bien des ventes. Ou des locations. Et à cause des petits bobos qui apparaissent sur le Santa Fe comme des boutons d'acné chez un adolescent, un engagement de quatre ans me semble suffisant.

*Alain Morin*

### MODÈLES CONCURRENTS

• Ford Escape • Honda CR-V • Jeep Liberty
• Suzuki Grand Vitara • Toyota RAV4

### QUOI DE NEUF ?

• Plaque protectrice pour tous les modèles
• Retouches au tableau de bord • Climatiseur et vitres teintées de série sur tous les modèles V6

### VERDICT

| | |
|---|---|
| Agrément de conduite | ★★★ |
| Fiabilité | ★★⯪ |
| Sécurité | ★★★★ |
| Qualités hivernales | ★★★ |
| Espace intérieur | ★★★★⯪ |
| Confort | ★★★★ |

### ▲ POUR

• Heureux mariage V6/traction • Intérieur fort logeable • Confort agréable • Nombreux espaces de rangement

### ▼ CONTRE

• Traction intégrale limitée • Freinage insuffisant
• Fiabilité incertaine • Sièges arrière rébarbatifs
• Poids important

# HYUNDAI SONATA

# Une certaine petite roche...

« Ce n'est pas la montagne qui arrête l'alpiniste. C'est plutôt la petite roche dans son soulier... » dit un proverbe. Il faut admettre que lorsque Hyundai a dévoilé sa première Sonata en 1989, la concurrence s'est contentée de donner un coup de pied sur le caillou. Entre une Honda Accord et une Sonata de l'époque, le choix n'était pas bien difficile ! Maintenant, le caillou commence à déranger...

Tout d'abord, admettons que la Sonata est fort jolie, ce qui ne manque pas d'impressionner dans une salle de montre. Ses phares à la Mercedes, sa partie arrière imitant Jaguar et l'équilibre de l'ensemble en font une voiture qui donne plutôt dans le haut de gamme. Par exemple, les feux arrière, la nuit venue, ressemblent à des feux d'artifice ou à des fontaines de lumière selon l'humeur poétique du moment ! Les poignées des portières sont particulièrement massives et sem-

blent très solides, un détail qui entraîne assurément un impact psychologique chez l'acheteur potentiel.

Une fois les portières ouvertes, on se retrouve devant un intérieur plus banal mais qui inspire néanmoins le luxe. Remarquez que je n'ai pas écrit « respire » le luxe, mais bien « inspire », toute une nuance ! La position de conduite se trouve facilement, gracieuseté d'un siège aux réglages électriques. Tous les instruments et cadrans se trouvent là où l'on s'attend à les trouver et seule la

radio, avec ses minuscules boutons, détonne. Heureusement, au moment où vous lirez ces lignes, un nouvel appareil, infiniment moins complexe, aura pris place au tableau de bord des Sonata 2003.

### C'est pas beau mentir...
La Hyundai Sonata se présente en 3 versions : GL, GLV6 et GLX. La GL a droit à un 4 cylindres en ligne à double arbre à cames en tête de 2,4 litres. Malgré une puissance modeste de 138 chevaux en regard d'un poids de 1 476 kilos, les performances ne laissent pas trop à désirer grâce à un couple de 147 lb-pi disponible à 3 000 tr/min seulement. La GL roule sur des pneus de 15 pouces tandis que le freinage est assuré par des disques à l'avant et des tambours à l'arrière. Compte tenu

## CARACTÉRISTIQUES

| | |
|---|---|
| Prix du modèle à l'essai | GLX 26 495 $ (2002) |
| Échelle de prix | de 21 595 $ à 26 590 $ (2002) |
| Assurances | 556 $ |
| Garanties | 3 ans 60 000 km / 5 ans 100 000 km |
| Emp. / Long. / Larg. / Haut. (cm) | 270 / 475 / 182 / 142 |
| Poids | 1 476 kg |
| Coffre / Réservoir | 398 litres / 65 litres |
| Coussins de sécurité | frontaux |
| Suspension avant | indépendante, jambes élastiques |
| Suspension arrière | indépendante, leviers longitudinaux |
| Freins av. / arr. | disque, ABS |
| Système antipatinage | non |
| Direction | à pignon et crémaillère |
| Diamètre de braquage | 11,6 mètres |
| Pneus av. / arr. | P205/60HR16 |

## MOTORISATION ET PERFORMANCES

| | |
|---|---|
| Moteur | V6 2,7 litres |
| Transmission | auto. 4 rapports (Shiftronic) |
| Puissance | 170 ch à 6 000 tr/min |
| Couple | 181 lb-pi à 4 000 tr/min |
| Autre(s) moteur(s) | 4L 2,4 litres 138 ch |
| Autre(s) transmission(s) | aucune |
| Accélération 0-100 km/h | 9,2 secondes |
| Reprises 80-120 km/h | 6,8 secondes |
| Vitesse maximale | 200 km/h |
| Freinage 100-0 km/h | 40,7 mètres |
| Consommation (100 km) | 10,5 litres (ordinaire) |
| • Valeur de revente | moyenne |
| • Renouvellement du modèle | n.d. |

on peut réussir le 0-100 km/h en 9,2 secondes et les reprises 80-120 km/h en 6,8. Ce qui n'impressionnera pas beaucoup les propriétaires de Porsche mais qui est amplement suffisant pour une utilisation sécuritaire et agréable. Les quatre freins à disque (sans ABS) bloquent aussi rapidement qu'ils s'échauffent. Donc pas de folies à faire de ce côté.

En fait, la seule fois où j'ai laissé échapper des gros mots envers la Sonata, c'est au moment de faire le plein d'essence. Après le premier déclic du bec verseur, il faut cesser immédiatement de verser

des réticences émises plus loin sur les capacités de ralentissement de la Sonata, je doute beaucoup de leur efficacité. Au moins, l'équipement de base s'avère fort relevé et même la plus prolétaire des Sonata a droit à la transmission automatique à 4 rapports avec mode manuel Shiftronic, au climatiseur, au régulateur de vitesse, aux glaces et rétroviseurs électriques et à bien d'autres bonbons. La version GLV6 reçoit quelques atouts supplémentaires dont un moteur V6 (vous l'auriez deviné !) de 2,7 litres développant 170 chevaux et un couple de 181 lb-pi à 4 000 tr/min. Si vous avez déjà lu des chiffres plus élevés dans différentes publicités, non, vous n'avez pas la berlue. Hyundai s'était « trompée » ! Des freins à disque aux quatre coins cachés par des roues de 16 pouces et des jantes en alliage d'aluminium ainsi que des phares antibrouillards complètent le tout. Enfin, la GLX offre tous les attraits de la GLV6 avec, en plus, divers éléments de luxe et, ô bonheur suprême, des freins à disque aux quatre roues avec ABS désormais offerts en équipement de série.

### Douce platitude

Sur la route, nous avons affaire à une berline calme pour ne pas dire plate. Dans la Sonata GLX essayée, le silence de roulement étonnait et n'eût été que de quelques bruits de vent et de la ceinture du passager qui, lorsqu'elle était inutilisée, cognait allègrement sur le pilier central au moindre virage à gauche, la note aurait été encore plus élevée. Parlant de virage à gauche, signalons que la Sonata peut aussi tourner vers la droite au moyen d'une

direction bien dosée quoique un peu floue au centre. Au châssis solide de sa Sonata, Hyundai a accroché des suspensions indépendantes calibrées confort plutôt que sport. Lorsqu'on la pousse à ses limites en virage, on sent que l'avant ne désire pas tourner. Comme mon ado lorsqu'il se voit OBLIGÉ par ses ingrats de parents de sortir les poubelles, la voiture finit toujours par obéir mais pas avant de s'être avachie en maugréant. L'un s'écrase sur un sofa, l'autre sur sa suspension ! Tant qu'à être dans le mobilier, mentionnons que les sièges de la Sonata manquent vraiment de support latéral. Il faut cependant avouer que ses réactions en courbe sont beaucoup mieux maîtrisées que celles de la Magentis, la cousine presque jumelle de chez Kia.

Côté moteur, le V6 de 2,7 litres bon pour 170 chevaux ne procure pas d'accélérations atomiques, mais

sinon la moindre goutte supplémentaire débordera. Ce détail a été confirmé par un pompiste et, à son avis, aucune autre voiture n'est aussi capricieuse à ce chapitre.

Si vous n'avez pas conduit de produit Hyundai depuis la Stellar, il commencerait à être temps de vous refaire une idée sur cette compagnie coréenne. Certes, les Sonata ne possèdent pas le même raffinement ni la même fiabilité ni la même valeur de revente que leurs rivales nippones, mais elles sont maintenant presque collées à leur pare-chocs arrière. Et elles affichent une gueule que leurs rivales n'ont pas !

*Alain Morin*

---

## MODÈLES CONCURRENTS

- Chevolet Malibu • Chrysler Sebring • Ford Taurus
- Honda Accord • Kia Magentis • Mazda 6
- Nissan Altima • Saturn L • Toyota Camry

## QUOI DE NEUF ?

- Nouvelle radio • ABS de série dans GLX
- Pneus Michelin pour tous les modèles
- Légères retouches à l'intérieur

## VERDICT

| | |
|---|---|
| Agrément de conduite | ★★★⯪ |
| Fiabilité | ★★⯪ |
| Sécurité | ★★★ |
| Qualités hivernales | ★★★⯪ |
| Espace intérieur | ★★★★ |
| Confort | ★★★★ |

## ▲ POUR

- Coffre fort logeable • Performances pertinentes
- Ligne copiée mais bien copiée • Espace intérieur intéressant • Tenue de route décente

## ▼ CONTRE

- Suspensions mollasses • Coffre et capot demandant du muscle • ABS pour élite seulement • Réservoir d'essence capricieux • Réputation de Hyundai

# Arrivée à maturité

**Plusieurs fidèles lecteurs et fins observateurs se sont interrogés sur l'absence de la Hyundai Tiburon dans *Le Guide de l'auto 2002*. La raison en était fort simple : elle n'existait pas au catalogue du constructeur sud-coréen. Complètement redessiné, ce coupé revient en force après une année sabbatique profitable. Cette interruption a valu à la Tiburon un second départ fort prometteur.**

Naguère voiture à vocation sportive aux lignes tourmentées et, avouons-le, complètement ratées, elle se présente cette année dans la peau d'une vraie voiture sport au style racé. On avait maintes et maintes fois répété que l'ancienne Tiburon risquerait de se démoder rapidement. L'arrivée du nouveau modèle ne fera qu'accentuer la tendance. Et c'est bien malheureux pour ceux qui l'ont adoptée... Ce qu'elle était laide, mais laide !

Il faut toutefois reconnaître que cette première Tiburon, dont l'ancêtre avait pour nom Scoupe (mauvais souvenir, direz-vous), a constitué une porte d'entrée pour Hyundai dans un créneau où les prétendants n'ont jamais manqué.

Mais là, c'est du sérieux. Le rôle de figuration est terminé pour le constructeur sud-coréen, bien déterminé à malmener les Toyota Celica, Acura RS-X, Honda Civic Si et Mitsubishi Eclipse, considérées comme les plus sérieuses rivales de la Tiburon.

Le premier coup d'œil, plutôt favorable, se prête à toutes sortes de comparaisons... et parmi les plus flatteuses. Les formes de la nouvelle Tiburon ne sont pas sans rappeler celles des Ferrari 456 GT ou 550 Maranello. Tant qu'à choisir une inspiration, aussi bien copier ce qui se fait de plus beau. Évidemment, ce petit rapprochement se limite à l'esthétique. D'ailleurs, vous pourriez acheter une dizaine de Tiburon pour le prix d'une Maranello !

N'empêche que cet exercice de style – pas très catholique – lui a fait un bien énorme. La Tiburon est dorénavant un coupé magnifique qui suscite beaucoup d'enthousiasme. Pour appuyer cet élan de maturité, Hyundai s'est aussi appliquée à revoir bon nombre des composantes mécaniques du modèle.

## Un V6 sous le capot

Pour la première fois, la Tiburon comptera sur la contribution d'un moteur V6. Ce 2,7 litres n'est pas inconnu puisqu'on le trouve dans les modèles Sonata et Santa Fe. Cet engin équipera les versions GT et le flambeau de la gamme, la GS-R, à laquelle on a confié une boîte manuelle à 6 rapports.

Si le moteur a beau afficher une belle sonorité et une douceur plus que respectable, on doit reconnaître ses limites. Ses accélérations sont soutenues et ses reprises relativement franches, d'accord, mais on serait porté à en exiger davantage, surtout chez une voiture sport. Comparée à une Acura RS-X type S, la référence dans cette catégorie, la nouvelle Tiburon concède presque 1 seconde au 0-100 km/h.

On constate donc que ce V6 convient davantage aux plus gros modèles de la marque et un moteur qui semble plus à l'aise à partir des 4 000 tr/min. La boîte manuelle à 6 rapports, quoique précise, doit donc être utilisée fréquemment en conduite sportive, ce qui n'est pas une sinécure en raison de sa manipulation difficile. Au point même qu'on se demande si la Tiburon a vraiment besoin d'un 6e rapport, souvent inutile.

Quant au châssis, rehaussé, il procure un sentiment de sécurité un peu particulier. Sur les tracés sinueux, la voiture reste droite, sans chercher à s'incliner dans les courbes, conséquence d'une tenue de route ferme, trop ferme à certains égards. Sur les routes bosselées de notre beau réseau routier québécois, elle a plutôt mal réagi aux imperfections de la chaussée.

Les pneus de 17 pouces contribuent à maintenir la voiture sur sa trajectoire, mais c'est le confort qui en souffre. Éternel débat... La direction a une

Denis Duquet de ce monde, la nouvelle Tiburon n'est sûrement pas le véhicule idéal. La cabine s'adresse à des gens de taille moyenne, en raison principalement de son faible dégagement au niveau de la tête.

Les places arrière sont symboliques ou destinées à de jeunes enfants, non seulement en raison de l'espace pour les jambes très restreint, mais aussi de la faible hauteur du hayon. La banquette arrière est d'ailleurs plus fonctionnelle lorsqu'elle est rabattue (50/50), car cela permet d'augmenter l'espace cargo.

saveur sportive, mais on souhaiterait, à haute vitesse, qu'elle procure une meilleure sensation du train avant. Bonne note toutefois pour les freins qui ont répondu efficacement à nos plus dures sollicitations.

Toutes les versions de la Tiburon sont proposées avec quatre freins à disque, mais le système ABS n'est de série qu'à l'achat de la GT et de la GS-R. Encore une fois, la sécurité a un prix si vous optez pour une Tiburon plus modeste.

### SE : le bon compromis

Si Hyundai s'est limitée à nous faire conduire les modèles GT et GS-R lors de la présentation aux journalistes, ce reportage ne serait pas complet sans consacrer quelques paragraphes à la version SE qui, a conservé le moteur 4 cylindres de 2 litres du concept original.

Notre évaluation est surprenante. Bien sûr, le V6 apporte une nouvelle dimension à la Tiburon, mais la version bas de gamme a fait mentir sa répu-

tation. Elle ne souffre d'aucun complexe en performances. Certes, le 4 cylindres de la SE n'a pas la sonorité du V6, mais ses performances ne constituent pas un inconvénient majeur. Le 2 litres n'a concédé qu'à peine 1,2 seconde au V6 lors de notre test d'accélération.

De plus, la boîte manuelle (à 5 rapports cette fois) s'est avérée beaucoup plus douce.

Moins chère à l'achat et surtout moins gourmande en consommation, la SE mérite des considérations. Hyundai prévoit d'ailleurs que la SE constituera plus de la moitié des ventes de la nouvelle Tiburon. Et si vous voulez notre avis, la Tiburon sans becquet à l'arrière est encore plus belle !

### Un vrai coupé 2 + 2

La sportive de Hyundai respecte son appartenance à la catégorie des coupés 2+2. Sa position de conduite est basse et l'accès à sa cabine exige un cours de gymnastique 101. Pour tous les gabarits imposants, les

Grâce à un nouveau dispositif multiréglage du fauteuil, le conducteur peut enfin adopter une position de conduite idéale. Les deux sièges à l'avant offrent un confort agréable grâce à leur bon maintien, même en conduite sportive.

La situation se complique toutefois en ce qui concerne la visibilité – particulièrement de ¾ arrière –, car la Tiburon se montre vulnérable dans les

## CARACTÉRISTIQUES

| | |
|---|---|
| **Prix du modèle à l'essai** | GS-R 28 795 $ |
| **Échelle de prix** | de 19 995 $ à 28 795 $ |
| **Assurances** | 660 $ |
| **Garanties** | 3 ans 60 000 km / 5 ans 100 000 km |
| **Emp. / Long. / Larg. / Haut. (cm)** | 253 / 440 / 176 / 133 |
| **Poids** | 1 368 kg |
| **Coffre / Réservoir** | 418 litres / 55 litres |
| **Coussins de sécurité** | frontaux et latéraux |
| **Suspension avant** | indépendante, jambes élastique |
| **Suspension arrière** | indépendante, leviers transversaux |
| **Freins av. / arr.** | disque (ABS GT et GS-R) |
| **Système antipatinage** | oui |
| **Direction** | à crémaillère, assistée |
| **Diamètre de braquage** | 10,9 mètres |
| **Pneus av. / arr.** | P215/45R17 |

## MOTORISATION ET PERFORMANCES

| | |
|---|---|
| **Moteur** | V6 2,7 litres DACT 24 soupapes |
| **Transmission** | manuelle 6 rapports |
| **Puissance** | 170 ch à 6 000 tr/min |
| **Couple** | 177 lb-pi à 4 000 tr/min |
| **Autre(s) moteur(s)** | 4L 2 litres 134 ch |
| **Autre(s) transmission(s)** | man. 5 rap.; auto. 4 rap. |
| **Accélération 0-100 km/h** | 8,1 s; 9,3 s (4L) |
| **Reprises 80-120 km/h** | 8,3 secondes (3e) |
| **Vitesse maximale** | 220 km/h |
| **Freinage 100-0 km/h** | 42,5 mètres |
| **Consommation (100 km)** | 11 l; 8,6 l (4 l) (ordinaire) |
| **Niveau sonore** | n.d. |

manœuvres de stationnement. La présence de l'imposant aileron de la version GS-R nuit également au champ de vision.

Le tableau de bord remanié mérite nos éloges. La lecture y est spontanée grâce à un groupe d'instruments faciles à consulter. Hyundai a mis du temps à répondre aux critiques, mais les fameuses commandes minuscules de la radio ont été enfin abandonnées au profit de boutons plus énergiques. Ce qui était une corvée dans l'ancienne Tiburon est maintenant devenu un plaisir...

De cette nouvelle voiture, on retient sa finition en net progrès. Hyundai se rapproche bon an mal an des productions nippones les plus enviables.

On aurait toutefois souhaité l'utilisation de meilleurs matériaux dans l'habitacle, certains ingrédients faisant, disons, bon marché dans certains cas. À la défense de la Tiburon, notons que Nissan n'a pas fait beaucoup mieux avec la 350Z...

L'équipement de série de la Tiburon est alléchant, comme Hyundai nous y a habitués au cours des dernières années. Elle offre sans supplément

le compte-tours, la radio AM/FM avec lecteur CD, des miroirs de courtoisie sous les deux pare-soleil et les phares antibrouillards.

Et pour ajouter au caractère sportif, on peut aussi compter sur des pédales en métal livrées en option dans les versions GT et GS-R. Somme toute, la nouvelle Tiburon mérite d'être connue. Sans être extraordinaire, elle représente une option plus qu'acceptable. Et, en optant pour une version moins extravagante, vous en aurez sûrement plus pour votre argent.

***Louis Butcher***

## MODÈLES CONCURRENTS

• Acura RS-X • Honda Civic SiR • Mitsubishi Eclipse
• Toyota Celica

## VERDICT

| | |
|---|---|
| **Agrément de conduite** | ★★★★ |
| **Fiabilité** | ★★★⯪ |
| **Sécurité** | ★★★⯪ |
| **Qualités hivernales** | ★★★ |
| **Espace intérieur** | ★★⯪ |
| **Confort** | ★★⯪ |

## ▲ POUR

• **Modèle SE attrayant** • **Ligne élégante**
• **Finition en progrès** • **Sièges avant confortables**
• **Performances raisonnables**

## ▼ CONTRE

• **Moteur sage (V6)** • **Boîte 6 rapports récalcitrante**
• **Châssis peu sportif** • **Places arrière symboliques**
• **Confort limité**

# Des progrès marqués

L'arrivée de la XG300 sur notre marché en 2001 s'est effectuée dans la plus grande discrétion. La compagnie semblait mal à l'aise de nous présenter cette berline intermédiaire qui était presque une voiture de luxe. Après tout, les mots Hyundai et luxe n'avaient jamais été associés auparavant. Cette timidité a même poussé la direction à ne pas lancer cette voiture sous son vrai nom. Sur le marché coréen, elle est connue comme étant la « Grandeur XG ». En Amérique, on a sagement décidé de laisser tomber le terme « Grandeur » et cette voiture est devenue la XG300 avant de se convertir en XG350 l'an dernier.

Cette décision s'explique facilement. Avec une appellation aussi grandiloquente pour une berline aux formes inspirées des limousines britanniques d'autrefois, les loustics se seraient payé de jolis calembours. Cette silhouette est toujours hors normes, mais il s'en dégage un petit look rétro qui lui confie des airs de voiture de cadre intermédiaire.

Mais l'élément le plus important à souligner est la progression réalisée au cours des 24 derniers mois en ce qui concerne la qualité de finition et d'assemblage. Dans le jargon du métier, ça s'appelle des « changements en cours de production » ou *running changes* pour avoir le mot juste. Sans que le constructeur l'annonce, la qualité des matériaux s'améliore, l'assemblage se fait plus sérieux et plusieurs éléments mécaniques sont l'objet de multiples révi-

sions. Il semble donc que la XG350 n'a pas uniquement reçu un nouveau moteur en 2002.

Je me souviens très bien de ma première prise de contact avec la XG300 à l'automne 2001. La tristesse de la présentation intérieure et le caractère très artificiel des appliques de bois sur la planche de bord étaient pathétiques. Ajoutez à cela une boîte de vitesses automatique hésitante à froid et une suspension qui nous dévoilait ses limites à la première courbe prise à une allure un peu rapide. Bref, c'était une voiture qui voulait jouer les berlines huppées sans en avoir ni les qualités ni la capacité.

La situation a heureusement changé depuis ce temps. La silhouette demeure toujours aussi rococo, mais certains apprécient ce profil d'exception. Par contre, tel que mentionné précédemment, l'habitacle s'est beaucoup amélioré. On note de petits

## CARACTÉRISTIQUES

| | |
|---|---|
| Prix du modèle à l'essai | 32 495 $ |
| Échelle de prix | 32 495 $ |
| Assurances | 1 010 $ |
| Garanties | 3 ans 60 000 km / 5 ans 100 000 km |
| Emp. / Long. / Larg. / Haut. (cm) | 275 / 486 / 182 / 142 |
| Poids | 1 635 kg |
| Coffre / Réservoir | 410 litres / 70 litres |
| Coussins de sécurité | frontaux et latéraux |
| Suspension avant | indépendante, jambes élastiques |
| Suspension arrière | indépendante, leviers transversaux |
| Freins av. / arr. | disque, ABS |
| Système antipatinage | oui |
| Direction | à crémaillère, assistée |
| Diamètre de braquage | 10,8 mètres |
| Pneus av. / arr. | P205/60HR16 |

## MOTORISATION ET PERFORMANCES

| | |
|---|---|
| Moteur | V6 3,5 litres |
| Transmission | traction, automatique 5 rapports |
| Puissance | 194 ch à 5 500 tr/min |
| Couple | 216 lb-pi à 3 500 tr/min |
| Autre(s) moteur(s) | aucun |
| Autre(s) transmission(s) | aucune |
| Accélération 0-100 km/h | 9 secondes |
| Reprises 80-120 km/h | 6,7 secondes |
| Vitesse maximale | 200 km/h |
| Freinage 100-0 km/h | 43,9 mètres |
| Consommation (100 km) | 11,4 litres (ordinaire) |

| | |
|---|---|
| • Valeur de revente | moyenne |
| • Renouvellement du modèle | 2004-2005 |

droite pour ensuite se déplacer vers la roue gauche. C'est facile à contrôler, mais il faut être conscient du phénomène en conduite hivernale. Soulignons au passage que le système antipatinage est à l'égal du reste de la mécanique.

Compte tenu du rapport poids/puissance de cette berline, les 9 secondes nécessaires pour boucler le 0-100 km/h figurent dans la bonne moyenne. Une boîte automatique répondant avec un peu plus d'empressement permettrait de grignoter quelques dixièmes. L'utilisation du mode manuel ne fait que

détails comme la qualité des plastiques, des portières qui ferment mieux, des sièges un peu plus fermes, bref une meilleure exécution que précédemment. On n'atteint pas le niveau de qualité d'une Mercedes, mais c'est quand même joliment bien ficelé pour une voiture de ce prix.

Pour réussir à se faire considérer comme une automobile de catégorie supérieure, la XG350 ne lésine pas sur les moyens pour nous séduire. Sellerie en cuir, débauche d'appliques en bois sur la console, transmission automatique 5 rapports avec possibilité de passage des vitesses en mode manuel, freins à disque aux quatre roues, système antipatinage, suspension indépendante aux quatre roues et j'en passe. Il ne faut pas oublier non plus le moteur V6 3,5 litres d'une puissance de 194 chevaux même si c'est un peu faiblard compte tenu de la cylindrée. À titre de comparaison, la Nissan Maxima est équipée d'un moteur de cylindrée identique qui développe 61 chevaux de plus.

Grâce à une bonne habitabilité et à des sièges confortables, conducteur et passagers n'auront pas à se plaindre au cours de longs trajets. La ventilation et le chauffage sont efficaces et la chaîne audio d'une sonorité acceptable. Reste à savoir si ce plumage de luxe au premier degré est soutenu par un comportement routier acceptable.

### « Béhème » coréenne ?
Si vous rêvez d'aller inquiéter les conducteurs de BMW ou de Mercedes avec votre coréenne endimanchée, vous allez rapidement perdre vos illusions. La XG350 offre les prétentions et la fiche technique

de la catégorie, mais les prestations de véhicules de prix et de calibre inférieurs. Elle devra même s'incliner devant une Camry V6, une Nissan Maxima et plusieurs autres modèles similaires.

Il ne faut pas en conclure pour autant que ce modèle soit fortement déficient en fait de comportement routier. C'est tout simplement que la XG350 se débrouille honnêtement en conduite de tous les jours, mais ne peut s'imposer lorsque les vitesses augmentent. La suspension est confortable la plupart du temps et vous apprécierez l'insonorisation et la douceur du moteur lorsque vous circulerez sur la grand-route.

Mais dès que vous piloterez avec un peu plus de fougue, la voiture va rapidement dévoiler les défauts de sa cuirasse. À l'accélération, un effet de couple dans le volant se manifeste tout d'abord à

souligner davantage le « temps de réponse » de la boîte. Ce qui est sans doute une qualité compte tenu que la suspension s'affaisse dès la négociation du premier virage serré tandis que le fait de rouler à une certaine vitesse sur une route bosselée se traduit par un tangage persistant. Et si jamais vous devez freiner d'urgence, sachez que la pédale est spongieuse et la distance d'immobilisation plus longue que la moyenne.

Pour apprécier la XG350 à sa juste valeur, il faut tenir compte de son prix de vente, de son équipement complet, du confort de l'habitacle et de la souplesse de sa suspension. Elle plaira donc davantage aux amateurs de voitures américaines pour qui ces qualités priment. Les purs et durs de la conduite sportive devront aller voir ailleurs.

*Denis Duquet*

## MODÈLES CONCURRENTS
• Acura TL • Chrysler Sebring • Honda Accord V6
• Mazda 6 • Nissan Maxima • Toyota Camry V6

## QUOI DE NEUF ?
• Aucun changement majeur

## VERDICT
| | |
|---|---|
| Agrément de conduite | ★★★⯪ |
| Fiabilité | ★★★⯪ |
| Sécurité | ★★★⯪ |
| Qualités hivernales | ★★★⯪ |
| Espace intérieur | ★★★⯪ |
| Confort | ★★★★ |

## ▲ POUR
• Finition améliorée • Habitacle confortable
• Équipement complet • Moteur adéquat

## ▼ CONTRE
• Transmission lente • Roulis en virage
• Performances moyennes • Silhouette rétro
• Système Shiftronic inutile

# INFINITI G35

COUP DE CŒUR

# La BMW 330 terrassée

**Considérée depuis longtemps comme la championne des berlines sport, la BMW 330i a eu sa large part d'imitateurs au fil des années. Jusqu'ici toutefois, personne n'était parvenu à la déloger de la plus haute marche du podium. Que ce soit Audi, Mercedes, Acura, Lexus ou Jaguar, aucun constructeur n'avait réussi à lui ravir son titre tant convoité de meilleure berline à vocation sportive. Il aura fallu que Nissan, par l'entremise de sa filiale Infiniti, se mette au travail pour que la BMW 330i trouve finalement chaussure à son pied. La nouvelle G35 s'est même permis le luxe de l'humilier sur son terrain de prédilection, un circuit routier.**

Notre match comparatif vous en dira plus long à ce sujet, mais la performance tous azimuts n'est pas l'unique vertu de cette Infiniti. Dérivée de l'excellente Nissan Skyline GT-R (non vendue en Amérique) et partageant le même châssis que le superbe coupé sport 350Z, la G35 est une voiture bien née. C'est d'abord une propulsion, un atout indéniable pour venir jouer dans le parc des berlines

sport. Elle s'enrichit également d'un des meilleurs moteurs au monde, un fabuleux V6 à double arbre à cames en tête de 3,5 litres développant 260 chevaux, 35 de plus que la BMW 330. Ce moteur repose pratiquement en retrait de l'essieu avant afin d'améliorer l'équilibre des masses. Dommage que l'on ne puisse l'admirer qu'en maintenant le capot ouvert au moyen d'une béquille bon marché peu commode. La seule véritable ombre au tableau

toutefois est que cette belle cavalerie n'était offerte qu'avec la transmission automatique à 5 rapports au moment de mon essai. Fort heureusement, une boîte manuelle à 6 rapports identique à celle du récent coupé G35 est au programme pour le début de 2003. Des freins à disque ventilé aux quatre coins, une suspension multibras en aluminium à quatre roues indépendantes et une direction à crémaillère complètent une fiche technique bien relevée.

Cette belle mécanique est mise en valeur par une carrosserie affichant une cote aérodynamique exceptionnelle avec un Cx de seulement 0,26. Si l'on y ajoute l'aileron arrière qui accompagne l'option Aero, Infiniti nous assure que l'effet de cabrage est ramené à 0° sur le train avant. Avec un empattement supérieur de 15 cm à celui des BMW de Série 3, la G35 échappe à la critique majeure adressée à

POUR TOUT SAVOIR

## CARACTÉRISTIQUES

| | |
|---|---|
| Prix du modèle à l'essai | Berline Aéro 46 900 $ |
| Échelle de prix | de 39 400 $ à 46 900 $ |
| Assurances | 1 390 $ |
| Garanties | 4 ans 100 000 km / 6 ans 100 000 km |
| Emp. / Long. / Larg. / Haut. (cm) | 285 / 474 / 175 / 147 |
| Poids | 1 524 kg |
| Coffre / Réservoir | 419 litres / 76 litres |
| Coussins de sécurité | frontaux et latéraux |
| Suspension avant | indépendante, leviers transversaux |
| Suspension arrière | multibras, barres stabilisatrices |
| Freins av. / arr. | disque ventilé, ABS |
| Système antipatinage | oui |
| Direction | à crémaillère, assistée |
| Diamètre de braquage | 11 mètres |
| Pneus av. / arr. | P215/55R17 |

## MOTORISATION ET PERFORMANCES

| | |
|---|---|
| Moteur | V6 DACT 3,5 litres |
| Transmission | propulsion, auto. 5 rap. + mode man. |
| Puissance | 260 ch à 6 000 tr/min |
| Couple | 260 lb-pi à 4 800 tr/min |
| Autre(s) moteur(s) | aucun |
| Autre(s) transmission(s) | man. 6 rapports (2003 ½) |
| Accélération 0-100 km/h | 7,1 secondes |
| Reprises 80-120 km/h | 5,9 secondes |
| Vitesse maximale | 240 km/h (limitée) |
| Freinage 100-0 km/h | 39,2 mètres |
| Consommation (100 km) | 10,8 litres (super) |
| • Valeur de revente | nouveau modèle |
| • Renouvellement du modèle | n.d. |

Ce n'est pas tant le moteur de la G35 qui impressionne mais son impeccable châssis qui élimine totalement la sensation bien particulière que l'on éprouve au volant d'une voiture japonaise. Enlevez les emblèmes Infiniti et n'importe quel conducteur se croira au volant d'une voiture allemande, solide, silencieuse et rivée à la route. Même la direction a perdu sa légèreté habituelle et seul le freinage semble un peu en retrait.

Essayée dans sa version Aero avec une suspension sport et des pneus de 17 pouces, la G35

ses rivales allemandes voulant que les places arrière soient vraiment exiguës. Et comme si tout cela n'était pas suffisant pour distancer la 330i, Infiniti propose sa nouvelle venue à un prix inférieur de 10 000 $ à celui de sa cousine germanique.

### Un mauvais départ

Tout cela avait pourtant bien mal commencé. La G35 est en effet affublée d'une ergonomie désastreuse que l'on croirait imaginée par des ingénieurs de chez Saab tellement les commandes usuelles se réfugient dans des endroits contraires à la pratique courante. En prenant livraison de la voiture, j'ai sacré un bon bout de temps avant de trouver les boutons de réglage électrique des sièges du côté droit près de la console centrale. Comme on est pratiquement assis sur lesdits boutons, les conducteurs corpulents auront un mal de chien à régler leur siège, aussi confortable soit-il. Ensuite, c'est au tour du bouton de réglage des rétroviseurs extérieurs de se laisser chercher derrière le volant. Parmi les autres petites contrariétés de l'aménagement intérieur, on peut mentionner la position saugrenue du repose-pied. À moins d'avoir les jambes d'un joueur de basket, il est impossible d'y poser son pied gauche en occupant une position de conduite normale. Et cette affreuse chose qui pendouille sous le tableau de bord, c'est le frein d'urgence qui devrait normalement se trouver sur la console comme dans toute berline sport qui se respecte. Sur une note plus positive, on ne peut passer sous silence la présence d'un volant qui se règle en hauteur en même temps que le bloc des instruments et d'une série d'aérateurs

orientables en forme de barillet. La climatisation par ailleurs peut être réglée à des degrés différents côté conducteur et passager et un petit écran servant au système de navigation par satellite sort de la console au simple toucher d'un bouton. Et que dire de la banquette arrière à dossier inclinable !

### Une arrivée triomphale

Ce n'est toutefois qu'en prenant le volant de la G35 que l'on découvre son vrai caractère. Au départ, la transmission automatique marque un léger temps de réponse, mais la fougue du moteur permet de vite rattraper la demi-seconde perdue. Avec ou sans antipatinage, cette Infiniti ne fait jamais de surplace et coiffe le 0-100 km/h en 7,1 secondes tout en disposant d'un couple moteur qui s'acquitte des reprises de façon spectaculaire.

ne s'est pas montrée réfractaire à nos revêtements délabrés et le confort est resté très acceptable. Il est sans doute partiellement imputable aux Goodyear RSA qui sont particulièrement efficaces sous la pluie, tout comme d'ailleurs les gicleurs de lave-glace que l'on a eu la brillante idée de monter sur les balais. En dépit d'une monte pneumatique conservatrice axée sur la douceur, la voiture affiche une tenue de route plus tenace et surtout moins pointue que celle d'une BMW 330i.

En conclusion, les mêmes ingénieurs méritent une accolade pour avoir réussi à accomplir avec la G35 ce qu'aucun n'avait réussi à ce jour, c'est-à-dire faire plier l'échine à la prestigieuse BMW 330i.

*Jacques Duval*

---

#### MODÈLES CONCURRENTS

• Audi A4 3,0 • BMW 330i • Cadillac CTS
• Jaguar X-Type • Lexus IS 300 • Saab 9⁵
• Volvo S60

#### QUOI DE NEUF ?

• Crochet à vêtements à l'arrière • Prise 12 volts additionnelle au tableau de bord

#### VERDICT

| | |
|---|---|
| **Agrément de conduite** | ★★★★⯨ |
| **Fiabilité** | *nouveau modèle* |
| **Sécurité** | ★★★★ |
| **Qualités hivernales** | ★★★⯨ |
| **Espace intérieur** | ★★★★ |
| **Confort** | ★★★⯨ |

#### ▲ POUR

• Moteur magnifique • Comportement routier remarquable • Bonne habitabilité • Caractère germanique
• Confort appréciable • Agrément de conduite réel

#### ▼ CONTRE

• Ergonomie déplorable • Mauvaise visibilité arrière
• Frein d'urgence grotesque • Système de navigation perfectible

COUP DE CŒUR

# Mieux que la Z

Cette année, il n'est pas une publication automobile qui se respecte qui n'a pas publié une montagne de textes sur la nouvelle Nissan 350Z. Le retour de ce modèle marque pour plusieurs la renaissance de ce constructeur japonais. Je ne veux pas ébranler le mythe de la Z, mais il est plus que probable que la nouvelle G35 Coupé risque de lui faire ombrage. Non seulement sa configuration 2+2 rend ce coupé plus pratique, mais son empattement plus long ajoute au confort sans nuire à la tenue de route.

I l est important de souligner que cette plate-forme, nom de code FM, est aussi utilisée dans la berline G35. Elle a été développée par Kazutoshi Mizuno, le responsable des voitures Nissan de compétition en Groupe C et aux 24 Heures du Mans. Le secret de cette conception est le positionnement du moteur derrière l'essieu avant qui assure une meilleure répartition du poids et permet de réduire le porte-à-faux avant. Les suspensions utilisées sur cette plate-forme sont également ultrasophistiquées.

Non seulement les ingénieurs ont fait appel à de multiples pièces en aluminium, mais ils ont concocté une ingénieuse suspension avant constituée d'un levier supérieur long tandis que la partie inférieure comprend deux liens séparés. À l'arrière, le ressort hélicoïdal est indépendant de l'amortisseur. Bien que les deux G35 soient dotées du même moteur V6 3,5 litres, celui du Coupé produit 280 chevaux, soit 20 de plus que celui de la berline qui est pourtant assez gâtée à ce chapitre. Elles diffèrent également au cha-

pitre des dimensions. Si leur empattement demeure le même, le coupé est plus court de 11 cm, plus bas de 7 cm et plus large de 6 cm.

## Belle gueule !
Je dois vous avouer que la silhouette de la berline G35 me laisse quelque peu sur mon appétit. Si l'avant est réussi, j'ai des réserves quant à sa partie arrière. Le coupé est beaucoup mieux. Le fait de l'avoir raccourci par rapport à la berline semble avoir donné un meilleur équilibre à la silhouette. Les feux arrière sont plus petits que ceux de la berline et là encore, c'est plus élégant.

Par rapport à la Z, la G35 Coupé possède un habitacle non seulement plus grand en raison de ses deux places arrière, mais une meilleure finition et des matériaux de plus grande qualité. Il ne faut pas

## CARACTÉRISTIQUES

| | |
|---|---|
| Prix du modèle à l'essai | M6 47 000$ (estimé) |
| Échelle de prix | de 45 500 $ à 50 400 $ |
| Assurances | 695 $ |
| Garanties | 3 ans 60 000 km / 5 ans 100 000 km |
| Emp. / Long. / Larg. / Haut. (cm) | 285 / 463 / 181 / 139 |
| Poids | 1 557 kg |
| Coffre / Réservoir | 221 / 76 litres |
| Coussins de sécurité | frontaux, latéraux et de tête |
| Suspension avant | indépendante, liens multiples |

| | |
|---|---|
| Suspension arrière | indépendante, multibras |
| Freins av. / arr. | disque ventilé, ABS |
| Système antipatinage | oui |
| Direction | à crémaillère, assistance variable |
| Diamètre de braquage | 11,4 mètres |
| Pneus av. / arr. | P225/45WR18 / P245/45R18 |

## MOTORISATION ET PERFORMANCES

| | |
|---|---|
| Moteur | V6 3,5 litres |
| Transmission | propulsion, manuelle 6 rapports |
| Puissance | 280 ch à 5 800 tr/min |

| | |
|---|---|
| Couple | 270 lb-pi à 4 400 tr/min |
| Autre(s) moteur(s) | aucun |
| Autre(s) transmission(s) | automatique 5 rapports |
| Accélération 0-100 km/h | 6,3 secondes |
| Reprises 80-120 km/h | 5,5 secondes |
| Vitesse maximale | 250 km/h |
| Freinage 100-0 km/h | 38,6 mètres |
| Consommation (100 km) | 11,7 litres (super) |

| | |
|---|---|
| • Valeur de revente | nouveau modèle |
| • Renouvellement du modèle | nouveau modèle |

conducteur. Et comme il s'agit d'une propulsion, le sous-virage est à peine perceptible et l'excellente répartition du poids en fait une voiture parfaitement équilibrée, même à haute vitesse. Le support latéral des sièges demeure excellent en conduite sportive. Malheureusement, les commandes de réglage du baquet du pilote sont toujours à la droite du siège. En outre, celui-ci n'est pas nécessairement très confortable. Il est aussi très difficile de trouver une bonne position de conduite même si le volant et les cadrans indicateurs se

en conclure pour autant que les places arrière de la G35 Coupé conviennent à tous les gabarits. L'accès y est facilité par le déplacement automatique des sièges avant, mais le dégagement pour les pieds et la tête est réservé à des gens de petite taille. De plus, pour en sortir, il faut être jeune et agile. Cet espace sera sans doute plus utile une fois le dossier arrière abaissé pour accueillir des bagages additionnels puisque le coffre est minuscule et peu profond.

Le tableau de bord est absolument identique à celui de la berline. Ce n'est pas plus réussi qu'il le faut, surtout en noir. De plus, la présence de cette horloge analogique en plein centre de la planche de bord peut se justifier dans la berline, mais détonne quelque peu dans un coupé aux aspirations sportives. Heureusement que l'écran du système de navigation par satellite vient l'obstruer une fois déployé. Les cadrans électroluminescents sont faciles à lire avec leurs chiffres orangés. Ils sont logés dans une nacelle réglable reliée au volant. Les deux se déplacent donc en même temps. Cette astuce est intéressante, mais si la position du volant par rapport aux instruments ne vous plaît pas, vous ne pouvez la modifier comme c'est le cas avec un volant réglable individuellement.

### Wow !!!

Comme vous pouvez le constater en lisant les résultats du match des berlines de luxe, la G35 a donné une leçon à ses rivales. Pour vous décrire le comportement sur la route du Coupé, il suffit de dire que c'est une coche au-dessus de la berline. La version M6 avec sa boîte manuelle à 6 rapports, ses roues

de 18 pouces et ses freins Brembo à quatre pistons a les moyens de rouler très, très vite et avec assurance sur les routes les plus sinueuses. La présentation de ce modèle a eu lieu en Californie et le secteur de la route Numéro 1 parcouru était on ne peut plus tortueux et à flanc de montagnes. J'ai rarement eu autant d'agrément à enchaîner les virages serrés, à rétrograder, à jouer du levier de vitesses et à freiner à la limite. La boîte de vitesses manuelle à 6 rapports est bien étagée et le levier très précis. Cependant, le passage du 3e rapport s'accompagnait toujours d'un « crunch » assez audible tandis que la marche arrière s'enclenche en poussant le levier à l'extrême droite et en appuyant dessus. Pas facile à faire lorsqu'on tente une manœuvre rapide.

La direction possède une assistance bien dosée en plus de transmettre un excellent feed-back au

règlent à l'unisson. Enfin, il est certain que la présence de pneus de 18 pouces à profil bas altère le confort assuré par la suspension.

Pas nécessaire de commander le modèle équipé d'une boîte manuelle pour avoir du plaisir à piloter. La boîte automatique à 5 rapports à mode manuel est efficace et assure un passage des vitesses rapide et précis même si elle n'offre pas le même agrément que la « vraie » boîte manuelle. Les deux modèles peuvent être équipés en option du système de navigation électronique.

Avec la berline et maintenant le coupé G35, la gamme Infiniti a pris un « coup de jeune » qui devrait lui permettre de se rapprocher de la concurrence dans la catégorie des voitures axées sur l'agrément de conduite.

*Denis Duquet*

---

### MODÈLES CONCURRENTS

• Acura CL Type S • BMW 330Ci • Mercedes CLK430
• Volvo C70

### QUOI DE NEUF ?

• Moteur V6 280 ch • Boîte manuelle 6 rapports
• Pneus 18 pouces en option

### VERDICT

| | |
|---|---|
| **Agrément de conduite** | ★★★★⯪ |
| **Fiabilité** | *nouveau modèle* |
| **Sécurité** | ★★★★ |
| **Qualités hivernales** | ★★★ |
| **Espace intérieur** | ★★★ |
| **Confort** | ★★★ |

### ▲ POUR

• Tenue de route très sportive • Moteur performant
• Équipement complet • Freins puissants
• Suspension confortable

### ▼ CONTRE

• Places arrière exiguës • Sièges avant peu confortables • Coffre peu profond • Visibilité arrière moyenne • Tableau de bord quelconque

# Une lettre qui fait toute la différence

**Une seule lettre sépare l'I35 de la G35 d'Infiniti et pourtant il existe un monde de différence entre ces deux voitures. Autant la première se montre flasque et inintéressante dans son effort pour se démarquer de sa marraine, la Nissan Maxima, autant la seconde est porteuse de très belles surprises en s'identifiant comme une authentique berline sport. Bref, l'une déçoit et l'autre séduit. Pourquoi ?**

En premier lieu, il faut préciser que l'I35 s'adresse à une clientèle bien différente de celle de la G35. Avant toute chose, elle accorde une place prépondérante au luxe et au confort, laissant à sa partenaire le soin de recruter les adeptes d'une conduite plus sportive. Le second point à soulever a trait au châssis: l'I35 emprunte le sien à la Maxima, une traction, tandis que la G35 (voir autre texte) hérite de celui de la Nissan Skyline, une propulsion qui n'est vendue qu'au Japon.

Ces précisions étant faites, voyons un peu à quoi s'attendre quand on prend le volant d'une Infiniti I35. Depuis l'an dernier, la voiture a fait peau neuve et a même changé son appellation numérique (anciennement I30) afin de s'accorder avec la cylindrée accrue de son moteur V6. Déjà reconnu comme l'un des meilleurs moteurs automobiles au monde, celui-ci est passé de 3 à 3,5 litres, gagnant 28 chevaux et 29 lb-pi de couple dans la transformation. Il est par contre condamné à faire équipe avec une transmission automatique à 4 rapports seulement. S'il s'agit là d'une lacune, les autres caractéristiques de la voiture sont du dernier cri: suspension arrière multibras, quatre freins à disque avec ABS et EBD (répartition électronique de la puissance de freinage), jantes en alliage de 17 pouces, antipatinage, etc. Deux versions sont au catalogue: De luxe et Sport. Cette dernière se distingue par son système de contrôle de stabilité minimisant les risques de dérapage, une suspension légèrement raffermie et des jantes spéciales chaussées de pneus P225/50VR17 au lieu des P215 de la version De luxe.

### Un moteur abandonné à lui-même

Cela dit, l'I35 mise à l'essai n'avait de sport que son nom et si les performances du moteur s'avèrent de haut niveau, le châssis a bien du mal à suivre le rythme. Fort de ses 255 chevaux, le V6 attelé au train avant de la voiture est en pleine forme et est

## CARACTÉRISTIQUES

| | |
|---|---|
| Prix du modèle à l'essai | Sport 42 500 $ (2002) |
| Échelle de prix | de 39 500 $ à 43 400 $ (2002) |
| Assurances | 1 080 $ |
| Garanties | 4 ans 100 000 km / 6 ans 100 000 km |
| Emp. / Long. / Larg. / Haut. (cm) | 275 / 492 / 178 / 145 |
| Poids | 1 495 kg |
| Coffre / Réservoir | 442 litres / 70 litres |
| Coussins de sécurité | frontaux et latéraux |
| Suspension avant | jambes de force, ressorts héli. |
| Suspension arrière | multibras, barre stabili., essieu rigide |
| Freins av. / arr. | disque ABS |
| Système antipatinage | oui |
| Direction | à crémaillère, assistée |
| Diamètre de braquage | 11 mètres |
| Pneus av. / arr. | P225/50VR17 |

## MOTORISATION ET PERFORMANCES

| | |
|---|---|
| Moteur | V6 DACT 3,5 litres |
| Type / Transmission | traction, automatique 4 rapports |
| Puissance | 255 ch à 5800 tr/min |
| Couple | 246 lb-pi à 4400 tr/min |
| Autre(s) moteur(s) | aucun |
| Autre(s) transmission(s) | aucune |
| Accélération 0-100 km/h | 7,5 secondes |
| Reprises 80-120 km/h | 6,1 secondes |
| Vitesse maximale | 230 km/h |
| Freinage 100-0 km/h | 48,8 mètres |
| Consommation (100 km) | 11 litres (super) |
| • Valeur de revente | bonne |
| • Renouvellement du modèle | 2005 |

aiguilles si fines qu'elle est illisible. Par surcroît, elle n'est pas éclairée la nuit.

On aurait envie de dire « N'en mettez plus, la cour est pleine » jusqu'à ce qu'on se rende compte que la lunette arrière, déjà pas très grande, est obstruée par trois appuie-tête qui gênent considérablement la visibilité. En somme, on améliore la sécurité passive au détriment de la sécurité active. La pauvre I35 continue de décevoir quand on s'installe sur la banquette arrière. On y trouve amplement d'espace pour les jambes mais même un pas-

l'auteur de très bons chronos tant en accélération qu'en reprise. Les chiffres relevés sont d'autant plus étonnants que la transmission automatique de la voiture avait tendance à «glisser», un problème qui était assurément l'exception à la règle. À la fois souple et nerveux, le moteur est à l'origine d'un léger effet de couple dans la direction (le volant a une petite tendance à tirer d'un côté ou de l'autre en accélération), mais nous sommes loin des à-coups inquiétants ressentis au volant de la Nissan Altima V6 de la même famille. Si les ingénieurs d'Infiniti ont réussi à contrôler ce phénomène propre aux tractions à puissance élevée, ils ont obtenu moins de succès dans d'autres domaines. Le diamètre de braquage énorme, notamment, ne favorise pas la maniabilité en conduite urbaine tandis que la direction se montre très avare de commentaires sur les conditions de la chaussée.

Bien sûr, le confort est au rendez-vous, mais cela au prix d'un roulis en virage et d'une suspension trop molle qui fait littéralement décoller la voiture sur les bosses.

Le freinage ne fait pas tellement sa part non plus pour honorer le comportement routier. Avec une pédale spongieuse et un ABS qui n'en finit plus de caqueter, il faut 48,8 mètres, une longueur démesurée, pour immobiliser la voiture à partir de 100 km/h. En conduite normale, toutefois, tout se passe relativement bien.

### De déception en déception

Là où l'Infiniti I35 rejoint la G35, c'est au chapitre de l'ergonomie, ce qui signifie qu'elle enfreint elle aussi les règles les plus élémentaires de la science de l'interaction entre l'homme et la machine. Par exemple, les commandes pour le volant chauffant (une option) et la mémorisation de la position de conduite sont introuvables dans le coin inférieur gauche du tableau de bord. Quant au bouton permettant d'annuler l'antipatinage, il est caché derrière le volant tandis que les commutateurs des sièges chauffants sont trop en retrait sur la console pour être facilement accessibles. Fort heureusement, le volant sert à autre chose qu'à diriger la voiture : on y retrouve les commandes de la radio (avec lecteur CD six disques dans le tableau de bord), de l'ordinateur de bord et du régulateur de vitesse. Après cette petite consolation, on se désole de nouveau en constatant que la belle petite horloge Infiniti possède des

sager de taille moyenne comme moi (et presque chauve en plus) aura bien du mal à ne pas se frotter la tête au plafond. On peut se demander si le fait d'avoir les fesses bien au chaud (une banquette arrière chauffante est offerte en équipement de série) sera une compensation suffisante à cet inconfort.

La question risque de rester sans réponse, car je ne pense pas que l'on va se bousculer aux portes pour faire l'acquisition d'une Infiniti I35. Moins chère, la Nissan Maxima est un choix beaucoup plus logique tandis que ceux qui veulent vraiment dépenser autour de 40 000 $ ont tout intérêt à se précipiter sur la superbe G35. Une seule lettre fait toute la différence, croyez-moi.

*Jacques Duval*

---

#### MODÈLES CONCURRENTS

- Acura TL • Chrysler 300M • Lexus ES 300
- Saab 9⁵ • Volkswagen Passat VR6
- Volvo S60

#### QUOI DE NEUF ?

- Nouvelle couleur (argent)

#### VERDICT

| | |
|---|---|
| Agrément de conduite | ★★ |
| Fiabilité | ★★★★⯪ |
| Sécurité | ★★★⯪ |
| Qualités hivernales | ★★★★ |
| Espace intérieur | ★★★ |
| Confort | ★★★★ |

#### ▲ POUR

- Excellent moteur • Bonnes performances
- Confort appréciable • Équipement complet
- Fiabilité reconnue

#### ▼ CONTRE

- Comportement routier désagréable • Ergonomie désastreuse • Mauvaise visibilité arrière • Grand diamètre de braquage • Transmission automatique 4 rapports

# Astuce de marketing

La relance de Nissan exige que sa division Infiniti connaisse un nouvel essor et s'élargisse. Impossible de lutter contre Lexus, le rival de toujours, avec une poignée de modèles. C'est ce qui explique l'arrivée de la M45 dans la gamme Infiniti. Elle vient s'intercaler entre la G35 et la Q45 afin d'offrir une solution de rechange aux clients qui veulent davantage de luxe que la G35 en possède et ne désirent pas débourser plus de 75 000 $ pour une Q45. Ce « vide » faisait en sorte que plusieurs acheteurs se tournaient vers d'autres marques, faute d'un choix plus varié.

Il faut également souligner que la grande majorité des voitures de cette marque seront des propulsions à l'avenir. Cette nouvelle venue vient donc consolider cette tendance avec son moteur avant et ses roues arrière motrices. Selon les communiqués de la compagnie, la M45 est « un *muscle car* de luxe avec de l'intelligence ». C'est sans doute boiteux comme traduction, mais c'est le message qu'on veut nous transmettre : une berline de luxe dotée d'un moteur très puissant, mais possédant un comportement routier relevé et un habitacle luxueux.

Il ne faut pas s'imaginer pour autant que ce modèle a été créé de toutes pièces dans le seul but de venir remplir un créneau sur notre marché et de grignoter ainsi des ventes à la Lexus GS 300/430. Pour des raisons d'économie et de profitabilité, c'est un modèle existant déjà au Japon qui a été transformé en M45. Celle-ci est en fait une variante de la Gloria japonaise qui a également servi de plate-forme à la Q45. Tandis que le modèle japonais doit se contenter d'un V6 de 280 chevaux, son équivalent nord-américain en possède 60 de plus et 2 cylindres additionnels. D'ailleurs, avec ses 340 chevaux, il devient le plus puissant de sa catégorie. Il surpasse la Lexus GS 430 de 40 chevaux, la BMW 540i de 50 chevaux et l'Audi A6 4,2 de 40 chevaux. Et à 62 000 $, il se vend beaucoup moins cher que tous les modèles concurrents à moteur V8.

Mais il y a plus que la puissance et un prix de vente compétitif pour influencer les gens au moment d'acheter. Dans cette équation, il faut également ajouter le style, le confort et le comportement routier.

### La Cadillac des Infiniti ?

La première prise de contact avec cette voiture vous donne une impression de déjà-vu. C'est peut-être

## CARACTÉRISTIQUES

| | |
|---|---|
| Prix du modèle à l'essai | M45 62 000 $ |
| Échelle de prix | de 62 000 $ à 67 000 $ |
| Assurances | n.d. |
| Garanties | 3 ans 80 000 km / 5 ans 100 000 km |
| Emp. / Long. / Larg. / Haut. (cm) | 280 / 501 / 177 / 146 |
| Poids | 1761 kg |
| Coffre / Réservoir | 375 litres / 81 litres |
| Coussins de sécurité | frontaux, latéraux et de tête |
| Suspension avant | indépendante, jambes de force |
| Suspension arrière | indépendante, liens multiples |
| Freins av. / arr. | disque ventilé, ABS |
| Système antipatinage | oui |
| Direction | à crémaillère, assistance variable |
| Diamètre de braquage | 12,2 mètres |
| Pneus av. / arr. | P235/45R18 |

## MOTORISATION ET PERFORMANCES

| | |
|---|---|
| Moteur | V8 4,5 litres |
| Transmission | propulsion, automatique 5 rapports |
| Puissance | 340 ch à 6400 tr/min |
| Couple | 333 ch à 4000 tr/min |
| Autre(s) moteur(s) | aucun |
| Autre(s) transmission(s) | aucune |
| Accélération 0-100 km/h | 6,7 secondes |
| Reprises 80-120 km/h | 5,4 secondes |
| Vitesse maximale | 250 km/h |
| Freinage 100-0 km/h | 38,5 mètres |
| Consommation (100 km) | 13,1 litres (super) |
| • Valeur de revente | nouveau modèle |
| • Renouvellement du modèle | n.d. |

de 18 pouces à cote de vitesse V. Bref, la table est mise pour une conduite supérieure à la moyenne.

Le magnifique moteur V8 d'une incroyable douceur est capable de boucler le 0-100 km/h en moins de 7 secondes tandis que la tenue de route est très rassurante. Il suffit de tourner le volant dans une direction pour que la M45 s'exécute sans coup férir. Il faut également souligner que plusieurs ont trouvé cette direction un peu lourde à basse vitesse. C'est une denrée rare chez les berlines de luxe et il ne s'agit pas à mon avis d'un défaut, bien au contraire !

en raison de son affiliation avec la Q45 ! Pour ma part, je trouve que c'est avec la Cadillac DeVille que la M45 semble avoir des affinités sur le plan visuel. Sa calandre, ses blocs optiques imposants contournant l'aile et un pilier C fuyant sont des éléments qui lui confèrent une certaine ressemblance avec cette dernière. Il est vrai que la grille de calandre de la Caddy est de type panier à œufs tandis que celle de l'Infiniti est constituée de lamelles horizontales. De plus, les phares de cette dernière sont plus rectangulaires. Mais il est évident que les stylistes ont voulu projeter l'image pantouflarde des grosses berlines de luxe nord-américaines. Tout comme le fait la Lexus LS 430 d'ailleurs. En toute franchise, seuls les gens aux goûts assez conservateurs apprécieront, mais c'est en partie la clientèle visée.

Comme il se doit, l'habitacle est très cossu avec ses appliques en bois d'érable piqué sur la console, ses sièges climatisés avec sellerie en cuir, son système optionnel de navigation par satellite, les commandes de la radio par reconnaissance de la voix, un régulateur de vitesse à rayons lasers et tous les autres éléments jugés essentiels. De plus, le tableau de bord est pratiquement identique à celui de la Q45, à l'exception d'un volant plus sportif et de l'absence d'appliques en bois au bas de la planche de bord.

Malgré cette débauche d'équipement, la présentation intérieure n'est pas plus excitante qu'il le faut. Les sièges sont confortables tandis que le tableau de bord tente de faire différent grâce à sa console centrale en surplomb avec l'incontournable cadran analogique trônant au centre. Mais on n'y trouve pas la petite touche de raffinement d'une Audi ou d'une Mer-

cedes ! Et il faut souligner que les places arrière sont adéquates, mais plus petites que dans la Q45. Le seuil de chargement du coffre est malheureusement assez élevé et il est impossible de rabattre le dossier de la banquette arrière. Bref, un habitacle traditionnel malgré la présence d'un écran d'information ou de navigation et de cadrans indicateurs électroluminescents.

### Moteur doué, personnalité drabe

Sous ces lignes de carrosserie conservatrices se cache un véritable félin. Le moteur V8 de 340 chevaux est couplé à une boîte automatique à 5 rapports possédant l'option de la commande manuelle. Le tout est relié à une suspension très sophistiquée comprenant plusieurs pièces en aluminium afin de réduire le poids non suspendu. Et la voiture roule sur des pneus

Le roulis de caisse est minimal et la voiture demeure stable sur sa trajectoire. Par contre, les réglages de la suspension sont étranges et on a l'impression que les amortisseurs manquent de débattement.

Malgré cette compétence, la M45 manque de panache et de personnalité. Elle est douée sur le plan dynamique, mais le conducteur ne ressent pas les émotions de conduite qui permettent à certaines marques de se bâtir une clientèle aussi fidèle qu'enthousiaste. Son succès reposera plus sur l'excellent rapport performances/équipement/prix que sur sa silhouette et sa conduite. Pourtant, tous les éléments sont là. Ils sont toutefois beaucoup moins bien exploités que dans l'excellente G35. C'est souvent le lot de ces voitures maquillées à la hâte pour servir les besoins de la mise en marché.

*Denis Duquet*

---

## MODÈLES CONCURRENTS

• Audi A6 • BMW 540i • Lexus GS 430
• Mercedes-Benz Classe E • Volvo S80

## QUOI DE NEUF ?

• Nouveau modèle • Moteur V8 • Pneus 18 pouces
• Boîte auto 5 rapports • Direction à assistance électrique

## VERDICT

| | |
|---|---|
| Agrément de conduite | ★★★⯪ |
| Fiabilité | *nouveau modèle* |
| Sécurité | ★★★★⯪ |
| Qualités hivernales | ★★★⯪ |
| Espace intérieur | ★★★⯪ |
| Confort | ★★★★ |

## ▲ POUR

• Moteur performant • Tenue de route saine
• Équipement complet • Pneumatiques bien adaptés
• Prix compétitif

## ▼ CONTRE

• Silhouette anonyme • Dossier arrière fixe
• Seuil de chargement élevé • Suspension mal amortie
• Ergonomie perfectible

# Le talent ne suffit pas toujours

**La première Q45 incarnait l'une des plus belles expressions du savoir-faire automobile japonais et cette 3e génération (passons charitablement sur la 2e) tente justement de faire de même. Elle est plus lumineuse, plus conviviale, d'accord, mais il lui manque toujours ce « je ne sais quoi » qui rendait autrefois la Q45 si attachante.**

P ourtant, sur papier, le nouveau porte-étendard d'Infiniti promet beaucoup : moteur V8 de 4,5 litres (340 chevaux), transmission semi-automatique à 5 rapports et un traîneau de dispositifs de sécurité (antipatinage, antidérapage, etc.), y compris « les phares les plus puissants au monde ». Rien de moins !

Si, sur sa carte de visite, la Q45 a ce qu'il faut pour faire saliver les amateurs de haute technologie, il en va tout autrement sur le plan esthétique. Et les stylistes d'Infiniti n'étaient pas sans le savoir.

C'est sans doute pourquoi ils ont apporté cette année certaines retouches (calandre, phares et couvercle du coffre) pour éviter que la Q45 soit de nouveau comparée à une Taurus bouffie.

## Équipement complet

Dès le premier coup d'œil, l'habitacle de cette Infiniti nous fait tout même voir des étoiles : colonne de direction inclinable et télescopique, régulateur automatique de la température à deux zones, système de reconnaissance vocale. Bref, la Q45 semble en mesure de tout faire, sauf le café. Et

si vous débitez votre compte de banque de plusieurs milliers de dollars additionnels, même la banquette arrière, généreusement rembourrée, comportera une commande électrique afin que vos deux passagers sentent toute la chaleur (oui, elle est aussi chauffante) que vous leur témoignez. Deux et non trois personnes pourront se prélasser à l'arrière en raison de l'accoudoir qui loge en plein centre. Certains passagers maugréeront contre le fait que leurs doigts de pied ne peuvent trouver refuge sous les baquets avant en raison de la machinerie qui s'y trouve. D'autres s'offusqueront de constater que le coffre est à peine plus gourmand que celui d'une... Civic.

Conscients que pour apprécier les vertus technologiques de la concurrence il faille plonger les yeux dans le manuel du propriétaire, là où tout le

| CARACTÉRISTIQUES | |
|---|---|
| Prix du modèle à l'essai | Sport 78 300 $ |
| Échelle de prix | de 74 900 $ à 85 800 $ |
| Assurances | 1 222 $ |
| Garanties | 4 ans 100 000 km / 6 ans 100 000 km |
| Emp. / Long. / Larg. / Haut. (cm) | 287 / 507 / 185 / 149 |
| Poids | 1 724 kg |
| Coffre / Réservoir | 385 litres / 81 litres |
| Coussins de sécurité | frontaux, latéraux et rideaux |
| Suspension avant | indépendante, jambes élastiques |

| | |
|---|---|
| Suspension arrière | indépendante, essieu multibras |
| Freins av. / arr. | disque, ABS |
| Système antipatinage | oui |
| Direction | à crémaillère, assist. électronique |
| Diamètre de braquage | 11 mètres |
| Pneus av. / arr. | P245/45VR18 |

| MOTORISATION ET PERFORMANCES | |
|---|---|
| Moteur | V8 4,5 litres |
| Transmission | semi-automatique, 5 rapports |
| Puissance | 340 ch à 6 400 tr/min |

| | |
|---|---|
| Couple | 333 lb-pi à 4 000 tr/min |
| Autre(s) moteur(s) | aucun |
| Autre(s) transmission(s) | aucune |
| Accélération 0-100 km/h | 7,12 secondes |
| Reprises 80-120 km/h | 6,1 secondes |
| Vitesse maximale | 250 km/h |
| Freinage 100-0 km/h | 39,3 mètres |
| Consommation (100 km) | 13,7 litres (super) |
| • Valeur de revente | faible |
| • Renouvellement du modèle | 2006-2007 |

démultipliée, semble enveloppée dans de la ouate. On pardonnerait aisément à la Q45 cette tare si les vents latéraux ne perturbaient pas tant sa stabilité directionnelle.

Équipée de l'ensemble Privilège, la Q45 a droit à une suspension dotée d'amortisseurs réglables. Au conducteur de décider en appuyant sur un interrupteur : Normal ou Sport ? Pourquoi offrir un choix ? D'autant plus, comme vous vous en doutez sans doute, que ce dispositif est tout aussi coûteux à produire qu'à réparer ? Mon hypothèse : c'est parce que

savoir est disséqué, les concepteurs d'Infiniti ont recherché la simplicité et dans ce domaine, reconnaissons que l'objectif a été atteint. À l'aide d'un levier « à la Nintendo », on peut régler, via un écran couleur – difficile à lire lorsque les rayons éclaboussent le pare-brise –, une foule d'accessoires, et pas seulement la climatisation ou la radio. On peut aussi s'enquérir de la pression d'air de chacun des pneus ou encore de la distance qu'il reste à parcourir. Trop complexe, ce système ? Non puisque les commandes les plus couramment utilisées sont dupliquées sous une forme plus conventionnelle au tableau de bord. Sachez que la Q45 bavarde aussi. Dotée d'un système de reconnaissance vocale, cette berline exécute plusieurs de vos petits caprices sans rechigner. Seule condition, être en mesure de lui dicter vos instructions en… anglais. La direction d'Infiniti dit travailler sur la version française, mais celle-ci ne sera vraisemblablement pas proposée avant longtemps.

### On se laisse conduire

Sur le plan technique, les ingénieurs d'Infiniti ont pris bien soin de rectifier le tir en matière de sécurité et de technologie, deux domaines où la génération précédente ne brillait guère. Outre les rideaux gonflables latéraux, la Q45 compte aujourd'hui sur un répartiteur électronique de freinage, un dispositif antidérapage, un régulateur de vitesse au laser – qui maintient une distance sécuritaire avec le véhicule qui vous précède – ainsi que sur des phares au xénon qui illuminent la nuit de façon plutôt brillante.

La Q45 ouvre son capot à un moteur V8 4,5 litres de 340 chevaux (le 4,1 litres autrefois utilisé en développait 266). Une mécanique à la fois onctueuse et performante à laquelle s'arrime une transmission semi-automatique à 5 rapports précise à défaut d'être rapide. C'est d'ailleurs pour cette raison que le rapport final de cette boîte a fait l'objet de modifications pour permettre au V8 qu'elle accompagne de mieux s'exprimer sur le plan des performances.

Au chapitre des déplacements, la Q45 se révèle une routière agréable et étonnamment agile considérant son poids. De plus, son diamètre de braquage très court lui permet de se faufiler plutôt aisément en ville. Retournons sur les voies rapides pour constater que la direction s'engourdit au centre et que sa crémaillère, trop

la clientèle est mal définie. Ainsi, plutôt que de régler une suspension pour satisfaire la clientèle recherchée, les ingénieurs se sont vus dans l'obligation de concocter ce dispositif pour élargir le bassin d'acheteurs.

Pour jouer les premiers rôles sur cette scène encombrée qu'est celle des automobiles de prestige, il faut plus que du talent. Il faut aussi et surtout avoir une image de marque et celle d'Infiniti m'apparaît encore bien pâle pour convaincre cette clientèle qui perçoit son automobile comme une carte de visite.

*Éric LeFrançois*

---

### MODÈLES CONCURRENTS

- Cadillac Seville • Lexus LS 430
- Mercedes Benz E500 • Volkswagen Phaeton

### QUOI DE NEUF ?

- Remodelage de la partie avant et arrière
- Rapport de pont modifié

### VERDICT

| | |
|---|---|
| Agrément de conduite | ★★★★ |
| Fiabilité | ★★★★ |
| Sécurité | ★★★★ |
| Qualités hivernales | ★★★ |
| Espace intérieur | ★★★★ |
| Confort | ★★★★ |

### ▲ POUR

- Qualité de l'assemblage • Rapport prix/technologie alléchant • Équipement complet • Bon comportement routier

### ▼ CONTRE

- Habitabilité à l'arrière moyenne • Image de marque encore mal définie • Direction molle • Ligne discutable

# Le prix du maquillage

**Depuis plusieurs mois maintenant, la division Infiniti nous a offert d'agréables surprises avec une Q45 entièrement revigorée, une spectaculaire G35 et des prototypes à faire saliver les plus blasés. Jadis embourbée dans les tréfonds de la catégorie des véhicules du luxe, cette division de Nissan tente de remonter la pente avec des modèles très spectaculaires. L'avenir semble prometteur et les nouveautés sont en demande. Par contre, il faudra encore passer au travers d'une période de transition puisque certains vestiges du passé sont toujours dans les salles de montre.**

L e QX4 fait partie de ces modèles de transition. Il faut se souvenir qu'à une certaine époque, personne ne croyait vraiment à l'avenir des VUS de luxe. N'eussent été des succès du Grand Cherokee Limited et de son prix astronomique pour l'époque, aucun cadre chez ce constructeur ne se serait agité pour lui offrir un modèle concurrent. Jeep engrangeant les succès avec son Limited, toutes les marques de luxe ont embarqué dans le bateau et Infiniti a été obligée de suivre la parade.

Malgré des ressources limitées à cette époque, il fallait développer un modèle rapidement. Puisque le Pathfinder était le véhicule Nissan le plus vendu au pays, c'était la plate-forme idéale pour en développer une version plus luxueuse. Quelques modifications à la calandre, un habitacle plus cossu et un tableau de bord exclusif associé à la transmission

intégrale de la berline Skyline et le tour était joué. Une finition supérieure à la moyenne, un équipement plus complet et le prestige de la marque venaient justifier le prix plus élevé.

C'était la bonne recette en 1996 lors de l'arrivée du QX4 sur le marché. Les clients ont été lents à se laisser convaincre de ses qualités, mais ceux qui ont tenté l'aventure ont bien apprécié le caractère douillet de l'habitacle, une insonorisation supérieure à la moyenne et un service hors pair. Malheureusement pour Infiniti, l'arrivée du Lexus RX 300 et du Mercedes ML320 est venue marginaliser le QX4 davantage. Incapable de répondre à ses concurrents par un modèle tout beau, tout neuf, cette division a été obligée de se contenter de mesures de compensation qui n'ont malheureusement pas renversé la vapeur. Au contraire, les améliorations apportées au Nissan Path-

## CARACTÉRISTIQUES

| | |
|---|---|
| Prix du modèle à l'essai | 51 395 $ |
| Échelle de prix | de 48 800 $ à 51 395 $ |
| Assurances | 1 007 $ |
| Garanties | 4 ans 100 000 km / 6 ans 100 000 km |
| Emp. / Long. / Larg. / Haut. (cm) | 270 / 465 / 184 / 180 |
| Poids | 1 974 kg |
| Coffre / Réservoir | de 1 076 à 2 407 litres / 80 litres |
| Coussins de sécurité | frontaux et latéraux |
| Suspension avant | indépendante, jambes élastiques |
| Suspension arrière | essieu rigide, bras longitudinaux |
| Freins av. / arr. | disque / tambour, ABS |
| Système antipatinage | non |
| Direction | à crémaillère, assistance variable |
| Diamètre de braquage | 11,4 mètres |
| Pneus av. / arr. | P245/65R17 |

## MOTORISATION ET PERFORMANCES

| | |
|---|---|
| Moteur | V6 3,5 litres |
| Transmission | intégrale, automatique 4 rapports |
| Puissance | 240 ch à 6 000 tr/min |
| Couple | 265 lb-pi à 3 200 tr/min |
| Autre(s) moteur(s) | aucun |
| Autre(s) transmission(s) | aucune |
| Accélération 0-100 km/h | 8,8 secondes |
| Reprises 80-120 km/h | 8,4 secondes |
| Vitesse maximale | 165 km/h |
| Freinage 100-0 km/h | 42,9 mètres |
| Consommation (100 km) | 13,5 litres (ordinaire) |
| • Valeur de revente | moyenne |
| • Renouvellement du modèle | 2004 |

### Bonne et mauvaise nouvelle

La bonne nouvelle lorsqu'on pilote un QX4 est le silence de roulement dans l'habitacle et la vivacité du moteur V6 3,5 litres de 240 chevaux. Il est vrai que plusieurs modèles concurrents développent 10 à 20 chevaux de plus, mais ce V6 offre un bon rendement et une consommation de carburant raisonnable compte tenu de la catégorie. Il est de plus d'une fiabilité à toute épreuve tandis que la boîte automatique à 4 rapports accomplit du bon boulot. Le différentiel arrière à glissement limité est avantageux

finder, notamment la transmission intégrale, ont jeté de l'ombre sur la petite cousine de luxe qui a perdu une certaine exclusivité dans l'opération. Il est devenu encore plus difficile de répondre à la question : « Pourquoi payer plus cher ? »

### Le poids des ans !

Malgré les modifications apportées à la carrosserie au fil des ans, les effets de l'âge se font sentir. Même le moins initié des observateurs réalise que la silhouette est d'une autre époque en comparaison des Acura MDX, Lexus RX 300, GMC Envoy, Lincoln Aviator et même Volkswagen Touareg. Les esquisses affichées sur les murs des centres de design de Nissan sont très accrocheuses. Mais en attendant, il faut faire avec un style du début des années 90. Pire encore, la capacité de chargement du compartiment à bagages n'est pas plus généreuse qu'il le faut, toujours en comparaison avec la concurrence. Elle doit en moyenne concéder 100 litres d'espace de chargement à plusieurs autres modèles de la catégorie.

Le style du tableau de bord est également un clin d'œil à la dernière décennie. L'immense module des instruments et des commandes occupe plus de la moitié de la planche de bord. La finition est impeccable, mais à force d'ajouter, au fil des années, un bouton par-ci, un commutateur par-là, l'ergonomie en prend pour son rhume. Par exemple, la télécommande des rétroviseurs extérieurs est obstruée par le volant tandis que les commandes de la climatisation et de la radio pourraient être simplifiées. Soulignons au passage l'élégant volant dont

le boudin en bois exotique donne du cachet à l'habitacle. Tout comme les appliques en bois d'érable moucheté, un ligneux très rare.

Heureusement que la qualité des matériaux et de la finition est à la hauteur du prix demandé. Il faut également ajouter que les sièges avant sont confortables à défaut d'offrir un bon support latéral. C'est malheureusement une tout autre histoire à l'arrière. Non seulement il est difficile d'accéder à la banquette en raison d'une portière étroite et de l'intrusion du puits de roue, mais l'assise du siège est trop basse pour assurer un confort acceptable.

Heureusement, les stylistes ont conservé la montre analogique cerclée or qui fait partie intégrante de tout véhicule Infiniti. Ça, c'est de la « classe » !

lorsque les conditions d'adhérence sont difficiles. En conduite hors route, ce modèle se débrouille pas mal, même si je doute que plusieurs propriétaires s'en servent souvent pour aller s'amuser à s'embourber dans le sable et la boue.

La mauvaise nouvelle, c'est que le comportement routier est handicapé par une conception qui date de plusieurs années. Une fois le véhicule chargé de quatre occupants et de leurs bagages, la suspension semble prise au dépourvu et le confort en souffre beaucoup. Le comportement routier n'est pas très inspirant avec un sous-virage et un roulis de caisse prononcés. Heureusement, le freinage est adéquat.

Réussissant de moins en moins à dissimuler son âge, le QX4 se fait malmener par des concurrents plus modernes souvent moins chers. Alors ?

*Denis Duquet*

---

#### MODÈLES CONCURRENTS

• Acura MDX • Buick Rainier/GMC Envoy
• Jeep Grand Cherokee Limited • Lexus RX 300
• Lincoln Aviator • M-Benz ML320 • VW Touareg

#### QUOI DE NEUF ?

• Équipement de série plus complet • Nouvelles couleurs de carrosserie

#### VERDICT

| | |
|---|---|
| Agrément de conduite | ★★★⯨ |
| Fiabilité | ★★★★ |
| Sécurité | ★★★★⯨ |
| Qualités hivernales | ★★★★⯨ |
| Espace intérieur | ★★★⯨ |
| Confort | ★★★★ |

#### ▲ POUR

• Insonorisation de la cabine • Moteur fiable
• Finition sans faille • Rouage intégral
• Équipement complet

#### ▼ CONTRE

• Châssis vieillot • Silhouette démodée
• Ergonomie d'une autre époque • Places arrière peu confortables • Modèle en fin de carrière

# ISUZU RODEO / ASCENDER

*ISUZU Ascender*

# Des objets rares

**Au cas où vous ne le sauriez pas, les véhicules utilitaires sport Isuzu sont toujours commercialisés au Canada. Mais pour les voir et les examiner de près, vous devrez vous rendre chez un concessionnaire Saab-Saturn-Isuzu tant il est rare d'en croiser un sur la route. Si cette marque jouit d'une certaine popularité aux États-Unis, sa diffusion est très limitée au Canada. État de fait qui n'a rien à voir avec la qualité des véhicules, mais la résultante de décisions de GM du Canada qui mettent en évidence d'autres modèles.**

Puisque General Motors est l'actionnaire majoritaire de ce constructeur japonais, la direction a confié à sa filiale canadienne la distribution de cette marque au Canada. Les premiers exemplaires du Trooper et du Rodeo ont été diffusés par les concessionnaires Passeport, un projet qui a cédé sa place au réseau Saab-Saturn-Isuzu. Pendant tout ce temps, les produits des deux autres marques ont toujours été plus en demande et leurs budgets de publicité ont par le fait même été plus importants que ceux des produits Isuzu. De plus, compte tenu de chiffres de ventes assez faibles, GM du Canada n'a jamais eu beaucoup d'arguments de négociation avec les représentants d'Isuzu of America qui n'ont pas tellement de complaisance pour leurs collègues canadiens. Ces derniers ont toujours été obligés de se débattre avec une faible attribution de véhicules et des prix élevés. Et puisque cette situation perdure, il leur est impossible de renverser la vapeur.

Le Trooper cédera sa place plus tard cette année au modèle Ascender qui utilise la même plate-forme que les Chevrolet TrailBlazer et GMC Envoy. Il est d'ailleurs propulsé par le même moteur 6 cylindres en ligne de 4,2 litres à DACT en aluminium d'une puissance de 275 chevaux et d'un couple de 275 lb-pi. Les modèles LS et Limited sont même pourvus d'un moteur V8 Vortec de 5,3 litres à soupapes en tête qui produit 285 chevaux et un couple de 325 lb-pi. Ce moteur, également utilisé dans une foule de camionnettes GM, a fait ses preuves. Les deux moteurs sont reliés à une boîte automatique à 4 rapports à commande électronique. Le rouage d'entraînement est à temps partiel et peut s'engager à la volée.

## CARACTÉRISTIQUES

| | |
|---|---|
| Prix du modèle à l'essai | LS 37 895 $ |
| Échelle de prix | n.d. |
| Assurances | 831 $ |
| Garanties | 3 ans 60 000 km / 5 ans 100 000 km |
| Emp. / Long. / Larg. / Haut. (cm) | 270 / 451 / 179 / 176 |
| Poids | 1890 kg |
| Coffre / Réservoir | de 933 à 2 297 litres / 74 litres |
| Coussins de sécurité | frontaux |
| Suspension avant | indépendante, bras triangulaires |
| Suspension arrière | essieu rigide, ressorts hélicoïdaux |
| Freins av. / arr. | disque, ABS |
| Système antipatinage | non |
| Direction | à crémaillère, assistance variable |
| Diamètre de braquage | 11,7 mètres |
| Pneus av. / arr. | P245/70R16 |

## MOTORISATION ET PERFORMANCES

| | |
|---|---|
| Moteur | V6 3,2 litres |
| Transmission | 4X4, automatique 4 rapports |
| Puissance | 205 ch à 5 400 tr/min |
| Couple | 214 lb-pi à 3 000 tr/min |
| Autre(s) moteur(s) | aucun |
| Autre(s) transmission(s) | manuelle 5 rapports |
| Accélération 0-100 km/h | 9,2 secondes |
| Reprises 80-120 km/h | 8,1 secondes |
| Vitesse maximale | 180 km/h |
| Freinage 100-0 km/h | 44 mètres |
| Consommation (100 km) | 14 litres (ordinaire) |
| • Valeur de revente | faible |
| • Renouvellement du modèle | 2004 |

demande. En outre, les commandes du régulateur de vitesse et de la chaîne audio sont montées sur le volant.

Ce sont davantage des problèmes de prix et de distribution qui limitent la diffusion de ce modèle puisque ses qualités routières, le confort de l'habitacle et sa fiabilité sont tout au moins à l'égal de plusieurs modèles concurrents. Le roulis de caisse est toutefois important et le moteur s'essouffle assez rapidement, mais c'est acceptable. Ceux qui aiment bien changer les vitesses

Il faut souligner que le 4X4 utilise le système de contrôle électronique Torque on Demand qui permet d'anticiper les pertes d'adhérence d'une ou de plusieurs roues et de répartir automatiquement le couple aux roues ayant davantage de traction. Ce nouveau véhicule utilitaire sport sept places est équipé de série de roues de 17 pouces en alliage, de garnitures d'ailes, de moulures latérales de carrosserie, d'un porte-bagages de toit et d'une foule d'accessoires propres à cette catégorie.

Grâce à sa plate-forme plus moderne, le Trooper bénéficie d'un comportement routier nettement supérieur à celui du modèle précédent. Le centre de gravité de ce dernier était élevé, ce qui le rendait délicat à piloter en certaines circonstances. De plus, sa suspension privilégiait davantage la conduite hors route tandis que sa hauteur ne faisait pas bon ménage avec les vents latéraux. Cette nouvelle génération conserve donc le luxe et la qualité de finition de l'ancien modèle tout en montrant un comportement routier beaucoup plus rassurant.

Malgré tout, je vous parie que ce modèle sera en très faible disponibilité lors de son arrivée sur notre marché en cours d'année. En attendant, les couleurs d'Isuzu sont défendues par le Rodeo.

### Une valeur méconnue

Le Rodeo ne jouit pas d'une grande popularité au Canada et c'est dommage, car il n'est pas dépourvu de qualités. Par exemple, il est l'un des rares véhicules de sa catégorie à pouvoir être commandé avec une boîte manuelle à 5 rapports. Mieux encore,

cette transmission est à l'égal de celle de bien des automobiles, contrairement à celle d'autres modèles concurrents. Souvent, ce sont des boîtes empruntées à des camionnettes avec des rapports espacés et un guidage du levier fort aléatoire. De plus, le moteur V6 de 205 chevaux n'est pas à dédaigner. Son rendement pourrait être meilleur, mais les performances obtenues sont honnêtes et c'est un moteur qui a une bonne feuille de route.

Cette année, le Rodeo bénéficie de nombreuses modifications esthétiques: les phares, la calandre et les pare-chocs sont transformés afin d'obtenir une meilleure filiation visuelle avec l'Ascender. Le tableau de bord a également été modernisé, ce qui a permis d'y loger l'interrupteur d'activation de la boîte de transfert puisque le Rodeo est également équipé d'un rouage 4X4 sur

manuellement auraient intérêt à faire l'essai de cette version qui donne une dimension sportive à la conduite. Il ne faut pas oublier que le Rodeo se tire fort bien d'affaire en conduite hors route. Son châssis autonome, son rouage à temps partiel, une position de conduite élevée et une bonne visibilité permettent de traverser sans problème bien des passages difficiles.

Le manque de diffusion, une publicité assez rare et des caractéristiques intéressantes mais pas nécessairement supérieures à plusieurs modèles concurrents semblent condamner ces deux modèles à jouer les rôles de second plan chez nous. Pourtant, sur le marché américain, la marque jouit d'une grande popularité dans plusieurs États.

*Denis Duquet*

---

### MODÈLES CONCURRENTS

- *Chevrolet Blazer/GMC Jimmy* • *Ford Explorer*
- *Honda Pilot* • *Jeep Liberty* • *Kia Sorento*
- *Nissan Pathfinder* • *Toyota 4Runner*

### QUOI DE NEUF?

- *Partie avant modifiée* • *Nouvelle boîte de transfert*
- *Commandes radio et régulateur de vitesse*
- *sur le volant*

### VERDICT

| | |
|---|---|
| **Agrément de conduite** | ★★★ |
| **Fiabilité** | ★★★★ |
| **Sécurité** | ★★★ |
| **Qualités hivernales** | ★★★★★ |
| **Espace intérieur** | ★★★◗ |
| **Confort** | ★★★ |

### ▲ POUR

- Boîte manuelle agréable • Moteur bien adapté
- Présentation extérieure améliorée • Rouage 4X4 efficace • Bon espace de chargement

### ▼ CONTRE

- Faible diffusion • Direction trop assistée
- Habitacle vieillot • Suspension trop ferme
- Consommation élevée

# On efface tout et on recommence

« Cent fois sur le métier remettez votre ouvrage », dit le proverbe et c'est précisément ce qu'ont fait les gens de chez Jaguar avec leur nouveau modèle de milieu de gamme, la S-Type. À tel point qu'on peut se demander si la première version, apparue en 1999, n'était pas la voiture inachevée. Les S-Type 2003 sont en effet beaucoup plus raffinées et agréables à conduire que ne l'étaient leurs devancières. Et l'apparition d'une version R vient ajouter le zeste qu'il manquait à la recette originale.

Rivale avouée des BMW M5 et Mercedes-Benz E55, la R pourchasse la même clientèle sans toutefois céder aux mêmes excès que ses concurrentes. Là où une E55 et surtout une M5 deviennent un tantinet éprouvantes sur des routes en mal de rénovations, la R affiche une douceur qui montre bien toute la véracité des affirmations de Jaguar selon lesquelles cette voiture a une double personnalité : confortable et attentionnée quand le besoin s'en fait sentir et sportive de haut niveau quand on a le goût de s'amuser. Et avec 400 chevaux, il y a de quoi prendre plaisir à conduire cette Jaguar. Il suffit de chatouiller l'accélérateur pour que le félin bondisse en avant dans un bruissement qui n'est pas sans rappeler celui d'un avion à réaction en phase de décollage. En 5 petites secondes et des poussières, nous voilà à 100 km/h, une performance qui ferait honneur à une Porsche 911 beaucoup plus légère et surtout moins habitable.

Toute cette puissance émane d'un V8 à com-presseur Eaton assorti d'un double refroidisseur d'air de suralimentation. Plus nouveau qu'il n'y paraît, ce moteur qui siégeait jusqu'ici dans les XKR (coupé et cabriolet) et XJR (berline) a vu sa cylindrée passer de 4 à 4,2 litres, gagnant du même coup 30 chevaux. L'augmentation du couple est encore plus impressionnante puisque celui-ci a fait un bond de 387 à 408 lb-pi à 3 500 tr/min, un chiffre supérieur à celui d'une M5 ou d'une E55. Jaguar souligne d'ailleurs que le couple obtenu dès 1 300 tr/min est supérieur à celui du moteur atmosphérique à son rendement optimal de 4 100 tr/min. Cette imposante cavalerie est en outre mise en valeur par une nouvelle transmission automatique ZF à 6 rapports que l'on retrouve aussi dans la dernière BMW de Série 7.

## Direction Costa Del Sol

C'est sur les routes de la Costa Del Sol, dans la région de Gerona, en Espagne, que j'ai conduit la S-Type R et les autres versions de cette gamme intermédiaire de Jaguar.

Je me suis principalement attardé à la plus performante du groupe, d'abord par goût et aussi parce que cette version R devrait connaître une diffusion beaucoup plus grande que celle de ses rivales germaniques. *Primo*, son prix fait un peu moins peur et, *secundo*, il s'agit d'une voiture d'un commerce plus agréable que les autres au quotidien. La grande douceur dont s'enveloppe chaque Jaguar depuis des lunes n'a pas été sacrifiée dans ce modèle. D'accord, la suspension est un peu ferme et on lui souhaiterait un plus grand débattement sur certains chemins hostiles, mais nous sommes loin des secousses désagréables des berlines sport de Munich ou de Stuttgart.

Avec une cinquantaine de chevaux de plus qu'une E55 et une puissance égale à la M5, la R sait tirer profit de sa nouvelle transmission automatique bimode à 6 rapports. En mode manuel toutefois, on se retrouve avec 5 rapports au lieu de 6 et le levier en forme de J qui permet ce changement est toujours aussi détestable qu'avant.

De série dans ce modèle et dans la S-Type 4,2, cette transmission est proposée en option dans la version à moteur V6 de 3 litres. Elle fait partie d'une nouvelle génération de transmissions que la compagnie allemande ZF destine pour l'instant aux constructeurs de voitures haute performance, mais dont l'utilisation devrait s'étendre au reste de l'industrie dans un proche avenir. Ses avanta-

ges sont nombreux, allant d'une économie de poids découlant du moins grand nombre de composantes (470 au lieu de 660 par rapport à l'automatique à 5 rapports) à une réduction de la consommation d'essence de l'ordre de 5 à 7 %. Les performances accusent, quant à elles, un gain d'environ 5 %. Chose certaine, son efficacité devrait faire taire ceux qui auraient tendance à rouspéter contre l'absence d'une boîte manuelle. Les inconditionnels de ce type de transmission pourront toujours se rabattre sur la moins chère

des S-Type, la V6 3 litres, qui offre désormais une boîte manuelle Getrag à 5 rapports.

En plus de véhiculer le moteur le plus puissant jamais installé dans une Jaguar de série et une transmission inédite, la S-Type R peut compter sur des freins dont les disques de plus grand diamètre et les étriers à quatre pistons sont fournis par le spécialiste de la course automobile Brembo. Elle

### ■ ÉQUIPEMENT DE SÉRIE

• Intérieur cuir et érable piqué • Lecteur CD
• Ordinateur de voyage • Climatiseur
• Sièges à réglage électrique

### ■ ÉQUIPEMENT EN OPTION

• Pédalier réglable • Essuie-glaces à capteur
de pluie • Toit vitré ouvrant
• Chaîne audio supérieure

se prévaut aussi d'une suspension dite « active » contrôlée par ordinateur qui adapte quasi instantanément la fermeté des amortisseurs Bilstein aux conditions de conduite. Ainsi, à faible vitesse, le système met d'abord sous tension les amortisseurs arrière afin de réduire le sous-virage tandis qu'à haute vitesse, c'est l'inverse qui se produit avec, initialement, un durcissement des amortisseurs avant afin d'améliorer la stabilité et la transmission de la puissance aux roues motrices arrière tout en prévenant la plongée au freinage. Dommage toutefois que l'on n'ait pas cru nécessaire d'utiliser un différentiel autobloquant pour maîtriser l'excès de patinage des roues motrices.

Bien qu'il n'y ait pas quoi s'enorgueillir des performances des monoplaces Jaguar R3 de Formule 1, le même logo rouge qui les identifie se retrouve sur la S-Type R. Celle-ci se reconnaît aussi à sa calandre à grillage métallisé, à ses jantes en alliage Zeus de 18 pouces et à un petit becquet monté sur le coffre arrière. Même si l'apparence

extérieure n'a pas bougé pour la peine, on annonce une amélioration de l'aérodynamisme de l'ordre de 10 %.

## Adieu au frein à main

À l'intérieur, un volant gainé de cuir, des garnitures en érable piqué gris et des sièges sport réglables à 16 positions sont d'autres repères servant à reconnaître le modèle-phare de la gamme S-Type. Toutes les versions disent adieu au frein à main traditionnel remplacé par un commutateur à commande électronique installé sur la console. Le frein est appliqué automatiquement lorsque la clé de contact est retirée et relâché lorsque le sélecteur de vitesse passe de Park à une autre position. À côté de cette solution avant-gardiste, on retrouve un lecteur CD un peu primitif qui nous oblige à loger les disques dans le coffre arrière plutôt qu'au tableau de bord.

Il ne faut surtout pas se fier aux apparences en prenant le volant de ces nouvelles Jaguar. Leur

transformation est beaucoup plus profonde qu'on le croit, grâce aux améliorations précitées et à un châssis dont la rigidité a été revue à la hausse. Les ingénieurs s'étaient donné pour tâche de mettre davantage en valeur le comportement sportif du châssis de la S-Type par un meilleur contrôle du roulis et par une amélioration de la direction. La suspension a notamment fait l'objet de modifications si nombreuses qu'il serait fastidieux de les énumérer toutes. Soulignons au passage l'utilisation de doubles leviers triangulés de différentes longueurs qui réduisent les effets des modifications de parallélisme et de carrossage.

Le comportement routier est le grand gagnant de tous ces changements et il est nettement supérieur à celui des anciennes versions. La nouvelle géométrie de suspension est garante d'une meilleure motricité et d'un roulis moins prononcé en virage. En cela, les S-Type 2003 diffèrent passablement de leurs devancières qui devaient irrémédiablement compter sur leur système de sta-

### CARACTÉRISTIQUES

| | |
|---|---|
| Prix du modèle à l'essai | 89 950 $ |
| Échelle de prix | de 59 950 $ à 89 950 $ |
| Assurances | 1 174 $ |
| Garanties | 4 ans 80 000 km / 4 ans 80 000 km |
| Emp. / Long. / Larg. / Haut. (cm) | 291 / 488 / 182 / 142 |
| Poids | 1 793 kg |
| Coffre / Réservoir | 399 litres / 57 litres |
| Coussins de sécurité | frontaux, latéraux et tête |
| Suspension avant | doubles leviers triangulés |

| | |
|---|---|
| Suspension arrière | indépendante, leviers triangulés |
| Freins av. / arr. | disque ventilé (Brembo), ABS |
| Système antipatinage | oui |
| Direction | à crémaillère, assistance variable |
| Diamètre de braquage | 11,4 mètres |
| Pneus av. / arr. | P245/50ZR18 / P275/35ZR18 |

### MOTORISATION ET PERFORMANCES

| | |
|---|---|
| Moteur | V8 DACT 4 litres à compresseur |
| Transmission | propulsion, automatique 6 rapports |
| Puissance | 400 ch à 6 100 tr/min |

| | |
|---|---|
| Couple | 408 lb-pi à 3 500 tr/min |
| Autre(s) moteur(s) | V6 3 l 240 ch ; V8 4,2 l 300 ch |
| Autre(s) transmission(s) | manuelle 5 rapports |
| Accélération 0-100 km/h | 5,5 secondes |
| Reprises 80-120 km/h | 4,7 secondes |
| Vitesse maximale | 249 km/h (limitée) |
| Freinage 100-0 km/h | n.d. |
| Consommation (100 km) | 14 litres (super) |
| Niveau sonore | n.d. |

se chiffre à 7 000 $. Ou encore, vous pourriez aussi vous priver de 2 cylindres et opter pour le V6, qui, lui, vous fera épargner 13 000 $ supplémentaires. À ce jeu, vous risquez toutefois de vous retrouver avec une Lincoln LS, cette berline à l'accent américain qui partage sa plate-forme et certains de ses éléments mécaniques avec les S-Type. Mais cela, c'est une autre histoire qui se raconte sans doute avec les mêmes mots mais dont les verbes se conjuguent différemment.

*Jacques Duval*

bilité et leur antipatinage pour éviter de magistrales pertes d'adhérence du train arrière. Chaussée de pneus de 18 pouces à taille basse, cette Jaguar n'a évidemment pas l'agilité que l'on souhaiterait mais, étrangement, le confort n'est jamais perturbé par ces immenses galoches.

Toutes les S-Type du millésime 2003 étrennent un nouveau tableau de bord plutôt bien réussi auquel on peut juste reprocher la présence de certains éléments en plastique qu'on a l'impression d'avoir déjà vus dans certaines voitures moins nobles. Mais si cela devait être le seul indice de l'appartenance de Jaguar au groupe Ford, on ne s'en offusquerait pas tellement les Jaguar ont progressé depuis l'acquisition de la marque anglaise par le géant américain. Les usines anglaises de Birmingham où sont construites les S-Type ont été robotisées et ont fait l'objet d'une modernisation qui n'aurait jamais été possible à l'époque où ce constructeur faisait cavalier seul en produisant quelques milliers de voitures par année.

### Et les autres

Si la R est la vedette incontestée de la nouvelle gamme des S-Type, la version 4,2 n'est pas négligeable pour autant. Son moteur a lui aussi été revitalisé avec une puissance accrue de 7 % (de 280 à 300 chevaux) et un couple amélioré de 8 %. Vous devrez patienter 7 dixièmes de secondes de plus pour atteindre 100 km/h, mais vous aurez la consolation de savoir que chaque petit dixième vous vaudra un millier de dollars de plus dans vos goussets puisque la diminution de la facture

## MODÈLES CONCURRENTS

- Audi S6 • BMW 540i et M5 • Infiniti G35
- Lexus GS 430 • Mercedes-Benz Classe E • Saab 9⁵
- Volvo S80

## VERDICT

| | |
|---|---|
| **Agrément de conduite** | ★★★★ |
| **Fiabilité** | nouveau modèle |
| **Sécurité** | ★★★★ |
| **Qualités hivernales** | ★★★ |
| **Espace intérieur** | ★★★½ |
| **Confort** | ★★★★ |

## ▲ POUR

- Performances phénoménales (modèle R) • Faible niveau sonore • Transmission automatique 6 rapports • Confort marqué • Comportement routier en progrès

## ▼ CONTRE

- Inconfort occasionnel sur mauvaise route (modèle R)
- Fiabilité inconnue • Levier de vitesses désagréable
- Chargeur CD dans le coffre • Pas de différentiel autobloquant

*XJ8 2004*

# Cure d'amaigrissement

**Après avoir consacré les dernières années à exploiter de nouveaux créneaux, avec l'avènement des modèles S-Type et X-Type, Jaguar oriente maintenant ses efforts vers la gamme XJ, véritable symbole de ce constructeur britannique. La nouvelle année marque ainsi un pas important dans l'histoire de cette berline anglaise alors que la 7e génération du modèle se pointera le bout du nez au printemps comme modèle 2004.**

Dévoilée au cours des derniers jours de septembre au Mondial de Paris, la nouvelle XJ respecte ses origines, bien sûr. La ressemblance est là, toujours là. Et personne ne s'en plaindra. Son style ne se démode pas malgré le poids des années. Jaguar a beau être passée dans le giron de Ford, il reste au moins un petit quelque chose de britannique dans cette voiture. Cette Jaguar ressemble encore à une Jaguar.

Apparue en 1968 — eh oui ! —, la XJ a réussi, malgré tout, à traverser les tempêtes. Elle a toujours su imposer un certain respect, symbole de richesse, de chic et de bon goût. Mais il fut une époque, pas si lointaine, où il aurait été préférable de la regarder passer plutôt que de la conduire… tellement sa fiabilité était exécrable.

Jaguar reconnaît que cette période de misère lui a été néfaste, que son image en a pris un coup et que ces années noires lui ont fait perdre une clientèle pourtant gagnée d'avance.

Aujourd'hui, Jaguar repart à neuf, fouettée par les résultats obtenus par les autres modèles de sa gamme dans le plus récent sondage de J.D. Powers & Associates. Cette entreprise très sérieuse a souvent malmené la marque britannique, mais cette fois, elle vient de reconnaître ses progrès importants. Espérons que la nouvelle XJ suivra la tendance et fera oublier sa mauvaise réputation.

Allons, passons au présent, et voyons de plus près ce que Jaguar a de nouveau à proposer.

Si les formes de la XJ tardent encore à évoluer (les phares ronds sont maintenus, tout autant que le capot plongeant et son imposante bosse au centre), le reste se met au diapason des nouvelles exigences d'un marché qui n'accepte pas les compromis.

## Tout en aluminium

Au cœur de la refonte du modèle qui, incidemment, sera identifié au millésime 2004, figure sa construc-

---

### CARACTÉRISTIQUES

| | |
|---|---|
| **Prix du modèle à l'essai** | XJR 2003 101 750 $ |
| **Échelle de prix** | de 84 100 $ à 104 950 $ |
| **Assurances** | n.d. |
| **Garanties** | 4 ans 80 000 km / 4 ans 80 000 km |
| **Emp. / Long. / Larg. / Haut. (cm)** | 287 / 502 / 180 / 134 |
| **Poids** | 1 837 kg |
| **Coffre / Réservoir** | 360 litres / 87 litres |
| **Coussins de sécurité** | frontaux et latéraux |
| **Suspension avant** | indépendante, leviers triangulés |

| | |
|---|---|
| **Suspension arrière** | indépendante, leviers transversaux |
| **Freins av. / arr.** | disque, ABS |
| **Système antipatinage** | oui |
| **Direction** | à crémaillère, assistance variable |
| **Diamètre de braquage** | 12,4 mètres |
| **Pneus av. / arr.** | P255/40ZR18 |

### MOTORISATION ET PERFORMANCES

| | |
|---|---|
| **Moteur** | V8 4,2 litres suralimenté |
| **Transmission** | propulsion, automatique 5 rapports |
| **Puissance** | 358 ch à 6150 tr/min |

| | |
|---|---|
| **Couple** | 372 lb-pi à 3 600 tr/min |
| **Autre(s) moteur(s)** | V8 4 litres 280 ch |
| **Autre(s) transmission(s)** | aucune |
| **Accélération 0-100 km/h** | 5,5 secondes |
| **Reprises 80-120 km/h** | 5,1 secondes |
| **Vitesse maximale** | 250 km/h |
| **Freinage 100-0 km/h** | 38,2 mètres |
| **Consommation (100 km)** | 15,5 litres (super) |

| | |
|---|---|
| • Valeur de revente | moyenne |
| • Renouvellement du modèle | 2004 |

plus imposante que sa devancière et ce, à tous les points de vue (longueur, largeur, hauteur et empattement). Cela rend son intérieur un peu plus spacieux et le confort comparable à celui de ses adversaires, A8, BMW Série 7 et Mercedes Classe S.

De cet habitacle, on retient également le fameux sélecteur de vitesses en J qui, à notre avis, n'a plus sa place. Jaguar maintient cette disposition dans sa nouvelle livrée malgré toutes les critiques dont elle a été l'objet.

tion en aluminium. Et la carrosserie et la plate-forme en sont fabriqués.

La XJ n'a jamais aussi bien paru face à ses concurrentes directes comme l'Audi A8 (remaniée elle aussi), qui fait aussi bon usage de l'aluminium. Grâce à ce matériau, la XJ vient, tout d'un coup, de se libérer de son plus grand tracas, le poids. Cet allègement de plus de 200 kilos lui fait, vous vous en doutez, le plus grand bien.

La XJ fait appel à une toute nouvelle technologie, une première, dit Jaguar : la caisse est réalisée par une méthode de rivetage et de collage. Des rivets perforants et des adhésifs époxy, selon une méthode préconisée en aéronautique, permettent d'assembler les panneaux emboutis et les pièces moulées en aluminium. Cette méthode renforce la robustesse et la durabilité de la caisse monocoque. Le châssis est non seulement plus léger (de 40 %), mais sa rigidité est augmentée de 60 % !

Dans le cas de la XJ, on ne parle plus de gros carrosse sans passion, mais d'une vraie voiture amusante à conduire… La gamme comptera sur les variantes XJ8 et XJR, toutes deux animées par le moteur V8 de 4,2 litres issu des ateliers de Ford. La XJ8 se verra confier la version atmosphérique qui produira 294 chevaux, soit quatre de plus que le modèle actuel.

La XJR, elle, promet des sensations encore plus vives, appuyée par la version suralimentée du V8 dont la puissance est fixée à 390 chevaux.

Avec 20 chevaux de plus sous le capot et toutes les améliorations apportées à son châssis, il faudra dompter ce félin… D'autant plus que vous pourrez la chausser de pneus de 20 pouces, si les 19 pouces

d'origine (18 pouces pour la XJ8) ne vous conviennent pas.

Et c'est sans compter sur la contribution de la S-Type, avec laquelle la XJ partage désormais ses suspensions avant et arrière. Ces suspensions, à pneumatique, viennent parfaitement s'intégrer au concept à double triangulation avec pièces en aluminium.

Ajoutez à cela les nombreux dispositifs à assistance électronique, comme le contrôle de stabilité et le régulateur de vitesse automatique et de distance avec fonction *Forward Alert,* et vous avez là une voiture très perfectionnée qui éloigne enfin la XJ de ses origines. Enfin !

### Un intérieur plus généreux

Quant à sa cabine, plus invitante, elle profite des dimensions accrues du modèle. La nouvelle XJ est

Le bois et le cuir sont encore très présents dans l'habitacle. De qualité supérieure, ils rehaussent le prestige du modèle. On dira ce qu'on voudra de Jaguar, cette marque a un quelque chose de particulier. Rouler en Jaguar, c'est pas pareil. C'est flatteur !

Mais cette fois, en plus, le nouvel exercice donne de sérieux résultats. La XJ nous montre sa face cachée. C'est comme si, 30 ans plus tard, on avait enfin réussi à exprimer tout son potentiel.

Soudainement, l'agrément de conduite prend toute sa signification.

(La fiche technique ci-dessous est celle de la XJR 2003 compte tenu du manque de données concernant la nouvelle version 2004.)

*Louis Butcher*

---

## MODÈLES CONCURRENTS

• Audi A8 • BMW 745 • Infiniti Q45 • Lexus LS 430
• M-Benz Classe S • VW Phaeton

## QUOI DE NEUF ?

• Nouveau modèle 2004

## VERDICT

| | |
|---|---|
| Agrément de conduite | ★★★★ |
| Fiabilité | ★★★★ |
| Sécurité | ★★★★ |
| Qualités hivernales | ★★★★ |
| Espace intérieur | ★★★ |
| Confort | ★★★⯪ |

## ▲ POUR

• Très bonnes performances • Bon comportement routier • Fiabilité en progrès

## ▼ CONTRE

• Habitabilité restreinte • Levier de vitesses désagréable • Modèle en fin de carrière

# Des félins musclés

**Les ingénieurs de Coventry ont fait autre chose cette année que de fournir une voiture à Austin Powers, le délirant agent secret britannique du grand écran. Ils ont également apporté de nombreuses améliorations au coupé et cabriolet de la série XK. La marque au félin rugissant ne réussit pas à obtenir des résultats tangibles en Formule 1, mais cela n'empêche pas les modèles les plus sportifs de la famille de recevoir des moteurs plus puissants et de nombreuses autres améliorations sur le plan mécanique**

Jadis un bastion de conservatisme, cette marque ne lésine plus pour apporter des améliorations de façon très régulière. Certains vont affirmer que c'est pour rattraper la concurrence, d'autres sont plus positifs et prétendent que c'est pour se distancer de celle-ci. Une chose est certaine : avec les gains en puissance des deux moteurs V8, ces Jags sont équipées pour rouler très vite. Curieusement, aucun changement esthétique majeur n'a été apporté tant au cabriolet qu'au coupé, à l'exception de l'installation de phares au xénon et d'un nouvel écusson sur le capot. À Coventry, le mot d'ordre semble avoir été d'améliorer les performances et le rendement, pas nécessairement de trouver de nouvelles épithètes pour les communiqués de presse.

Ce qui signifie que l'habitacle et sa présentation générale demeurent les mêmes. Il y a bien quelques nouveaux agencements de couleurs, des sièges Recaro dans le modèle R et un rétroviseur intérieur électrochromique, mais le reste demeure inchangé. Jaguar utilise donc des panneaux de bois exotique sur toute la largeur du tableau de bord tandis que le légendaire cuir Connolly est de rigueur. Il faut ajouter que l'espace pour les pieds du pilote demeure toujours assez exigu. Ce qui nous permet de rappeler que la nouvelle XK dévoilée en 1996 faisait et fait toujours usage du châssis de la défunte XJ, ce qui limite le comportement routier de cette élégante britannique qui est toujours considérée comme une voiture de grand-tourisme et non pas comme une sportive pure et dure. Que l'on soit d'accord ou pas avec cette étiquette, il est certain que la révision des moteurs et du rouage d'entraînement assurent des performances de grande sportive.

## CARACTÉRISTIQUES

| | |
|---|---|
| Prix du modèle à l'essai | XK8 Coupé 101 295 $ |
| Échelle de prix | de 95 950 $ à 104 950 $ |
| Assurances | 1270 $ |
| Garanties | 4 ans 80 000 km / 4 ans 80 000 km |
| Emp. / Long. / Larg. / Haut. (cm) | 259 / 476 / 183 / 128 |
| Poids | 1725 kg |
| Coffre / Réservoir | 310 litres / 75 litres |
| Coussins de sécurité | frontaux et latéraux |
| Suspension avant | indépendante, leviers triangulés |
| Suspension arrière | indépendante, leviers transversaux |
| Freins av. / arr. | disque, ABS |
| Système antipatinage | oui |
| Direction | à crémaillère, assistance variable |
| Diamètre de braquage | 11 mètres |
| Pneus av. / arr. | P245/50ZR17 |

## MOTORISATION ET PERFORMANCES

| | |
|---|---|
| Moteur | V8 4,2 litres |
| Transmission | propulsion, automatique 6 rapports |
| Puissance | 300 chevaux à 6000 tr/min |
| Couple | 310 lb-pi à 4100 tr/min |
| Autre(s) moteur(s) | V8 4,2 litres suralimenté 400 ch |
| Autre(s) transmission(s) | aucune |
| Accélération 0-100 km/h | 6,5 s ; 4,9 s (XKR) |
| Reprises 80-120 km/h | 5,3 secondes |
| Vitesse maximale | 250 km/h (limitée) |
| Freinage 100-0 km/h | 39,3 mètres |
| Consommation (100 km) | 12, 1 litres (super) |

| | |
|---|---|
| • Valeur de revente | moyenne |
| • Renouvellement du modèle | 2005-2006 |

Si le décapotable est romantique, le coupé s'avère plus pratique tout en assurant une meilleure tenue de route grâce à sa carrosserie plus rigide. Les spécialistes de Karman en Allemagne ont réussi du bon boulot sur le cabriolet, mais ils ne peuvent rien faire pour égaler la solidité d'une voiture à toit fixe.

Ces deux Jaguar affichent une tenue de route rassurante et il est toujours impressionnant de constater l'adhérence du train arrière dans un virage serré. Mais il faut souligner que la con-

## Bloody fast, my dear !

En traduction libre, cette expression signifie « Terriblement rapide, ma chère ! » et elle sera certainement utilisée dans les réunions mondaines de la *gentry* britannique pour décrire les performances de ces deux Jags. Pour obtenir davantage de puissance, les ingénieurs ont augmenté la cylindrée du moteur V8 qui passe de 4 litres à 4,2 litres. Cela permet au moteur atmosphérique de gagner 10 chevaux et à la version suralimentée d'en gagner 30. Les temps d'accélération sont par conséquent réduits de quelques dixièmes de secondes. Mais ce qui est encore plus important, c'est que la courbe de puissance est plus linéaire. Les reprises sont donc plus rapides et l'accélération initiale n'est pas handicapée par une certaine hésitation à bas régime. Soulignons au passage que ces deux groupes propulseurs ont dorénavant un système de calage des soupapes infiniment variable.

À moteurs plus puissants, transmission plus sophistiquée. En effet, tant le coupé que le cabriolet sont dorénavant équipés de série d'une nouvelle boîte automatique à 6 rapports fabriquée par ZF. Curieusement, celle-ci est plus simple sur le plan mécanique tout en étant plus légère que la boîte à 5 rapports. Cette transmission est adaptative, c'est-à-dire qu'elle s'adapte automatiquement aux habitudes de conduite du pilote. Si celui-ci est agressif et accélère nerveusement, la boîte va retarder les passages d'un rapport à l'autre. Le levier de vitesses en forme de J a été retenu. Du côté droit, le levier se déplace de façon traditionnelle avec des passages crantés. Une fois à gauche, il permet de passer les rapports manuel-

lement de façon séquentielle selon le système Mechatronic de Bosch. Mais si la boîte est efficace, ce levier de vitesses ne fait toujours pas l'unanimité.

## Coupé ou cabriolet ?

Un peu comme c'était le cas avec la légendaire XK-E, chaque type de carrosserie possède ses défenseurs et ses détracteurs. Il est vrai que la XK8 cabriolet affiche une rare élégance. De plus, son toit isolé assure une bonne insonorisation et protège contre les chutes de température. Par contre, lorsqu'il est en place, il faut montrer une certaine agilité pour s'installer au volant. Et ce toit ne se rétracte pas complètement, reposant en quelque sorte sur la partie arrière, ce qui gâche le coup d'œil. De plus, le cabriolet n'offre pas la même rigidité que le coupé.

duite devient très délicate dès qu'on change les nombreux systèmes d'aide électronique au pilotage. Une fois ceux-ci au chômage, la voiture devient plus délicate à conduire, et un excès d'enthousiasme se transforme aisément en tête-à-queue. Compte tenu du poids et de la puissance de ces voitures, il est sage de toujours se fier à l'électronique à moins d'être sur un circuit fermé et désireux de se donner des chaleurs.

Il est toujours regrettable que les coupés et cabriolets XK soient handicapés par une plate-forme vieillotte qui limite les progrès en matière de comportement routier. En attendant une vraie refonte, les améliorations apportées cette année devraient permettre de faire patienter la clientèle encore quelques années.

***Denis Duquet***

---

### MODÈLES CONCURRENTS

• BMW Z8 • Mercedes-Benz SL • Porsche 911 Turbo

### QUOI DE NEUF ?

• Cylindrée et puissance des moteurs augmentées
• Freins plus puissants • Boîte auto 6 rapports

### VERDICT

| | |
|---|---|
| Agrément de conduite | ★★★★ |
| Fiabilité | ★★★★ |
| Sécurité | ★★★ |
| Qualités hivernales | ★★ |
| Espace intérieur | ★★★ |
| Confort | |

### ▲ POUR

• Moteurs plus puissants • Silhouette classique
• Boîte auto. 6 rapports • Choix de pneumatiques
• Version R

### ▼ CONTRE

• Habitacle exigu • Plate-forme vétuste • Capote encombrante • Poids élevé • Tenue de route dépendante de l'électronique

# À condition de bien choisir

Rouler en Jaguar ne veut plus nécessairement dire que vous êtes bien nanti. L'emblème du félin bondissant ne se visse plus uniquement sur la calandre de somptueuses limousines et surplombe quelquefois des voitures plus roturières. C'est le cas notamment des X-Type qui sont les modèles les moins chers à s'inscrire au catalogue de la vénérable marque anglaise. Pour se démarquer des Ford Mondeo allemandes dont elles empruntent de nombreux éléments, ces petites berlines proposent la traction intégrale, un atout indéniable pour percer dans une catégorie où l'on retrouve déjà des valeurs aussi sûres que l'Audi A4 et la BMW de Série 3.

Essayée d'abord lors de son lancement en sol européen, la petite Jag avait fait plutôt belle impression. En revanche, sa prestation lors de notre match comparatif des intégrales (*Guide de l'auto 2002*) fut plutôt décevante en raison d'un mauvais choix de motorisation. Le V6 2,5 litres de 194 chevaux pénalise la X-Type à bien des égards et il suffit de conduire une version à moteur 3 litres de 231 chevaux (les deux sont disposés transversalement) pour se réconcilier avec la voiture. Sans avoir tout à fait la même onctuosité, ce groupe propulseur se compare avantageusement au 6 cylindres en ligne d'une BMW 330. Sa sonorité fort agréable (mais discrète) et ses performances très relevées stimulent l'agrément de conduite, surtout si vous avez la bonne idée de commander la boîte de vitesses manuelle à 5 rapports. Grâce à son levier court gainé de cuir et fort plaisant à manipuler, vous ne regretterez sûrement pas l'automatique dont la grille de sélection en escalier n'est pas une grande trouvaille. Si vous devez absolument donner congé à votre pied gauche, évitez dans la mesure du possible le petit V6 de 2,5 litres qui est carrément impotent avec la transmission automatique. À moins que vous n'ayez aucune gêne à vous faire doubler par une Daewoo Nubira ou un convoi funéraire... J'exagère à peine !

### À l'abri des tête-à-queue
Contrairement à une Audi A4 Quattro qui vous laisse toujours un peu sentir qu'il s'agit à l'origine d'une traction dotée d'un différentiel qui achemine la puissance aux roues arrière, la X-Type à traction intégrale fait davantage penser à une propulsion. Cela tient à une transmission intégrale qui expédie

## CARACTÉRISTIQUES

| | |
|---|---|
| Prix du modèle à l'essai | 52 950 $ |
| Échelle de prix | de 41 195 $ à 48 195 $ |
| Assurances | 1 003 $ |
| Garanties | 4 ans 80 000 km / 4 ans 80 000 km |
| Emp. / Long. / Larg. / Haut. (cm) | 271 / 467 / 179 / 139 |
| Poids | 1 555 kg |
| Coffre / Réservoir | 485 litres / 60,6 litres |
| Coussins de sécurité | frontaux, latéraux av. et arr.+ tête |
| Suspension avant | leviers triangulaires transversaux |
| Suspension arrière | essieu multibras, roues ind. |
| Freins av. / arr. | disque, ABS |
| Système antipatinage | oui |
| Direction | à crémaillère, assistance variable |
| Diamètre de braquage | 10,8 mètres |
| Pneus av. / arr. | P225/45ZR17 |

## MOTORISATION ET PERFORMANCES

| | |
|---|---|
| Moteur | V6 3 litres |
| Transmission | intégrale, manuelle 5 rapports |
| Puissance | 231 ch à 6 800 tr/min |
| Couple | 209 lb-pi à 3 000 tr/min |
| Autre(s) moteur(s) | V6 2,5 litres 194 ch |
| Autre(s) transmission(s) | automatique 5 rapports |
| Accélération 0-100 km/h | 7,6 secondes |
| Reprises 80-120 km/h | n.d. |
| Vitesse maximale | 237 km/h |
| Freinage 100-0 km/h | 35,7 mètres |
| Consommation (100 km) | 12,5 (super) |

| | |
|---|---|
| • Valeur de revente | moyenne |
| • Renouvellement du modèle | 2007-2008 |

Puisqu'il est question de sécurité, profitons-en pour souligner que la visibilité dans la X-Type n'est pas terrible en raison de l'étroitesse de la lunette arrière. Les imprudents qui s'avisent de boire en roulant rechigneront devant la présence d'un seul porte-verres placé près d'une console centrale qui sert aussi de vide-poches. D'autres se plaindront de ne pas pouvoir compter sur une commande d'ouverture à distance du coffre autre que la clé de contact tandis que les plus pointilleux ne manqueront pas de noter la très grande similitude des 43 (sic) boutons

60 % de la puissance à l'essieu arrière contre 40 % aux roues avant, une répartition qui favorise une plus grande maniabilité. Quoi qu'il en soit, le système est d'une efficacité redoutable comme l'a démontré mon essai réalisé en hiver. Cette petite Jaguar est littéralement à l'abri des tête à-queue et fait preuve d'une remarquable sécurité d'utilisation sur la neige ou sur n'importe quel revêtement à faible coefficient d'adhérence. Les 4 roues motrices ne sont toutefois pas les seules responsables d'une telle performance ; le système de stabilité à contrôle électronique de la X-Type y est pour beaucoup. Il suffit d'ailleurs de le débrancher pour se rendre compte que, sans son assistance, la traction intégrale de la voiture a tout de même ses limites. Sur pavé sec, l'adhérence reste impressionnante jusqu'à ce que le sous-virage commence à se manifester en conduite sportive.

S'il est un reproche que l'on peut adresser à ce modèle, c'est une certaine lourdeur du train avant accentuée par une direction qui gomme un peu trop les sensations de la route. La suspension, à la fois très classique et moderne, bénéficie d'un châssis d'une bonne rigidité et ne s'est jamais révélée inconfortable sur les routes particulièrement défraîchies des Cantons-de-l'Est.

### Un cuir inodore
Comme toute Jaguar qui se respecte, la X-Type fait appel à des placages en bois d'érable et au cuir Connolly pour rehausser la présentation intérieure. L'œil y trouve son compte, mais on ne peut s'empêcher de regretter que le cuir soit totalement

inodore. Il enveloppe magnifiquement des sièges fort agréables offrant une très bonne position de conduite. Pour la découvrir, il faudra cependant trouver le moyen de glisser la main jusqu'aux boutons coincés entre le siège et la porte. Une fois ce tour de force accompli, il suffira de choisir le meilleur des 10 réglages électriques proposés et d'ajuster la hauteur ou la profondeur du volant pour vous sentir très à l'aise.

En plaçant un simple porte-documents sur le siège du passager avant, on sera étonné de voir s'allumer un témoin lumineux indiquant que le coussin gonflable a été désactivé. Il faut savoir que les Jaguar possèdent une protection spéciale : dès qu'un poids équivalant à celui d'un enfant en bas âge est déposé sur le siège avant droit, le coussin gonflable correspondant est mis hors tension.

contrôlant radio et climatisation. Au moins, ils ont l'avantage d'être gros et faciles d'utilisation. On aura terminé ce tour du propriétaire quand on vous aura dit que les places arrière sont un peu justes pour la tête, mais qu'elles offrent un meilleur dégagement pour les jambes que dans les modèles concurrents et que le coffre est d'un volume supérieur à celui de toutes les rivales de cette voiture.

Les Jaguar X-Type sont de bonnes voitures qui ont sans doute le malheur de faire partie de la catégorie du marché où l'on retrouve ce que l'industrie automobile a de mieux à offrir. On a beau avoir du talent, il n'est pas facile de se mesurer à des A4, Série 3 ou Classe C. Pour ceux qui prônent la différence, cette petite anglaise n'est pas dépourvue d'intérêt.

*Jacques Duval*

## MODÈLES CONCURRENTS

- Acura 3,2TL • Audi A4 3,0 • BMW Série 3
- Infiniti G35 • Lexus IS et ES 300
- Mercedes-Benz Classe C • Volvo S60

## QUOI DE NEUF ?

- Options révisées • Lecteur CD au tableau de bord
- Volant mi-bois, mi-cuir (3 litres)
- Nouvelles jantes (3 litres)

## VERDICT

| | |
|---|---|
| Agrément de conduite | ★★★⬩ |
| Fiabilité | ★★★★ |
| Sécurité | ★★★★ |
| Qualités hivernales | ★★★★ |
| Espace intérieur | ★★★⬩ |
| Confort | ★★★⬩ |

## ▲ POUR

- Prix compétitif • Bon comportement routier
- Un régal en hiver • Faible niveau sonore
- Grand coffre

## ▼ CONTRE

- Performances décevantes (2,5 litres) • Mauvaise visibilité arrière • Transmission automatique lente
- Direction floue • Trop grand nombre d'options

# Un dur de dur, plus mou que mou

**Même s'il fut le précurseur des véhicules utilitaires sport de luxe, le Jeep Grand Cherokee commence à s'essouffler devant la concurrence, toujours grandissante, dans ce créneau. Les BMW, Lexus, Mercedes et autres modèles bien établis dans le segment haut de gamme semblent mieux tirer leur épingle du jeu lorsque vient le temps de satisfaire ces faux aventuriers plus en quête de confort que de performance hors route.**

À première vue, le Jeep Grand Cherokee semble avoir grand besoin de la cure de rajeunissement prévue pour 2004. En effet, depuis sa dernière révision en 1999, sa silhouette attirait toujours les regards dans les divers lieux fréquentés par un véhicule aux fonctions multiples, endroits cossus et sentiers. Cette silhouette demeure réussie, mais désormais un brin anodine lorsqu'on la compare à de nombreux concurrents. Il lui faudra donc plus que des jantes chromées, comme celles offertes sur l'édition Over-

land mise à l'essai, pour le relancer pour quatre ans encore. Souhaitons que son prochain remaniement s'avérera plus radical. Finalement, il est facile de croire que ce véhicule s'adresse désormais à cette majorité de propriétaires de véhicules tout-terrains qui ne feront jamais lever de poussière, de peur d'abîmer le chrome de leurs jantes. Sa gueule robuste perd donc un peu de sa pertinence.

À bord, l'agencement du tableau de bord est sobre mais réussi. La liste des accessoires est complète et les seules options sont un réglage du

niveau du pédalier ainsi qu'un module qui permet de modifier la pression d'air dans les pneus.

### Trop de bourrelets

Des boiseries recouvrent certaines parties du tableau de bord et l'ergonomie est bien réussie car, sans révolutionner la façon de faire, elle respecte les règles de base. La sellerie fait, quant à elle, dans le facile. En effet, on semble confondre confort et « bourrure », puisque l'on a plus l'impression de prendre place dans un fauteuil de salon pour une activité passive plutôt que dans une voiture pour une activité aussi proactive que la conduite. De plus, cet excès de « bourrelets » dans le siège surélève nos pieds à tel point que l'impression de confort se perd rapidement au fil des kilomètres. Le pédalier ajustable devient alors indispensable pour

## CARACTÉRISTIQUES

| | |
|---|---|
| Prix du modèle à l'essai | 52 895 $ |
| Échelle de prix | de 39 225 $ à 52 895 $ |
| Assurances | 745 $* |
| Garanties | 3 ans 60 000 km / 7 ans 115 000 km |
| Emp. / Long. / Larg. / Haut. (cm) | 269 / 461 / 184 / 176 |
| Poids | 1 828 kg |
| Coffre / Réservoir | 1 104 litres / 78 litres |
| Coussins de sécurité | frontaux / latéraux |
| Suspension avant | essieu rigide, ressorts hélicoïdaux |
| Suspension arrière | essieu rigide, bras tirés |
| Freins av. / arr. | disque, ABS |
| Système antipatinage | non |
| Direction | à billes, assistée |
| Diamètre de braquage | 11,4 mètres |
| Pneus av. / arr. | P235/65R17 |

## MOTORISATION ET PERFORMANCES

| | |
|---|---|
| Moteur | V8 4,7 litres high output |
| Transmission | automatique 5 rapports |
| Puissance | 265 ch à 5 100 tr/min |
| Couple | 330 lb-pi à 3 600 tr/min |
| Autre(s) moteur(s) | V8 4,7 litres 225 ch |
| | 6L 4 litres 195 ch |
| Autre(s) transmission(s) | automatique 4 rapports |
| Accélération 0-100 km/h | 7 secondes |
| Reprises 80-120 km/h | 6,5 secondes |
| Vitesse maximale | 190 km/h |
| Freinage 100-0 km/h | 40,2 mètres |
| Consommation (100 km) | 16,5 litres (ordinaire) |
| • Valeur de revente | moyenne |
| • Renouvellement du modèle | 2004-2005 |

dichotomique qui ne veut pas choisir entre une voiture de luxe et un camion se retrouve dans un véhicule qui, plus souvent qu'autrement, lui fera payer cher son indécision. Cette personne recherche la performance et le luxe, deux éléments difficilement compatibles, même si certains modèles arrivent mieux que d'autres à un certain compromis. En voulant combiner ces deux rôles, le Jeep Grand Cherokee qui est pourtant l'instigateur de cette mode, est pris à son propre jeu. Sa nature première le destine à de grosses corvées et on le sent mal à l'aise dans sa tenue endi-

quiconque a des jambes un peu plus courtes que la norme. L'habitacle est généreux sans tomber dans l'exagération et le coffre arrière offre amplement d'espace pour les bagages de toutes vos aventures urbaines.

### Attention devant

Une fois au volant de ce monstre sacré, on prend un malin plaisir à exploiter les quelque 260 chevaux provenant du V8 de 4,7 litres. Cette motorisation est la seule disponible dans la version Overland, mais, pour les modèles d'entrée de gamme, il existe un 6 cylindres de 4 litres qui développe 195 chevaux et dont les performances, surprenantes, en font un choix tout de même logique pour un véhicule au gabarit aussi imposant. Si l'accélération peut être quasi brutale, on ne peut en dire autant du freinage. En effet, bien qu'il y ait eu au fil des ans des améliorations de ce côté, il est fortement recommandé de tout faire pour éviter les situations de freinage d'urgence. Le véhicule pique du nez et devient assez instable. C'est en virage qu'on ressent le plus la lourdeur de ce petit paquebot. La suspension molle et le poids du navire en font un véhicule imprévisible qui donne l'impression de flotter sur la route. Rajoutez à cela une direction surassistée, qui vous oblige à rectifier votre trajectoire constamment, et vous obtenez un cocktail explosif qui justifie les critiques sur ce type de véhicule.

### Comme un poisson dans l'eau

Si le Jeep Grand Cherokee a du mal à se faire justice sur la voie publique, il se retrouve comme un

poisson dans l'eau hors route. Son système Quadra-Drive, qui a depuis longtemps fait ses preuves, devient alors sa force de frappe. Il apparaît mieux adapté que la majorité de ses concurrents aux excursions en dehors des sentiers battus. On reconnaît la nature première du Jeep Grand Cherokee, soit celle d'un véritable véhicule tout-terrain. Il faut cependant lui faire affronter des situations difficiles pour bien exploiter tout son potentiel. Ce qui revient à dire que si vous prévoyez vous servir de ce véhicule seulement sur la route, vous ne serez jamais en mesure d'apprécier ses points forts tout en ayant à subir sa lourdeur et son inconfort à la ville.

### On ne peut tout avoir

C'est probablement à bord d'un Grand Cherokee que ce dicton prend tout son sens. Le client au discours

manchée. Bref, le dur de dur s'est désagréablement ramolli. On aurait envie de dire qu'il est aux années 2000 ce qu'était le *Caddy* aux années 80.

*Mathieu Bouthillette*

## MODÈLES CONCURRENTS

• Acura MDX • Ford Explorer • Infiniti QX4
• Nissan Pathfinder

## QUOI DE NEUF ?

• Freinage moins spongieux • Direction plus ferme

## VERDICT

| | |
|---|---|
| **Agrément de conduite** | ★★★★ |
| **Fiabilité** | ★★★ |
| **Sécurité** | ★★★ |
| **Qualités hivernales** | ★★★★★ |
| **Espace intérieur** | ★★★★ |
| **Confort** | ★★★★ |

## ▲ POUR

• Bien équipé • Finition améliorée
• Moteur puissant

## ▼ CONTRE

• Sièges inconfortables • Freinage spongieux
• Suspension molle • Direction surassistée

# Un pont entre deux rives

**Appelez-les des crossover, des multitâches, des hybrides. Peu importe, ils pullulent sur le marché depuis quelques années. Et si quelques-uns ne sont qu'un amalgame du pire de deux mondes, dans certains cas, le résultat s'avère beaucoup plus concluant. Le Jeep Liberty fait partie de ces rares exécutions réussies d'un concept qui semble plus facile à imaginer qu'à réaliser, soit un juste milieu entre le tout-terrain et le tous les jours.**

Depuis la disparition du défunt Cherokee, le rôle du Liberty est on ne peut plus clair; faire le pont entre le TJ et le Grand Cherokee. Dans cette lignée aux attributs hors route redoutables, la tâche n'était pas mince, mais le but est néanmoins atteint. En effet, le Liberty rappelle le TJ par certaines facettes de son look, et le Grand Cherokee par sa finition plus peaufinée et tirant même vers le luxe «entrée de gamme». Hérédité oblige, les ressemblances ne s'arrêtent pas là. Le Jeep Liberty, contrairement à bien d'autres véhicules dans cette classe, est venu au monde avec le bagage d'expérience dans le domaine du hors route ainsi que la réputation durement acquise de la marque Jeep. Le Liberty est offert avec deux systèmes de traction aux quatre roues; le Command-Trac avec traction aux quatre roues disponible sur demande, et le Select-Trac offrant la même traction en tout temps. Ces deux systèmes sont offerts avec *low range*.

Parmi les différentes motorisations disponibles, vous trouverez un V6 3,7 litres qui vous permettra de rouler sans problème avec ses 210 chevaux à 5200 tr/min. À ce dernier, vous pourrez marier une transmission automatique à 4 rapports, le choix de la raison, ou une transmission manuelle à 5 rapports beaucoup plus attrayante en théorie qu'en pratique parce qu'elle ne se montre pas à la hauteur de l'automatique. L'autre motorisation offerte est un 4 cylindres en ligne de 2,4 litres développant 150 chevaux à 5200 tr/min qui, peu importe la transmission, ne s'avère pas plus intéressant en réalité qu'en théorie.

### Suspension bien adaptée

Bien que la suspension du Liberty soit réglée de la même façon que celle du Grand Cherokee, elle semble nettement mieux adaptée au Liberty. Tellement mieux adaptée que l'on peut même oublier l'essieu

## CARACTÉRISTIQUES

| | |
|---|---|
| Prix du modèle à l'essai | 34 890 $ |
| Échelle de prix | de 24 490 $ à 34 890 $ |
| Assurances | 800 $* |
| Garanties | 3 ans 60 000 km / 7 ans 115 000 km |
| Emp. / Long. / Larg. / Haut. (cm) | 265 / 443 / 182 / 180 |
| Poids | 1750 kg |
| Coffre / Réservoir | 821 litres / 70 litres |
| Coussins de sécurité | frontaux et latéraux |
| Suspension avant | indépendante, bras triangulés |
| Suspension arrière | rigide, bras tirés |
| Freins av. / arr. | disque (ABS opt.) |
| Système antipatinage | non |
| Direction | à crémaillère, assistée |
| Diamètre de braquage | 10,9 mètres |
| Pneus av. / arr. | P235/65TR17 |

## MOTORISATION ET PERFORMANCES

| | |
|---|---|
| Moteur | V6 3,7 litres |
| Transmission | automatique 4 rapports |
| Puissance | 210 ch à 5 200 tr/min |
| Couple | 225 lb-pi à 5 200 tr/min |
| Autre(s) moteur(s) | 4L 2,4 litres 150 ch |
| Autre(s) transmission(s) | manuelle 5 rapports |
| Accélération 0-100 km/h | 10,4 secondes |
| Reprises 80-120 km/h | 9,3 secondes |
| Vitesse maximale | 185 kmh |
| Freinage 100-0 km/h | 38,5 mètres |
| Consommation (100 km) | 15,8 litres (ordinaire) |

| | |
|---|---|
| • Valeur de revente | moyenne |
| • Renouvellement du modèle | 2006 |

savoir qu'on peut choisir d'autres couleurs que le vert kaki et qu'en 2003, on trouvera un Liberty Renegade Premium avec une longue liste de petites attentions, dont des sièges en cuir et une grille avant.

Finalement, en regardant la ligne des produits Jeep, on s'aperçoit que ce qui devait être un simple pont devient vite le seul choix logique. En effet, le TJ étant mince en arguments pratiques et le Grand Cherokee à bout de souffle en fin de course, le Liberty s'impose par sa capacité à s'adapter à tous

rigide et croire en une suspension indépendante aux quatre roues ; la conduite est souple et on ne sent pas les sautillements souvent causés par un essieu rigide. Et alors que son habitacle et son apparence robuste donnent au Liberty les allures d'un camion, en le conduisant, on se croirait à bord d'une voiture.

### Tout ou rien

À la liste de points qui font du Liberty un des préférés de sa catégorie s'ajoute bien sûr son intérieur. En effet, le modèle Limited mis à l'essai offre des sièges d'un cuir d'une qualité peu fréquente dans cette catégorie de véhicules. Dommage que la banquette ne soit pas assez profonde, ce qui laisse les jambes sans un appui suffisant. Le tableau de bord ainsi que l'habitacle constituent des exemples de bonne finition et de choix judicieux des matériaux. L'aluminium brossé est très présent et c'est du vrai, contrairement à ce qui est le cas dans trop de véhicules sur le marché qui sont affublés d'imitations bon marché.

Par contre, pour ce qui est du volume du coffre, le Liberty a malheureusement pris modèle sur le TJ. Il est peu profond bien que facilement accessible grâce à un système ingénieux qui, lorsque l'on active la poignée, permet d'ouvrir verticalement la moitié supérieure de la porte tandis que le bas s'ouvre horizontalement. S'il était plus volumineux, ce coffre se révélerait pratique, mais pour ça il faudra repasser.

Un autre point qui est frappant avec le Liberty, c'est la différence entre l'habitacle du modèle d'entrée de gamme et celui du modèle Limited. Si ce der-

nier est sans aucun doute réussi, le modèle de base vous rappellera continuellement qu'un monde vous sépare de l'idéal. En effet, son habitacle est constitué d'une multitude de plastiques gris qui se chevauchent.

### Pour les mordus

À la fin de 2002 s'est ajoutée au carnet de commande une nouvelle version du modèle, soit le Renegade. Cette nomenclature refait surface chez Jeep et prend des allures de véhicule adapté pour le Dakar. Ce modèle est facilement reconnaissable par quelques accessoires tels une rangée de quatre lampes halogènes sur le toit, des marchepieds amovibles, des élargisseurs de roues amovibles, des roues spéciales, une galerie de toit et d'autres accessoires à l'intérieur. Réjouissons-nous aussi de

les types de situations. Avec des capacités hors route semblables à celles du TJ et du Grand Cherokee et avec une liste d'équipement qui le rapproche plus du Grand Cherokee que du TJ, le Liberty fait ce que le défunt Cherokee n'aurait jamais pu faire, soit le pont entre deux rives qui semblaient être trop opposées pour pouvoir se rencontrer. Et il le fait mieux que quelque autre véhicule dans cette catégorie.

*Mathieu Bouthillette*

---

## MODÈLES CONCURRENTS

- Ford Escape • Honda CR-V • Nissan Xterra
- Suzuki XL7 • Toyota RAV4

## QUOI DE NEUF ?

- Modèle Renegade

## VERDICT

| | |
|---|---|
| **Agrément de conduite** | ★★★★ |
| **Fiabilité** | ★★★ |
| **Sécurité** | ★★★ |
| **Qualités hivernales** | ★★★★★ |
| **Espace intérieur** | ★★★ |
| **Confort** | ★★★ |

## ▲ POUR

- Moteur bien adapté • Suspension confortable
- Belle finition

## ▼ CONTRE

- Coffre étroit • Sièges trop courts
- Consommation élevée pour cette catégorie

# *Chouette, la bouette!*

**Voici une statistique qui en dit long: la moitié des acheteurs de Jeep TJ s'aventurent hors des sentiers battus, terrain sur lequel aucun de ses prétendus rivaux ne lui arrive à la jante! Et les chances sont bonnes qu'ils seront encore plus nombreux à prendre la clé des champs cette année avec la mise en marché de la livrée Rubicon. Cette dernière connaîtra toutefois une diffusion plutôt limitée puisque seulement 8 000 exemplaires seront produits au cours de la prochaine année. Qu'est-ce qui distingue la Rubicon des trois autres? Son prix, bien sûr, mais surtout ses nombreux accessoires qui lui permettent de poser ses roues dans les sentiers les plus impraticables qui soient. Pour réaliser pareil exploit, la Rubicon est dotée en exclusivité d'une boîte de transfert renforcée, d'une paire de différentiels autobloquants, de pneumatiques aux semelles pleines de dents, de freins à disque aux quatre roues et d'essieux ultrarobustes. Il va de soi que la Rubicon s'adresse strictement à ceux pour qui «la bouette, c'est chouette».**

Outre l'ajout d'une nouvelle version (les SE, Sport et Sahara demeurent inscrites au catalogue), les transformations apportées pour 2003 consistent en: une nouvelle transmission automatique à 4 rapports, 25 chevaux de plus pour le 4 cylindres de 2,5 litres (oui, ça en fait maintenant 150), un arbre de transmission plus robuste et une nouvelle palette de couleurs susceptible de faire rougir un paon.

### Un catalogue bourré d'options

L'amateur trouvera normal que presque tous les accessoires du TJ figurent sur la liste des options. Et elle est longue, cette liste, de sorte que le prix de la version de base se gonfle rapidement de plusieurs milliers de dollars lorsqu'on désire l'habiller convenablement. Des exemples? En voici deux qui feront l'affaire: la colonne de direction inclinable (Sport) et la banquette arrière (SE). Au sujet de cette dernière, mentionnons qu'elle peut accueillir deux personnes sur de brefs parcours (attention de ne pas vous cogner la tête sur l'arceau de sécurité cependant). On replie pour accroître la capacité de chargement, autrement ridicule. À l'avant, on prend ses aises à condition de fermer les yeux sur le faible soutien offert par le coussin de siège, qui oblige pratiquement à conduire sur la pointe des fesses.

## CARACTÉRISTIQUES

| | |
|---|---|
| **Prix du modèle à l'essai** | Sahara 28 715 $ |
| **Échelle de prix** | de 20 380 $ à 29 425 $ |
| **Assurances** | 800 $ |
| **Garanties** | 3 ans 60 000 km / 7 ans 115 000 km |
| **Emp. / Long. / Larg. / Haut. (cm)** | 237 / 381 / 169 / 180 |
| **Poids** | 1388 kg |
| **Coffre / Réservoir** | 326 litres / 72 litres |
| **Coussins de sécurité** | frontaux |
| **Suspension avant** | essieu rigide |
| **Suspension arrière** | essieu rigide |
| **Freins av. / arr.** | disques / tambours (ABS optionnel) |
| **Système antipatinage** | non |
| **Direction** | à billes assistée |
| **Diamètre de braquage** | 10,2 mètres |
| **Pneus av. / arr.** | P215/75R15 |

## MOTORISATION ET PERFORMANCES

| | |
|---|---|
| **Moteur** | 6L 4 litres |
| **Transmission** | manuelle 5 rapports |
| **Puissance** | 190 ch à 4 600 tr/mn |
| **Couple** | 235 lb-pi à 3 200 tr/mn |
| **Autre(s) moteur(s)** | 4L 2,5 litres (147 ch) |
| **Autre(s) transmission(s)** | automatique 4 rapports |
| **Accélération 0-100 km/h** | 10,8 secondes |
| **Reprises 80-120 km/h** | 9,7 secondes. |
| **Vitesse maximale** | 165 km/h |
| **Freinage 100-0 km/h** | 42,3 mètres |
| **Consommation (100 km)** | 14,7 (ordinaire) |

| | |
|---|---|
| • **Valeur de revente** | moyenne |
| • **Renouvellement du modèle** | n.d. |

d'une boîte automatique à 4 rapports. Cette dernière permet non seulement d'abaisser de quelques décibels le niveau sonore dans l'habitacle, mais aussi de réduire – un peu – la consommation d'essence.

### Pensez-y bien

Les exploits hors route pouvant être signés au volant du TJ éclipsent la concurrence dans les ornières. Mais à moins d'être un irréductible du tout-terrain, peut-on honnêtement oublier l'existence des

Autrefois trop éparpillés pour être tous lisibles, les instruments de bord se regroupent désormais à l'intérieur d'une nacelle, plus facile à déménager à droite lorsqu'il s'agit d'exporter le TJ en Asie. L'instrumentation est complète et les principales commandes logent à proximité du conducteur. Quant au toit souple, il se découvre toujours aussi difficilement et sa manipulation exige toujours un certain doigté. Alors, si vous êtes impatient, mieux vaut vous offrir le toit rigide (oui, une autre option) qui a l'avantage d'être doté d'une lunette en verre, d'un dégivreur et d'un essuie-glace. Là n'est pas la seule qualité de ce couvre-chef qui non seulement est mieux adapté à nos saisons mais permet d'abaisser le niveau sonore de la cabine.

### La brousse avant la ville

Avant de se mettre au volant du TJ, il faut laisser ses préjugés au placard et donner un tant soit peu de crédibilité aux concepteurs de ce Jeep qui prétendent l'avoir « civilisé ». La suspension adopte, on le sait, des ressorts hélicoïdaux, nettement plus confortables que les ressorts à lames qui portaient jadis le véhicule au-dessus de la route. On se retrouve donc en présence d'un utilitaire plus stable et surtout plus douillet sur chaussée revêtue, mais qui demeure malgré tout « nerveux » au passage des trous et des bosses. Voilà une bonne raison de lever le pied. Il vous en faut une seconde ? La voici : le freinage n'est pas un modèle d'efficacité, surtout lorsqu'il est dépourvu de l'ABS (en option bien sûr). Et pour refroidir encore davantage celui qui se trouve aux commandes, la direction, toujours à

billes, demeure floue et imprécise ce qui, sur les voies rapides, nécessite de fréquentes corrections de trajectoires. En ville, l'empattement ultracourt du TJ conjugué à son diamètre de braquage qui l'est tout autant en fera un complice amusant et agile. Mince consolation.

### Plus de puissance et moins de bruit

Pour animer cet utilitaire « double usage », deux moteurs sont proposés. Le 2,5 litres est un gros 4 cylindres rugueux, mais dont la puissance et le couple vitaminés cette année (147 chevaux au lieu de 125) suffisent à la tâche à la condition de l'arrimer à la transmission manuelle. Le 6 cylindres en ligne de 4 litres ronronne plus discrètement, maintenant qu'il peut compter sur les services

routes asphaltées ou fermer les yeux sur la fonctionnalité, deux domaines où, malgré de remarquables progrès, le TJ exige une bonne dose de réflexion ? En somme, pouvez-vous vivre 12 mois par année derrière son volant ? Moi, pas !

*Éric LeFrançois*

---

### MODÈLES CONCURRENTS

• *Chevrolet Tracker* • *Suzuki Vitara*

### QUOI DE NEUF ?

• *Transmission automatique à 4 rapports*
• *Version Rubicon* • *Moteur 4L plus puissant*

### VERDICT

| | |
|---|---|
| **Agrément de conduite** | ★★ |
| **Fiabilité** | ★★★ |
| **Sécurité** | ★★★ |
| **Qualités hivernales** | ★★★⯪ |
| **Espace intérieur** | ★★ |
| **Confort** | ★⯪ |

### ▲ POUR

• **Capacités hors-route exceptionnelles • Version Rubicon • Redoutable et exclusive • Transmission automatique 4 rapports**

### ▼ CONTRE

• **Capote peu malléable • Direction floue**
• **Suspension sautillante**

# KIA MAGENTIS

# Glace à la vanille

**Vous devez vous procurer une berline par obligation ? L'idée de dépenser un sou de trop pour de la « ferraille » vous rend malade ? Vous avez le portefeuille qui grimace ? Kia prétend avoir la solution : la Magentis. Une berline qui, avec le Sorento, permet aujourd'hui au constructeur sud-coréen de faire taire ceux qui lui reprochaient de ne construire que des véhicules bon marché, image qui lui colle à la peau depuis qu'elle s'est établie en terre d'Amérique.**

Offerte en trois versions, 2,4 LX de base avec un 4 cylindres, 2,5 LX plus luxueuse, animée, vous l'aurez deviné, par un moteur 6 cylindres et 2,5 SE, la Magentis a eu droit, cette année, à la visite des stylistes. Ces derniers lui ont dessiné une calandre plus « chic » pour reprendre l'expression de mon fils ainsi que des phares, des ailes avant et un capot tous plus profilés. Sans être une œuvre d'art sur roues, cette Magentis « renouvelée » fait bien meilleure impression que le modèle de l'année dernière. Serons-nous également impressionnés par la qualité de la fabrication ? C'est à souhaiter puisque dans l'un des deux exemplaires essayés au cours des derniers mois de 2002, certains plastiques menaçaient de se détacher de la carrosserie alors que la peinture (fait rare de nos jours) faisait des bulles sur le capot.

Vaste et fonctionnel, l'habitacle peut s'habiller d'une sellerie de cuir (esthétiquement plus jolie que la « peluche », pourtant nouvelle, qui habille baquets et banquette des livrées ordinaires). L'accès à bord se fait aisément, la cabine pouvant accueillir sans problème quatre adultes. Un cinquième ? Sur une courte distance seulement ! La position de conduite est relativement confortable grâce à un volant inclinable et à un baquet à réglages multiples, mais les baquets manquent tout de même de soutien.

Le tableau de bord, tatoué d'une affreuse (le mot est bien pesé) applique de similibois, rassemble des indicateurs et jauges (y compris un rappel de la sélection du rapport de transmission) logiquement regroupés dans un bloc d'instrumentation bien à la vue du conducteur. Les principales commandes se révèlent faciles à repérer et à actionner sans quitter la route des yeux. Le climatiseur,

## CARACTÉRISTIQUES

| | |
|---|---|
| Prix du modèle à l'essai | 24 295 $ (2002) |
| Échelle de prix | de 21 295 $ à 29 095 $ |
| Assurances | 834 $ |
| Garanties | 5 ans 100 000 km / 5 ans 100 000 km |
| Emp. / Long. / Larg. / Haut. (cm) | 270 / 472 / 181,5 / 141 |
| Poids | 1465 kg |
| Coffre / Réservoir | 386 litres / 65 litres |
| Coussins de sécurité | frontaux et latéraux |
| Suspension avant | indépendante, jambes de force |
| Suspension arrière | indépendante, multibras |
| Freins av. / arr. | disque |
| Système antipatinage | non |
| Direction | à crémaillère, assistance variable |
| Diamètre de braquage | 10,4 mètres |
| Pneus av. / arr. | P205/60R15 |

## MOTORISATION ET PERFORMANCES

| | |
|---|---|
| Moteur | V6 2,7 litres |
| Transmission | traction, auto. 4 rap. avec Steptronic |
| Puissance | 178 ch à 6 000 tr/min |
| Couple | 181 lb-pi à 4 000 tr/min |
| Autre(s) moteur(s) | 4L 2,4 litres 149 ch |
| Autre(s) transmission(s) | automatique 4 rapports |
| Accélération 0-100 km/h | 9 secondes |
| Reprises 80-120 km/h | 8,4 secondes |
| Vitesse maximale | 195 km/h |
| Freinage 100-0 km/h | 42,7 mètres |
| Consommation (100 km) | 11,4 litres (ordinaire) |
| • Valeur de revente | faible |
| • Renouvellement du modèle | 2005 |

bien calibrée. Cependant, elle est un peu légère et ne transmet pratiquement aucune sensation. Amateur de conduite, prière de s'abstenir ! Il faut dire aussi que les réglages de la suspension (pourtant, elle aussi assez sophistiquée) n'aident en rien pour dynamiser le comportement de cette Magentis puisqu'elle réplique mollement aux imperfections de la route. Ainsi, aussitôt qu'on augmente la cadence, elle se met à sous-virer. En d'autres mots, ne cherchez pas à tutoyer ses limites ! Et son système de freinage, composé de quatre disques (mais

de série, se retrouve au centre de la planche de bord, tout juste au-dessous de la chaîne audio qui comporte un lecteur de disques compacts. Avec un grand coffre à gants, une console complètement redessinée cette année, des pochettes dans les portes et derrière les dossiers, le rangement ne manque pas. Le couvercle du coffre s'ouvre sur un espace de chargement modulable (le dossier de la banquette se rabat pour accroître l'espace utile).

### Du point A au point B

Avant d'entrer dans le vif du sujet, parlons boulons. La Magentis repose, rappelons-le, sur une plate-forme mécanique similaire à celle de la Sonata. On boulonne alors les mêmes mécaniques. On retrouve donc de série (dans la LX) un moteur 4 cylindres de 2,4 litres de 149 chevaux alors que dans les autres versions, on peut le remplacer par un V6 de 2,5 litres (170 chevaux) ; il serait d'ailleurs retenu par la majorité des acheteurs, selon Kia. Pour accompagner le moteur V6, seule une transmission semi-automatique à 4 rapports (le moteur 4 cylindres s'accompagne d'une boîte automatique traditionnelle) se propose d'entraîner les roues avant, auxquelles Kia a rattaché un dispositif anti-patinage mais seulement dans la SE, lire la plus chère. Dommage !

Au premier coup d'accélérateur, ce moteur V6 semble plus en verve qu'il ne l'est en réalité. En effet, il faut compter près de 10 secondes (9,9 pour être précis) pour atteindre les 100 km/h, soit près de 1 seconde de plus que ses plus proches concurrentes.

Idem au chapitre des reprises, quoique dans ce domaine, l'écart est moins important. Même si elle se retrouve à la traîne dans ces deux domaines, cette berline sud-coréenne prend sa revanche en sirotant calmement les 65 litres d'essence de son réservoir (moyenne de 11,1 l/100 km).

Comme avec bien des transmissions du genre, on se lasse rapidement de passer manuellement les rapports de la transmission semi-automatique, si bien qu'on finit par stationner de manière définitive le levier en position « D ».

Dans un tout autre registre, saluons la présence d'une monte pneumatique de 15 pouces (le modèle animé par un moteur 4 cylindres roule sur du 14 pouces), offrant un confort de roulement fort acceptable. Et quoi encore ? La direction à assistance variable en fonction de la vitesse apparaît

pas d'ABS, celui-ci étant à l'usage exclusif de la SE), immobilise la Magentis sur une distance raisonnable, mais s'échauffe rapidement, lui faisant ainsi perdre beaucoup d'efficacité.

Véritable glace à la vanille aux côtés d'autres intermédiaires savoureuses (Honda Accord, Nissan Altima, Mazda 6, Toyota Camry), la Magentis plaira pour son prix à tous ceux – et je vous devine nombreux – qui se désintéressent de la chose automobile. Elle attire l'attention avec une liste impressionnante d'accessoires, une garantie alléchante (5 ans) et un prix très avantageux. Ces trois raisons suffiront à inciter certains d'entre vous à lui faire une place dans votre entrée de garage ? Très bien, mais vous ne la retrouverez assurément pas dans la mienne...

*Éric LeFrançois*

---

### MODÈLES CONCURRENTS

• *Chevrolet Malibu* • *Chrysler Sebring*
• *Honda Accord* • *Hyundai Sonata*
• *Saturn LS* • *Toyota Camry*

### QUOI DE NEUF ?

• *Aucun changement majeur* • *Groupes d'options révisés*

### VERDICT

| | |
|---|---|
| **Agrément de conduite** | ★★★⌐ |
| **Fiabilité** | ★★★⌐ |
| **Sécurité** | ★★★ |
| **Qualités hivernales** | ★★★ |
| **Espace intérieur** | ★★★★ |
| **Confort** | ★★★★ |

### ▲ POUR

• Garantie appétissante • Intérieur confortable et silencieux • Moteur V6 généreux • Rapport confort/prix positif • Pièces bien assemblées

### ▼ CONTRE

• Suspension « dansante » • Direction détachée
• Fiabilité à long terme questionnable • Coffre et capot pour culturistes • Valeur de revente déprimante

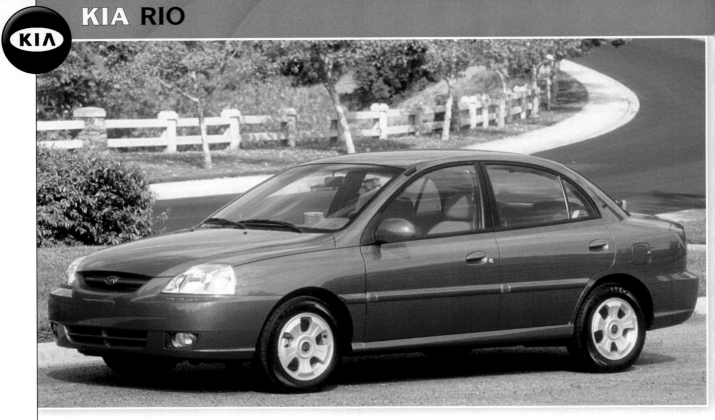

# Ça pourrait être pire

**Depuis deux ou trois ans, la petite Rio de Kia a le triste privilège de remplacer la Lada dans les conversations automobiles. Il faut bien un souffre-douleur ! Mais, n'en déplaise à quiconque se cherche une victime facile, la Rio est bien meilleure que son inénarrable devancière.**

Extérieurement, la Rio se défend avec brio. Notre voiture d'essai, une Rio RX-V Sport de couleur « Soleil de Santiago », une espèce de vert malade, ne laissait personne indifférent et intéressait surtout les jeunes (de cœur, bien entendu). Ce coloris saura-t-il bien vieillir ? Ça, c'est une autre histoire ! Heureusement pour nos rétines, d'autres couleurs moins agressives sont proposées. Le style *hatchback* qui revient en force apparaît est ici bien réussi (c'est mon opinion et je la partage...) et l'aileron arrière, au-dessus de la lunette, donne un petit air sportif pas vilain. Si seulement, en hiver, la poignée

du hayon ne se salissait pas autant ! Mentionnons que les différentes pièces de la carrosserie s'alignaient très bien et que la finition, sur la voiture d'essai en tout cas, était loin d'évoquer les histoires d'horreur déjà entendues au sujet de la Rio. Certes, la navrante minceur des portières peut porter à questionnements mais puisque je n'ai pas encore vu de Rio sans portières, ça ne doit pas être trop dramatique !

À l'intérieur, le bon côtoie le pire. Par exemple, la radio à la façade détachable est une atrocité à manipuler. Les boutons sont microscopiques et les commandes trop complexes pour être utilisées

en conduite. Il devrait exister des lois sévères pour réglementer ce genre d'appareil. Au moins, la réception, tout comme la sonorité, est fort décente. Heureusement, car la voiture se révèle assez bruyante merci. J'aurai amplement l'occasion d'y revenir !

### Dans ma Kia Rio, je t'emmènerai...
Même si l'habitacle bénéficie de cinq ceintures de sécurité, la Kia Rio n'est, essentiellement, qu'une quatre places. La pauvre personne qui devra voyager sur le renflement au centre du siège arrière envisagera rapidement de prendre la place des bagages. Et cela même si l'espace pour ces derniers se trouve déjà fort réduit (pour la berline du moins, dont les dossiers de la banquette arrière ne

## CARACTÉRISTIQUES

| | |
|---|---|
| Prix du modèle à l'essai | 15 095 $ (2002) |
| Échelle de prix | de 12 095 $ à 16 095 $ (2002) |
| Assurances | 864 $ |
| Garanties | 5 ans 100 000 km / 5 ans 100 000 km |
| Emp. / Long. / Larg. / Haut. (cm) | 241 / 421,5 / 167,5 / 144 |
| Poids | 997 kg |
| Coffre / Réservoir | de 296 à 621 litres / 45 litres |
| Coussins de sécurité | frontaux |
| Suspension avant | indépendante, jambes de force |
| Suspension arrière | semi-indép., poutre déformante |
| Freins av. / arr. | disque / tambour |
| Système antipatinage | non |
| Direction | pignon et crémaillère |
| Diamètre de braquage | 11,8 mètres |
| Pneus av. / arr. | P175/65R14 |

## MOTORISATION ET PERFORMANCES

| | |
|---|---|
| Moteur | 4L 1,5 litre |
| Transmission | traction, manuelle 5 rapports |
| Puissance | 96 ch à 5 800 tr/min |
| Couple | 98 lb-pi à 4 500 tr/min |
| Autre(s) moteur(s) | aucun |
| Autre(s) transmission(s) | automatique 4 rapports |
| Accélération 0-100 km/h | 11,9 secondes |
| Reprises 80-120 km/h | 10,2 secondes |
| Vitesse maximale | 182 km/h |
| Freinage 100-0 km/h | 45 mètres |
| Consommation (100 km) | 8,2 litres (ordinaire) |

| | |
|---|---|
| • Valeur de revente | faible |
| • Renouvellement du modèle | 2005 |

plus étoffée. De plus, les éléments suspenseurs se voient responsables d'une forte sensibilité aux vents latéraux (sur la version *hatchback* du moins). Quant aux freins, le duo disque/tambour serait à sa place sur une boîte à savon... et encore ! En ligne droite, je ne vous surprendrai pas en affirmant que plus la vélocité augmente, plus le poids de la voiture diminue... Au moins un point positif : le bourdonnement du moteur devrait vous faire lever le pied avant de recevoir une contravention ! Malgré tout le mal qu'on peut en dire, le comportement à haute

se replient point). C'est un peu mieux dans le cas de la familiale, mais ne comptez pas sur ses 621 litres, sièges arrière rabattus, pour vous faire des amis le 1er juillet. Le conducteur, lui, s'assoit sur un banc pas trop rembourré, mais confortable malgré tout, qui lui permet de trouver rapidement une bonne position de conduite devant un tableau de bord minimaliste et peu jojo, mais facile à consulter. Les espaces de rangement se comptent sur les doigts d'une main et demie, les plastiques d'une qualité désolante, et les commandes semblent aussi solides qu'une tour Eiffel en cure-dents. Cependant, l'assemblage s'avère très, très correct.

### Là où ça fait mal...

Les designers de Kia ont su concocter de bien belles lignes qui donnent une impression de sportivité. Impression seulement... Tout d'abord, le levier de la boîte de vitesses manuelle rendra perplexe même les moins difficiles. On croirait qu'une forme de Jell-O maléfique s'amuse à engluer son mécanisme. De plus, la course entre les rapports est trop longue pour inspirer une conduite sportive. L'automatique à 4 rapports représente un choix plus judicieux malgré son fonctionnement parfois un peu sec et sa propension à saper les ardeurs du moteur.

Ledit moteur de 1,5 litre développe 96 chevaux et dispose d'un couple de 98 lb-pi à 4500 tours. Si les accélérations et les reprises sont pertinentes en conduite normale, il en est bien autrement dès qu'on veut pousser la machine. Les reprises sont à l'occasion laborieuses et il ne faut pas hésiter à

rétrograder pour aller chercher un peu de cheval. Mais cet élan se paye par un grondement peu subtil des 96 pauvres picouilles ! Et même si Kia installait un engin plus puissant sous le capot de sa Rio, il faudrait repenser complètement les suspensions. Trop flasques et combinées à un châssis qui pourrait gagner en rigidité, elles font de la Rio, lorsqu'on la pousse au-delà du raisonnable, une voiture résolument sous-vireuse qui ne déteste pas le roulis. Dans une longue courbe prise avec un peu trop d'enthousiasme, on sent un flottement peu rassurant de la suspension arrière. Et si vous croyiez que la RX-V, à l'allure plus sportive possédait un comportement routier supérieur aux versions de base, détrompez-vous. Ni le moteur ni les suspensions n'ont reçu une once supplémentaire de sportivité. Seule la dimension des pneus est un peu

vitesse de la Rio s'avère plus inspirant que celui d'une Toyota Echo, par exemple.

La Rio déçoit si on veut en faire la voiture sport que ses lignes suggèrent (particulièrement dans le cas de la RX-V). En conduite mononcle, cependant, elle remplit parfaitement son mandat de petite-voiture-pour-aller-du-point-A-au-point-B. Pour cette raison, je recommande plutôt la Kia berline de base, une aubaine, certes, mais à la présentation triste, triste comme ça se peut pas ! Il y a aussi la Rio RS, un peu mieux habillée mais plus chère. Heureusement, ces voitures sont appuyées par une excellente garantie de 5 ans ou 100 000 km qui vient mettre un peu de baume sur une fiabilité et une valeur de revente moins intéressantes que celles de la concurrence.

*Alain Morin*

---

### MODÈLES CONCURRENTS

• Chevrolet Cavalier • Hyundai Accent • Suzuki Aerio
• Toyota Echo

### QUOI DE NEUF ?

Parties avant, arrière et tableau de bord redessinés
• Radio AM-FM-CD de série dans tous les modèles

### VERDICT

| | |
|---|---|
| Agrément de conduite | ★★★⌐ |
| Fiabilité | ★★★⌐ |
| Sécurité | ★★★ |
| Qualités hivernales | ★★★★⌐ |
| Espace intérieur | ★★★⌐ |
| Confort | ★★★★⌐ |

### ▲ POUR

• Esthétique heureuse • Performances adéquates
• Assemblage bonifié • Position de conduite agréable
• Garantie amicale

### ▼ CONTRE

• Moteur assourdissant • Levier de vitesses englué (manuelle) • Suspensions trop molles • Places arrière pour enfants ou adultes nains • Phares peu puissants
• Valeur de revente agonisante

# KIA SEDONA

# *Et elle roule encore !*

**Après neuf mois d'utilisation et une vingtaine de milliers de kilomètres, elle roule encore... C'est sans doute le plus beau compliment que l'on puisse adresser à la Kia Sedona dont une version EX 2002 a fait l'objet d'un essai à long terme du *Guide de l'auto*. Dès son arrivée sur le marché l'automne dernier, cette nouvelle fourgonnette avait fait belle impression auprès de notre équipe d'essayeurs, mais sa fiabilité au fil du temps constituait un gros point d'interrogation. Face à notre scepticisme sur sa capacité à traverser un rigoureux hiver canadien, les gens de Kia ont eu le courage de nous en prêter une pour une évaluation plus en profondeur. Les résultats sont tout à leur avantage... à quelques exceptions près.**

Commençons par la bonne nouvelle : notre Sedona EX ne nous a jamais fait faux bond et la colonne des ennuis mécaniques ou autres est parfaitement vierge dans notre livret de bord. Bien sûr, l'hiver 2001-2002 n'a pas été très méchant dans notre coin de pays, mais notre grande familiale Kia a démarré au quart de tour par les matins les plus frisquets et les pneus à neige (obligatoires à notre avis) ont permis à cette grosse traction de ne pas s'empêtrer dans les congères tout en lui procurant l'adhérence voulue pour que la conduite ne soit pas périlleuse. Contrairement à ce qui était le cas dans les premiers modèles Kia importés chez nous, les serrures de porte ont aussi bien résisté au gel.

## De bonnes notes

La Sedona EX a aussi recueilli de bonnes notes sous d'autres rapports, notamment pour les performances de son moteur V6 de 3,5 litres et 195 chevaux. Jumelé à l'une des seules transmissions automatiques à 5 rapports offertes dans cette catégorie de véhicules, le groupe propulseur s'est attiré les éloges de nos essayeurs. Compte tenu qu'il a à déplacer le véhicule qui est, et de loin, le plus lourd de sa catégorie, on pouvait craindre qu'il soit un peu pris de cours. Or, les accélérations et les reprises sont très honnêtes et en parfaite harmonie avec ce que l'on trouve dans les modèles concurrents. Si le moteur a bien des qualités, la frugalité n'est pas l'une d'elles. Trahie par son poids excessif, cette voiture a besoin de 14 litres aux 100 km pour traîner son immense carcasse. Comble de malheur, la jauge à essence donne une

## CARACTÉRISTIQUES

| | |
|---|---|
| Prix du modèle à l'essai | EX 27 595 $ (2002) |
| Échelle de prix | de 24 895 à 29 595 $ (2002) |
| Assurances | 824 $ |
| Garanties | 5 ans 100 000 km / 5 ans 100 000 km |
| Emp. / Long. / Larg. / Haut. (cm) | 291 / 493 / 189,5 / 173 |
| Poids | 2 136 kg |
| Coffre / Réservoir | 617 à 1999 litres / 75 litres |
| Coussins de sécurité | frontaux |
| Suspension avant | indépendante, jambes MacPherson |
| Suspension arrière | multibras, ressorts hélicoïdaux |
| Freins av. / arr. | disque / tambour, ABS |
| Système antipatinage | non |
| Direction | à crémaillère, assistée |
| Diamètre de braquage | 12,6 mètres |
| Pneus av. / arr. | P215/70R15 |

## MOTORISATION ET PERFORMANCES

| | |
|---|---|
| Moteur | V6 DACT 3,5 litres |
| Transmission | traction, automatique 5 rapports |
| Puissance | 195 ch à 5 500 tr/min |
| Couple | 218 lb-pi à 3 500 tr/min |
| Autre(s) moteur(s) | aucun |
| Autre(s) transmission(s) | aucune |
| Accélération 0-100 km/h | 11 secondes |
| Reprises 80-120 km/h | 10,2 secondes |
| Vitesse maximale | 180 km/h |
| Freinage 100-0 km/h | 47 mètres |
| Consommation (100 km) | 14 litres (ordinaire) |

| | |
|---|---|
| • Valeur de revente | moyenne |
| • Renouvellement du modèle | 2005-2006 |

Si la mécanique et la finition ont bien résisté à l'équivalent d'une année d'utilisation, la carrosserie souffre d'un manque de rigidité qui se traduit par des bruits de caisse occasionnels sur mauvaise route.

L'argument massue de la Kia Sedona demeure son prix raisonnable qui s'accompagne d'une rassurante garantie de 5 ans et 100 000 km. Si l'EX de notre essai à long terme était curieusement dépourvue d'un système antipatinage, elle était dotée en revanche d'un système de climatisation

lecture plutôt fantaisiste et nos essayeurs ont préféré faire le plein dès que l'aiguille arrivait au quart du réservoir pour ne pas risquer de se retrouver en panne sèche. Comme ce problème avait aussi fait surface dans une Optima (anciennement Magentis) essayée l'an dernier, il faut en conclure que Kia a des devoirs à faire de ce côté.

Avec des dimensions extérieures supérieures à celles d'une Dodge Caravan à empattement court et inférieures à celles d'une Ford Windstar, cette fourgonnette coréenne est nécessairement très spacieuse avec la possibilité de transporter jusqu'à sept personnes. Dans cette configuration, toutefois, il ne reste pas beaucoup de place pour les bagages. Le hayon arrière n'a pas fait l'unanimité chez nos conductrices qui l'ont trouvé difficile à refermer et salissant; elles ont en revanche beaucoup apprécié le fonctionnement sans histoire des portes coulissantes. La Sedona n'est pas avare non plus de rangements avec, au dernier décompte, sept compartiments différents pour égarer vos lunettes. Un peu plus et on aurait besoin d'un aide-mémoire. Le confort de cette fourgonnette a aussi fait l'objet de plusieurs mentions honorables et cela en dépit de la présence d'un essieu arrière rigide.

### Et de moins bonnes

Hélas! tout n'est pas parfait à bord de la Sedona. Ainsi, l'hiver a fait ressortir la faiblesse du chauffage qui a beaucoup de mal à amener un aussi vaste intérieur à une température confortable. Les sièges s'avèrent raisonnablement confortables, mais certains ont déploré l'absence d'un repose-pied au

plancher et la position encombrante de la pédale de frein d'urgence. Ajoutons que la forêt d'appuie-tête à l'arrière nuit un tantinet à la visibilité dans cette direction. Vers l'avant, tout irait pour le mieux si ce n'était des essuie-glaces qui, en mode intermittent, s'agitent à des intervalles qui ne correspondent pas toujours au réglage demandé.

Comme la plupart de ces véhicules surdimensionnés, la Sedona exige d'être conduite «tranquillement pas vite». Affligée d'une direction lente qui la rend difficile à garer à la ville et d'un freinage aux distances d'arrêt très longues (100-0 km/h sur 47 m) découlant de l'absence de disques aux roues arrière, cette Kia nous dit clairement de ménager nos transports. Les rafales de vent et le bruit qui les accompagnent auront d'ailleurs tôt fait de vous rappeler à l'ordre.

avec des ventilateurs aux places arrière, d'un lecteur CD ainsi que de glaces et de sièges à commande électrique. Seul le toit ouvrant et une sellerie en cuir auraient pu hausser la facture qui dans le cas présent se chiffrait à 29 595 $. Malgré les quelques lacunes que notre essai à long terme a fait ressortir, la Sedona a passé le test le plus difficile, c'est-à-dire celui de la fiabilité. Compte tenu des histoires d'horreur des années précédentes, c'est une victoire pour Kia et la Sedona constitue très certainement un choix à considérer pour ceux qui sont en quête d'une fourgonnette. Elle n'est pas exempte des vices inhérents à ce genre de véhicule, mais au moins, elle a la décence de s'afficher à un prix qui permet de pardonner plus facilement.

*Jacques Duval*

---

### MODÈLES CONCURRENTS

• *Chevrolet Venture/Pontiac Montana* • *Chrysler Town & Country/Dodge Caravan* • *Ford Windstar* • *Honda Odyssey* • *Mazda MPV* • *Toyota Sienna*

### QUOI DE NEUF?

• *Aucun changement majeur*

### VERDICT

| | |
|---|---|
| **Agrément de conduite** | ★★ |
| **Fiabilité** | ★★★⯪ |
| **Sécurité** | ★★★⯪ |
| **Qualités hivernales** | ★★★⯪ |
| **Espace intérieur** | ★★★★⯪ |
| **Confort** | ★★★⯪ |

### ▲ POUR

• Moteur bien adapté • Bon rapport qualité/prix
• Fiabilité reconnue (20 000 km) • Confort appréciable
• Généreux espace intérieur

### ▼ CONTRE

• Forte consommation • Poids excessif • Format encombrant • Chauffage perfectible • Comportement routier aléatoire • Bruits de caisse

# Le vrai défi

**Il y a à peine trois ans que la compagnie Kia a pignon sur rue au Canada et elle a fait des progrès importants sur notre marché. Cela est d'autant plus impressionnant qu'elle s'est amenée ici avec deux modèles vraiment dépassés, le Sephia et le Sportage. Cette berline et ce 4X4 étaient carrément inférieurs à la moyenne en termes de performances et de finition. Heureusement, la qualité s'est améliorée avec la Magentis et la fourgonnette Sedona, deux modèles soumis à des essais à long terme par *Le Guide de l'auto*. Mais, nous dit ce constructeur, c'est avec le Sorento que Kia veut rehausser son image et augmenter ses ventes. Reste à voir si ce VUS a les atouts nécessaires.**

Sur le plan esthétique, il est certain que l'objectif a été atteint puisque cet utilitaire sport intermédiaire affiche une certaine élégance. Plusieurs lui trouvent des ressemblances avec le Lexus RX 300 ou encore l'Acura MDX. Cette petite coréenne a indéniablement des affinités avec ces deux japonaises de luxe, mais elle n'est pas dépourvue de personnalité pour autant. Les lignes latérales se dégagent bien vers l'arrière et le pilier C incliné vers l'avant ajoute un effet de vitesse. Cette astuce donne aussi l'impression que le véhicule est plus bas qu'il ne l'est en réalité. Par contre, le côté « macho » est accentué par d'imposants panneaux de bas de caisse qui se prolongent sur le pourtour des passages des roues pour rejoindre les pare-chocs avant et arrière. C'est astucieux et élégant à la fois. Les stylistes y sont peut-être allés un peu fort sur la proéminence de ces panneaux, mais l'effet recherché est obtenu. La partie arrière est sobre et ressemble en fait à une version modifiée du Sedona.

## Des éléments connus

Il est certain que Kia mise davantage sur le style que sur la fiche technique du Sorento pour influencer les acheteurs. Comme pour tous ses autres modèles, Kia propose une mécanique constituée d'éléments éprouvés.

Il n'est donc pas surprenant de retrouver un châssis autonome de type à échelle auquel est relié un essieu arrière rigide à bras tiré. À l'avant, la suspension est à levier triangulé et à jambes de force. La transmission intégrale est constituée d'une boîte de transfert à visco-coupleur doté d'ailettes en carbone. Le modèle LX est une propulsion qui se transforme en 4X4 sur demande : on peut passer d'un mode à un autre en roulant. Les modèles EX et EXL sont pourvus d'un système à transmission intégrale. Le couple est donc toujours réparti aux roues avant et arrière. La démultiplication (Low) est engagée par l'entremise d'un bouton placé à la gauche du volant. Plusieurs modèles concurrents à transmission intégrale offrent un système similaire, mais celui-ci est généralement plus raffiné, permettant un plus grand choix de modes. Même si les planificateurs prévoient que plus de 90 % des acheteurs n'iront jamais rouler hors route, le Sorento est muni de plaques de protection sous le véhicule.

Le groupe propulseur est déjà connu puisqu'il s'agit du même moteur V6 que celui de la Sedona. Monté longitudinalement, il actionne les roues arrière en mode deux roues motrices dans le LX. Sa puissance est de 195 chevaux et il est associé à une boîte automatique à 4 rapports. Ce tandem est offert dans toutes les variantes, de même que les freins à disque aux quatre roues.

Ce qu'il faut retenir, c'est que Kia a fait appel à une mécanique simple afin d'être en mesure d'offrir un véhicule qui répond à sa philosophie : un prix inférieur à la concurrence en même temps qu'un équipement plus complet.

## Oubliez le Sportage !

Jusqu'à ce jour, les mots Kia et conduite tout-terrain nous faisaient immédiatement songer au Sportage, un véhicule plus que déficient sous plusieurs rapports. Le Sportage est un rescapé des années

récalcitrants. La soute à bagages est de bonnes dimensions en plus de posséder un espace de rangement additionnel sous le plancher, mais son seuil de chargement est élevé.

### Du sérieux

Par le passé, Kia nous a souvent habitués à des modèles à la silhouette agréable, mais dont les prestations routières se révélaient assez médiocres. Puisque le Sorento est bien nanti sur le plan esthétique et que sa mécanique est tout au moins

70 dont la finition s'est améliorée au fil des ans, mais dont les performances et la tenue de route s'avéraient lamentables. Pour sa part, le Sorento soutient la comparaison avec les modèles concurrents.

Mais avant de prendre la route, il faut accorder de bonnes notes à l'habitacle dont la présentation est quelque peu inspirée de celle du Sedona, notamment la console centrale verticale avec ses commandes de climatisation, sa chaîne audio et d'autres commandes périphériques. On a inséré des garnitures en « bois » pour donner une touche de luxe à la présentation, mais n'ayez crainte, aucun arbre n'a été sacrifié puisqu'il s'agit de pièces en plastique qui ne réussissent absolument pas à cacher leurs origines chimiques.

La qualité des matériaux de même que la finition semblent meilleures que dans tous les anciens modèles Kia. Toutefois, il faut souligner que dans un modèle essayé, le lecteur CD s'est grippé tandis que dans un autre, le plafonnier refusait de

s'éteindre. Il faudra donc attendre avant de vanter la qualité améliorée du dernier-né de Kia.

Les personnes de grande taille connaîtront certaines difficultés à prendre place à bord puisque l'ouverture des portières est basse et qu'il faut se contorsionner légèrement pour se glisser sur un siège dont le confort est convenable, rien de plus. Comme dans presque tous les véhicules de la catégorie, le dégagement pour la tête est généreux de même que l'espace pour les jambes aux places arrière. L'absence d'une troisième rangée de sièges explique sans doute cette spaciosité. Et les amateurs de ces accessoires seront heureux d'apprendre que la console centrale possède en sa partie arrière un module escamotable comprenant deux porte-verres et que les espaces de rangement dans les portières sont moulés de façon à contenir une bouteille d'eau ou autre. Par contre, la banquette arrière de type 60/40 s'est révélée difficile à abaisser, les boutons de dégagement se montrant

correcte face à ses concurrents, reste à savoir de quoi il en retourne une fois sur la route et en dehors.

Comme le Sorento partage son groupe propulseur avec la fourgonnette, je m'attendais à ce qu'il soit affligé des mêmes accélérations engourdies, de la même lourdeur en virage et d'un sous-virage important dans les courbes serrées. Ce fut une

■ **ÉQUIPEMENT DE SÉRIE**

• Moteur V6 3,5 litres • Transmission intégrale
• Climatisation • Freins à disque aux 4 roues
• ABS

■ **ÉQUIPEMENT EN OPTION**

• Intérieur cuir • Sièges avant chauffants
• Toit ouvrant • Garniture similibois sur volant
et levier de vitesses

agréable surprise de découvrir qu'il se démarquait avantageusement par rapport à la fourgonnette. Celle-ci est plus longue de 36 cm et plus lourde de 150 kg, ce qui explique son comportement anémique. Sans avoir des ailes, l'accélération initiale du Sorento est vive, ce qui facilite la conduite en milieu urbain. De plus, une bonne répartition des masses permet ainsi des changements de voies sans trop de problèmes.

Un détail en passant : dans certaines versions, le boudin du volant est en similibois. C'est extrêmement glissant et d'une prise peu agréable. Heureusement que la position de conduite est bonne et le repose-pied confortable.

Au ralenti, le Sorento est l'un des véhicules les plus silencieux que nous ayons testés à ce jour. Ça se gâte à l'accélération et sur la route alors que les bruits de vent provenant du porte-bagages font danser l'aiguille du sonomètre. Mais la surprise la plus agréable en fait de comportement routier a été le bon équilibre en virage. Le roulis est peu prononcé et le véhicule se campe sur ses roues pour suivre le point de corde avec assurance. Sur une route constituée de gravillons, le rouage intégral assure une bonne répartition du couple et il est possible d'effectuer assez facilement une glissade contrôlée. Il faudra toutefois refréner ses élans, car le système de freinage s'est révélé moyen avec une pédale spongieuse et parfois difficile à doser.

POUR TOUT SAVOIR

### CARACTÉRISTIQUES

| | |
|---|---|
| Prix du modèle à l'essai | EX 33 795 $ |
| Échelle de prix | de 29 795 $ à 35 795 $ |
| Assurances | n.d. |
| Garanties | 5 ans 100 000 km / 5 ans 100 000 km |
| Emp. / Long. / Larg. / Haut. (cm) | 271 / 457 / 186 / 181 |
| Poids | 1 950 kg |
| Coffre / Réservoir | de 889 à 1880 litres / 80 litres |
| Coussins de sécurité | frontaux et rideau latéral |
| Suspension avant | indépendante, jambes de force |
| Suspension arrière | essieu rigide, bras tiré |
| Freins av. / arr. | disque, ABS |
| Système antipatinage | non (différentiel autobloquant) |
| Direction | à crémaillère, assistée |
| Diamètre de braquage | 11 mètres |
| Pneus av. / arr. | P245/70R16 |

### MOTORISATION ET PERFORMANCES

| | |
|---|---|
| Moteur | V6 3,5 litres |
| Transmission | intégrale, automatique 4 rapports |
| Puissance | 195 ch à 5 500 tr/min |
| Couple | 218 lb-pi à 3 000 tr/min |
| Autre(s) moteur(s) | aucun |
| Autre(s) transmission(s) | aucune |
| Accélération 0-100 km/h | 10,3 secondes |
| Reprises 80-120 km/h | 8,9 secondes |
| Vitesse maximale | 195 km/h |
| Freinage 100-0 km/h | 42,7 mètres |
| Consommation (100 km) | 14,3 litres (ordinaire) |
| Niveau sonore | Ralenti : 42,9 dB |
| | Accélération : 70,3 dB |
| | 100 km/h : 69,7 dB |

moderne, son comportement routier très honnête tandis que le niveau de confort de l'habitacle ne fera pas beaucoup de mécontents. Le manque de données quant à la fiabilité de ce véhicule en incitera cependant plusieurs à se montrer prudents.

Kia est consciente de la situation et compte sur sa garantie pour rassurer la clientèle. Petit à petit, la marque coréenne veut sortir du sous-sol des aubaines sans pour autant sacrifier sa politique du meilleur rapport qualité/prix sur le marché. C'est un défi qui ne sera pas facile à relever. Toutefois, s'il est

La présentation de ce modèle comprenait une longue randonnée sur une route forestière en mauvais état et le Sorento s'en est fort bien tiré. Dans les courbes parsemées de bosses, l'essieu arrière est demeuré sous contrôle tandis que le rouage intégral a fait son travail dans les passages difficiles.

Toutefois, cette route était poussiéreuse à souhait et un peu de poussière s'est infiltrée dans l'habitacle même si le système de ventilation fonctionnait en circuit fermé.

Ce nouveau Kia constitue une agréable surprise à presque tous les points de vue. Sa silhouette est

un véhicule qui pointe dans la bonne direction, c'est bien le nouveau Sorento. Celui-ci devra cependant faire preuve d'une fiabilité digne de ce nom pour que Kia soit en mesure de respecter ses engagements.

***Denis Duquet***

## MODÈLES CONCURRENTS

- *Ford Explorer* • *Jeep Grand Cherokee*
- *Subaru Forester* • *Toyota Highlander*

## VERDICT

| | |
|---|---|
| **Agrément de conduite** | ★★★⯪ |
| **Fiabilité** | *nouveau modèle* |
| **Sécurité** | ★★★★ |
| **Qualités hivernales** | ★★★★ |
| **Espace intérieur** | ★★★★ |
| **Confort** | ★★★⯪ |

## ▲ POUR

- Silhouette agréable • Équipement complet
- Prix compétitif • Tenue de route équilibrée
- Bonne garantie

## ▼ CONTRE

- Fiabilité inconnue • Réseau de concessionnaires limité • Volant similibois très glissant • Hayon arrière lourd • Lecteur CD capricieux (voir texte)

# D'ici quelques années, sans doute...

**Lorsque les constructeurs automobiles japonais sont débarqués en Amérique durant les années 60, personne ne donnait cher de leur peau. Et pourtant... Au risque de passer pour un visionnaire, je pense que les Coréens sont en train de nous refaire le coup! N'allez pas croire que la Kia Spectra est parfaite. Oh que non. Mais elle a bien vite relégué sa devancière, la Sephia, aux oubliettes et elle fait paraître Kia un peu mieux qu'auparavant.**

L a Kia Spectra se présente en deux versions. Une quatre portières à l'esthétique tout à fait banale malgré une partie arrière plutôt réussie et une cinq portières (un croisement entre une *hatchback* et une berline) plus dynamique avec ses phares encavés dans la partie supérieure du pare-chocs avant, dérivée directement de la Hyundai Elantra GT. La berline est offerte en versions de base et LS tandis que la GS-X représente le propre de la cinq portières. Les baby-boomers se rappelleront que les lettres GSX ont déjà été utilisées pour désigner

une version très haute performance des Buick aux alentours de 1970. Les temps ont bien changé...

La version de base de la Kia Spectra est passablement de base, mais n'est ni plus ni moins garnie qu'une Honda Civic d'entrée de gamme, par exemple. La LS se trouve mieux nantie, mais elle vous arrachera 1 000 $ de plus. Et il faudra allonger un autre 1 000 $ pour la GS-X. Et un 1 000 $ additionnel pour une transmission automatique. Nous voilà tout de même rendus à une facture de 18 600 $ Et puisque la Spectra s'adresse à un public recherchant un moyen

de transport bien équipé et abordable, il me semble qu'une des deux conditions ne soit pas respectée!

## GSX ou GS-X?

Toutes ces versions reposent sur le même châssis qui a été emprunté à la Hyundai Elantra et sont mues par un moteur de 1,8 litre délivrant 125 chevaux à 6000 tr/min. Avec un couple de 108 lb-pi à 4500 tr/min, n'essayez surtout pas de vous colleter à une vraie GSX 1970! Mais pour monsieur ou madame Tout-le-Monde, les performances de la Spectra seront amplement suffisantes. Il faut simplement faire attention pour ne pas se laisser impressionner par le son (très peu poétique) de la mécanique qui ne change rien au test du chronomètre. Et puis la transmission automatique qui équipait notre véhicule d'essai ne faisait rien pour aider son ami le moteur.

## CARACTÉRISTIQUES

| | |
|---|---|
| **Prix du modèle à l'essai** | 17 795 $ |
| **Échelle de prix** | de 14 595 $ à 18 595 $ (2002) |
| **Assurances** | 824 $ |
| **Garanties** | 5 ans 100 000 km / 5 ans 100 000 km |
| **Emp. / Long. / Larg. / Haut. (cm)** | 256 / 451 / 172 / 141,5 |
| **Poids** | 1 237 kg |
| **Coffre / Réservoir** | 295 litres / 328 litres / 50 litres |
| **Coussins de sécurité** | frontaux |
| **Suspension avant** | indépendante, jambes de force |
| **Suspension arrière** | indépendante, multibras |
| **Freins av./arr.** | disque / tambour |
| **Système antipatinage** | non |
| **Direction** | pignon et crémaillère |
| **Diamètre de braquage** | 9,8 mètres |
| **Pneus av./arr.** | P185/65R14 |

## MOTORISATION ET PERFORMANCES

| | |
|---|---|
| **Moteur** | 4L 1,8 litre DACT |
| **Transmission** | traction, automatique 4 rapports |
| **Puissance** | 125 ch à 6 000 tr/min |
| **Couple** | 108 lb-pi à 4 500 tr/min |
| **Autre(s) moteur(s)** | aucun |
| **Autre(s) transmission(s)** | manuelle 5 rapports |
| **Accélération 0-100 km/h** | 12 secondes |
| **Reprises 80-120 km/h** | 11,3 secondes |
| **Vitesse maximale** | 165 km/h |
| **Freinage 100-0 km/h** | 45 mètres |
| **Consommation (100 km)** | 10 litres (ordinaire) |

| | |
|---|---|
| • Valeur de revente | faible |
| • Renouvellement du modèle | 2004 |

à enclencher la ceinture de sécurité dont l'ancrage est placé trop près du siège. À ce chapitre, celles situées à l'arrière bloquaient beaucoup trop rapidement, créant un inconfort désagréable. Il existe plusieurs espaces de rangement dont un, très pratique, avec un couvercle pour loger quelques CD, juste sous l'appareil radio. Si le fonctionnement de cet élément se révèle peu complexe et que ses boutons sont de bonnes dimensions, la réception de la radio se montre moyenne, sans plus. En fait, ce qui dérange le plus à l'intérieur de la Spectra

Souvent lente à réagir, quelquefois brusque, surtout au passage de la 1re à la 2e, elle avait la triste manie, lors de reprises voulues vigoureuses, de changer de vitesse au moment où les chevaux commençaient à peine à s'amuser, soit aux alentours de 4500 tr/min.

Si le comportement routier de la Spectra était une journée d'été, il serait pluvieux avec quelques pasages ensoleillés. C'est platte comme journée mais ça en prend! En courbe, la voiture accuse un certain roulis assez bien maîtrisé mais qui ne laisse planer aucun doute sur son comportement sous-vireur. Bref, il s'agit d'une traction avec un comportement de traction. Pour gommer ce trait de caractère, on peut compter sur une direction plutôt floue au centre. Il faut cependant avouer que même si les pneus Toyo d'hiver G02 qui équipaient notre Spectra d'essai faisaient de petits miracles sur surface enneigée, ils n'offrent pas la même combativité que des pneus d'été sur surface sèche. Les freins, eux, bloquent trop rapidement. Sans ABS (même pas offerts en option sur la GS-X), cela revient à dire qu'ils laissent facilement leurs marques… De plus, ils me sont apparus comme étant peu résistants à un usage intensif et les distances d'arrêt s'en ressentaient. La suspension MacPherson à l'avant et à bras multiples à l'arrière procure un confort appréciable aux occupants même si, sur une route houleuse (vous ne me croirez pas, mais j'ai réussi à en trouver une!), sur une route houleuse donc, on aimerait que les amortisseurs possèdent une course plus longue pour éviter de taper trop fermement. Ces dandinants éléments suspenseurs sont aussi responsables d'une instabilité bien perceptible lorsqu'on suit un camion remorque, par exemple.

### Dans la bonne moyenne

Contrairement à la Spectra GS-X dont le tableau de bord est garni d'appliques métallisées, l'intérieur des Spectra de base et LS n'a rien pour redonner le sourire à une personne dépressive. Mais il n'a rien non plus pour donner des envies suicidaires. Le design du tableau de bord, sa finition et son ergonomie respectent les normes actuelles sans trop de passion. Les plastiques pourraient être de pire qualité et leur assemblage a été effectué par des employés presque consciencieux. Les commandes de la climatisation (au demeurant très performante) sont placées trop bas et il est difficile de les manipuler lorsque le levier de vitesses est sur la position «Park». Les sièges s'avèrent fort confortables mais les personnes de taille généreuse pourraient connaître passablement de difficultés

provient de l'extérieur de l'habitable! Que de bruits! Quand ce n'est pas le moteur qui gronde en accélération, c'est le silencieux qui vibre lorsque la bagnole est arrêtée ou c'est la pédale de frein qui craque lorsqu'on l'enfonce lentement!

Les Kia Spectra sauront répondre aux attentes d'une clientèle peu exigeante en termes de conduite et de fiabilité. Ce dernier point est cependant déjoué par une brillante garantie de 5 ans ou 100 000 km. Mais avant d'aligner plus de 18 000 $ pour une GS-X, je magasinerais un peu. La Spectra s'adresse à un public relativement jeune recherchant une automobile bien équipée et abordable. Les versions de base, toutes déprimantes qu'elles soient, répondent à ces deux critères. Pour le plaisir de conduire, il existe d'autres manufacturiers!

*Alain Morin*

---

## MODÈLES CONCURRENTS

- *Ford Focus* • *Honda Civic* • *Hyundai Elantra*
- *Mazda Protegé* • *Toyota Corolla*

## QUOI DE NEUF?

- *Radio AM-FM-CD de série sur tous les modèles, quelques détails de présentation intérieure*

## VERDICT

| | |
|---|---|
| **Agrément de conduite** | ★★★ |
| **Fiabilité** | ★★⌐ |
| **Sécurité** | ★★★ |
| **Qualités hivernales** | ★★★ |
| **Espace intérieur** | ★★★⌐ |
| **Confort** | ★★★ |

## ▲ POUR

- Garantie exemplaire • Comportement routier prévisible • Nombreux espaces de rangement
- Confort de bon aloi • Carrosserie plaisante

## ▼ CONTRE

- Pas d'ABS • Insonorisation du moteur loupée
- Fiabilité à parfaire • Transmission automatique pécheresse • Prix de certaines versions honteux

# L'aventure continue

**J'avoue avoir été un de ceux qui ont résolument cassé du sucre sur le dos (parfois vulnérable) du Land Rover Discovery II, l'accusant entre autres d'être assemblé négligemment, de présenter une ergonomie lacunaire et excentrique, autrement dit typiquement britannique, et surtout d'avoir une mécanique défaillante.**

L e Discovery II, qui en est à sa 13e année de production, arrive finalement à maturité. La cadence de son développement s'accélère depuis que ce fabricant est passé aux mains de Ford, puisqu'il fait l'objet cette année de plus de 350 modifications qui vont toutes dans la bonne direction. N'ayez crainte, je n'en ferai pas l'énumération, car les plus marquantes suffisent déjà à faire percevoir ce gros tout-terrain sous un angle beaucoup plus favorable.

## Plus moderne et mieux construit

Commençons par la carrosserie. Ses lignes à mon humble avis déjà harmonieuses s'agrémentent maintenant d'un pare-chocs avant mieux intégré et de phares ressemblant à ceux du magnifique nouveau Range, qui procurent un éclairage supérieur en toutes circonstances. À l'arrière, les feux s'encastrent dans les piliers du toit pour une meilleure protection et une meilleure visibilité. Continuons notre visite, à l'intérieur cette fois, où l'habitacle demeure pratiquement inchangé, sauf pour de nouveaux agen-

cements de couleurs. Néanmoins, l'assemblage des composantes semble plus serré, et les boiseries aux airs authentiques tout comme la sellerie de cuir (synthétique pour la version S de base) séduisent toujours. Aussi témoins (silencieux) de cette fabrication plus rigoureuse : les bruits parasites complètement éradiqués de l'habitacle même dans les parcours les plus difficiles.

Car c'est à ce type d'exercice que les Range et Land Rover se distinguent des autres véhicules utilitaires sport qui appréhendent toujours de maculer leurs belles robes du dimanche hors des routes numérotées. J'ai eu l'occasion de mettre à l'épreuve tout l'arsenal électronique et mécanique du Disco sur la piste d'essai du fabricant dans les Montagnes Vertes du Vermont, et on ne peut qu'en revenir impressionné. Avec des pneus mieux

## CARACTÉRISTIQUES

| | |
|---|---|
| Prix du modèle à l'essai | SE 54 500 $ |
| Échelle de prix | de 49 000 $ à 56 900 $ |
| Assurances | 826 $ |
| Garanties | 4 ans 80 000 km / 4 ans 80 000 km |
| Emp. / Long. / Larg. / Haut. (cm) | 254 / 470 / 189 / 194 |
| Poids | 2 235 kg |
| Coffre / Réservoir | de 1150 à 1790 litres / 93 litres |
| Coussins de sécurité | frontaux et latéraux |
| Suspension avant | essieu rigide, ressorts hélicoïdaux |
| Suspension arrière | essieu rigide, ressorts hélicoïdaux |
| Freins av. / arr. | disque, ABS |
| Système antipatinage | oui |
| Direction | assistée, à vis et galets |
| Diamètre de braquage | 11,9 mètres |
| Pneus av. / arr. | P255/55HR18 |

## MOTORISATION ET PERFORMANCES

| | |
|---|---|
| Moteur | V8 4,6 litres 16 soupapes |
| Transmission | 4RM auto. 4 rapports et boîte de transferts |
| Puissance | 217 ch à 4750 tr/min |
| Couple | 300 lb-pi à 2 600 tr/min |
| Autre(s) moteur(s) | aucun |
| Autre(s) transmission(s) | aucune |
| Accélération 0-100 km/h | 10 secondes |
| Reprises 80-120 km/h | 11,5 secondes |
| Vitesse maximale | 175 km/h |
| Freinage 100-0 km/h | 45 mètres |
| Consommation (100 km) | 16 litres (super) |

| | |
|---|---|
| • Valeur de revente | moyenne |
| • Renouvellement du modèle | 2005 |

levier. Il en a bien besoin car, malgré que le capot, certains panneaux et la porte arrière soient réalisés en aluminium, le Discovery dépasse allègrement les 2 tonnes. Les accélérations sont heureusement plus vives, et la consommation identique, c'est-à-dire à peu de chose près « immorale ».

Pour le reste, ce vaillant baroudeur se présente en trois versions. Le S arrive quand même assez bien équipé et chaussé avec des roues en alliage de 16 pouces. Le SE enfile déjà des 18 pouces, se paie le luxe du cuir, des appliques de bois, d'une chaîne

adaptés à l'asphalte, les capacités de franchissement se révèlent vraiment surprenantes pour un véhicule somme toute extrêmement luxueux et « civilisé ».

Il faut porter attention au discret mais omniprésent claquement généré par le fonctionnement des divers systèmes électroniques pour se rendre compte que sans eux, notre avance serait complètement stoppée par les obstacles impressionnants. Les poussées intempestives sur l'accélérateur sont pondérées (sélectivement sur chaque roue) par le 4ETC pour 4 Wheel Electronic Traction Control, tandis que les descentes mal tempérées sont ralenties au quart de tour par le HDC (Hill Descent Control) qui maintient votre vitesse envers et contre toute pente, à l'extrême limite de l'adhérence des pneumatiques. Bien entendu, le Discovery peut compter sur des freins à disque dotés d'un ABS sophistiqué, lui-même assisté par un système électronique de répartition du freinage entre les deux essieux, EBFD pour Electronic Brake Force Distribution. Il ne faut pas oublier le ACE pour Active Cornering Enhancement qui, à l'aide de vérins hydrauliques, maintient la caisse à un niveau acceptable lorsque vous négociez les courbes le moindrement rapidement. Avec un débattement des suspensions de 279 mm (près de 11 pouces), de la retenue devient absolument nécessaire, et pour cela, comme chacun le sait, les Anglais sont passés maîtres. Sur autoroute, le Disco se comporte beaucoup mieux, évoluant silencieusement et avec assez de précision, même si sa direction très lente vous donne parfois des airs de chauffeur de poids lourd.

### Nouveau (relativement) moteur

Je déplorais l'année dernière le manque de souffle du V8 de 4 litres que l'on pourrait qualifier de Henri Salvador des groupes motopropulseurs. Ne reculant devant aucun effort, surtout si celui-ci implique seulement de tendre le bras vers l'étagère d'à côté, les ingénieurs de Solihull ont récupéré, en provenance du Range, le V8 4,6 litres ACC devenu subitement obsolète depuis son remplacement par le 4,4 litres DACT de BMW. Le résultat est plutôt convaincant, puisque la puissance augmente de 15 %, à 217 chevaux, et que le couple se situe maintenant à 300 lb-pi à seulement 2 600 tr/min. Il est appuyé dans ses efforts par une transmission automatique à 4 rapports efficace et une boîte de transferts à gamme basse commandée par un « authentique »

audio avec changeur à 6 CD, pas un, mais deux toits à ouverture électrique, et d'autres équipements plus ou moins utiles. Il constitue à mon avis la meilleure (relative) affaire puisque le HSE ajoute seulement une sonorisation réalisée par Harman Kardon, le sonar de stationnement pour l'arrière et le correcteur d'assiette automatique. À mon avis, seul ce dernier dispositif mérite vraiment votre considération.

Le Discovery II devient donc au fil des ans une proposition de plus en plus « honnête ». On perçoit chez ce constructeur la volonté d'offrir un engin performant, mais en même temps plus résistant et convivial, plutôt qu'un véhicule convenant uniquement à certains ressortissants britanniques souffrant d'un incurable mal du pays.

*Jean-Georges Laliberté*

---

## MODÈLES CONCURRENTS

• BMW X5 3,0 • Ford Expedition • Jeep Grand Cherokee • Mercedes-Benz Classe M

## QUOI DE NEUF?

• Nouveau moteur • Retouches esthétiques
• Nouvelles couleurs

## VERDICT

| | |
|---|---|
| **Agrément de conduite** | ★★★★ |
| **Fiabilité** | ★★★ |
| **Sécurité** | ★★★★ |
| **Qualités hivernales** | ★★★★★ |
| **Espace intérieur** | ★★★ |
| **Confort** | ★★★ |

## ▲ POUR

• Style inimitable • Capacités de franchissement impressionnantes • Équipement complet • Qualité en progrès • Performances en hausse

## ▼ CONTRE

• Fiabilité encore inconnue • Consommation importante • Places arrière exiguës • Diffusion confidentielle • Quelques commandes bizarres

# L'aristocrate

**Dans le monde des tout-terrains – les utilitaires sport, si vous préférez –, deux marques se disputent la paternité de ce segment : Jeep en Amérique du Nord et Land Rover partout ailleurs. Tous les autres sont des prétendants, des nouveaux venus. Pour les adeptes de la très britannique Land Rover, aujourd'hui propriété de la très américaine Ford, l'antigel qui circule dans les moteurs de la marque noble est encore de couleur bleue, le bleu royal.**

Malgré d'interminables déboires, tant financiers que techniques, la marque de Sa Majesté conserve encore son aura, du moins aux yeux de ses irréductibles partisans. Lancé en Europe au Salon de Francfort de 1997, le dernier « Land » (comme on l'appelle dans les cercles huppés) a trouvé preneur sur l'ancien Continent et s'est hissé à la première place dans le segment – moins populaire que chez nous – des utilitaires sport. Premier modèle compact de la marque, le Freelander est aussi le premier Land à adopter la construction monocoque. L'absence d'un châssis traditionnel de camion procure au Freelander une rigidité enviable et une belle habitabilité.

La carrosserie reprend les lignes distinctives des Land Rover, marquées par un habitacle amplement vitré et un toit à deux niveaux qui assure aux occupants des places arrière un généreux dégagement en hauteur. Doté d'un « nez retroussé » à la manière du Honda CR-V, le Freelander présente une certaine ressemblance avec son cousin japonais.

Quant à l'habitacle, quelques constatations : tableau de bord très bas autorisant une belle visibilité vers l'avant, sièges confortables mais très haut perchés sans possibilité de réglage et dotés de molettes peu pratiques pour l'inclinaison des dossiers, habitacle spacieux et bien éclairé et places arrière accueillantes, quoiqu'un peu droites.

### Intégrale, à votre service

Précisons tout de suite à l'intention des puristes que le Freelander abandonne la boîte de transfert à rapport inférieur au profit d'une transmission intégrale à prise constante. Mais rassurez-vous, le visco-coupleur central, chargé de répartir le mouvement entre les roues avant et arrière, procure au Freelander de belles aptitudes hors route qui sauront satisfaire la grande majorité des « tout-terrainistes » du

## CARACTÉRISTIQUES

| | |
|---|---|
| **Prix du modèle à l'essai** | S 35 400 $ |
| **Échelle de prix** | de 34 500 à 39 400 $ |
| **Assurances** | 980 $ |
| **Garanties** | 4 ans 80 000 km / 4 ans 80 000 km |
| **Emp. / Long. / Larg. / Haut. (cm)** | 256 / 445 / 180 / 176 |
| **Poids** | 1 619 kg |
| **Coffre / Réservoir** | 540 litres / 60 litres |
| **Coussins de sécurité** | frontaux |
| **Suspension avant** | indépendante, jambes élastiques |
| **Suspension arrière** | indépendante, jambes élastiques |
| **Freins av. / arr.** | disque / tambour, ABS |
| **Système antipatinage** | oui |
| **Direction** | à crémaillère, assistée |
| **Diamètre de braquage** | 11,6 mètres |
| **Pneus av. / arr.** | P215/65R16 |

## MOTORISATION ET PERFORMANCES

| | |
|---|---|
| **Moteur** | V6 2,5 litres |
| **Transmission** | intégrale, automatique 5 rapports |
| **Puissance** | 174 ch à 6 250 tr/min |
| **Couple** | 177 lb-pi à 4 000 tr/min |
| **Autre(s) moteur(s)** | aucun |
| **Autre(s) transmission(s)** | manuelle 5 rapports |
| **Accélération 0-100 km/h** | 11,2 secondes |
| **Reprises 80-120 km/h** | 9 secondes |
| **Vitesse maximale** | 185 km/h |
| **Freinage 100-0 km/h** | n.d. |
| **Consommation (100 km)** | 13,5 litres (ordinaire) |
| • Valeur de revente | nouveau modèle |
| • Renouvellement du modèle | nouveau modèle |

plancher du coffre (pensez à une crevaison en février, avec le coffre plein...), porte arrière qui s'ouvre à l'anglaise (charnières à droite) et, cerise sur le sundae, le boîtier de la chaufferette qui dépasse généreusement le bas du tableau de bord, juste là où le passager se placerait les pieds.

Mentionnons aussi que la climatisation éprouve de la difficulté à refroidir l'habitacle par temps chaud. Pour compenser, il faut augmenter la vitesse du ventilateur qui produit alors un vacarme indigne d'une voiture moderne. Indignes aussi les antiques

dimanche. Alliés à cette transmission intégrale, la fonction « descente » agissant sur la 1re et la marche arrière, l'ABS et l'antipatinage aux quatre roues permettent au petit Land d'attaquer en toute confiance les pentes dignes des chèvres de montagne. En outre, grâce à une garde au sol de 18,6 cm et à une suspension entièrement indépendante à grand débattement, le Freelander peut affronter les sentiers rocailleux sans trop frémir.

### V6 timidement musclé

Comme le savent tous les « grimpeurs », l'escalade exige du muscle. C'est là qu'intervient le V6 de 2,5 litres développant 177 lb-pi de couple et 174 chevaux. Musclé à bas régime, le V6 du Freelander procure des reprises convenables, mais manque de souffle à haut régime, d'où un chrono de 11,2 secondes pour le 0-100 km/h.

Compte tenu du poids (1 619 kg), des lignes carrées et de la transmission constante aux quatre roues, la consommation s'avère moins élevée que celle de certains rivaux, avec une moyenne de 13,5 litres aux 100 km.

Sur route, le V6 soutient sans difficulté la vitesse de croisière et se distingue par sa discrétion sonore. Tout aussi discrets, les bruits de vent qui témoignent du soin apporté aux joints des portières et autres éléments aérodynamiques. La tenue de cap, parfois défaillante dans les utilitaires, ne présente pas de problème sur le Freelander qui résiste bien aux vents latéraux. Par contre, le Freelander adopte sur routes ondulées le comportement typique de certains de ses rivaux, c'est-à-dire un ballottement, accentué par

la position haute qu'occupent le conducteur et les passagers, tandis qu'en virage, la caisse s'incline fortement, ces deux phénomènes étant sans doute attribuables aux suspensions à grand débattement.

### Les bémols

Jusqu'ici, c'est donc généralement positif. Mais hélas ! notre noble monture présente aussi quelques lacunes, notamment en matière d'ergonomie. Commande d'ouverture du capot à droite (devant le passager), boutons de radio trop petits, accoudoirs trop bas compte tenu de la hauteur non réglable des sièges, faible visibilité arrière, bouchon du réservoir d'essence qu'il faut ouvrir avec la clé et qui vous reste ensuite dans les mains, graduations trop petites des instruments, repose-pied mal placé, cric soigneusement caché dans une belle boîte d'outils sous le

freins à tambour arrière qui influent sans doute sur la sensation spongieuse de la pédale et le manque de puissance des freins, du moins en début de freinage. Quant à la boîte de vitesses automatique à 5 rapports, avec commande manuelle, elle s'acquitte honorablement de la tâche et convient bien au moteur, sauf en ville en circulation très lente où on sent des à-coups dans la transmission.

Moins raffiné sur le plan des aménagements intérieurs que certains de ses concurrents mais offrant de belles aptitudes en tout-terrain, le Freelander devra travailler fort pour mériter la faveur du public nord-américain, face à des rivaux qui savent allier raffinement et performances à des prix concurrentiels.

*Alain Raymond*

---

### MODÈLES CONCURRENTS

• Ford Escape • Honda Pilot • Jeep Liberty
• Mazda Tribute

### QUOI DE NEUF?

• Version 3 portes

### VERDICT

| | |
|---|---|
| **Agrément de conduite** | ★★★⫏ |
| **Fiabilité** | nouveau modèle |
| **Sécurité** | ★★★⫏ |
| **Qualités hivernales** | ★★★★⫏ |
| **Espace intérieur** | ★★★★ |
| **Confort** | ★★★ |

### ▲ POUR

• **Bonne insonorisation** • **Boîte automatique performante** • **Bonnes aptitudes hors route**
• **Habitacle spacieux** • **Équipement complet**

### ▼ CONTRE

• Ergonomie à revoir • Performances moyennes
• Roulis en virage • Prix élevé

COUP DE CŒUR

# Un sceptique confondu

**Passons tout de suite aux aveux ! Primo, je déteste les véhicules utilitaires sport et, secundo, je n'ai jamais été très entiché des produits Land Rover. J'ai même écrit dans le passé de très vilaines choses au sujet de leur piètre rapport qualité/prix. Mais, comme il n'y a que les imbéciles qui ne changent pas d'idée, je dois dire que j'ai été passablement impressionné par le nouveau Range Rover 2003. Je ne suis pas devenu pour autant un adepte des VUS et ma passion pour les automobiles sportives et performantes demeure intacte. J'admets volontiers toutefois que l'on puisse éprouver un certain plaisir à rouler dans un 4X4 aussi somptueux que le Range Rover de 3e génération.**

Fidèle à sa réputation, Land Rover avait sorti sa grande machine à impressionner pour nous permettre d'étrenner son dernier rejeton dans une mise en scène spectaculaire. « La vie de château dans le nord de l'Écosse » aurait très bien pu résumer le programme de deux jours mis sur pied par le service des relations publiques de la marque anglaise. Premier arrêt : la base aérienne ARRC Kinloos, où, après une brève initiation au véhicule, notre feuille de route nous commande d'effectuer tout de go un virage à droite. Le hic, c'est que le hangar d'où nous venons de sortir se trouve justement à notre droite. On ne peut tout de même pas passer par-dessus me disais-je... jusqu'à ce que j'aperçoive un panonceau aux couleurs de Land Rover pointant dans cette direction. Qu'à cela ne tienne, nous voilà en train d'escalader le toit en demi-cercle d'un hangar camouflé sous une épaisse couche de terre afin d'échapper au repérage du haut des airs en temps

de guerre. Le Range Rover s'en tire justement avec les honneurs de la guerre et vient de marquer le premier point d'une épreuve qui n'est qu'un pâle aperçu de ce qui nous attend au cours des prochaines heures. Des pentes abruptes en plein cœur de la forêt, des descentes à pic, des rigoles boueuses et une impressionnante série d'obstacles franchis sans le moindre effort finiront par me convaincre que le Range Rover est un redoutable engin que la nature la plus coriace est incapable de stopper.

## Du sang germanique
J'attendais la suite pour me convaincre que toutes ces prouesses hors route avaient un prix et que notre mastodonte aurait bien de la difficulté à conserver la tête haute à 120 km/h sur des chemins publics. Mais j'anticipe un peu sur le programme et j'oublie surtout de faire les présentations.

Avant de revenir aux impressions de conduite, faisons brièvement le tour du propriétaire du

nouveau Range. Première chose importante à souligner, cet utilitaire sport haut de gamme est une création germano-britannique puisque sa conception remonte à l'époque où BMW était propriétaire du groupe Rover. Depuis, la division Land Rover est passée sous le grand chapiteau de Ford où elle fait partie du Premier Automotive Group (PAG) au sein duquel se retrouvent également Volvo, Jaguar et Aston Martin. Tous ces remaniements sont porteurs de bonnes nouvelles et il est permis de croire que les nouveaux modèles issus de ces partenariats bénéficieront d'une qualité de fabrication améliorée. Chose certaine, les Range Rover 2003 essayés en Écosse ont fait preuve d'une robustesse rassurante et, croyez-moi, rien n'a été épargné pour faire ressortir d'éventuelles faiblesses. Malgré de longues excursions hors route sur des sentiers impitoyables, aucun des sept Range Rover soumis aux pires excès des journalistes présents n'a subi la moindre défaillance. Si l'on ajoute à cela un agrément de conduite jusqu'ici impensable pour ce type d'engin, on comprendra mieux ma volte-face vis-à-vis du porte-étendard de Land Rover.

Son moteur V8 de 4,4 litres et 282 chevaux est pétant de santé et fait rudement contraste avec l'antiquité qui traînait péniblement l'ancienne carcasse du Range Rover. Le contraire serait étonnant compte tenu que ce groupe propulseur, jumelé à une transmission automatique séquentielle à 5 rapports, provient de chez BMW où il a la tâche d'animer la X5 et diverses berlines aux performances bien aiguisées.

Ajoutons que ce nouveau modèle n'a rien en commun avec l'ancien, si ce n'est un air de famille assez prononcé. Les lignes sont élégantes et sans artifice, hormis peut-être les ouïes latérales sur les ailes avant et des phares à vitrage clair. Si la silhouette cubique paraît un peu sévère, la présentation intérieure en revanche est plus réjouissante grâce à un heureux mélange de cuir, de bois mat et de métal. Un peu plus et l'on se croirait au volant d'une Audi. Et l'ergonomie, si souvent incongrue dans les créations anglaises, est sans reproche majeur. Même dans un véhicule avec conduite à droite, je m'y suis trouvé à l'aise après quelques heures au volant.

### Une technique d'avant-garde

Pour verser dans les détails plus techniques, soulignons que le Range Rover 2003 a tout ce qu'il faut pour affronter les pires conditions de conduite imaginables. Il peut compter sur une pléthore de systèmes de contrôle à commande électronique : contrôle d'adhérence en descente (Hill Descent Control), de la traction aux quatre roues, de la stabilité dynamique et de la répartition du freinage. Le freinage, incidemment, est assuré par quatre disques et bénéficie en outre de l'ABS ainsi que d'un système d'assistance spécial pour les arrêts d'urgence. Et comme tout 4X4 qui se respecte, le Range possède une boîte de transferts offrant deux gammes de rapports de vitesse (High et Low Range) que l'on peut sélectionner sans avoir à immobiliser le véhicule. En complément, la suspension pneumatique à gestion électronique permet de régler la hauteur du véhicule selon les besoins du moment. Pour aider madame à monter à bord, le Range s'abaisse de 60 % tandis que le même système, combiné à des suspensions à grand débattement, autorise une garde au sol de 27 cm, ce qui s'avère très utile, croyez-moi, quand vient le moment de traverser une rivière. D'ailleurs, à l'orée des passages les plus ardus, les gens de Land Rover avaient affiché les recommandations suivantes : « Raise Suspension », « Use Low Gear » et « Engage Hill Descent ». Ce dernier système, déjà utilisé antérieurement, procure une tranquillité d'esprit certaine aux conducteurs peu familiers avec les subtilités de la conduite hors route. Au sommet d'une pente particulièrement à pic et glissante, il suffit d'enclencher le Hill Descent et de laisser le véhicule faire le reste. C'est à peine s'il faut toucher le volant pour maintenir le véhicule dans la bonne direction.

### La vie de château

Après toutes ces émotions, c'est la vie de château qui attendait nos coureurs des bois. Construit il y a une centaine d'années par le magnat de l'acier Andrew Carnegie, le Skibo Castle n'est pas un hôtel mais une résidence de premier choix que l'on a transformée en club privé. Avant que Land Rover nous invite à y passer deux jours, le château avait été témoin de la réception de mariage de Madonna et, plus récemment, du couple Ashley Judd-Dario Franchitti. Mais, trêve de mondanités et revenons à nos moutons d'Écosse.

Avec sa nouvelle suspension arrière à roues indépendantes, le Range Rover a aussi fait d'immenses progrès au chapitre du confort et de la tenue de route. Ce fut d'autant plus évident pour moi que j'avais conduit le Cadillac Escalade EXT pendant toute la semaine ayant précédé mon essai du Range Rover. Ce dernier absorbe les inégalités du terrain avec toute la souplesse (enfin presque) d'une berline de luxe.

### ■ ÉQUIPEMENT DE SÉRIE

• Suspension pneumatique réglable • Boîte de transferts
• Toit ouvrant • Lave-phares • Avertisseurs sonores
(pression des pneus/distances de stationnement)

### ■ ÉQUIPEMENT EN OPTION

• Phares bixénon • Système de navigation
• Volant chauffant • Sièges arrière chauffants

À ce propos, Bob Dover, le président de Land Rover, affirme que ce nouveau modèle est suffisamment luxueux et sophistiqué pour rivaliser non seulement avec les utilitaires sport haut de gamme mais également avec les Mercedes de Classe S ou BMW de Série 7. Chose certaine, son prix estimé à 100 000 $ le place en concurrence directe avec les prestigieuses berlines allemandes. L'absence de bruits de caisse et le comportement routier très satisfaisant notés lors de l'essai résultent en bonne partie de l'utilisation d'une nouvelle structure monocoque à châssis intégré dont la rigidité dépasse celle de l'ancien modèle de 240 % (sic).

### Un poids lourd
Malgré une utilisation intensive de l'aluminium dans la construction du nouveau Range Rover, celui-ci a pris du poids et dépasse désormais la barre des 5 000 livres (2 272 kg). En revanche, il peut remorquer jusqu'à 3 493 kg. Cet embonpoint, fort heureusement, n'est nullement détectable sur la route ou même dans les raidillons que nous avons dû affronter sur les terrains d'une superbe ferme, Novar Wind Farm, dans la région de Dornoch en Écosse. Sur le chemin du retour vers l'aéroport militaire de Kinloss où nous attendait le jet privé devant nous ramener à Londres, j'ai

### CARACTÉRISTIQUES

| | |
|---|---|
| **Prix du modèle à l'essai** | HSE 104 000 $ |
| **Échelle de prix** | un seul prix |
| **Assurances** | 1 694 $ |
| **Garanties** | 4 ans 80 000 km / 4 ans 80 000 km |
| **Emp. / Long. / Larg. / Haut. (cm)** | 288 / 495 / 195,6 / 186,3 |
| **Poids** | 2 438 kg |
| **Coffre / Réservoir** | de 530 à 1760 litres / 100 litres |
| **Coussins de sécurité** | frontaux, latéraux et tête |
| **Suspension avant** | pneumatique à jambes de force |
| **Suspension arrière** | pneumatique à roues indép. |
| **Freins av. / arr.** | disque, ABS |
| **Système antipatinage** | oui |
| **Direction** | à crémaillère, assistance variable |
| **Diamètre de braquage** | 11,7 mètres |
| **Pneus av. / arr.** | P255/55R19 Mud and Snow |

### MOTORISATION ET PERFORMANCES

| | |
|---|---|
| **Moteur** | V8 4,4 litres |
| **Transmission** | automatique séquentielle, 5 rapports |
| **Puissance** | 282 ch à 5400 tr/min |
| **Couple** | 324 lb-pi à 3600 tr/min |
| **Autre(s) moteur(s)** | aucun |
| **Autre(s) transmission(s)** | aucune |
| **Accélération 0-100 km/h** | 9,2 secondes |
| **Reprises 80-120 km/h** | 7,1 secondes |
| **Vitesse maximale** | 210 km/h |
| **Freinage 100-0 km/h** | n.d. |
| **Consommation (100 km)** | 17 litres |
| **Niveau sonore** | n.d. |

profité des petites heures du matin pour pousser le Range Rover à la limite dans les nombreux *round abouts* (ronds-points). Les flaques d'eau ont fait ressortir la faible résistance des pneus à l'aquaplanage mais, hormis ce détail, la tenue de route s'est révélée plus que satisfaisante avec un roulis minimal. Un dernier coup d'œil à mon carnet de notes me rappelle que le nouveau Range est peu sensible au vent latéral et d'une grande stabilité à haute vitesse. En plus, le système de contrôle de la stabilité a prouvé sa grande

efficacité lorsque le véhicule est sorti des ornières d'un sentier. Le dérapage imminent a été rapidement anéanti par le système. Parmi les autres petits détails relevés au cours de l'essai, mentionnons la fermeté de la banquette arrière, un dégagement pour la tête insuffisant pour les grandes tailles, l'absence d'une poignée pour refermer le hayon ou la lunette arrière, la lenteur des glaces électriques et l'affichage des rapports

de la boîte de vitesses qui prête à confusion parce qu'il est placé juste à côté du levier de la boîte de transferts.

Ajoutons à tout cela un moteur très en verve, une direction juste à point et un freinage sans heurt et il n'en faut pas plus pour conclure que cette 3e génération du Range Rover (le modèle n'a été remanié que 3 fois en 30 ans) est à des années-lumière des précédentes versions. Je serais même

enclin à croire que les gens de Land Rover ont tout à fait raison lorsqu'ils parlent de ce nouveau modèle comme d'un *crossover*. C'est en effet une belle synthèse d'un utilitaire sport, d'une familiale, d'une fourgonnette et, il faut bien l'avouer, d'une berline de grand luxe. Quel revirement de Land Rover... et d'un chroniqueur qui n'avait jamais été un grand ami de la marque.

*Jacques Duval*

---

### MODÈLES CONCURRENTS

• *BMW X5* • *Cadillac Escalade* • *Lexus LX 470*
• *Lincoln Navigator* • *Mercedes-Benz ML55*

### VERDICT

| | |
|---|---|
| **Agrément de conduite** | ★★★↙ |
| **Fiabilité** | nouveau modèle |
| **Sécurité** | ★★★★↙ |
| **Qualités hivernales** | ★★★★★ |
| **Espace intérieur** | ★★★★ |
| **Confort** | ★★★★ |

### ▲ POUR

• Groupe propulseur moderne et performant • Confort supérieur à la moyenne • Équipement très complet • Finition soignée • Capacités hors route redoutables

### ▼ CONTRE

• Consommation élevée • Prix prohibitif • Fiabilité inconnue • Espace bagages limité • Pas de poignée de hayon arrière • Pneus d'origine sujets à l'aquaplanage

# La Camry du dimanche

**On a toujours dit que la Lexus ES 300 n'était qu'une Toyota Camry endimanchée et ce n'est pas la nouvelle version introduite l'an dernier qui va changer quoi que soit à cette description lapidaire. Elle est certes plus élégante, plus silencieuse et mieux équipée que sa cousine mais au prix demandé, il y a lieu de s'interroger sur la nécessité d'investir près de 50 000 $ pour une intermédiaire déguisée en voiture de luxe.**

Visuellement, l'ES 300 se démarque de sa petite sœur par des parois latérales dotées en partie supérieure d'une bande en relief estampée dans les tôles. En outre, la courbe intérieure du pilier C est plus arrondie et s'apparente à celle de la GS 430. À l'avant, les phares montrent des blocs optiques elliptiques dont la pointe s'amorce plus profondément sur le dessus de l'aile alors que les feux arrière débordent sur le côté en plus d'empiéter sur le couvercle du coffre.

Avec une différence de prix d'environ 12 000 $ par rapport à la Camry, l'ES 300 doit offrir mieux qu'une carrosserie plus stylisée. L'habitacle est donc plus luxueux et également plus élaboré. Contrairement à une pratique courante chez certains autres constructeurs, les ingénieurs ne se sont pas contentés de maquiller le tableau de bord et d'ajouter quelques babioles. La planche de bord est dotée d'une console monopièce se prolongeant entre les deux sièges. Surplombé par deux buses de ventilation, cet élément vertical comprend, dans

l'ordre, la chaîne audio, les commandes de la climatisation et un vide-poches. Le levier de vitesses à pommeau en bois véritable doit serpenter à travers une grille crantée, identique à celle offerte sur les autres Lexus. Parmi les autres touches « Lexuriantes », il faut mentionner les appliques en bois sur le côté droit de la planche de bord et sur la console centrale. Le boudin du volant est en bois également. Enfin, la qualité de la sellerie en cuir, des matériaux et de la finition s'avère fidèle à la réputation de la marque.

Puisque la nouvelle génération de l'ES 300 est plus longue et plus haute, les places arrière sont confortables et le dégagement pour les jambes amélioré. Toutefois, si jamais une personne prend place au centre, elle aura le dos torturé par la présence de l'appuie-bras escamotable qui anéantit

## CARACTÉRISTIQUES

| | |
|---|---|
| **Prix du modèle à l'essai** | 48 995 $ |
| **Échelle de prix** | de 43 800 $ à 50 900 $ |
| **Assurances** | 973 $ |
| **Garanties** | 4 ans 80 000 km / 6 ans 110 000 km |
| **Emp. / Long. / Larg. / Haut. (cm)** | 272 / 485 / 181 / 145 |
| **Poids** | 1 560 kg |
| **Coffre / Réservoir** | 519 litres / 70 litres |
| **Coussins de sécurité** | frontaux, latéraux et tête |
| **Suspension avant** | indépendante, jambes élastiques |
| **Suspension arrière** | indépendante, bras longitudinal |
| **Freins av. / arr.** | disque, ABS |
| **Système antipatinage** | oui |
| **Direction** | à crémaillère, assistance variable |
| **Diamètre de braquage** | 11,2 mètres |
| **Pneus av. / arr.** | P215/60R15 |

## MOTORISATION ET PERFORMANCES

| | |
|---|---|
| **Moteur** | V6 3 litres |
| **Transmission** | traction, automatique 5 rapports |
| **Puissance** | 210 ch à 5 800 tr/min |
| **Couple** | 220 lb-pi à 4 400 tr/min |
| **Autre(s) moteur(s)** | aucun |
| **Autre(s) transmission(s)** | aucune |
| **Accélération 0-100 km/h** | 8,2 secondes |
| **Reprises 80-120 km/h** | 6,1 secondes |
| **Vitesse maximale** | 200 km/h |
| **Freinage 100-0 km/h** | 37,6 mètres |
| **Consommation (100 km)** | 9,9 litres (ordinaire) |

| | |
|---|---|
| • Valeur de revente | excellente |
| • Renouvellement du modèle | 2006 |

à débarrasser la voiture d'un sous-virage prononcé à haute vitesse. C'est une bénédiction en quelque sorte, car cela nous sort de notre torpeur. Le glissement des pneus avant sur pavé mouillé à plus de 130 km/h est une recette très efficace pour vous inciter à vous concentrer sur la conduite.

Politiquement correcte à tous les égards, l'ES 300 est également équipée de tous les accessoires propres aux voitures de cette catégorie. Il est donc possible de commander un système de stabilité latérale avec régulateur de traction. Si ce

le confort. De plus, une fois celui-ci remisé, c'en est fait des porte-verres. Et puisque la place centrale n'offre pas d'appuie-tête, mieux vaut considérer cette voiture comme une quatre places.

## Velours sous-vireur

En dépit de tous ces efforts pour offrir plus de luxe aux occupants, il est toujours difficile de justifier la différence de prix entre une Camry et l'ES 300. La mécanique et la conduite doivent donc combler l'écart. Sur ce point, la boîte automatique compte un rapport de plus. Cette boîte 5 vitesses est d'une grande douceur et le passage des rapports s'effectue presque sans à-coups. Il faut toutefois souligner une certaine hésitation lors du passage du 3e au 4e rapport. De plus, lorsque le conducteur lève le pied pour appuyer de nouveau sur l'accélérateur, cette manœuvre semble prendre en défaut le système électronique de contrôle de la boîte qui marque un temps d'arrêt avant d'expédier la puissance aux roues motrices. La reprise est parfois accompagnée par une secousse provenant de la boîte de vitesses. Et si vous aimez jouer du levier de vitesses avec l'automatique, sachez que le fait de devoir déplacer le levier latéralement pour négocier les crans de retenue de la grille rend l'opération assez difficile.

Si la transmission est plus sophistiquée, le moteur produit toujours 210 chevaux, ce qui est inférieur de plusieurs chevaux aux 225 de l'Acura TL et aux 255 de l'Infiniti I35. À défaut de bénéficier d'un surplus de puissance, ce V6 est très silencieux et d'une grande douceur, le mot clé dans

cette voiture. Par rapport à la Camry, le silence de roulement est meilleur tandis que tous les éléments de cette voiture semblent être d'un niveau de qualité supérieur.

Au volant, les réactions de la suspension sont très bien contrôlées, le moteur tourne rond tandis que le conducteur tente de ne pas s'endormir à conduire cette capsule insonorisée sur roues. Amateurs de conduite à sensations, prière de vous abstenir ! Les ingénieurs se sont attardés à raffiner le produit dans les moindres petits détails en améliorant l'insonorisation, la rigidité de la suspension, le réglage des amortisseurs et tous les autres éléments de la dynamique de cette berline. Avec pour résultat que tout est aseptisé au maximum et que l'agrément de conduite s'en ressent. Malgré tout, les ingénieurs n'ont pas réussi

mécanisme se révèle au-delà de tout reproche, il est impossible d'accorder la même note à la suspension réglable, une véritable catastrophe. Ses réglages ne peuvent jamais compenser pour la situation du moment et c'est la confusion totale dans les puits de roue.

Berline feutrée, d'une finition impeccable et d'un équipement complet, l'ES 300 pénalise son chauffeur par un comportement routier tout juste convenable tandis que les occupants sont gâtés par des sièges confortables et un habitacle très douillet. Malgré tout, la Camry propose toujours un meilleur rapport qualité/prix que la représentante de la marque snob de la famille.

*Denis Duquet*

## MODÈLES CONCURRENTS

• Acura TL • Infiniti I35 • Mercedes-Benz Classe C
• Volvo S60

## QUOI DE NEUF ?

• Pédalier réglable

## VERDICT

| | |
|---|---|
| Agrément de conduite | ★★★ |
| Fiabilité | ★★★★★ |
| Sécurité | ★★★★★ |
| Qualités hivernales | ★★★★ |
| Espace intérieur | ★★★★✦ |
| Confort | ★★★★ |

## ▲ POUR

• Fiabilité sans faille • Finition exemplaire
• Moteur bien adapté • Insonorisation poussée
• Sièges confortables

## ▼ CONTRE

• Comportement routier couçi-couça • Levier de vitesses désagréable • Boîte automatique mal programmée

# Négligemment abandonnées

**L'histoire se répète. Comme l'année dernière, les Lexus GS 300 et 430 continuent leur (très) petit bonhomme de chemin en 2003 sans recevoir de modifications vraiment dignes d'intérêt. À croire que le constructeur ne se soucie pas d'entretenir la flamme, ce qui risque de laisser les acheteurs un peu froids.**

Pourtant, cette luxueuse berline sport constitue à la base une excellente voiture. Elle risque cependant de sombrer dans l'anonymat si elle demeure trop longuement figée techniquement. Car, dans cette industrie hautement compétitive, l'immobilisme se transforme rapidement en recul dans un peloton emporté par une certaine frénésie.

Heureusement, les lignes de la carrosserie vieillissent bien, à telle enseigne d'ailleurs que Lexus n'a rien trouvé de mieux cette année que de faire disparaître l'aileron arrière. Parlez-moi

d'un changement... Les quatre blocs optiques à l'avant donnent au véhicule un petit air de Mercedes (qui semble en haute estime chez Lexus), mais la partie arrière plus originale dégage une certaine lourdeur. L'habitacle de bonne dimension offre amplement d'espace aux passagers à l'avant, et suffisamment pour deux occupants à l'arrière. Malgré la présence d'un appuie-tête central, le troisième passager devra s'y faire petit. Les matériaux d'excellente qualité dégagent une ambiance luxueuse et feutrée, et leur facture demeure incroyablement méthodique. Les fau-

teuils procurent soutien et confort à l'avant, et la banquette arrière fait de son mieux... pour une banquette. La ligne assez haute du coffre lui permettrait d'offrir une contenance appréciable, si ce n'était de ses formes assez biscornues.

### Deux moteurs modernes

Depuis son arrivée sur notre marché, la GS est offerte en deux versions, soit la 300 avec un moteur 6 cylindres en ligne de 3 litres, et une 430 mue par un V8 de 4,3 litres. Les deux font appel à une distribution à calage variable et continu des soupapes (VVT-i) qui leur permet d'offrir un couple robuste à bas régime, sans trop s'essouffler dans les tours. On ne pourrait qualifier le 6 cylindres de lymphatique, car son rendement unitaire (73 chevaux au litre) s'aligne bien avec la

## CARACTÉRISTIQUES

| | |
|---|---|
| Prix du modèle à l'essai | GS 430 77 000 $ |
| Échelle de prix | de 61 700 $ à 77 000 $ |
| Assurances | 891 $ |
| Garanties | 4 ans 80 000 km / 6 ans 120 000 km |
| Emp. / Long. / Larg. / Haut. (cm) | 280 / 480,5 / 180 / 145 |
| Poids | 1 690 kg |
| Coffre / Réservoir | 515 litres / 75 litres |
| Coussins de sécurité | frontaux et latéraux |
| Suspension avant | indépendante, leviers triangulaires |
| Suspension arrière | indépendante, leviers transversaux |
| Freins av. / arr. | disque ABS (ventilés à l'avant) |
| Système antipatinage | oui |
| Direction | à crémaillère, assistance progressive |
| Diamètre de braquage | 11,3 mètres |
| Pneus av. / arr. | P225/55VR16 |

## MOTORISATION ET PERFORMANCES

| | |
|---|---|
| Moteur | V8 4,3 litres |
| Transmission | propulsion, automatique 5 rapports |
| Puissance | 300 ch à 5 600 tr/min |
| Couple | 325 lb-pi à 3 400 tr/min |
| Autre(s) moteur(s) | 6L 220 ch (GS 300) |
| Autre(s) transmission(s) | aucune |
| Accélération 0-100 km/h | 6,3 secondes |
| Reprises 80-120 km/h | 5,5 secondes |
| Vitesse maximale | 250 km/h |
| Freinage 100-0 km/h | 39,4 mètres |
| Consommation (100 km) | 12,9 litres (super) |
| • Valeur de revente | élevée |
| • Renouvellement du modèle | n.d. |

impossible de justifier les 10 000 $ qui séparent la GS 430 de sa sœur sans tenir compte de leurs moteurs respectifs; et, malgré toute l'estime que j'entretiens pour le V8, j'hésiterais à le recommander à un acheteur qui ne pourrait utiliser régulièrement chacun des 300 chevaux.

Le freinage puissant et endurant est confié à quatre disques commandés par un ABS perfectionné à quatre canaux. Il s'en remet aussi à un système d'assistance qui applique une forte pression sur les étriers en certaines circonstances considérées

concurrence. Néanmoins, ses 220 chevaux commencent à faire un peu juste parmi des V6 de cylindrée supérieure offerts dans le même segment. Fort heureusement, sa douceur exemplaire et sa grande disponibilité ne le placent pas trop en retrait. Les plus exigeants pourront se rabattre sur le 4,3 litres qui demeure, quant à moi, un des meilleurs V8 offerts sur le marché, toutes nationalités confondues. Tous deux utilisent la technologie Drive By Wire remplaçant le câble de l'accélérateur par un potentiomètre, ainsi qu'une boîte automatique adaptative à 5 rapports pour faire passer leurs chevaux aux roues arrière. Cette dernière accomplit son travail avec zèle, et offre aussi un mode séquentiel pour la sélection des vitesses. Vous savez déjà ce que je pense d'un tel mécanisme : en dehors de certaines circonstances bien particulières, il est plus pratique de placer tout simplement le levier en position « D ».

Sur la route, les deux berlines affichent un comportement présentant des différences assez marquées. La GS 300 se montre conciliante avec les inégalités de notre réseau routier, tout en offrant une tenue de route de bon niveau au conducteur pour qui rouler présente un agréable défi. La direction, précise, pourrait cependant être plus communicative. Pour sa part, la GS 430 apparaît plus sèchement suspendue et chahute ses occupants, particulièrement lorsqu'elle roule sur les pneus de 17 pouces en option, des P235/45ZR17. À ce chapitre, la modeste taille (P225/55VR16) des pneumatiques d'origine pour les deux versions et leur frileuse semelle quatre saisons inhibent sans

aucun doute le potentiel du châssis extrêmement rigide de cette berline.

## Équipement semblable, prix disproportionnés

Comme on peut s'y attendre d'une Lexus, l'équipement fera la fierté de son propriétaire. Fauteuils chauffants en cuir aux ajustements multiples à l'avant, climatisation à deux zones, magnifiques instruments « électroluminescents » , la liste s'allonge presque indéfiniment pour les deux versions, et la seule option digne de mention concerne le système de navigation. En fait, l'avantage revient bien entendu à la GS 430, mais uniquement grâce à sa chaîne audio absolument éblouissante (j'aimerais bien avoir la même dans mon salon) et à quelques garnitures d'aspect plus chic. Il devient donc

comme urgentes par l'ordinateur de bord, même si le conducteur réagit plus mollement. À l'instar de Mercedes (tiens, tiens), les Lexus protègent très bien leurs occupants. Pour ce faire, on trouve dans chaque GS des coussins frontaux et latéraux, ainsi que des sacs pour la tête des passagers, mais à l'avant seulement. Parions que la prochaine édition offrira la même protection à l'arrière.

Bien conçue, impeccablement exécutée, performante, solide et agréable à regarder, la GS ne se retrouve pourtant pas en grand nombre sur nos routes. Son prix en intimide plus d'un, bien sûr , mais il faut aussi considérer franchement l'absence de *snob appeal* et son comportement routier un peu indiscipliné pour expliquer son manque de popularité.

*Jean-Georges Laliberté*

---

### MODÈLES CONCURRENTS

• Audi A6 • BMW Série 5 • Infiniti M45 • Jaguar S-Type
• Mercedes Benz Classe E

### QUOI DE NEUF ?

• Système de navigation avec écran tactile en option

### VERDICT

| | |
|---|---|
| **Agrément de conduite** | ★★★★⯪ |
| **Fiabilité** | ★★★★⯪ |
| **Sécurité** | ★★★★⯪ |
| **Qualités hivernales** | ★★★⯪ |
| **Espace intérieur** | ★★★★ |
| **Confort** | ★★★★⯪ |

### ▲ POUR

• Fiabilité exceptionnelle • Moteur V8 éloquent
• Châssis rigide • Excellent freinage • Chaîne audio impressionnante

### ▼ CONTRE

• Moteur V6 dépassé • Suspension ferme (GS 430)
• Habitabilité restreinte • Mauvaise visibilité arrière

# « Show me the money »

**Aux yeux de plusieurs amateurs d'automobiles, Lexus propose actuellement l'une des plus belles familiales de l'heure : l'IS 300 SportCross. Et contrairement à la berline qu'on ne remarque que lorsqu'elle se laque d'un jaune ensoleillé, la SportCross, elle, fait tourner les têtes peu importe sa couleur.**

Elle attire les regards peut-être, mais pas les dollars puisque cette familiale, comme la berline d'ailleurs, ne court pas les rues. En effet, depuis son lancement, nul besoin d'une calculette pour recenser le nombre d'exemplaires vendus.

La direction de Lexus s'attendait à de bien meilleurs résultats, mais consent-elle les efforts nécessaires pour atteindre ses objectifs ? La question mérite d'être posée puisque la gamme ne fait l'objet d'aucun changement cette année.

## Le choc des genres

C'est bien connu, l'originalité de l'habitacle de l'IS 300 réside dans son bloc d'instrumentation. Amateur d'horlogerie, le concepteur a dessiné des cadrans qui témoignent de sa passion pour les chronographes. À l'intérieur de l'immense indicateur de vitesse logent trois jauges (température, batterie et consommation d'essence), alors que s'imbriquent de chaque côté le compte-tours et la jauge à essence. Et, pour ajouter à l'ambiance, le pédalier s'enduit d'aluminium d'où fleurissent des pastilles de caoutchouc pour éviter que nos semelles mouillées dérapent à son contact. Peine perdue, elles dérapent quand même !

Profondément calé dans un siège qu'on jurerait avoir été moulé sur soi, à vue et à distance idéale des commandes, on se sent prêt à prendre la route. Si vous ne réussissez pas à vous installer à votre aise, il ne vous reste plus qu'à consulter d'urgence un orthopédiste. Cette Lexus donne toutefois moins de satisfaction aux occupants des places arrière, où le confort est adéquat, sans plus. Et le coffre ne se montre guère plus accueillant pour les bagages. Dans la berline surtout qui, rigidité oblige, ne permet pas que l'on rabatte le dossier de sa banquette pour en accroître le volume de chargement. La SportCross, elle, le permet, mais gare aux chapelles d'amortisseurs qui encombrent le passage. De plus, pour obtenir

### CARACTÉRISTIQUES

| | |
|---|---|
| Prix du modèle à l'essai | SportCross 44 195 $ |
| Échelle de prix | de 37 775 $ à 47 590 $ |
| Assurances | 750 $ à 800 $* |
| Garanties | 4 ans 80 000 km / 6 ans 110 000 km |
| Emp. / Long. / Larg. / Haut. (cm) | 267 / 448,5 / 172 / 141,5 |
| Poids | 1 485 kg |
| Coffre / Réservoir | 390 litres / 68 litres |
| Coussins de sécurité | frontaux et latéraux |
| Suspension avant | indépendante, leviers triangulés |
| Suspension arrière | indépendante, leviers triangulés |
| Freins av. / arr. | disque, ABS |
| Système antipatinage | oui |
| Direction | à crémaillère |
| Diamètre de braquage | 11 mètres |
| Pneus av. / arr. | P215/45ZR17 |

### MOTORISATION ET PERFORMANCES

| | |
|---|---|
| Moteur | 6L 3 litres |
| Transmission | manuelle 5 rapports |
| Puissance | 215 ch à 5 800 tr/min |
| Couple | 215 lb-pi à 3 800 tr/min |
| Autre(s) moteur(s) | aucun |
| Autre(s) transmission(s) | semi-automatique 5 rapports |
| Accélération 0-100 km/h | 7,8 secondes |
| Reprises 80-120 km/h | n.d. |
| Vitesse maximale | 230 km/h |
| Freinage 100-0 km/h | 36,8 mètres |
| Consommation (100 km) | 11,2 litres (super) |
| • Valeur de revente | bonne |
| • Renouvellement du modèle | 2005 |

tion ferme est d'une rigoureuse précision et permet, compte tenu du remarquable travail des éléments suspenseurs, qui contrôlent parfaitement le roulis et le tangage, de placer l'IS 300 au millimètre. Un seul problème, à la limite : le décrochage du train arrière se déclenche de façon assez brutale, exigeant un contre-braquage rapide, décidé et de grande amplitude. Ajoutons en outre que l'IS 300 chaussée de pneus de 17 pouces ne filtre pas aussi bien les décibels et les inégalités de la chaussée que le modèle appuyé sur des 16 pouces.

une rigidité comparable à celle de la berline, les ingénieurs ont été forcés de niveler le plancher de charge vers le haut pour y loger une traverse de métal, la roue de secours et un espace de rangement...

Si la présentation intérieure s'avère moderne, certains détails de finition ne se montrent pas tout à fait au niveau de certaines des rivales de l'IS 300 et pis encore de celui auquel nous a jusqu'ici habitués Lexus.

### Une sportive agile

Le 6 cylindres en ligne de 3 litres qui se charge d'animer la gamme IS 300 a acquis au fil des ans une solide réputation sous le capot d'autres produits Lexus. À bord de l'IS 300, ce moteur développe 215 chevaux à 5 800 tr/min et jouit d'une distribution variable électronique qui lui procure onctuosité et progressivité. Deux qualités que l'on prend plaisir à exploiter avec l'aide de la transmission manuelle à 5 rapports. Cette dernière, malheureusement, ne profite qu'aux acheteurs de la berline. La familiale, elle, doit se contenter de la transmission automatique à sélection manuelle (E-shift) qui permet d'engager les rapports à l'aide de boutons-poussoirs montés sur les branches horizontales du volant. Ce système, contrairement à presque tous les autres du même genre, se révèle intelligent et d'une redoutable efficacité en conduite sportive puisque nos mains ne quittent jamais le volant.

La puissance au sol est transmise aux roues arrière motrices qui, dans la berline de base, s'enveloppent de pneus «toutes saisons» de 16 pouces de diamètre. Avec le jeu des options, une monte pneumatique plus performante encore (de série dans la familiale SportCross) se propose d'assurer la liaison au sol. En privilégiant ces gommes, l'acheteur a notamment droit à un différentiel à glissement limité, précieux sur chaussée à faible coefficient d'adhérence, mais qui ne procure toutefois pas la même sécurité qu'un dispositif antidérapage.

C'est sur une route sinueuse, où le ruban d'asphalte ressemble au parcours d'un slalom de ski, que l'on prend le plus plaisir à provoquer l'IS 300 ! Le châssis, dont les masses sont presque équitablement réparties entre l'avant et l'arrière, assure à cette berline sport une agilité d'acrobate et propage, sans retenue, le plaisir de conduire.

Au volant d'une IS 300 chaussée de pneus de 17 pouces, on se sent en parfaite maîtrise. La direc-

Cette dernière livrée se révèle donc plus prévisible, plus confortable et assurément plus économique.

Hérité de la GS, le freinage, assuré par deux paires de disques (ventilés à l'avant) et doublé d'un système antiblocage, se révèle un modèle d'équilibre et d'endurance. Manifestement un point fort de cette auto.

Même si elle ne manque pas de talents, on ne ressent pas au volant de l'IS 300 l'impression de robustesse qui caractérise ses rivales allemandes. En revanche, par rapport à ces dernières toujours, ces Lexus sont richement équipées de série (la Sport-Cross surtout), ce qui les rend très attrayantes, mais cela ne suffit apparemment pas à les rendre plus désirables à vos yeux.

*Éric LeFrançois*

---

# LEXUS LS 430

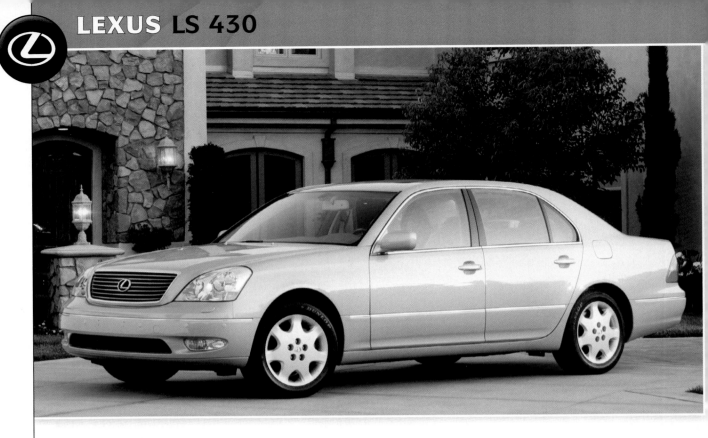

# *Hybride de luxe*

**Le marché des grandes berlines de luxe est en pleine mutation depuis environ un an. Pendant que la récente BMW 745i se transformait en arcade électronique, les grosses Mercedes de Classe S se dotaient de 4 roues motrices pour mieux affronter leur dernière rivale, la Volkswagen Phaeton. Pas question ici de faire un match comparatif entre ces limousines mais force est d'admettre que la concurrence est féroce. Par contre, au lieu de se copier les uns les autres, les constructeurs semblent avoir adopté chacun une philosophie différente.**

C ela permet à Lexus de faire pratiquement cavalier seul dans sa petite niche peinarde où la qualité de la finition, le confort de l'habitacle et le silence de roulement sont des qualités essentielles tandis que l'agrément de conduite et le comportement routier sont des éléments secondaires. Conséquemment, si vous êtes de ceux ou celles qui apprécient une bonne ergonomie, un confort douillet et une qualité de finition au-

dessus de la moyenne, vous serez conquis par la Lexus LS 430. La Mercedes S500 possède pratiquement les mêmes atouts avec, en prime, le comportement routier d'une voiture conçue pour rouler 24 heures sur 24 à 250 km/h dans son pays d'origine. La dernière BMW de Série 7 dévie de sa trajectoire de berline sport et semble destinée à une clientèle mal définie entre l'amateur de gadgets électroniques et le fanatique de la conduite sportive.

### *La tradition de l'excellence*
Voilà qui peut ressembler à un slogan publicitaire mais il faut admettre que la plus cossue des Lexus a toujours été reconnue pour sa qualité d'exécution et sa grande fiabilité. Ce qui ne l'a pas empêchée d'être lapidée pour un agrément de conduite inexistant, exacerbé par une direction ultrasensible et un antipatinage qui intervenait au moindre prétexte. Dans un tel contexte, on se demande même comment elle a pu survivre jusqu'à ce jour.

La réponse est facile. Elle a initialement attiré bon nombre d'acheteurs de grosses nord-américaines séduits par le confort et la finition, mais peu exigeants en fait de conduite. De plus, plusieurs consommateurs désabusés par leur expérience germanique ont voulu tenter l'expérience nippone. Puis, au fil des années, les ingénieurs ont continué de

## POUR TOUT SAVOIR

### CARACTÉRISTIQUES

| | |
|---|---|
| Prix du modèle à l'essai | Touring 83 900 $ |
| Échelle de prix | de 82 800 $ à 98 900 $ |
| Assurances | 1111 $ |
| Garanties | 4 ans 80 000 km / 6 ans 110 000 km |
| Emp. / Long. / Larg. / Haut. (cm) | 292 / 499 / 183 / 149 |
| Poids | 1 795 kg |
| Coffre / Réservoir | 453 litres / 84 litres |
| Coussins de sécurité | frontaux, latéraux et tête |
| Suspension avant | indépendante, bras triangulés |
| Suspension arrière | indépendante, multibras |
| Freins av. / arr. | disque, ABS |
| Système antipatinage | oui |
| Direction | à crémaillère, assistance variable |
| Diamètre de braquage | 10,6 mètres |
| Pneus av. / arr. | P215/45R17 |

### MOTORISATION ET PERFORMANCES

| | |
|---|---|
| Moteur | V8 4,3 litres |
| Transmission | propulsion, automatique 5 rapports |
| Puissance | 290 ch à 5 600 tr/min |
| Couple | 320 lb-pi à 3 400 tr/min |
| Autre(s) moteur(s) | aucun |
| Autre(s) transmission(s) | aucune |
| Accélération 0-100 km/h | 6,8 secondes |
| Reprises 80-120 km/h | 5,9 secondes |
| Vitesse maximale | 250 km/h |
| Freinage 100-0 km/h | 39,8 mètres |
| Consommation (100 km) | 13 litres (super) |
| • Valeur de revente | excellente |
| • Renouvellement du modèle | 2005 |

Avec le régulateur de vitesse au laser, cette suspension pneumatique est l'apanage des voitures de ce prix. Par contre, elle nous isole davantage de la route et ne fait pas grand-chose pour améliorer le comportement routier. Au contraire, elle accentue le flou en virage.

Peu importe le modèle choisi, cette voiture nous laisse toujours sur notre appétit. Nous avons la sensation que l'électronique pilote à votre place. Par exemple, l'antipatinage entre toujours en action très rapidement, ce qui peut mettre le conducteur et

faire évoluer cette voiture. Ayant une parfaite maîtrise de la finition impeccable, de l'insonorisation à outrance et de la fiabilité mécanique, ils ont réussi à trouver un bel équilibre entre le luxe et l'agrément de conduite avec la 3e génération apparue en 2001.

Celle-ci a bénéficié d'un châssis plus rigide, d'un moteur V8 de 290 chevaux et de trois types de suspension. Elle permet également aux gens de combiner le luxe avec le luxe ou encore le luxe avec un comportement routier supérieur à la moyenne. La LS 430 possède toutes les caractéristiques des grosses nord-américaines d'antan avec beaucoup d'espace à l'arrière, une présentation bourgeoise et une débauche d'accessoires de série. Mais la similitude s'arrête là. Ses prestations routières impressionnent. Par exemple, ce salon sur roues de près de 2 tonnes est capable de boucler le 0-100 km/h en moins de 7 secondes et sa puissance de freinage s'avère très élevée. Il est en effet possible d'immobiliser ce gros bloc d'acier, de cuir, d'aluminium et de plastique en 39,8 mètres. Tout cela avec des pneus surtout sélectionnés pour leur confort et leur silence de roulement.

### Le juste milieu
Cette voiture possède donc tous les atouts pour se mesurer aux plus performantes de sa catégorie, même si sa présentation générale nous porte à croire le contraire. C'est un hybride à sa façon, combinant la personnalité d'une voiture américaine à la tenue de route d'une Mercedes. L'influence américaine est caractérisée par la possibilité de

commander une banquette arrière dotée d'un vibromasseur. De plus, les cadrans à affichage électroluminescent et la qualité de la sellerie en cuir sont autant d'éléments qui plaisent à un large public.

Le côté performances et tenue de route est mis en valeur surtout dans la version Touring à la suspension d'inspiration européenne. Elle permet d'obtenir de meilleures sensations, moins de roulis dans les virages et une direction moins engourdie. Il s'agit à mon avis de la meilleure des LS 430 et de celle qui comprend le moins de fioritures. La Premium peut également être commandée avec une suspension standard. C'est beaucoup moins ferme qu'avec la Touring, mais honnête tout de même. Ce sera le choix du juste milieu. Il est également possible de commander des ressorts pneumatiques à l'avant comme à l'arrière.

les passagers dans une situation précaire. Lorsque l'adhérence est moyenne, il n'est pas toujours bon de voir ce système s'enclencher inopinément alors qu'on veut tout simplement accélérer pour éviter un obstacle ou doubler.

Plus près d'une nord-américaine que d'une allemande, la Lexus LS 430 n'en demeure pas moins un excellent compromis entre deux codes de pensée. Un confort serein plaira aux habitués de Cadillac et une tenue de route très correcte (version Touring) pour une voiture confinée à un reseau routier où les limites de vitesse ne permettent pas d'exploiter les qualités des berlines européennes.

**Denis Duquet / Jacques Duval**

---

## MODÈLES CONCURRENTS

• Audi A8 • BMW 740i • Cadillac DeVille DST
• Infiniti Q45 • Jaguar XJ8 • Mercedes-Benz S430

## QUOI DE NEUF?

• Aucun changement majeur • Révisions de détails

## VERDICT

| | |
|---|---|
| Agrément de conduite | ★★★★ |
| Fiabilité | ★★★★★ |
| Sécurité | ★★★★⯪ |
| Qualités hivernales | ★★★⯪ |
| Espace intérieur | ★★★★ |
| Confort | ★★★★★ |

## ▲ POUR

• Finition exemplaire • Fiabilité assurée
• Freins puissants • Version Touring
• Chaîne audio Mark Levinson

## ▼ CONTRE

• Ligne sans éclat • Agrément de conduite mitigé
• Support latéral moyen • Boîte automatique paresseuse • Antipatinage trop zélé

# Quand la concurrence se rapproche !

**Il faut souligner que Lexus a été l'une des premières compagnies à s'intéresser au marché des gros VUS de luxe. Pendant que Cadillac et Lincoln s'interrogeaient quant à la viabilité de ce marché, les ingénieurs de Lexus avaient déjà complété la transformation du Toyota Land Cruiser en LX 470. Et il faut préciser que cette transformation ne s'est pas limitée à installer des sièges en cuir dans l'habitacle et une nouvelle calandre. Des raffinements ont été apportés au châssis, au groupe propulseur et à la suspension.**

Au fil des années, de nombreuses révisions de détails ont permis à ce modèle de se défendre contre les nouveaux arrivants dans cette catégorie, notamment les Cadillac Escalade et Lincoln Navigator. L'un de ses atouts était son moteur V8 de 4,7 litres. Alors que certains modèles concurrents doivent toujours se contenter de moteurs à soupapes en tête, ce gros 4,7 litres a toujours proposé une culasse dotée de deux arbres à cames par ran-

gée de cylindres et de 32 soupapes. Mais ce n'est pas tant sa complexité mécanique que son incroyable douceur qui le fait apprécier. La puissance est toujours livrée de façon très progressive tandis que le niveau sonore est excessivement bas. Et les vibrations sont tellement faibles qu'on est porté à croire que c'est une turbine qui s'active sous le capot. Cette année, la puissance a été portée à 235 chevaux, un gain de cinq par rapport à l'an dernier. Toujours sur le plan des améliorations, la boîte de vitesses

automatique est maintenant à 5 rapports, ce qui augmente la douceur du groupe motopropulseur. Les rapports étant plus rapprochés, leurs passages sont moins perceptibles. Par contre, cette boîte est parfois lente à réagir et à rétrograder en certaines circonstances. Mais puisque ce gros VUS de luxe affiche un tempérament plutôt placide, cela ne se remarque pas tellement.

Cette année, les stylistes se sont consacrés à réviser la calandre et presque toute la partie avant, histoire de conserver une silhouette dans le ton et de ne pas souffrir d'une allure trop veillotte face aux nouveaux Lincoln Navigator et Range Rover.

### Traitement Lexus
Même revu et corrigé, le LX 470 ne fait pas tourner les têtes. Il est correct sans plus, avec juste ce

## CARACTÉRISTIQUES

| | |
|---|---|
| Prix du modèle à l'essai | 98 500 $ |
| Échelle de prix | de 98 200 $ à 105 000 $ |
| Assurances | 1 003 $ |
| Garanties | 4 ans 80 000 km / 6 ans 110 000 km |
| Emp. / Long. / Larg. / Haut. (cm) | 285 / 489 / 194 / 185 |
| Poids | 2 450 kg |
| Coffre / Réservoir | de 830 à 1 370 litres / 96 litres |
| Coussins de sécurité | frontaux et latéraux |
| Suspension avant | indépendante, barres de torsion |
| Suspension arrière | essieu rigide, bras longitudinaux |
| Freins av. / arr. | disque, ABS |
| Système antipatinage | oui |
| Direction | à crémaillère, assistance variable |
| Diamètre de braquage | 12,1 mètres |
| Pneus av. / arr. | P275/70R16 |

## MOTORISATION ET PERFORMANCES

| | |
|---|---|
| Moteur | V8 4,7 litres |
| Transmission | intégrale, automatique 5 rapports |
| Puissance | 235 ch à 4 600 tr/min |
| Couple | 320 lb-pi à 3 400 tr/min |
| Autre(s) moteur(s) | aucun |
| Autre(s) transmission(s) | aucune |
| Accélération 0-100 km/h | 10,1 secondes |
| Reprises 80-120 km/h | 8,7 secondes |
| Vitesse maximale | 180 km/h (limitée) |
| Freinage 100-0 km/h | 44,3 mètres |
| Consommation (100 km) | 18,2 litres (ordinaire) |
| • Valeur de revente | très bonne |
| • Renouvellement du modèle | 2006 |

die, la direction à crémaillère est précise. Il faut souligner une fois de plus que ce fut l'un des premiers gros VUS à bénéficier d'une assistance variable pour la direction.

Par contre, si vous portez un jugement sur le comportement routier en utilisant les mêmes critères que pour une automobile, le LX 470 perd alors des plumes. Il est certain que sa stabilité en ligne droite est plus fortement affectée par les vents latéraux que celle d'une LS 430, par exemple. De plus, la direction n'a pas la même sensibilité et l'agrément

qu'il faut de retenue pour être apprécié par son propriétaire. C'est surtout l'intérieur de même que la qualité générale de la finition et des matériaux qui lui permettent de se démarquer. En effet, Lexus est passé maître dans l'art de l'assemblage impeccable, de la peinture sans effet de pelure d'orange et d'une perception de qualité hors du commun. Confortablement assis dans des sièges en cuir, devant un volant avec un boudin en bois et des cadrans électroluminescents, le pilote de ce gros VUS se sent « en voiture ». Il faut avouer que les autres occupants, à l'exception de ceux de la troisième banquette, n'ont pas à se plaindre non plus dans leurs sièges confortables.

Enfin, même si chaîne audio de qualité et conduite en forêt ne semblent pas une association naturelle, la chaîne Mark Levinson qu'on trouve dans le LX 470 figure parmi ce qui se fait de mieux. C'est certainement la référence dans cette catégorie. Sa seule présence nous donne par ailleurs une bonne idée de l'usage anticipé de ce VUS qui servira beaucoup plus pour des randonnées boulevardières que pour des raids dans la forêt boréale. Mais si jamais vous avez envie de vous aventurer loin des sentiers battus, ce Lexus a tout ce qu'il faut.

### L'électronique prime

Non seulement ce tout-terrain possède une transmission intégrale à commande électronique, mais il est également pourvu d'une suspension pneumatique à hauteur variable et d'un système antipatinage « intelligent » qui transmet le couple voulu aux roues qui ont le plus d'adhérence. Cela rassure lors-

que la route principale devient une route secondaire pour se transformer en un étroit sentier forestier. Mais si les systèmes d'aide électronique au pilotage sont sophistiqués, les dimensions du véhicule, son poids et des pneus qui ne font pas toujours bon ménage avec la neige réduisent les capacités en conduite hors route. Il ne faut pas se montrer trop téméraire ou tout au moins procéder avec circonspection dans les passages difficiles, car vous allez vous en souvenir si jamais vous vous embourbez. C'est un gros véhicule à sortir du trou.

Sur la route, il est impressionnant de constater de prime abord le confort qu'offre la suspension. Alors que vous vous attendez à être secoué sur les mauvais revêtements, les ressorts pneumatiques semblent littéralement avaler les trous et les bosses. De plus, même si elle s'avère quelque peu engour-

de conduite n'est pas aussi élevé. Mais si vous considérez et conduisez ce gros 4X4 pour ce qu'il est, vous allez apprécier son confort, sa solidité et un comportement routier tout de même équilibré pour un véhicule pesant deux tonnes et demie, d'une hauteur de 185 cm et capable d'accommoder huit personnes réparties sur trois rangées.

C'est de la démesure, mais de la démesure de qualité. Et son prix frôlant les 100 000 $ est aussi hors de proportion avec la réalité. Mais ce n'est pas plus logique de dépenser le même montant pour une ultrasportive qui ne peut rouler en hiver. Les qualités hivernales de cette Lexus constituent au moins un argument de plus dans cette discussion qui ne sera jamais terminée. La meilleure solution : la sportive en été, le VUS en hiver.

*Denis Duquet*

---

#### MODÈLES CONCURRENTS

• *BMW X5* • *Cadillac Escalade* • *Land Rover Range Rover* • *Lincoln Navigator* • *M-Benz G500 et ML430*

#### QUOI DE NEUF ?

• *Moteur plus puissant* • *Boîte automatique 5 rapports*

#### VERDICT

| | |
|---|---|
| **Agrément de conduite** | ★★ |
| **Fiabilité** | ★★★★★ |
| **Sécurité** | ★★★★ |
| **Qualités hivernales** | ★★★★★ |
| **Espace intérieur** | ★★★★ |
| **Confort** | ★★★★ |

#### ▲ POUR

• **Finition sans faille** • **Moteur bien adapté**
• **Suspension pneumatique** • **Rouage intégral**
sophistiqué • **Comportement routier prévisible**

#### ▼ CONTRE

• **Consommation élevée** • **Dimensions encombrantes**
• **3ᵉ banquette réservée aux enfants** • **Silhouette**
générique • **Prix à la hausse**

# LEXUS RX 300

# L'authentique utilitaire de ville

Il en va des utilitaires sport comme des breuvages de type *coolers*. En l'espace de quelques années, le marché s'est retrouvé inondé d'une pléthore de nouvelles marques qui, au-delà du fait qu'elles se départagent en quelques catégories, se ressemblent à peu près toutes. Les ingrédients de base étant sensiblement les mêmes, le succès d'une recette devient donc affaire de dosage : et une pincée d'utilitaire par-ci, et une touche de sportivité par-là !

**A**vec le RX 300, Lexus a mis au point une formule gagnante que la concurrence s'est empressée de reproduire. On y retrouve du luxe, bien sûr, puisque c'est la spécialité de la maison, mais surtout, surtout, un confort et un comportement routier qui sont pratiquement ceux d'une automobile.

### Priorité au confort
À la base, le RX 300 utilise un châssis dérivé de celui de la Lexus ES 300 de précédente génération. Le choix

d'une caisse autoportante plutôt que d'une carrosserie fixée à une plate-forme permet d'éliminer les craquements dus aux joints et d'absorber plus en douceur les irrégularités de la chaussée. Ajoutons des suspensions indépendantes très souples qui contiennent assez bien les mouvements de caisse, et l'on obtient un comportement aussi civilisé que celui d'une berline… la plupart du temps, car il faut garder en tête que le RX 300 n'en est pas une. Son centre de gravité élevé provoque en effet des inclinaisons assez prononcées en virage, et entraîne un manque de stabilité sur route sinueuse.

Dans la même veine, les pneus Bridgestone, au profil haut et peu performants, ont été retenus en fonction du confort. La mollesse de leur enveloppe nuit à la précision de la direction, qui se révèle de surcroît légère et engourdie, en plus d'être affligée d'un fort diamètre de braquage. La conduite, il fallait s'y attendre, est dénuée de toute sensation, mais la promenade se révèle somme toute agréable tant qu'on respecte les limites du véhicule. Le freinage, adéquat, ne mérite pas de remarque particulière.

Le moteur, un V6 3 litres de 220 chevaux, est le même que celui de l'ES 300, mais il a été modifié afin d'offrir de meilleures reprises à bas régime. Il dispose de 80 % de son couple dès 1 600 tr/min, et se rend pédale au fond à 6 100 tr/min, tout juste 100 tr/min avant la ligne rouge, sans rechigner.

## CARACTÉRISTIQUES

| | |
|---|---|
| Prix du modèle à l'essai | Coach Edition 54 200 $ |
| Échelle de prix | de 51 600 $ à 54 100 $ |
| Assurances | 728 $ |
| Garanties | 4 ans 80 000 km / 6 ans 110 000 km |
| Emp. / Long. / Larg. / Haut. (cm) | 261,5 / 458 / 181,5 / 167 |
| Poids | 1 685 kg |
| Coffre / Réservoir | de 1073 à 2 125 litres / 73 litres |
| Coussins de sécurité | frontaux et latéraux |
| Suspension avant | indépendante, jambes élastiques |
| Suspension arrière | indépendante, leviers transversaux |
| Freins av. / arr. | disque, ABS |
| Système antipatinage | oui |
| Direction | à crémaillère, assistance variable |
| Diamètre de braquage | 12,6 mètres |
| Pneus av. / arr. | P225/70R16 |

## MOTORISATION ET PERFORMANCES

| | |
|---|---|
| Moteur | V6 3 litres DACT 24 soupapes |
| Transmission | intégrale, automatique 4 rapports |
| Puissance | 220 ch à 5 800 tr/min |
| Couple | 222 lb-pi à 4 400 tr/min |
| Autre(s) moteur(s) | aucun |
| Autre(s) transmission(s) | aucune |
| Accélération 0-100 km/h | 9,1 secondes |
| Reprises 80-120 km/h | 8,2 secondes |
| Vitesse maximale | 180 km/h (estimée) |
| Freinage 100-0 km/h | 43,5 mètres |
| Consommation (100 km) | 11,4 litres (ordinaire) |
| • Valeur de revente | très bonne |
| • Renouvellement du modèle | automne 2003 |

dont la toile servant à recouvrir les bagages s'avère cependant encombrante.

L'aménagement regorge de trouvailles bien pensées. Je songe notamment au positionnement astucieux du levier de vitesses, qui libère un espace pour la console modulaire centrale comprenant porte-verres et tiroir de rangement. Plus contestable (et plus contesté) est l'écran à cristaux liquides situé au centre de la planche de bord qui dispense une foule d'informations concernant l'heure, le chauffage, la radio, etc. Les uns y voient une mine de ren-

Doté du système VVT-i propre à Toyota, c'est une mécanique onctueuse mais sans personnalité, un *Universal Japanese Engine* aux sonorités peu mélodieuses, mais qui accomplit très efficacement son boulot. Il est bien appuyé par une transmission automatique à 4 rapports qui effectue les changements de vitesse avec douceur et au bon moment. On peut s'attendre à ce que celle-ci hérite éventuellement du 5e rapport dont jouit l'ES 300 depuis l'an dernier, même si la chose apparaît superflue tant la boîte actuelle se montre compétente en toutes circonstances. Ajoutons qu'elle est pourvue d'un mode Neige qui permet de démarrer en 2e vitesse afin de faciliter les départs sur les surfaces glissantes. La possibilité que le RX 300 s'enlise dans une congère paraît d'autant plus improbable qu'il est doté de l'antipatinage et d'un dispositif de contrôle du dérapage, en plus du rouage intégral avec différentiel central à visco-coupleur qui répartit la puissance motrice au train arrière en cas de perte d'adhérence. Attention, cependant : ce système ne comporte pas de boîte de transferts, et il ne permet donc pas au RX 300 de s'aventurer bien loin hors piste. Mais de toute façon, qui voudrait risquer de barbouiller sa belle Lexus dans la boue ?

### Des détails bien pensés

Non seulement le RX 300 ne se comporte pas comme un VUS classique, mais il n'en a pas l'air, non plus. De toute évidence, cela faisait partie du mandat des dessinateurs, et il faut reconnaître qu'ils se sont bien acquittés de leur tâche, même si l'on

peut s'interroger sur l'opportunité des petites glaces latérales avant qui n'apportent rien à la ligne et ne servent à rien non plus.

Notons, au passage, la qualité exceptionnelle de la peinture qui recouvrait notre Coach Edition à l'essai. Cette version haut de gamme comporte un intérieur d'une grande élégance, avec appliques en érable madré, joli volant glissant combinant la même essence de bois et du cuir, ainsi que des sièges recouverts de cuir perforé de bonne qualité. À l'avant, les confortables fauteuils possèdent assez de possibilités d'ajustement pour satisfaire tous les gabarits. Les places arrière offrent des dégagements généreux pour la tête et les genoux, mais l'assise centrale de la banquette est trop dure et trois personnes s'y trouveront à l'étroit. Le dossier inclinable et rabattable 40/60 s'ouvre sur une soute assez logeable,

seignements pratiques, et les autres, une source de distraction inutile.

Mais ce n'est qu'un détail ne changeant pas grand-chose aux qualités qui ont fait du RX 300 une référence en matière de VUS. Celui de la prochaine génération, qui sera construit à Cambridge, en Ontario, profitera sans doute de modifications devant lui permettre de suivre le rythme imposé par la concurrence, nommément l'Acura MDX, qui est plus logeable et tient bien la route. Mais on peut déjà parier que le RX 300 continuera à suivre la voie du confort et de l'urbanité qu'il a lui-même tracée.

*Jean-Georges Laliberté*

---

#### MODÈLES CONCURRENTS

• *Acura MDX* • *Ford Explorer* • *Infiniti QX4*
• *Jeep Grand Cherokee* • *Mercedes-Benz ML320*
• *Toyota Highlander*

#### QUOI DE NEUF ?

• *Modèle reconduit pour 2003*

#### VERDICT

| | |
|---|---|
| **Agrément de conduite** | ★★★★ |
| **Fiabilité** | ★★★★ |
| **Sécurité** | ★★★★ |
| **Qualités hivernales** | ★★★★⯪ |
| **Espace intérieur** | ★★★★ |
| **Confort** | ★★★⯪ |

#### ▲ POUR

• Moteur/transmission compétents • Confort général
• Habitacle luxueux • Aménagement bien pensé
• Belle prestance

#### ▼ CONTRE

• Direction légère • Dernière année du modèle actuel
• Braquage long • Capacités tout-terrains limitées
• Pneumatiques mal adaptés

# *Noblesse oblige*

**Depuis une douzaine d'années maintenant, la division Lexus de Toyota s'acharne à briser l'hégémonie des têtes d'affiche dans la catégorie des voitures de luxe. L'arrivée de cette marque a d'ailleurs sérieusement perturbé la quiétude qui régnait chez les constructeurs de modèles haut de gamme. Lexus a même fait un coup double en venant réduire les parts de marché des Américains et des Allemands. Malgré ces succès, la catégorie des coupés grand-tourisme lui a toujours échappé. Il suffit de se souvenir du demi-échec de la SC 400 pour s'en convaincre.**

En revanche, les constructeurs nippons apprennent toujours de leurs échecs et la SC 430 lancée l'an dernier a pour mission d'implanter Lexus dans ce créneau et de faire oublier sa devancière. Si les stylistes de la 1re génération s'étaient contentés de formes plutôt génériques, cette édition a beaucoup plus d'impact sur le plan visuel. Certaines mauvaises langues ne se font pas prier pour critiquer le nombre d'emprunts stylistiques commis par ses

concepteurs, mais la résultante n'est pas à dédaigner. Les lignes fuyantes de la partie arrière, le petit aileron en surplomb et le renflement du coffre lui donnent du caractère.

L'habitacle, pour sa part, est du Lexus tout cuit. La finition impeccable, les matériaux de première qualité et le tableau de bord garni d'appliques de bois exotiques, notamment de rarissime érable piqué, font hocher la tête des connaisseurs. À souligner que le boudin du volant est partiellement

de la même essence de bois que celui utilisé sur la planche de bord; idem pour le pommeau du levier de vitesses et la garniture de console. Profondément abrités dans trois orifices cylindriques relativement profonds, les cadrans électroluminescents sont faciles à lire. Par contre, les commandes de la climatisation et du système audio sont d'une navrante banalité. Soulignons au passage l'excellent système audio Mark Levison qui équipait notre voiture d'essai. Cette marque, l'une des plus respectées dans le monde de l'audio, nous prouve que ses ingénieurs ont su s'adapter aux exigences de l'environnement automobile. Et si, pour vous, Japon et haute-fidélité sont synonymes, vous serez surpris d'apprendre que cette maison spécialisée est d'origine américaine.

Comme Lexus veut concurrencer Mercedes, ses ingénieurs ont mis au point un toit rigide rétrac-

POUR TOUT SAVOIR

| CARACTÉRISTIQUES | |
|---|---|
| Prix du modèle à l'essai | 87 595 $ |
| Échelle de prix | de 85 500 $ à 89 000 |
| Assurances | 1 368 $ |
| Garanties | 4 ans 80 000 km / 6 ans 110 000 km |
| Emp. / Long. / Larg. / Haut. (cm) | 262 / 451 / 182 / 135 |
| Poids | 1 745 kg |
| Coffre / Réservoir | 249 litres / 85 litres |
| Coussins de sécurité | frontaux et latéraux |
| Suspension avant | indépendante, leviers triangulés |

| | |
|---|---|
| Suspension arrière | indépendante, leviers transversaux |
| Freins av. / arr. | disque, ABS |
| Système antipatinage | oui |
| Direction | à crémaillère, assistance variable |
| Diamètre de braquage | 10,8 mètres |
| Pneus av. / arr. | P245/40ZR18 |

| MOTORISATION ET PERFORMANCES | |
|---|---|
| Moteur | V8 4,3 litres |
| Transmission | propulsion, automatique 5 rapports |
| Puissance | 300 ch à 5 600 tr/min |

| | |
|---|---|
| Couple | 325 lb-pi à 3 400 tr/min |
| Autre(s) moteur(s) | aucun |
| Autre(s) transmission(s) | aucune |
| Accélération 0-100 km/h | 6,6 secondes |
| Reprises 80-120 km/h | 4,9 secondes |
| Vitesse maximale | 250 km/h |
| Freinage 100-0 km/h | 36,6 mètres |
| Consommation (100 km) | 12,5 litres (super) |
| • Valeur de revente | bonne |
| • Renouvellement du modèle | n.d. |

plaire de même que l'incroyable douceur du moteur V8 viennent augmenter cette sensation d'isolement des éléments extérieurs. Il faut également accorder de bonnes notes à la rigidité du châssis qui a permis aux ingénieurs de Lexus de calibrer la suspension un peu plus en faveur du confort sans pour autant affecter négativement la tenue de route.

Si elle brille sur la grand-route, la SC 430 perd quelque peu de ses moyens sur de petites routes sinueuses puisque l'agilité n'est pas nécessairement

table, à la SLK. Et comme dans cette dernière, il ampute le coffre de la moitié de sa capacité une fois qu'il y est replié. Le modèle avec le pneu de secours est à déconseiller, car il laisse encore moins de place pour les bagages. C'est probablement pourquoi Lexus propose ces 2 places arrière symboliques qui servent d'espace de rangement à défaut de pouvoir accueillir des humains.

### Plaisirs feutrés

Le toit s'escamote en 25 secondes, ce qui est impressionnant. Une fois qu'il est remonté, c'est surtout l'agilité des personnes tentant de prendre place à bord qui est à souligner. Heureusement, ces contorsions sont récompensées. Dès qu'on roule, le silence de l'habitacle est digne de mention et les bruits éoliens négligeables tandis que les sièges baquets recouverts d'un cuir ultrafin s'avèrent confortables. Pour les amateurs de conduite cheveux au vent, un déflecteur d'air très efficace élimine pratiquement les turbulences.

Ce confort, cette douceur sont bien au diapason de la personnalité de la SC 430 qui privilégie beaucoup plus le bien-être de ses occupants que les sensations de conduite. Un moteur V8 de 4,3 litres d'une puissance de 300 chevaux, un couple moteur encore plus élevé, des freins ultrapuissants, une suspension très élaborée, les éléments mécaniques sont très sophistiqués. Malheureusement, cette recherche de la perfection se traduit par des sensations de conduite trop atténuées. L'un des grands responsables de cet état de fait est le moteur dont la douceur et le silence de fonctionnement nous privent

d'un *feed-back* sonore de qualité, élément essentiel de toute sportive qui se respecte. De plus, la boîte automatique n'est pas trop empressée de passer les rapports, préférant un fonctionnement plus feutré et plus en douceur. Ces éléments sont de mise dans une voiture de luxe, mais je crois qu'on a exagéré en ce sens. Un moteur qui ronronne et une boîte automatique qui fait sentir sa présence de temps à autre ne sont pas des défauts, bien au contraire.

Le pilote est donc déconnecté de la mécanique tandis que les occupants ont l'impression d'être dans une capsule intemporelle. Sur l'autoroute, seuls les soubresauts des gros pneus sur les interstices de la chaussée et quelques bruits de caisse nous font réaliser la vitesse très élevée à laquelle nous roulons. Une tenue de cap exem-

son point fort. La tenue en virage est pugnace, mais le roulis assez prononcé de la caisse nous avise de modérer nos élans. Les conducteurs plus audacieux qui voudront pousser davantage seront ramenés à la raison par un freinage puissant et progressif qui permet de s'arrêter en 36 mètres et des poussières, des chiffres rassurants. Et si votre audace vous incite à dépasser les bornes, sachez que le système de stabilité latérale est efficace sans pour autant intervenir trop précipitamment, à la moindre poussée latérale.

À défaut de venir jouer dans les plates-bandes de la Porsche Boxster, cette Lexus s'adresse à une clientèle plus flegmatique qui apprécie le confort plus que les sensations fortes. Dans ce style, c'est pratiquement la sœur jumelle de la Jaguar XK-8.

*Denis Duquet*

---

## MODÈLES CONCURRENTS

• Jaguar XK8 • Mercedes-Benz SL500

## QUOI DE NEUF?

• Aucun changement majeur

## VERDICT

| | |
|---|---|
| Agrément de conduite | ★★★★ |
| Fiabilité | ★★★★★ |
| Sécurité | ★★★ |
| Qualités hivernales | ★★★ |
| Espace intérieur | ★★☆ |
| Confort | ★★★☆ |

## ▲ POUR

• Finition impeccable • Moteur ultradoux
• Tenue de route saine • Insonorisation exemplaire • Équipement très complet

## ▼ CONTRE

• Silhouette énigmatique • Bruits de caisse
• Visibilité arrière perfectible • Hésitation de la boîte de vitesses • Pneus très fermes

# Deux partout

**Avec l'arrivée de l'Aviator, la gamme Lincoln se résume à deux partout : deux berlines et deux véhicules utilitaires sport. C'est dire l'évolution du marché et la dangereuse tendance que ce constructeur a adoptée au cours des cinq dernières années. Au lieu de développer des berlines à l'égal de la concurrence, la direction a décidé de sabrer dans celles-ci et d'ajouter un autre VUS. C'était la solution facile pour contourner un problème cuisant qui viendra certainement hanter la division Lincoln plus tard.**

Alors que celle-ci applique une rustine d'urgence pour se maintenir à flot, Lexus et Infiniti multiplient à la fois les berlines et les utilitaires sport. Donc, si l'engouement pour tout ce qui est véhicule tout-terrain se calme, ces marques auront quand même plusieurs berlines à proposer. Chez Lincoln, il y aura la rudimentaire Town Car surtout appréciée par les parcs de limousines et la LS qui privilégie le comportement routier au profit du luxe.

Mais en attendant cette catastrophe envisagée, voyons de quoi a l'air cette nouvelle création curieusement appelée Aviator, un nom qui ne fait pas l'unanimité. Chez Lincoln, les préposés aux relations publiques précisent que c'est pour rimer avec Navigator et pour associer le véhicule à l'aventure, au dépaysement et aux voyages au long cours. Mais vu la consommation très élevée de son moteur V8 de 4,6 litres de l'Aviator, on aura besoin de beaucoup de stations services dans la forêt... Mais nom

« songé » ou pas, ce nouveau venu se décrit facilement comme étant une version de luxe du Ford Explorer sur le marché des États-Unis. Lincoln s'approvisionne donc en VUS chez Ford puisque le Navigator est dérivé pour sa part du Ford Expedition. Il faut toutefois souligner que les modifications apportées pour en faire un Lincoln ne se limitent pas nécessairement à une nouvelle grille de calandre et à un agencement intérieur plus luxueux.

L'Explorer est devenu un Lincoln de plusieurs façons. Premièrement, sa direction est vraiment digne de mention. De nos jours, vous pouvez conduire tous les modèles Lincoln et vous allez ressentir à peu près le même feed-back et la même progressivité dans l'assistance de la direction. Il s'agit d'un pas de géant par rapport à ce qui était offert précédemment. Son assistance variable permet éga-

## CARACTÉRISTIQUES

| | |
|---|---|
| Prix du modèle à l'essai | 58 950 $ |
| Échelle de prix | un seul prix |
| Assurances | 1 603 $ |
| Garanties | 4 ans 80 000 km / 4 ans 80 000 km |
| Emp. / Long. / Larg. / Haut. (cm) | 289 / 490 / 187 / 180 |
| Poids | 1 975 kg |
| Coffre / Réservoir | de 350 à 1138 litres / 85 litres |
| Coussins de sécurité | frontaux et de tête |
| Suspension avant | indépendante, leviers asymétriques |
| Suspension arrière | indépendante, leviers asymétriques |
| Freins av. / arr. | disque, ABS |
| Système antipatinage | oui |
| Direction | à crémaillère, assistance variable |
| Diamètre de braquage | 12 mètres |
| Pneus av. / arr. | P245/65R17 |

## MOTORISATION ET PERFORMANCES

| | |
|---|---|
| Moteur | V8 4,6 litres |
| Transmission | intégrale, automatique 5 rapports |
| Puissance | 302 ch à 5 750 tr/min |
| Couple | 300 lb-pi à 3 250 tr/min |
| Autre(s) moteur(s) | aucun |
| Autre(s) transmission(s) | aucune |
| Accélération 0-100 km/h | 8,9 secondes |
| Reprises 80-120 km/h | 7,6 secondes |
| Vitesse maximale | 190 km/h |
| Freinage 100-0 km/h | 38,2 mètres |
| Consommation (100 km) | 14,2 litres (ordinaire) |
| • Valeur de revente | nouveau modèle |
| • Renouvellement du modèle | nouveau modèle |

Les sièges avant s'avèrent confortables et la position de conduite ne pose pas de problème grâce à un pédalier réglable. Il est certain que les 302 chevaux de ce Lincoln sont nettement plus impressionnants que les 239 chevaux du même moteur offert en option dans le Ford. La raison de cette disparité est bien simple. Les deux moteurs ont la même cylindrée, mais celui de l'Aviator est à double arbre à cames en tête tandis que celui de l'Explorer en a seulement un par rangée de cylindres. Mais comme celui-ci est plus léger d'environ

lement à l'Aviator de devancer le Ford à ce chapitre. La suspension est aussi mieux calibrée et un tantinet plus souple. Comme son jumeau, ce Lincoln possède une suspension arrière indépendante et une troisième rangée de sièges. Curieusement, cet essieu arrière indépendant a davantage été créé pour permettre d'installer une troisième rangée de sièges que pour améliorer le confort et la tenue de route. Ces deux éléments sont des « bénéfices marginaux » pour citer un ingénieur rencontré lors de la présentation de la gamme 2003 à Romeo, au Michigan.

Comme son standing est le même qui celui des Mercedes de Classe M ou du BMW X5, pas question d'installer un poussif moteur V6 sous le capot du Lincoln. Seul le moteur V8 de 4,6 litres d'une puissance de 302 chevaux et associé à une boîte automatique à 4 rapports est capable d'afficher une capacité de remorquage de 3 311 kg. Chiffre qui surpasse aisément les statistiques de ses rivales germaniques et nippones.

### Vision double

Si jamais vous croyez avoir croisé un « petit » Lincoln Navigator sur la route, ne vous en faites pas. Vos yeux ne vous jouent pas de mauvais tours. L'Aviator est pratiquement une copie à l'échelle du grand frère en passant par la grille de calandre, les phares avant, le bouclier inférieur et les panneaux de caisse. Les stylistes ont même retenu les échancrures des bas de portières pour permettre l'insertion d'un marchepied. Mais tandis que celui du Navigator peut être à déploiement motorisé, celui de l'Aviator est fixe. Et ne cherchez pas de dossier arrière ou

de hayon motorisés. Pour pouvoir bénéficier de ces bébelles, il faut commander le Navigator. Incidemment, celui-ci est 32 cm plus long que son cadet en plus d'être plus haut et plus large de 7 cm.

La similitude visuelle entre les deux VUS de Lincoln se poursuit dans l'habitacle. Il faut en effet y regarder à deux fois pour différencier les tableaux de bord. Les deux sont quasiment identiques; ils ne se différencient que par le positionnement des buses de ventilation centrales. Il faut féliciter les stylistes qui ont réussi à combiner un style nord-américain à une présentation de qualité. On se croirait quasiment dans un véhicule allemand ou japonais tant la perception de qualité est bonne. S'ils s'étaient montrés aussi imaginatifs pour concevoir l'extérieur, l'Aviator obtiendrait les applaudissements de toute la presse spécialisée.

260 kg, les performances se révèlent sensiblement les mêmes.

Si les Américains continuent de se procurer de tels modèles à deux roues motrices, les Canadiens se montrent beaucoup plus sages et optent généralement pour les versions à rouage intégral. Cela leur permet de commander le système de stabilité latérale AdvanceTrac, un accessoire incontournable dans cette catégorie. Par ailleurs, la transmission intégrale est moyennement efficace en conduite hors route.

Par rapport à l'Explorer, le Lincoln Aviator affiche plus de caractère et se montre moins soporifique.

*Denis Duquet*

---

### MODÈLES CONCURRENTS

• Acura MDX • Buick Rainier • Jeep Grand Cherokee Overland • Lexus RX 300 • Toyota 4Runner

### QUOI DE NEUF?

• *Nouveau modèle* • *Système AdvanceTrac*
• *Suspension arrière indépendante*
• *Système de navigation DVD*

### VERDICT

| | |
|---|---|
| *Agrément de conduite* | ★★★★ |
| *Fiabilité* | ★★★★ |
| *Sécurité* | ★★★★⯪ |
| *Qualités hivernales* | ★★★★ |
| *Espace intérieur* | ★★★★ |
| *Confort* | ★★★★ |

### ▲ POUR

• **Tableau de bord élégant** • **Direction précise**
• **Suspension arrière indépendante** • **Finition soignée**
• **Système AdvanceTrac**

### ▼ CONTRE

• **Prix corsé** • **Prestation hors route moyenne**
• **Silhouette chargée** • **Consommation élevée**
• **Rangée arrière peu confortable**

# LINCOLN LS

# Le meilleur est — encore — à venir

**Il y a quelques années à peine, on ne donnait pas cher de la peau de Lincoln, une marque qui, pendant des années, a commercialisé des automobiles dont le comportement ressemblait davantage à celui d'un paquebot qu'à celui d'une auto et dont la clientèle manifestait plus d'intérêt pour l'épaisseur d'une moquette que pour les qualités dynamiques d'une auto. Des efforts ? Il y en a eu, mais Lincoln n'a jamais véritablement donné l'impression de s'engager à refaire son image et à rajeunir sa clientèle.**

C'était avant la sortie de la première génération du Navigator — un Ford Expedition endimanché. Et ensuite de la LS, une berline sport qui, à son tour, nous invitait à laisser nos préjugés sur Lincoln au vestiaire. D'ailleurs, pour nous convaincre du sérieux de ses intentions, la direction du constructeur américain ne manquait jamais une occasion de rappeler que la LS reposait sur une plate-forme pratiquement identique à celle qu'utilisait Jaguar pour sa S-Type (« 45 % des composantes mécaniques leur sont communes », précise Lincoln). Ce ne pouvait être mauvais, même si les consommateurs qui optent pour une LS ne sont pas aussi influencés par la marque que les acheteurs traditionnels de ce segment.

Cela dit, la Jaguar, elle, fait l'objet d'une sérieuse refonte cette année. Pas la LS. N'allez pas en conclure que les concepteurs de cette berline sont demeurés les bras croisés pour autant. Pour preuve, les deux mécaniques qui se proposent d'animer cette Lincoln ont été ragaillardies par l'addition d'un dispositif de calage variable des soupapes. Les gains sont plutôt modestes, dans le cas du V6 3 litres surtout, puisque sa puissance s'est accrue de 12 chevaux seulement. Et, comble de malheur pour les amateurs qui souhaitaient les exploiter pleinement, la boîte manuelle à 5 rapports ne figure plus au catalogue.

Bien que les dernières recrues dans le segment des berlines sport fassent preuve de plus de talents, reste que le comportement routier de la LS risque encore d'en étonner plusieurs. Oubliez les suspensions guimauve, la tenue de cap flottante et les freins vaporeux qui ont — trop — souvent été l'apanage des produits Lincoln. Cette LS file, vire et freine (la pédale est un brin spongieuse toute-

## CARACTÉRISTIQUES

| | |
|---|---|
| **Prix du modèle à l'essai** | V8 base 47 355 $ |
| **Échelle de prix** | de 40 300 $ à 41 531 $ (2002) |
| **Assurances** | 891 $ |
| **Garanties** | 4 ans 80 000 km / 4 ans 80 000 km |
| **Emp. / Long. / Larg. / Haut. (cm)** | 290 / 492 / 186 / 142,5 |
| **Poids** | 1 675 kg |
| **Coffre / Réservoir** | 382 litres / 68 litres |
| **Coussins de sécurité** | frontaux, latéraux et rideaux |
| **Suspension avant** | indépendante, leviers triangulés |
| **Suspension arrière** | indépendante, leviers triangulés |
| **Freins av. / arr.** | disque (ABS de série) |
| **Système antipatinage** | oui |
| **Direction** | à crémaillère |
| **Diamètre de braquage** | 11,5 mètres |
| **Pneus av. / arr.** | P235/50R17 |

## MOTORISATION ET PERFORMANCES

| | |
|---|---|
| **Moteur** | V8 3,9 litres |
| **Transmission** | automatique 5 rapports |
| **Puissance** | 280 ch à 5 800 tr/min |
| **Couple** | 286 lb-pi à 3 000 tr/min |
| **Autre(s) moteur(s)** | V6 3 litres 232 ch |
| **Autre(s) transmission(s)** | aucune |
| **Accélération 0-100 km/h** | 8,8 secondes |
| **Reprises 80-120 km/h** | n.d. |
| **Vitesse maximale** | 220 km/h |
| **Freinage 100-0 km/h** | 41 mètres |
| **Consommation (100 km)** | 13,9 litres (super) |

| | |
|---|---|
| • Valeur de revente | moyenne |
| • Renouvellement du modèle | 2005 |

oublier la présentation un peu terne de cette Lincoln, et ce, malgré l'ajout d'une applique nickelée au modèle Sport. Sur le plan de la sécurité passive, mentionnons que des rideaux gonflables seront proposés en cours d'année. Au rayon des accessoires, les baquets ne se limitent plus à vous réchauffer le corps, ils l'aèrent aussi, et la chaîne audio adopte la technologie Lucasfilm-THX.

Cela dit, si les deux passagers qui prendront place à l'arrière ne trouveront guère à redire sur l'espace qui leur est réservé, il risque d'en être tout

fois) comme aucune autre Lincoln. Et elle accélère bien aussi, surtout lorsque le V8 se glisse sous le capot. Le V6 ? Agréable, mais sans plus. Ce que l'on retient surtout de la livrée équipée du V6, c'est son équilibre. Équilibre des masses, d'abord, avec une répartition presque parfaite (51/49) qui contribue assurément au plaisir que l'on éprouve à la piloter. Ainsi qu'à soigner nos trajectoires dans les virages, la direction étant d'une assez grande précision à défaut de filtrer adéquatement les imperfections de la chaussée.

Nous ne sommes pas les seuls à manquer d'intérêt à l'égard de la version équipée du moteur V6. Les consommateurs aussi préfèrent, et de loin, voir la LS animée du moteur V8. Même si cette version est plus lourde, peu économique à la pompe (plus de 13 l/100 km de moyenne) et ne bénéficie pas d'une répartition des masses aussi avantageuse que la V6, elle n'en est pas moins agréable à conduire. De plus, la boîte automatique à 5 rapports est parfaitement adaptée à la courbe de puissance de ce 3,9 litres qui arrache la LS de sa position statique sans s'essouffler. Si l'on prête foi à la rumeur, il y aurait encore mieux à venir puisque les motoristes de Ford travailleraient sur une version suralimentée par compresseur.

### Sobre ou moche ?

Esthétiquement parlant, la LS, vous le savez déjà, ne remportera jamais le prix Nobel de l'originalité. Helmut Schrader, celui qui lui a donné formes et couleurs, reconnaissait lorsque nous l'avons rencontré que son dessin était plutôt sobre.

« Mais la LS ne prendra pas une ride », disait-il à l'époque. Un avis que ne semble pas partager la direction de Lincoln qui a vu à ce que son dessin soit – subtilement – retouché cette année (calandre, phares et feux portent tous le sceau de la nouveauté).

Position de conduite agréable, mais un peu plus de support au niveau des cuisses et des épaules n'aurait pas fait de mal. Ce faisant, ne serait-il pas possible de transférer les commandes des sièges avant, histoire de les rendre plus accessibles ? L'année prochaine sans doute, puisque cette année on s'est assuré de corriger une autre maladresse sur le plan ergonomique : la hauteur de l'accoudoir central.

Repose-pied confortable, pédalier ajustable (désormais de série) et instrumentation complète et facile à consulter sont autant d'éléments qui font

autrement quand ils tenteront d'introduire leurs bagages dans le coffre. Ce dernier manque cruellement de profondeur. Tout n'est pas perdu puisque le dossier de la banquette arrière se replie en tout ou en partie pour accroître le volume de chargement.

Avec la LS, Lincoln compte sur une superbe berline qui mérite davantage que les subtiles transformations qui lui ont été apportées. C'est d'autant plus vrai que la concurrence plus jeune et souvent plus sophistiquée possède tous les atouts nécessaires pour s'imposer face à cette américaine vieillissante et un peu dénuée de saveur.

*Éric LeFrançois*

---

## MODÈLES CONCURRENTS

• *Acura 3,5 RL* • *Audi A6*
• *Infiniti M45*

## QUOI DE NEUF ?

• *Partie avant restylée* • *Augmentation de la puissance des moteurs* • *Abandon de la boîte manuelle*

## VERDICT

| | |
|---|---|
| **Agrément de conduite** | ★★★⯪ |
| **Fiabilité** | ★★★ |
| **Sécurité** | ★★★★ |
| **Qualités hivernales** | ★★★⯪ |
| **Espace intérieur** | ★★★⯪ |
| **Confort** | ★★★★ |

## ▲ POUR

• Comportement équilibré • Intéressant rapport prix/valeur/luxe • Transmission bien adaptée

## ▼ CONTRE

• Gains de puissance modestes • Coffre restreint
• Consommation élevée • Retrait de la boîte manuelle

# LINCOLN NAVIGATOR

# Le monde à l'envers

**La popularité des véhicules utilitaires sport de luxe ne fait pas qu'inciter les compagnies à développer de nouveaux modèles. Elle provoque également des situations fort cocasses. Chez Lincoln, par exemple, la Town Car, la seule berline de luxe encore offerte, est toujours équipée d'un essieu arrière rigide qui semble emprunté à la camionnette F-150. Par contre, le gros Navigator bénéficie depuis cette année d'une suspension arrière indépendante.**

C'est le monde à l'envers : le véhicule à vocation utilitaire montre une fiche technique plus sophistiquée que celle de la berline de luxe. Non seulement le Navigator hérite d'un nouvel essieu arrière, mais son châssis est tout nouveau de même que son habitacle. Il est tout aussi surprenant d'apprendre que cette nouvelle suspension arrière n'a pas été développée essentiellement pour améliorer la tenue de route et le confort, mais pour accorder plus d'espace à la 3e banquette !

Ne croyez surtout pas les allégations de la compagnie lorsqu'elle prétend que cette 3e banquette peut accommoder avec confort un adulte de taille moyenne. Non seulement elle est inconfortable pour les gens de taille normale, mais leur tête va continuellement heurter les renflements du système d'activation du hayon placés de chaque côté du pavillon. Par contre, si ce genre de gadgets vous intéresse, sachez que le dossier de cette banquette peut être replié en appuyant sur un bouton. Quelques secondes plus tard, vous avez un plancher de

chargement plat. Autre accessoire « songé » : le hayon arrière est à ouverture motorisée comme dans les fourgonnettes Autobeaucoup de Chrysler. Le marchepied est également à déploiement automatique. Dès que l'une des portières s'ouvre, le marchepied se déplace vers l'extérieur pour offrir une plus grande surface d'appui. Refermez la porte, il reprend docilement sa place. Les ingénieurs ont même inclus un détecteur de présence qui empêche leur fonctionnement lorsque le véhicule est embourbé ou qu'un objet repose contre le marchepied.

### Des efforts louables

Il ne faudrait pas croire que les changements majeurs apportés au Navigator se limitent à quelques accessoires un peu à part destinés à impres-

| CARACTÉRISTIQUES | |
|---|---|
| Prix du modèle à l'essai | 69 495 $ |
| Échelle de prix | un seul prix |
| Assurances | 1 246 $ |
| Garanties | 4 ans 80 000 km / 4 ans 80 000 km |
| Emp. / Long. / Larg. / Haut. (cm) | 302 / 523 / 204 / 198 |
| Poids | 2 718 kg |
| Coffre / Réservoir | 507 l ; 1 545 l ; 2 925 l / 106 litres |
| Coussins de sécurité | frontaux et latéraux |
| Suspension avant | indépendante, leviers asymétriques |

| | |
|---|---|
| Suspension arrière | indép., ressorts pneumatiques |
| Freins av. / arr. | disque |
| Système antipatinage | oui |
| Direction | à crémaillère, assistance variable |
| Diamètre de braquage | 11,8 mètres |
| Pneus av. / arr. | P255/70R18 |

| MOTORISATION ET PERFORMANCES | |
|---|---|
| Moteur | V8 5,4 litres |
| Transmission | intégrale, automatique 4 rapports |
| Puissance | 300 ch à 5 000 tr/min |

| | |
|---|---|
| Couple | 355 lb-pi à 2 750 tr/min |
| Autre(s) moteur(s) | aucun |
| Autre(s) transmission(s) | aucune |
| Accélération 0-100 km/h | 9,8 secondes |
| Reprises 80-120 km/h | 8,7 secondes |
| Vitesse maximale | 190 km/h |
| Freinage 100-0 km/h | 43,2 mètres |
| Consommation (100 km) | 16,3 litres (ordinaire) |

- Valeur de revente — nouveau modèle
- Renouvellement du modèle — 2007

POUR TOUT SAVOIR

nous avaient expliqué avec moult détails les efforts d'insonorisation apportés à ce véhicule. Le niveau de décibels a certainement baissé, mais la qualité du son s'est détériorée.

Si l'insonorisation est en partie loupée, la linéarité de la direction s'avère nettement meilleure. Enfin, le pilote n'a plus la sensation que le volant est relié à des élastiques. L'assistance est juste ce qu'il faut et l'effort est progressif. Sur une route en lacet, les corrections du volant ne sont plus indispensables comme autrefois. Ce pan de mur sur roues se

sionner une clientèle urbaine. Les ingénieurs ont dessiné un châssis tout nouveau réalisé à partir de poutres hydroformées qui ont amélioré la rigidité en torsion de 70 %. Parmi les autres primeurs, mentionnons la suspension arrière indépendante, la direction à pignon et crémaillère de même que des roues de 18 pouces.

Rien n'a été négligé pour que la mécanique figure parmi les plus modernes de la catégorie. Et pour exorciser les démons du passé et réduire au maximum les risques de capotage, le Navigator est doté du Safety Canopy, un système de protection comprenant des coussins et des rideaux latéraux se déployant en cas d'impact latéral ou de capotage. De plus, en cours d'année, un système de détection des capotages sera offert. Dès que l'angle vertical du véhicule sera trop prononcé, ce système ralentira le véhicule en réduisant la puissance du moteur et en activant les freins de façon sélective.

Le moteur V8 de 5,4 litres est de retour. Sa puissance est demeurée la même et ses 300 chevaux ne sont pas de surplus pour déplacer cette masse de 2 718 kg et assurer en même temps une capacité de remorquage de 3 856 kg. Et même si peu d'acheteurs l'utilisent en conduite hors route, la plupart des Navigator sont commandés avec le rouage intégral ControlTrac qui permet de passer en mode 4X2, 4X4 Auto, 4X4 High en actionnant un commutateur rotatif.

### Comportement prévisible

Comme c'est le cas de tous les modèles qui ont connu du succès, la présentation extérieure du

Navigator ressemble beaucoup à la version précédente. Les phares sont nouveaux, les angles de la caisse plus ronds, l'arrière moins simpliste, mais la silhouette demeure toujours la même. Une fois à l'intérieur, c'est un tableau de bord bien réussi qui s'étale sous nos yeux. Les appliques en bois, la qualité et le grain des plastiques, le raffinement des commandes, tout cela s'accorde au prix et à la catégorie du véhicule. Fini le gros *truck* déguisé en tout-terrain de luxe. Cette fois, on a l'impression de conduire la « vraie chose ».

Malgré un habitacle d'une finition raffinée et la rassurante présence d'un écran de navigation par satellite encastré entre une horloge à affichage analogique et les commandes de la climatisation, le bruit du moteur qui s'infiltre dans l'habitacle nous fait déchanter. Pourtant, les techniciens de Lincoln

conduit comme une berline ou presque. En plus, une assise de la suspension plus basse et des essieux indépendants à l'arrière garantissent une meilleure stabilité dans les courbes et une tenue de route saine. De plus, les freins sont à la hauteur.

Bref, le Navigator a progressé à tous les points de vue. Le Cadillac Escalade doit même s'incliner devant la présentation intérieure beaucoup plus réussie du Lincoln et se contenter d'une suspension arrière à essieu rigide. Par contre, son moteur de 345 chevaux garantit des accélérations et des reprises plus musclées. Ajoutez à cette équation un système de stabilité latérale qui a fait ses preuves et un comportement routier sain pour que ce Caddy tout-terrain ne soit pas déclassé. Bien au contraire.

*Denis Duquet*

---

### MODÈLES CONCURRENTS

- BMW X5 • Cadillac Escalade
- Lexus LX 470 • Land Rover Range Rover

### QUOI DE NEUF ?

- *Nouveau modèle* • *Suspension arrière indépendante*
- *Marchepied à déploiement assisté*
- *Hayon et sièges arrière motorisés*

### VERDICT

| | |
|---|---|
| Agrément de conduite | ★★★⭒ |
| Fiabilité | ★★★⭒ |
| Sécurité | ★★★★ |
| Qualités hivernales | ★★★★⭒ |
| Espace intérieur | ★★★★★ |
| Confort | ★★★★ |

### ▲ POUR

- Suspension arrière indépendante • Direction précise
- Habitacle sophistiqué • Système anticapotage
- Châssis plus rigide

### ▼ CONTRE

- Moteur bruyant • Marchepieds automatiques inutiles • 3e siège peu confortable
- Dimensions encombrantes • Prix élevé

# Modèle rajeuni, clientèle vieillissante

**Aussi surprenant que cela puisse paraître, la Town Car continue d'obtenir les meilleures ventes au sein de cette division de prestige chez Ford qu'est Lincoln. Au Canada, sa diffusion plutôt confidentielle ne laisse aucunement présager un tel succès, mais nos prospères voisins « amoricains » la considèrent pratiquement comme faisant partie de leur patrimoine.**

Chez nous, l'âge moyen de ses très conservateurs acheteurs est de 68 ans, et ils peuvent compter sur des revenus annuels de plus de 110 000 $. Dans ce contexte, une petite cure de rajeunissement vaut toujours la peine. Plus de 60 % de ces mastodontes sont monopolisés par les parcs automobiles corporatifs ainsi que par les préparateurs de limousines et de corbillards, mais cette tendance est complètement renversée outre frontière.

Lors de sa présentation à la presse spécialisée, les maîtres d'œuvre du fabricant se sont longuement appliqués à faire ressortir les nouvelles lignes du modèle 2003 par rapport à celui de l'année dernière. L'exercice s'avère finalement assez vain puisqu'il faut les examiner de près côte à côte pour vérifier les légères *retouches* dont font l'objet la calandre, les phares et la partie arrière. Néanmoins, l'aspect mécanique comporte plusieurs changements plus substantiels.

## Des améliorations concrètes

La Town Car conserve son châssis à longerons, mais son nouveau procédé de fabrication par « hydroformage » lui procure une meilleure résistance à la torsion. Cette architecture très conservatrice réservée normalement aux camionnettes permet d'étirer plus facilement l'empattement lorsque l'on veut produire une voiture allongée ou un fourgon funéraire. Dans la même veine, on a conservé à l'arrière une suspension à essieu rigide, même si, paradoxalement, le gros utilitaire Navigator se targue maintenant d'épures indépendantes. Heureusement, une barre stabilisatrice et des ressorts pneumatiques avec correcteur d'assiette automatique font maintenant partie de l'équipement d'origine.

La partie avant de la plate-forme fait l'objet d'améliorations non négligeables. On y retrouve un nouveau berceau mieux isolé pour la suspension ainsi qu'un mécanisme de direction à pignon et cré-

## CARACTÉRISTIQUES

| | |
|---|---|
| **Prix du modèle à l'essai** | Cartier L 63 655 $ |
| **Échelle de prix** | de 54 455 $ à 63 655 $ |
| **Assurances** | 1 078 $ |
| **Garanties** | 4 ans 80 000 km / 4 ans 80 000 km |
| **Emp. / Long. / Larg. / Haut. (cm)** | 299 / 547 / 199 / 150 |
| **Poids** | 1 956 kg |
| **Coffre / Réservoir** | 583 litres / 72 litres |
| **Coussins de sécurité** | frontaux et latéraux |
| **Suspension avant** | double leviers triangulaires |
| **Suspension arrière** | bras longitudinaux, essieu rigide |
| **Freins av. / arr.** | disque ABS |
| **Système antipatinage** | oui |
| **Direction** | à crémaillère, assistée |
| **Diamètre de braquage** | 12,2 mètres |
| **Pneus av. / arr.** | P225/60SR17 |

## MOTORISATION ET PERFORMANCES

| | |
|---|---|
| **Moteur** | V8 4,6 litres SACT 16 soupapes |
| **Transmission** | propulsion, automatique 4 rapports |
| **Puissance** | 239 ch à 4 900 tr/min |
| **Couple** | 287 lb-pi à 4 100 tr/min |
| **Autre(s) moteur(s)** | aucun |
| **Autre(s) transmission(s)** | aucune |
| **Accélération 0-100 km/h** | 9 secondes |
| **Reprises 80-120 km/h** | 7,2 secondes |
| **Vitesse maximale** | 180 km/h |
| **Freinage 100-0 km/h** | 44 mètres |
| **Consommation (100 km)** | 14,5 litres (ordinaire) |

| | |
|---|---|
| • **Valeur de revente** | moyenne |
| • **Renouvellement du modèle** | nouveau modèle |

voit son empattement s'allonger de plus de 15 cm, et reçoit des accessoires réservés aux limousines exploitées commercialement.

Sur la route, grâce aux améliorations constantes apportées à la suspension et au nouveau mécanisme de direction, on n'a plus à puiser dans le vocabulaire maritime pour décrire le comportement routier de la Town Car. Les trajectoires sont plus précises, et l'on n'a plus l'impression d'être déporté constamment par un courant sournois. Néanmoins, les pneumatiques de taille respectable de 17 pouces affi-

maillère (bienvenue dans le XXIe siècle). Certaines pièces sont maintenant coulées dans l'aluminium pour réduire le poids non suspendu.

Sous le capot, le fidèle V8 4,6 litres, d'architecture assez contemporaine avec ses arbres à cames en tête, respire encore par seulement deux soupapes par cylindre. Il fait l'objet cette année de quelques modifications et sa puissance atteint maintenant 239 chevaux, en hausse de 19; son couple augmente à l'avenant. Comme on peut s'y attendre avec des gains aussi modestes, les accélérations demeurent inchangées, c'est-à-dire assez nonchalantes. La boîte de vitesses, assez compétente, renferme 4 rapports. Soyons quand même réalistes, personne n'a véritablement envie de s'éclater au volant d'une Town Car, ni de distancer rapidement le cortège du dernier voyage. Ce type particulier de déplacement doit plutôt se faire dignement, en silence, exercice pour lequel la Town Car excelle. Les ingénieurs ont en effet pris d'extraordinaires précautions pour que l'habitacle demeure complètement isolé des perturbations de toutes sortes provenant de l'extérieur.

### Calme et simplicité

Au demeurant, l'atmosphère à l'intérieur favorise la simplicité et le calme. L'immense habitacle est meublé à l'avant d'une banquette avec un très large accoudoir central relevable. Qui trop embrasse mal étreint, et personne ne sera vraiment confortablement soutenu, surtout pas la 3e personne au centre qui se sentira plutôt comme la farce du dindon. À l'arrière, les passagers pourront

s'étirer à leur aise, mais encore une fois, le passager du centre arrivera rapidement à la conclusion qu'il a tiré le mauvais numéro. Le cuir garnissant les places assises respire la qualité, mais certains matériaux qui ornent la cabine sonnent plutôt creux et semblent plus banals. La planche de bord est d'une désolante pauvreté, comme si le conducteur n'avait d'intérêt que pour le compteur de vitesse et la jauge à essence.

Heureusement, l'équipement très riche comble en partie ces lacunes. On y retrouve en effet à peu près tous les articles du très volumineux catalogue Lincoln, incluant pour les modèles vendus au Canada (Signature, Signature Premium, Cartier et Cartier L) tous les ajustements possibles pour les fauteuils avant et le pédalier, ainsi que la panoplie complète des assistances électriques. La version Cartier L

chent une minable cote de vitesse «S» et manquent encore cruellement d'adhérence. Quand on pense que le Navigator roule sur des «H»... Le freinage à disque aux quatre roues satisfait dans l'ensemble, mais il est compromis par les limites rapidement atteintes des pneus.

Somme toute, la Town Car remplit bien la mission qu'on lui a attribuée. Elle sert fidèlement le conducteur conservateur à la recherche d'une grosse berline luxueuse et silencieuse, qui ne saurait s'encombrer de nouveautés technologiques et de performances de haut niveau. L'espace disponible dans la cabine et dans le coffre convient aux plus larges gabarits et aux plus gros sacs de golf. Mais pour le plaisir de conduire, il faut s'adresser ailleurs.

*Jean-Georges Laliberté*

---

### MODÈLES CONCURRENTS

- *Buick Park Avenue* • *Cadillac DeVille* • *Infiniti Q45*
- *Lexus LS 430*

### QUOI DE NEUF ?

- *Détails de carrosserie* • *Plus de puissance*
- *Suspension révisée* • *Détails dans l'habitacle*

### VERDICT

| | |
|---|---|
| **Agrément de conduite** | ★★★ |
| **Fiabilité** | ★★★★ |
| **Sécurité** | ★★★★ |
| **Qualités hivernales** | ★★★ |
| **Espace intérieur** | ★★★★⯪ |
| **Confort** | ★★★★⯪ |

### ▲ POUR

- Habitabilité supérieure • Silence impressionnant
- Fiabilité intéressante • Équipement complet
- Prix concurrentiel

### ▼ CONTRE

- Comportement routier dépassé • Pneumatiques glissants • Suspension arrière archaïque • Tableau de bord incomplet • Finition perfectible

# Gare au Spyder

**Sans avoir tout à fait la même auréole que Ferrari, la marque Maserati, fondée en 1914, a déjà été l'un des fleurons de l'industrie automobile italienne. Qu'on se rappelle le championnat du monde des conducteurs enlevé par Fangio sur Maserati 250 F en 1957 ou simplement la superbe Ghibli GT qui ornait la page couverture du *Guide de l'auto 1969*. Que ce soit sur les circuits ou sur la route, Ferrari et Maserati ont longtemps été des adversaires redoutables, jusqu'à ce que l'étoile de la marque au trident commence à pâlir au cours des années 80. Rachetée par l'imprévisible Alejandro De Tomaso, la petite firme italienne s'est enfoncée dans la médiocrité avec des voitures banales comme la tristement célèbre Maserati Bi-Turbo. Depuis novembre 1999, c'est Ferrari qui a pris les commandes et qui entend redorer le blason de son ancien concurrent.**

**D**isons tout de suite que les choses sont mal parties si j'en juge par mon essai du Spyder Maserati. En toute honnêteté, il y a longtemps que je n'avais pas conduit une voiture aussi mal en point. Le pire irritant était sans l'ombre d'un doute le manque de rigidité du châssis qui se traduisait par un concert de bruits de caisse et, surtout, par des trépidations du tableau de bord qui m'ont ramené à la pire époque des roadsters anglais. Face à mon étonnement, les gens de Ferrari Québec (également concessionnaire Maserati) m'ont dit qu'il s'agissait d'un des premiers modèles à avoir été construits et que les plus récents Spyder étaient nettement plus solides. Vérification faite, j'ai noté une certaine amélioration, mais il reste que ceux qui envisagent l'achat de ce cabriolet Maserati ont intérêt à faire leurs devoirs en essayant la voiture au préalable. Le coupé serait sans doute un achat plus judicieux, bien que les deux modèles partagent certaines caractéristiques plus ou moins souhaitables.

## Une fiche enviable

Un bref coup d'œil à la fiche technique des Maserati Coupé et Spyder nous permet de constater que ceux-ci étrennent un moteur V8 de 4,2 litres à bloc d'aluminium et carter sec développant 390 chevaux à 7000 tr/min, soit seulement 10 chevaux de

### CARACTÉRISTIQUES

| | |
|---|---|
| Prix du modèle à l'essai | Spyder Cambiocorsa 138 575 $ |
| Échelle de prix | de 122 875 $ à 138 575 $ |
| Assurances | n.d. |
| Garanties | 3 ans 80 000 km |
| Emp. / Long. / Larg. / Haut. (cm) | 244 / 430 / 182 / 130,5 |
| Poids | 1730 kg |
| Coffre / Réservoir | 300 litres / 90 litres |
| Coussins de sécurité | frontaux et latéraux |
| Suspension avant | leviers triangulaires trans. doubles |
| Suspension arrière | indépendante, ressorts hélicoïdaux |
| Freins av. / arr. | disque ventilé, ABS |
| Système antipatinage | oui |
| Direction | à crémaillère, assistée |
| Diamètre de braquage | 11,5 mètres |
| Pneus av. / arr. | P235/40ZR18 / P265/35ZR18 |

### MOTORISATION ET PERFORMANCES

| | |
|---|---|
| Moteur | V8 4,2 litres |
| Transmission | propulsion, semi-automatique |
| Puissance | 390 ch à 7000 tr/min |
| Couple | 333 lb-pi à 4500 tr/min |
| Autre(s) moteur(s) | aucun |
| Autre(s) transmission(s) | manuelle 6 rapports |
| Accélération 0-100 km/h | 5 secondes |
| Reprises 80-120 km/h | 5,1 secondes (4e) |
| Vitesse maximale | 283 km/h |
| Freinage 100-0 km/h | n.d. |
| Consommation (100 km) | 16 litres (super) |
| • Valeur de revente | nouveau modèle |
| • Renouvellement du modèle | n.d. |

Ces problèmes ne risquent pas de se manifester dans le coupé qui peut compter notamment sur un empattement plus long. Par contre, quel que soit le modèle choisi, on devra accepter les changements de rapports plutôt brusques de la transmission Cambiocorsa. À haute vitesse, ça peut toujours aller, mais en conduite urbaine, votre compagne n'appréciera peut-être pas d'être projetée la tête vers l'avant à chaque passage de vitesse. Il m'a semblé aussi que les palettes situées sous le volant qui servent à changer les rapports

moins qu'un coupé Ferrari 360 Modena. La puissance peut être exploitée par une boîte de vitesses manuelle à 6 rapports ou encore par une transmission semi-automatique très semblable à celle que l'on retrouve dans les Ferrari 360 et 575. Nommée Cambiocorsa (transmission de course) au lieu de F1, elle propose quatre modes de fonctionnement : Normal, Sport, Automatique ou Low Grip.

Dessinés par Giugiaro, les deux modèles peuvent être équipés d'une suspension active baptisée Skyhook mise au point par la firme allemande Mannesmann-Sachs et offerte en option. Il s'agit essentiellement d'amortisseurs réglables électroniquement dont le niveau de fermeté varie selon les conditions de la chaussée ou le style de conduite. Des roues de 18 pouces et des freins Brembo avec étriers à 4 pistons font également partie d'une fiche tout compte fait assez enviable.

### Un châssis déficient

L'expérience au volant est cependant moins heureuse. Les qualités essentielles à une bonne voiture sport sont bel et bien présentes, à commencer par un moteur d'une belle éloquence aussi performant qu'agréable à écouter. La tenue de route saura aussi satisfaire les conducteurs les plus exigeants et le Spyder Maserati est gratifié d'une direction on ne plus précise en même temps que d'un faible diamètre de braquage qui contribue dans une large mesure à la maniabilité de la voiture. Dès la prise en main, on se sent même très à l'aise au volant jusqu'à ce que l'on rencontre un premier trou. Dès lors, les qualités initiales du Spyder se

trouvent malheureusement ombragées par un châssis carrément déficient qui résiste mal à la torsion en virage et qui donne lieu à des soubresauts dans le tableau de bord à la moindre imperfection du revêtement. Ajoutez à cela une suspension d'une telle rudesse que le coffret de rangement situé entre les deux sièges s'ouvrait tout seul au gré des bosses et vous aurez une petite idée du désastre auquel je fais allusion. De toute évidence, la suspension active avait décidé de prendre congé tellement la voiture était réfractaire aux mauvaises routes.

En admettant que je sois tombé sur le mauvais numéro, il reste que l'on est en droit de s'interroger sur la présence d'une lunette arrière en plastique sans dégivrage dans une voiture de ce prix.

pourraient être moins rapprochées du tableau de bord.

Si vous vous êtes rendu jusqu'ici dans la lecture de ce texte, vous méritez de savoir que le Spyder Maserati a tout de même certains mérites, dont des sièges merveilleusement confortables, une instrumentation complète, une finition soignée et deux arceaux de sécurité permanents. C'est bien mince pour tirer une conclusion favorable de cet essai du Spyder Maserati. Si Ferrari veut réellement faire revivre la belle époque de cette marque autrefois prestigieuse, elle devra serrer la vis encore un peu plus. En résumé, on s'attendait à beaucoup mieux d'un duo aussi doué.

*Jacques Duval*

---

### MODÈLES CONCURRENTS

• *Acura NSX-T* • *Jaguar XKR*
• *Mercedes-Benz SL500* • *Porsche 911*

### QUOI DE NEUF ?

• *Nouveau modèle*

### VERDICT

| | |
|---|---|
| **Agrément de conduite** | ★★◗ (Spyder) |
| **Fiabilité** | *nouveau modèle* |
| **Sécurité** | ★★★◗ |
| **Qualités hivernales** | ★★◗ |
| **Espace intérieur** | ★★◗ |
| **Confort** | ★★ |

### ▲ POUR

• Superbe moteur • Performances de haut niveau
• Direction précise • Bonne tenue de route
• Sièges agréables

### ▼ CONTRE

• Flexion du châssis et bruits de caisse • Transmission Cambiocorsa brutale • Suspension réfractaire aux mauvais revêtements • Lunette arrière en plastique

COUP DE CŒUR

# De figurante à superstar

**Connue jusqu'ici sous le nom de 626, la berline de taille moyenne de Mazda change cette année de dénomination et profite de la circonstance pour faire peau neuve. Après s'être contentée d'un rôle obscur de figurant dans la catégorie des intermédiaires, Mazda compte sur la nouvelle 6 pour se hisser au haut de l'affiche. Compte tenu qu'elle aura à lutter contre des vedettes solidement établies comme la Honda Accord, la Nissan Altima et la Toyota Camry, la 6 n'aura pas la tâche facile. En revanche, elle nous arrive précédée d'un concert de louanges que lui a décernées la presse européenne qui la considère comme une Alfa Romeo... en mieux.**

Le compliment est de taille quand on sait que la marque italienne jouit d'une excellente réputation sur le vieux continent et qu'elle propose des voitures esthétiquement très soignées et d'un agrément de conduite indéniable. Ce n'est peut-être pas un hasard si Mazda avait choisi l'Italie et la ville de Rome comme site de l'avant-première de la nouvelle 6. Pourtant, on a surtout fait référence à des voitures allemandes (la Passat et la Série 3 de BMW, notamment) dans la nomenclature des modèles concurrents. Quoi qu'il en soit, il est clair que l'on a voulu s'inspirer de ce que l'Europe a de mieux à offrir dans la conception de la Mazda 6 qui fait carrière au Japon sous le nom d'Atenza. Comme GM l'a fait avec sa récente Cadillac CTS, les ingénieurs de la firme japonaise ont d'ailleurs procédé à sa mise au point en sol européen.

La 6 est nouvelle de A à Z. Elle bénéficie d'une plate-forme inédite et d'une toute nouvelle famille de moteurs incluant un 4 cylindres de 2,3 litres à

allumage séquentiel développant 160 chevaux et un V6 3 litres de 220 chevaux.

## Un retour aux sources

Cette nouvelle Mazda est d'une importance capitale pour la firme d'Hiroshima qui doit pouvoir compter sur un modèle de grande diffusion dans la catégorie la plus importante du marché nord-américain. Mazda a besoin d'une voiture qui sera en mesure de lui assurer un plus haut taux de loyauté lorsque les très nombreux utilisateurs d'une Protegé seront prêts à faire le saut vers la catégorie supérieure. Pour atteindre cet objectif, Mazda a d'abord fait un petit examen de conscience qui lui a permis de constater que la marque avait dévié de sa trajectoire originale au cours des dernières années en n'accordant pas suffisamment d'importance à l'agrément de conduite. «Nous avions perdu notre identité et nous avons payé pour nos erreurs», a admis Mark Fields, le président de Mazda, lors de l'avant-première de la 6. La Protegé et maintenant la

Mazda 6 constituent une sorte de retour aux sources pour une compagnie qui aimerait bien être reconnue comme l'équivalent japonais de BMW. Si bien que, par ses dimensions, la 6 se rapproche davantage de ses rivales européennes que japonaises. Légèrement plus court qu'une Camry, une Altima ou la récente Honda Accord, son format est l'équivalent de celui d'une Volkswagen Passat.

La carrosserie s'en remet au même type d'architecture que la Protegé avec une structure appelée Triple H qui se compose de longerons et de poutrelles en forme de H incorporé au plancher, au pavillon et aux côtés du véhicule. En plus d'offrir une protection optimale des occupants en cas d'accident, cette structure contribue à la rigidité du châssis et, conséquemment, à un meilleur comportement routier.

Le châssis ne lésine pas non plus sur les moyens. La suspension avant mise sur une paire de leviers triangulaires transversaux tandis que le train arrière est contrôlé par un essieu multibras à roues indépendantes assisté d'une barre antiroulis. Quant au freinage, il est assuré par des disques, ventilés à l'avant et pleins à l'arrière.

## Deux moteurs, trois carrosseries

La première Mazda 6 à faire son apparition sur le marché nord-américain en janvier 2003 et comme modèle

d'offrir la majeure partie de sa puissance et de son couple à bas régime. Les ingénieurs de Mazda se sont aussi particulièrement attardés à son insonorisation. La réduction du bruit passe notamment par l'utilisation d'un carter d'huile et d'un couvercle d'arbres à cames en aluminium. En plus, ce 4 cylindres a été doté d'arbres d'équilibrage visant à lui assurer une plus grande douceur de fonctionnement. Une boîte manuelle à 5 rapports est offerte avec les deux moteurs tandis que la transmission automatique possède 5 rapports avec le V6 et 4 seulement avec le 4 cylindres.

2004 sera la berline quatre portes qui sera suivie, quelques mois plus tard, de la version *hatchback* et de la familiale. Ces lancements décalés sont d'autant plus étonnants que tous les journalistes présents à l'avant-première ont trouvé que la *hatchback* et la familiale démontraient une plus grande originalité que la berline. Avec sa ligne impersonnelle, cette dernière passe facilement inaperçue, bien que le dessin de la partie arrière soit particulièrement réussi.

Des deux moteurs proposés, Mazda affirme que le 4 cylindres sera le choix de 70 % de la clientèle tandis que l'autre 30 % optera pour le V6. Même s'il concède 60 chevaux au V6, le 4 cylindres de 2,3 litres a fait l'objet d'une attention particulière et il a été conçu afin

### Prise 1 : Un 4 cylindres à l'italienne

Mon premier essai de la Mazda 6 s'est déroulé au volant de la version à moteur 4 cylindres lors de son lancement dans la région de Rome, à travers le petit village de Talfa et autour du lac de Bracciano. J'ai surtout été impressionné par le faible niveau sonore de la voiture qui, même aux environs de 200 km/h, reste d'une remarquable discrétion. À une telle allure, la 6 étonne aussi par sa grande stabilité. Chaussée d'énormes pneus de 17 pouces, elle est littéralement rivée à la route et il m'a fallu pousser très fort pour que l'arrière consente à décrocher un brin, au grand plaisir de mon photographe. En tout temps, la voiture démontre une belle maniabilité et elle ne succombe jamais à un roulis exagéré en virage. Malgré ses 160 chevaux, le moteur manque un peu de souffle, surtout quand vient le temps de doubler un autre véhicule. On devine que le châssis a été fignolé pour une plus grande puissance et j'étais impatient de prendre le volant de la version à moteur V6.

À l'intérieur, la Mazda 6 est particulièrement spacieuse et les places arrière offrent un dégagement exceptionnel, que ce soit au niveau des jambes ou de la tête. On trouve pas moins de sept espaces de rangement dans l'habitacle et le coffre à bagages est l'un des plus volumineux dans les voitures de ce format. Une belle astuce est la présence de leviers à l'intérieur du coffre qu'il suffit de tirer pour voir se rabattre chacune des deux parties (60-40) du dossier de la banquette arrière.

Les sièges, en dépit d'un rembourrage ferme, sont confortables et on trouve rapidement la position de conduite idéale. Précisons que les appuie-tête d'un type nouveau ont été rapprochés pour diminuer les dangers de coup de lapin en cas de collision par l'arrière. Grâce à un pare-brise quasi panoramique, la visibilité est exceptionnelle vers l'avant et ne souffre pas d'angle mort gênant vers l'arrière.

### Prise 2 : Un V6 au Québec

Un deuxième essai d'une Mazda 6 à moteur V6 et boîte manuelle 5 rapports réalisé au Québec m'a permis de découvrir la vraie nature de cette nouvelle venue. Encore une fois, le châssis s'est mis en évidence par son impeccable rigidité et l'absence totale de petits bruits agaçants sur nos routes en piètre état. Ces mêmes revêtements n'ont jamais non plus perturbé le confort et cela en dépit de la présence de pneus à profil relativement bas. Une belle surprise aussi est l'absence quasi totale d'effet de couple dans la direction : il n'y a pas de rappel brutal du volant en forte accélération. À la fois douce et précise, cette direction est à l'origine d'une grande maniabilité et la voiture se montre particulièrement agile dans des manœuvres de slalom. Phénomène rare pour une traction, le sous-virage est quasi inexistant et s'il a eu l'occasion de se manifester, il suffit de relâcher un peu l'accélérateur pour que la voiture retrouve la trajectoire idéale en courbe. Par son excellent châssis, son freinage rassurant et sa direction bien dosée, la 6 ne demande qu'à jouer les berlines sport. Son moteur ne lui permet pas toutefois d'assumer parfaitement

| CARACTÉRISTIQUES | |
|---|---|
| **Prix du modèle à l'essai** | GS V6 27 995 $ |
| **Échelle de prix** | de 24 295 $ à 34 060 $ |
| **Assurances** | n.d. |
| **Garanties** | 3 ans 80 000 km / 5 ans 100 000 km |
| **Emp. / Long. / Larg. / Haut. (cm)** | 267,5 / 474,5 / 178 / 144 |
| **Poids** | 1 365 kg (4 cylindres) |
| **Coffre / Réservoir** | 431 litres / 68 litres |
| **Coussins de sécurité** | frontaux et latéraux |
| **Suspension avant** | indépendante, leviers triangulés |

| | |
|---|---|
| **Suspension arrière** | indépendante, essieu multibras |
| **Freins av. / arr.** | disque, ABS (ventilé à l'avant) |
| **Système antipatinage** | oui |
| **Direction** | à crémaillère, assistée |
| **Diamètre de braquage** | 11,8 mètres |
| **Pneus av. / arr.** | P215/50R17 |

| MOTORISATION ET PERFORMANCES | |
|---|---|
| **Moteur** | V6 3 litres |
| **Transmission** | traction, manuelle 5 rapports |
| **Puissance** | 220 ch à 6 300 tr/min |

| | |
|---|---|
| **Couple** | 192 lb-pi à 5 000 tr/min |
| **Autre(s) moteur(s)** | 4L 2,3 litres 160 ch |
| **Autre(s) transmission(s)** | auto. 5 rap. ; auto. 4 rap. (4L) |
| **Accélération 0-100 km/h** | 7,9 s ; 9,8 s (4L) |
| **Reprises 80-120 km/h** | 8,2 secondes (manuelle V6) |
| **Vitesse maximale** | 210 km/h |
| **Freinage 100-0 km/h** | 41,2 mètres |
| **Consommation (100 km)** | 9,3 litres (ordinaire) |
| **Niveau sonore (100 km/h)** | Ralenti : 41,8 dB |
| | Accélération : 70. |
| | 100 km/h : 66,8 dB |

remarquer avec ses deux cadrans cerclés de chrome et, surtout, une console centrale peinte en gris pour évoquer le titane. Les aérateurs circulaires à volets orientables de type persiennes rehaussent une présentation qui, dans l'ensemble, aurait gagné à être un peu plus relevée. Ainsi, la petite bande style fibre de carbone au-dessus du coffre à gant passe totalement inaperçue. Un peu de bois (vrai ou simili) ici et là aurait contribué à rendre l'habitacle plus chaleureux. Et je me serais passé de la maudite béquille qui tient le capot avant ouvert.

une telle vocation. Le V6 n'est pas dépourvu de qualités et l'on appréciera notamment que la puissance et le couple se situent à l'intérieur de la plage d'utilisation la plus couramment utilisée par l'usager moyen. À bas et moyen régime, il se défend honorablement mais semble moins expressif à haut régime, disons passé les 5 500 tr/min. En somme, une vingtaine de chevaux de plus lui feraient grand bien et permettraient d'améliorer les reprises. Le V6 se distingue par ailleurs par sa souplesse, sa dou-

ceur de fonctionnement et, surtout, par son très faible niveau sonore. Quant à la boîte manuelle, notons que même les débutants n'auront aucun mal à déplacer le levier de vitesses tellement son guidage est précis.

À l'intérieur, ajoutons aux commentaires déjà formulés la présence d'un joli petit volant à trois branches à double réglage aussi agréable au regard qu'au toucher. Sans être d'une grande originalité, le tableau de bord fait de petits efforts pour se faire

Avec la nouvelle 6, Mazda s'est donné une voiture qui est incontestablement l'une des tractions les mieux réussies sur le marché, principalement sur le plan du comportement routier. Chose certaine, elle permettra à la marque japonaise de jouer autre chose qu'un rôle de figurant dans la catégorie des berlines de format moyen et de conserver la clientèle satisfaite qui a fait confiance à la Protegé5. Qui sait si elle ne deviendra pas la superstar de sa catégorie ?

***Jacques Duval***

## MODÈLES CONCURRENTS

• *Honda Accord* • *Nissan Altima* • *Toyota Camry*
• *Volkswagen Passat*

## VERDICT

| Agrément de conduite | ★★★★ |
|---|---|
| Fiabilité | *nouveau modèle* |
| Sécurité | ★★★★ |
| Qualités hivernales | ★★★★ |
| Espace intérieur | ★★★★⅟ |
| Confort | ★★★★ |

## ▲ POUR

• **Bons moteurs** • **Boîte manuelle agréable** • **Excellent comportement routier** • **Insonorisation soignée** • **Places arrière spacieuses** • **Bonne visibilité**

## ▼ CONTRE

• Présentation intérieure sommaire
• Ligne quelconque (berline)• Performances moyennes • Mécanique non éprouvée

# MAZDA MIATA

# *Un air d'été !*

**La Miata, c'est l'incontournable de Mazda. Réplique des petits roadsters britanniques des années 60, avec la fiabilité en équipement de série, cette voiture-symbole restera toujours collée à l'image de la marque. Attachante, cette biplace se consacre au plaisir de conduire... à ciel ouvert !**

Treize ans après ses premiers tours de roues, la Miata poursuit sa route fructueuse. Une route qui l'a menée à des sommets inespérés alors que ses ventes totales ont franchi l'an dernier la barre des 600 000 exemplaires à travers le monde. Ce succès place la Miata en tête des cabriolets deux places les plus populaires de l'histoire, devant la MGB qui a régné de 1962 à 1980. Et si la Miata a repris efficacement une formule exploitée par des modèles comme les Lotus Elan, Triumph Spitfire et Austin Healy Sprite, elle a évolué dans la bonne direction, contrairement à ses modèles d'inspira-

tion qui ont été laissés à l'abandon par leurs concepteurs.

Quoi de neuf sous le soleil ? Rien de spectaculaire, à la veille, semble-t-il, d'une refonte complète attendue pour l'an prochain. D'ici là, on ne peut que rappeler les attributs qui lui collent à la peau et, bien sûr, sans méchanceté, les quelques critiques qui la suivent. Non, aucune voiture n'est parfaite.

Les dernières retouches apportées à la Miata ont été modestes. Pas question de modifier une formule gagnante. Pas question non plus de renier ses origines. Néanmoins, la disparition des phares rétractables dans la 2e génération du modèle a été

fort bien accueillie. Cette mesure, appuyée par l'arrivée d'un capot bombé et d'ailes élargies, a assuré une silhouette plus dynamique à la Miata.

Notre voiture d'essai, toute de jaune vêtue, s'inscrit dans cette tradition vieille de plus de 10 ans qui vise à créer une rareté. Le catalogue s'enrichit chaque année d'un modèle « édition spéciale » qui fait l'envie des collectionneurs. Cette livrée jaune, couleur du soleil et de la joie de vivre, était pourtant disparue du vocabulaire de la Miata depuis 1992.

Triste réalité de notre climat si changeant, la Miata est une voiture estivale d'abord et avant tout, et ce, même si Mazda lui a confié des éléments qui favorisent son utilisation « 4 saisons ». Des accessoires essentiels comme le dégivreur arrière et une vraie lunette en verre ont incité ses propriétaires

## CARACTÉRISTIQUES

| | |
|---|---|
| **Prix du modèle à l'essai** | édition spéciale 34 735 $ |
| **Échelle de prix** | de 27 695 à 365 535 $ |
| **Assurances** | de 810 à 900 $ |
| **Garanties** | 3 ans 80 000 km / 5 ans 100 000 km |
| **Emp. / Long. / Larg. / Haut. (cm)** | 226 / 396 / 168 / 123 |
| **Poids** | 1 065 kg |
| **Coffre / Réservoir** | 144 litres / 48 litres |
| **Coussins de sécurité** | frontaux |
| **Suspension avant** | indépendante, jambes de force |
| **Suspension arrière** | indépendante, jambes de force |
| **Freins av. / arr.** | disque |
| **Système antipatinage** | oui |
| **Direction** | à crémaillère assistée |
| **Diamètre de braquage** | 9,2 mètres |
| **Pneus av. / arr.** | P205/45R16 |

## MOTORISATION ET PERFORMANCES

| | |
|---|---|
| **Moteur** | 4L 1,8 litre DACT 16 soupapes |
| **Transmission** | propulsion, manuelle 6 rapports |
| **Puissance** | 142 ch à 7 000 tr/min |
| **Couple** | 125 lb-pi à 5 500 tr/min |
| **Autre(s) moteur(s)** | aucun |
| **Autre(s) transmission(s)** | manuelle 5 rapports; |
| | automatique 4 rapports |
| **Accélération 0-100 km/h** | 8,1 secondes |
| **Reprises 80-120 km/h** | 9,3 secondes |
| **Vitesse maximale** | 205 km/h |
| **Freinage 100-0 km/h** | 37 mètres |
| **Consommation (100 km)** | 8,8 litres (super) |
| • Valeur de revente | très bonne |
| • Renouvellement du modèle | 2005-2006 |

l'oublier, notons que la boîte automatique est aussi offerte, mais qui donc oserait dépenser plusieurs centaines de dollars pour cette caractéristique qui enlève tout son cachet à la Miata ? Les accélérations sont franches, les reprises, modestes.

La Miata est certes plus lourde qu'à ses débuts, mais elle a gagné en rigidité et en sécurité. C'est le prix à payer pour s'adapter aux nouvelles exigences du marché. La direction et le train avant font preuve d'une précision remarquable. Quelque peu survireuse, la Miata est toutefois pré-

à la sortir du garage même dans les pires conditions. Un toit rigide est toujours offert, mais il est encombrant et enlève au charme du véhicule.

L'habitacle, contre toute attente, convient aux gabarits imposants. Pour les grandes jambes, l'ajustement maximal permet une position de conduite agréable, surprenante compte tenu des dimensions de la voiture.

### Un week-end en amoureux

Pour un week-end en amoureux, à ciel ouvert, la Miata est synonyme d'évasion, à condition de n'apporter que le strict nécessaire, à peine un peu plus que le bikini et la brosse à dents ! Aussi bien oublier le sac de golf, à moins de partir seul. À part un compartiment à gants bien discret, un coffre peu profond et quelques vide-poches destinés à ranger des cartes routières, la Miata n'offre rien pour être considérée par le clan Panneton.

Les fauteuils de cuir de notre voiture d'essai vous gardent bien en place, même si le confort d'assise n'est pas idéal, tout comme les réglages d'ailleurs. Qu'importe, bien installé derrière le volant, le conducteur découvre tout le charme de la Miata. Le volant à trois branches et le levier de vitesses court invitent au pilotage.

Sur le plan ergonomique, la Miata doit toutefois évoluer. Les contrôles de la radio et du système de ventilation sont difficiles à manipuler. Même reproche pour les commandes des glaces situées sur la console centrale.

Propulsée par un moteur 4 cylindres de 1,8 litre, la voiture a fait des progrès importants en termes

de performances. Le moteur produit 142 chevaux, ce qui confère à la Miata un rendement des plus appréciables même si elle n'a pas la prétention de rivaliser avec les plus grandes sportives du créneau, allemandes pour la plupart, plus racées et surtout moins accessibles. Combinée à une boîte de vitesses manuelle à 5 ou 6 rapports (en option), la Miata se conduit tel un petit bolide.

Le merveilleux levier de sélection des vitesses, parfaitement localisé, ne demande qu'à être exploité. Les premiers rapports sont rapprochés et préconisent une sollicitation soutenue. Somme toute, il incite à faire grimper le régime et ce, même si le moteur devient de plus en plus bruyant.

Et pas besoin de rouler vite. Le son aigu du 4 cylindres laisse croire que vous êtes constamment au-dessus des limites de vitesses prescrites. Avant de

visible. Sur pavé mouillé, elle nécessite un peu plus de vigilance.

Les suspensions sont bien adaptées. En souplesse, elles ont progressé. Chaussée de pneus de 15 pouces très convenables, la Miata propose aussi des pneus de 16 pouces plus larges, mais qui affectent son confort de roulement sur nos routes accidentées.

Signalons deux ombres au tableau : l'absence du dispositif ABS en équipement de série et un prix relativement élevé si vous optez pour le groupe Cuir ou l'édition spéciale. Il est en effet difficile de justifier une facture de près de 35 000 $ pour une biplace aux performances limitées. À cet égard, mieux vaut se contenter du modèle de base qui, vendu à partir de 28 000 $, vous procurera autant de plaisir (ou presque) à un coût raisonnable.

*Louis Butcher*

---

| MODÈLES CONCURRENTS |
| --- |
| • Chrysler Sebring • Ford Mustang |
| • Mitsubishi Eclipse |

| QUOI DE NEUF ? |
| --- |
| • Capote en tissu (groupe cuir) • Enjoliveurs d'aérateur, poignées de portes extérieures et panneau de levier de vitesses d'aspect aluminium (groupe sport et cuir) |

| VERDICT | |
| --- | --- |
| **Agrément de conduite** | ★★★★⯪ |
| **Fiabilité** | ★★★ |
| **Sécurité** | ★★ |
| **Qualités hivernales** | ★★⯪ |
| **Espace intérieur** | ★⯪ |
| **Confort** | ★★★ |

| ▲ POUR |
| --- |
| • Plaisir de conduire inégalé • Fiabilité reconnue |
| • Boîte manuelle exemplaire • Silhouette emballante |
| • Comportement routier sain |

| ▼ CONTRE |
| --- |
| • Sièges trop fermes • Insonorisation perfectible |
| • Habitacle limité • Performances à rehausser |
| • Espace cargo symbolique |

# MAZDA MPV

# La plus sportive des fourgonnettes

**Destinées d'abord et avant tout aux randonnées en famille, les fourgonnettes se découvrent de nouvelles vocations. La Mazda MPV, appuyée par une silhouette moins banale et une fiche technique ravivée, a choisi la carte de l'émotion et de l'agrément de conduite. Limitée jusqu'ici à un rôle de figuration parmi les grandes animatrices du créneau, cette camionnette est maintenant bien disposée à assurer la riposte. Elle l'a d'ailleurs prouvé lors de notre match comparatif.**

**M**oins imposante que les Dodge Caravan ou Honda Odyssey, deux modèles qui sont devenus au fil des ans de véritables inspirations, la MPV a démontré de belles qualités au cours d'un essai échelonné sur quelques mois.

Maniable comme aucune autre fourgonnette, la MPV a cet avantage d'être moins encombrante. En ville notamment, pour les manœuvres de stationnement, vous apprécierez les quelque 15 cm qu'elle concède à une Honda Odyssey. Malgré son plus faible gabarit, la MPV propose, tout comme ses plus sérieuses rivales, un habitacle agréable, capable d'accueillir sept passagers.

En accédant aux ligues majeures après quelques années d'apprentissage, la MPV réunit les avantages qui ont fait le succès de ses grandes rivales et ce, à un prix beaucoup plus abordable. Elle dispose de trois rangées de fauteuils, de portes latérales automatisées, d'un moteur vitaminé et d'une boîte de vitesses d'une grande efficacité. Soudainement, la MPV n'a plus rien à envier à la concurrence. Sophis-tiquée, elle s'adapte à toutes les occasions. Son allure «chic» ne limitera pas ses déplacements aux simples balades familiales. Ce «chic» baisse toutefois d'un cran auprès de certains utilisateurs qui trouvent que l'habitacle de la MPV dégage une curieuse odeur.

### Une grande polyvalence

De la MPV, on apprécie également la polyvalence de la cabine. Le constructeur nippon a non seulement valorisé les caractéristiques les plus appréciées des principales concurrentes du modèle, mais il a fait mieux. Il a innové.

Quelques exemples. La 3e banquette, destinée à accueillir deux adultes ou trois enfants, se rabat complètement pour disparaître sous le plancher. Pour accentuer l'espace cargo, pas besoin donc de retirer ledit fauteuil. Une autre

## CARACTÉRISTIQUES

| | |
|---|---|
| Prix du modèle à l'essai | ES 37 610 $ |
| Échelle de prix | de 26 090 $ à 37 610 $ |
| Assurances | 769 $ |
| Garanties | 3 ans 80 000 km / 5 ans 100 000 km |
| Emp. / Long. / Larg. / Haut. (cm) | 284 / 477 / 183 / 176 |
| Poids | 1 730 kg |
| Coffre / Réservoir | 487,1 litres / 75 litres |
| Coussins de sécurité | frontaux et latéraux |
| Suspension avant | indépendante, jambes de force |
| Suspension arrière | essieu rigide, poutre déformante |
| Freins av. / arr. | disque / tambour, ABS |
| Système antipatinage | oui |
| Direction | à crémaillère, assistance variable |
| Diamètre de braquage | 11,4 mètres |
| Pneus av. / arr. | P215/60R17 |

## MOTORISATION ET PERFORMANCES

| | |
|---|---|
| Moteur | V6 3 litres DACT 24 soupapes |
| Transmission | traction, automatique 5 rapports |
| Puissance | 200 ch à 6 200 tr/min |
| Couple | 200 lb-pi à 3 000 tr/min |
| Autre(s) moteur(s) | aucun |
| Autre(s) transmission(s) | aucune |
| Accélération 0-100 km/h | 10,1 secondes |
| Reprises 80-120 km/h | 9,8 secondes |
| Vitesse maximale | 175 km/h |
| Freinage 100-0 km/h | 41,2 mètres |
| Consommation (100 km) | 12.3 litres (ordinaire) |
| • Valeur de revente | bonne |
| • Renouvellement du modèle | 2005 |

plémentaires se manifestent davantage en reprise qu'en accélération.

La boîte de vitesses automatique à 5 rapports (à commande électronique), ajoutée au catalogue l'an dernier, est un atout indéniable pour la MPV. Non seulement elle élimine les soubresauts ainsi que les changements trop fréquents et inutiles de la boîte de l'ancien modèle, mais en plus elle exploite efficacement la puissance accrue du moteur.

Malheureusement, deux hic, deux ombres au tableau, pour boucler la boucle. D'abord, la direc-

disposition permet d'utiliser la banquette pour un pique-nique ou pour un *tail gate party*, une pratique fort populaire aux États-Unis.

Au centre, les deux sièges sont coulissants, ce qui permet un accès plus aisé à la section arrière. On peut aussi retirer ces deux fauteuils pour libérer la section médiane de la camionnette. L'opération est simplifiée par le fait que ces fauteuils sont relativement légers. Plus légers du moins que ceux de la Caravan de Dodge.

À l'avant, les deux sièges capitaines sont maintenant séparés par une petite tablette rabattable pour maintenir l'ordre à l'intérieur. On peut y déposer lunettes de soleil, monnaie et, pourquoi pas, quelques CD. On n'en donnera toutefois pas le crédit à Mazda, l'utilitaire sport de Honda, le CR-V, l'ayant proposée bien avant la MPV.

La MPV assure un bon dégagement pour les jambes autant à l'avant qu'à l'arrière. Son empattement court n'est pas un inconvénient majeur comme on aurait tendance à le croire.

Et, bonne nouvelle, la MPV offre un système DVD qui calmera le jeune auditoire pendant les longs voyages. On pourra y visionner un film ou simplement écouter de la musique. Une télécommande et deux écouteurs sans fil complètent l'ensemble. L'acquisition de cet accessoire, tout nouveau pour 2003, nécessite un déboursé d'un peu plus de 1000 $. Son installation est effectuée chez les concessionnaires.

N'oublions pas non plus que la MPV est la seule fourgonnette à compter sur des portes coulissantes à glaces descendantes.

### Un comportement dynamique

Les fourgonnettes ont évolué à un point tel que leur comportement sur la route est maintenant comparable à celui d'une familiale. La plus récente génération de la MPV, introduite en 2002, démontre à quel point ces véhicules ont changé depuis l'avènement de la première « Autobeaucoup » lancée il y a 20 ans.

Sa suspension plus rigide, appuyée par des jantes et des pneus bien adaptés, incite à quelques excès, à des prouesses qu'on hésiterait à réaliser au volant des autres fourgonnettes.

La version ES de la MPV est d'ailleurs chaussée de pneus de 17 pouces, ce qui procure, en tenue de route, un comportement audacieux.

Sous le capot, le moteur V6 de la MPV, porté à 3 litres depuis l'an dernier, a tôt fait de vitaminer ses performances. Les quelque 30 chevaux sup-

tion de la MPV est floue, trop assistée, ce qui vous fait perdre le feeling de la route dans les tracés sinueux. Et, évidemment, la consommation d'essence encore une fois exagérée.

Ce V6, installé dans la MPV et le Tribute, gracieuseté de Ford, est un délice pour les... pétrolières. La nouvelle combinaison moteur / boîte de vitesses limite à peine les dégâts.

Mais attention, si la nouvelle MPV réduit la fréquence des visites à la station-service, il faut savoir que la capacité de son réservoir de carburant a été majorée de... 5 litres. Vrai que la nouvelle MPV peut parcourir (avec un plein d'essence) une cinquantaine de kilomètres de plus, par rapport à la génération précédente du modèle. Faux toutefois de prétendre qu'elle est beaucoup moins gourmande.

*Louis Butcher*

## MODÈLES CONCURRENTS

• *Chevrolet Venture/Pontiac Montana* • *Dodge Caravan* • *Ford Windstar* • *Honda Odyssey* • *Toyota Sienna*

## QUOI DE NEUF ?

• *Aucun changement majeur*

## VERDICT

| | |
|---|---|
| **Agrément de conduite** | ★★★★ |
| **Fiabilité** | ★★★★ |
| **Sécurité** | ★★★★ |
| **Qualités hivernales** | ★★★★ |
| **Espace intérieur** | ★★★ |
| **Confort** | ★★★★ |

## ▲ POUR

• **Silhouette dynamique** • **Moteur plus puissant**
• **Boîte de vitesses précise** • **Cabine conviviale**
• **Maniabilité en ville**

## ▼ CONTRE

• **Consommation d'essence exagérée** • **Modèle DX dépouillé** • **Direction trop assistée** • **Habitacle étroit**
• **Pneus de secours difficile d'accès**

# La formule du succès

Chez Mazda, en attendant les nouveautés qui s'annoncent, c'est la gamme Protegé (SE, LX et ES et 5) qui soutient pratiquement l'ensemble de la marque. Une gamme fort réussie de petites voitures abordables, fiables et, chose plus rare, agréables à conduire. Ce succès s'est d'ailleurs amplifié l'an dernier avec l'arrivée de la Protegé5, une familiale aux airs de coupé sport que nous avions découverte dans les studios du *Guide de l'auto* télévisé. Un coup de cœur immédiat qui s'est traduit pour Mazda par de nouveaux records de vente.

Une ligne craquante ! Voilà l'un des principaux atouts de cette petite japonaise aux allures de familiale sport, un peu à la façon d'un *shooting break* britannique des années 60. Pas tout à fait une familiale comme la Ford Focus version familiale, pas tout à fait un coupé non plus, puisqu'elle compte cinq portes. La Mazda Protegé5 joue sur les deux tableaux et nous offre pratiquement le volume intérieur et la polyvalence d'une petite familiale, avec la ligne élégante d'un *hatchback* cinq portes. Sans fioritures ni artifices, le design se distingue aussi par un dessin agréable de la face avant, rehaussé par les deux gros antibrouillards ronds, et un hayon arrière coiffé d'un petit béquet.

## Simple, mais bien pensée

À l'intérieur, la Protegé continue de nous charmer, d'abord par un superbe petit volant à trois branches qui tombe parfaitement en mains. L'instrumentation classique bénéficie d'indications fort lisibles sur fond blanc qui tourne à l'orange la nuit. Au centre, la console encadrée de faux Kevlar au bel effet reçoit la radio AM/FM/CD de série et, en dessous, trois molettes de chauffage/climatisation. C'est simple et tout à fait accessible. Grâce aux trois glaces latérales, la visibilité sur les côtés est excellente, mais il faut retirer au moins un des appuie-tête arrière pour en dire autant de la visibilité vers l'arrière. Les sièges correctement dimensionnés pour les gabarits moyens offrent un soutien et un confort convenables, même lors de longs trajets, et l'assise côté conducteur est réglable en hauteur. Les places arrière se distinguent par un bon dégagement à la tête et conviennent, pour les longs voyages, à des adolescents ou à de jeunes adultes. Notons que les dossiers de la banquette se rabattent séparément et que l'as-

## CARACTÉRISTIQUES

| | |
|---|---|
| Prix du modèle à l'essai | Protegé5 21 895 $ |
| Échelle de prix | de 16 750 $ à 21 895 $ |
| Assurances | 819 $ |
| Garanties | 3 ans 80 000 km / 5 ans 100 000 km |
| Emp. / Long. / Larg. / Haut. (cm) | 261 / 433 / 170,5 / 142 |
| Poids | 1231 kg |
| Coffre / Réservoir | 561 à 812 litres / 55 litres |
| Coussins de sécurité | frontaux |
| Suspension avant | indépendante, jambes élastiques |
| Suspension arrière | indépendante, jambes élastiques |
| Freins av. / arr. | disque, ABS |
| Système antipatinage | non |
| Direction | à crémaillère, assistée |
| Diamètre de braquage | 10,4 mètres |
| Pneus av. / arr. | P195/50R16 |

## MOTORISATION ET PERFORMANCES

| | |
|---|---|
| Moteur | 4L 2 litres |
| Transmission | traction, automatique 4 rapports |
| Puissance | 130 ch à 6 000 tr/min |
| Couple | 135 lb-pi à 4 000 tr/min |
| Autre(s) moteur(s) | 4L 1,6 litre 103 ch |
| Autre(s) transmission(s) | manuelle 5 rapports |
| Accélération 0-100 km/h | 9,3 secondes |
| Reprises 80-120 km/h | 9,5 secondes |
| Vitesse maximale | 195 km/h |
| Freinage 100-0 km/h | 42,7 mètres |
| Consommation (100 km) | 9 litres (ordinaire) |
| • Valeur de revente | très bonne |
| • Renouvellement du modèle | 2004 |

gamme, sauf la LX, tourne allègrement mais manque un peu de nerf à haut régime. Mazda semble avoir favorisé le couple qui atteint 135 lb-pi à 4 000 tr/min au détriment de la puissance (130 chevaux). La souplesse et les reprises à bas régime sont convenables et la conduite en ville en bénéficie, mais pour les accélérations, on reste parfois sur sa faim. Notons aussi que certains se sont plaints de cognements du moteur à froid sur les Protegé5, un problème plus agaçant qu'autre chose puisqu'au dire de Mazda, le bruit ne nuit d'aucune façon à la durabilité du moteur.

sise elle-même se replie, permettant aux dossiers de former le prolongement du plancher du coffre. Le coffre relativement petit (561 litres) passe à plus de 800 litres lorsqu'on condamne les places arrière. Correctement équipée (CD, rétroviseurs électriques et téléverrouillage de série) pour le prix demandé, la Protegé5 ne propose que trois options : la climatisation, le toit ouvrant et la boîte automatique. Une suggestion à Mazda : proposez les rétroviseurs et les sièges chauffants et prévoyez un peu plus d'espaces de rangement et des porte-verres plus profonds.

### Championne de slalom

Si la ligne et l'habitacle de la Protegé5 comptent parmi ses points forts, c'est sans conteste son comportement routier qui constitue sa plus grande qualité. Une condition, cependant, pour bien l'apprécier : il faut aimer la conduite sportive. En effet, grâce à un châssis rigide, les ingénieurs de Mazda n'ont pas eu de difficulté à «accrocher» des suspensions compétentes à la Protegé5. Celles-ci rappellent d'ailleurs celles de la MP3 qui avait obtenu des résultats surprenants dans un match comparatif du *Guide de l'auto 2002*. C'est précisément cette compétence qui fait de la Protegé5 une des petites tractions les plus agréables à conduire, offrant une tenue de route qui dépasse celle de voitures bien plus... prétentieuses. Ferme sans être dure, la suspension chaussée de pneus Dunlop de 16 pouces à profil bas se moque des routes sinueuses avec une belle désinvolture. La rareté des pneus d'hiver de cette taille constitue toutefois un problème qu'on peut solutionner en optant pour des roues de 15 pouces en acier pour affronter la

blanche saison. Pour le freinage, Mazda fait appel à quatre disques doublés de l'ABS pour la Protegé5 et la berline ES, tandis que la SE doit se contenter de tambours à l'arrière (la LX aussi, sauf en option).

Et puisque les berlines SE, LX et ES partagent la même base que la 5, elles offrent aussi un comportement routier très sain, la différence se trouvant sur le plan des pneus moins performants qui équipent les berlines (roues de 14 pouces pour SE et 15 pouces pour LX/ES). Même commentaire pour le moteur 1,6 litre (103 chevaux) qui équipe la SE de base et favorise l'économie plutôt que le chrono.

Mais revenons à notre Protegé5 d'essai pour préciser que certains trouvent la suspension trop ferme sur route accidentée et souhaiteraient un moteur plus vigoureux. Le 2 litres à 2 arbres à cames en tête et 16 soupapes qui équipe tous les modèles de la

### Une gamme «heureuse»

Aux berlines Protegé et à la 5 portes vient s'ajouter, pour 2003, la Protegé Mazdaspeed dotée du moteur 2 litres soufflé par turbocompresseur et développant 170 chevaux, d'un différentiel autobloquant et de suspensions encore plus redoutables, le tout agrémenté d'un habitacle sport et de l'incontournable système audio MP3. En plus de faire vroumvroum, ça va faire boum-boum... et la vie dure aux rivales MINI Cooper S, Ford Focus SVT et VW Golf GTi (voir dossier «tuning»).

En somme, une gamme heureuse qui fait le bonheur des concessionnaires Mazda, notamment au Québec, et celui des automobilistes en quête d'une compacte bien tournée.

*Alain Raymond*

---

### MODÈLES CONCURRENTS

• Chrysler PT Cruiser • Ford Focus • Hyundai Elantra
• Kia Rio • Pontiac Vibe • Subaru Impreza Outback
• Suzuki Esteem • Toyota Matrix

### QUOI DE NEUF ?

• Transmission SportMode ATX automatique à commande manuelle

### VERDICT

| | |
|---|---|
| **Agrément de conduite** | ★★★★ |
| **Fiabilité** | ★★★★ |
| **Sécurité** | ★★★✦ |
| **Qualités hivernales** | ★★★✦ |
| **Espace intérieur** | ★★★✦ |
| **Confort** | ★★★✦ |

### ▲ POUR

• Excellente tenue de route • Bel agrément de conduite • Ligne agréable • Voiture pratique et confortable • Prix concurrentiel

### ▼ CONTRE

• Moteur un peu juste • Suspension ferme
• Certains bruits de vent
• Rareté des pneus d'hiver

# MAZDA RX-8

# La voiture sport réinventée

**L'année 2003 est celle du grand retour pour deux voitures sport japonaises légendaires. Alors que Nissan fait revivre son mémorable coupé 240Z de 1970, Mazda, de son côté, ressuscite la célèbre RX-7 à moteur rotatif qui avait connu son heure de gloire en 1978. Si les nouvelles Nissan 350Z et Mazda RX-8 affichent un prix et des performances assez similaires, la ressemblance entre ces deux voitures s'arrête là. En effet, Mazda reste fidèle au moteur rotatif tout en innovant de façon spectaculaire avec la carrosserie de sa RX-8. Habile croisement entre un coupé et une berline, celle-ci pousse l'audace jusqu'à offrir quatre portes, dont deux à l'arrière qui s'ouvrent à contresens. Motorisation unique, quatre places, portes arrière suicide... que faut-il de plus pour proclamer que la RX-8 n'est rien de moins que la voiture de sport réinventée ?**

Disparue du marché nord-américain en 1995, la seule voiture au monde dotée d'un moteur rotatif ne risque surtout pas de rater sa rentrée. Car, en plus de ses caractéristiques techniques inédites, elle adopte une carrosserie dont l'architecture est unique dans la production automobile actuelle. Avec ses quatre portes sans pilier central, la RX-8 a tout ce qu'il faut pour faire parler d'elle.

## Un coup d'audace

Mazda, qui n'en est pas à son premier coup d'audace, a réalisé une sorte d'hybride entre un coupé et une berline en dotant ce nouveau modèle de deux portes arrière suicide. Ne me demandez surtout pas d'où vient cette appellation bizarre puisqu'il existe pas moins de 50 explications différentes sur l'origine de ce terme associé la plupart du temps aux voitures anciennes. Ce qu'il faut retenir, c'est que ces portes en aluminium s'ouvrent par l'avant dans le sens contraire des portes conventionnelles. Comme Mazda s'est aussi débarrassée du pilier central, leur ouverture (jumelée à celle des portières avant) dégage un espace considérable qui facilite l'accès au véhicule. En revanche, une telle architecture peut avoir de graves conséquences sur l'aspect sécuritaire de la voiture et particulièrement sur sa résistance à un impact latéral. Chez Mazda, on nous assure que toutes les précautions ont été

## CARACTÉRISTIQUES

| | |
|---|---|
| Prix du modèle à l'essai | n.d. |
| Échelle de prix | de 45 000 $ à 52 000 $ (estimé) |
| Assurances | n.d. |
| Garanties | n.d. |
| Emp. / Long. / Larg. / Haut. (cm) | 270 / 442,5 / 177 / 134 |
| Poids | n.d. |
| Coffre / Réservoir | 300 litres / 76 litres |
| Coussins de sécurité | frontaux, latéraux et tête |
| Suspension avant | leviers triangulaires, ind. |
| Suspension arrière | essieu à bras multiples, ind. |
| Freins av. / arr. | disque ventilé, ABS |
| Système antipatinage | oui |
| Direction | à crémaillère, assistance électrique |
| Diamètre de braquage | n.d. |
| Pneus av. / arr. | P225/45ZR18 |

## MOTORISATION ET PERFORMANCES

| | |
|---|---|
| Moteur | rotatif à double rotor, 2,6 litres (équivalence) |
| Transmission | propulsion, manuelle 6 rapports |
| Puissance | 250 ch à 8 500 tr/min |
| Couple | 162 lb-pi à 7 500 tr/min |
| Autre(s) moteur(s) | aucun |
| Autre(s) transmission(s) | automatique 5 rapports |
| Accélération 0-100 km/h | 6,8 secondes |
| Reprises 80-120 km/h | n.d. |
| Vitesse maximale | n.d. |
| Freinage 100-0 km/h | n.d. |
| Consommation (100 km) | 10 litres (super) |
| • Valeur de revente | n.d. |
| • Renouvellement du modèle | nouveau modèle |

roie qui gruge, ne serait-ce que très légèrement, la puissance du moteur.

### Espace et couleur

L'intérieur de la Mazda RX-8 est un bel exemple de modernisme. Très aéré, l'habitacle se distingue par sa présentation bicolore qui fait appel au noir et à la couleur extérieure pour l'habillage des sièges et diverses garnitures. Comme dans plusieurs voitures sport depuis l'Audi TT, l'aluminium est à l'honneur, principalement autour des instruments,

prises pour protéger les occupants de la voiture. La RX-8 bénéficie d'un sous-châssis, d'une poutre spéciale et de divers renforts destinés à assurer à la carrosserie une rigidité supérieure à celle de plusieurs berlines de taille intermédiaire. Ces renforcements ont également des effets bénéfiques sur la solidité de la caisse qui ne bronche absolument pas sur mauvaise route. La RX-8 a d'ailleurs été construite en prévision de la production d'une version cabriolet. Quant au coupé quatre portes, il se distingue par son immense prise d'air sous la calandre, ses extracteurs de chaleur derrière les ailes avant et un porte-à-faux très court à l'arrière.

### Moteur « central avant »

En plus de pouvoir accueillir quatre adultes et une bonne partie de leurs bagages (deux sacs de golf, notamment), cette Mazda hérite de la toute dernière génération d'un moteur à pistons rotatifs ayant fait l'objet de nombreux perfectionnements au fil des ans. Connu sous le nom de RENESIS, ce birotor à aspiration normale est notamment plus petit et plus léger que l'ancien 13B-REW de la dernière RX-7. Sa hauteur, par exemple, n'est que de 33,8 cm, soit la même que celle de la transmission manuelle à 6 rapports qui équipe la RX-8. Toujours par rapport à la RX-7 de 1994, cela a permis d'abaisser la position du moteur de 4 cm tout en le repoussant vers l'arrière de 6 cm. Il se retrouve ainsi en position centrale avant comme dans la Nissan 350Z et contribue à une parfaite répartition des masses avec 50 % du poids sur le train avant et

50 % sur l'arrière. Développant 250 chevaux à 8 500 tr/min, le moteur achemine sa puissance aux roues arrière motrices par l'entremise d'un arbre de transmission en fibre de carbone, un autre facteur qui a de saines répercussions sur le poids de la voiture.

La suspension avant est identique à celle de l'ancienne RX-7 mais, pour l'arrière, on a eu recours à un système multibras tout nouveau identique à celui de la Porsche 911. Il a l'avantage d'offrir un excellent compromis entre le confort et la tenue de route. Le châssis se complète de larges freins ventilés de 17 pouces logés dans des jantes de 18 pouces dotées de pneus P225/ZR4518. Précisons enfin que la direction à crémaillère bénéficie d'une assistance électrique qui diminue la consommation en éliminant le système par cour-

des buses de ventilation et sur la console centrale. Une petite touche d'originalité : la présence d'un triangle métallique en forme de rotor sur le levier de vitesses, sur les seuils de porte et sur les appuie-tête.

Capable d'accueillir confortablement quatre adultes et gratifiés de performances respectables (dont un 0-100 km/h en 6,8 secondes), cette Mazda RX-8 pourrait bien révolutionner le monde de l'automobile en devenant la première voiture sport familiale. Nous n'avons pas pu conduire la RX-8 avant d'aller sous presse et son prix n'avait pas encore été fixé, mais il y a tout lieu de croire que Mazda a littéralement réinventé la voiture sport.

*Jacques Duval*

---

### MODÈLES CONCURRENTS

- BMW M3 • Infiniti G35 Coupé • Nissan 350Z
- Porsche Boxster • Mercedes-Benz CLK

### QUOI DE NEUF ?

- Nouveau modèle

### VERDICT          Données insuffisantes

Agrément de conduite

Fiabilité

Sécurité

Qualités hivernales

Espace intérieur

Confort

### ▲ POUR

- Concept audacieux • Moteur inédit • 4 places
- Faible niveau sonore • Comportement routier prometteur

### ▼ CONTRE

- Fiabilité inconnue • Sécurité passive à vérifier (voir texte)

# L'option alternative

Le Ford Escape et le Mazda Tribute sont semblables, du moins en théorie, car ils sont fabriqués conjointement dans la même usine et leurs éléments mécaniques sont identiques. Malgré tout, de subtiles différences les départagent. Ce qui explique d'ailleurs pourquoi l'Escape a devancé sa cousine nippone par 3,4 points dans notre match comparatif de cette catégorie publié dans l'édition 2002 du *Guide*. Une perception plus positive des essayeurs et un freinage plus efficace ont fait pencher la balance en sa faveur.

Lors de la conception de ces jumeaux, les stylistes des deux clans ont adopté une approche différente. Chez Ford, ils ont préféré un look plus costaud tandis que les décideurs de Mazda ont dessiné une silhouette plus inspirée d'une automobile. C'était bien au début, mais, au fil des mois, le choix de Ford semble plus sage. Et il faut tirer la même conclusion pour l'habitacle alors que le Ford l'emporte. Par exemple, les cadrans indicateurs à chiffres noirs sur fond blanc de l'Escape ont plus d'impact que la solution inverse adoptée par Mazda.

Une fois les considérations esthétiques réglées, les deux bénéficient d'une très bonne habitabilité compte tenu des dimensions du véhicule. La preuve qu'il n'est pas nécessaire d'opter pour un mastodonte lorsqu'on envisage l'achat d'un véhicule utilitaire sport. De plus, la soute à bagages est presque équivalente à celle d'autres modèles plus gros et plus coûteux avec une capacité de 937 litres. Il faut éga-lement ajouter que la finition est bonne et le choix des matériaux sans reproche tandis que les nombreux espaces de rangement plairont aux personnes qui aiment tout avoir à la portée de la main.

## L'agilité ou la puissance ?
Deux groupes propulseurs sont au catalogue. Le plus populaire est indubitablement le moteur V6 3 litres produisant 200 chevaux couplé à une boîte automatique à 4 rapports. La transmission intégrale est de type « sur demande »; c'est-à-dire que la puissance est généralement aux roues avant pour se transmettre progressivement aux roues arrière lorsque l'adhérence s'amoindrit à l'avant. Un visco-coupleur monté à l'arrière se charge de la besogne. Sur terrain meuble et sur la neige, ce système permet d'affronter des conditions de difficulté moyenne.

## CARACTÉRISTIQUES

| | |
|---|---|
| Prix du modèle à l'essai | DX 26 795 $ |
| Échelle de prix | de 25 445 $ à 34 240 $ |
| Assurances | 893 $ |
| Garanties | 3 ans 80 000 km / 3 ans 80 000 km |
| Emp. / Long. / Larg. / Haut. (cm) | 262 / 439 / 180 / 171 |
| Poids | 1 435 kg |
| Coffre / Réservoir | 937 à 1 820 litres / 58 l ; 62 l (V6) |
| Coussins de sécurité | frontaux, latéraux |
| Suspension avant | indépendante, jambes de force |
| Suspension arrière | indépendante, multibras |
| Freins av. / arr. | disque / tambour (ABS opt.) |
| Système antipatinage | non |
| Direction | à crémaillère, assistance variable |
| Diamètre de braquage | 11,2 mètres |
| Pneus av. / arr. | P215/70R16 ; P235/70R16 (LX, ES) |

## MOTORISATION ET PERFORMANCES

| | |
|---|---|
| Moteur | 4L 2 litres |
| Transmission | intégrale, manuelle 5 rapports |
| Puissance | 130 ch à 5 400 tr/min |
| Couple | 135 lb-pi à 4 500 tr/min |
| Autre(s) moteur(s) | V6 3 litres 200 ch |
| Autre(s) transmission(s) | automatique 4 rapports |
| Accélération 0-100 km/h | 11,4 s ; 9,7 s (V6) |
| Reprises 80-120 km/h | 9,8 secondes |
| Vitesse maximale | 170 km/h |
| Freinage 100-0 km/h | 41,6 mètres ; 42,9 mètres (V6) |
| Consommation (100 km) | 11,5 l ; 14,8 l (V6) (ordinaire) |
| • Valeur de revente | bonne |
| • Renouvellement du modèle | 2004 |

et de bons pneus d'hiver devraient permettre d'affronter la plupart des conditions routières. Avec un Tribute à moteur 4 cylindres, vous allez rouler moins vite et économiser du carburant tout en profitant de sensations de conduite qui ne sont pas à dédaigner. Malgré tout, il faudra toujours considérer ce modèle comme étant une familiale surélevée et non pas un tout-terrain occasionnel.

Il serait toutefois malhonnête de cacher le fait qu'une version à moteur V6 se montrera plus performante et assurera des dépassements plus incisifs

Et, à défaut d'un rapport inférieur démultiplié, il est possible de verrouiller la puissance en répartition 50/50. Cette assistance à la conduite permet donc de se sortir plus facilement d'une congère ou d'une ornière plus profonde que prévu. En fait, c'est une solution simple et astucieuse qui permet de combiner une mécanique moins complexe à une commande sélective permettant l'implication du pilote dans la répartition de la traction.

Avec ses 200 chevaux, ce V6 permet d'obtenir des accélérations quand même assez véloces, comme en témoigne un temps de 9,7 secondes pour le 0-100 km/h. Par contre, peu importe le type de conduite adopté, c'est toujours une consommation avoisinant les 15 litres aux 100 km que nous avons enregistrée, ce qui est énorme.

La version à moteur V6 possède une suspension ferme qui explique les sautillements de la caisse sur mauvaise route et une bonne tenue en virage sur pavé uniforme. La direction est également plus rapide que celle de l'Escape, un autre élément qui devrait théoriquement contribuer à améliorer l'agrément de conduite. En réalité, la souplesse de la suspension du Ford s'accommode mieux des conditions routières de l'est du continent où les mauvais revêtements handicapent l'approche de Mazda en ce qui concerne le confort et parfois la tenue de route.

### Un p'tit 4 cylindres avec ça ?

Il ne faut pas pour autant ignorer le modèle équipé du moteur 4 cylindres 2 litres. Plusieurs affirment qu'il n'est pas tout à fait à la hauteur avec ses 130 chevaux. C'est vrai lorsqu'il est couplé à la transmis-

sion intégrale et à la boîte automatique à 4 rapports. En fait, mieux ne vaut pas y penser du tout dans ce cas. En revanche, ce même moteur est à considérer avec la traction et la boîte manuelle. Je vous préviens, ce n'est pas une bombe (avec un temps de 11,4 secondes pour atteindre 100 km/h départ arrêté), mais la possibilité de choisir ses vitesses soi-même, un poids total inférieur et une suspension moins sèche que la version à moteur V6 rendent la conduite de ce Tribute tout de même acceptable. Et les économies à la pompe sont assez substantielles : la moyenne enregistrée a été de 11,5 litres aux 100 km. Vous croyez que l'absence de la transmission intégrale rendra la conduite délicate en hiver ? Dans certaines circonstances, il est vrai que la transmission intégrale risque de vous manquer. Mais, la plupart du temps, un minimum de jugement

tout en possédant un équipement de série plus complet. C'est d'ailleurs le seul choix logique si vous tenez mordicus à la boîte automatique. De plus, si vous prévoyez vous aventurer souvent dans les régions généralement enneigées ou sur des routes secondaires mal entretenues hiver comme été, la transmission intégrale couplée à un moteur V6 constitue un choix incontournable.

Malgré quelques restrictions, le Tribute offre une intéressante option alternative aux gros véhicules utilitaires sport dont le potentiel est rarement exploité par les acheteurs. À part quelques rares exceptions, c'est un véhicule qui convient fort bien à la majorité des gens à la recherche d'un véhicule polyvalent capable de se débrouiller lorsque la chaussée se dégrade ou que l'adhérence diminue.

*Denis Duquet*

---

### MODÈLES CONCURRENTS

- Chevrolet Tracker/Suzuki Vitara, Gr. Vitara
- Ford Escape • Honda CR-V • Hyundai Santa Fe
- Jeep Liberty • Saturn VUE • Toyota RAV4

### QUOI DE NEUF ?

- Tableau de bord modifié
- Nouveau groupe d'accessoires

### VERDICT

| | |
|---|---|
| Agrément de conduite | ★★★ |
| Fiabilité | ★★⌐ |
| Sécurité | ★★★⌐ |
| Qualités hivernales | ★★★★ |
| Espace intérieur | ★★★★ |
| Confort | ★★★ |

### ▲ POUR

- Choix multiples • Bonne habitabilité • Rouage intégral original • Comportement routier prévisible
- Fiabilité en progrès

### ▼ CONTRE

- Stylisme à revoir • Suspension parfois trop raide
- Consommation élevée (V6) • Moteur bruyant
- Marchepied inutile

# Heureuse confusion des genres

**Avec son gros coupé CL, Mercedes tente de faire feu de tout bois. Le grand constructeur démontre sa volonté de s'assurer la fidélité d'une clientèle déjà captive, de jouer dans les plates-bandes de sa grande rivale BMW et d'élargir sa base commerciale en leurrant des acheteurs qui roulent au volant de Porsche ou même de Ferrari. Ne sursautez pas, la proposition est alléchante pour tout ce beau (et prospère) monde.**

Si vous vous interrogez quant à la position de la CL dans la gamme Mercedes, précisons que son châssis dérive de celui de l'imposante Classe S. Comme cette dernière, sa carrosserie conserve sensiblement les mêmes lignes pour 2003, tant si et si bien qu'il faut presque se munir d'une loupe pour apercevoir la « discrète actualisation » annoncée par le constructeur. Elle se manifeste sur les projecteurs (bixénon, croisement et route) à verre transparent, le pare-chocs avant légèrement retouché, les rétroviseurs extérieurs intégrant maintenant un éclairage et les feux arrière légèrement distincts. En dépit d'un empattement plus court de 6 cm, et d'une longueur réduite de 4 cm par rapport à une Classe S standard, la CL affiche une habitabilité que lui envieraient bien des berlines de grand format, du moins pour les occupants à l'avant. À l'arrière, l'espace disponible permettra à deux (plus difficilement trois) adultes de contempler béatement le riche habitacle dans lequel ils prennent place, même s'il leur aura fallu se fendre d'un petit écart pour s'y rendre.

## Des performances insoupçonnées

La filiation de cette élégante propulsion au porte-étendard de la marque de Stuttgart s'étend aussi à sa motorisation. En effet, le 5 litres déjà vu sous le capot de la S500 anime le coupé CL500. Réalisé complètement en alliage, ce magnifique V8 présente plusieurs originalités, dont des culasses à 3 soupapes par cylindre (2 d'admission et 1 d'échappement) et 2 bougies par chambre de combustion. À défaut d'une puissance exceptionnelle, 306 chevaux n'étant quand même pas un déshonneur, sa disponibilité se confirme par des reprises dignes des meilleurs dans ce domaine. Les plus fortunés voudront sans doute retenir la CL600 qui, cette année, partage avec la S600 l'ultime démonstration de la puissance Mercedes. Comment ne pas rester impressionné devant les

## CARACTÉRISTIQUES

| | |
|---|---|
| Prix du modèle à l'essai | CL500 135 500 $ |
| Échelle de prix | de 132 500 $ à 174 850 $ |
| Assurances | 1 838 $ |
| Garanties | 4 ans 80 000 km / 5 ans 120 000 km |
| Emp. / Long. / Larg. / Haut. (cm) | 288 / 499 / 186 / 140 |
| Poids | 1 885 kg |
| Coffre / Réservoir | 450 litres / 88 litres |
| Coussins de sécurité | frontaux, latéraux et tête |
| Suspension avant | indépendante, leviers triangulés |
| Suspension arrière | indépendante, multibras |
| Freins av. / arr. | disque, ABS et BAS |
| Système antipatinage | oui |
| Direction | à crémaillère, assistance variable |
| Diamètre de braquage | 11,5 mètres |
| Pneus av. / arr. | P225/5ZR17 |

## MOTORISATION ET PERFORMANCES

| | |
|---|---|
| Moteur | V8 5 litres |
| Transmission | propulsion, automatique 5 rapports |
| Puissance | 306 ch à 5 600 tr/min |
| Couple | 339 lb-pi 3 000 tr/min |
| Autre(s) moteur(s) | V12 5,5 litres 500 ch |
| Autre(s) transmission(s) | aucune |
| Accélération 0-100 km/h | 6,5 secondes |
| Reprises 80-120 km/h | 5,3 secondes |
| Vitesse maximale | 250 km/h |
| Freinage 100-0 km/h | 36,2 mètres |
| Consommation (100 km) | 13,6 litres (super) |

| | |
|---|---|
| • Valeur de revente | excellente |
| • Renouvellement du modèle | n.d. |

La sécurité des occupants demeure une préoccupation majeure de Mercedes, et en dépit du fait que la CL ne comporte pas le système PRE-SAFE réservé, pour cette année du moins, à la Classe S, ses occupants peuvent compter sur un habitacle aussi solide qu'une chambre forte. On y trouve bien sûr des coussins gonflables avant et latéraux à déclenchement adapté selon la nature du choc, mais aussi des sacs pour la tête (avant et arrière) qui se déploient lors d'un capotage ou d'une collision particulièrement violente. La cabine légèrement

performances proprement époustouflantes d'un V12 biturbo de 500 chevaux? Dans un silence de cathédrale, il serait en mesure de réduire en fumée les gros pneus de 18 pouces, si ce n'était d'un antipatinage qui s'acharne à retenir ses envolées. J'avoue avoir ressenti un certain débordement euphorique en le déchaînant à répétition sur les magnifiques routes allemandes, alors qu'il ne démontrait aucune réticence à ce faire, comme si cela faisait partie de son quotidien. Je vous l'annonçais, faire le 0-100 km/h en 4,8 secondes comme si de rien n'était intimidera certains conducteurs de sportives de haut niveau. La boîte de vitesses demeure bonne complice de ces démonstrations, et on apprécie le mode de passage sélectif des 5 rapports en déplaçant son levier latéralement en position « D ». Comme dans la S500 cependant, elle donne parfois des secousses assez surprenantes en mode automatique lorsque le *kick down* entre en jeu. Heureusement, le conducteur aux ambitions un tant soit peu sportives peut compter sur quatre gros disques ventilés et perforés, policés par un ABS sophistiqué et un système d'assistance au freinage qui augmente automatiquement la pression sur les étriers, sans oublier le système de régulation du comportement dynamique ESP, un modèle du genre.

### Une suspension semi-active

Il serait impossible de procéder à la nomenclature complète des équipements dans l'espace qui m'est alloué, mais un bref aperçu demeure fascinant. Commençons par la suspension ABC (pour Active Body Control) qui est sans doute le meilleur exemple

de la compétence des ingénieurs de Stuttgart. Les composés ressorts/amortisseurs reçoivent l'assistance de quatre vérins hydrauliques commandés par un ordinateur analysant les données d'une foule de capteurs qui réagissent presque en temps réel (10 millisecondes) aux inégalités rencontrées sur la route et aux mouvements de la caisse. Ils maintiennent la voiture presque à l'horizontale dans les courbes ainsi qu'à l'accélération et au freinage. Je dis bien « presque », car en mode confort, les mouvements sont réduits de 68 %, et en mode sport, de 95 %, l'intermédiaire s'étant avéré le meilleur compromis lors de mon essai. Même s'il devient difficile d'établir des comparaisons avec des productions classiques, il n'en demeure pas moins que je ne me souviens pas d'avoir conduit une voiture aussi confortable et performante.

restylée elle aussi se pare de matériaux particulièrement nobles comme d'exquises appliques de bois, du cuir Nappa dont on voudrait se draper et de l'alcantara fin comme de la soie. Le système COMAND de série intégrant dans un plus grand écran la radio, le lecteur CD et une horloge peut aussi contenir en option (de série dans la CL600) d'autres fonctions comme le téléphone, un module de navigation, et même un récepteur TV et le système à commande vocale LINGUATRONIC.

Malheureusement, l'espace dévolu pour ce texte m'oblige à tourner court, alors qu'il y aurait matière à dissertation. Je conclurai donc en affirmant que ce coupé CL constitue, avec la Classe S, l'expression d'un art de conduire et d'un classicisme parfaitement maîtrisés.

*Jean-Georges Laliberté*

---

## MODÈLES CONCURRENTS

• *Bentley Continental* • *Jaguar XK8*

## QUOI DE NEUF?

• *Changements mineurs à la carrosserie*

## VERDICT

| | |
|---|---|
| **Agrément de conduite** | ★★★★⯨ |
| **Fiabilité** | ★★★★ |
| **Sécurité** | ★★★★★ |
| **Qualités hivernales** | ★★★⯨ |
| **Espace intérieur** | ★★★⯨ |
| **Confort** | ★★★★★ |

## ▲ POUR

• Suspension active • Mécanique ultrasophistiquée
• Tenue de route à toute épreuve • Places arrière confortables • Exclusivité assurée

## ▼ CONTRE

• Silhouette anonyme • Dimensions imposantes
• Prix corsé • Complexité mécanique intimidante
• Commandes trop complexes

*Essais et analyses* • **385**

# Le banquier se décontracte...

**Les berlines frappées de l'étoile à trois branches m'ont toujours fait l'effet d'un banquier empesé, vêtu d'un costume trois pièces, le visage rond légèrement rougi par une cravate trop serrée, arborant une calme certitude que rien ne dérange. Une image savamment cultivée depuis des décennies par Mercedes-Benz. Mais depuis quelques années, la tempête fait rage à Stuttgart. On desserre la cravate. On se lance en Formule 1 et en CART. On élargit la gamme vers le bas. On achète américain. On veut faire jeune. On veut jouer dans toutes les plates-bandes. En somme, on veut séduire les enfants du banquier et même le petit cousin un peu fou qui ne rêve que de BMW M3...**

C'est un peu l'histoire de cette Classe C, l'intermédiaire chez Mercedes-Benz, qui cherche à plaire à une clientèle plus jeune, plus éprise de performances, habituellement plus sensible aux charmes d'une BMW qu'à ceux d'une Mercedes. Une clientèle aisée, certes, mais pas nécessairement fortunée et qui pourra être séduite par une Mercedes à 40 000 $, surtout si elle promet un comportement relativement agile et un brin amusant sous une robe plus sensuelle.

Depuis son lancement en 2001, la Classe C semble avoir gagné son pari. Quelques jours au volant d'une berline C240 Classic nous ont permis de découvrir les atouts de cette voiture.

## Qualité, oui, CD, non !

Si la ligne est moderne et élégante, l'appartenance à la famille Mercedes-Benz ne fait aucun doute. Généreusement vitrée, la Classe C offre à quatre adultes la possibilité de voyager dans un confort feutré. Tant à l'avant qu'à l'arrière, les sièges sont confortables et les dégagements sont adéquats pour les gens de taille moyenne. Pour les plus grands, l'arrière pourrait cependant poser des problèmes.

Notre C240 présentait des matériaux de bonne qualité et un assemblage rigoureux. Sur route, les bruits mécaniques et de vent sont très bien contrôlés et seuls les pneus produisent le tapotement caractéristique sur les déformations de la chaussée. Dommage que la radio ne présente qu'une sonorité moyenne. Je dis bien «radio» et non chaîne

## CARACTÉRISTIQUES

| | |
|---|---|
| Prix du modèle à l'essai | C240 39 450 $ |
| Échelle de prix | de 34 450 $ à 66 950 $ |
| Assurances | 974 $ |
| Garanties | 4 ans 80 000 km / 5 ans 120 000 km |
| Emp. / Long. / Larg. / Haut. (cm) | 271 / 453 / 173 / 140 |
| Poids | 1 525 kg |
| Coffre / Réservoir | 430 litres / 62 litres |
| Coussins de sécurité | frontaux, latéraux, au plafond |
| Suspension avant | indépendante, jambes élastiques |
| Suspension arrière | indépendante, multibras |
| Freins av. / arr. | disque, ABS |
| Système antipatinage | oui |
| Direction | à crémaillère, assistée |
| Diamètre de braquage | 10,7 mètres |
| Pneus av. / arr. | P205/55R16 |

## MOTORISATION ET PERFORMANCES

| | |
|---|---|
| Moteur | V6 2,6 litres 18 soupapes |
| Transmission | propulsion, automatique 5 rapports |
| Puissance | 168 ch à 5 700 tr/min |
| Couple | 177 lb-pi à 4 700 tr/min |
| Autre(s) moteur(s) | V6 3,2 litres 215 ch (320); |
| | V6 349 ch (C32 AMG) |
| Autre(s) transmission(s) | manuelle 6 rapports |
| Accélération 0-100 km/h | 9,6 secondes |
| Reprises 80-120 km/h | 7,7 secondes |
| Vitesse maximale | 225 km/h |
| Freinage 100-0 km/h | 42 mètres |
| Consommation (100 km) | 10,2 litres (super) |
| • Valeur de revente | très bonne |
| • Renouvellement du modèle | n.d. |

### Sécurité et agrément

Car rouler est la vocation de cette voiture qui s'avère à l'aise et sécurisante à haute vitesse sur l'autoroute ainsi que sur les routes de campagne. La direction plutôt engourdie à vitesse modérée devient directe et précise à plus haute vitesse et les suspensions fermes mais confortables avalent avec compétence les ondulations de la chaussée sans balloter en virage. Sur route sinueuse, la C240 devient franchement amusante à conduire et grâce à des pneus de largeur « raisonnable », la dérive se fait

audio, car le lecteur CD n'est livrable qu'en option... une lacune inexplicable dans une voiture de cette classe.

Et puisqu'il est question d'options, précisons que leur liste est particulièrement étoffée, une pratique que les Allemands exploitent parfois à l'excès.

Confortablement calé dans le beau baquet revêtu de cuir (en option) et réglable dans tous les sens, le conducteur jouit d'une bonne position de conduite grâce au volant ajustable en hauteur et en profondeur. Dommage que le repose-pied soit placé trop loin et que le volant ne soit pas mieux galbé. Quatre séries de touches au volant permettent d'actionner la radio, le téléphone et le tableau d'affichage du bout des doigts. C'est relativement simple, mais donnez-vous quand même quelques jours pour tout maîtriser.

Le sélecteur de la boîte automatique à 5 rapports permet de passer les rapports manuellement, mais le temps de réaction étant relativement long, on finit par ignorer cette fonction plus frustrante qu'utile. Notons au passage (excusez le jeu de mots) que la C240 est livrable de série avec une boîte manuelle à 6 vitesses. Pour les puristes.

Malgré la désignation 240, le moteur V6 affiche une cylindrée de 2,6 litres. Souple et silencieux, ce 18 soupapes s'acquitte bien de la tâche compte tenu des 1 525 kg à traîner, à condition que vous ne cherchiez pas des chronos pétillants (0 à 100 km/h en 9,6 secondes...). Les amateurs de performances devront opter pour le V6 de 3,2 litres ou le V6 à la sauce AMG. Quant aux reprises, grâce au couple généreux à mi-régime, elles sont fran-

ches et elles le seraient encore plus avec une boîte automatique plus vive. Pour freiner la machine, Mercedes compte, comme il se doit, sur quatre disques bien dimensionnés, doublés de l'ABS. Et pour compléter la sécurité active, la C240 impose l'antipatinage et l'antidérapage (déconnectable), question de maîtriser vos écarts de comportement... et de trajectoire. C'est ainsi que cette propulsion réussit à rivaliser avec les tractions et même certaines intégrales lorsque le ciel nous inonde de sa poudre blanche. Munie de quatre bons pneus d'hiver... en hiver, la C240 devient une bonne machine à rouler 12 mois par année. Et si vous deviez, sans le vouloir, rencontrer un jour un autre automobiliste ou le poteau téléphonique, sachez que les huit coussins de sécurité feront tout leur possible pour vous éviter le pire.

en souplesse et de façon prévisible (par opposition au décrochage brutal dont sont capables les gommes ultralarges).

Une bonne nouvelle pour les inconditionnels de l'intégrale : la version 4Matic figure au catalogue 2003, tant pour la berline que pour la familiale. Sachant le succès grandissant de ce type de transmission, Mercedes-Benz a pris la bonne décision de l'offrir dans la Classe C comme dans la Classe E. Avec trois types de carrosseries (coupé, berline, familiale), quatre moteurs (un 4 cylindres pour la C230 et trois V6 pour les 240, 320 et C32 AMG), deux boîtes de vitesses, la propulsion et l'intégrale, il commence à y avoir du monde en Classe C. Il suffirait d'ajouter un diesel ou deux pour faire salle comble.

*Alain Raymond*

---

## MODÈLES CONCURRENTS

- Audi A4 • BMW Série 3 • Cadillac CTS
- Infiniti G35 • Jaguar X-Type • Lexus IS 300
- Lincoln LS • Volvo S60

## QUOI DE NEUF ?

- Classe C 4Matic à transmission intégrale

## VERDICT

| | |
|---|---|
| **Agrément de conduite** | ★★★★ |
| **Fiabilité** | ★★★★ |
| **Sécurité** | ★★★★⯪ |
| **Qualités hivernales** | ★★★★ |
| **Espace intérieur** | ★★★⯪ |
| **Confort** | ★★★★ |

## ▲ POUR

- Bonne sécurité active • Bonne qualité d'assemblage
- Excellents freins • Moteur souple et silencieux
- Consommation raisonnable • Choix de modèles

## ▼ CONTRE

- Options excessives • Lecteur CD en option
- Repose-pied inutile • Performances moyennes (C240)

# Enfin un vrai moteur

À l'occasion du lancement de la Mercedes-Benz C230 l'an dernier, *Le Guide de l'auto* s'est demandé si DaimlerChrysler gagnerait son pari visant à rajeunir son image et sa clientèle avec ce modèle à 35 000 $. La réponse, selon les responsables de la marque, est un oui retentissant. Voyons à présent la « petite » surprise que nous réserve le millésime 2003.

Mercedes-Benz a donc atteint – et dépassé – son objectif de vente de la « première Mercedes abordable ». Plus court qu'une Volkswagen Jetta, le coupé C230 n'en est pas moins une véritable Mercedes, malgré le dessin atypique de l'arrière qui évoque une certaine VW Scirocco. Reposant sur la plate-forme de la Classe C, le sympathique coupé C230 est tronqué de 18 cm en longueur par rapport à la berline, ce qui se répercute principalement sur le porte-à-faux arrière et, par conséquent, sur le coffre. Et puisqu'il n'y a que deux portes, l'accès aux places arrière vous imposera des contorsions. Mais, une fois assis, le confort et le dégagement vous surprendront – pour un coupé, du moins. Ajoutons aussi la luminosité qu'autorise le toit ouvrant panoramique (en option) doublé du panneau vitré arrière.

### Une vraie Mercedes

À bord, ça « sent » la Mercedes. Volant à trois branches plus massif qu'élégant mais réglable en hauteur et en profondeur, sièges fermes mais confortables et aussi réglables en hauteur, tableau de bord sobre mais non triste grâce au placage d'aluminium ornant la console centrale, matériaux de bonne qualité, (mais certains plastiques mériteraient de passer chez Lexus) et commandes au volant « germaniques », c'est-à-dire peu intuitives, pour ne pas dire compliquées. Ajoutons l'absence inexcusable du lecteur CD, livrable seulement en option, une autre mauvaise habitude germanique. Notons aussi avec plaisir la présence de la climatisation automatique bizone, du régulateur de vitesse, des commandes électriques (glaces, rétroviseurs, verrouillage) et – qui dit mieux ? – de huit coussins de sécurité. Bilan positif, donc, malgré quelques irritants, dont les ceintures de sécurité avant placées trop loin à l'arrière, donc difficiles d'accès et inconfortables à la longue.

## CARACTÉRISTIQUES

| | |
|---|---|
| Prix du modèle à l'essai | C230 Kompressor 34 450 $ |
| Échelle de prix | 34 450 $ |
| Assurances | 660 $ |
| Garanties | 4 ans 80 000 km / 5 ans 120 000 km |
| Emp. / Long. / Larg. / Haut. (cm) | 271 / 434 / 173 / 138 |
| Poids | 1 475 kg |
| Coffre / Réservoir | de 280 à 1 080 litres / 62 litres |
| Coussins de sécurité | frontaux, latéraux et tête |
| Suspension avant | jambes élastiques, ind. |
| Suspension arrière | indépendante, multibras |
| Freins av. / arr. | disque, ABS |
| Système antipatinage | oui |
| Direction | à crémaillère, assistée |
| Diamètre de braquage | 10,7 mètres |
| Pneus av. / arr. | P225/45ZR17 |

## MOTORISATION ET PERFORMANCES

| | |
|---|---|
| Moteur | 4L 1,8 litre 16 soupapes compresseur |
| Transmission | propulsion, manuelle 6 rapports |
| Puissance | 189 ch à 5 800 tr/min |
| Couple | 192 lb-pi à 3 500 tr/min |
| Autre(s) moteur(s) | aucun |
| Autre(s) transmission(s) | automatique 5 rapports |
| Accélération 0-100 km/h | 8,5 secondes |
| Reprises 80-120 km/h | 7,8 secondes (4e) |
| Vitesse maximale | 210 km/h |
| Freinage 100-0 km/h | 37,8 mètres |
| Consommation (100 km) | 10,5 litres (super) |
| • Valeur de revente | très bonne |
| • Renouvellement du modèle | nouveau modèle |

Mais qu'arrivera-t-il en hiver avec cette propulsion ? Quatre bons pneus à neige (de préférence pas trop larges) et, selon notre expérience passée au volant d'une berline Classe C, vous n'aurez rien à craindre.

### Une meilleure direction, s.v.p.

Les réserves ? D'abord, la direction. Précise et agréablement assistée à plus haute vitesse, la direction devient amorphe et insensible à basse vitesse et présente un rappel insuffisant au braquage. Faudrait

### Le beau moteur !

Mais là où elle brille, la petite, c'est sur le plan mécanique. Nos lecteurs se souviendront des critiques que nous avions formulées à l'égard du 4 cylindres suralimenté de 2,4 litres équipant la C240 2002. « Un moteur gênant » à la « sonorité désagréable », « manquant de souplesse en accélération », bref pas digne d'une Mercedes. Eh bien, imaginez donc qu'on nous a donné raison. Adieu le 2,4 litres; bienvenue au 1,8 litre ! Comment ? Un plus petit moteur ? Eh oui, aussi petit que le petit turbo qui anime la multitude de VW et d'Audi, mais suralimenté par compresseur volumétrique. Souple à souhait, onctueux même, comme un bon V6, puissant et offrant un couple remarquable à bas régime. Un régal. Certes, avec moins de 200 chevaux pour une caisse pesant 1 500 kg, vous ne ferez pas concurrence à une Viper, mais le 0-100 km/h se fait en un acceptable 8,5 secondes. Mais là où ce moteur surprend, c'est par ses reprises (80-120 km/h en 7,8 secondes en 4e) qui sont évidemment démunies du *turbo lag* parfois brutal de certains moteurs turbo. Et en prime, économie d'essence, puisque nous avons réalisé une moyenne route-ville de 10,5 litres aux 100 km et un magnifique 7,3 litres à vitesse constante sur autoroute. Précisons, pour bien situer ces chiffres, que c'est la boîte manuelle à 6 vitesses qui équipait notre voiture d'essai mais que celle-ci n'avait que 20 km au compteur en début d'essai, ce qui laisse supposer une légère amélioration des performances et de l'économie.

Comment se fait-il qu'un plus petit moteur soit tellement plus satisfaisant et pourquoi Mercedes

n'a-t-il pas choisi ce moteur dès le lancement du modèle, un an auparavant ? Allez donc savoir !

Sur la route, notre coupé C230 ne déçoit pas non plus. Solidement campée sur des belles jantes de 17 pouces chaussées de Michelin Pilot à profil bas (livrables en option), la petite allemande exhibe une tenue de route rassurante et un agrément de conduite indéniable doublés, en cas d'écart de conduite de votre part, d'une grande compétence à vous ramener sur le droit chemin, grâce aux multiples assistances électroniques. Antiblocage, antipatinage et, surtout, antidérapage, sont là pour modérer vos élans, le tout en équipement de série. D'ailleurs, si vous tenez à vous « amuser », vous pouvez neutraliser l'antidérapage (ESP) et vivre, selon vos compétences, la joie ou la tristesse des dérapages plus ou moins contrôlés.

aller voir la Série 3 chez BMW. Quant aux freins, champion ! Des distances d'arrêt remarquables, mais attention à l'assistance en freinage d'urgence (BAS) dont la puissance pourrait vous surprendre. Un dernier bémol au sujet de la visibilité arrière qui est limitée par la barre transversale se trouvant sur le bord du coffre et ce, malgré la présence d'un panneau vertical transparent mais déformant.

Avec son coupé C230 et le nouveau moteur de 1,8 litre, Mercedes fait la preuve qu'il n'est pas nécessaire de disposer de 400 chevaux pour bénéficier d'un excellent agrément de conduite et de performances relevées. Moins de 200 chevaux suffisent amplement à bord d'une voiture bien équilibrée et aux suspensions compétentes. Votre portefeuille et la planète ne s'en porteront que mieux !

*Alain Raymond*

---

### MODÈLES CONCURRENTS

• *Acura CL* • *Audi TT Coupé* • *BMW Série 3*
• *Chrysler Sebring* • *Infiniti G35 Coupé*

### QUOI DE NEUF ?

• *Nouveau moteur 1,8 litre*

### VERDICT

| | |
|---|---|
| **Agrément de conduite** | ★★★★ |
| **Fiabilité** | ★★★★ |
| **Sécurité** | ★★★★ |
| **Qualités hivernales** | ★★★⯪ |
| **Espace intérieur** | ★★★⯪ |
| **Confort** | ★★★★ |

### ▲ POUR

• **Moteur performant et économique**
• **Excellente tenue de route** • **Bel agrément de conduite** • **Confort soigné** • **Prix alléchant**

### ▼ CONTRE

• **Lecteur CD en option** • **Direction perfectible (basse vitesse)** • **Ceintures avant inconfortables**
• **Accès difficile aux places arrière**

# À *l'heure de l'euro*

**Qu'est-ce que l'euro et la nouvelle Mercedes-Benz de Classe E peuvent bien avoir en commun, à part le fait qu'ils partagent la 5e lettre de l'alphabet et qu'il faudra beaucoup des premiers pour se procurer la seconde ? C'est la question que je me suis posée lors de l'avant-première de la voiture dans le cadre de la spectaculaire Cité des Arts et des Sciences à Valence, en Espagne. Car la volumineuse documentation remise aux représentants de la presse automobile s'accompagnait d'un coffret souvenir réunissant une miniature de la Classe E et des pièces d'un euro de chacun des 12 pays de l'Union européenne utilisant cette nouvelle devise.**

**E**st-ce à dire que cette nouvelle Mercedes s'apprête à bouleverser le monde de l'automobile comme l'a fait l'apparition de l'euro dans les habitudes monétaires des consommateurs ? J'en doute car, comme toujours chez Mercedes, on a renoncé aux coups d'éclat dans le remaniement de ce qui était déjà l'une des meilleures automobiles au monde. Contrairement à l'euro, la Classe E ne risque pas de susciter la controverse.

D'abord, la ligne s'est affinée comme le démontre un Cx de 0,26 et le nouveau modèle n'a plus à avoir honte de son postérieur comme ce fut le cas de la précédente version. Celui-ci reprend les formes plus sveltes de la Classe S et de la Classe C, ce qui donne la fausse impression que la voiture est moins large que sa devancière. Or, elle est bel et bien plus large de 2 cm tout en conservant la même longueur et plus ou moins la même hauteur. L'empattement a fait un petit bond de 2 cm, mais le volume du coffre a peu changé, quoique l'on se réjouisse de voir arriver, sur la liste des options hélas ! un dossier de banquette arrière rabattable. Cela a été rendu possible en déplaçant le réservoir à essence qui est désormais situé sous la banquette arrière plutôt que derrière. La version familiale, incidemment, n'arrivera que l'an prochain tout comme les modèles 4-Matic à traction intégrale.

Les phares de forme ovale qui avaient soulevé des commentaires peu flatteurs lors de l'apparition de la précédente Classe E en 1995 ont été reconduits en position plus inclinée et donnent de fort beaux yeux à cette Mercedes-Benz.

## La voiture de 3 milliards

La nouvelle Classe E est l'aboutissement de 48 mois de travaux de développement et d'un investissement de 3 milliards de dollars, dont 800 millions dans la modernisation de l'usine de Sindelfingen où sont assemblés les quelque 300 000 véhicules produits annuellement.

Tout comme pour la Classe C présentée avant elle, la Classe E fait de nombreux emprunts à la dernière évolution de la Classe S. C'est le cas notamment de la suspension pneumatique adaptative (qui modifie l'amortissement et la raideur des ressorts selon les conditions de la route) et du Distronic, le régulateur de vitesse qui permet de maintenir l'écart de sécurité idéal entre la voiture et le véhicule qui la précède. Autre emprunt digne de mention, le système de freinage SBC (Sensotronic Brake Control) mis au point pour le roadster SL 2003 qui élimine la liaison physique entre la pédale et les freins. L'électronique se charge d'exécuter les commandes du conducteur, ce qui, dans la pratique, se traduit par une diminution des soubresauts de l'ABS et par une intervention plus rapide et plus puissante de la force de freinage en cas d'urgence.

La nouvelle Classe E est aussi le premier véhicule au monde équipé d'un siège « multi-contours » dans lequel le maintien latéral est adapté en fonction du style de conduite grâce à des coussins qui se gonflent automatiquement afin d'assurer un meilleur appui au conducteur en virage.

Comme toujours chez Mercedes, il faudrait consacrer un *Guide de l'auto* entier pour décrire

toutes les particularités de la voiture. D'ailleurs, le manuel du propriétaire compte environ 500 pages.

En dépit de toute cette armada de systèmes et de dispositifs d'aide à la conduite, la Classe E n'a pas pris de poids de façon substantielle et la balance oscille entre 1645 kg (E320) et 1725 kg (E500). Ce *statu quo* découle de l'utilisation intensive de l'aluminium, employé notamment pour le capot, les ailes avant, le couvercle du coffre arrière ainsi que les modules des pare-chocs avant et arrière.

## Deux moteurs mais pas de diesel

Tous ceux qui réclament à grands cris les moteurs diesels si prisés en Europe où ils représentent 43 % des ventes devront encore une fois en faire leur deuil,

### ■ ÉQUIPEMENT DE SÉRIE

• Coussins gonflables pour la tête • Système de freinage électro-hydraulique SBC • Volant multifonctions • Contrôle de stabilité (ESP)

### ■ ÉQUIPEMENT EN OPTION

• Siège conducteur «multicontours» • Climatiseur 4 zones • Régulateur de proximité (Distronic) • Toit ouvrant panoramique • Ventilation des sièges

car seuls les modèles équipés de moteurs à essence sont offerts chez nous. Cela comprend le fidèle V6 de 3,2 litres auquel vient s'ajouter un V8 de 5 litres en lieu et place de l'ancien 4,3 litres, ce qui explique la nouvelle dénomination d'E500 pour le modèle haut de gamme. Celui-ci, déjà en service dans la Classe S, clarionne 302 chevaux (contre 275 dans l'ancienne E430), un chiffre que la future version AMG de 469 chevaux s'empressera d'éclipser. Contrairement aux conducteurs européens, l'utilisateur nord-américain d'une Classe E laisse l'automatique faire les changements de rapports pour lui, ce qui n'est finalement pas une mauvaise chose compte tenu du piètre rendement des boîtes manuelles Mercedes.

Pour ce qui est du châssis, la nouvelle Classe E s'enrichit d'un essieu avant à 4 bras tandis que la suspension arrière de type multibras fait appel, en grande partie, à l'aluminium.

## Sécurité et confort

Comme toujours chez Mercedes, la voiture atteint un niveau de sécurité inégalé avec des coussins gonflables adaptatifs à deux seuils de déclenchement munis d'un capteur qui tient compte du poids du passager avant. La sécurité active, quant à elle, est assurée par une multitude de systèmes électroniques dont, bien sûr, l'ESP, un système de stabilité qui prévient les pertes de contrôle du véhicule. Des phares bixénon (route et croisement)

procurent aussi une sécurité optimale en conduite nocturne.

Rien n'a été ménagé non plus pour donner au conducteur d'une Classe E tout le confort auquel il s'attend. Cela comprend le volant chauffant, la ventilation des sièges et, nec plus ultra, un climatiseur à quatre zones offrant des températures différentes pour le conducteur, le passager avant et les deux passagers arrière. Et figurez-vous que l'on a finalement trouvé le moyen d'adapter un lecteur CD à six disques à la radio du tableau de bord. Si c'est le roi soleil qui vous intéresse, la nouvelle Classe E lui donnera tout le loisir d'envahir l'habitacle de votre voiture grâce à un toit panoramique en verre semblable à celui du coupé C230 qui augmente l'ouverture du toit ouvrant traditionnel de 50 %. Avec une perméabilité à la lumière de 18 %, le verre de sécurité teinté vert protège efficacement contre les rayons ultraviolets.

## Adieu tristesse

Si la vie à bord d'une Mercedes a toujours été rassurante, l'ambiance n'était pas très gaie pour autant. Sévère et sans fantaisie, la présentation intérieure, principalement dans les berlines, avait toujours été un peu triste. La Classe E 2003 change de décor intérieur et nous présente des formes, des couleurs et des matériaux d'une modernité réjouissante. Par rapport aux anciens modèles, la différence est telle qu'elle en est même déroutante à certains égards. Il m'est arrivé par exemple de confondre le levier du régulateur de vitesse avec celui des clignotants. Les rétroviseurs extérieurs pourraient aussi être plus grands, particulièrement celui de droite qui est masqué par le petit haut-parleur logé à la base du pilier A. De plus, les accoudoirs situés au milieu de chacune des portières paraissent un peu bas pour être confortables. Mais finissons de pinailler pour vanter la bonne position de conduite, le confort des sièges, la qualité de la finition, l'habitabilité et tout ce qui fait qu'une Mercedes est une Mercedes.

Cette qualité indéfinissable se retrouve aussi au volant même si, là encore, la perfection n'est toujours pas de ce monde. Le moteur V6 m'a paru

### CARACTÉRISTIQUES

| | |
|---|---|
| Prix du modèle à l'essai | E320 69 950 $ |
| Échelle de prix | de 69 950 $ à 81 500 $ |
| Assurances | 1714 $ |
| Garanties | 4 ans 80 000 km / 5 ans 120 000 km |
| Emp. / Long. / Larg. / Haut. (cm) | 285 / 482 / 182 / 145 |
| Poids | 1 645 kg |
| Coffre / Réservoir | 540 litres / 89 litres |
| Coussins de sécurité | frontaux, latéraux et tête |
| Suspension avant | à 4 bras, jambes McPherson |

| | |
|---|---|
| Suspension arrière | ind., multibras, ressorts hélicoïdaux |
| Freins av. / arr. | disques ventilés, ABS |
| Système antipatinage | oui |
| Direction | à crémaillère, assistée |
| Diamètre de braquage | 11,4 mètres |
| Pneus av. / arr. | P225/55R16 (E500 P245/45R17) |

### MOTORISATION ET PERFORMANCES

| | |
|---|---|
| Moteur | V6 DACT 3,2 litres |
| Type / Transmission | auto., 5 rapports + mode manuel |
| Puissance | 221 ch. à 5 600 tr/min |

| | |
|---|---|
| Couple | 232 lb-pi de 3000 à 4800 tr/min |
| Autre(s) moteur(s) | V8 5 litres 302 ch |
| Autre(s) transmission(s) | aucune |
| Accélération 0-100 km/h | 7,7 s ; 6,1 s (E500) |
| Reprises 80-120 km/h | 6,8 secondes |
| Vitesse maximale | 245 km/h |
| Freinage 100-0 km/h | n.d. |
| Consommation (100 km) | 10 litres |
| Niveau sonore | n.d. |

**E55 AMG**

vitesse se retrouve le plus à droite possible pour qu'on puisse vraiment apprécier la qualité du châssis. À 180 km/h et bien plus, l'impression de sécurité est totale. Seul le bruit du vent vient perturber la quiétude d'un habitacle parfaitement isolé des murmures de la mécanique. Sur le trajet sinueux de la campagne catalane entre València et Benicàssim, la berline de Classe E s'est montrée très à l'aise, négociant les épingles sans roulis exagéré ou autres formes de contorsions inquiétantes. C'est tout juste si l'on détecte un léger

moins en verve que dans les précédentes versions et, bien que les temps d'accélération soient très éloquents, les reprises le sont moins. Pour enfiler une colonne de retardataires autour de 120 km/h, la puissance semble un peu juste, d'autant plus que la transmission automatique accuse un temps de réponse déconcertant. Celui-ci a d'ailleurs été relevé par plusieurs collègues journalistes et les ingénieurs de Mercedes ne semblaient pas avoir de réponse à nos critiques. Le délai n'est pas très prononcé en conduite normale, mais certaines situations sont

plus délicates. Ainsi, pour les besoins du photographe, j'ai dû faire demi-tour à maintes reprises et le temps mort en passant de D à la marche arrière et vice-versa m'est apparu exagérément long. Et le phénomène s'est répété dans l'E500 essayée plus tard. Cette dernière, en passant, bénéficie d'un moteur aux performances étincelantes dont bien des voitures sport pourraient s'enorgueillir.

Tant au point de vue du confort que de la tenue de route, la suspension est tout à fait irréprochable, à tel point qu'il faut que l'aiguille de l'indicateur de

survirage à la limite grâce à un système de stabilité qui n'intervient qu'en dernier ressort de façon à préserver un certain agrément de conduite. Une direction plutôt communicative et un freinage énergique viennent compléter un bilan qui tend à démontrer que les ingénieurs de Mercedes-Benz ont raison lorsqu'ils affirment que les nouvelles berlines de Classe E représentent ce qu'ils savent le mieux faire, c'est-à-dire des voitures qu'il nous est difficile de ne pas classer parmi les meilleures au monde.

*Jacques Duval*

---

## MODÈLES CONCURRENTS

• Audi A6 • BMW Série 5 • Infiniti M45
• Jaguar S-Type • Lexus GS 430 • Saab 9⁵
• VW Phaeton S80 • Volvo S80

## VERDICT

| | |
|---|---|
| *Agrément de conduite* | ★★★★ |
| *Fiabilité* | *nouveau modèle* |
| *Sécurité* | ★★★★⯪ |
| *Qualités hivernales* | ★★★★ |
| *Espace intérieur* | ★★★★ |
| *Confort* | ★★★★ |

## ▲ POUR

• Sécurité exemplaire • Mécanique silencieuse
• Bonnes performances (V8) • Confort soigné
• Comportement routier sûr • Intérieur engageant

## ▼ CONTRE

• Reprises moyennes (V6) • Bruit de vent occasionnel
• Transmission quelquefois hésitante • Rétroviseurs
trop petits • Certaines commandes déroutantes

# Le Gelandewagon, vous connaissez?

**Si vous voulez faire votre petit « Jos Connaissant » auprès d'un auditoire constitué de personnes plus ou moins au fait de l'actualité automobile, demandez aux gens s'ils connaissent le Gelandewagon. L'effet est assuré : la majorité des personnes vont donner leur langue au chat. Vous allez passer pour un connaisseur.**

Pourtant, Mercedes fabrique ce véhicule depuis 1979 en collaboration avec son partenaire Steyr-Puch à l'usine de Gratz, en Autriche. S'il n'était pas distribué sur notre continent avant l'an dernier, c'est que la direction ne croyait pas qu'il y avait un marché pour un tel véhicule. Elle a changé d'idée lorsqu'elle a réalisé que les succès des Range Rover, Lexus XL 470 et Hummer n'étaient pas qu'un simple phénomène passager. Le marché des gros utilitaires sport de grand luxe est toujours en croissance ; Mercedes a donc révisé son tir en important ce véhicule d'abord destiné aux forces armées qui a été transformé en modèle de luxe au fil des ans.

Une diffusion très limitée et un prix dépassant les 100 000 $ permettent au G500, désignation officielle du véhicule, de trouver sa place dans la catégorie. Et sa silhouette assez particulière vient lui ajouter une aura de produit d'exception. En passant, Gelandewagon signifie tout simplement « véhicule tout-terrain » en allemand tandis que la lettre G est utilisée pour identifier cette classe dans la palette des modèles produits par Mercedes.

## Apparence militaire, confort bourgeois

Pas besoin de s'étendre sur le fait que les premiers exemplaires de ce modèle ont été livrés à l'armée argentine en 1979. Sa silhouette taillée à la hache et ses tôles d'une épaisseur hors normes sont des éléments qui trahissent ses origines militaires. Il ne faut pas croire qu'on a affaire à un Hummer plus ou moins rafistolé pour plaire aux civils. Comme tout ce qu'entreprend Mercedes, l'approche est méthodique. Puisque les produits de la Classe G ciblent une clientèle bien nantie, il faut leur offrir tout le luxe possible. L'habitacle intègre donc plusieurs composantes empruntées à la berline de Classe S. Les sièges sont confortables, la qualité des matériaux hors pair et l'équipement plus que complet : sellerie tout cuir, système de navigation par satellite avec écran couleur

| CARACTÉRISTIQUES | |
|---|---|
| Prix du modèle à l'essai | G500 107 400 $ |
| Échelle de prix | 107 400 $ |
| Assurances | n.d. |
| Garanties | 4 ans 80 000 km / 5 ans 120 000 km |
| Emp. / Long. / Larg. / Haut. (cm) | 284 / 466 / 176 / 184 |
| Poids | 2460 kg |
| Coffre / Réservoir | 1280 à 2250 litres / 96 litres |
| Coussins de sécurité | frontaux |
| Suspension avant | essieu rigide, barre antidevers |

| | |
|---|---|
| Suspension arrière | essieu rigide, ressorts hélicoïdaux |
| Freins av. / arr. | disque ABS |
| Système antipatinage | oui |
| Direction | à billes, assistée |
| Diamètre de braquage | 13,3 mètres |
| Pneus av. / arr. | P265/60R18 |

| MOTORISATION ET PERFORMANCES | |
|---|---|
| Moteur | V8 5 litres |
| Transmission | intégrale, automatique 5 rapports |
| Puissance | 292 ch à 5 500 tr/min |

| | |
|---|---|
| Couple | 336 lb-pi 2 800 à 4 000 tr/min |
| Autre(s) moteur(s) | V8 5,5 litres 349 ch |
| Autre(s) transmission(s) | aucune |
| Accélération 0-100 km/h | 9,4 secondes |
| Reprises 80-120 km/h | 7,7 secondes |
| Vitesse maximale | 190 km/h |
| Freinage 100-0 km/h | 47 mètres |
| Consommation (100 km) | 17,2 litres (super) |

| | |
|---|---|
| • Valeur de revente | nouveau modèle |
| • Renouvellement du modèle | n.d. |

vous faut. Peu importe l'état du terrain, la profondeur des ornières et l'angle de la pente, il poursuit sa course sans broncher. Embourbé jusqu'aux essieux ? Pas de problème ! Trois commutateurs placés bien en évidence au centre de la planche de bord vous permettent de verrouiller un, deux et même trois différentiels en fonction de l'importance de l'englument. En général, on verrouille ceux du centre et de l'arrière pour se sortir d'ornières importantes. Celui à l'avant s'ajoute quand rien ne fonctionne. Dernier détail, l'angle d'at-

monté sur le tableau de bord, chaîne audio à 9 haut-parleurs, sièges avant réglables en 10 positions, éléments chauffants dans tous les sièges et la liste est presque interminable. En contrepartie, les poignées des portières sont rétro, les charnières visibles et certains éléments de cet équipement de luxe ont été greffés tant bien que mal dans l'habitacle. Par exemple, les porte-verres amovibles tiennent du bricolage.

La fiche technique nous fait également remonter dans le temps en révélant la présence d'essieux rigides à l'avant comme à l'arrière. De plus, cet engin est doté de trois différentiels répartis au centre, à l'avant et à l'arrière. Ici, pas de gadget électronique pour assurer une meilleure traction, c'est de la mécanique pure et dure.

Le moteur est d'une cuvée plus moderne puisqu'il est le même que celui utilisé dans la S500 et le roadster SL. Ce moteur V8 5 litres en alliage produit 292 chevaux et est couplé à une boîte automatique à 5 rapports. La fiche technique se complète par la présence de freins à disque aux quatre roues, d'un système antipatinage « conventionnel » pour les « néophytes » en matière de conduite hors route et d'un système de stabilité latérale similaire à celui installé dans toutes les autres Mercedes.

### Du solide

La silhouette du G500 intimide. Rien qu'à voir, on sait que ça va faire mal en cas de collision avec ce bloc de métal carré. D'ailleurs, même si sa conception remonte presque à un quart de siècle, les ingénieurs n'ont eu à faire aucune modification pour qu'il se conforme aux normes de sécurité nord-américaines.

En fait, le G500 surpasse les exigences en fait de collision frontale et latérale. Parions que c'est surtout l'épaisseur des tôles qui explique ces résultats.

Sur la route, le conducteur ne doit pas s'attendre à piloter un coupé sport. Plus haut que large et avec un centre de gravité élevé, ce véhicule n'est pas l'idéal pour faire des gymkhanas. D'autant plus que le poids est important, la direction pas mal lente et la pédale d'accélération dure. Malgré tout, sur la route, le comportement général est honnête et les accélérations et reprises assez fougueuses compte tenu du contexte : le 0-100 km/h se boucle en moins de 10 secondes. Pas mal pour un véhicule de près de 2 tonnes et demie. Et si jamais il faut arrêter rapidement, croyez-moi, les freins sont à la hauteur !

Si un jour vous voulez aller au plus profond des bois en véhicule à moteur, le G500 est ce qu'il

taque est de 36° tandis que la position de conduite élevée et les vitres très droites facilitent la conduite hors route.

Il ne vous manque plus que les ressources financières pour vous permettre de jouer les aventuriers au portefeuille bien garni au volant d'un ancien véhicule militaire transformé en jouet pour riches. Voilà pour le clan des militaristes. Et pour intéresser les sportifs à son frigo sur roues, Mercedes vous propose en 2003 une version AMG avec moteur V8 5,5 litres de 349 chevaux. Quel dilemme !

*Denis Duquet*

---

### MODÈLES CONCURRENTS

- *AMG Hummer* • *Land Rover Range Rover*
- *Lexus LX 470*

### QUOI DE NEUF ?

- *Version G55AMG* • *Chaîne audio Harman Kardon*
- *Nouveau siège du pilote*

### VERDICT

| | |
|---|---|
| **Agrément de conduite** | ★★★⌐ |
| **Fiabilité** | ★★★★ |
| **Sécurité** | ★★★★ |
| **Qualités hivernales** | ★★★★★ |
| **Espace intérieur** | ★★★★⌐ |
| **Confort** | ★★★★⌐ |

### ▲ POUR

- Équipement complet • Capacités hors route impressionnantes • Moteur moderne et bien adapté • Sièges confortables • Exclusivité assurée

### ▼ CONTRE

- Silhouette militaire • Prix exorbitant
- Centre de gravité élevé • Accélérateur trop ferme
- Porte-verres bricolé

# Le cousin américain

**Les véhicules utilitaires sport ont reçu leurs lettres de noblesse lorsque Mercedes-Benz a lancé son premier modèle du genre en 1998. La présence de l'étoile d'argent sur la grille de calandre du nouveau ML320 était la consécration de la catégorie. Malgré ces augures, l'enfantement n'a pas été sans douleur puisque ce nouveau venu a été fortement critiqué pour sa finition très sommaire, sa peinture d'atelier de fond de cour et une fiabilité à faire peur. De quoi faire regretter à ce constructeur sa décision de faire assembler ce véhicule aux États-Unis.**

Heureusement, au fil des années, le numéro 1 allemand a convaincu ses fournisseurs d'améliorer leurs produits tandis que les travailleurs de l'usine de Tuscaloosa en Alabama, semblent avoir perfectionné leurs méthodes de travail. Tant et si bien que les modèles ML ont connu une rassurante progression en termes de qualité et de finition, même si la cote de fiabilité générale inquiète toujours. Les ingénieurs allemands ne doivent pas être exclus de cette liste, car ils ont commis plusieurs fautes de conception. Il semble qu'ils aient eu de la difficulté à concevoir un véhicule de cette catégorie et à respecter les stricts budgets de développement imposés à ce projet. Cela les a obligés à apporter plusieurs correctifs en cours de route.

Malgré tout, une multitude de révisions esthétiques et mécaniques ont permis de raffiner le véhicule initial. La présentation extérieure a été rafraîchie, les phares avant redessinés, les clignotants intégrés aux rétroviseurs extérieurs et les feux arrière modifiés. Dans l'habitacle, la présence d'appliques de ronce de noyer sur la planche de bord et sur la console est à souligner tandis que la texture du plastique est moins fruste qu'auparavant.

Les espaces de rangement sont nombreux et il faut même souligner la présence d'une prise 12 V à la droite de la console centrale. Malheureusement, les commandes de la radio sont énigmatiques tandis que le lecteur CD est toujours optionnel. Pas mal pour un véhicule de plus de 60 000 $ ! Il faut également s'interroger sur la pertinence des porte-verres situés à chaque extrémité du tableau de bord. Une fois ceux-ci déployés, il est difficile d'accéder à la manette d'ouverture de la portière. Et si les boutons rotatifs de commande de la climatisation sont faciles à distinguer avec leur rétro-éclairage,

## CARACTÉRISTIQUES

| | |
|---|---|
| Prix du modèle à l'essai | ML500 66 100 $ |
| Échelle de prix | 49 500 à 66 100 $ |
| Assurances | 1 568 $ |
| Garanties | 4 ans 80 000 km / 5 ans 120 000 km |
| Emp. / Long. / Larg. / Haut. (cm) | 282 / 464 / 184 / 182 |
| Poids | 2 210 kg |
| Coffre / Réservoir | 982 à 2 300 litres / 83 litres |
| Coussins de sécurité | frontaux, latéraux et tête |
| Suspension avant | indépendante, barres de torsion |
| Suspension arrière | indépendante, ressorts hélicoïdaux |
| Freins av. / arr. | disque, ABS |
| Système antipatinage | oui |
| Direction | à crémaillère, assistée |
| Diamètre de braquage | 11,9 mètres |
| Pneus av. / arr. | P275/55R17 |

## MOTORISATION ET PERFORMANCES

| | |
|---|---|
| Moteur | V8 5 litres |
| Transmission | intégrale, auto. 5 rapports Touch Shift |
| Puissance | 288 ch à 5 600 tr/min |
| Couple | 325 lb-pi 2 700 à 4 250 tr/min |
| Autre(s) moteur(s) | V6 3,2 l 215 ch ; V8 5,5 l 342 ch |
| Autre(s) transmission(s) | aucune |
| Accélération 0-100 km/h | 7,4 secondes |
| Reprises 80-120 km/h | 6,8 secondes |
| Vitesse maximale | 195 km/h (limitée) |
| Freinage 100-0 km/h | 38,4 mètres |
| Consommation (100 km) | 17,8 litres (super) |

| | |
|---|---|
| • Valeur de revente | bonne |
| • Renouvellement du modèle | 2005 |

que la suspension semble mieux s'accommoder des routes en terre défoncées que des imperfections de la chaussée asphaltée. Sur cette dernière, le train arrière a tendance à sautiller. Curieux compromis !

Si vous trouvez que le ML500 est trop puissant et trop cher, il est certain que le ML55 AMG avec son moteur 5,5 litres de 342 chevaux, un temps de 6,6 secondes pour boucler le 0-100 km/h et ses pneus de 18 pouces, risque de vous laisser indifférent. Ce Mercedes défie les lois de la logique mais, compte tenu des tendances du marché, c'est une réussite.

leur manipulation nécessite un certain temps d'adaptation. Enfin, on constate des progrès en ce qui a trait à la finition, mais il y a encore place pour de l'amélioration. Sur une note plus positive, soulignons qu'il est beaucoup plus facile de replier la banquette arrière qu'auparavant. Ce siège était, dans sa première version, la réplique germanique du cube Rubik.

### Contradictoire ?

La gamme ML se décline en trois versions différentes. Le ML320 avec son moteur V6 de 215 chevaux est l'achat raisonnable. Il offre des performances adéquates et un niveau d'équipement fort acceptable. De plus, sa consommation peut être qualifiée de raisonnable et son rouage intégral est similaire à celui des autres modèles. Cette transmission intégrale est à contrôle électronique ; les trois différentiels sont ouverts. Puisqu'il est impossible de les verrouiller, le contrôle de la traction est confié au système de freinage. De plus, le mode « Lo » s'enclenche au moyen d'un bouton monté sur le tableau de bord, à gauche de l'écran à cristaux liquides, et les ingénieurs ont même concocté un mode « 2 pieds » permettant d'accélérer et de freiner en même temps.

Cette débauche de commandes électroniques permet d'obtenir une excellente traction sur chaussée mouillée, glacée ou boueuse, ce qui est plus que suffisant pour une utilisation qui sera essentiellement urbaine. En effet, la plupart des acheteurs se procurent l'un de ces modèles pour rouler en ville et non pour aller se perdre en forêt. Et ce n'est pas

le ML500 qui va modifier cette tendance, bien au contraire. Ses prestations se montrent plus en harmonie avec une piste d'accélération qu'avec une balade en forêt. Les 288 chevaux du moteur V8 permettent de boucler le 0-100 km/h en 7 secondes et des poussières. Le freinage est également à souligner puisque les distances d'immobilisation sont très courtes pour un mastodonte de plus de 2 tonnes. Malheureusement, la consommation est également hors normes. Nous avons enregistré une moyenne de 17,8 litres aux 100 km.

Sur le plan dynamique, les ingénieurs ont accompli du bon boulot en réussissant à combiner une tenue de route saine à des éléments de suspension assez costauds, le tout associé à un châssis autonome de type échelle. Par contre, la direction s'avère lourde dans les manœuvres à basse vitesse tandis

Il intéresse ceux qui n'aiment pas nécessairement la catégorie, mais qui apprécient se faire remarquer au volant d'un VUS ultrapuissant et de petite série tout en ayant à leur disposition des performances dignes d'une voiture sport. Cette concoction issue des ateliers d'AMG permet donc de tenir la dragée haute au BMW X5 à tous les chapitres. Le Porsche Cayenne verra toutefois à relancer le débat.

Bref, malgré la promesse d'un produit « revu, corrigé et amélioré » en 2002, la Classe ML n'est pas aussi réussie qu'on serait porté à le croire. Les performances, la tenue en virage et l'agilité en ville sont appréciées, mais l'homogénéité et la cohésion ne sont pas au rendez-vous. Le prestige de la marque compense tant bien que mal, mais il reste du boulot à faire pour parachever le projet.

*Denis Duquet*

| MODÈLES CONCURRENTS |
| --- |

• Acura MDX • BMW X5 • Infiniti QX4
• Porsche Cayenne • Volkswagen Touareg
• Volvo XC90

| QUOI DE NEUF ? |
| --- |

• Aucun changement majeur
• Groupe Designo modifié

| VERDICT | |
| --- | --- |
| Agrément de conduite | ★★★★ |
| Fiabilité | ★★★ |
| Sécurité | ★★★★⯪ |
| Qualités hivernales | ★★★★ |
| Espace intérieur | ★★★★ |
| Confort | ★★★★ |

| ▲ POUR |
| --- |

• Silhouette moderne • Habitacle spacieux
• Moteurs bien adaptés • Système de traction efficace • Tenue de route équilibrée

| ▼ CONTRE |
| --- |

• Consommation élevée • Direction ferme à basse vitesse • Finition toujours perfectible • Porte-verres mal placés • Hayon arrière difficile à fermer

# La guerre mondiale

**Les Allemands sont fiers, très fiers même. Et quand le directeur de Mercedes se fait souffleter par des constructeurs aussi agressifs que BMW et Volkswagen, pour ne nommer que ceux-là, la poudre parle.**

maginez un instant que vous êtes le plus vieux constructeur au monde, que vous contrôlez un peu plus de 50 % du marché très lucratif des berlines de grand luxe, et que BMW tire une salve en votre direction avec la 745i. Imaginez ensuite que l'autre Teuton prétendant au titre, le groupe Volkswagen, vient de vous balancer dans les jambes la nouvelle Audi A8, et que la Phaeton attend en embuscade. Sans oublier les Japonais et les Anglais qui fourbissent leurs armes. Vous comprendrez alors pourquoi Mercedes se devait de réagir rapidement, et sa contre-attaque s'appuie sur une stratégie en deux volets presque antinomiques : la sécurité, et la puissance.

### Une voiture avec des réflexes

Il faut le dire, ce n'est pas en jetant un coup d'œil rapide à une Classe S 2003 que vous constaterez les discrètes modifications dont sa carrosserie a fait l'objet. Seuls les phares, pare-chocs, grille de calandre, boîtiers de rétroviseurs et feux arrière ont été très légèrement retouchés. Même constat pour l'intérieur, au sujet duquel il vaut seulement la peine de mentionner l'écran agrandi du système de commande et d'affichage COMAND (toujours aussi ésotérique)

et un ensemble « designo-couture » disponible en allongeant un supplément, qui tapisse l'habitacle de matériaux encore plus riches (cuir Nappa, nubuck, alcantara, bois anthracite). Mais revenons-en à la sacro-sainte sécurité. La Classe S renferme déjà tant de coussins de sécurité qu'il faudrait revêtir un costume de Bibendum pour être aussi bien « rembourré » en cas d'accident. Les équipements de sécurité passive sont tellement nombreux et efficaces que vous serez tenté de vous réfugier dans votre voiture lors d'un tremblement de terre ou d'une alerte nucléaire. Malgré cela, les ingénieurs de Stuttgart étaient particulièrement satisfaits de nous présenter la première voiture possédant des réflexes. Les recherches en accidentologie révèlent que dans près des deux tiers des accidents de la route, un temps relativement long s'écoule entre l'identification du

## CARACTÉRISTIQUES

| | |
|---|---|
| Prix du modèle à l'essai | S600 171 100 $ (2002) |
| Échelle de prix | de 95 350 $ à 171 000 $ |
| Assurances | 1829 $ |
| Garanties | 4 ans 80 000 km / 5 ans 120 000 km |
| Emp. / Long. / Larg. / Haut. (cm) | 308 / 516 / 185 / 144 |
| Poids | 2135 kg |
| Coffre / Réservoir | 500 litres / 88 litres |
| Coussins de sécurité | frontaux, latéraux et tête |
| Suspension avant | indépendante, levier transversal |
| Suspension arrière | indépendante, multibras |
| Freins av. / arr. | disque, ABS et BAS |
| Système antipatinage | oui |
| Direction | à crémaillère, assistée |
| Diamètre de braquage | 12,1 mètres |
| Pneus av. / arr. | P245/45ZR18 / P265/40ZR18 |

## MOTORISATION ET PERFORMANCES

| | |
|---|---|
| Moteur | V12 5,5 litres 36 soupapes |
| Transmission | propulsion, automatique 5 rapports |
| Puissance | 500 ch à 5 000 tr/min |
| Couple | 590 lb-pi à 1800 tr/min |
| Autre(s) moteur(s) | V8 4,3 litres 279 ch (S430) |
| | V8 5 litres 306 ch (S500) |
| Autre(s) transmission(s) | 4MATIC |
| Accélération 0-100 km/h | 4,8 s ; 7,4 s (S430) ; 6,5 s (S500) |
| Reprises 80-120 km/h | 3,5 secondes (estimé) |
| Vitesse maximale | 250 km/h (constructeur) |
| Freinage 100-0 km/h | 37 mètres |
| Consommation (100 km) | 14,8 litres (super) |
| • Valeur de revente | excellente |
| • Renouvellement du modèle | nouveau modèle |

phe de la technologie sur les forces gravitationnelles. Car c'est en roulant avec sérénité entre 200 et 220 km/h sur une *autobahn*, ou à un rythme inavouable sur les magnifiques routes sinueuses de la Forêt Noire, que l'on s'aperçoit que tous ces efforts ne sont pas restés vains. Votre conduite est facilitée pas le système AIRMATIC qui ajuste avec de l'air comprimé l'assiette de la carrosserie en fonction de la vitesse, la suspension semi-active (ABC) qui utilise des vérins hydrauliques pour réduire le roulis et le tangage, et le système d'amortissement adaptable (ADS) qui change les lois

risque de collision imminent et l'impact lui-même. À partir de ces constatations, les ingénieurs ont développé un système de protection préventive des accidents appelé PRE-SAFE. Lorsqu'une situation critique est détectée par les capteurs, les ceintures de sécurité se resserrent sur les occupants, les sièges des passagers se repositionnent et le toit ouvrant se referme en vue de placer les occupants dans la meilleure position possible pour le déploiement ordonné des coussins gonflables. Ce système fait partie de l'équipement d'origine dans toute la gamme disponible pour 2003 au Canada, c'est-à-dire dans la S430 à empattement ordinaire ou long, et les S500 et S600 en version longue seulement, la S55 AMG disparaissant momentanément du catalogue.

Les deux premières reçoivent un beau V8 (4,3 litres de 279 chevaux pour la S430, 5 litres de 306 chevaux pour la S500) couplé à une boîte automatique à 5 rapports, et elles sont disponibles en version 4MATIC à quatre roues motrices avec un différentiel central ouvert qui égalise la vitesse de rotation entre les ponts avant et arrière. Ce qui m'amène à vous parler de la S600 et de son moteur qui constitue l'arme létale par excellence de Mercedes pour écraser ses adversaires.

### Un moteur exceptionnel

La production 2002 se « contentait » d'un V12 de 5,8 litres qui développait la « modeste » puissance de 362 chevaux. La Phaeton en annonce déjà 414, et on voit venir BMW avec sa 760i 12 cylindres. La riposte a jailli, en adjoignant deux turbos et un échangeur eau/air pour refroidir l'oxygène admis dans le bloc en alliage

désormais ramené à 5,5 litres. Résultat ? Des valeurs remarquables pour la puissance et le couple, 500 chevaux (progression de 36 %) et 590 lb-pi dès 1 800 tr/min (progression de 51 % !). Malgré une masse qui dépasse allègrement les 2 tonnes, la majestueuse berline accélère au même rythme qu'une sportive hyperrapide, sans drame, car elle s'ébroue proprement. Le 100 km/h arrive en 4,8 secondes. Les reprises ? Que diriez-vous d'environ 3,5 secondes pour passer de 80 à 120 km/h, la mesure étant approximative car j'étais seul pour la prendre, et j'avoue que j'en avais plein les bras et les yeux. On en ressort mentalement secoué, comme si la « main de Dieu » vous avait donné un grand coup dans le dos. Seule ombre au tableau : la transmission qui donne parfois un bon coup dans les séquences où le *kick down* intervient.

Sur la route, on a l'impression d'assister au triom-

d'amortissement. Surtout que le très capable système de régulation de comportement dynamique (ESP) vous remet rapidement dans le droit chemin si un dérapage intervient, et que les freins, quatre gros disques assistés de l'ABS bien sûr, ainsi que de l'assistance au freinage d'urgence (BAS), vous arrêtent presque sur une pièce (en euros bien sûr) de 10 cents.

Les S430 et S500 ne déméritent pas pour autant, même si elles doivent concéder plusieurs chevaux et certains équipements comme la suspension ABC (offerte en option quand même), d'autant plus qu'elles seules peuvent recevoir le mécanisme 4MATIC. Malgré cela, la guerre n'est pas gagnée, et tant mieux pour les consommateurs car pour une fois, les « dommages collatéraux » se compteront seulement parmi les belligérants.

*Jean-Georges Laliberté*

---

### MODÈLES CONCURRENTS

• Audi A8 • BMW Série 7 • Jaguar XJR • Lexus LS 430
• Volkswagen Phaeton

### QUOI DE NEUF ?

• Nouveau moteur V12 biturbo • Système PRE-SAFE
• Carrosserie retouchée

### VERDICT

| | |
|---|---|
| Agrément de conduite | ★★★★⯪ |
| Fiabilité | ★★★★ |
| Sécurité | ★★★★⯪ |
| Qualités hivernales | ★★★★ |
| Espace intérieur | ★★★★⯪ |
| Confort | ★★★★⯪ |

### ▲ POUR

• Moteur V12 transcendant • Confort royal
• Comportement routier incroyable • Freinage puissant
• Sécurité impénétrable

### ▼ CONTRE

• Prix indécents pour certains • Complexité du système COMAND • Carrosserie trop sage
• Coups dans la transmission

# Nouveau, comme dans Beaujolais

**Malgré sa jolie frimousse et son jeune âge, le coupé CLK de Mercedes n'aura pas su résister aux règles impitoyables du partage des plates-formes. Élaboré tardivement sur la base de l'ancienne Classe C en 1997, ce modèle n'avait pas pris une ride, mais ses jours étaient néanmoins comptés depuis l'avènement de la nouvelle Classe C il y a deux ans. En s'alignant sur cette dernière, le coupé CLK 2003 gagne sur le plan dynamique ce qu'il perd du côté esthétique.**

D e là à dire que la Mercedes-Benz CLK est une Classe C carrossée en coupé, il n'y a qu'un pas que l'on franchit allègrement, sans pourtant déprécier la voiture. Le seul véritable regret que l'on puisse éprouver est que le premier modèle à arborer ce sigle était particulièrement bien tourné et qu'il semble avoir été mis à la retraite prématurément. Si les lignes de la version 2003 se sont affinées, elles ont perdu néanmoins ce petit cachet qui permettait de démarquer une CLK d'un coupé Acura CL, par exemple. En revanche, les blocs optiques empruntés au nouveau roadster SL et la calandre repiquée au coupé CL lui confèrent un air de famille. Pour la moitié du prix, la comparaison est flatteuse.

Au premier coup d'œil, la voiture paraît plus petite qu'auparavant, surtout dans les couleurs pâles. Or, la longueur, la largeur et la hauteur ont légèrement progressé (+7, 1,8 et 4,2 cm) au profit d'un habitacle un brin plus spacieux tandis que l'empattement hérite des 2,5 cm supplémentaires légués par la dernière Classe C. Le poids, par contre, a fait un bond moins salutaire d'une centaine de kilos, sans pourtant affecter la consommation qui, au contraire, accuse une baisse de 6 %. Cette économie découle en partie d'un coefficient de traînée aérodynamique (Cx) de 0,28, un record pour la catégorie. Finalement, on fait mention d'une carrosserie plus rigide dont la résistance à la torsion s'est améliorée de 40 %.

## Un intérieur moins austère

À l'intérieur, la voiture a agréablement rajeuni et comme dans la nouvelle Classe E, l'ambiance y est nettement moins austère. On pourra dire que le vrai bois ressemble à du faux et critiquer la similarité des trois cadrans (horloge, indicateur de vitesse et compte-tours) qui font face au conducteur, mais la qualité de la finition est au-dessus de tout soupçon. Et si les cadrans ne font pas l'unanimité, ils ont l'avantage d'être d'une lisibilité très limpide. Les sièges sont impeccables de confort et il faudrait faire partie d'un rare spécimen de l'es-

pèce humaine pour ne pas y trouver la position de conduite idéale.

Le frein d'urgence à pédale détonne un peu dans un coupé sport, mais il faut bien trouver quelque chose à mettre dans la colonne des « contre ». Détail appréciable dans une voiture de ce type, la visibilité est bonne, surtout de chaque côté en raison de l'absence de pilier central. Cette particularité facilitera la construction du cabriolet qui arrivera sous peu, accompagné de la version 55 AMG à moteur 5,5 litres de 367 chevaux.

Le nouveau coupé CLK renoue avec le passé sous au moins un aspect en reprenant les ceintures de sécurité automatisées des coupés et des cabriolets E320 du début des années 90. Un bras magique étire la ceinture de son enrouleur et la tend au conducteur ou à son passager assis à l'avant dès que la portière correspondante se referme. Pour l'avoir expérimenté personnellement dans un cabriolet E320 1995, ce truc est beaucoup moins un gadget que l'on pourrait le croire. C'est même un ajout au confort dont on s'étonne qu'il ne soit pas plus répandu.

La seule faute d'ergonomie commise par ce coupé CLK revu et corrigé se retrouve dans le coin gauche inférieur du tableau de bord où l'on a eu la mauvaise idée de regrouper divers boutons (phares, essuie-phares et rétroviseurs extérieurs) dont la vue est obstruée par le volant.

Contrairement à certains coupés égoïstes qui ne laissent pas de place aux autres, le CLK peut recevoir 2 passagers arrière de taille moyenne en leur offrant un dégagement raisonnable pour la tête et les jambes. Et le coffre est pratiquement aussi volumineux que celui de la berline de Classe C tout en ayant l'avantage de pouvoir être agrandi grâce aux dossiers rabattables des sièges arrière, un équipement de série dans ce modèle mais optionnel dans les dernières Classe E. Comme ces dernières, le coupé CLK 2003 bénéficie enfin

d'un lecteur CD avec stockage au tableau de bord plutôt que dans le coffre arrière. Et pour en finir avec ce tour du propriétaire, soulignons que Mercedes a enfin compris que deux essuie-glace valent mieux qu'un en dotant ces nouveaux coupés d'un

### ■ ÉQUIPEMENT DE SÉRIE

• Dossiers arrière rabattables • Capteurs de pluie
• Finition cuir • Lampes d'accueil • Filtre à pollen

### ■ ÉQUIPEMENT EN OPTION

• Distronic • Coussins gonflables latéraux arrière
• Phares au xénon (CLK320) • Sac à skis • Cuir deux tons (CLK500) • Toit ouvrant • Lave-phares

**CLK55 AMG**

double essuie-glace au lieu du monobras de l'ancien modèle qui avait soulevé nos fréquentes critiques.

### CLK500 : éblouissant

Pour l'instant, le coupé CLK est proposé en deux versions : 320 et 500. Dotés chacun d'une transmission automatique à 5 rapports avec grille de sélection manuelle, les deux modèles se distinguent principalement par leurs moteurs et leur niveau d'équipement. Le coupé 320 reprend intégralement la mécanique (V6 de 3,2 litres et 218 ch) du précédent modèle tandis que le CLK500 s'enrichit d'un V8 de 5 litres et 306 chevaux en lieu et place des 275 chevaux du V8 4,3 de l'ancien CLK430. En plus d'un équipement plus substantiel, ce modèle roule sur des roues de 17 pouces au lieu de 16 et utilise des pneus de taille différente à l'avant et à l'arrière.

Mon essai, qui s'est déroulé dans la région du Beaujolais, en France, avec des haltes à Brouilly (du vin du même nom) et à Pérouges (charmant

petit village médiéval), a débuté avec la version haut de gamme. Plusieurs de mes collègues décrient l'intrusion de l'électronique dans les voitures et principalement des dispositifs d'assistance à la conduite mais il faut avoir conduit un CLK55

AMG sous la pluie pour apprécier la sécurité accrue qu'assurent les systèmes de contrôle de la stabilité. Avec le V8 de 5 litres qui rue sous le capot de ce coupé haute performance, on a besoin de toute l'assistance possible pour tenir la bride à

### CARACTÉRISTIQUES

| | |
|---|---|
| Prix du modèle à l'essai | CLK 75 900 $ |
| Échelle de prix | de 61 900 à 99 450 $ |
| Assurances | 1930 $ |
| Garanties | 4 ans 100 000 km / 5 ans 120 000 km |
| Emp. / Long. / Larg. / Haut. (cm) | 271,5 / 464 / 174 / 141 |
| Poids | 1660 kg |
| Coffre / Réservoir | 435 litres / 70 litres |
| Coussins de sécurité | frontaux, latéraux et tête |
| Suspension avant | amortisseurs oléopneumatiques, ind |
| Suspension arrière | indépendante, multibras |
| Freins av. / arr. | disque ventilé, ABS |
| Système antipatinage | oui |
| Direction | à crémaillère, assistée |
| Diamètre de braquage | 10,7 mètres |
| Pneus av. / arr. | P225/55R17 / P245/40R17 |

### MOTORISATION ET PERFORMANCES

| | |
|---|---|
| Moteur | V8 24 soupapes 5 litres |
| Transmission | automatique, 5 rapports + mode manuel |
| Puissance | 306 ch à 5 600 tr/min |
| Couple | 339 lb-pi à 2 700 tr/min |
| Autre(s) moteur(s) | V6 3,2 litres 218 ch |
| | V8 5,5 litres 367 ch |
| Autre(s) transmission(s) | aucune |
| Accélération 0-100 km/h | 6,2 s ; 8 s (CLK320) |
| Reprises 80-120 km/h | 4,8 secondes |
| Vitesse maximale | 250 km/h (limitée) |
| Freinage 100-0 km/h | 37,8 mètres |
| Consommation (100 km) | 12,8 l ; 10,8 l (CLK320) |
| Niveau sonore | n.d. |

toutefois pas altéré la merveilleuse tranquillité d'esprit que l'on éprouve en conduisant les coupés Mercedes. Et que dire de leur très faible niveau sonore qui, même à 160 km/h (en France, c'est presque permis), ne vous oblige jamais à hausser la voix.

Si les coupés CLK présentent un très beau bilan à l'issue de cette virée européenne, on ne peut conclure sans souhaiter que leur fiabilité ait aussi fait des progrès puisque les modèles antérieurs n'avaient pas un dossier vierge à ce chapitre.

*Jacques Duval*

ses 306 chevaux. Avec 31 chevaux de plus que l'ancien CLK430, ce modèle fait son entrée dans le club sélect des voitures sport et cela malgré la présence d'une transmission automatique un peu lente à réagir comme seul équipement. Sans antipatinage, il est certain que plusieurs conducteurs auraient atterri dans les vignes du Fleurie ou du Côte de Brouilly tellement la route avait été rendue glissante par des averses qui faisaient suite à une longue période sans pluie. Précisons par ailleurs que les pneus Pirelli P Zéro Rosso qui équipaient les voitures ne m'ont pas impressionné outre mesure par leur adhérence sur sol mouillé ou même par leur résistance à l'aquaplanage.

Comme toujours chez Mercedes, le freinage est sans souci et la direction suffisamment précise pour agrémenter la conduite sur des petites routes comme celles menant de Villefranche à Vaux-en-Beaujolais

### CLK320 : plus bourgeois

Dans sa version 320, le coupé CLK joue la carte du grand-tourisme en offrant un bel amalgame de puissance et de confort rehaussé par un comportement routier à l'abri de toute critique sévère. Plusieurs sauront se contenter des prestations plus qu'honorables (dont un 0-100 km/h de 8 secondes) de ce modèle, ce qui leur vaudra d'épargner une bonne dizaine de milliers de dollars.

Dans les deux modèles essayés, on finit par découvrir une tendance au sous-virage, accentué bien sûr par l'état des routes lors de mon essai de ces deux modèles. Ces conditions défavorables n'ont

---

## MODÈLES CONCURRENTS

• Acura CL 3,2 Type S • BMW 330Ci • Infiniti G35 coupé
• Saab 9³ Viggen 3 portes • Volvo C70

## VERDICT

| | |
|---|---|
| **Agrément de conduite** | ★★★★ |
| **Fiabilité** | *nouveau modèle* |
| **Sécurité** | ★★★★ |
| **Qualités hivernales** | ★★★⯪ |
| **Espace intérieur** | ★★★⯪ |
| **Confort** | ★★★⯪ |

## ▲ POUR

• Comportement routier sûr • Excellentes performances (V8) • Places arrières habitables • Grand coffre
• Carrosserie solide • Très faible niveau sonore

## ▼ CONTRE

• Ligne banalisée • Ergonomie perfectible (voir texte)
• Poids à la hausse • Transmission automatique lente
• Forte surprime (CLK500)

# MERCEDES-BENZ SL

COUP DE CŒUR

# À un toit de la perfection

**Le nouveau cabriolet/coupé SL de Mercedes-Benz possède, semble-t-il, d'innombrables admirateurs. Ceux-ci devront toutefois s'armer de patience et faire la queue pendant un long moment avant de prendre livraison du modèle de 5e génération apparu l'an dernier. Après avoir attendu 12 ans l'arrivée de cette version profondément remaniée, ceux qui n'ont pas déjà signé un contrat d'achat en seront quittes pour se ronger les ongles pendant au moins deux ans encore. Voilà en effet le délai de livraison qui pèse sur la nouvelle SL. L'attente en vaut-elle la peine ?**

L a réponse est oui dans la mesure où les acheteurs d'un modèle 2004 ou 2005 bénéficieront immanquablement des petites modifications dont la voiture se verra bonifier au fil de son évolution.

### Une petite douche avec ça ?

L'attraction majeure de la nouvelle SL est la double personnalité de coupé/cabriolet dont elle hérite de la SLK. La capote à toile pliante, si invitante pour les

voleurs et source de bruits aérodynamiques, a disparu au profit d'un toit rigide en métal qui, au simple toucher d'une commande, va se nicher dans le coffre à bagages dans un numéro digne des meilleurs contorsionnistes. En 16 petites secondes, pas moins de 11 vérins hydrauliques transforment notre coupé en cabriolet ou vice-versa. Même si la SLK le répète depuis déjà sept ans, ce petit spectacle vous vaudra toujours l'admiration des curieux... à moins que ce ne soit une profonde humiliation,

comme cela m'est arrivé. Le toit de la SL m'a généreusement aspergé d'eau lorsque j'ai voulu l'abaisser quelques minutes après une forte averse de pluie. Le hic est que le panneau du toit doit s'incliner vers l'avant juste au-dessus de l'habitacle avant de se réfugier dans le coffre. Et si jamais l'eau s'y est accumulée, vous aurez droit à une petite douche qui mettra à l'épreuve votre sens de l'humour. Mercedes nous dira sans doute que l'on peut échapper à une telle vexation en se servant de la clé électronique comme télécommande pour contrôler le toit de l'extérieur. Exact, sauf que celle-ci doit être orientée dans une certaine direction avec une telle précision qu'il est souvent difficile de compléter l'opération. Ajoutons qu'un peu d'eau s'infiltre aussi dans le coffre à bagages si l'on ne fait pas attention en l'ouvrant après la pluie. En trouvant refuge dans

POUR TOUT SAVOIR

## CARACTÉRISTIQUES

| | |
|---|---|
| **Prix du modèle à l'essai** | SL500 124 900 $ |
| **Échelle de prix** | de 124 900 $ à 165 000 $ (SL55 AMG) |
| **Assurances** | n.d. |
| **Garanties** | 4 ans 100 000 km / 5 ans 120 000 km |
| **Emp. / Long. / Larg. / Haut. (cm)** | 256 / 453,5 / 181,5 / 130 |
| **Poids** | 1 845 kg |
| **Coffre / Réservoir** | de 235 à 317 litres / 80 litres |
| **Coussins de sécurité** | fr., latéraux, tête et thorax |
| **Suspension avant** | essieu à 4 bras, susp. active ABC |
| **Suspension arrière** | essieu multibras, ABC, roues indép. |
| **Freins av. / arr.** | disque ventilé + ABS et SBC (voir texte) |
| **Système antipatinage** | oui |
| **Direction** | paramétrique à crémaillère, ass. variable |
| **Diamètre de braquage** | 11 mètres |
| **Pneus av. / arr.** | P255/45R17 |

## MOTORISATION ET PERFORMANCES

| | |
|---|---|
| **Moteur** | V8 5 litres 24 soupapes |
| **Transmission** | propulsion, automatique 5 rapports |
| **Puissance** | 306 ch à 5 600 tr/min |
| **Couple** | 339 lb-pi 2 700 à 4 200 tr/min |
| **Autre(s) moteur(s)** | V8 5,5 litres AMG 476 ch |
| **Autre(s) transmission(s)** | aucune |
| **Accélération 0-100 km/h** | 7 s; 4,7 s (SL55 AMG) |
| **Reprises 80-120 km/h** | 5,5 secondes |
| **Vitesse maximale** | 250 km/h (limitée) |
| **Freinage 100-0 km/h** | 35,07 mètres |
| **Consommation (100 km)** | 13,7 litres (super) |
| • Valeur de revente | exceptionnelle |
| • Renouvellement du modèle | n.d. |

nier ressort de manière à préserver un agrément de conduite auquel contribue également une direction assistée parfaitement dosée. Bien que la SL ne soit pas très basse, Mercedes l'a tout de même dotée d'une commande manuelle permettant de hausser la garde au sol de quelques centimètres.

Avec une voiture qui passe aussi près de la perfection, il faut se montrer tatillon pour trouver matière à critique. En fouillant bien, j'ai noté que les nombreuses commandes paraissent trop dispersées sur le tableau de bord et que le réglage des sièges

ce même coffre, le couvre-chef de la SL en réduit le volume de 317 à 235 litres, mais Mercedes a trouvé moyen de faciliter l'accès aux bagages en dotant la voiture d'un bouton qui permet de soulever de 20° le plateau qui reçoit les pièces détachées du toit.

Pour le reste, ce fameux toit est une petite merveille d'insonorisation et à part quelques petits craquements occasionnels (il faut dire que j'ai l'oreille très fine), la SL possède une carrosserie plus rigide que les cabriolets traditionnels.

Ce modèle est en quelque sorte la vitrine technologique qui permet à Mercedes d'étaler tout son savoir-faire automobile. En cela, l'acheteur ne sera pas déçu et profitera de tous les systèmes imaginables visant à assurer son confort et sa sécurité. Je vous fais grâce de la description détaillée de tous ces dispositifs qui n'en finissent plus d'épuiser les lettres de l'alphabet : ABC, ASR, SBC, ABS, DSC, etc. Le plus notable est sans doute le SBC (Sensormatic Brake Control) qui détecte l'imminence d'un arrêt d'urgence et qui optimise la force de freinage de la voiture en augmentant la pression dans les conduites de freins tout en positionnant les garnitures contre les plaquettes. L'efficacité de ce système se confirme à l'essai par des distances d'arrêt remarquablement courtes et une stabilité très rassurante.

### La quintessence du grand-tourisme

Dans sa dernière version, la SL reste fidèle à sa vocation antérieure en jouant la note du grand-tourisme plutôt que celle des performances sportives, un rôle qui incombe plutôt à la SL55 cuisinée par AMG, un

méchant roadster dont le V8 à compresseur de 476 chevaux permet de signer le 0-100 km/h en 4,7 mini-secondes. Dans la SL500, le moteur (jumelé à une transmission automatique à 5 rapports avec mode manuel) se distingue davantage par sa douceur que par la férocité de ses accélérations. Sans être peinards, les 306 chevaux ont même ici moins d'ardeur que dans le nouveau coupé CLK dont le rapport poids/puissance est meilleur que celui de la SL. Car, malgré une perte de poids attribuable en majeure partie à la présence de composantes en aluminium (capot, ailes, portières), la voiture accuse environ 200 kg de plus qu'une CLK. Pourtant, le comportement routier ne s'en trouve nullement affecté grâce à toute cette batterie de réglages de châssis qui contrôlent tous les mouvements de la caisse en virage. Ceux-ci n'interviennent qu'en der-

est partiellement caché par l'accoudoir. On pourrait aussi ajouter que la climatisation est inutilement compliquée à faire fonctionner, que les casiers de rangement dans les portes s'ouvrent accidentellement au toucher du genou et que les porte-verres qui sortent ingénieusement de la console gênent l'accès à certaines commandes de l'ordinateur de bord. Point à la ligne. En revanche, la visibilité est remarquable pour ce type de voiture tandis que le mariage du cuir, du bois et de l'aluminium ainsi que le pédalier en métal donnent une touche high-tech à la présentation intérieure.

Après une semaine au volant de la SL, j'avoue que je trouverais le temps bien long si je devais attendre plus de deux ans pour goûter à nouveau aux plaisirs d'une telle voiture.

*Jacques Duval*

---

### MODÈLES CONCURRENTS

• Cadillac XLR • Jaguar XK8 • Lexus SC 430

### QUOI DE NEUF ?

• Version SL55 AMG

### VERDICT

| | |
|---|---|
| **Agrément de conduite** | ★★★★ |
| **Fiabilité** | ★★★★ |
| **Sécurité** | ★★★★ |
| **Qualités hivernales** | ★★★✦ |
| **Espace intérieur** | ★★★ |
| **Confort** | ★★★✦ |

### ▲ POUR

• La quintessence du grand-tourisme • Équipement pléthorique • Confort relevé • Comportement routier soigné • Double personnalité (cabrio/coupé)

### ▼ CONTRE

• Performances moyennes • Caprices du toit rigide
• Ergonomie perfectible • Commandes dispersées
• Délais de livraison

# La belle moitié d'un SL500

**Le concept du toit rigide escamotable n'est pas nouveau. Le premier exercice du genre date de 1934 et de la Peugeot Éclipse. Plusieurs créations américaines s'inspirèrent de ce système dans les années 50, notamment chez Ford. Il faudra attendre 1996 et le coupé-cabriolet Mercedes-Benz SLK pour revoir une interprétation moderne de cet élégant mais complexe dispositif.**

Née avec le millésime 1997 et développée sur la base de l'ancienne Classe C, la Mercedes SLK arrive en fin de carrière. La nouvelle grande SL étant maintenant lancée, le tour de la « petite » arrivera sans doute l'an prochain. Entre-temps, nous avons essayé la SLK230 Kompressor équipée du moteur 2,3 litres. Suralimenté par compresseur et refroidi par échangeur air-air, ce 4 cylindres a déjà fait couler beaucoup d'encre à cause de son manque de « noblesse » qui se manifeste notamment par une sonorité moche, doublée d'un manque de souplesse à haut régime. Autrement dit, un moteur désuet si l'on tient compte de ce qu'offre le reste de la gamme Mercedes. D'ailleurs, fait notable, pour 2003, le petit coupé C230 vient de s'offrir un nouveau 4 cylindres de 1,8 litre, tout aussi en verve que le plus gros 2,3 litres, mais nettement plus souple et plus agréable.

Malgré son moteur indigne, la SLK est quand même une voiture puissante qui, avec ses 190 chevaux, amplement secondés par un couple de 200 lb-pi, affiche des chronos que lui envieraient bien des machines à moteur plus conséquent. Précisons que notre SLK était dotée de la boîte automatique à 5 rapports, avec fonction TouchShift, autorisant le passage manuel des vitesses, et un mode Hiver, permettant de démarrer en 2e pour faciliter les démarrages sur chaussée glissante. En équipement de série, la même SLK reçoit la boîte manuelle à 6 vitesses.

### Le toit dans le coffre

Revenons un instant à ce fameux toit pour préciser qu'il s'ouvre et se ferme en 25 secondes de façon entièrement automatique, même pour le verrouillage et le déverrouillage. Le toit se plie en deux et se range comme par magie dans le coffre à double articulation, laissant quand même

## CARACTÉRISTIQUES

| | |
|---|---|
| **Prix du modèle à l'essai** | SLK230 Kompressor 56 600 $ |
| **Échelle de prix** | de 55 950 $ à 77 500 $ |
| **Assurances** | 891 $ |
| **Garanties** | 4 ans 80 000 km / 5 ans 120 000 km |
| **Emp. / Long. / Larg. / Haut. (cm)** | 240 / 401 / 171 / 128 |
| **Poids** | 1410 kg |
| **Coffre / Réservoir** | 104 à 271 litres / 60 litres |
| **Coussins de sécurité** | frontaux, latéraux |
| **Suspension avant** | indépendante, leviers triangulés |
| **Suspension arrière** | indépendante, multibras |
| **Freins av. / arr.** | disque, ABS |
| **Système antipatinage** | oui |
| **Direction** | crémaillère, assistée |
| **Diamètre de braquage** | 10,3 mètres |
| **Pneus av. / arr.** | P205/55R16 / P225/50R16 |

## MOTORISATION ET PERFORMANCES

| | |
|---|---|
| **Moteur** | 4L, 2,3 litres à compresseur |
| **Transmission** | propulsion, automatique 5 rapports |
| **Puissance** | 192 ch à 5 300 tr/min |
| **Couple** | 200 lb-pi de 2 500 à 4 800 tr/min |
| **Autre(s) moteur(s)** | V6, 215 ch ; V6 AMG 349 ch |
| **Autre(s) transmission(s)** | manuelle 6 rapports |
| **Accélération 0-100 km/h** | 8,1 secondes |
| **Reprises 80-120 km/h** | 240 km/h |
| **Vitesse maximale** | 6,4 secondes |
| **Freinage 100-0 km/h** | 38,2 mètres |
| **Consommation (100 km)** | 11 litres (super) |
| • **Valeur de revente** | très bonne |
| • **Renouvellement du modèle** | 2004 |

freins frisent le gigantisme. Autrement dit, pas pour le Québec, sauf pour les maso. Correction : les masos fortunés.

Mais revenons sur terre et à notre « sage » SLK230 Kompressor pour noter la qualité des matériaux qui garnissent l'habitacle, le confort et le soutien des sièges ainsi que la simple efficacité des commandes de chauffage et de climatisation, une remarque que nous tenions à formuler pour signifier une fois de plus à Mercedes-Benz et aux autres constructeurs allemands qu'il n'est pas nécessaire

assez de place en dessous pour loger quelques petits bagages souples pour deux personnes.

Une fois le toit ouvert, vous roulez cheveux au vent (à condition d'en avoir…), protégé par les deux robustes arceaux qui coiffent le dossier des deux sièges à réglage manuel dans tous les sens. Les sièges à commande électrique des versions SLK320 et SLK32 AMG sont en cuir. Caisse rigide, battements et bruits de vent bien contrôlés par le déflecteur amovible à fines mailles qui se pose derrière les dossiers, la SLK vous fait goûter à pleins poumons les plaisirs presque oubliés du cabriolet. Par mauvais temps, le toit rigide à lunette en verre vous protège des intempéries comme si vous étiez dans un coupé. Merveilleux !

### Une direction à billes ?

Outre les plaisirs du plein air, la SLK vous fait aussi goûter les plaisirs de la conduite. Suspensions fermes sans être dures, moteur au couple généreux, boîte automatique bien assortie, freins sérieux et ce petit air coquin qui vous donne envie de quitter l'autoroute à la recherche des « petites sinueuses » qui mettront à l'épreuve les talents du petit roadster allemand. Et vous ne serez pas déçu. Malgré ses 1 410 kg, la SLK n'a pas seulement les allures du véritable roadster sport, mais aussi les compétences. Seul regret, la direction, qui gagnerait à être plus incisive, plus « connectée à la route ». Notons qu'il s'agit d'un mécanisme à billes et non d'une crémaillère. Serait-ce là l'explication ?

Comme nous le mentionnions, la gamme SLK comporte aussi la version 320 qui se distingue par

son V6 atmosphérique de 3,2 litres, 215 chevaux et 229 lb-pi de couple. Une merveille que ce V6 Mercedes qui va à la SLK comme un gant, améliore les accélérations et les reprises et ne vous coûtera qu'un litre d'essence de plus par 100 km. Des trois variantes proposées, la SLK320 est certainement celle qui représente la meilleure valeur.

En haut de gamme, Mercedes vous réserve la diabolique SLK32 AMG, sur laquelle AMG, le préparateur maison de la marque de Stuttgart, a exercé sa magie pour la transformer en une fusée terrestre de 349 chevaux qui vous propulsera de 0 à 100 km/h en 5 secondes. En contrepartie, vous allez devoir ouvrir très largement le portefeuille et vous assurer que votre dentier est bien accroché, car les suspensions deviennent ultradures, les pneus de 17 pouces adoptent un profil ultrabas et les

de faire compliqué pour faire moderne. À bon entendeur, salut !

Rappelons aussi que la SLK, comme les autres modèles de la marque, est encore démunie du lecteur CD qu'il faut commander en option et qui se retrouvera dans le coffre. Nous en connaissons qui refuseront d'acheter des allemandes rien que pour ça. Et ils n'auront par tout à fait tort.

Terminons en parlant de prix. Proposée à 56 600 $, notre SLK230 n'est pas donnée. Vous aurez sans doute autant de plaisir dans une Miata pour 25 000 $ de moins, toit rigide escamotable, raffinement et effet snob en moins. Mais comparée à ses grandes rivales, la Porsche Boxster et le roadster Audi TT 220 chevaux, la SLK est presque une aubaine. Façon de parler.

*Alain Raymond*

---

### MODÈLES CONCURRENTS

- *Audi TT Roadster • BMW Z3*
- *Honda S2000 • Porsche Boxster*

### QUOI DE NEUF ?

- *Aucun changement majeur*

### VERDICT

| | |
|---|---|
| **Agrément de conduite** | ★★★⯪ |
| **Fiabilité** | ★★★★ |
| **Sécurité** | ★★★★ |
| **Qualités hivernales** | ★★★ |
| **Espace intérieur** | ★★ |
| **Confort** | ★★★★ |

### ▲ POUR

- Toit astucieux • Caisse rigide
- Bonne tenue de route • Reprises satisfaisantes
- Freins performants

### ▼ CONTRE

- Moteur désuet • Lecteur CD en option
- Direction perfectible • Coffre limité (toit ouvert)
- Prix élevé

# Les deux font la paire

**Les grosses nord-américaines à propulsion sont des vestiges du passé dans l'esprit de plusieurs. Et l'idée de commercialiser une version sportive de l'une de ces berlines peut paraître loufoque à la majorité d'entre vous. Je dois avouer que je faisais partie de ce groupe et me préparais à me défouler sur ce tandem visant une clientèle de papys et de pères de famille au pied pesant. Pourtant, après avoir conduit ces deux modèles, je suis prêt à nuancer mon jugement.**

Abordons tout d'abord le cas de la Grand Marquis proprement dite. Cette grosse berline à la suspension guimauve, à la silhouette anonyme et à l'agrément de conduite inexistant survit quand même en raison d'une clientèle de conducteurs traditionalistes qui préfèrent ce genre de voiture. Ils recherchent cette tenue de route incertaine qui leur rappelle le « bon vieux temps ». J'ai de mauvaises nouvelles pour ces acheteurs. Si la

Grand Marquis n'a pas tellement changé en apparence, son comportement routier est amélioré. La silhouette a été modifiée, mais de peu. Elle conserve cette allure de « voiture banalisée » qui fait ralentir les gens autour de vous sur la route, la plupart croyant que vous êtes un policier en mission.

Cela dit, l'arrivée d'un nouveau châssis constitué de poutres formées par pression hydraulique et d'une suspension avant complètement révisée a fait des merveilles pour améliorer le

comportement routier. Le châssis est plus rigide et la nouvelle direction à crémaillère n'a rien à voir avec l'unité à billes du passé qui faisait des merveilles pour gommer le feed-back de la route. Cette nouvelle direction est non seulement plus linéaire, mais son assistance variable est bien dosée et la précision digne de mention. Le fait que la suspension avant ait été révisée du tout au tout est une autre explication pour cette sensible amélioration de la conduite. De plus, le moteur est sagement boulonné sur un minichâssis dont plusieurs éléments sont en aluminium.

Il ne faut pas partir en peur non plus, mais force est d'admettre que la Grand Marquis est une bien meilleure routière que précédemment. Son moteur V8 de 4,6 litres produit 224 chevaux dans les modèles GS et LS tandis que la LES bénéficie d'un gain de

## CARACTÉRISTIQUES

| | |
|---|---|
| **Prix du modèle à l'essai** | Grand Marquis 36 198 $ |
| **Échelle de prix** | de 35 600 à 38 390 $ |
| **Assurances** | 800 $ |
| **Garanties** | 3 ans 60 000 km / 5 ans 100 000 km |
| **Emp. / Long. / Larg. / Haut. (cm)** | 291 / 538 / 199 / 144 |
| **Poids** | 1 792 kg |
| **Coffre / Réservoir** | 583 litres / 72 litres |
| **Coussins de sécurité** | frontaux et latéraux (opt.) |
| **Suspension avant** | indépendante, bras asymétriques |
| **Suspension arrière** | essieu rigide, lien Watt |
| **Freins av. / arr.** | disque, ABS |
| **Système antipatinage** | oui (optionnel) |
| **Direction** | à crémaillère, assistance variable |
| **Diamètre de braquage** | 12 mètres |
| **Pneus av. / arr.** | P225/60R16 |

## MOTORISATION ET PERFORMANCES

| | |
|---|---|
| **Moteur** | V8 4,6 litres |
| **Transmission** | propulsion, automatique 4 rapports |
| **Puissance** | 224 ch à 4 800 tr/min |
| **Couple** | 272 lb-pi à 4 000 tr/min |
| **Autre(s) moteur(s)** | V8 4,6 litres 239 ch; |
| | V8 4,6 litres 302 ch (Marauder) |
| **Autre(s) transmission(s)** | aucune |
| **Accélération 0-100 km/h** | 8,9 s; 7,1 s (Marauder) |
| **Reprises 80-120 km/h** | 7,4 secondes |
| **Vitesse maximale** | 190 km/h; 220 km/h (Marauder) |
| **Freinage 100-0 km/h** | 39,4 mètres |
| **Consommation (100 km)** | 13,8 litres (ordinaire) |
| • **Valeur de revente** | moyenne |
| • **Renouvellement du modèle** | n.d. |

à soupapes en tête d'une certaine époque. Soulignons au passage que l'échappement laisse entendre un ronronnement à la sonorité et à l'intensité juste comme il faut. Il est facile d'exagérer à ce chapitre, mais le Marauder ne pêche pas par excès de vroum-vroum.

La conduite de ce modèle a été une agréable surprise. Alors que je m'attendais à piloter un *hot-rod* doté d'une suspension de béton, j'ai été agréablement surpris de découvrir une auto performante, équilibrée, qui se plaisait à enfiler les virages avec

15 chevaux, d'une suspension raffermie et d'un levier de vitesses au plancher.

C'est une voiture traditionnelle pour des gens qui apprécient la solidité d'un châssis autonome et la sensation de conduite d'une propulsion. Elle s'est beaucoup améliorée cette année, mais il semble que la vie se déroule toujours avec une demi-seconde de retard lorsqu'on la conduit.

### Retour en arrière

Dans les années 60 et 70, les Trois Grands de l'époque prenaient toujours un malin plaisir à installer un moteur ultrapuissant sous le capot d'une paisible berline sans prétention. Il suffisait ensuite de trafiquer la suspension, de choisir des pneus plus larges et de remplacer quelques rapports de boîte pour avoir un bolide sport.

Désireux de débarrasser la Mercury Grand Marquis de son image de voiture de croque-mort, les responsables de cette division ont décidé de faire revivre le passé avec la Marauder, un modèle lancé pour la première fois en 1963. La puissance du V8 4,6 litres a été portée à 302 chevaux, les amortisseurs avant ont été remplacés par des Tokico haute performance tandis que les ressorts arrière sont pneumatiques. Les jantes de 18 pouces sont dotées de pneus BFGoodrich g-Force T/A P245/W55WR18 à l'arrière et de P235/50WR18 à l'avant. Enfin, les stylistes ont affiné la silhouette, intégré des phares antibrouillards Cibié dans le pare-chocs et remplacé les appliques de bois sur la planche de bord par des bandes de couleur titane. Le levier de vitesses est au plancher et précédé de deux cadrans indicateurs

orientés vers le conducteur. Il s'agit d'un indicateur de pression d'huile et d'un voltmètre. Et voici un détail qui risque de vous faire craquer pour la Mercury : l'insigne du dieu romain Mercure se retrouve sur les sièges avant et sur le moyeu de la jante !

Même si l'idée de transformer une automobile de ce gabarit en véhicule sportif peut paraître farfelue, il faut avouer que les ingénieurs ont fait du beau travail. Premièrement, les 78 chevaux additionnels par rapport au modèle régulier font vraiment sentir leur présence. Non seulement il est possible de boucler le 0-100 km en 7,1 secondes et des poussières, mais le moteur réagit dès qu'on appuie sur l'accélérateur. Ceux qui ont déjà conduit des *muscle cars* vont apprécier cette nervosité. De plus, comme il s'agit d'un moteur à arbres à cames en tête, il ne s'essouffle pas à haut régime comme les moteurs

assurance. Il est vrai que la masse est imposante et que l'agilité n'est pas son point fort, mais une direction très précise et des freins puissants m'ont permis d'avoir du plaisir au volant de la seule Mercury qui n'est pas politiquement correcte. Chapeau aux ingénieurs qui ont su concilier tenue de route et confort.

Malgré ces qualités, je ne suis pas certain que les gens vont se bousculer dans les salles de montre pour admirer cette voiture qui sort carrément du rang. Il est possible que de nombreux nostalgiques s'y intéressent au tout début, mais je crois que l'engouement va s'estomper rapidement. Toutefois avec un marché aussi gros et diversifié que celui des États-Unis, tout peut arriver.

*Denis Duquet*

---

### MODÈLES CONCURRENTS

• *Buick Le Sabre/Park Avenue* • *Chrysler LHS*
• *Toyota Avalon*

### QUOI DE NEUF?

• *Moteur 302 ch (Marauder)* • *Nouveau châssis*
• *Direction à crémaillère* • *ABS 4 canaux*
• *Nouveau tableau de bord*

### VERDICT

| | |
|---|---|
| **Agrément de conduite** | ★ ★ ★ |
| **Fiabilité** | ★ ★ ★ ★ |
| **Sécurité** | ★ ★ ★ ★ |
| **Qualités hivernales** | ★ ★ ★ ◗ |
| **Espace intérieur** | ★ ★ ★ ★ |
| **Confort** | ★ ★ ★ ★ |

### ▲ POUR

• Nouveau châssis • Direction améliorée
• Moteurs adaptés • Fiabilité
• Version Marauder réussie

### ▼ CONTRE

• Consommation élevée • Maintien des sièges insuffisant • Faible maniabilité • Roulis en virage
• Marché limité (Marauder)

# Un festin pour les yeux, mais… !

**Mignonne, sympathique, espiègle, la MINI réinventée a droit à tous ces qualificatifs et elle récolte sa grande part de regards admiratifs partout où elle se pointe le nez. Au-delà de l'attrait qu'elle suscite sur son passage, à quoi doit-on s'attendre une fois au volant ? Disons tout de suite que le coup de cœur initial diminue considérablement et que plus on accumule les kilomètres, plus on se rend compte que l'habit ne fait pas le moine.**

J e me suis rarement fait poser autant de questions sur une voiture que lors de mon essai de la MINI. Que ce soit la Cooper ou la Cooper S, à peu près tout le monde, jeunes et vieux, est fasciné par cette nouvelle vedette du rétro-mobile. De tous les modèles ayant exploité le même thème, c'est de loin le plus réussi. En s'installant au volant, on souhaiterait que le plaisir se prolonge mais la magie s'estompe graduellement jusqu'à ce que l'on finisse par se rendre compte que, derrière cette belle façade, la MINI cache quelques vices de jeunesse.

### Premières déceptions

On commence à déchanter dès que l'on essaie de régler le siège du conducteur dont les molettes et les leviers sont loin d'être faciles à manipuler. On finit par trouver une position de conduite acceptable mais les sièges sont carrément inconfortables. Il y a aussi cette série d'interrupteurs à bascule alignés sur la console centrale qui, par leur similitude, prêtent à confusion. L'originalité du design intérieur ne fait aucun doute et là encore la MINI est un festin pour les yeux. Au plan ergonomique toutefois, c'est moins réussi et l'indicateur de vitesse central par exemple vous oblige à quitter la route des yeux une précieuse fraction de seconde de plus que lorsque cet instrument est placé face au conducteur. Notons que dans les MINI dotées du système de navigation, ce dernier remplace l'indicateur de vitesse central qui vient alors se loger à côté du compte-tours sur la colonne de direction. Si les rangements ne sont pas légion dans la cabine, la visibilité en revanche permet de bien profiter des faibles dimensions de la voiture.

Comme la New Beetle, la MINI offre un espace avant remarquable où même les conducteurs de grande taille se trouveront à l'aise. Elle partage toutefois avec sa consœur allemande

## CARACTÉRISTIQUES

| | |
|---|---|
| Prix du modèle à l'essai | Cooper 29 270 $ |
| Échelle de prix | de 25 200 $ à 30 800 $ |
| Assurances | 779 $ |
| Garanties | 4 ans 80 000 km / 4 ans 80 000 km |
| Emp. / Long. / Larg. / Haut. (cm) | 247 / 363 / 169 / 141 |
| Poids | 1145 kg |
| Coffre / Réservoir | 150 litres / 50 litres |
| Coussins de sécurité | frontaux et latéraux (tête opt.) |
| Suspension avant | indépendante, leviers triangulés |
| Suspension arrière | indépendante, multibras |
| Freins av. / arr. | disque ventilé / disque plein, ABS |
| Système antipatinage | oui |
| Direction | à crémaillère, assistance électro-hydraulique |
| Diamètre de braquage | 10,7 mètres |
| Pneus av. / arr. | P195/55R16 |

## MOTORISATION ET PERFORMANCES

| | |
|---|---|
| Moteur | 4L 1,6 litre 16 soupapes |
| Transmission | traction, manuelle 5 rapports |
| Puissance | 115 ch à 6 000 tr/min |
| Couple | 110 lb-pi à 4 500 tr/min |
| Autre(s) moteur(s) | 4L 1,6 l à compresseur 163 ch |
| Autre(s) transmission(s) | man. 6 rap. (S), auto. 5 rap. |
| Accélération 0-100 km/h | 9,8 s ; 8,3 s (S) |
| Reprises 80-120 km/h | 13,2 s (voir texte) |
| Vitesse maximale | 185 km/h ; 215 km/h (S) |
| Freinage 100-0 km/h | 42,3 mètres |
| Consommation (100 km) | 8,3 litres (ordinaire) |

- Valeur de revente — très bonne
- Renouvellement du modèle — n.d.

Je m'attendais à me réconcilier avec la MINI en prenant le volant de la Cooper S mais malgré les 163 chevaux de son moteur à compresseur, on se rend compte qu'un moteur de 1,6 litre, suralimenté ou pas, est une bien maigre pitance pour une voiture qui professe l'agrément de conduite. Il faut jouer du levier de vitesses et pousser sur chacun des rapports intermédiaires pour arriver à obtenir des performances convenables, sans plus.

La direction à assistance électro-hydraulique est agréablement dépourvue d'effet de couple, mais une banquette arrière si peu habitable que l'on finira par s'en servir pour pallier la petitesse du coffre arrière. Ce dernier, incidemment, ne s'embarrasse pas d'une roue de secours rendue inutile par la présence de pneus à roulage à plat.

### D'autres déceptions

C'est surtout en roulant au volant de la MINI que les choses se gâtent le plus sérieusement. La mise au point finale de la voiture a beau avoir été supervisée par BMW, la qualité de construction porte les stigmates de l'assemblage « made in England ». Deux des trois voitures d'essai confiées à la presse automobile ont vu leur pare-brise craquer à cause du stress exercé sur la carrosserie en roulant tandis que la Cooper et la Cooper S testées par *Le Guide de l'auto* étaient affligée de nombreux bruits de caisse. La S a aussi perdu son pommeau de levier de vitesses, mal fixé. Si l'on ajoute à cela un groupe propulseur qui râle plutôt qu'il ne rugit, on est en droit de s'inquiéter de la fiabilité à long terme de la MINI.

Essayée en premier, la Cooper voit son agrément de conduite saboté par un moteur de 115 chevaux carrément impotent. Les accélérations sont pénibles et la puissance est tellement mince que le temps de reprise entre 80 et 120 km/h en 4e est affecté par le moindre petit changement d'environnement. Il va de 12 à 15 secondes, selon le vent, la qualité du revêtement ou même la température ambiante. La seule façon d'obtenir des performances à peu près convenables est de triturer constamment le levier de vitesses qui, comble de malheur, semble guidé par des bandes élastiques.

On a beaucoup fait état du comportement routier de la MINI et de son style go-kart. Or, s'il est vrai que la voiture est particulièrement agile et maniable, sa tenue de route impose un lourd tribut au confort. Solidement rivées au bitume et pratiquement à l'abri des têtes-à-queue, ces Cooper vous font payer leur maniabilité de go-kart par un confort de go-kart. Dans les deux versions, la rudesse des suspensions combinée à un empattement court a tôt fait de vous faire prendre conscience de l'état lamentable de notre réseau routier. Le simple passage de joints d'expansion entraîne des secousses désagréables qui font que les longs déplacements à bord d'une MINI sont à exclure, d'autant plus que la voiture est extrêmement bruyante à une vitesse d'autoroute. Et si l'on ouvre l'immense toit ouvrant proposé en option, le niveau sonore devient insupportable.

elle est si rapide qu'il faut s'en méfier tellement la voiture réagit à la moindre impulsion sur le volant. À haute vitesse, cela peut même devenir dangereux.

Déjà conquis par son look, on ne demanderait pas mieux que de tomber amoureux de cette MINI réincarnée mais il n'en reste pas moins que, dans sa forme actuelle, la voiture est beaucoup plus un beau jouet très cher qu'une bonne petite voiture. Fort heureusement, toutes les faiblesses de ces premiers modèles ne sont pas irrémédiables. Avec un design aussi bien né, il suffira de quelques modifications çà et là (sièges, suspension, moteur) et d'un resserrement de la qualité de construction pour que la MINI des années 2000 ait une carrière aussi fructueuse que sa célèbre devancière.

*Jacques Duval*

---

### MODÈLES CONCURRENTS

- *Chrysler PT Cruiser • Ford Focus SVT*
- *Honda Civic SiR • VW New Beetle 1,8 T*

### QUOI DE NEUF ?

- *Nouveau modèle*

### VERDICT

| | |
|---|---|
| **Agrément de conduite** | ★★★⁀ |
| **Fiabilité** | ★★⁀ |
| **Sécurité** | ★★⁀ |
| **Qualités hivernales** | ★★★ |
| **Espace intérieur** | ★★ |
| **Confort** | ★★⁀ |

### ▲ POUR

- Look irrésistible • Comportement routier amusant
- Très bonne visibilité • Diamètre de braquage court

### ▼ CONTRE

- Moteurs décevants • Sièges inconfortables
- Direction ultrasensible • Confort marginal • Niveau sonore élevé • Qualité perfectible • Faible habitabilité

# Du bas de gamme

**Autrefois, un coupé du nom d'Eagle Talon était vendu au Canada. C'était en fait une copie conforme d'un modèle que les Américains connaissaient sous le nom de Mitsubishi Eclipse. Oh! il s'est passé bien des choses depuis la dernière année d'existence du Talon au pays, notamment une tentative avortée de conquérir le marché canadien, en 1998. Mais nous y revoilà enfin. L'Eclipse sera finalement vendu en sol canadien. Avec, en prime, l'Eclipse Spyder, une version décapotable du bolide. Grâce à un choix de moteurs incluant un 4 et un 6 cylindres et à un prix de détail oscillant entre 24 000 $ et 36 000 $, l'Eclipse ratisse large.**

L e 4 cylindres de 2,4 litres qui équipe les modèles RS et GS livre 147 chevaux, avec la transmission manuelle, ainsi que 158 lb-pi de couple. C'est déjà 13 chevaux de moins que l'Acura RSX, mais 17 lb-pi de plus. Par comparaison, avec un embonpoint d'environ 100 kilos face à cette dernière, l'Eclipse de base risque de vous laisser un peu sur votre appétit. Seul avantage, le régime auquel le moteur livre le maximum de puis-

sance est plus bas, à 5 500 tr/min (contre 6 500 pour la RSX). Cet argument tient aussi si l'on opère les mêmes comparaisons avec la Celica, puisque le coupé Toyota doit rouler à très haut régime pour être véritablement maniable. Mais pas l'Eclipse.

### Une Tiburon japonaise?
Cela dit, c'est le 6 cylindres de 3 litres de la version GT de l'Eclipse et du Spyder qui s'avère le

principal intérêt de cette nippone. Grâce à une transmission manuelle tout à fait agréable — comparable, en ce sens, à celle d'une Hyundai Tiburon —, les 200 chevaux annoncés ne déçoivent pas une fois au volant, comme cela arrive parfois avec les voitures asiatiques. Sur la route, la comparaison entre Eclipse et Tiburon va de soi: malgré les minces différences de chiffres, le comportement est similaire. La suspension indépendante dans les deux cas réagit tout en douceur. Ça brasse sur chaussée cahoteuse, mais n'exagérons rien; c'est un coupé, pas une limousine. L'Eclipse bénéficie d'une adhérence un peu plus relevée, attribuable sans doute à la qualité des pneumatiques. C'est en ligne droite, à haute vitesse, que ses limites se font rapidement sentir. La stabilité de la voiture diminue à vue d'œil, à tel point que la première imperfection

| CARACTÉRISTIQUES | |
|---|---|
| **Prix du modèle à l'essai** | Spyder 31 900 $ |
| **Échelle de prix** | de 23 900 $ à 36 000 $ |
| **Assurances** | 711 $ |
| **Garanties** | 3 ans 60 000 km / 5 ans 100 000 km |
| **Emp. / Long. / Larg. / Haut. (cm)** | 256 / 449 / 175 / 131 |
| **Poids** | 1455 kg |
| **Coffre / Réservoir** | 204 litres / 62 litres |
| **Coussins de sécurité** | frontaux (latéraux dans GT) |
| **Suspension avant** | indépendante, jambes de force |

| | |
|---|---|
| **Suspension arrière** | indépendante, leviers triangulés |
| **Freins av. / arr.** | disque / tambour |
| **Système antipatinage** | non (option GT) |
| **Direction** | à crémaillère, assistée |
| **Diamètre de braquage** | 12,2 mètres |
| **Pneus av. / arr.** | P225/55VR16 |

| MOTORISATION ET PERFORMANCES | |
|---|---|
| **Moteur** | 4L 2,4 litres |
| **Transmission** | traction, manuelle 5 rapports |
| **Puissance** | 147 ch à 5 500 tr/min |

| | |
|---|---|
| **Couple** | 158 lb-pi à 4 000 tr/min |
| **Autre(s) moteur(s)** | V6 3 litres 200 ch |
| **Autre(s) transmission(s)** | automatique 4 rapports |
| **Accélération 0-100 km/h** | 10,1 s 7,9 s (V6) |
| **Reprises 80-120 km/h** | 9,5 secondes (4e) |
| **Vitesse maximale** | 200 km/h (220 km/h V6) |
| **Freinage 100-0 km/h** | 43,5 mètres |
| **Consommation (100 km)** | 10,2 litres (ordinaire) |
| • Valeur de revente | nouveau modèle |
| • Renouvellement du modèle | 2004 |

ce que vous pouvez rechercher dans un coupé sportif est présent dans l'Eclipse : phares halogènes clairs « à l'européenne », feux arrière arrondis, capot proéminent, habitacle reculé, long empattement... La calandre inexistante, remplacée par une grille sous le niveau du pare-chocs (et encadrée par une paire de feux antibrouillards dans le modèle GT), c'est ça, la clé : avec la forme des phares et du capot, ça fait Ferrari, vous ne trouvez pas ?

de la route venue vous fera pester contre le volant qui ne cessera de tressauter entre vos mains. Problème de pneus ? Dans le spectre des vitesses permises par la loi, cela est beaucoup moins apparent, heureusement.

À ceux qui vous demanderont comment il est possible de résumer la gamme Mitsubishi en peu de mots, je vous suggère de répondre ceci : du japonais bas de gamme. Certes, la renommée des mécaniques japonaises n'est plus à faire, tout comme la rigueur d'assemblage ou de finition. Mais la qualité des matériaux utilisés pour, disons, la confection de l'habitacle de l'Eclipse, résume bien le côté économe des véhicules Mitsubishi. Rien d'excitant, rien d'osé. On n'a qu'à jeter un œil sur le tableau de bord et la console centrale du coupé pour comprendre le sens de cette phrase.

Une fois passée l'impression d'occuper la place du pilote dans un cockpit d'avion, impression créée par les gros cadrans entassés devant les yeux du conducteur, on doit cependant se rendre à l'évidence : cette absence de flafla ne laisse de choix que de se concentrer sur l'essentiel : la conduite.

Les passagers que vous coincerez à l'arrière, soient-ils acrobates ou simplement de très petite taille, vous remercieront d'avoir choisi le Spyder, qui, au moins, permet de garder la tête sur les épaules et pas entre les genoux. Comme tout bon 2+2...

### Idée de vitesse

Au risque de passer (déjà !) pour un nostalgique, je trouve la génération précédente de l'Eclipse beaucoup plus sexy que celle-ci. Toute en courbes

et en fluidité, sa silhouette criait « coupé sportif » à tout vent. Maintenant... c'est comme si les ingénieurs s'étaient fait taper sur les doigts après avoir créé l'ultime carrosserie et qu'on leur avait dit que maintenant qu'ils avaient atteint le meilleur de leurs capacités, le mieux qu'ils pouvaient faire était de mélanger des éléments de style d'autres constructeurs pour donner quelque chose d'un peu moins inusité.

Pourtant, Pontiac a bien fini par comprendre que les lignes latérales dans les portières, supposées donner une « idée de vitesse » (sic), faisaient carrément kitsch...

Mais n'allez pas penser que ce n'est pas un véhicule attrayant. Au contraire. Mais comme le dit le vieil adage, quand on est au sommet, il n'y a que vers le bas qu'on puisse aller. Cela dit, tout

De l'aveu même des hauts dirigeants de la marque, il faut être mal pris pour conduire le Spyder en hiver. Contrairement à d'autres véhicules, rien n'a été fait pour donner l'illusion qu'on peut sortir celui-ci l'hiver sans se les geler. Alors on joue la carte de l'honnêteté : si vous n'avez pas les moyens de vous offrir l'Eclipse comme deuxième ou troisième véhicule, eh bien ! songez à faire l'achat de bons gants, d'une tuque et d'un manteau épais comme ça. D'autres voitures, comme la Ford Mustang décapotable sont plus recommandées dans ce cas.

Mais ça laisse trois saisons pendant lesquelles apprécier les qualités dynamiques de l'Eclipse. Vous pourrez alors apprécier les performances d'un coupé sport abordable et différent.

*Alain Mc Kenna*

---

### MODÈLES CONCURRENTS

• Acura RSX • Ford Mustang • Hyundai Tiburon
• Toyota Celica

### QUOI DE NEUF ?

• Nouveau modèle au Canada avec l'avant et les feux arrière redessinés (US)

### VERDICT

| | |
|---|---|
| Agrément de conduite | ★★★★ |
| Fiabilité | ★★★★ |
| Sécurité | ★★★⅃ |
| Qualités hivernales | ★★⅃ |
| Espace intérieur | ★★⅃ |
| Confort | ★★★ |

### ▲ POUR

• Originalité du design • Bon freinage • Moteur performant (V6) • Boîte manuelle agréable

### ▼ CONTRE

• Style discutable • Spyder inutilisable en hiver
• Instabilité à haute vitesse • Places arrière risibles
• Finition bas de gamme

# Un rôle de figuration

**La Mitsubishi Galant débarque au Canada non sans une certaine appréhension de la part des dirigeants du constructeur japonais. Cette berline de classe compacte qui est le produit le plus vendu de la marque aux États-Unis n'est pas vouée au même succès sur nos terres. Les acheteurs canadiens ont établi leurs préférences et restent fidèles à leurs modèles d'adoption dans ce créneau.**

Qu'importe, Mitsubishi entend faire sa place malgré une concurrence très vive menée principalement par les Honda Accord, Toyota Camry et Nissan Altima. Ces trois grandes animatrices, bien installées au sommet de la pyramide, semblent indélogeables. Et n'oublions pas la nouvelle Mazda 6 qui prépare son entrée en janvier. Motivée par le succès monstre de la Protegé, Mazda entretient de grands espoirs pour ce modèle. Dans ce tourbillon de nouveaux arrivages, la

Galant ne réussira pas à jouer les trouble-fête. Il lui faudra quelques années encore pour bouleverser l'échiquier.

Notre premier contact avec la Galant n'a pas été convaincant. Allons droit au but. Le modèle de base, qui n'a d'alléchant que le prix, est à proscrire, n'en déplaise aux plus ardents défenseurs de la marque. Sa cabine est désuète, ses fauteuils d'une qualité si piètre qu'ils nous rappellent, vous vous en souvenez sûrement, ceux de la Hyundai Stellar. On exagère à peine. Disons que la Galant nous apparaît comme étant une génération derrière les japonaises les plus en vue...

Et que dire de son moteur 4 cylindres qui, combiné à une boîte automatique (4 rapports), s'essoufle rapidement et ne donne satisfaction qu'au moment où une vitesse de croisière décente est atteinte.

### Plus Galant que sportif

Aussi bien clore le débat et se concentrer sur une version moins anémique, la GTZ.

Plus Galant que sportif, le modèle mis à l'essai a démontré une certaine forme de caractère avec son V6 (3 litres) de 195 chevaux.

Ses accélérations se révèlent franches, quoique la voiture concède une bonne longueur d'avance, ou une bonne seconde, à ses rivales directes.

## CARACTÉRISTIQUES

| | |
|---|---|
| Prix du modèle à l'essai | GTZ 33 287 $ |
| Échelle de prix | de 23 097 $ à 33 287 $ |
| Assurances | 607 $ |
| Garanties | 3 ans 60 000 km / 5 ans 100 000 km |
| Emp. / Long. / Larg. / Haut. (cm) | 264 / 478 / 174 / 141 |
| Poids | 1495 kg |
| Coffre / Réservoir | 413 litres / 62 litres |
| Coussins de sécurité | frontaux et latéraux |
| Suspension avant | indépendante, jambes de force |
| Suspension arrière | indépendante, liens multiples |
| Freins av. / arr. | disque |
| Système antipatinage | oui |
| Direction | à crémaillère, assistée |
| Diamètre de braquage | 11,8 mètres |
| Pneus av. / arr. | P205/55R16 |

## MOTORISATION ET PERFORMANCES

| | |
|---|---|
| Moteur | V6 3 litres 24 soupapes |
| Transmission | automatique 4 rapports |
| Puissance | 195 ch à 5 500 tr/min |
| Couple | 205 lb-pi à 4 000 tr/min |
| Autre(s) moteur(s) | 4L 2,4 litres (140 ch) |
| Autre(s) transmission(s) | aucune |
| Accélération 0-100 km/h | 9,5 secondes |
| Reprises 80-120 km/h | 6,9 secondes |
| Vitesse maximale | 205 km/h |
| Freinage 100-0 km/h | 41 mètres |
| Consommation (100 km) | 10,8 litres (ordinaire) |

| | |
|---|---|
| • Valeur de revente | nouveau modèle |
| • Renouvellement du modèle | 2004 |

bien et le parc automobile veillit à un rythme tel qu'il faudra bientôt le renouveler, mais pour la Galant, le plus grand problème, c'est justement la concurrence.

### Peu à offrir

Comparée à une Honda Accord complètement redessinée pour 2003 et vendue pratiquement au même prix, la Galant a bien peu à offrir. En attendant l'arrivée de la nouvelle génération du modèle, prévue pour 2004, la Galant devra de

La boîte automatique doit être tenue responsable de ces résultats décevants. Les écarts semblent trop importants entre les rapports. Trop de temps morts.

La manuelle, qui ne figure pas au catalogue, pourrait compenser cette lacune. Mais bon, Mitsubishi prétend qu'à peine 2 % des acheteurs de Galant la choisiraient. L'investissement n'en vaut pas la chandelle, dit le fabricant. Sauf que, quand on décrit cette voiture comme une sportive, on doit considérer lui offrir la boîte manuelle, n'est-ce pas ?

En conduite, la Galant GTZ, malgré sa vocation, n'inspire aucune passion. La direction procure une bonne sensation de la route, mais sans plus. On aurait souhaité une meilleure contribution de la suspension sport qui n'a justement rien de sportif. De plus, la sonorité du moteur est camouflée par une douceur presque parfaite. Un échappement moins... silencieux créerait une meilleure impression.

En contrepartie, nous avons été emballés par les freins de notre voiture d'essai. À chacune des sollicitations, parfois dures, la réponse a été franche et sans appel.

### Une décoration à revoir

Dans la cabine, la GTZ propose un environnement moins banal que le modèle de base si décrié. Cependant, certains défauts restent incorrigibles. Le confort des sièges est mitigé, surtout au niveau lombaire. Le conducteur cherche, en vain, à trouver une position de conduite idéale. La visibilité s'avère cependant sans faille.

À l'arrière, les occupants de la banquette ne souffriront pas pendant les longues randonnées, le dégagement pour les jambes et la tête étant raisonnable. Au moins, la Galant quatre portes assure un accès facile à la cabine.

Les indicateurs et témoins lumineux du tableau de bord donnent l'impression d'être tout simplement démodés. La finition est correcte, mais certains agencements de matériaux, notamment ceux de la planche de bord, nous laissent perplexes. C'est comme si deux décorateurs aux idées diamétralement opposées avaient mis leur grain de sel sans vraiment se consulter...

Somme toute, si Mitsubishi souhaite ébranler la compétition, elle devra refaire ses devoirs.

Le moment est peut-être bien choisi pour entreprendre l'aventure canadienne. L'économie se porte

toute évidence se contenter d'un rôle de figuration.

À bien y penser, il aurait été sûrement plus sage de retarder sa venue, comme on a décidé de le faire avec la Diamante, cette grande berline de luxe dont on prépare une refonte complète en cours d'année. D'ici là, Mitsubishi devra s'en remettre à des produits plus dynamiques, plus accessibles aussi (comme la camionnette Outlander), même si, encore là, la course est loin d'être gagnée.

*Louis Butcher*

---

## MODÈLES CONCURRENTS

- *Honda Accord* • *Nissan Altima*
- *Subaru Legacy* • *Toyota Camry*

## QUOI DE NEUF ?

- *Nouveau modèle au Canada*

## VERDICT

| | |
|---|---|
| **Agrément de conduite** | ★★★⧸ |
| **Fiabilité** | ★★★ |
| **Sécurité** | ★★★⧸ |
| **Qualités hivernales** | ★★★⧸ |
| **Espace intérieur** | ★★★★ |
| **Confort** | ★★★ |

## ▲ POUR

- Ligne exclusive • Bonne visibilité • Dégagement à l'arrière raisonnable • Insonorisation correcte
- Freinage efficace

## ▼ CONTRE

- Modèle de base dépouillé • Moteur 4 cylindres anémique • Qualité des sièges exécrable
- Décoration intérieure à revoir • Prix élevé (GTZ)

# La « protégée » de Mitsubishi

**La direction canadienne de Mitsubishi estime que plus de 50 % des Lancer qui seront vendues au pays au cours de la prochaine année seront immatriculées au Québec. Et pour s'assurer de faire le plein de clients, la Lancer se déclinera, comme aux États-Unis, en trois versions : ES, LS et O-Z Rally. Des différences entre les produits commercialisés des deux côtés de la frontière ? L'ES, pour sa part, sera « allégée » chez nous de plusieurs accessoires. Ainsi, le climatiseur, le régulateur de vitesse et certains accessoires électriques (glaces et verrouillage) se trouveront inscrits au catalogue des options. Même s'il est encore trop tôt pour le savoir, la direction du constructeur nippon estime que l'O-Z Rally, le plus coûteux et le plus flamboyant modèle de la famille Lancer, sera la version la plus courue. D'ailleurs, depuis sa sortie au sud de nos frontières, l'O-Z Rally a permis d'augmenter de 42 % les ventes de Lancer aux États-Unis.**

Qu'est-ce qu'une Lancer O-Z Rally ? Une berline vitaminée censée jouer des portières avec les MazdaSpeed, Sentra SE-R et autres compactes du même genre ? Non, il s'agit plutôt d'un – banal – exercice de style, rien de plus. En fait, seuls quelques artifices purement esthétiques (roues en alliage, carénages remodelés, bas de caisse évasé et aileron posé sur le couvercle de la malle) permettent de dissocier cette Lancer des autres membres de la famille. À l'intérieur, même approche : instrumentation couchée sur fond blanc, appliques d'aluminium brossé et des tapis protecteurs tatoués. Techniquement ? Rien. En effet, à l'exception d'une distribution de masses un brin plus avantageuse, l'O-Z Rally n'a rien à mettre sous le pied droit des conducteurs sportifs. Ces derniers sont plutôt invités à souhaiter que l'EVO VIII, le modèle haute performance chez Mitsubishi avec son moteur suralimenté et son rouage à traction intégrale, pose ses roues sur notre territoire.

### Spacieuse, cette petite

Les concepteurs de Mitsubishi ne mentent en rien lorsqu'ils affirment que la Lancer est l'une des berlines les plus spacieuses de sa catégorie. Conducteur et passagers accéderont tous facilement à leurs places, et le seul maître à bord n'aura aucun mal à trouver une position de conduite idéale, surtout que chaque

## CARACTÉRISTIQUES

| | |
|---|---|
| Prix du modèle à l'essai | 22 915 $ |
| Échelle de prix | de 15 997 $ à 22 915 $ |
| Assurances | n.d. |
| Garanties | 3 ans 60 000 km / 5 ans 100 000 km |
| Emp. / Long. / Larg. / Haut. (cm) | 260 / 451 / 169 / 139 |
| Poids | 1 225 kg (O-Z) |
| Coffre / Réservoir | 320 litres / 50 litres |
| Coussins de sécurité | frontaux |
| Suspension avant | indépendante, jambes élastiques |
| Suspension arrière | indépendante, bras longitudinaux |
| Freins av. / arr. | disque /tambour (ABS en option) |
| Système antipatinage | non |
| Direction | à crémaillère |
| Diamètre de braquage | 10,2 mètres |
| Pneus av. / arr. | P195/60R15 (O-Z) |

## MOTORISATION ET PERFORMANCES

| | |
|---|---|
| Moteur | 4L 2 litres |
| Transmission | manuelle 5 rapports |
| Puissance | 120 ch à 5 500 tr/mn |
| Couple | 130 lb-pi à 4 250 tr/mn |
| Autre(s) moteur(s) | aucun |
| Autre(s) transmission(s) | automatique 4 rapports |
| Accélération 0-100 km/h | 10,5 secondes |
| Reprises 80-120 km/h | n.d. |
| Vitesse maximale | 195 km/h |
| Freinage 100-0 km/h | n.d. |
| Consommation (100 km) | 10,1 litres (ordinaire) |
| • Valeur de revente | n.d. |
| • Renouvellement du modèle | 2003-2004 |

Dynamiquement parlant, la Lancer a peu à offrir. La direction transmet peu d'indications sur l'emplacement des roues directrices, le sous-virage (train avant qui cherche à tirer tout droit) apparaît aussitôt qu'on cherche à tutoyer les limites de l'auto et les pneumatiques mettent peu de temps à nous faire sentir qu'ils manquent de caoutchouc. Et comme un malheur ne vient jamais seul, le système de freinage manque de dents en situation d'urgence et, curieusement, ne se double pas d'un dispositif antiblocage (seule la version LS y a

version propose un réglage vertical de l'assise et une colonne de direction inclinable.

Pour ce qui est du tableau de bord – implanté assez bas, ce qui concourt à une excellente visibilité vers l'avant –, on doit reconnaître qu'il intègre une instrumentation vraiment complète, compte-tours compris. Les principales commandes se trouvent toutes positionnées dans l'environnement du conducteur et les espaces de rangement sont en nombre suffisant, à défaut d'être tous réellement pratiques.

Dans un tout autre rayon, il convient de noter qu'en dépit de l'angle d'ouverture assez étroit des portières, l'accès à la banquette arrière se fait aisément, et on y trouve amplement de dégagement pour la tête et les jambes. Même si la Lancer est dotée de trois ceintures de sécurité à l'arrière (mais de seulement deux appuie-tête), seulement deux occupants trouveront plaisir à voyager à l'arrière. Le coffre, en revanche, perd des points pour son volume de chargement et l'étroitesse du passage dans l'habitacle (rigidité de la caisse oblige), une fois le dossier rabattu en tout ou en partie.

### Le plaisir ne se trouve pas sous le capot

Aux États-Unis, la société Mitsubishi jouit d'un capital de sympathie enviable auprès des jeunes acheteurs qui la perçoivent comme une marque jeune, branchée et sportive. Mais, à la conduire, il apparaît évident qu'elle a l'air, mais pas la chanson. Alors, que les fanatiques de zone rouge, de mécaniques qui chantent, de suspensions de bois, de volant Momo et d'échappement assourdissant passent leur

chemin, cette Mitsubishi, y compris l'O-Z Rally, n'est pas faite pour eux.

Avant d'aller plus loin, attardons-nous un instant à la mécanique. En soulevant le capot de la Lancer, vous découvrirez un moteur 4 cylindres 2 litres de 120 chevaux. Modeste comme cavalerie, vous ne trouvez pas ? Non, alors sachez qu'à cylindrée égale, le moteur d'une Aerio (Suzuki) délivre quelque 20 chevaux de plus. Même si la puissance affichée entache ses performances, reste que l'étagement assez court de la boîte de vitesses manuelle et la générosité du couple permettent à la Lancer de se défendre honorablement au chapitre des accélérations, à défaut de se retrouver parmi les ténors de la catégorie. Ce n'est pas un foudre de guerre, loin de là, mais les performances procurées par ce moteur satisfont, en particulier les reprises, sur un parcours urbain ou sinueux.

droit). Conséquence : les distances d'arrêt sont plutôt longuettes.

À défaut de nous en mettre plein la vue au rayon des performances, cette Mitsubishi a le mérite de se révéler particulièrement confortable. Les éléments suspenseurs absorbent bien les irrégularités de la chaussée et, à vitesse de croisière, le niveau sonore s'avère peu élevé pour un véhicule de cette catégorie.

Pour conclure, disons que la Lancer, toutes versions confondues, m'a laissé sur mon appétit. Ses prestations dynamiques m'ont semblé assez fades, peu en rapport avec l'image qu'on lui a accolée. Attention cependant, la Lancer n'est pas une mauvaise auto pour autant. Seulement voilà, dans une catégorie aussi disputée, cette nouvelle venue manque d'arguments pour jouer les trouble-fête.

*Éric LeFrançois*

---

### MODÈLES CONCURRENTS

• *Honda Civic* • *Mazda Protegé*
• *Nissan Sentra*

### QUOI DE NEUF ?

• *Première présence sur le marché canadien*

### VERDICT

| | |
|---|---|
| **Agrément de conduite** | ★★★☆ |
| **Fiabilité** | *nouveau modèle* |
| **Sécurité** | ★★★ |
| **Qualités hivernales** | *nouveau modèle* |
| **Espace intérieur** | ★★★☆ |
| **Confort** | ★★★☆ |

### ▲ POUR

• **Habitacle spacieux** • **Prix compétitif**
• **Bonne visibilité**

### ▼ CONTRE

• **Performances décevantes (O-Z)** • **ABS seulement dans la version haut de gamme** • **Piètre qualité des pneumatiques**

# « *Capotant* »

**L'entrée en scène de Mitsubishi n'est pas banale. Attaquer le marché canadien avec une gamme complète de sept véhicules ne représente pas une mince affaire. Et comme le constructeur japonais a tenu, d'entrée de jeu, à s'inscrire dans tous les créneaux, il était clair que les camionnettes utilitaires sport allaient occuper une place de choix dans son plan de match.**

Si l'Outlander constitue une nouvelle addition au sein de la gamme, les modèles Montero et Montero Sport ont déjà acquis une solide expérience. Ce qui ne signifie pas pour autant qu'ils constituent des valeurs sûres...

Nous nous sommes principalement attardés à l'imposant Montero, une camionnette un peu difforme, très large et plutôt courte. Une situation encore évidente dans le cas du modèle deux portes qui, fort heureusement, ne traversera pas les frontières canadiennes. Mitsubishi tend à le comparer à des modèles grand format comme l'Expedition de Ford ou le Toyota Sequoia, mais si vous voulez notre avis, elle n'a pas de compétition directe. Ses formes controversées, comme sa réputation d'ailleurs, en font une camionnette à part.

### Trois rangées

L'habitacle nous est apparu vaste, surtout à l'avant. Le dégagement est illimité. Le Montero dispose d'une troisième rangée de banquettes, mais étrangement, l'espace pour la tête y est beaucoup plus restreint. Si cette banquette n'offre pas la polyva-

lence de celle d'un Acura MDX, on peut toutefois la retirer ou tout au moins la rabattre pour maximiser l'espace cargo.

La cabine nous a semblé correcte, sans plus. Bonne note pour la qualité des matériaux proposés dans la version Limited. Les commandes sont bien placées, à la portée des doigts.

Le Montero fait camion, très camion. Le pare-brise, disposé à angle droit ou presque, défie les lois de l'aérodynamique. Et, on le verra plus tard, c'est l'agrément de conduite qui en souffrira.

### Le plus dangereux

Au *Guide de l'auto*, on vous dit la vérité et on ne peut passer à côté de la très mauvaise réputation que s'est bâti le Montero depuis la réfection du modèle en 2001.

| CARACTÉRISTIQUES | |
|---|---|
| Prix du modèle à l'essai | Limited 48 507 $ |
| Échelle de prix | de 32 497 $ à 48 507 $ |
| Assurances | 695 $ |
| Garanties | 3 ans 60 000 km / 5 ans 100 000 km |
| Emp. / Long. / Larg. / Haut. (cm) | 278 / 483 / 190 / 182 |
| Poids | 2 140 kg |
| Coffre / Réservoir | de 1 127 à 2 596 litres / 90 litres |
| Coussins de sécurité | frontaux et latéraux |
| Suspension avant | indépendante, leviers triangulés |
| Suspension arrière | indépendante, leviers triangulés |
| Freins av. / arr. | disque |
| Système antipatinage | oui |
| Direction | à crémaillère, assistée |
| Diamètre de braquage | 11,4 mètres |
| Pneus av. / arr. | P265/79R16 |

| MOTORISATION ET PERFORMANCES | |
|---|---|
| Moteur | V6 3,8 litres SACT 24 soupapes |
| Transmission | automatique 5 rapports |
| Puissance | 225 ch à 5 500 tr/min |
| Couple | 248 lb-pi à 3 200 tr/min |
| Autre(s) moteur(s) | V6 3 litres 200 ch |
| Autre(s) transmission(s) | aucune |
| Accélération 0-100 km/h | 12,1 secondes |
| Reprises 80-120 km/h | 9,7 secondes |
| Vitesse maximale | 180 km/h |
| Freinage 100-0 km/h | 47,7 mètres |
| Consommation (100 km) | 13,8 litres |
| • Valeur de revente | nouveau modèle |
| • Renouvellement du modèle | 2005 |

Sa construction dépassée (carrosserie non monocoque et essieu rigide à l'arrière) peut constituer un irritant même si le Montero Sport affiche un comportement plus agréable que son grand frère. Sa cabine est entre autres plus silencieuse.

Par contre, la banquette arrière est trop basse. Le seuil de chargement trop élevé exige par ailleurs des efforts soutenus lors de la manipulation d'objets lourds.

Le Montero Sport est animé par le V6 de 3 litres qu'on retrouve aussi dans d'autres produits de la

Le sérieux *Consumer Reports,* redouté par tous les constructeurs automobiles mais aussi utilisé comme référence par ceux qui en obtiennent une bonne appréciation, lui a décerné la pire des notes lors d'un test visant à évaluer sa stabilité. On connaît la vulnérabilité des véhicules utilitaires sport au capotage, vu leur centre de gravité très élevé, mais cette fois le Montero, soumis à un exercice de slalom sur circuit fermé, s'est avéré particulièrement instable, voire dangereux. Les images publiées dans une récente édition du magazine prouvent hors de tout doute que le Montero n'est pas le plus sécuritaire des véhicules tout-terrains. Au contraire, c'est le pire.

L'organisme américain a d'ailleurs fait la recommandation suivante à son lectorat. «Si vous projetez l'achat d'un VUS, nous vous suggérons de rayer de votre liste le Montero, tant et aussi longtemps que le constructeur n'apportera pas les correctifs pour en améliorer la stabilité lors de manœuvres d'évitement.»

Ces tests ont été menés au volant d'un Montero 2001, mais depuis, Mitsubishi n'a pas modifié sa camionnette, prétextant qu'elle n'est pas un danger pour ses utilisateurs...

Que dire de plus du Montero qui, malgré ses défauts, est un vrai véhicule tout-terrain. Massive et corpulente, la camionnette est habile en condition hors route, appuyée par un dispositif électronique unique qui l'assiste dans ses montées et ses descentes.

Le moteur V6 de 3,8 litres (225 chevaux) procure des accélérations honnêtes, mais un peu plus

de puissance, en reprises particulièrement, serait appréciée. La boîte de vitesses automatique à 5 rapports peut fonctionner en mode manuel grâce au système Sportronic. Pas mal.

En condition normale, le Montero se tire bien d'affaire. Sa suspension complètement indépendante assure un comportement routier sain, mais évidemment, vu les dangers de capotage, tous les excès sont interdits.

Notre pire reproche sur la route ? Ce que le Montero peut être bruyant, mais bruyant...

### Une version plus sportive

Le deuxième membre de la famille, le Montero Sport, se révèle plus civilisé et plus discret. Dans la lignée des Nissan Pathfinder et Toyota 4Runner, il paraît toutefois désavantagé lorsqu'on le compare à ces géants difficiles à ébranler.

marque. Son rendement est adéquat, mais on serait tenté de vous recommander le 3,5 litres optionnel inscrit au catalogue des versions XLS et Limited.

Mitsubishi a beau nous vendre son expertise dans le segment des camionnettes, la gamme Montero ne nous a pas convaincus. L'arrivée dans quelques mois du nouveau Endiavor, un concurrent direct, semble-t-il, du Ford Explorer, devrait nous donner un autre son de cloche.

Cette fois, Mitsubishi promet une camionnette adaptée aux critères du marché nord-américain, ce qui n'est pas le cas actuellement avec les deux variantes du Montero...

*Louis Butcher*

---

### MODÈLES CONCURRENTS

- *Dodge Durango* • *Ford Expedition*
- *GMC Envoy*

### QUOI DE NEUF ?

- *Nouveau modèle au Canada*

### VERDICT

| | |
|---|---|
| **Agrément de conduite** | ★★★ |
| **Fiabilité** | ★★★ |
| **Sécurité** | ★★ |
| **Qualités hivernales** | ★★★★ |
| **Espace intérieur** | ★★★★ |
| **Confort** | ★★★ |

### ▲ POUR

- Habiletés hors route • Boîte de vitesses agréable
- Cabine confortable • Troisième rangée de banquettes • Impression de robustesse

### ▼ CONTRE

- Véhicule déconseillé par Consumer Reports
- Comportement routier imprévisible • Ligne désuète
- Suspension trop molle • Finition inégale

# Un utilitaire en quête de moteur

**Des huit véhicules à se disputer le plancher des salles d'exposition des concessionnaires Mitsubishi, un seul porte véritablement le sceau de la nouveauté : l'Outlander. Cet utilitaire compact est la plus récente addition à la gamme de ce constructeur japonais qui, comme on le sait, commercialise depuis le mois de septembre ses produits sur le marché canadien.**

La direction canadienne de Mitsubishi estime que la Lancer sera son produit vedette. L'Outlander, son second. Assemblé au Japon, cet utilitaire a pour mission de livrer bataille aux actuels CR-V, Forester, RAV4 et autres véhicules de cette catégorie qui remporte beaucoup de succès. Il nous sera proposé en deux versions : LS et XLS. Cette dernière, contrairement à ce qui est le cas sur le marché américain, sera uniquement proposée avec un rouage à 4 roues motrices. La LS comporte par contre une version tractée. Cette dernière, dont le prix n'a toujours pas été dévoilé, sera cependant offerte plus tard en cours d'année.

Puisque le groupe motopropulseur (moteur et transmission) est identique, les différences entre LS et XLS se retrouvent naturellement au chapitre des accessoires. Peu importe la version retenue, la liste des équipements s'avère assez complète. Climatiseur, régulateur de vitesse, glaces électriques et commande de déverrouillage à distance, pour ne nommer que ceux-là figurent parmi les caractéristiques offertes de série. Au rayon des options, on retrouve notamment une chaîne audio de 210 watts avec lecteur CD, des jantes en alliage

de 16 pouces (LS), une sellerie de cuir, des baquets chauffants et un toit ouvrant.

### De Maybach à Mitsubishi

Avant de monter à bord, quelques mots sur la présentation extérieure. Conçu sous la direction du styliste français Olivier Boulay (ex-Maybach), le style de la partie avant est, et de loin, la partie la plus originale et inaugure, dit-on, la nouvelle signature esthétique de Mitsubishi : musclée et expressive. Dans le domaine aérodynamique ce Mitsubishi figure parmi les meilleurs avec un coefficient de traînée (Cx) de 0,39 — celui du Toyota RAV4, par exemple, est de 0,48.

Maintenant, pour mieux visualiser l'espace qu'il occupera dans votre entrée de garage, sachez que ce Mitsubishi est plus long, plus lourd et moins large qu'un Mazda Tribute. Ça vous situe un peu ? Maintenant, ouvrez les portières et vous constaterez rapidement qu'on y est mieux installé à l'avant qu'à l'arrière. Comme c'est le cas dans beaucoup de véhicules utilitaires de cette catégorie, le coussin de la banquette est ancré beaucoup trop bas. Un aménagement style « théâtre », comme sur le CR-V de Honda par exemple, aurait permis d'éliminer ce sen-

timent de cloisonnement que risquent de ressentir les tout-petits. Cela dit, les places arrière n'en sont pas moins spacieuses avec beaucoup de dégagement pour les genoux, les jambes et la tête. De plus, le dossier de la banquette s'incline (idéal pour faire la sieste), se rabat en tout ou en partie et aligne à son sommet trois appuie-tête. Sécurisant.

Le coussin (encore lui) des baquets avant paraîtra peut-être un peu court pour certains, mais la position de conduite se laisse trouver en un rien de temps grâce aux nombreux ajustements possibles et à une colonne de direction qui s'incline en hauteur. Une fois confortablement installé, vous aurez d'autres motifs de croire que la vie à bord de l'Outlander peut devenir une expérience des plus agréables : matériaux bien choisis et harmonisés, tableau de bord classique et sobrement agencé, instruments lisibles et nombreux. On y retrouve même un rappel du rapport de transmission engagé et une jolie pendulette.

D'un point de vue pratique, on accède au coffre par un hayon dont la lunette est, contrairement à plusieurs de ses rivales, regrettablement fixe. Le seuil de chargement est un brin élevé, mais l'aire de chargement, une fois le dossier de la banquette rabattu, s'avère fort satisfaisante.

### Pas pour grimper aux arbres

Tout comme la majorité de ses concurrents, l'Outlander préfère jouer les « je-vais-n'importe-où » sur les

### L'antipatinage en congé

Aussi, devons-nous ajouter, l'Outlander propose deux modes d'entraînement : traction (roues avant motrices) ou intégrale (quatre roues motrices). Même si elle tarde à se montrer le bout du nez, il est bon de savoir que la version tractée ne dispose pas, comme les Escape et Tribute «tractées» de ce monde, d'un dispositif antipatinage. Mais comme vous le lirez plus loin dans ces pages, vous comprendrez pourquoi les concepteurs de ce véhicule n'ont pas jugé bon de lui en greffer un. Quant à la version 4 roues motrices, sachez que le dispositif développé par Mitsubishi ne diffère pas tellement, à l'exception de celui de Subaru, des systèmes élaborés par la concurrence. *Grosso modo*, les ingénieurs japonais ont recours à un visco-coupleur, lequel se charge de distribuer la moitié de la puissance aux roues arrière aussitôt que le train avant se met à patiner. C'est donc dire que dans des conditions normales d'utilisation, seules les roues avant sont motrices. Mentionnons également que l'Outlander à 4 roues motrices ne compte, lui non plus,

artères de nos cités plutôt que de se couvrir de ridicule (et de boue) dans nos chemins creux. L'un des principaux attraits de l'Outlander, comme ses congénères, est d'offrir une position de conduite surélevée, laquelle procure des sensations de sécurité et de domination de la circulation que seules les camionnettes et autres fourgonnettes peuvent offrir aussi.

Comme la très grande majorité de ses concurrents, l'Outlander emprunte plusieurs de ses composantes à une automobile, en l'occurrence la Lancer. C'est donc dire que nous nous retrouvons en présence

d'un châssis suffisamment rigide pour une utilisation routière, mais pas pour des excursions hors route. Il n'y a pas que nous qui le disions, les concepteurs de l'Outlander ont l'honnêteté de le reconnaître. Alors, mettons-nous d'accord tout de suite : le rouage à quatre roues motrices de cette japonaise n'a pas été conçu en fonction d'expéditions hors route, mais plutôt pour assurer une conduite plus sûre sur une chaussée à faible coefficient d'adhérence. D'ailleurs, aucune plaque de métal ne protège les organes vitaux de ce véhicule.

### ■ ÉQUIPEMENT DE SÉRIE

• Climatiseur • Glaces électriques • Commande de déverrouillage • Régulateur de vitesse
• Colonne de direction inclinable

### ■ ÉQUIPEMENT EN OPTION

• Système ABS (XLS seul) • Lecteur CD
• Toit ouvrant • Sellerie de cuir • Baquets chauffants
• Bouille sympathique • Équipement complet

sur aucun dispositif antipatinage ni sur un différentiel à glissement limité. Ce n'est pas très sophistiqué, j'en conviens, mais l'approche technique de Mitsubishi a sans doute le mérite d'être fiable.

Sous le capot, on note que cet utilitaire retient les services d'un moteur 4 cylindres à simple arbre à cames de 2,4 litres et 140 chevaux. Une valeur fort modeste comparée aux 4 cylindres qui animent les ténors de la catégorie. Et comme un malheur ne vient jamais seul, l'Outlander n'est pas un modèle de légèreté (plus de 1 400 kg à la pesée) et qui plus est, offre seulement une transmission semi-automatique à 4 rapports pour transmettre la puissance au sol. Au cours de cette première prise en main, ce véhicule a mis plus de 12 secondes (chronométrage manuel) pour atteindre les 100 km/h alors que les CR-V et Forester, pour ne nommer que ces deux concurrents équipés eux aussi d'un moteur 4 cylindres, mettent près de 2 secondes de moins pour réaliser le même exercice. Même si ce moteur ne casse rien sur le plan des performances, il peut néanmoins compter sur une force de couple assez vigoureuse (157 lb-pi) et qui, par bonheur, s'exprime assez tôt (2 500 tr/min).

## CARACTÉRISTIQUES

| | |
|---|---|
| Prix du modèle à l'essai | 31 653 $ |
| Échelle de prix | de 26 757 $ à 31 653 $ |
| Assurances | n.d. |
| Garanties | 3 ans 60 000 km / 5 ans 100 000 km |
| Emp. / Long. / Larg. / Haut. (cm) | 265 / 455 / 175 / 168,5 |
| Poids | 1 570 kg |
| Coffre / Réservoir | 1 708 l (banq. rabattue) / 59 l |
| Coussins de sécurité | frontaux et latéraux (opt.) |
| Suspension avant | indépendante, jambes de force |
| Suspension arrière | indépendante, bras tiré |
| Freins av. / arr. | disque / tambour (ABS opt.) |
| Système antipatinage | non |
| Direction | à crémaillère, assistée |
| Diamètre de braquage | 11,4 mètres |
| Pneus av. / arr. | P225/60R16 |

## MOTORISATION ET PERFORMANCES

| | |
|---|---|
| Moteur | 4L 2,4 litres |
| Transmission | semi-automatique, 4 rapports |
| Puissance | 140 ch à 5 000 tr/min |
| Couple | 157 lb-pi à 2 500 tr/min |
| Autre(s) moteur(s) | aucun |
| Autre(s) transmission(s) | aucune |
| Accélération 0-100 km/h | 12,1 secondes |
| Reprises 80-120 km/h | 9,6 secondes |
| Vitesse maximale | 185 km/h |
| Freinage 100-0 km/h | 44,2 m |
| Consommation (100 km) | 11,2 litres (ordinaire) |
| Niveau sonore | Ralenti : 42,6 dB |
| | Accélération : 72 dB |
| | 100 km : 68 dB |

pacte dont il est dérivé. Le freinage ne m'a en revanche pas tellement convaincu. À moins de s'offrir la version la plus coûteuse (XLS) et de débourser un montant additionnel, le dispositif antiblocage refuse de monter à bord de ce Mitsubishi qui autrement se met facilement en équerre. Pis encore, on ne retrouve que des tambours à l'arrière. Conséquence, les distances d'arrêt sont plutôt longues et, en usage soutenu, les freins résistent faiblement à l'échauffement. On a déjà vu mieux chez les concurrents.

Il existe deux remèdes pour retrouver le sourire au volant de cet utilitaire: passer manuellement les 4 rapports de la transmission semi-automatique ou adopter la version à roues avant motrices, à la fois plus légère et dotée d'un rapport final de boîte un brin plus long.

Ce n'est à vrai dire qu'une fois sa vitesse de croisière atteinte que l'Outlander se révèle sous un jour plus favorable. Aidée d'une monte pneumatique assez performante (pour un utilitaire), la direction cisèle avec une certaine précision les virages. Honnê-

tement, je l'aurais souhaitée un brin plus ferme; la suspension aussi, d'ailleurs. J'avais également cru le véhicule plus agile pour manœuvrer dans les espaces de stationnement, mais son long diamètre de braquage nous a rappelé, plus d'une fois, que ce n'était pas l'un de ses points forts non plus. En revanche, le confort de roulement constitue une agréable surprise. Remarquablement bien filtré et insonorisé, l'Outlander adopte, avec un ballant supérieur toutefois, les bonnes aptitudes routières de la berline com-

### À court d'arguments

À la lumière de ce premier essai, l'Outlander m'apparaît un peu à court d'arguments pour se détacher de la meute des utilitaires. D'accord, il est joliment dessiné, son habitacle est agréablement décoré et son comportement routier ne réserve aucune mauvaise surprise. Par contre, son moteur est beaucoup trop anémique et sa fiabilité encore inconnue. Réflexion faite, il s'agit d'un utilitaire de plus...

*Éric LeFrançois*

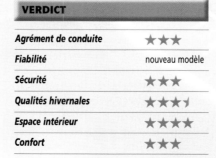

## MODÈLES CONCURRENTS

- Ford Escape • Honda CR-V • Mazda Tribute
- Subaru Forester • Toyota RAV4

## VERDICT

| | |
|---|---|
| Agrément de conduite | ★★★ |
| Fiabilité | nouveau modèle |
| Sécurité | ★★★ |
| Qualités hivernales | ★★★★ |
| Espace intérieur | ★★★★ |
| Confort | ★★★ |

## ▲ POUR

- Équipement complet • Aérodynamique soignée
- Direction précise • Suspension confortable
- Bon coffre

## ▼ CONTRE

- Moteur anémique • ABS en option • Banquette arrière trop basse • Absence d'antipatinage • Transmission étourdie • Modèle traction inutile

# NISSAN 350Z

# *Plus admirable que passionnante*

**La dernière lettre de l'alphabet a joué un tel rôle dans l'histoire de Nissan que l'on ne peut aborder la nouvelle 350Z sans d'abord faire un retour en arrière. En 1970, l'apparition de la première voiture Z (la Datsun 240Z) avait littéralement bouleversé la donne dans la catégorie des coupés et roadsters à caractère sportif. Qu'un constructeur japonais ait été en mesure de créer une voiture sport aussi performante et bien fringuée à un prix très inférieur à celui des «vedettes» de l'époque tenait de l'exploit.**

Affichée à 4 200 $, la 240Z coûtait alors moins de la moitié du prix d'une Porsche 911 E (9 500 $) et 2 000 $ de moins que le superbe coupé Jaguar XK-E selon *Le Guide de l'auto 1971*. Ses performances étaient sans doute légèrement inférieures, mais elle était alors, et de loin, la voiture de sa catégorie offrant le meilleur rapport prix/performance. Au fil des ans, la Z devint de moins en moins intéressante et la dernière version, la 300ZX, tira sa révérence en 1996. En faisant revivre ce modèle porte-bonheur, Nissan souhaite rééditer son succès d'il y a un tiers de siècle et offrir nouveau la voiture sport proposant le meilleur rapport prix/performance. Qu'en est-il ?

Tout comme en 1970, la 350Z s'inscrit dans un créneau où elle fait pratiquement cavalier seul. Plus chère qu'une Hyundai Tiburon mais beaucoup plus abordable qu'une Porsche Boxster, elle est pour ainsi dire sans rivale. Certes, son prix de base de 44 900 $ la place dans le même registre qu'une Audi TT ou une Honda S2000, mais Nissan ne considère ni l'une

ni l'autre comme des concurrentes de la 350Z. Cette dernière est, dit-on, plus sportive que le roadster allemand et moins «pointue» que sa cousine japonaise.

### *Un moteur «central avant»*

Pour être en mesure de respecter son objectif en matière de prix, Nissan a puisé largement dans son vaste inventaire de composantes et y a choisi sa plate-forme appelée FM (pour «Front Mid-ship») déjà utilisée pour la Skyline (non vendue chez nous) et l'Infiniti G35. Ce châssis se distingue par l'emplacement du moteur qui se retrouve en position «centrale avant» (juste derrière l'essieu avant) afin de contribuer à un meilleur équilibre des masses. Dans le cas de la 350Z, 53 % du poids se retrouve à l'avant et 47 % à l'arrière. En plus de tabler sur la propulsion, ce coupé qui sera bientôt rejoint par une version roadster au printemps 2003 se distingue par un empattement relativement long (24 cm de plus qu'une Porsche Boxster) avec des porte-à-faux très courts. Dans sa version de base, la voi-

ture présente un coefficient de pénétration dans l'air de 0,30 mais l'option Track Pack fait descendre ce chiffre à 0,29 grâce à la présence de becquets avant et arrière combinés à un carénage permettant un meilleur écoulement de l'air sous la carrosserie.

Ce groupe d'accessoires (facturé 1 600 $) comprend aussi des freins haute performance Brembo avec étriers à quatre pistons à l'avant et deux à l'arrière ainsi que des jantes en alliage ultraléger.

Pour la suspension, on a eu recours au principe éprouvé des essieux multibras (en aluminium) à l'avant comme à l'arrière et on s'est assuré de bien en exploiter les ressources en optant pour des pneus à taille basse de 18 pouces. Un système de stabilité (VDC) se charge de prévenir les dérapages dans les versions équipées de la boîte de vitesses manuelle à 6 rapports tandis que les modèles à transmission automatique héritent d'un antipatinage (TCS) moins sophistiqué.

Le groupe propulseur en est un que Nissan utilise à toutes les sauces puisqu'il s'agit du populaire VQ 35 que l'on retrouve à des niveaux de mise au point différents dans l'Altima, la Maxima, le Pathfinder ainsi que dans les Infiniti I35, G35 et QX4. Avec 287 chevaux obtenus à 6 200 tr/min, la 350Z hérite de la version la plus puissante de ce V6 de 3,5 litres. Détail intéressant, l'arbre de transmission est en fibre de carbone, ce qui le rend 40 % plus

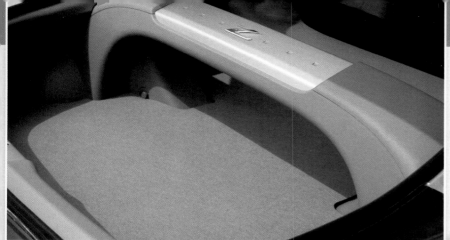

d'huile, voltmètre et ordinateur de bord) orientées vers le conducteur.

Les sièges méritent pour leur part une mention honorable. Ils sont confortables tout en offrant un bon maintien latéral et Nissan a poussé le souci du détail jusqu'à pratiquer une entaille sur la partie avant droite du siège du conducteur afin de faciliter le maniement du levier de vitesses. Hélas ! les espaces de rangement font grandement défaut dans l'habitacle. Cachés sous les accoudoirs, les bacs de porte sont quasi inutilisables tandis que le coffre à gants brille par son

léger tout en contribuant à réduire les vibrations. La voiture n'en demeure pas moins assez lourde avec un poids de 1473 kg.

Si cette Nissan renoue avec le passé par sa carrosserie de coupé deux places à hayon, sa silhouette ne rappelle que très vaguement la Z originale. À défaut de coups de crayon évocateurs, les stylistes se sont rabattus sur la lettre Z qu'ils ont éparpillée abusivement un peu partout à l'intérieur et à l'extérieur pour jouer tout de même la carte de la nostalgie. En réalité, le design nous fait davantage penser à une Porsche 911 et à une Audi TT qu'au modèle que la 350Z est censée faire renaître.

### Un intérieur moche

De toute évidence, l'apparence extérieure de la voiture a néanmoins fait l'objet d'une plus grande recherche que la présentation intérieure. Il s'agit évidemment d'une affaire de goût, mais j'ai rare-

ment vu un tableau de bord aussi moche que celui de la 350Z. Comme il est dépourvu de toute homogénéité, on a l'impression qu'il a été dessiné par trois ou quatre personnes ayant chacune une vision différente des choses. Les couleurs, les matériaux et les textures s'entrecroisent dans un fouillis monumental et sans la moindre uniformité de design. Et même si l'on devait s'accommoder d'un tel désordre, il faut admettre que la qualité des plastiques n'est pas très encourageante. Ainsi, les garnitures argentées des poignées de porte intérieures étaient déjà égratignées dans une voiture presque neuve mise à l'essai. Et que dire du couvercle de l'écran du système de navigation qui sent la camelote à plein nez. Le tableau de bord ne manque pas d'originalité pour autant avec son bloc d'instruments principaux qui fait corps avec la colonne de direction ajustable. La partie supérieure de la console centrale regroupe, comme dans l'ancienne Z, trois petites jauges (pression

absence. On l'a remplacé par un grand coffret situé derrière le siège du passager dont l'utilisation n'est pas très commode. Les faibles dimensions de la lunette arrière ne favorisent pas la visibilité qui est également diminuée par la présence d'un arceau abritant le support des jambes de force de la suspension arrière dans le compartiment à bagages. Ce dernier doit se contenter d'un volume de 193 litres, ce qui est malgré

### ■ ÉQUIPEMENT DE SÉRIE

• Phares au xénon • Chaîne audio Bose avec CD 6 disques • Sièges chauffants • Ordinateur de bord

### ■ ÉQUIPEMENT EN OPTION

• Système de navigation (3 400 $) • Ensemble Track Pack (1 600 $ : freins Brembo, jantes en alliage ultraléger, sièges en tissu)

tout suffisant si l'on tient compte que la Z est strictement une deux places.

### Des chevaux cachés

Plébiscité comme l'un des meilleurs moteurs au
monde, le V6 de la 350Z est bourré de qualités. Sa douceur, sa souplesse et sa discrétion ne font aucun doute,
mais malgré les efforts des ingénieurs de Nissan pour
lui donner du tonus, il n'a pas cette sonorité sportive
qui fait tant plaisir à l'oreille des conducteurs de voitures haute performance. La puissance annoncée ne
semble pas non plus au rendez-vous. Comment expliquer par exemple que la voiture ait à peu près les
mêmes temps d'accélération qu'une Infiniti G35 plus
lourde et moins puissante ? Les deux voitures partagent le même moteur de 3,5 litres, mais celui de la
350 Z peut compter sur 27 chevaux de plus qui se
cachent on ne sait où. En conduisant d'abord la version à transmission automatique, j'ai pensé que la
boîte manuelle remettrait les pendules à l'heure mais,
dans les deux voitures, les reprises n'avaient pas la
vigueur correspondant aux 287 chevaux promis. Il faut
dire que la boîte manuelle n'aide pas les choses en rai-

son d'un levier un peu raide à la course très longue
entre le 1er et le 2e rapport. En plus, le rupteur qui
coupe l'alimentation au régime maximal de
6 750 tr/min est plutôt brutal et vous oblige à passer le

3e juste avant d'atteindre les 100 km/h. Si le 0-60 mph
est beaucoup plus éloquent (moins de 6 secondes) que
le 0-100 km/h, c'est justement qu'il peut être bouclé
sans avoir recours au 3e rapport. Il faut autour de

### CARACTÉRISTIQUES

| | |
|---|---|
| Prix du modèle à l'essai | 350 Z 44 900 $ |
| Échelle de prix | de 44 900 $ à 48 300 $ |
| Assurances | 900 $ |
| Garanties | 3 ans 60 000 km / 5 ans 100 000 km |
| Emp. / Long. / Larg. / Haut. (cm) | 265 / 431 / 182 / 131,5 |
| Poids | 1473 kg |
| Coffre / Réservoir | 193 litres / 76 litres |
| Coussins de sécurité | frontaux, latéraux et tête |
| Suspension avant | multibras en aluminium, ind. |
| Suspension arrière | multibras, indépendante |
| Freins av. / arr. | disque ventilé, ABS |
| Système antipatinage | oui |
| Direction | à crémaillère, assistance variable |
| Diamètre de braquage | 10,8 mètres |
| Pneus av. / arr. | P225/45WR18 / P245/45WR18 |

### MOTORISATION ET PERFORMANCES

| | |
|---|---|
| Moteur | V6 DACT 3,5 litres |
| Transmission | propulsion, manuelle 6 rapports |
| Puissance | 287 ch à 6 200 tr/min |
| Couple | 274 lb-pi à 4 800 tr/min |
| Autre(s) moteur(s) | aucun |
| Autre(s) transmission(s) | automatique 5 rapports |
| Accélération 0-100 km/h | 7 s ; 7,2 s (auto.) |
| Reprises 80-120 km/h | 6,2 s (4e) ; auto 6 s (auto.) |
| Vitesse maximale | 250 km/h |
| Freinage 100-0 km/h | n.d. |
| Consommation (100 km) | 11 litres (super) |
| Niveau sonore | Ralenti : 43,4 dB |
| | Accélération : 76,4 dB |
| | 100 km / h : 75,2 dB |

ture allemande, y compris une Porsche 911. Il en résulte une tenue de route de très haut niveau avec une petite trace de sous-virage et une adhérence qui inspire une grande confiance. Et si jamais le virage se révèle plus serré qu'on le croyait, on pourra compter sur un freinage impeccable, particulièrement avec l'option Track Pack.

Malgré certaines réserves sur sa présentation intérieure et un moteur qui m'a semblé un peu bridé dans les divers modèles essayés, je n'hésiterais pas à dire que Nissan a réussi à répéter sa

7 secondes pour accomplir le sprint 0-100 km/h et cela aussi bien avec la boîte manuelle qu'avec la transmission automatique. Dans une autre 350Z essayée plus tard, la boîte manuelle avait un fonctionnement beaucoup plus en douceur et il est permis de conclure que l'on aurait pu retrancher 2 ou 3 dixièmes de seconde aux temps chronométrés au préalable.

Quoi qu'il en soit, la voiture demeure quand même assez rapide et son comportement routier est suffisamment stimulant pour que l'agrément de conduite y trouve son compte. La Z s'inscrit en virage avec une grande précision grâce à une direction rapide dont l'assistance est parfaitement dosée. Les porte-à-faux très courts permettent aussi de bien situer les extrémités de la voiture, ce qui contribue à sa très grande agilité. La suspension ne manque pas de fermeté et risque de ne pas être très confortable là où le revêtement accuse le poids des années. La rigidité de la caisse est louable et cette 350Z semble aussi solide que n'importe quelle voi-

performance de 1970 en faisant de la Z 2003 la voiture sport offrant le meilleur rapport prix/performance sur le marché. Aussi admirable soit-elle cependant, il lui manque à mon avis cette petite étincelle qui suscite la passion dont chaque voiture exceptionnelle a besoin pour marquer son époque. Il serait donc surprenant que la 350Z passe à l'histoire comme l'a fait le modèle dont elle s'inspire.

*Jacques Duval*

---

### MODÈLES CONCURRENTS

- Audi TT • BMW Z4 • Honda S2000
- Mercedes-Benz SLK • Porsche Boxster

### VERDICT

| | |
|---|---|
| **Agrément de conduite** | ★★★★ |
| **Fiabilité** | *nouveau modèle* |
| **Sécurité** | ★★★✦ |
| **Qualités hivernales** | ★★✦ |
| **Espace intérieur** | ★★✦ |
| **Confort** | ★★★ |

### ▲ POUR

- Prix abordable • Équipement complet
- Bon comportement routier • Freinage sûr
- Sièges agréables

### ▼ CONTRE

- Puissance peu évidente (voir texte) • Tableau de bord décevant • Boîte manuelle peu agréable
- Confort variable • Visibilité arrière limitée

# NISSAN ALTIMA

# La fureur

Il aura fallu attendre jusqu'en 2002 pour que la Nissan Altima prenne enfin son envol. Les précédentes versions étaient certes des voitures très valables, mais leurs lignes banales à mourir les avaient confinées à un rôle de figuration dans la catégorie des berlines de taille moyenne. Le nouveau modèle introduit l'an dernier a entraîné un tel déferlement d'enthousiasme chez les scribes automobiles qu'on l'on est en droit de se demander si l'Altima méritait vraiment ce concert d'éloges et le titre de voiture de l'année que lui a décerné le jury du *North American Car of the Year*. Un essai des deux versions inscrites au catalogue nous a permis de faire le point.

D'emblée, on peut dire que la voiture n'est pas à court d'arguments pour susciter l'admiration, à commencer par une silhouette très flatteuse dont la note dominante est le dessin assez inusité des feux arrière. Une habitabilité supérieure à celle de ses concurrentes et l'utilisation d'un moteur particulièrement généreux, tant en cylindrée qu'en puissance, donnent aussi une longueur d'avance à l'Altima face à une Camry notamment, sa principale rivale.

### Tiens ta tuque

Mon premier essai a porté sur la version 3,5SE à boîte de vitesses manuelle à 5 rapports. Avec 245 chevaux sous son capot tout aluminium, cette

Altima entend jouer les berlines sport. Elle n'y réussit qu'à demi toutefois, car si les performances sont au rendez-vous, la tenue de route déçoit un peu en raison d'un énorme effet de couple et d'une monte pneumatique inappropriée. En termes plus clairs, cela signifie que la tenue de cap est fortement compromise lorsqu'on accélère à fond sur une route au pavé dégradé, c'est-à-dire à peu près partout au Québec. Secoué par toute la puissance envoyée aux roues motrices avant, le volant braque à gauche ou à droite au gré de sa fantaisie, obligeant le conducteur à le tenir fermement pour corriger les écarts de trajectoire. Sur le circuit routier de Sanair, je me suis offert un impressionnant travers, à un cheveu du tête à queue, ce qui démontre une tendance marquée au survirage. Pour tirer pleinement profit

## CARACTÉRISTIQUES

| | |
|---|---|
| **Prix du modèle à l'essai** | 2,5S 24 298 $ |
| **Échelle de prix** | de 23 798 $ à 33 498 $ |
| **Assurances** | 824 $ |
| **Garanties** | 3 ans 60 000 km / 5 ans 100 000 km |
| **Emp. / Long. / Larg. / Haut. (cm)** | 280 / 486 / 179 / 147 |
| **Poids** | 1371 kg |
| **Coffre / Réservoir** | 442 litres / 76 litres |
| **Coussins de sécurité** | frontaux (latéraux option) |
| **Suspension avant** | indépendante, jambes de force, |
| **Suspension arrière** | indépendante, multibras |
| **Freins av. / arr.** | disque, ABS |
| **Système antipatinage** | optionnel |
| **Direction** | à crémaillère, assistance variable |
| **Diamètre de braquage** | 10,8 mètres |
| **Pneus av. / arr.** | P205/65R16 |

## MOTORISATION ET PERFORMANCES

| | |
|---|---|
| **Moteur** | 4L 2,5 litres |
| **Transmission** | traction, manuelle 5 rapports |
| **Puissance** | 175 ch à 6000 tr/min |
| **Couple** | 180 lb-pi à 4000 tr/min |
| **Autre(s) moteur(s)** | V6 3,5 litres 245 ch |
| **Autre(s) transmission(s)** | automatique 4 rapports |
| **Accélération 0-100 km/h** | 8,4 secondes |
| **Reprises 80-120 km/h** | 6,95 secondes |
| **Vitesse maximale** | 200 km/h (limitée) |
| **Freinage 100-0 km/h** | 40,7 mètres |
| **Consommation (100 km)** | 11 litres (ordinaire) |
| • Valeur de revente | bonne |
| • Renouvellement du modèle | 2007 |

médiaire que d'une compacte. Les places arrière sont conséquemment très accueillantes avec, notamment, beaucoup de place pour les jambes. En examinant le coffre arrière, on est d'abord étonné par l'apparente fragilité du couvercle jusqu'à ce que l'on constate que celui-ci est fait en aluminium, ce qui explique sa légèreté. Même si les ailes arrière empiètent sur la largeur de l'espace réservé aux bagages, la capacité de chargement de l'Altima est pleinement suffisante.

de l'excellente suspension en aluminium, le conducteur d'une Altima devra opter pour des pneus plus performants, quitte à sacrifier un peu de confort. À ce propos, l'amortissement est quelquefois un peu brutal et un second essai en hiver n'a fait qu'amplifier l'impression de sécheresse de la suspension.

Non seulement le V6 de 3,5 litres est très en verve, mais il s'illustre aussi par sa discrétion et sa douceur de fonctionnement. Son mariage avec la boîte manuelle n'est cependant pas parfaitement heureux et le levier de vitesses est un peu coriace. Et encore là, l'hiver ne fait qu'exacerber le problème. La courbe de puissance me semble aussi mieux adaptée à la transmission automatique.

### Avec 2 cylindres en moins

Pour ceux qui sont en quête d'une voiture à la fois spacieuse et de prix abordable et qui se soucient peu des performances, une Altima à moteur 2,5 litres apparaît comme un choix fort intéressant. Même avec l'option ABS, la version S mise à l'essai ne dépassait pas les 25 000 $. Et avec 175 chevaux sous le pied droit, ce gros 4 cylindres est quasi aussi performant que certains V6 d'origine coréenne. Avec la boîte manuelle à 5 rapports, il affiche une réserve de puissance adéquate pour doubler. Un temps de reprise de 6,95 secondes entre 80 et 120 km/h en 4e vitesse n'est pas à crier sur les toits, mais tout de même satisfaisant.

Par contre, il n'y a rien de gratuit en ce bas monde et les dimensions généreuses de l'Altima

se reflètent dans sa consommation moyenne de 11 litres aux 100 km. Si ce 4 cylindres n'est pas un modèle de sobriété, il a l'avantage d'éliminer une bonne partie de l'effet de couple ressenti avec la version 3,5SE. Curieusement, toutefois, la voiture a du mal à maintenir sa trajectoire à une vitesse d'autoroute. Les moindres inégalités du revêtement la font dévier de sa course et l'on doit constamment apporter des corrections au volant. Il est à souhaiter que ce comportement ait été imputable aux pneus à neige qui équipaient la voiture d'essai.

### Une compacte hors normes

Chez Nissan, on semble prendre un malin plaisir à déjouer les catégories déjà existantes et l'Altima se rapproche davantage d'une voiture de taille inter-

Si je devais acheter une de ces voitures, j'éviterais de la choisir avec un intérieur noir, une couleur qui ne convient pas très bien à l'immense étendue de plastique qui recouvre le tableau de bord. Ce dernier se reflète dans le pare-brise la nuit venue tandis que l'éclairage jaunâtre des instruments n'est pas des plus heureux en conduite nocturne.

Malgré une ceinture de caisse élevée (à la Passat), la voiture ne pose pas de problème de visibilité. Par contre, on a toujours l'impression d'être assis trop haut ou trop bas.

En guise de conclusion, il faut dire que le remaniement de l'Altima est une belle réussite sur le plan du style, mais que certains détails exigent un second regard de la part de Nissan. Toute voiture de l'année qu'elle soit.

*Jacques Duval*

---

#### MODÈLES CONCURRENTS

• *Honda Accord* • *Hyundai Sonata* • *Mazda 6*
• *Subaru Legacy* • *Toyota Camry*

#### QUOI DE NEUF ?

• *V6 bonifié de 5 chevaux* • *Coussins latéraux de série (3,5 SE)* • *Nouveaux tissus et matériaux intérieurs*

#### VERDICT

| | |
|---|---|
| Agrément de conduite | ★★★⯪ |
| Fiabilité | ★★★ |
| Sécurité | données insuffisantes |
| Qualités hivernales | ★★★ |
| Espace intérieur | ★★★★ |
| Confort | ★★★ |

#### ▲ POUR

• Moteurs performants • Bonne habitabilité
• Rapport qualité/prix intéressant • Design original
• Tenue de route soignée

#### ▼ CONTRE

• Effet de couple (V6) • Pneus inadéquats • Boîte manuelle peu agréable • Consommation élevée (4 cyl.)
• Allergie au froid (voir texte)

# Toujours dans la course

L'arrivée de la spectaculaire Altima l'an dernier a relégué la Maxima au second plan, bien que celle-ci ait connu plusieurs changements d'ordre esthétique et mécanique. Presque aussi puissante et aussi grosse que la vedette de la famille, cette nouvelle venue a cumulé les honneurs de toutes sortes en plus d'être vendue à un prix très alléchant. Cela a certainement porté ombrage à sa doyenne. Mais les mois ont passé et l'enthousiasme des gens pour la nouvelle vedette s'est quelque peu refroidi, surtout en raison d'une finition très légère. Cela a permis à la Maxima d'être de nouveau appréciée à sa juste valeur.

D'ailleurs, celle-ci est la voiture importée à moteur V6 la plus vendue en Amérique depuis des années et ce n'est pas le fruit du hasard. Elle possède un ensemble de qualités fort impressionnantes associées à une gamme de prix très compétitive. Il est certain que sa silhouette fait un peu vieux jeu par rapport aux nouveaux modèles, mais cela sera de courte durée puisqu'une toute nouvelle

Maxima fera son apparition sur le marché dans quelques mois. Il faut également ajouter qu'elle est équipée de phares au xénon, ce qui est quasiment une exclusivité dans cette catégorie.

Mais tout n'est pas qu'une affaire de style. Il est important d'ajouter que cette Nissan est d'une fiabilité pratiquement sans faille. Au cours des cinq dernières années, elle a toujours affiché un dossier exceptionnel à ce chapitre.

## Puissant et reconnu

Le cœur de cette voiture et son point fort est sans contredit son moteur V6 de 3,5 litres, l'un des moteurs V6 ayant reçu le plus de prix et figurant depuis toujours sur la liste des 10 meilleurs moteurs selon la revue spécialisée *Ward's*. En 2002, une augmentation de sa cylindrée de 500 cm$^3$ et une augmentation de sa puissance à 255 chevaux sont venus enrichir cette tradition de fiabilité et de robustesse. Et les conducteurs sportifs apprécieront à coup sûr la boîte manuelle à 6 rapports qui équipe de série le modèle SE depuis l'an dernier. Cette transmission est également couplée à un différentiel autobloquant de type mécanique. Pour leur part, les modèles GXE et SLE offrent de série une boîte automatique à 4 rapports qui jouit elle aussi d'une excellente réputation d'efficacité et de solidité. Autre détail,

## CARACTÉRISTIQUES

| | |
|---|---|
| Prix du modèle à l'essai | SE 37 895 $ |
| Échelle de prix | de 33 300 $ à 38 100 $ |
| Assurances | 820 $ |
| Garanties | 3 ans 60 000 km / 5 ans 100 000 km |
| Emp. / Long. / Larg. / Haut. (cm) | 276 / 486 / 179 / 144 |
| Poids | 1 470 kg |
| Coffre / Réservoir | 428 litres / 70 litres |
| Coussins de sécurité | frontaux et latéraux |
| Suspension avant | indépendante, jambe de force |
| Suspension arrière | essieu rigide, poutre déformante |
| Freins av. / arr. | disque, ABS |
| Système antipatinage | oui |
| Direction | à crémaillère, assistance variable |
| Diamètre de braquage | 10,8 mètres |
| Pneus av. / arr. | P215/50R17 |

## MOTORISATION ET PERFORMANCES

| | |
|---|---|
| Moteur | V6 3,5 litres |
| Transmission | traction, man. 6 rapports ( SE seulement) |
| Puissance | 255 ch à 5 800 tr/min |
| Couple | 246 lb-pi à 4 400 tr/min |
| Autre(s) moteur(s) | aucun |
| Autre(s) transmission(s) | automatique 4 rapports |
| Accélération 0-100 km/h | 8,5 sec.; 9,1 sec. (GLE auto.) |
| Reprises 80-120 km/h | 8,6 secondes (GLE auto.) |
| Vitesse maximale | 195 km/h |
| Freinage 100-0 km/h | 38,7 mètres |
| Consommation (100 km) | 13,2 litres (super) |

| | |
|---|---|
| • Valeur de revente | excellente |
| • Renouvellement du modèle | 2003 1/2 |

la moyenne. Si vous avez tendance à associer prix élevé à qualité supérieure, vous allez opter pour la GLE. Il est vrai que celle-ci est la mieux équipée du lot avec ses sièges en cuir, sa chaîne audio Bose de 200 watts et plusieurs autres équipements de luxe, mais sa suspension est trop souple pour plaire au conducteur enthousiaste qui voudrait tirer le meilleur des 255 chevaux de ce magnifique moteur V6. De plus, la direction semble moins précise que dans la SE, la version à choisir si la conduite vous passionne.

les arbres de couche sont fabriqués d'un matériau composite plastique/fibre de carbone. Comme dans toute autre berline de cette catégorie, les freins à disque aux quatre roues sont de série tout comme le système ABS à quatre canaux. Les systèmes de répartition électronique du freinage et d'assistance supplémentaire en freinage d'urgence sont également de série.

Compte tenu de cette sophistication sur le plan mécanique, il est curieux de constater que l'essieu arrière n'est pas indépendant. Les ingénieurs de Nissan affirment qu'un essieu arrière rigide à liens multiples est plus efficace dans une traction qu'une suspension indépendante. Leur secret: un lien latéral placé derrière la poutre déformante. Cela ne les a pas empêchés de doter l'Altima d'un essieu arrière indépendant. Allez donc savoir pourquoi!

### Trio à la carte

Depuis belle lurette, la stratégie de Nissan dans la gamme Maxima repose sur trois modèles distincts tant en termes d'équipement que de comportement routier. Si vous êtes attiré par le brio du moteur V6, la fiabilité de la mécanique et l'habitabilité de cette nippone, la GXE est susceptible de vous intéresser. Moins luxueuse que la GLE et d'un tempérament moins sportif que la SE, elle offre un comportement routier honnête. Avec ses roues en alliage de 16 pouces et ses pneus de types Touring, elle est bien adaptée à la grand-route tandis que sa suspension plutôt souple s'accommode bien des mauvais revêtements. C'est le meilleur rapport qualité/prix/performances dans la famille Maxima. Et s'il

était possible d'améliorer le guidage «tortueux» du levier de vitesses, ce serait encore meilleur.

Soulignons au passage que le tableau de bord de tous les modèles est relativement moderne bien qu'un tantinet conservateur. Mais avant d'effectuer des changements sur le plan esthétique, le groupe de travail en charge de l'habitacle devrait améliorer l'ergonomie de cette planche de bord. Le volant obstrue l'accès à plusieurs commandes tandis que celles de la climatisation et de la chaîne audio sont parfois inutilement complexes. Par contre, les sièges avant sont confortables et les places arrière également. Celles-ci offrent en plus beaucoup d'espace pour la tête et les jambes. Enfin, la finition s'avère exemplaire.

La Maxima, une voiture d'un certain gabarit, n'est pas nécessairement agile dans les virages serrés, mais sa tenue de route se révèle supérieure à

Sans être une berline sport pure et dure, la Maxima SE offre à mon avis le meilleur compromis en fait de performances et de tenue de route dans la famille Maxima. De plus, l'étagement de sa boîte manuelle à 6 rapports est passablement court. Malheureusement, le levier de vitesse est imprécis. Si vous optez pour le groupe d'équipement Titane, vous bénéficierez pratiquement du même luxe que dans la GLE tout en profitant d'une conduite beaucoup plus sportive.

C'est ce que l'on appelle l'embarras du choix.

**Denis Duquet**

---

### MODÈLES CONCURRENTS

• Coussins latéraux de série (GXE) • Chaîne audio Bose de série • (SE) Boussole intégrée dans rétroviseur (SE)

### QUOI DE NEUF?

• Coussins latéraux de série (GXE) • Chaîne audio Bose de série (SE) • Boussole intégrée dans le rétroviseur (SE)

### VERDICT

| | |
|---|---|
| Agrément de conduite | ★★★★ |
| Fiabilité | ★★★★★ |
| Sécurité | ★★★★ |
| Qualités hivernales | ★★★★ |
| Espace intérieur | ★★★★ |
| Confort | ★★★★ |

### ▲ POUR

• Moteur performant • Finition exemplaire • Fiabilité assurée • Version SE • Boîte manuelle 6 rapports

### ▼ CONTRE

• Silhouette étriquée • Ergonomie perfectible
• Effet de couple en accélération
• Freins d'urgence mal placé

# Grand prix de design

**Le plan de renouveau de Nissan se révèle fort ambitieux. En plus de devoir mettre fin à des années de déficits, la compagnie doit offrir des modèles dont l'apparence nous fera oublier les horreurs des années passées et qui seront en mesure de satisfaire les attentes du public. Il suffit de comparer le nouveau Murano avec le Pathfinder pour se convaincre que le numéro deux japonais est sur la bonne voie. Cet utilitaire sport compact est un véhicule multisegment réunissant une traction intégrale à une transmission automatique à rapports continuellement variables.**

Dévoilé en mars dernier au Salon de l'auto de New York, ce nouveau venu confirme une fois pour toutes que le style désuet de jadis est vraiment chose du passé. Les modèles de l'époque qui a précédé l'arrivée de la compagnie Renault dans le décor ont quasiment l'air de produits soviétiques par rapport à ce qui nous est dévoilé maintenant. D'ailleurs, les responsables de la mise en marché ont choisi la désignation Murano en association avec les artisans de l'île du même nom au large de Venise. Ceux-ci jouissent d'une réputation mondiale pour leur créativité et la qualité de leur travail. Nissan veut que cet hybride projette une image d'originalité et de qualité.

## Un look ravageur

Chez Nissan, on décrit le Murano comme une «sculpture sur roues», une description pas trop loin de la vérité. Les dessinateurs ont voulu retenir le style d'un VUS sous la ceinture de caisse et d'une berline au-dessus. L'élément le plus frappant est certainement la calandre «architecturale» qui traverse l'avant de part en part. De couleur contrastante par rapport à la carrosserie, elle est délimitée par des blocs optiques constitués de phares à jumelage vertical livrables avec des lampes au xénon. Ceux-ci constituent le prolongement des ailes, qui, peu proéminentes et de faibles dimensions, mettent la calandre et le capot en évidence. Le hayon arrière est de forme arrondie afin de produire un effet de relief. Réalisé en matériau composite, il est très léger, ce qui le rend facile à ouvrir et à fermer. L'espace de chargement se situe dans la bonne moyenne une fois les dossiers arrière relevés, presque à l'égal de celui du Pathfinder même si celui-ci est 10 cm plus

## CARACTÉRISTIQUES

| | |
|---|---|
| **Prix du modèle à l'essai** | n.d. |
| **Échelle de prix** | n.d. |
| **Assurances** | n.d. |
| **Garanties** | 3 ans 60 000 km / 5 ans 100 000 km |
| **Emp. / Long. / Larg. / Haut. (cm)** | 282 / 476 / 188 / 169 |
| **Poids** | 1 880 kg (donnée préliminaire) |
| **Coffre / Réservoir** | de 923 à 2 005 litres / n.d. |
| **Coussins de sécurité** | frontaux, latéraux et de tête |
| **Suspension avant** | indépendante |
| **Suspension arrière** | indépendante |
| **Freins av. / arr.** | disque, ABS |
| **Système antipatinage** | oui |
| **Direction** | à crémaillère, assistance variable |
| **Diamètre de braquage** | n.d. |
| **Pneus av. / arr.** | P245/55R18 (données préliminaires) |

## MOTORISATION ET PERFORMANCES

| | |
|---|---|
| **Moteur** | V6 3,5 litres |
| **Transmission** | intégrale, automatique de type CVT |
| **Puissance** | 240 ch à 5 800 tr/min |
| **Couple** | 250 lb-pi à 4 400 tr/min |
| **Autre(s) moteur(s)** | aucun |
| **Autre(s) transmission(s)** | manuel 7 rapports (CVT) |
| **Accélération 0-100 km/h** | 7,8 s (données provisoires) |
| **Reprises 80-120 km/h** | n.d. |
| **Vitesse maximale** | 195 km/h |
| **Freinage 100-0 km/h** | n.d. |
| **Consommation (100 km)** | 12,8 litres (super) |
| • **Valeur de revente** | nouveau modèle |
| • **Renouvellement du modèle** | nouveau modèle |

qu'un seul train de démultiplication composé d'une courroie et de deux poulies. La variation du diamètre de travail des deux poulies permet d'éliminer l'«étagement» des vitesses, ce qui assure un fonctionnement plus souple et plus efficace, le moteur étant maintenu à l'intérieur de sa plage optimale de régime. L'avantage d'un tel système se constate tout particulièrement au moment de l'ascension de pentes longues, alors qu'une boîte automatique classique a tendance à «chercher» ses vitesses. Si cette nouvelle mécanique vous inquiète, sachez qu'il

long que le Murano. Les dossiers arrière séparés rabattables et inclinables peuvent être débloqués à distance, par exemple à partir de l'espace de chargement.

Comme c'est la tendance, les jantes sont de grande taille et garnies de pneus de 18 pouces. Sans doute parce que ceux-ci ne font pas bon ménage avec l'aérodynamique de tout véhicule, des panneaux déflecteurs d'air ont été placés sous le moteur et vis-à-vis des pneus avant et arrière.

L'habitacle se révèle tout aussi réussi que l'extérieur. Jadis, la plupart des intérieurs Nissan étaient d'une monotonie à faire pleurer, mais cette tendance semble abandonnée à tout jamais si on se fie à celui du Murano. Les designers ont créé un tableau de bord dont certains éléments ont été empruntés à la 350Z avec un module central abritant les commandes de la climatisation, de la chaîne audio, de l'ordinateur de bord et du système de navigation offert en option. Détail intéressant, les pédales de l'accélérateur et de frein sont réglables, de même que le volant et le groupe d'instruments monobloc. Le contraste entre les éléments en aluminium et les grandes surfaces uniformes produit un agréable effet.

Véhicule multisegment signifie également espaces de rangement. Ceux-ci comprennent un bac à deux niveaux dans la console centrale et un autre sous le plancher de chargement. L'habitacle possède également différents espaces destinés au téléphone mobile, aux lunettes fumées, à la monnaie, aux verres et aux bouteilles.

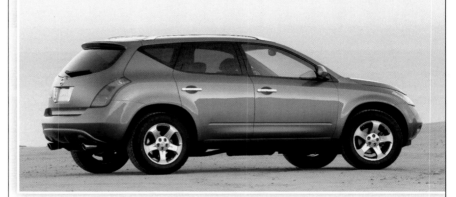

### Un moteur chevronné

Puisqu'il s'agit d'un véhicule hybride, il n'était pas nécessaire de lui donner un châssis autonome. Celui du Murano utilise la plate-forme FF-L de Nissan qui a été employée pour la première fois dans l'Altima en 2002. Les freins à disque ventilé aux quatre roues intègrent le système d'assistance au freinage (BA) et le système de distribution électronique de la puissance de freinage (EBD)

Un seul moteur est au catalogue. Il s'agit d'un V6 3,5 litres développant plus de 240 chevaux, dérivé du V6 installé sous le capot des Altima et Maxima. Il fait cavalier seul avec la première utilisation pratique en Amérique du Nord de la transmission à rapports continuellement variables dans un véhicule de cette catégorie. Contrairement à une boîte automatique classique à rapports étagés, elle ne comporte

sera possible de commander une boîte manuelle à 7 rapports dans la version SE. Ce modèle est également doté d'un système de contrôle dynamique intervenant automatiquement sur le freinage et le couple moteur en situation de sous-virage, de survirage et de conduite sur chaussée glissante. Le Murano SE est également équipé du système de contrôle de la traction (TCS).

Même s'il ne fait pas partie de la même catégorie, le Murano portera certainement ombrage au Pathfinder, définitivement en fin de carrière. Et compte tenu de la popularité toujours croissante de cette catégorie, le Murano risque d'avoir un impact plus important sur la rentabilité de la compagnie Nissan que le coupé 350Z pourtant très spectaculaire.

*Denis Duquet*

---

### MODÈLES CONCURRENTS

• *Ford Explorer* • *Honda Pilot* • *Jeep Liberty*
• *Toyota 4Runner*

### QUOI DE NEUF?

• *Tout nouveau modèle*

### VERDICT   données insuffisantes

Agrément de conduite

Fiabilité

Sécurité

Qualités hivernales

Espace intérieur

Confort

### ▲ POUR

• Silhouette ultramoderne • Moteur éprouvé
• Conception originale • Nombreux espaces de rangement • Transmission inédite

### ▼ CONTRE

• Fiabilité inconnue • Concept controversé
• Pneus exclusifs à ce modèle • Absence de boîte de vitesses conventionnelle

# Vestiges ?

**Le Pathfinder a connu ses heures de gloire au milieu des années 1990. À cette époque, il était le véhicule Nissan le plus vendu au Canada. Non seulement il s'agissait alors de l'un des meilleurs produits fabriqués par ce constructeur, mais également l'un des meilleurs de la catégorie. Pour les pessimistes, cela signifie également que les berlines de la marque n'avaient pas tellement à offrir à cette époque. Cette domination s'est petit à petit estompée au fur et à mesure que la concurrence dévoilait des modèles plus modernes et plus élégants.**

Sans vouloir jouer aux spécialistes des voitures anciennes, disons que c'est Nissan qui a été l'un des premiers à commercialiser des véhicules utilitaires sport dotés d'un certain style. Le premier Pathfinder est apparu à la fin des années 80 et a connu un succès immédiat. Une succession de révisions esthétiques et mécaniques en a fait un des leaders de sa classe. Mais dans la tourmente financière qu'a traversée Nissan au cours de la dernière décennie, les modifications n'ont pas été significatives. Les révisions subséquentes ont permis de maintenir ce modèle à flot, mais pas nécessairement de devancer la concurrence.

Tant et si bien que le Pathfinder devient de plus en plus vieillot. Malgré tout, comme un ancien champion qui nous laisse entrevoir de temps à autre des moments de génie, il possède toujours des qualités qui militent en sa faveur. Par exemple, son moteur V6 de 3,5 litres est encore dans le coup avec

ses 250 chevaux, d'autant plus qu'il est associé à une boîte de vitesses manuelle à 5 rapports. Et contrairement à la plupart des boîtes du genre qui équipent d'autres VUS, celle-ci affiche le même raffinement que celle d'une automobile. Et si vous êtes du genre à confier le passage des rapports à une boîte de vitesses automatique, vous serez ravi d'apprendre que celle à 4 rapports est aussi robuste qu'efficace. Par contre, elle retranche 10 chevaux à la puissance du moteur. C'est le prix à payer pour avoir adopté la loi du moindre effort.

Le reste de la fiche technique est également intéressant même si l'essieu rigide arrière paraît rétrograde. Cet essieu de type à liens multiples comprend des ressorts hélicoïdaux et des bras stabilisateurs. Il faut souligner de plus que ce véhicule est de type MonoFrame. Contrairement à ce qui est le cas avec

### CARACTÉRISTIQUES

| | |
|---|---|
| Prix du modèle à l'essai | LE 45 500 $ |
| Échelle de prix | de 38 500 $ à 45 500 $ |
| Assurances | 900 $ |
| Garanties | 3 ans 60 000 km / 5 ans 100 000 km |
| Emp. / Long. / Larg. / Haut. (cm) | 270 / 464 / 182 / 173 |
| Poids | 1 928 kg |
| Coffre / Réservoir | de 1076 à 2 407 litres / 80 litres |
| Coussins de sécurité | frontaux et latéraux (optionnel) |
| Suspension avant | indépendante, leviers triangulés |
| Suspension arrière | essieu rigide, triangles obliques |
| Freins av. / arr. | disque / tambour, ABS |
| Système antipatinage | non |
| Direction | à crémaillère, assistée |
| Diamètre de braquage | 11,4 mètres |
| Pneus av. / arr. | P245/70R16 |

### MOTORISATION ET PERFORMANCES

| | |
|---|---|
| Moteur | V6 3,5 litres |
| Transmission | intégrale, automatique 4 rapports |
| Puissance | 240 ch à 6 000 tr/min |
| Couple | 240 lb-pi à 3 200 tr/min |
| Autre(s) moteur(s) | V6 3,5 litres 250 ch (man.) |
| Autre(s) transmission(s) | manuelle 5 rapports |
| Accélération 0-100 km/h | 9,7 secondes |
| Reprises 80-120 km/h | 7,8 secondes |
| Vitesse maximale | 165 km/h |
| Freinage 100-0 km/h | 43,7 mètres |
| Consommation (100 km) | 14,5 litres (super) |
| • Valeur de revente | excellente |
| • Renouvellement du modèle | 2005 |

s'effectue sans problème. Même avec une remorque, le Pathfinder ne se fait pas prier pour atteindre sa vitesse de croisière, car le moteur offre un rendement supérieur à la moyenne. Le prix à payer est une consommation assez élevée et l'utilisation de carburant super, ce qui fait augmenter encore plus la facture d'essence. Enfin, soulignons que la direction est plutôt engourdie et son assistance mal dosée. Et comme le diamètre de braquage est assez important, les manœuvres de stationnement exigent une bonne dose de patience.

un châssis autonome, tous les éléments sont soudés ensemble dans le but d'obtenir le confort d'une auto et la robustesse d'un camion. Ça, c'est l'opinion de Nissan. Nous verrons plus tard si c'est vrai.

### Habitabilité rétro

Il est impressionnant de constater de nos jours à quel point les nouveaux véhicules possèdent une importante habitabilité par rapport à leur gabarit. Il n'y a pas si longtemps, le contraire était davantage la norme que l'exception. Le Pathfinder fait partie de cet catégorie. Revu plus ou moins modestement il y a un peu plus de six ans, il est trahi par un habitacle confortable, mais pas nécessairement très spacieux. D'ailleurs, il possède toujours certaines caractéristiques d'un aménagement intérieur d'une autre époque. Par exemple, si les sièges avant sont confortables, le dégagement pour la tête se révèle très juste dans les modèles équipés du toit ouvrant. Les places arrière permettent à deux adultes de s'y sentir à l'aise, mais l'arrivée d'un tiers parti ne sera pas la bienvenue. Enfin, la banquette arrière se rabat sans trop de problèmes, mais l'espace de chargement est l'un des plus petits de la catégorie. Soulignons au passage que la qualité des matériaux est bonne de même que la finition. Heureusement que les espaces de rangement pullulent et qu'une fiche 12 V est placée dans la soute à bagages.

Si les tableaux de bord des véhicules-concepts récemment dévoilés par Nissan sont très spectaculaires, celui de notre véhicule d'essai avait l'air de provenir d'une Lada tant la différence est grande entre le présent et le futur. Plusieurs modifications

y ont pourtant été apportées l'an dernier. À défaut d'avoir su trouver un stylisme plus moderne, les concepteurs ont révisé certaines commandes tandis que les cadrans à fond blanc ou titane donnent un peu de relief à la présentation.

### Hop ! Hop !

C'est surtout au chapitre du comportement routier que ce Nissan tout-usage ne peut masquer son âge. Sur une belle route en ligne droite, la suspension, bien que ferme, est adéquate et les bruits de roulement ne s'infiltrent pas dans l'habitacle. Par contre, le vent fait entendre sa présence à haute vitesse. Il faut également ajouter que les changements de voie sur la grand-route s'effectuent avec aplomb. Même le test d'évitement de l'orignal (un changement de voie subit) qui a déjà embarrassé Mercedes

Malheureusement, les choses se gâtent davantage lorsque l'état de la chaussée se dégrade. L'essieu arrière se met à gambader et c'est très désagréable. De plus, si la route est parsemée de petites bosses, le véhicule semble flotter sur celles-ci, ce qui crée une sensation inconfortable.

Assez robuste pour s'attaquer à des obstacles routiers, ce 4X4 peut être commandé avec le système à temps partiel à enclenchement à la volée ou avec une intégrale similaire à celle de l'Infiniti QX4. Dans les deux cas, le véhicule se débrouille avantageusement en conduite hors route.

Le Pathfinder n'est pas dénué de qualités. De plus, il offre une fiabilité supérieure à la moyenne. Il est cependant handicapé par une silhouette quasiment rétro et une habitabilité moyenne.

*Denis Duquet*

---

### MODÈLES CONCURRENTS

• *Chevrolet TrailBlazer/GMC Envoy* • *Ford Explorer*
• *Jeep Grand Cherokee* • *Kia Sorento* • *Mitsubishi Montero* • *Toyota 4Runner*

### QUOI DE NEUF ?

• *Répartition électronique du freinage*
• *Télécommande d'ouverture du hayon*
• *Rideau de sécurité latéral (LE)*

### VERDICT

| | |
|---|---|
| **Agrément de conduite** | ★★★⯪ |
| **Fiabilité** | ★★★★★ |
| **Sécurité** | ★★★★⯪ |
| **Qualités hivernales** | ★★★★⯪ |
| **Espace intérieur** | ★★★⯪ |
| **Confort** | ★★★⯪ |

### ▲ POUR

• Fiabilité assurée • Boîte manuelle performante
• Équipement complet • Rouage intégral efficace
• Finition soignée

### ▼ CONTRE

• Châssis vieillot • Suspension limitée • Soute à bagages de faible capacité • Places arrière inconfortables • Ergonomie perfectible

# NISSAN SENTRA

# Second regard

**Aussi bien l'avouer tout de suite, la vue d'une Sentra soulève chez moi autant de passion que celle d'un grille-pain. Et même si les stylistes lui ont dessiné une carrosserie aux lignes plus rondes, plus cossues, elle demeure toujours aussi anonyme à mes yeux.**

Pourtant, la Sentra ne manque pas de talents. Robuste, fiable et économique, cette petite Nissan est aujourd'hui plus longue, plus large et plus haute que le modèle qu'elle a remplacé il y a deux ans. Et plus rigide aussi si l'on prête foi aux affirmations de ses concepteurs. Des transformations qui ont permis de rendre cette berline plus accueillante, notamment pour les occupants des places arrière.

Le concessionnaire de la marque propose quatre versions (XE, GXE, SE-R et SE-R Spec V) à son catalogue. On retrouve en premier lieu la XE, la plus économique du groupe. Pour l'offrir à un prix

« plancher », les responsables de la commercialisation l'ont privée d'une radio, d'essuie-glaces à balayage intermittent, d'un compte-tours et même de miroirs de courtoisie. Le minimum, quoi ! Au consommateur désireux de s'acheter un peu de confort, le « très sympathique » concessionnaire Nissan propose, moyennant un déboursé additionnel de 1 100 $, le groupe d'options Plus. Ce dernier regroupe un climatiseur, un lecteur de disques compacts, une montre numérique et quelques babioles comme des poignées de portières de couleur harmonisée à la carrosserie. Insuffisant ? Alors, ne reste plus qu'à opter pour la GXE. Oui, elle est

plus chère, mais reconnaissez que les glaces à commande électrique, le régulateur de vitesse et le verrouillage centralisé des portières sont autant d'accessoires qui rendent la vie à bord plus agréable. Pour 2003, soulignons que les versions XE et GXE roulent dorénavant sur des pneus de 15 pouces et que les coussins de sécurité gonflables latéraux sont désormais intégrés au groupe d'options ABS.

## SE-R et SE-R Spec V

Et les SE-R et SE-R Spec V, maintenant ? Plus sportives, ces versions se voient notamment doter d'un volant et d'un pommeau de levier de vitesses gainés de cuir, mais aussi et surtout d'une mécanique plus endiablée (nous y reviendrons plus loin dans ces pages), d'une transmission à 6 rapports

## CARACTÉRISTIQUES

| | |
|---|---|
| Prix du modèle à l'essai | 18 695 $ |
| Échelle de prix | de 17 998 $ à 24 898 $ |
| Assurances | 600 $ |
| Garanties | 3 ans 60 000 km / 5 ans 100 000 km |
| Emp. / Long. / Larg. / Haut. (cm) | 253 / 450 / 170 / 141 |
| Poids | 1 165 kg |
| Coffre / Réservoir | 329 litres / 50 litres |
| Coussins de sécurité | frontaux et latéraux (option) |
| Suspension avant | indépendante, jambes de force |
| Suspension arrière | semi-indép., poutre déformante |
| Freins av. / arr. | disque / tambour |
| Système antipatinage | non |
| Direction | à crémaillère |
| Diamètre de braquage | 10,4 mètres |
| Pneus av. / arr. | P195/65R15 |

## MOTORISATION ET PERFORMANCES

| | |
|---|---|
| Moteur | 4L 1,8 litre |
| Transmission | manuelle 5 rapports |
| Puissance | 126 ch à 6 000 tr/min |
| Couple | 129 lb-pi à 2 400 tr/min |
| Autre(s) moteur(s) | 4L 2,5 165 ch ; 4L 2,5 175 ch |
| Autre(s) transmission(s) | automatique 4 rapports |
| | manuelle 6 rapports (Spec V) |
| Accélération 0-100 km/h | 10,3 secondes |
| Reprises 80-120 km/h | 8,7 secondes. |
| Vitesse maximale | 185 km/h |
| Freinage 100-0 km/h | 41,2 mètres |
| Consommation (100 km) | 7,1 litres (ordinaire) |
| • Valeur de revente | moyenne |
| • Renouvellement du modèle | 2004 (restylage) |

POUR TOUT SAVOIR

tique plus adhérente, une suspension plus ferme, des disques de freins à l'arrière et surtout un 4 cylindres de 2 litres capable de délivrer 165 chevaux dans le cas de la SE-R et 175 chevaux chez la SE-R Spec V. Avec de telles cavaleries, pas étonnant qu'on puisse retrancher plus de 1 seconde aux temps d'accélération obtenus au volant des livrées régulières. Par rapport à ces dernières, il est vrai plus confortables, les SE-R et SE-R Spec V s'accrochent avec plus de ténacité en virage et font montre d'un équilibre encore supérieur. La SE-R Spec V surtout, qui

(SE-R Spec V), d'une suspension plus ferme et de freins à disque à l'arrière.

Optimistes, les concepteurs de la Sentra prétendent que cinq personnes peuvent prendre place à bord. Réglons pour quatre, d'accord ! Les occupants des places avant et arrière jugeront acceptable le confort des sièges. Mentionnons par ailleurs que le dossier de la banquette arrière se rabat en tout ou en partie, dans le but d'accroître le volume du coffre, au demeurant fort logeable. Le tableau de bord, sobre et bien moulé, intègre une instrumentation claire, mais incomplète sur la version de base, et plusieurs petits espaces de rangement qui finissent par procurer une véritable impression d'astuce.

### On gagne d'un côté, on perd de l'autre

Toujours banales avec la transmission automatique, les performances du 4 cylindres de 1,8 litre s'améliorent un tant soit peu avec la boîte manuelle. Précise, cette dernière est étagée de manière à favoriser davantage l'économie d'essence que les accélérations ou les reprises. À défaut de nous électriser, ce 4 cylindres de 1,8 litre fait preuve d'une certaine souplesse, et la grogne qu'il manifeste lorsqu'on le sollicite sévèrement est correctement filtrée. Néanmoins, sachez que la direction canadienne de Nissan étudie la possibilité de greffer à la Sentra le 4 cylindres de 2,5 litres de l'Altima d'ici deux ans.

Cela dit, les ingénieurs ont eu beau retoucher la répartition des masses, modifier les réglages de suspensions, recalibrer la direction, la Sentra n'affiche toujours pas un comportement routier aussi aiguisé que celui d'une Protegé ou d'une Focus, par exemple. En revanche, cette Nissan a le mérite d'être plus confortable que ses deux rivales précitées. Même si les suspensions de cette berline privilégient le confort, la caisse prend tout de même moins de roulis qu'une Corolla, par exemple, et se révèle également plus stable en virage. Et, ce qui ne gâte rien, le système de freinage (disque/tambour dans les versions XE et GXE) fait preuve d'une belle efficacité et permet d'immobiliser la Sentra sur une distance raisonnable.

Trop sages, les Sentra « normales » ? Alors les stratèges de Nissan proposent les SE-R et SE-R Spec V. Ces versions plus athlétiques, plus racées mais plus chères aussi. Elles reçoivent une monte pneuma-

retient les services d'un différentiel autobloquant et d'une suspension encore plus ferme.

Bien que la Sentra progresse sur tous les plans, elle n'en demeure pas moins à la remorque de la concurrence au chapitre de l'agrément de conduite et de la personnalité, encore trop effacée. Par contre, pour peu qu'on la fréquente, la Sentra se révèle une compagne de route qui ne vous laisse jamais tomber et c'est sans doute ce qui explique pourquoi, selon un sondage de la CAA, près de 90 % des propriétaires de Sentra disent qu'ils en rachèteraient une autre.

*Éric LeFrançois*

---

## MODÈLES CONCURRENTS

• *Honda Civic* • *Mazda Protegé* • *Mitsubishi Lancer*
• *Toyota Corolla*

## QUOI DE NEUF ?

• *Pneus de 15 pouces* • *Coussins latéraux offerts en option avec l'ABS*

## VERDICT

| | |
|---|---|
| **Agrément de conduite** | ★★★ |
| **Fiabilité** | ★★★★★ |
| **Sécurité** | ★★★⯪ |
| **Qualités hivernales** | ★★★⯪ |
| **Espace intérieur** | ★★★★ |
| **Confort** | ★★★⯪ |

## ▲ POUR

• Fiable et robuste • Versions SE-R et Spec V réussies
• Habitacle spacieux et confortable
• Confort de roulement

## ▼ CONTRE

• Silhouette anonyme • Livrée XE dépouillée
• Tenue de route moyenne • Moteur 1,8 litre grognon

# NISSAN XTERRA

# *L'habit ne fait pas le moine*

**Lorsque le Xterra est apparu sur le marché en 1999, il s'agissait de l'un des rares produits Nissan dont le style ne soulevait pas un tollé. Se spécialisant dans les « chars de papy », cette compagnie nippone produisait des véhicules d'une solidité mécanique à toute épreuve, mais dont la silhouette faisait pleurer d'ennui. Ce tout-terrain se révélait une agréable exception avec sa carrosserie qui faisait tourner les têtes. Côté habitacle, c'était autre chose, car il avait été emprunté à la camionnette Frontier. Mais c'était tolérable compte tenu de la dynamique de l'ensemble.**

Les temps ont changé. Nissan a accompli l'une des plus spectaculaires remontées économiques dans l'histoire de l'automobile et ses nouveaux modèles sont louangés aussi bien pour leur silhouette inédite que pour leur mécanique sophistiquée. Dans ce nouveau contexte, le Xterra perd des plumes. Mais parlons tout d'abord des points positifs. La présentation extérieure a été revue l'an dernier et il faut admettre que le résultat est encore meilleur que précédem-

ment. L'imposant pare-chocs avant, le bouclier inférieur délimitant une importante prise d'air, l'incontournable porte-bagages à tubulures surdimensionnées et les phares ronds enchâssés dans un réceptacle en plastique de couleur contrastante ont permis d'augmenter le niveau de testostérone visuel de ce véhicule. Curieusement, c'est une femme qui a dessiné cette nouvelle présentation macho.

L'habitacle a été également modifié par la même occasion. D'une désolante tristesse auparavant, le

tableau de bord est devenu l'un des plus spectaculaires de la catégorie. Ici, pas de demi-mesures. Grâce au contraste entre le plastique de couleur titane de la console centrale et le gris de la planche de bord, les stylistes ont grandement rajeuni la présentation. La présence de boutons de commande ronds comme des bonbons est également à souligner. Ces trois rondeurs bien en évidence dans un rectangle aux angles arrondis constituent la signature visuelle de la cabine. Et si les cadrans indicateurs sont conventionnels, ils sont délimités par un cadre extérieur débordant de la nacelle d'accueil. Enfin, un volant à quatre branches ajoute une note sportive à l'ensemble. Pour compenser une position de conduite basse, on a intégré aux sièges avant un épais bourrelet pour supporter les cuisses et relever les jambes afin d'offrir un confort acceptable. Soulignons au passage que les

## CARACTÉRISTIQUES

| | |
|---|---|
| **Prix du modèle à l'essai** | SE-SC 35 498 $ |
| **Échelle de prix** | de 29 798 $ à 37 498 $ |
| **Assurances** | 1 057 $ |
| **Garanties** | 3 ans 60 000 km / 5 ans 100 000 km |
| **Emp. / Long. / Larg. / Haut. (cm)** | 265 / 452 / 179 / 188 |
| **Poids** | 1 874 kg |
| **Coffre / Réservoir** | de 1 260 à 1 858 litres / 73 litres |
| **Coussins de sécurité** | frontaux |
| **Suspension avant** | indépendante, leviers triangulés |
| **Suspension arrière** | essieu rigide, ressorts elliptiques |
| **Freins av. / arr.** | disque / tambour, ABS |
| **Système antipatinage** | non |
| **Direction** | à billes, assistée |
| **Diamètre de braquage** | 11,8 mètres |
| **Pneus av. / arr.** | P265/65R17 |

## MOTORISATION ET PERFORMANCES

| | |
|---|---|
| **Moteur** | V6 3,3 litres |
| **Transmission** | 4X4, automatique 4 rapports |
| **Puissance** | 180 ch à 4 800 tr/min |
| **Couple** | 200 lb-pi à 2 800 tr/min |
| **Autre(s) moteur(s)** | V 6 3,3 l à compresseur 210 ch |
| **Autre(s) transmission(s)** | manuelle 5 rapports |
| **Accélération 0-100 km/h** | 12,9 secondes |
| **Reprises 80-120 km/h** | 10,9 secondes |
| **Vitesse maximale** | 160 km/h |
| **Freinage 100-0 km/h** | 47,3 mètres |
| **Consommation (100 km)** | 14 litres (super) |

| | |
|---|---|
| • Valeur de revente | très bonne |
| • Renouvellement du modèle | 2005 |

En conduite, le comportement hors route du Xterra est l'élément le plus positif. Sa garde au sol élevée, un système 4X4 à temps partiel efficace et une bonne dose d'agilité sont en mesure de satisfaire les attentes des amateurs de balades en forêt et d'excursions dans la boue. Par contre, si vous envisagez de conduire le Xterra presque exclusivement sur le macadam, sa prestation s'avère beaucoup moins rassurante. Lorsque la chaussée est en bon état, le véhicule se comporte correctement, même si la direction à billes pour-

places arrière assurent un dégagement adéquat pour les jambes et la tête. Malheureusement, la banquette est peu rembourrée.

Détail saugrenu : le toit ouvrant est d'utilisation limitée puisqu'il donne sur le porte-bagages et son bac de remisage. Cela incite les gens à laisser la cache amovible installée en permanence.

### Un plumage macho

Le plumage du Xterra fait l'unanimité en raison de son caractère ludique qui s'associe très bien à la vocation d'un véhicule utilitaire sport. Malheureusement, le jugement est beaucoup moins positif lorsque vient le temps d'évaluer ses qualités dynamiques. S'il était possible de lui pardonner quelques faiblesses à ce chapitre il y a cinq ans, l'évolution du marché nous empêche d'être aussi généreux. Au fil des années, de nombreux nouveaux modèles sont apparus et le Xterra perd du terrain chaque fois qu'un nouveau concurrent se pointe.

Cela, pour une raison bien simple. Ce véhicule est dérivé de la camionnette Frontier, elle-même une version assez peu modifiée du légendaire Hardbody dont les origines remontent au milieu des années 80. Nissan, dont les ressources financières étaient chancelantes à ce moment, devait adopter ce genre de solutions. Mais cela a naturellement eu des incidences négatives sur le Xterra.

### Ça gronde et ça brasse

L'un des principaux problèmes du Xterra est son moteur V6 de 3,3 litres. En version atmosphérique, ses 180 chevaux peinent à la tâche tandis que son

couple de 200 lb-pi est en deçà de la moyenne de la catégorie. De plus, en accélération, il est bruyant et s'essouffle rapidement. On peut aussi opter pour la version suralimentée de ce même 3,3 litres. La puissance est alors portée à 210 chevaux tandis que le couple est de 246 lb-pi. Des chiffres plus acceptables. À l'usage, toutefois, ce moteur déçoit aussi bien en raison d'accélérations très moyennes que d'une sonorité désagréable. Il suffit d'appuyer à fond sur l'accélérateur pour entendre un sifflement asthmatique provenant du compresseur. Et la boîte de vitesses automatique qui accompagnait ce V6 effectuait des passages de rapports parfois saccadés. La boîte manuelle à 5 rapports n'est pas un choix à ignorer même si l'étagement est assez espacé et la course du levier plus ou moins précise. Malgré tout, plusieurs sauront s'en accommoder.

rait être plus précise. Par contre, dès que le revêtement se dégrade, la suspension arrière à essieu rigide se met à sautiller dans tous les sens tandis que la stabilité latérale en souffre. Dans les virages, même si la route est lisse comme un billard, cette suspension simpliste et un centre de gravité élevé n'arrangent pas les choses. Et si un vent latéral se met de la partie, la situation se corse davantage. Enfin, les choses ne s'améliorent pas non plus avec une charge supérieure à la moyenne.

Donc, si les stylistes ont fait du bon travail, il est temps que les ingénieurs se mettent à la tâche.

***Denis Duquet***

---

### MODÈLES CONCURRENTS

• *Ford Escape* • *Honda CR-V* • *Hyundai Santa Fe*
• *Jeep Liberty* • *Mazda Tribute* • *Subaru Forester*
• *Suzuki Grand Vitara*

### QUOI DE NEUF ?

• *Moteur atmosphérique plus puissant (10 ch)*
• *Siège du conducteur réglable*
• *Répartition éléctronique du freinage*

### VERDICT

| | |
|---|---|
| **Agrément de conduite** | ★★★ |
| **Fiabilité** | ★★★★ |
| **Sécurité** | ★★★⯪ |
| **Qualités hivernales** | ★★★★ |
| **Espace intérieur** | ★★★★ |
| **Confort** | ★★★ |

### ▲ POUR

• **Système 4X4 efficace** • **Fiabilité sans reproche**
• **Silhouette moderne** • **Grand espace de chargement**
• **Places arrière convenables**

### ▼ CONTRE

• **Tenue de route médiocre** • **Moteurs bruyants**
• **Boîte automatique hésitante** • **Suspension primitive**
• **Toit ouvrant peu pratique**

# *Moribonde*

**Trop souvent, on attend le décès d'une personne pour faire son apologie, et il arrive parfois que sa réputation soit meilleure après ce grand départ que de son vivant. Doit-on s'apitoyer sur le sort de l'Alero qui achève bientôt sa carrière ? GM plante-t-elle un clou dans son pneu corporatif en retirant du marché une formidable voiture ?**

I ne faudrait quand même pas exagérer. L'Alero demeure une américaine classique, avec les qualités et les défauts caractéristiques des productions de GM. Par ailleurs, il faut admettre que la division Oldsmobile réussit à faire mieux que Pontiac, avec la Grand Am, élaborée sur une plate-forme commune. Question de personnalité et de détails bien sûr, mais les lignes mieux intégrées et plus discrètes de l'Alero me paraissent plus attrayantes que l'espèce de collage hypertrophié que présente la carrosserie de la Grand Am.

### *Une vraie américaine*
Comme cette dernière, l'Alero est offerte en version berline et coupé. Les responsables de sa mise en marché nous apprennent, sans rire, « qu'elle s'adresse aux acheteurs de voitures importées pour qui la fonctionnalité est importante, mais qui recherchent également une voiture intermédiaire élégante offrant raffinement et performance ». Soutenir qu'elle s'adresse aux acheteurs de voitures importées équivaut à nier que techniquement, elle demeure aussi américaine qu'un GI posté en Afghanistan.

Prenez par exemple ses groupes motopropulseurs. Je vous défie de trouver, sous le capot d'une voiture « étrangère », un 4 cylindres offrant les caractéristiques du moteur Ecotec 2,2 litres, à moins que vous me sortiez une vieille Lada de la naphtaline. Il grogne presque constamment son profond dépit lorsque vous appuyez un peu fort sur le champignon, et frise la crise d'asthme à l'approche des 6 000 tr/min. À sa décharge, ajoutons que sa puissance très correcte de 140 vrais chevaux et son couple abondant soutiennent la comparaison avec les meilleurs de la classe. Quant au V6, son architecture obsolète restreint son potentiel à seulement 170 chevaux pour une cylindrée quand même importante de 3,4 litres. Curieusement, le même groupe motopropulseur en offre 15 de plus dans la fourgonnette Venture. Il a cependant le

## CARACTÉRISTIQUES

| | |
|---|---|
| **Prix du modèle à l'essai** | berline GL 25 900 $ |
| **Échelle de prix** | de 22 020 à 28 355 $ |
| **Assurances** | 635 $ |
| **Garanties** | 3 ans 60 000 km / 5 ans 100 000 km |
| **Emp. / Long. / Larg. / Haut. (cm)** | 271 / 474 / 178 / 138 |
| **Poids** | 1 341 kg |
| **Coffre / Réservoir** | 413 litres / 53 litres |
| **Coussins de sécurité** | frontaux |
| **Suspension avant** | indépendante, jambes de force |
| **Suspension arrière** | indépendante, jambes de force |
| **Freins av. / arr.** | disque / tambour |
| **Système antipatinage** | oui |
| **Direction** | à crémaillère, assistance variable |
| **Diamètre de braquage** | 10,7 mètres |
| **Pneus av. / arr.** | P215/60R15 |

## MOTORISATION ET PERFORMANCES

| | |
|---|---|
| **Moteur** | V6 3,4 litres 12 soupapes |
| **Transmission** | traction, automatique 4 rapports |
| **Puissance** | 170 ch à 4 800 tr/min |
| **Couple** | 200 lb-pi à 4 000 tr/min |
| **Autre(s) moteur(s)** | 4L 2,2 litres 140 ch |
| **Autre(s) transmission(s)** | manuelle 5 rapports (4L) |
| **Accélération 0-100 km/h** | 8,5 secondes |
| **Reprises 80-120 km/h** | 8 secondes |
| **Vitesse maximale** | 175 km/h (estimée) |
| **Freinage 100-0 km/h** | 45 mètres |
| **Consommation (100 km)** | 9,1 litres (ordinaire) |

| | |
|---|---|
| • **Valeur de revente** | moyenne |
| • **Renouvellement du modèle** | fin de série |

vitesse, un lecteur de CD, et quelques autres brou- tilles. La GL ajoute les glaces, rétroviseurs, et réglage en hauteur du siège conducteur à commandes élec- triques, ainsi que le verrouillage des portières à dis- tance. Comme on le peut le constater, ce n'est pas encore Byzance. La GLS pallie en partie l'indigence de ses sœurs en offrant le V6, les surfaces des sièges recouvertes d'un cuir de qualité très quelconque, une chaîne stéréo Monsoon, des roues de 16 pouces en alliage et un aileron arrière. Quatre disques assistés de l'ABS se chargent de la ralentir, « luxe »

mérite de fonctionner en douceur, et de consom- mer à peine plus (0,6 litre/100 km) que son confrère. Par ailleurs, il est le seul recommandé par GM pour remorquer un poids maximum de 454 kilos. La boîte manuelle à 5 rapports offerte exclusivement avec l'Ecotec est fabriquée par Getrag et se rapproche des très hauts standards fixés par les japonaises, même si la course du levier est encore longuette et imprécise. L'automatique Hydra-Matic à 4 rap- ports se comporte aussi comme une GM, c'est-à-dire parfaitement, et sauve littéralement la face du V6.

### Un intérieur économique

À l'intérieur, les passagers à l'avant prennent place dans des baquets dont l'assise de bonne dimen- sion est cependant trop basse et mal rembourrée. Constat identique en ce qui concerne la banquette arrière, sauf en ce qui a trait au 3e passager au centre qui devra se montrer stoïque. L'accès demeure assez malaisé à l'arrière du coupé malgré la longueur impressionnante des portières. Le coffre de bonne dimension s'agrandit par l'intérieur en rabattant le dossier de la banquette, mais son seuil de chargement est trop élevé. La planche de bord assez banale nous repose des excentricités de celle de la Grand Am, et les instruments peu nombreux sont bien lisibles. Beaucoup de matériaux qui composent l'habitacle et ornent les contre-portes sonnent creux et possèdent un grain grossier. La texture des tissus déçoit, et la qualité générale montre un grand désir d'économie. L'assemblage demeure perfectible et on retrouve encore certains plastiques mal ébavurés.

L'Alero affiche une sérénité directement pro- portionnelle à la linéarité de la route. À 100 km/h sur l'autoroute, les deux moteurs se font oublier, et le silence règne dans l'habitacle. Les longues courbes sont négociées avec aplomb et la tenue de cap demeure sans histoire. Elle se comporte même de façon assez compétente sur mauvais revêtement et lorsque la route devient plus sinueuse, grâce entre autres à des amortisseurs qui effectuent très correctement leur travail. Elle vire sans trop s'incli- ner, mais les pneumatiques très banals dans la GLS, malgré leur taille impressionnante, et de mauvaise qualité dans les deux autres modèles, n'invitent tout simplement pas le conducteur à s'éclater.

Au chapitre de l'équipement, cette Oldsmobile offre dans sa tenue GX de base la climatisation, quelques assistances électriques, le régulateur de

que se permettaient jusqu'à l'année dernière les GX et GL, alors qu'elles doivent maintenant se conten- ter d'un montage mixte disque/tambour. Les pro- ductions de l'année-modèle 2003 se voient aussi amputées de quelques accessoires, comme la direc- tion à assistance variable.

Cette pratique commerciale est pour le moins discutable pour vendre une voiture à l'origine assez compétente, mais qui est appelée à disparaître très bientôt, avec tous les désavantages que cela peut occasionner. Songez par exemple à la valeur de revente qui chutera certainement, ou simplement à l'approvisionnement potentiellement problématique en pièces de rechange, même si GM s'engage à respecter ses clients. En définitive, surveillez les rabais, ou passez simplement outre.

**Jean-Georges Laliberté**

---

# *Chronique d'une mort annoncée*

**Introduite en 1994, l'Aurora remplaçait la Toronado à titre de porte-étendard de la division Oldsmobile, et annonçait aussi une revitalisation bien nécessaire. Cependant, en dépit de ses 105 ans d'existence, Oldsmobile, la plus vieille marque de l'industrie automobile américaine, ne sera plus en production après l'année-modèle 2004, et la dernière Aurora sortira des chaînes de montage une année plus tôt. Pour certains qui ne craignent pas une dépréciation accélérée, c'est peut-être l'opportunité de s'offrir une belle grosse berline à prix d'ami.**

La mission originale de l'Aurora était de conquérir une clientèle plus jeune, et féminine de surcroît. Comme près de la moitié des acheteurs sont effectivement des femmes, il semble bien que cette fois-ci, les études de marché se soient avérées réalistes. Pour ce dernier tour de piste, les décideurs de la marque ont laissé tomber la version de base animée par le V6 de 3,5 litres qu'elle partageait avec la (défunte) Intrigue. Ne reste donc plus qu'un seul modèle pour ce baroud d'honneur, soit celui tracté par le V8 4 litres à 32 soupapes. Ce dernier fait l'objet cette année de timides améliorations concernant son circuit de lubrification, la réduction du bruit de fonctionnement et la monte de pistons spéciaux en Grafal. Pour le reste, la capacité du réservoir à essence passe à 70 litres et deux nouvelles couleurs de carrosserie apparaissent au catalogue. C'est quand même pas mal pour un modèle appelé à disparaître.

## Originale et luxueuse

L'Aurora utilise la plate-forme G modifiée commune aux Buick Park Avenue, Pontiac Bonneville et Cadillac Seville. Par rapport à ses « cousines » aux empattements identiques, sa carrosserie est tronquée de quelques centimètres, mais la cabine offre une habitabilité encore très satisfaisante. Les lignes complètement renouvelées en 2001 semblent plus sages que celles du modèle précédent sans pour autant sombrer dans la banalité, grâce entre autres à une partie avant sans calandre. Le coffre de forme régulière permet d'y placer facilement vos bagages, même si les grosses charnières risquent de les écraser.

Dans l'ensemble, la qualité des matériaux est correcte pour le prix, et des appliques de noyer véritable garnissent la planche de bord et les contre-portes. Les instruments sont peu nombreux mais

## CARACTÉRISTIQUES

| | |
|---|---|
| Prix du modèle à l'essai | 46 290 $ |
| Échelle de prix | un seul prix |
| Assurances | 808 $ |
| Garanties | 3 ans 60 000 km / 5 ans 100 000 km |
| Emp. / Long. / Larg. / Haut. (cm) | 285 / 506 / 185 / 144 |
| Poids | 1 725 kg |
| Coffre / Réservoir | 422 litres / 70 litres |
| Coussins de sécurité | frontaux et latéraux |
| Suspension avant | indépendante, jambes élastiques |
| Suspension arrière | indépendante, triangles obliques |
| Freins av. / arr. | disque, ABS |
| Système antipatinage | oui |
| Direction | à crémaillère, assistée, Magnasteer |
| Diamètre de braquage | 12,2 mètres |
| Pneus av. / arr. | P235/55hR17 |

## MOTORISATION ET PERFORMANCES

| | |
|---|---|
| Moteur | V8 4 litres DACT 32 soupapas |
| Transmission | traction, automatique 4 rapports |
| Puissance | 250 ch à 5 600 tr/min |
| Couple | 260 lb-pi à 4 400 tr/min |
| Autre(s) moteur(s) | aucun |
| Autre(s) transmission(s) | aucune |
| Accélération 0-100 km/h | 8 secondes |
| Reprises 80-120 km/h | 7,4 secondes |
| Vitesse maximale | 210 km/h (limitée) |
| Freinage 100-0 km/h | 42 mètres |
| Consommation (100 km) | 11,8 litres (super) |

| | |
|---|---|
| • Valeur de revente | faible |
| • Renouvellement du modèle | fin de série |

Delco et Bosch donne entière satisfaction. La pédale offre une dureté rassurante et les distances d'arrêt sont très respectables, limitées finalement par l'adhérence des Michelin MXV4 Energy de taille impressionnante.

Le comportement routier dans son ensemble se révèle à la hauteur des prétentions du manufacturier qui veut offrir une berline agile, plus sensible aux vœux de son conducteur, en un mot, qui se rapproche des standards élevés fixés par la concurrence internationale. Sur ce point, les amortisseurs

bien lisibles, et un centre de diagnostic complet permet d'être bien renseigné sur l'état de la mécanique. L'ergonomie satisfait sauf en ce qui concerne la récalcitrante grille de sélection du levier de vitesses, maladroitement calquée sur les premières expériences de Mercedes en la matière.

L'équipement se révèle assez riche avec entre autres une sono complète avec lecteurs de CD et de cassettes, l'air climatisé automatique avec double thermostat, et de pratiques contrôles redondants dans le moyeu du volant pour le réglage de la température et de la chaîne stéréo. L'Aurora comporte un système de contrôle dynamique de la stabilité appelé PCS pour : Precision Control System, un antipatinage assez sophistiqué, un correcteur d'assiette automatique pneumatique, et le potentiellement très utile système OnStar. Les seules options concernent le chauffage pour les sièges, le toit ouvrant à commande électrique, les essuie-glaces à intermittence automatique et quelques autres vétilles. Une attention particulière a été apportée aux fauteuils avant, puisqu'ils sont tendus d'un cuir assez épais et odorant et qu'ils offrent un confort qui ne se dément pas sur longue distance. Pourvus de l'assistance électrique pour des réglages en six sens, ils intègrent aussi des sacs gonflables latéraux et les baudriers des ceintures de sécurité.

### Un moteur en verve
Le V8 offre encore la puissance respectable de 250 chevaux et 90 % de son couple est disponible dès 2 300 tr/min. Son architecture moderne avec ses

culasses à double arbre à cames en tête et ses 32 soupapes contraste fortement avec le vénérable 3,8 litres à arbre à cames central offert dans la Bonneville et la Park Avenue. Bien que gavé par son compresseur volumétrique, ce dernier n'arrive pas développer une puissance aussi considérable, même si son couple est supérieur. On peut vraiment conclure au triomphe du conservatisme et à celui des experts en prix de revient qui n'ont pas hésité à sacrifier le V8 plus coûteux à produire. La boîte de vitesses à 4 rapports demeure parmi les belles réalisations de GM et elle passe les rapports imperceptiblement. Même si la tendance est actuellement aux boîtes à 5, sinon 6 rapports, ce tandem demeure au-dessus de tout reproche dans la très grande majorité des circonstances. Le freinage confié à quatre disques assistés d'un ABS développé conjointement par

apparaissent encore un peu trop mous et on remarque des réactions parfois surprenantes de la direction Magnasteer assistée électriquement qui se durcit inopinément en certaines circonstances. La tenue de cap très franche et le peu de roulis en courbe rachètent heureusement ces faiblesses.

En somme, l'Aurora demeure une belle aventure, brutalement interrompue par la disparition totale de la division. Dans une ultime tentative pour soulever l'intérêt des consommateurs, les 500 dernières voitures produites recevront des jantes et une couleur spéciales, ainsi que quelques décorations commémorant leur statut très particulier. Avis aux intéressés, même s'il ne faut pas compter sur un retour rapide de votre investissement.

*Jean-Georges Laliberté*

---

| MODÈLES CONCURRENTS |
|---|
| • Audi A6 • BMW 530 • Jaguar S-Type • Lincoln LS • Volvo S60 |

| QUOI DE NEUF ? |
|---|
| • Édition spéciale pour les 500 dernières • Modifications au moteur • Nouvelles couleurs • V6 supprimé |

| VERDICT | |
|---|---|
| Agrément de conduite | ★★★★ |
| Fiabilité | ★★★⯪ |
| Sécurité | ★★★★ |
| Qualités hivernales | ★★★⯪ |
| Espace intérieur | ★★★⯪ |
| Confort | ★★★★ |

| ▲ POUR |
|---|
| • Ligne originale • Moteur/boîte performants |
| • Comportement routier correct • Équipement riche |
| • Prix concurrentiel |

| ▼ CONTRE |
|---|
| • Fin de série • Direction parfois surprenante |
| • Voiture potentiellement « orpheline » • Charnières du coffre encombrantes • Amortisseurs un peu mous |

# Pour une autre planète ?

C'est Pierre Véron qui écrivait que la laideur est une infirmité qui fait le désespoir d'une femme et la joie de toutes les autres. Transposée dans le monde de l'automobile, cette petite leçon de vie nous laisse supposer qu'un modèle aux lignes disgracieuses sera laissé pour compte et que les clients iront voir chez la concurrence.

Mettons de côté pour un instant la rectitude politique et affirmons sans ambages que l'Aztek est franchement laide. Car, ne nous y trompons pas, cette « chose » est en fait une Pontiac Montana, habillée probablement par un extraterrestre qui aurait rapidement aperçu un véhicule de ce type lors de son passage sur notre planète, et qui tenterait maladroitement d'en faire le dessin rentré chez lui. Pourtant, lorsqu'on se donne la peine de soulever cette vilaine robe, on est quand même assez surpris des résultats, sans être pour autant « excité ».

### Polyvalence et habitabilité

J'ai eu l'occasion d'essayer récemment une version à traction intégrale appelée VersaTrak, et l'expérience n'est quand même pas aussi éprouvante qu'elle y paraît à première vue. Bien sûr, on ne pouvait occulter complètement la carrosserie tarabiscotée d'un jaune clair à vous péter les rétines, mais il faut admettre qu'elle dégage quand même une bonne habitabilité. Sa partie arrière est formée d'un hayon et d'un abattant qui favorisent une belle modularité. On peut par exemple y ranger de très longs objets, un peu comme dans une camionnette, et elle permet aussi d'y monter une petite tente (offerte en option), qui malheureusement tient plus du gadget que du refuge durable. Même les enfants s'en lasseront rapidement. Par ailleurs, l'immense lunette posée à 45° n'est pas équipée d'un essuie-glace, ce qui semble incompréhensible.

L'habitacle se distingue par son style indéfinissable mais un peu incongru, encore une fois un peu bizarre, genre *Robocop* revu par GM, avec en tête les jeunes Californiens blasés qui en redemandent. La planche de bord d'un gris souris appuyé renferme entre autres des instruments bien clairs qui baignent dans une lumière rougeâtre. On y trouve aussi de gros registres circulaires de « plastique hurlant », et une série de boutons aux formes mal achevées qui lui donnent une apparence plutôt bon marché. On ne parle plus ici de boutons,

## CARACTÉRISTIQUES

| | |
|---|---|
| **Prix du modèle à l'essai** | AWD 33 040 $ |
| **Échelle de prix** | de 27 285 à 34 630 $ |
| **Assurances** | 960 $ |
| **Garanties** | 3 ans 60 000 km / 5 ans 100 000 km |
| **Emp. / Long. / Larg. / Haut. (cm)** | 284,5 / 476 / 185 / 171 |
| **Poids** | 1 986 kg |
| **Coffre / Réservoir** | de 1 286 à 2 648 litres / 70 litres |
| **Coussins de sécurité** | frontaux et latéraux |
| **Suspension avant** | indépendante, jambes élastiques |
| **Suspension arrière** | indépendante, poutre déformante |
| **Freins av. / arr.** | disque, ABS |
| **Système antipatinage** | oui (traction) |
| **Direction** | à crémaillère, assistée |
| **Diamètre de braquage** | 11 mètres |
| **Pneus av. / arr.** | P235/55R17 |

## MOTORISATION ET PERFORMANCES

| | |
|---|---|
| **Moteur** | V6 3,4 litres ACC 12 soupapes |
| **Transmission** | intégrale (TI), auto. 4 rapports |
| **Puissance** | 185 ch à 5 200 tr/min |
| **Couple** | 210 lb-pi à 4 000 tr/min |
| **Autre(s) moteur(s)** | aucun |
| **Autre(s) transmission(s)** | aucune |
| **Accélération 0-100 km/h** | 12 secondes |
| **Reprises 80-120 km/h** | 8,5 secondes |
| **Vitesse maximale** | 180 km/h |
| **Freinage 100-0 km/h** | 43 mètres |
| **Consommation (100 km)** | 10,7 litres (ordinaire) |

| | |
|---|---|
| • Valeur de revente | moyenne |
| • Renouvellement du modèle | 2006 |

les coûts de fabrication. On y ajoute aussi des freins à disque à l'arrière. L'ABS et les coussins gonflables dans les sièges avant faisaient partie jusqu'à maintenant de la dotation de série, mais très curieusement, pour l'année 2003, ils sont en option pour le modèle de base. Un gros pas en arrière sur le plan de la sécurité.

L'Aztek se décline en version de base et GT. Cette dernière ajoute principalement à un équipement au départ assez complet l'antipatinage pour la version traction, un très pratique plateau de

ou de touches, mais de vulgaires « pitons ». Les espaces de rangement sont omniprésents, même que la console centrale peut servir de glacière. Les fauteuils de bonne taille à l'avant sont trop mous et offrent peu de support, mais le tissu qui les recouvre semble résistant, à défaut d'être attrayant. À l'arrière, les passagers ne manquent pas d'espace, même si l'assise de leurs fauteuils est aussi peu confortable, et ils disposent d'une panoplie de commodités. La soute de forme très régulière permet d'apporter une tonne de bagages, et on peut bivouaquer assis sur le panneau arrière en écoutant son *trash* le plus décadent grâce à une chaîne audio intégrée (en option elle aussi) à commandes distinctes. Avis aux amateurs cependant, la distorsion semble augmenter de façon exponentielle avec le volume.

### Comportement routier prévisible

La visibilité est très correcte à l'avant, car le capot est invisible (heureusement) du poste de pilotage. Les choses se gâtent à l'arrière parce que l'aileron qui sépare l'abattant de la lunette arrive en plein dans votre champ de vision. Le comportement routier de cette énième version de la Venture est assez banal. Les amortisseurs contiennent efficacement les ressorts, et les courbes se négocient avec sécurité, peu importe leur rayon. Le confort est très honnête pour les occupants, même à pleine charge. Je dirais que les ajustements sur les suspensions sont les mieux réussis de toute cette plate-forme. Les pneus de 17 pouces à cote de vitesse « H » en option

sur la version essayée n'y étaient sûrement pas étrangers. La version à traction et pneumatiques très ordinaires de 16 pouces est cependant loin d'afficher cet équilibre et le sous-virage apparaît rapidement.

Le moteur somme toute assez archaïque tire quand même assez bien son épingle du jeu (du moins à bas et moyen régime), mais on sent le poids des ans et il va falloir réagir rapidement devant la concurrence qui se gausse non sans raison avec ses arbres à cames en tête. Heureusement, il peut compter sur une boîte automatique qui est, je le répète, ce que GM fait probablement de mieux, et il tourne à seulement 1 800 tr/min à 100 km/h. Le système à traction intégrale avec ses belles épures de suspensions indépendantes à l'arrière représente un très pratique compromis entre l'adhérence, le poids et

charge coulissant et amovible d'une capacité surprenante de 182 kg (400 livres), un petit ordinateur de bord, le verrouillage à distance des portières avec alarme, la climatisation à deux zones, le régulateur de vitesse, quelques garnitures de cuir, des tissus de meilleure qualité, et les réglages électriques pour le siège du conducteur.

Somme toute, l'Aztek mériterait un peu mieux que ce qui lui est réservé par la presse et le public. Sans être un véhicule aux caractéristiques exceptionnelles, on a affaire à une fourgonnette polyvalente, bien équipée, et offerte à prix étudié. Si seulement on y avait pensé deux fois avant de l'affubler de cette carrosserie extravagante et saugrenue qui à mon humble avis déconsidère l'administration de GM.

*Jean-Georges Laliberté*

---

## MODÈLES CONCURRENTS

• Ford Escape • Honda CR-V • Mazda Tribute
• Jeep Liberty

## QUOI DE NEUF ?

• Groupe ABS • Coussins latéraux en option sur modèle de base • Système DVD en option • Nouvelles roues de 16 et 17 pouces

## VERDICT

| Agrément de conduite | ★★★ |
|---|---|
| Fiabilité | ★★★ |
| Sécurité | ★★★ |
| Qualités hivernales | ★★★★⯪ |
| Espace intérieur | ★★★★ |
| Confort | ★★★★ |

## ▲ POUR

• Polyvalence • Mécanique éprouvée • Système VersaTrak bien pensé • Bonne adhérence (17 pouces)
• Bonne habitabilité

## ▼ CONTRE

• Carrosserie inélégante • Intérieur tarabiscoté
• ABS maintenant en option • Sièges mous
• Moteur dépassé

# PONTIAC BONNEVILLE / BUICK LESABRE

# Une mécanique, deux personnalités

**Les Pontiac Bonneville et Buick LeSabre partagent le même châssis, un même V6, et la plupart de leurs organes mécaniques. Il y a pourtant autant de différence entre leurs personnalités respectives qu'il peut y en avoir entre un joueur de hockey du style *Les Boys* et un retraité passant ses journées sur les terrains de golf.**

Fidèle à la mentalité Pontiac, la Bonneville s'adresse à des conducteurs plus exubérants, à qui il arrive occasionnellement de retomber en adolescence lorsqu'un feu de circulation passe du rouge au vert. La LeSabre attire plutôt une clientèle traditionaliste ayant des idées bien arrêtées en matière d'élégance, et qui n'accepte pas les compromis à propos de son confort. Des deux voitures, c'est la Bonneville qui procure le plus grand plaisir de conduire, mais ce n'est pas elle qui obtient le plus de succès au Québec, peut-être, en partie, à cause d'une échelle de prix assez élevée.

### Plus sportive Bonneville

La Bonneville se décline en versions LE, SLE et SSEi. Les deux premières sont équipées de l'increvable V6 3,8 litres, le même que l'on retrouve dans les Buick Regal et Century, mais avec des modifications aux tubulures d'admission et d'échappement qui lui procurent 5 chevaux de plus, pour un total de 205. On a déjà tout dit et tout écrit sur lui depuis son entrée en service il y a quelques décennies. Contentons-nous cette fois de déclarer qu'il a du souffle, de la souplesse, et que sa fiabilité ne se dément pas. Cependant, pour espérer lutter dans

la même arène que les Nissan Maxima ou Acura TL, il faut opter pour la livrée SSEi qui propose le même V6 en version suralimentée de 240 chevaux et 280 lb-pi de couple. Les deux moteurs font équipe avec une boîte automatique à 4 vitesses dont les changements de rapport semblent toujours s'effectuer au bon moment, et de façon à peine perceptible. Les freins à disque démontrent un fonctionnement rassurant, et, contrairement à la politique qui prévaut cette année pour plusieurs modèles GM, l'ABS fait encore partie de la dotation de base.

Sur la grand-route, on ne ressent pratiquement pas le passage des inégalités, mais d'entrée de jeu cette fois, même avec la SE, Pontiac a voulu faire un petit velours aux adeptes de la conduite « sportive ». Plate-forme bien rigide, roues de

## POUR TOUT SAVOIR

### CARACTÉRISTIQUES

| | |
|---|---|
| Prix du modèle à l'essai | Bonneville SLE 37 450 $ |
| Échelle de prix | de 33 180 $ à 43 565 $ |
| Assurances | 825 $ |
| Garanties | 3 ans 60 000 km / 5 ans 100 000 km |
| Emp. / Long. / Larg. / Haut. (cm) | 285 / 514,5 / 188,5 / 142 |
| Poids | 1 670 kg |
| Coffre / Réservoir | 510 litres / 70 litres |
| Coussins de sécurité | front. et laté. (option SE et SLE) |
| Suspension avant | indépendante, jambes de force |
| Suspension arrière | indépendante, trangles obliques |
| Freins av. / arr. | disque, ABS |
| Système antipatinage | oui |
| Direction | à crémaillère, assistance variable |
| Diamètre de braquage | 12 mètres |
| Pneus av. / arr. | P235/55HR17 |

### MOTORISATION ET PERFORMANCES

| | |
|---|---|
| Moteur | V6 3,8 litres |
| Transmission | traction, automatique 4 rapports |
| Puissance | 205 ch à 5 200 tr/min |
| Couple | 230 lb-pi à 4 000 tr/min |
| Autre(s) moteur(s) | V6 3,8 l suralimenté (SSEi) 240 ch |
| Autre(s) transmission(s) | aucune |
| Accélération 0-100 km/h | 8 secondes |
| Reprises 80-120 km/h | 8,2 secondes |
| Vitesse maximale | 180 km/h (estimée) |
| Freinage 100-0 km/h | 40 mètres |
| Consommation (100 km) | 9,7 litres (ordinaire) |
| • Valeur de revente | moyenne |
| • Renouvellement du modèle | 2004 |

### Plus sage LeSabre

La Buick LeSabre est un peu plus courte et étroite que la Bonneville pour un même empattement, mais offre une habitabilité légèrement supérieure. La version Custom se distingue en accueillant six passagers grâce à sa banquette avant, (pauvre passager écroué au centre), les baquets *catcher's mit* se retrouvant dans la Limited.

Son roulement privilégie le confort, comme en fait foi le choix de pneumatiques de 15 pouces à haut profil. Les roues de 16 pouces sont option-

16 pouces, réglages plus fermes des suspensions avec correcteur d'assiette automatique à l'arrière, sans oublier l'antipatinage à toute vitesse, tous ces éléments contribuent à donner à la Bonneville un comportement routier intéressant et sécuritaire. Son encombrement occasionne cependant un certain manque d'agilité, et sa tendance au sous-virage ne prédispose pas le conducteur à la pousser jusque dans ses derniers retranchements. La SSEi tente de remédier à la situation avec une suspension sport, des roues de 17 pouces et le système StabiliTrak, qui analyse en tout temps la trajectoire du véhicule par rapport à l'angle du volant et corrige automatiquement sa course, si nécessaire, en relâchant les gaz ou en appliquant sélectivement les freins. Mais malgré tous ces efforts, les performances et l'agrément de conduite que procure la SSEi ne résistent pas encore à la comparaison avec les berlines sport européennes auxquelles elle prétend se frotter.

La silhouette apparaît, bien sûr, quelque peu tarabiscotée, avec les porte-à-faux et moulures hypertrophiées façon Pontiac, sans oublier l'aileron superflu fiché sur le couvercle de la malle. Celle-ci possède des dimensions généreuses, tout comme l'habitacle, qui reçoit à l'avant des baquets *catcher's mit* (gant de receveur) au confort remarquable. À l'arrière, deux adultes bénéficient de l'espace nécessaire pour voyager à l'aise ; un 3e au centre forcera tout le monde à se serrer les coudes, et son postérieur constituera le principal « rembourrage ». La finition intérieure a fait des progrès, mais le tableau de bord conserve encore des relents psy-

chédéliques, et surprend toujours par sa grande variété de buses d'aération et de gros « pitons » ronds.

La version SE de base est munie des principales commodités, incluant les réglages électriques du siège du conducteur, ce qui est bien le moins, vu son prix. La SEL ajoute, entre autres, l'ordinateur de bord, les commandes radio redondantes montées sur le volant et le système de navigation OnStar. La SSEi, enfin, propose la sellerie de cuir, les sièges chauffants avec réglages à mémoire, et de petites gâteries telles que le Head-Up Display (dispositif tête-haute) qui affiche la vitesse courante dans le pare-brise. Mais il en faudrait davantage pour lui conférer le prestige et la séduction que devrait normalement commander une voiture de plus de 43 000 $

nelles, de même que la suspension Gran Touring, mais seul le V6 de 205 chevaux est offert, ce qui est cohérent avec ses habiletés routières limitées mais étonne tout de même, considérant que la Regal, en retrait dans la hiérarchie Buick, a droit au même moteur, mais suralimenté. Elle offre à quelques détails près les mêmes accessoires et commodités que la Bonneville, livrés dans un emballage soigné et un tantinet suranné caractéristique de la marque centenaire. Comme pour la Bonneville, il n'y a pas tellement de nouveautés à signaler cette année, sinon quelques détails de-ci, de-là, et la venue d'une édition Celebration richement équipée. Si la formule plaît, Buick serait bien malvenue de la changer.

*Jean-Georges Laliberté*

---

## MODÈLES CONCURRENTS

- *Acura TL • Chrysler Intrepid • Ford Taurus*
- *Nissan Maxima • Pontiac Grand Prix*

## QUOI DE NEUF ?

- *Bonneville: nouvelle apparence des sièges en cuir*
- *LeSabre: édition Celebration et nouvelles couleurs de carrosserie*

## VERDICT

| | |
|---|---|
| Agrément de conduite | ★★★⅃ |
| Fiabilité | ★★★⅃ |
| Sécurité | ★★★★ |
| Qualités hivernales | ★★★★ |
| Espace intérieur | ★★★★ |
| Confort | ★★★⅃ |

## ▲ POUR

- Moteurs performants • Transmission efficace
- Tenue de route intéressante • Baquets confortables
- Grande habitabilité

## ▼ CONTRE

- Design exubérant (Pontiac) • Sous-virage important
- Tableau de bord carnavalesque (Pontiac)
- Échelle de prix élevée

# PONTIAC GRAND AM

# L'effet Bob Lutz

**La tornade Bob Lutz a déjà des répercussions sur l'ensemble de la production de General Motors et notamment chez Pontiac, une des marques du groupe dont il entend redorer le blason au cours des prochaines années. Devenu responsable des produits en octobre 2001, M. Lutz, un septuagénaire depuis longtemps reconnu pour son flair automobile, a d'abord sommé les designers de chez Pontiac de se débarrasser de ces affreux panneaux latéraux qui alourdissaient les bas de caisse de plusieurs modèles de la marque, dont la Pontiac Grand Am.**

Cette Grand Am était probablement la plus irritante en matière de style avec ses immenses panneaux de bas de caisse au relief très prononcé. Le nouveau patron les a donc fait enlever, du moins sur les berlines SE et SE2. Seuls le coupé et la berline GT les conservent, sans doute parce qu'ils s'adressent à une clientèle qui apprécie ce genre d'artifices visuels. C'est là messieurs, dames, la grande nouvelle au sujet des Pontiac Grand Am édition 2003. Il y a bien deux nouvelles couleurs et l'ABS qui est maintenant disponible dans les versions SE et SE1 mais il n'y a pas de quoi écrire à chez vous.

Cela dit, les Pontiac Grand Am ont certainement certaines qualités pour connaître autant de succès auprès des automobilistes.

La fiche technique est quand même adéquate avec une suspension arrière indépendante, des rotules de suspension en aluminium, une direction à assistance variable avec le moteur V6, le moteur Ecotec 4 cylindres de conception moderne et une plate-forme égale aux meilleures de la catégorie avec une rigidité de 25 Hz. La popularité de cette Pontiac pourrait-elle aussi s'expliquer par son comportement routier ?

### Pas trop vite !
Même déparée de ses éléments décoratifs extérieurs, la berline ne fait pas dans la sobriété. Sa partie avant est toujours d'un style agressif tandis qu'il est possible de garnir le couvercle du coffre d'un aileron arrière aussi ridicule qu'inutile. Dans l'habitacle, l'influence de Lutz ne s'est pas fait sentir encore et on retrouve la même présentation baroque que par le passé avec une débauche de

## POUR TOUT SAVOIR

### CARACTÉRISTIQUES

| | |
|---|---|
| Prix du modèle à l'essai | berline SE 23 495 $ |
| Échelle de prix | de 21 635 $ à 28 540 $ |
| Assurances | 900 $ |
| Garanties | 3 ans 60 000 km / 5 ans 100 000 km |
| Emp. / Long. / Larg. / Haut. (cm) | 272 / 473 / 179 / 140 |
| Poids | 1 415 kg |
| Coffre / Réservoir | 413 litres / 54 litres |
| Coussins de sécurité | frontaux |
| Suspension avant | indépendante, MacPherson |
| Suspension arrière | indépendante, bras oscillants |
| Freins av. / arr. | disque / tambour (ABS en option) |
| Système antipatinage | oui |
| Direction | à crémaillère, assistée |
| Diamètre de braquage | 11,5 mètres |
| Pneus av. / arr. | P215/60R15 |

### MOTORISATION ET PERFORMANCES

| | |
|---|---|
| Moteur | 4L 2,2 litres |
| Transmission | traction, automatique 4 rapports |
| Puissance | 140 ch à 5 600 tr/min |
| Couple | 150 lb-pi à 4 000 tr/min |
| Autre(s) moteur(s) | V6 3,4 litres 170 ch; V6 3,4 litres Ram air 175 ch |
| Autre(s) transmission(s) | manuelle 5 rapports (2,2 l) |
| Accélération 0-100 km/h | 10,4 s; 9,1 s (V6) |
| Reprises 80-120 km/h | 9,3 secondes |
| Vitesse maximale | 185 km/h |
| Freinage 100-0 km/h | 42 mètres |
| Consommation (100 km) | 10,4 l; 11,3 l (V6) (ordinaire) |
| • Valeur de revente | moyenne |
| • Renouvellement du modèle | 2004 |

seulement il conserve ses apparats extérieurs, mais il est équipé d'un moteur V6 3,4 litres, exclusif à ce modèle, dont le système Ram Air permet d'obtenir 175 chevaux. Ce sont 5 de plus que le moteur régulier. Son système d'échappement moins restrictif permet d'entendre un ronronnement un peu plus accentué, mais les performances ne sont pas éblouissantes pour autant. En fait, la présence de pneus de 16 pouces, de freins à disque aux quatre roues avec système ABS et de pneus à profil bas fait plus pour améliorer l'agrément de conduite que ce moteur

volutes de toutes dimensions. Les cardans indicateurs à chiffres rouges sur fond noir sont abrités du soleil par un surplomb à double demi-lune. Pour leur part, les trois buses centrales de ventilation sont en appui sur la planche de bord. Soulignons au passage que leur présence lors d'un essai effectué par un temps de canicule a été fortement appréciée. Pour le reste, c'est inutilement tourmenté avec des pièces en plastique aux formes complexes. Cela met en lumière plusieurs défauts d'ajustement des pièces.

La présentation de l'habitacle est une question de goûts personnels. Par contre, tous vont trouver que les sièges baquets avant sont nettement trop mous et que leur support latéral est insuffisant en dépit de rebords proéminents dans plusieurs modèles. De plus, la position de conduite est moyenne, sans plus. Le lot des passagers des places arrière n'est pas meilleur. La banquette est bien rembourrée certes, mais son assise est trop basse pour qu'on y soit confortable.

L'arrivée en cours d'année 2002 du nouveau moteur Ecotec 2,2 litres de 140 chevaux ne nous fait nullement regretter le départ du 2,4 litres «Quad4». Ce dernier a toujours résisté aux efforts des ingénieurs qui ont vainement tenté d'éliminer ses vibrations et son caractère rugueux. Le nouveau venu est tout en aluminium et mécaniquement très moderne. Moyennement bruyant, il permet de concilier une bonne économie de carburant à des performances adéquates. Notre voiture d'essai était dotée d'une boîte automatique à 4 rapports tandis qu'une transmission manuelle à 5 rapports est de série.

Sur une route dont la chaussée est en bon état,

la Grand Am se révèle une routière convenable avec une tenue de route prévisible et neutre en virage. Les reprises du 2,2 litres sont également de la même cuvée: moyennes. Cette conduite sans histoire nous permet d'apprécier la climatisation de série et la bonne sonorité de la chaîne audio.

C'est sur mauvais revêtement que les choses se gâtent. La tenue de route demeure acceptable, mais le pilote se sent totalement isolé des roues directrices tandis que la suspension avant talonne allègrement. Comme c'est le cas de plusieurs autres voitures de même origine, les ingénieurs nord-américains semblent avoir de la difficulté à bien calibrer la suspension.

### Sportif du dimanche

Il ne faudrait pas ignorer le coupé GT en 2003. Non

à soupape en tête plutôt vieillot.

Une fois encore, ce sont la présentation et les «bébelles» qui valent à cette Pontiac sa pompeuse appellation de GT. La vérité est beaucoup moins intéressante. Si vous cochez ce modèle en passant votre commande, vous allez obtenir une auto plus fardée, un peu plus rapide, mais certainement pas une grande routière.

La meilleure valeur dans le camp Grand Am est sans doute le modèle le plus économique doté du moteur Ecotec et de la boîte de vitesses manuelle.

*Denis Duquet*

---

### MODÈLES CONCURRENTS

• Chrysler Sebring • Honda Accord • Mazda 6
• Nissan Altima • Oldsmobile Alero • VW Jetta

### QUOI DE NEUF?

• Élimination des garnitures de caisse (SE et SEi)
• Nouveaux carénages avant et arrière • Freins ABS dorénavant en option • Capot en composite sur GT

### VERDICT

| | |
|---|---|
| Agrément de conduite | ★★★⯪ |
| Fiabilité | ★★★ |
| Sécurité | ★★★ |
| Qualités hivernales | ★★★⯪ |
| Espace intérieur | ★★★⯪ |
| Confort | ★★★ |

### ▲ POUR

• Apparence plus élégante • Plate-forme rigide
• Intérieur révisé • Tenue de route saine
• Prix compétitif

### ▼ CONTRE

• Version GT toujours «décorée» • Suspension mal amortie • ABS dorénavant en option • Modèle en sursis • Places arrière justes (coupé)

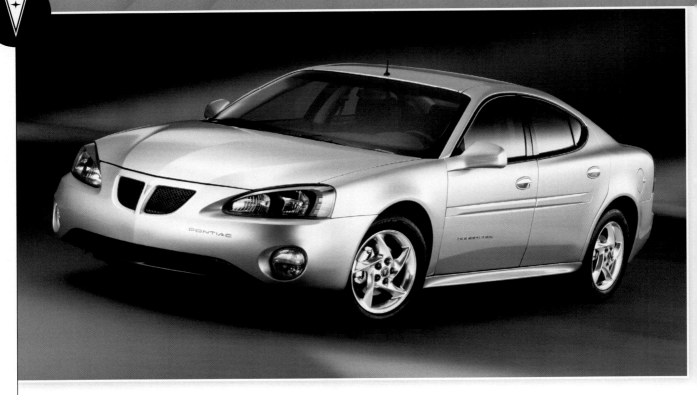

# Un bon millésime

**Même si elle traîne toujours derrière elle une réputation plus ou moins enviable, la société General Motors n'est plus le synonyme de voitures bâclées et inintéressantes destinées à des acheteurs américains peu exigeants. La Pontiac Grand Prix en est une preuve irréfutable. Cela faisait une mèche que je n'avais pas essayé ce modèle qui a longtemps fait carrière comme le pendant de la Chevrolet Monte Carlo. C'est une voiture qui a eu ses bonnes et ses mauvaises années, mais on peut dire que les versions actuelles font partie des meilleurs millésimes.**

Malgré un nom archiprétentieux, cette Pontiac n'est pas dépourvue de talent, surtout en matière de comportement routier. Précisons d'abord qu'elle s'affiche en trois tenues différentes : SE, GT et GTP. Trois motorisations sont également au programme avec des puissances allant de 175 à 240 chevaux. Le V6 de 3,1 litres de la SE est le plus modeste des trois moteurs

offerts tandis que la GT bénéficie d'un 3,8 litres (série II) développant 200 chevaux. La plus sportive du lot est la GTP qui se rabat sur les 240 chevaux de son V6 3,8 litres à compresseur pour annoncer ses couleurs. C'est ce dernier groupe propulseur, disposé transversalement, qui équipait le modèle mis à l'essai, un coupé deux portes GTP. Profitons-en ici pour souligner qu'avec la GT ou la GTP, l'acheteur a le choix entre la berline ou le coupé.

## L'effet de couple ? Connais pas...

Alors que je m'attendais à devoir suivre des cours de musculation pour tenir à deux mains le volant de cette traction de 240 chevaux, quelle ne fut pas ma surprise de constater que cette Pontiac Grand Prix est étrangement dépourvue d'effet de couple. GM pourrait en montrer à cet égard aux ingénieurs de Saab (la filiale suédoise du géant américain) dont les voitures les plus puissantes sont affligées d'un volant qui réagit violemment à la force de couple appliquée au train avant. Dans la GTP, le volant n'a pas cette vilaine tendance à tirer à droite ou à gauche dès que l'on accélère, un phénomène courant dans les tractions très puissantes. Et cette Pontiac est loin d'être avare de performances avec, par exemple, un

## CARACTÉRISTIQUES

| | |
|---|---|
| Prix du modèle à l'essai | GTP 33 185 $ |
| Échelle de prix | de 27 230 $ à 33 185 $ |
| Assurances | 959 $ |
| Garanties | 3 ans 60 000 km / 3 ans 60 000 km |
| Emp. / Long. / Larg. / Haut. (cm) | 281 / 499 / 185 / 139 |
| Poids | 1 580 kg |
| Coffre / Réservoir | 453 litres / 68 litres |
| Coussins de sécurité | frontaux |
| Suspension avant | jambes de force MacPherson |
| Suspension arrière | 3 bras oscillants, roues indép. |
| Freins av. / arr. | disque, ABS |
| Système antipatinage | oui |
| Direction | à crémaillère, assistée |
| Diamètre de braquage | 11,3 mètres |
| Pneus av. / arr. | P225/60R16 |

## MOTORISATION ET PERFORMANCES

| | |
|---|---|
| Moteur | V6 3,8 litres à compresseur |
| Transmission | traction, automatique 4 rapports |
| Puissance | 240 ch à 5 200 tr/min |
| Couple | 280 lb-pi à 3 600 tr/min |
| Autre(s) moteur(s) | V6 3,1 et 3,8 l (175 et 200 ch) |
| Autre(s) transmission(s) | aucune |
| Accélération 0-100 km/h | 6,9 secondes |
| Reprises 80-120 km/h | 6,4 secondes |
| Vitesse maximale | 180 km/h (limitée) |
| Freinage 100-0 km/h | 43,6 mètres |
| Consommation (100 km) | 9,5 litres (super) |

| | |
|---|---|
| • Valeur de revente | moyenne |
| • Renouvellement du modèle | 2004 |

siège du conducteur et madame en sera quitte pour se geler les foufounes sur du cuir glacial pendant que monsieur aura les fesses bien au chaud. Je connais au moins une femme qui a refusé une telle discrimination et qui a ordonné à son mari de retourner la voiture au concessionnaire sous peine de divorce. Bien fait... Ces mêmes sièges ne sont pas très confortables en raison d'un manque d'appui latéral et d'un coussin trop peu profond au niveau des cuisses. Le coupé Grand Prix a pratiquement la même habitabilité que la berline et

0-100 km/h bouclé en 6,9 secondes et des reprises tout aussi convaincantes. La transmission automatique à 4 rapports, la seule au catalogue, contribue d'ailleurs à exploiter toute la puissance du moteur sans délais ou hésitations. Et tout cela sans que la consommation ne dépasse les 9,5 litres aux 100 km.

La suspension fait aussi de l'excellent travail en jumelant une tenue de route très saine à un confort soigné. Les pneus (Eagle RSA) continuent d'impressionner sous ce rapport et il faudra vraiment insister pour que la GTP finisse par avouer son comportement sous-vireur une fois la limite d'adhérence atteinte. Sur des routes sinueuses, cette Pontiac est loin d'être prise au dépourvu, en raison principalement d'une direction ultrarapide et jamais trop légère qui se distingue par sa grande précision. Le freinage, toutefois, constitue le point noir du bilan routier de cette voiture. Les distances d'arrêt sont longues, la pédale devient vite spongieuse et le bruit de castagnettes qui accompagne le fonctionnement de l'ABS ne vous donne surtout pas le goût de danser. La rigidité de la caisse laisse aussi un peu songeur car, malgré l'état presque neuf du véhicule d'essai (4 000 km), la carrosserie était sujette à des craquements et autres bruits insolites sur mauvaise route.

Soulignons au passage que la Grand Prix de base abandonne ses aptitudes sportives au profit d'une plus grande douceur de roulement. Si la ligne de cette Pontiac vous accroche et que les performances ne sont pas votre tasse de thé, la version SE

pourrait vous satisfaire pleinement. À condition de pouvoir « vivre » avec une présentation intérieure qui ne brille pas par sa sobriété. Si le tableau de bord n'est pas un exemple de bon goût, on ne peut lui reprocher son ergonomie qui est sans faute avec des commandes à portée de la main et une instrumentation dont la disposition permet une lecture rapide. En plus, la GTP mise à l'essai possédait l'option « tête haute » qui affiche la vitesse du véhicule dans le pare-brise au niveau des yeux. Un gadget, rien de plus.

### Femmes froides, s'abstenir

Les constructeurs automobiles prennent quelquefois des décisions qui dépassent l'entendement et la Grand Prix nous en fournit un bel exemple. Chez Pontiac, l'option siège chauffant se limite au

les places arrière sont spacieuses. Par contre, la gymnastique à laquelle il faut se soumettre pour y accéder (en passant notamment sous la ceinture de sécurité) n'obtiendrait pas une très bonne note dans un concours, quelle que soit la nationalité du juge.

Pour 2003, General Motors n'a pas cru bon de modifier la Grand Prix compte tenu qu'un tout nouveau modèle verra le jour en 2004 (voir photo). Malgré tout, l'ABS est désormais livrable en option sur les modèles SE et GT. Pas un mot sur le chauffe-fesses du passager avant, figurez-vous. Bref, GM s'améliore, mais il reste encore du chemin à faire.

*Jacques Duval*

---

### MODÈLES CONCURRENTS

- *Chevrolet Impala • Chrysler Intrepid • Ford Taurus*
- *Honda Accord • Mazda 6 • Nissan Altima*
- *Toyota Camry*

### QUOI DE NEUF ?

- *Lecteur CD de série • Dossier arrière rabattable*
- *Une nouvelle couleur • ABS désormais optionnel*
- *Groupe d'options réaménagé*

### VERDICT

| | |
|---|---|
| **Agrément de conduite** | ★★★⯪ |
| **Fiabilité** | ★★★⯪ |
| **Sécurité** | ★★★★ |
| **Qualités hivernales** | ★★★⯪ |
| **Espace intérieur** | ★★★★ |
| **Confort** | ★★★⯪ |

### ▲ POUR

- **Bons moteurs • Performances étonnantes (GTP)**
- **Pas d'effet de couple • Confort appréciable**
- **Direction vive**

### ▼ CONTRE

- **Freinage déficient • Sièges inconfortables**
- **Bruits de caisse • Présentation intérieure** discutable

# PONTIAC SUNFIRE

# Petits frissons

**Dans le plan à long terme de General Motors concocté au tournant du millénaire, les voitures Pontiac devaient nous procurer des sensations fortes tandis que les Chevrolet avaient pour mission de nous assurer une bonne valeur par rapport au prix. Mais il suffit d'examiner un peu la Sunfire pour conclure que celle-ci ne peut nous donner que de petits frissons. C'est une voiture honnête, vendue à prix économique, mais qui n'a rien pour faire grimper notre taux d'adrénaline.**

Cette stratégie de mise en marché par marque a d'ailleurs été abandonnée depuis l'arrivée en poste de Robert Lutz, un visionnaire qui s'est débarrassé de ces politiques de pacotille pour tenter de développer des voitures de qualité pour chaque catégorie. Notre homme s'est particulièrement attaqué à la division Pontiac dont les voitures exagérément fardées étaient devenues caricaturales. Les appliques de bas de caisse ont presque

toutes pris le bord et plusieurs modèles de cette marque ont été l'objet d'une révision esthétique cette année. La Sunfire fait partie de ce lot.

Il faut tout d'abord placer ce véhicule dans son contexte. L'un des modèles les plus vendus au Canada, il a connu une sérieuse révision de sa plate-forme et de ses organes mécaniques en 1996 et de légères modifications d'ordre esthétique en 2000. Trois années plus tard, on assiste à un nouveau *face-lift* destiné à faire patien-

ter les gens avant l'arrivée d'une troisième génération entièrement revue et corrigée d'ici quelques années. Elle misera sur la nouvelle plate-forme Epsilon déjà utilisée dans la Saturn ION et l'Opel Vectra. Mais elle conservera le moteur Ecotec, le seul disponible cette année après avoir été utilisé dans les modèles GT et GTX en 2002.

L'une des plus graves lacunes de la Sunfire était son pathétique moteur 2,2 litres à soupapes en tête qui n'avait comme qualité qu'une durabilité à toute épreuve et une faible consommation de carburant. Pour le reste, mieux vaut oublier. Son remplaçant est beaucoup mieux. Ses 140 chevaux sont les bienvenus tandis que les temps d'accélération sont très corrects avec un chrono de moins de 10 secondes pour franchir le 0-100 km/h. La boîte manuelle (produite

## CARACTÉRISTIQUES

| | |
|---|---|
| Prix du modèle à l'essai | Coupé SL 15 970 $ |
| Échelle de prix | de 15 370 $ à 20 140 $ |
| Assurances | 630 $ |
| Garanties | 3 ans 60 000 km / 5 ans 100 000 km |
| Emp. / Long. / Larg. / Haut. (cm) | 264 / 462 / 173 / 135 |
| Poids | 1195 kg |
| Coffre / Réservoir | 351 litres / 53 litres |
| Coussins de sécurité | frontaux et latéraux |
| Suspension avant | indépendante, jambes élastiques |
| Suspension arrière | essieu rigide, poutre déform. |
| Freins av. / arr. | disque / tambour |
| Système antipatinage | non |
| Direction | à crémaillère, assistée |
| Diamètre de braquage | 10,9 mètres |
| Pneus av. / arr. | P195/70R14 |

## MOTORISATION ET PERFORMANCES

| | |
|---|---|
| Moteur | 4L 2,2 litres |
| Transmission | traction, manuelle 5 rapports |
| Puissance | 140 ch à 5 600 tr/min |
| Couple | 150 lb-pi à 4 000 tr/min |
| Autre(s) moteur(s) | aucun |
| Autre(s) transmission(s) | automatique 4 rapports |
| Accélération 0-100 km/h | 9 secondes |
| Reprises 80-120 km/h | 8,1 secondes (4e) |
| Vitesse maximale | 185 km/h |
| Freinage 100-0 km/h | 42,8 mètres |
| Consommation (100 km) | 10,4 (ordinaire) |

| | |
|---|---|
| • Valeur de revente | faible |
| • Renouvellement du modèle | 2004 |

Ces arguments sont vrais, mais il faut également placer ce véhicule en perspective. S'il domine le palmarès des ventes au pays, c'est que les gens y trouvent leur compte. Les acheteurs apprécient un prix de vente très compétitif, un équipement relativement complet et une présentation tout de même intéressante. De plus, sans être une grande routière, cette Pontiac affiche un comportement acceptable à la condition qu'on n'essaie pas trop d'imiter les pilotes de course. Et il faudra être encore plus prudent cette année puisque l'ABS est

par Getrag) est sans reproche. Ce moteur est pratiquement exempt de vibrations grâce à ses deux arbres d'équilibrage. Et il ne faut pas oublier que sa culasse accueille deux arbres à cames en tête. Bref, ses performances comme son rendement en font un excellent choix et personne ne regrettera l'autre moteur au catalogue, le 2,4 litres Twin Cam dont les vibrations avaient le dessus sur les performances.

### Maquillage !
La division Pontiac a toujours été celle des carrosseries aux lignes tourmentées, parsemées d'appliques latérales de toutes sortes et dont la calandre tentait de ressembler à une mauvaise imitation des « rognons » de BMW. La Sunfire était affectée à un moindre degré par ces dérapages esthétiques, mais elle en beurrait plus épais que la Chevrolet.

Cavalier avec laquelle elle partage presque tout sur le plan mécanique. Dans son plan de décontamination visuelle de Pontiac, Robert Lutz a réussi à alléger le design extérieur, mais il était certainement en congé lorsque les tissus des sièges de certains modèles ont été choisis. Les gens qui ont le cœur fragile à la suite d'une nuit trop bien arrosée devraient d'ailleurs se méfier de cet habitacle bariolé. Sur une note plus positive, notons que le tableau de bord est moins bigarré que celui des autres Pontiac.

Par ailleurs, les modifications apportées à la partie avant sont mieux réussies. Détail à souligner, la partie arrière de la berline est pratiquement inchangée à l'exception de la présence d'un

nouvel écusson tandis que le coupé hérite d'un couvercle du coffre, de feux arrière et d'un carénage redessinés. La raison de cette disparité est intéressante à connaître. C'est que cette Pontiac n'est offerte qu'en version coupé aux États-Unis. La berline est donc une concoction purement canadienne. Serait-ce là pourquoi notre premier ministre affirme que notre pays est le meilleur au monde ?

### La logique !
Plusieurs chroniqueurs automobiles prennent un malin plaisir à décrier les faiblesses du duo Chevrolet Cavalier/Pontiac Sunfire. Ils leur reprochent une direction plutôt floue, une tenue de route très moyenne et des performances à peine adéquates. De plus, ils soulignent avec justesse que la finition est assez bâclée et le confort des sièges à revoir.

maintenant optionnel. Pour certains, c'est une bonne nouvelle, car cet accessoire s'avérait d'un fonctionnement assez primitif.

Malgré tout, la Sunfire est la preuve que le gros du marché est constitué de gens à la recherche d'une voiture d'une bonne habitabilité, économique d'achat et d'entretien. Et si jamais son comportement routier est bon, tant mieux. Je connais même une personne qui a choisi la Sunfire parce que la banquette arrière permet d'accommoder ses amis. De plus, si vous regardez sur la route, vous êtes entouré de vieilles éditions de Sunfire de toutes configurations. Pour plusieurs, cette longévité est une qualité qui l'emporte de beaucoup sur l'agrément de conduite. Que répondre devant un tel argument ?

*Denis Duquet*

### MODÈLES CONCURRENTS
• Chevrolet Cavalier • Dodge SX • Ford Focus
• Kia Spectra • Mazda Protegé • Mitsubishi Lancer
• Nissan Sentra • Toyota Corolla

### QUOI DE NEUF ?
• Avant redessiné • Nouveau bouclier arrière
• Moteur Ecotec de série • ABS optionnel

### VERDICT
| | |
|---|---|
| Agrément de conduite | ★★★⌐ |
| Fiabilité | ★★ |
| Sécurité | ★★★ |
| Qualités hivernales | ★★★ |
| Espace intérieur | ★★★★⌐ |
| Confort | ★★★ |

### ▲ POUR
• Moteur moderne • Boîte manuelle Getrag
• Prix compétitif • Silhouette plus moderne
• Dossier arrière rabattable

### ▼ CONTRE
• Finition perfectible • ABS dorénavant optionnel
• Pneus exécrables • Habitacle criard

# Toute la ville en parle

**Le choix a été unanime. Entre la Toyota Matrix et la Pontiac Vibe, c'est la représentante de General Motors qui a été choisie comme étant la plus belle par l'équipe du *Guide de l'auto*. Pour ceux qui ne le sauraient pas déjà, ces deux voitures sont des sœurs jumelles puisqu'elles sont issues d'un partenariat entre le plus grand constructeur automobile au monde, GM, et le 3e en importance à l'échelle planétaire, Toyota. Comme on pouvait s'y attendre, un tel mariage a fait des vagues; la Matrix et la Vibe sont incontestablement les voitures qui ont fait le plus parler d'elles au cours des derniers mois. Partageant la même plate-forme et les mêmes éléments mécaniques, ces deux petites familiales ne se distinguent que par leur silhouette et les divers emblèmes soulignant leur identité propre. Si la Vibe remporte le concours de beauté entre les deux, qu'en est-il du reste ?**

Notre match comparatif publié en première partie répondra à cette question. Nous nous attarderons plutôt ici aux résultats d'un essai à moyen terme réalisé au volant d'une Pontiac Vibe 2003 à traction à moteur de 130 chevaux et trans-mission automatique à 4 rapports. Même sans la traction intégrale ou le moteur de 180 chevaux proposés en option, la voiture mise à notre disposition excédait tout de même de 5 940 $ son prix de base de 19 150 $. Son équipement facultatif comprenait un groupe Sport (roues de 16 pouces en alliage, toit ouvrant, etc.), un groupe Commodité, la transmission automatique et un groupe Sécurité (ABS, coussins gonflables latéraux). Total de l'addition : 26 035 $.

### Mauvaise impression

Un tel prix a pour effet de rendre les acheteurs un peu plus exigeants. La Vibe est la parfaite illustration de ce que nous disait Bob Lutz, vice-président chez GM lors d'une entrevue. Il nous avait alors avoué que sa compagnie se devait de faire d'importants progrès au chapitre de la « perception de la qualité », un domaine où GM est légèrement en retrait sur la concurrence. Conçue en grande partie par Toyota, la Vibe est sans doute solidement construite, mais ce n'est malheureusement pas l'impression qui s'en dégage. Nos essayeurs ont souligné que

## CARACTÉRISTIQUES

| | |
|---|---|
| Prix du modèle à l'essai | Traction 26 250 $ |
| Échelle de prix | de 19 850 $ à 26 650 $ |
| Assurances | 1 112 $ |
| Garanties | 3 ans 60 000 km / 3 ans 60 000 km |
| Emp. / Long. / Larg. / Haut. (cm) | 260 / 436,5 / 177,5 / 158 |
| Poids | 1 254 kg |
| Coffre / Réservoir | de 547 à 1533 litres / 50 litres |
| Coussins de sécurité | frontaux et latéraux |
| Suspension avant | jambes de force MacPherson |
| Suspension arrière | poutre de torsion, essieu rigide |
| Freins av. / arr. | disque / tambour |
| Système antipatinage | non |
| Direction | à crémaillère, assistée |
| Diamètre de braquage | 10,8 mètres |
| Pneus av. / arr. | P205/55R16 |

## MOTORISATION ET PERFORMANCES

| | |
|---|---|
| Moteur | 4L 1,8 litre |
| Transmission | traction, automatique 4 rapports |
| Puissance | 130 ch à 6 000 tr/min |
| Couple | 125 lb-pi à 4 200 tr/min |
| Autre(s) moteur(s) | 1,8 VVTL-i 180 ch |
| Autre(s) transmission(s) | manuelle 5 ou 6 rapports (GT) |
| Accélération 0-100 km/h | 10,3 secondes |
| Reprises 80-120 km/h | 8,7 secondes |
| Vitesse maximale | 194 km/h |
| Freinage 100-0 km/h | 43,6 mètres |
| Consommation (100 km) | 8,3 litres (ordinaire) |
| • Valeur de revente | bonne |
| • Renouvellement du modèle | n.d. |

### Un intérieur clinquant

Si cette Pontiac diffère de la Matrix par sa silhouette, l'intérieur, en revanche, est identique dans les deux voitures. Un joli volant à trois branches derrière lequel on retrouve quatre cadrans cerclés de chrome donne une note un peu clinquante à un tableau de bord où le plastique gris aluminium est omniprésent. De prime abord, les sièges très mollement rembourrés donnent une impression de grand confort, mais on découvrira au fil des kilomètres qu'ils manquent de profondeur et d'appui

les matériaux de la finition intérieure, notamment, avaient une apparence de fragilité, un commentaire qui s'est d'ailleurs retrouvé aussi dans le livret de bord de la Matrix que *Le Guide de l'auto* soumet à un essai à long terme. Cette impression initiale, est-il nécessaire de le préciser, fait plus de mal à Pontiac qu'à Toyota, compte tenu que la marque américaine ne jouit pas de la même réputation en matière de qualité que sa rivale nippone. Même si les deux voitures sont pratiquement identiques, il s'en trouve plusieurs qui préfèrent la Matrix à la Vibe simplement à cause de leur patronyme.

Avant d'aller plus loin, il m'apparaît utile de démêler l'écheveau que constitue la fiche technique de la Vibe. Par exemple, le moteur 4 cylindres de 1,8 litre a une puissance différente selon les modèles qu'il équipe : 130 chevaux avec la traction et 123 seulement dans les versions 4 roues motrices. À moins que vous n'optiez pour le modèle GT qui, lui, propose 180 chevaux avec la même cylindrée grâce à un système de distribution plus sophistiqué. Même les suspensions sont différentes selon les versions. Ainsi, seule la Vibe à traction intégrale vous donne droit à une suspension arrière à roues indépendantes. Les tractions doivent se contenter d'un essieu arrière à poutre de torsion qui, par contre, a permis d'abaisser le plancher de la soute à bagages. Finalement, la version GT est la seule à proposer une boîte de vitesses manuelle à 6 rapports et des freins à disque à l'arrière.

Ces précisions faites, retournons au livret de bord de notre Vibe traction qui s'accommode assez bien de ses 130 chevaux même si ceux-ci sont un

peu grognons à haut régime. Faute d'offrir 5 rapports, la transmission automatique propose une surmultiplication qui permet d'abaisser le régime du moteur et conséquemment le niveau sonore à une vitesse d'autoroute. Au moment de doubler, il suffit d'appuyer sur le bouton O/D pour améliorer les reprises.

La caisse a fait preuve d'une bonne rigidité même si des petits bruits en provenance de l'arrière se manifestaient à l'occasion. Compte tenu du centre de gravité élevé, la Vibe n'est pas le genre de voiture avec laquelle on s'adonne à des excès de vitesse. On lui pardonne donc son roulis et son sous-virage en se disant que la suspension a au moins le mérite d'être confortable. Ce n'est vraiment que par gros vent que la Vibe devient désagréable à conduire à cause de son instabilité.

latéral. Autre détail dérangeant : que ce soit de ¾ arrière ou de ¾ avant, la visibilité souffre d'angles morts importants. Au moins, l'accès à l'arrière est facile et l'espace qu'on y trouve est très adéquat pour deux personnes. Décrite comme un véhicule utilitaire mixte, cette Pontiac joue assez bien son rôle avec un compartiment à bagages accessible au moyen d'un hayon dont la lunette arrière peut s'ouvrir séparément. Au lieu du tapis habituel, le plancher est cependant recouvert d'un morceau de plastique assez glissant qui fait valser à peu près tout ce qu'on y dépose. Fort heureusement, la situation n'est pas irrémédiable et la Pontiac Vibe a bien d'autres atouts pour se faire pardonner ses petits travers... dont celui d'être mieux tournée que sa sœur jumelle de chez Toyota.

*Jacques Duval*

---

### MODÈLES CONCURRENTS

- *Chrysler PT Cruiser* • *Ford Focus* • *Mazda Protegé5*
- *Subaru Impreza Outback* • *Suzuki Aerio*
- *Toyota Matrix*

### QUOI DE NEUF ?

- *Aucun changement majeur*

### VERDICT

| | |
|---|---|
| **Agrément de conduite** | ★★★ |
| **Fiabilité** | ★★★★ |
| **Sécurité** | ★★★☆ |
| **Qualités hivernales** | ★★★★ |
| **Espace intérieur** | ★★★☆ |
| **Confort** | ★★★☆ |

### ▲ POUR

- Ligne engageante • Fiabilité Toyota • Grand choix d'options • Bonnes performances • Suspension confortable • Aspect pratique poussé

### ▼ CONTRE

- Nombreux angles morts • Moteur rugueux
- Sensibilité au vent • Sièges désagréables
- Puissance pénalisée par la traction intégrale

# Entre rêve et réalité

**Les Porsche 911 sont des voitures de rêve et personne ne songerait à leur disputer ce pouvoir d'attraction. Ce sont aussi, hélas de plus en plus, des voitures à vocation unique. Pour la conduite sportive extrême, rien ou presque ne saurait égaler une 911 mais dans la vie de tous les jours, vivre avec une Porsche n'est pas toujours une sinécure. Pour avoir partagé plus de 40 ans de ma vie d'automobiliste avec elles, je crois être en mesure de pouvoir évaluer correctement les diverses créations de cette marque allemande. Le grand prêtre de l'ordre des adorateurs de la Porsche serait-il sur le point de défroquer ?**

S'il est facile de s'enthousiasmer pour une 911, comme le font tous les journalistes automobiles de la planète à la suite d'un essai d'une semaine, il est plus difficile d'affronter la réalité quotidienne au volant de l'un ou l'autre des divers modèles de la gamme. Sans l'avouer, bien des conducteurs de 911 déplorent le peu de civilité de la voiture et, principalement, son incon-

fort. Il faut dire que le réseau routier québécois n'arrange pas les choses et que son état lamentable est tout à fait incompatible avec les suspensions en béton d'une Porsche. Chaque trou ou chaque bosse est durement ressenti, d'autant plus que la qualité de construction des 911 n'est plus tout à fait ce qu'elle était. Chaque secousse s'accompagne de divers bruits de caisse difficiles à accepter dans une voiture qui

avait autrefois la réputation d'être solide comme le roc.

### La réalité

Dans les deux modèles mis à l'essai cette année, une Targa et une Carrera 4S, la carrosserie n'avait pas cette solidité de voûte de banque qui caractérisait les anciennes 911. Cela s'expliquerait dans la Targa avec son immense toit vitré mais devient carrément inacceptable dans un coupé conventionnel. Or, la 4S mise à l'essai, en dépit d'un faible kilométrage, était affligée d'un bruit désagréable du côté droit arrière tandis que la lettre S du sigle Carrera 4S apposé sur le capot moteur ne tenait pas en place. Dans une voiture facturée à 127 000 $, incluant les options, on a le droit de se montrer exigeant. On a aussi le droit de se

## CARACTÉRISTIQUES

| | |
|---|---|
| Prix du modèle à l'essai | 4S 119 950 $ |
| Échelle de prix | de 100 000 à 255 500 $ (GT2) |
| Assurances | n.d. |
| Garanties | 4 ans 80 000 km / 4 ans 80 000 km |
| Emp. / Long. / Larg. / Haut. (cm) | 235 / 443,5 / 183 / 129,5 |
| Poids | 1 540 kg |
| Coffre / Réservoir | 201 litres / 64 litres |
| Coussins de sécurité | frontaux et latéraux |
| Suspension avant | jambes de force MacPherson |
| Suspension arrière | multibras, indépendante |
| Freins av. / arr. | disque ventilé, ABS |
| Système antipatinage | oui |
| Direction | à crémaillère, assistance hydraulique |
| Diamètre de braquage | 10,6 mètres |
| Pneus av. / arr. | P225/40ZR18 / P295/30ZR18 |

## MOTORISATION ET PERFORMANCES

| | |
|---|---|
| Moteur | H6 3,6 litres |
| Transmission | intégrale, manuelle 6 rapports |
| Puissance | 320 ch à 6 800 tr/min |
| Couple | 273 lb-pi à 4 250 tr/min |
| Autre(s) moteur(s) | H6 3,6 l turbo 415 ch et 456 ch (GT2) |
| Autre(s) transmission(s) | Tiptronic 5 rapports |
| Accélération 0-100 km/h | 5,2 secondes |
| Reprises 80-120 km/h | 6,1 secondes |
| Vitesse maximale | 280 km/h |
| Freinage 100-0 km/h | 34,5 mètres |
| Consommation (100 km) | 12,8 (super) |

| | |
|---|---|
| • Valeur de revente | très bonne |
| • Renouvellement du modèle | 2005 |

plaindre de la piètre apparence du tableau de bord avec ses plastiques bon marché et ses petits tiroirs à cassettes d'une fragilité déconcertante. D'ailleurs, j'aimerais que Porsche me dise ce que vient faire dans une voiture de ce prix ce lecteur de cassettes de la chaîne audio, une antiquité s'il en est une. Pendant ce temps, la cartouche du lecteur CD se cache dans le minuscule coffre à bagages sous le capot avant.

Après avoir réussi à doter les dernières 911 d'un coffre à gants, peut-être que Porsche aura le temps de s'attarder au lecteur CD dans un proche avenir. Il faudrait aussi se pencher sur l'insonorisation qui rendrait son écoute plus simple car, à 100 km/h, la Carrera 4S est de loin la voiture la plus bruyante qu'ait eu à affronter notre compteur de décibels cette année.

### Sept modèles

Après avoir vidé notre sac à critiques, voyons le meilleur côté des choses, non sans avoir pris le temps de souligner que la gamme 911 propose désormais trois types de carrosserie: coupé, coupé Targa et cabriolet. En incluant la redoutable Turbo de 415 chevaux et le supersonique GT2 de 456 chevaux, la gamme comprend en tout sept modèles. Depuis l'an dernier, la Carrera 4S remplace la Carrera 4 alors que la Targa reprend du service après une absence de quatre ans. La première revendique une traction intégrale que l'on aura de la difficulté à apprécier, à moins de rouler l'hiver, ce qui ne semble pas très populaire auprès des conducteurs de Porsche. Quant à la Targa, elle se distingue par une carrosserie de cabriolet à laquelle on a greffé un toit en verre d'un demi-mètre carré. S'il est fort agréable de rouler à ciel ouvert, il faut se souvenir que le panneau de verre qui se glisse sous la lunette arrière rend celle-ci très opaque et que le déflecteur cause un bruit de vent désagréable. Après seulement 3 000 km, le toit de la voiture essayée était aussi la source de quelques bruits de caisse. Cette Targa est aussi la première Porsche à être dotée d'une lunette arrière ouvrante qui a l'avantage de faciliter le chargement du surplus de bagages que l'on peut

déposer sur une petite tablette en escamotant les strapontins arrière.

Côté mécanique, les dernières 911 à aspiration normale bénéficient d'un moteur 6 cylindres à plat refroidi par eau de 3,6 litres et 320 chevaux.

### Le rêve

La griserie que l'on éprouve à conduire une 911 est indéniable. Gérée par une boîte manuelle à 6 rapports plutôt précise (une boîte automatique Tiptronic est aussi offerte en option), la puissance semble sans limites. Les accélérations et la vitesse de pointe atteignent des valeurs qui tiennent de la très haute performance.

Les 911 ont droit aussi à une note d'excellence en matière de comportement routier. J'irais

même jusqu'à dire qu'il est pratiquement impossible d'atteindre les limites d'adhérence d'une Carrera 4S sur la route. La voiture est littéralement rivée au bitume et enfile les virages les uns après les autres sans broncher à des vitesses inimaginables. Et chapeau à Porsche d'avoir su mettre au point un système de stabilité (PSM) qui n'intervient que lorsque la voiture a atteint le seuil de non-retour. Bref, on peut s'amuser et sentir la voiture amorcer un dérapage avant que l'électronique vous ramène à l'ordre. Ce n'est

vraiment que sur une piste de course toutefois que l'on peut chatouiller les limites de la 911. C'est l'endroit idéal aussi pour défier la phénoménale puissance du freinage qui permet de prolonger les lignes droites quasi indéfiniment.

Toutes ces belles qualités, hélas! ne durent qu'un moment. Combien de fois pourra-t-on les apprécier dans la dure réalité du quotidien, dans les embouteillages ou sur nos pavés délabrés? C'est la question qu'il faut se poser avant d'investir plus de 100 000 $ dans une Porsche 911.

*Jacques Duval*

---

### VERDICT

| | |
|---|---|
| Agrément de conduite | ★★★★ |
| Fiabilité | ★★★✦ |
| Sécurité | ★★★★ |
| Qualités hivernales | ★★★★ |
| Espace intérieur | ★★ |
| Confort | ★★★✦ |

### ▲ POUR

• Tenue de route spectaculaire • Freinage remarquable • Performances grisantes
• Bonne visibilité • Sportive accomplie

### ▼ CONTRE

• Suspension inconfortable • Bruits de caisse
• Qualité de finition discutable • Niveau sonore élevé
• Options coûteuses

# Immortelle 911 !

**Elle ne s'arrêtera donc jamais, cette 911 ? Une configuration désuète depuis plus de 40 ans, mais qui soulève encore la passion des inconditionnels de la marque de Stuttgart ; une formule basée sur l'entêtement et le suprême savoir-faire des ingénieurs qui continuent de trouver des moyens de perfectionner cette voiture à nulle autre pareille.**

En effet, la 911 est désuète ! Un moteur à l'arrière... une formule qui a totalement disparu du paysage automobile, remplacée soit par la formule MINI du tout-à-l'avant, soit par le moteur central dans les voitures sport pures et dures ou encore par le classique mais encore efficace moteur avant-propulsion dans les grandes berlines et dans un bon lot de voitures sport.

Malgré tout, la 911 continue de faire bande à part. Même Porsche, à bout de souffle dans les années 70, essaya de s'en débarrasser en créant les 924, 928 et 944, des sportives modernes et parfaitement équilibrées. Mais les fervents protestèrent ; les nouvelles venues étaient « trop faciles à conduire », n'avaient pas le – mauvais – caractère de la 911. Bref, la 911 revint et Porsche se résolut à ne jamais plus toucher à « LA Porsche ». Sauf pour l'améliorer, pour la rendre plus conviviale, moins pointue, moins délicate à conduire, en somme, plus à la portée du conducteur moyen mais non moins fortuné. L'électronique et le génie des ingénieurs aidant, la 911 réussit à gommer son côté désuet et à redevenir le rêve des grands et des petits, comme elle le fut à ses débuts dans les années 60.

## L'ultime 911

Tout ça pour vous dire que la Turbo et la GT2 sont les dernières évolutions de cette 911 qui refuse de mourir. La Turbo étant la 911 intégrale au comportement diaboliquement civilisé et la GT2, la 911 faite véritablement pour la piste mais capable de vous transporter chez Wal-Mart – pardon, chez Chanel.

Une 911 GT2 qui se paie la tête – ou la calandre, si vous préférez – de tout ce qui roule, depuis les légendaires Ferrari jusqu'aux redoutables Viper GTS et Corvette Z06. Regardez-moi un peu ces chiffres : 0 à 100 km/h en 3,85 secondes ; vitesse de pointe à 315 km/h. Pour mieux vous situer : le temps que

## CARACTÉRISTIQUES

| | |
|---|---|
| Prix du modèle à l'essai | Turbo 170 200 $ |
| Échelle de prix | de 170 200 $ à 255 550 $ |
| Assurances | n.d. |
| Garanties | 4 ans 80 000 km / 4 ans 80 000 km |
| Emp. / Long. / Larg. / Haut. (cm) | 235 / 446 / 179 / 130 |
| Poids | 1 540 kg ; 1 435 kg (GT2) |
| Coffre / Réservoir | 130 litres / 90 litres |
| Coussins de sécurité | frontaux et latéraux |
| Suspension avant | indépendante, leviers triangulés |
| Suspension arrière | indépendante, à bras multiples |
| Freins av. / arr. | disque, ABS |
| Système antipatinage | oui |
| Direction | à crémaillère, assistée |
| Diamètre de braquage | 11,3 mètres |
| Pneus av. / arr. | P222/40ZR18 / P295/30ZR18 |

## MOTORISATION ET PERFORMANCES

| | |
|---|---|
| Moteur | 6H 3,6 litres biturbo |
| Transmission | manuelle 6 rapports |
| Puissance | 420 ch à 6 000 tr/min |
| Couple | 414 lb-pi à 2 700 tr/min |
| Autre(s) moteur(s) | 6H 3,6 litres 456 ch (GT2) |
| Autre(s) transmission(s) | Tiptronic 5 rapports |
| Accélération 0-100 km/h | 4,2 s ; 3,85 s (GT2) |
| Reprises 80-120 km/h | 4 secondes |
| Vitesse maximale | 305 km/h ; 315 km/h (GT2) |
| Freinage 100-0 km/h | 38,4 mètres |
| Consommation (100 km) | 12,9 litres (super) |
| • Valeur de revente | très bonne |
| • Renouvellement du modèle | n.d. |

### À traiter avec respect

Redevenue propulsion (au lieu de l'intégrale), la GT2 retrouve le caractère délicat de la 911 d'origine et exige de son pilote (simples conducteurs, s'abstenir) un fin doigté et un pied droit habitué aux manœuvres g-r-a-d-u-e-l-l-e-s. Si la Turbo s'accommode encore des maladresses au volant, la GT2 vous enverra promener sans autre forme de procès si vous vous amusez à la brusquer. Sous-virage, suivi de virage neutre, suivi de survirage vous tiendront sur vos gardes et, si vous y réus-

vous arriviez à 100 km/h au volant de votre Toyota Echo, la GT2 approche déjà les 200 km/h (0 à 200 km/h en 12,9 secondes) ! Avouez que c'est pratique... pour aller chez Wal-Mart !

Le secret de la 911 GT2 ? En deux mots : plus de puissance, moins de poids. En effet, le sublime 6 cylindres à plat de 3,6 litres de la 911 Turbo se trouve dans le «coffre» arrière de la GT2, mais les deux turbocompresseurs soufflent à une pression de 14,5 lb-po$^2$ au lieu de 11,76, poussant la puissance à – tenez-vous bien – 456 chevaux et le couple à 457 lb-pi (contre 420 ch pour le Turbo).

### Régime minceur

Deuxième domaine d'intervention des ingénieurs Porsche : le poids. Se donnant pour objectif d'alléger la GT2 d'au moins 100 kg, Porsche a tout simplement amputé la partie avant de la transmission intégrale équipant la 911 Turbo et éliminé certains équipements dits « de luxe », sans toutefois trop nuire au caractère routier de la GT2. Mentionnons aussi les disques de frein en céramique qui, à 16,6 kg, pèsent 50 % de moins que des freins comparables en métal. Moins de poids non suspendu = meilleure tenue en virage. N'étant pas en métal, ces disques ne rouilleront pas non plus, ce qui saura rassurer les innombrables automobilistes qui comptent se servir de leur GT2 en hiver...

Et comme tout constructeur sérieux, Porsche s'est aussi efforcé de revoir les suspensions et les freins de sa féroce GT2, question de les garder à la hauteur des performances ahurissantes du moteur. C'est ainsi que la géométrie et les élé-

ments de suspension sont revus et adoptent, dans plusieurs cas, des solutions issues directement de la course : amortisseurs et ressorts plus durs et réglables, barres antiroulis réglables. Évidemment, le moindre cahot vous fera perdre votre dentier et secouera impitoyablement les parties délicates de votre corps. Remède : roulez ailleurs qu'au Québec.

Et puisque la GT2 atteint des vitesses comparables à celles de décollage d'un avion de ligne, l'aérodynamique a aussi reçu une attention particulière, d'une part pour mieux plaquer l'avant et l'arrière au sol et d'autre part pour favoriser l'évacuation des quantités phénoménales de chaleur qui se dégagent des radiateurs d'eau du moteur, des échangeurs d'air des turbos, des freins, de la boîte à 6 vitesses, etc.

sissez, vous imprimeront sur le visage un sourire béat de satisfaction, doublé d'un plaisir assurément obscène. Obscène, comme le prix de cette incomparable machine issue directement d'un temps où le ballet du pied droit et du pied gauche sur les trois pédales devait s'accompagner du mouvement vif mais gracieux des mains sur le volant et le pommeau du levier de vitesses. C'était avant que l'automatisme et l'électronique nous réduisent à l'état de conducteur-légume. Le temps de l'immortelle 911.

*Alain Raymond*

---

### MODÈLES CONCURRENTS

• BMW Z8 • Ferrari 550 Maranello • Ferrari Modena
• Lamborghini Murciélago • Mercedes Benz SL55 AMG

### QUOI DE NEUF ?

• Aucun changement majeur

### VERDICT

| | |
|---|---|
| **Agrément de conduite** | ★★★★ |
| **Fiabilité** | ★★★★ |
| **Sécurité** | ★★★ |
| **Qualités hivernales** | ★★★ |
| **Espace intérieur** | ★★⯪ |
| **Confort** | ★★ |

### ▲ POUR

• Performances d'exception (GT2) • Excellente sécurité active (Turbo) • Agrément de conduite d'une autre époque (GT2) • Freinage exceptionnel

### ▼ CONTRE

• Prix élevé et options coûteuses • Confort limité
• Conduite délicate (GT2) • Habitacle banal

# PORSCHE BOXSTER / BOXSTER S

# 95 %

**Il est très mal vu, pour un journaliste automobile, d'attribuer une note parfaite à une voiture. Tout simplement parce que la voiture parfaite n'existe pas. Donc, 95 % me semble raisonnable pour la nouvelle Porsche Boxster. C'est aussi le pourcentage de propriétaires de Boxster qui n'exploiteront jamais tout le potentiel de leur monture. Mais, bon, aucune loi n'empêche quiconque d'acheter un véhicule trop grand pour lui. Sinon, on ne verrait que des Kia, Toyota et Buick sur nos routes !**

Quoi qu'il en soit, Porsche a renouvelé sa Boxster 2003. Mais sortez votre loupe pour différencier une 2002 d'une 2003. Pourtant, les phares avant, les feux arrière, la partie inférieure des parechocs, le déflecteur rétractable ainsi que les entrées d'air placées derrière chaque portière ont subi de très légères modifications esthétiques et aérodynamiques. Le toit souple redessiné reçoit désormais une vitre en véritable verre. Ça semble une petite innovation pour l'humanité, mais il s'agit d'un grand pas pour Porsche ! Lorsqu'il est fermé, ce toit ne dépare pas vraiment la jolie ligne de la Boxster et il ne s'avère pas trop bruyant. Par contre, si la voiture est à l'arrêt et que le soleil se pointe le moindrement, il n'est pas long que la suffocation fasse son œuvre.

À l'intérieur, quelques changements esthétiques dont, autre grand pas pour Porsche, un porteverres à l'allure fragile et un coffre à gants, éclairé et verrouillable s'il vous plaît ! Les commandes de la climatisation ont été déplacées et un système de navigation est désormais offert moyennant la bagatelle de 3 690 $. À ce prix-là, j'aime mieux me perdre à l'occasion !

Davantage de modifications esthétiques auraient été bénéfiques pour distancer la Boxster de son éternelle rivale, la BMW Z4. Mais les ingénieurs de Porsche ont préféré consacrer leurs efforts à améliorer ce qui se trouve sous la carrosserie. Comment leur en vouloir ? Les deux moteurs ont gagné en puissance et en couple, eux qui en possédaient déjà pas mal ! Le 6 cylindres à plat 2,7 litres de la Porsche Boxster « de base » (une dénomination qui fait sourire !) développe 228 chevaux pour un couple (le « torque », comme on dit) de 192 lb-pi. L'engin de la Boxster S, pour une cylindrée de 3,2 litres, offre 258 chevaux et un couple de 229 lb-pi à 4 500 tr/min dont 80 % dis-

## CARACTÉRISTIQUES

| | |
|---|---|
| Prix du modèle à l'essai | S 73 450 $ |
| Échelle de prix | de 60 500 $ à 73 450 $ |
| Assurances | 1 368 $ |
| Garanties | 4 ans 80 000 km / 4 ans 80 000 km |
| Emp. / Long. / Larg. / Haut. (cm) | 241,5 / 432 / 178 / 129 |
| Poids | 1 329 kg |
| Coffre / Réservoir | 260 l (2 coffres combinés) / 64 l |
| Coussins de sécurité | frontaux et latéraux |
| Suspension avant | indépendante, jambes élastiques |
| Suspension arrière | indépendante, jambes élastiques |
| Freins av. / arr. | disque, ABS |
| Système antipatinage | oui (optionnel) |
| Direction | à crémaillère, assistée |
| Diamètre de braquage | 11 mètres |
| Pneus av. / arr. | P225/40ZR18 / P265/35ZR18 |

## MOTORISATION ET PERFORMANCES

| | |
|---|---|
| Moteur | 6H 3,2 litres |
| Transmission | propulsion, manuelle 6 rapports |
| Puissance | 258 ch à 6 250 tr/min |
| Couple | 229 lb-pi à 4 500 tr/min |
| Autre(s) moteur(s) | 6H 2,7 litres 228 ch |
| Autre(s) transmission(s) | man. 5 rapports; |
| | auto. 5 rapports avec Tiptronic |
| Accélération 0-100 km/h | 5,7 s (données du constructeur) |
| Reprises 80-120 km/h | 6,8 secondes |
| Vitesse maximale | 264 km/h (données du constructeur) |
| Freinage 100-0 km/h | 36,7 mètres |
| Consommation (100 km) | 10,5 litres (super) |
| • Valeur de revente | très bonne |
| • Renouvellement du modèle | n.d. |

de la Boxster 2003 à la fin d'août me permettent d'attester de ces informations.

### Chers 95 %

Bon. Vous êtes mortel, possédez de l'argent et aimez l'automobile. Vous optez pour une Boxster, ce qui est tout à votre avantage. Vous aurez droit à une superbe voiture, étonnamment confortable, même chaussée d'immenses pneus de 18 pouces. La finition intérieure est digne des meilleures allemandes et seul le fonctionnement de l'appareil radio m'est

ponible dès 2 000 tr/min. Ça, c'est du couple ! Plusieurs changements internes, particulièrement en ce qui concerne le système de gestion des soupapes, ont permis ces améliorations et une légère diminution de la consommation d'essence. Le moteur de la Boxster est accouplé à une transmission manuelle à 5 rapports tandis que la S a droit à 6 rapports. Dans les deux versions, une transmission automatique avec Tiptronic est offerte en option à 4500 $. Et même à ce prix-là, on la dit frustrante à utiliser ! Dans les deux cas, les suspensions se ressemblent mais, puissance et noblesse obligent, les éléments de la S sont un peu plus robustes. Même remarque pour les freins qui, peu importe le modèle, s'avèrent d'une exceptionnelle efficacité. Quant aux pneus, seule la « de base » peut être équipée de vulgaires petites semelles de 16 pouces. Heureusement, des jantes de 17 pouces ou 18 pouces sont offertes. Pour 2003, les gens de Michelin ont étroitement travaillé avec ceux de Porsche pour présenter un Pilot nouveau, plus efficace et moins bruyant malgré un design assez banal. La durabilité d'un pneu dans ce créneau ultrasportif semble le dernier souci des ingénieurs et, sans doute, des propriétaires... qu'on peut, sans trop se tromper, diviser en deux parties. Les purs et les riches : 5 % contre 95 %

### Chers 5 %

Ô puristes qui avez suivi avec succès un cours de pilotage et qui pouvez compter sur un compte de banque à l'avenant, sachez que, poussée à ses limites dans une longue courbe, la Boxster roulant sur des pneus de 18 pouces affiche un léger sous-virage.

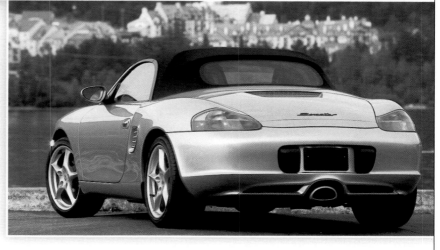

Bien entendu, votre potentiel vous aura permis de déconnecter l'antipatinage, cet inutile accessoire (pour vous). Les freins font preuve d'une extraordinaire efficacité et après un freinage extrême, vérifiez si vous avez encore toutes vos dents. Aussi, quelle que soit la violence de la décélération, la voiture demeure d'une stabilité extraordinaire. La direction hyperprécise permet de placer la Boxster au iota près et la puissance et le couple de la S (quoi d'autre pour un « vrai » ?) sont toujours là que ce soit pour vous aider à négocier une sortie de courbe ou pour dépasser un véhicule plus lent (vous verrez, ils le sont tous). La position de conduite ne cause vraiment aucun problème et les sièges en cuir vous maintiennent bien en place. Quelques tours de piste du nouveau circuit Mont-Tremblant réalisés aux côtés d'un instructeur de pilotage lors du lancement

apparu trop complexe. Il est toutefois possible d'opter pour un système Bose que l'on dit performant à souhait. Les deux coffres (un à l'avant, l'autre à l'arrière) s'avèrent assez coopératifs quoiqu'il puisse être difficile de déménager un réfrigérateur... Si vous êtes un nouveau riche, voici quelques conseils. Ne cherchez pas le moteur : on y accède par le dessous du véhicule. Ne mettez pas votre doigt dans votre nez lorsque vous attendez le feu vert. Ça peut toujours passer inaperçu dans une Malibu mais pas au volant d'une Boxster, surtout si le toit est baissé !

Des deux Boxster, la S s'avère indéniablement la plus intéressante pour l'amateur de performances. Mais la Boxster « de base » n'est pas à dédaigner non plus. En particulier pour les 13 000 $ d'économie à l'achat !

*Alain Morin*

---

### MODÈLES CONCURRENTS

• *Audi TT Roadster* • *BMW Z3* • *Honda S2000*
• *Mercedes-Benz SLK*

### QUOI DE NEUF ?

• *Nouveau modèle*

### VERDICT

| | |
|---|---|
| **Agrément de conduite** | ★★★★⯪ |
| **Fiabilité** | ★★★⯪ |
| **Sécurité** | ★★★★ |
| **Qualités hivernales** | ★★★ |
| **Espace intérieur** | ★★⯪ |
| **Confort** | |

### ▲ POUR

• Prestige évident • Performances délicieuses (S)
• Châssis rigide • Freins inébranlables
• Confort étonnant • Vitre arrière en verre

### ▼ CONTRE

• Transmission Tiptronic décriée • Couple à bas régime moyen (Boxster) • Appareil radio complexe
• Prix des options carrément irréalistes • Visibilité réduite (toit souple)

# Échec ou réussite?

Les avis sont partagés. Il y a ceux qui disent que Porsche a fait une gaffe monumentale en s'aventurant dans le créneau des utilitaires sport tandis que d'autres affirment que le constructeur allemand se devait absolument d'élargir sa gamme vers ce type de véhicule pour assurer sa survie. L'avenir nous dira qui a raison mais il est certain qu'une marque consacrée exclusivement à la voiture sport est très vulnérable dans un marché qui n'est jamais à l'abri des revirements. Les événements du 11 septembre 2001, par exemple, ont considérablement fait chuter les ventes de voitures dites «non essentielles». Dans un tel contexte, que faut-il penser du Porsche Cayenne?

Précisons d'abord qu'il est au moins fidèle à l'image haute performance associée à la petite firme de Stuttgart. Avec une puissance pouvant aller jusqu'à 450 chevaux, ce 4X4 part gagnant face à un Mercedes ML55 ou à un BMW X5 4,6 (347 chevaux dans les deux cas) dans la conquête du titre du 4X4 le plus rapide de la planète.

### Le riche cousin du Touareg
Avant d'aller plus loin, précisons que cet utilitaire sport a été mis au point conjointement par Porsche et Volkswagen qui commercialise sa propre version sous le nom de Touareg (voir essai plus loin). La conduite de ce dernier m'a d'ailleurs permis de recueillir des impressions de conduite qui s'appliquent en bonne partie au Cayenne puisque les deux véhicules, hormis les moteurs, ont plusieurs points en commun. Alors que VW propose quatre motorisations différentes en Europe (V6, V8, V10 TDI

et W12), Porsche se contente d'offrir deux V8 de même cylindrée (4,5 litres) en version atmosphérique (340 chevaux) ou biturbo (450 chevaux) couplés à une transmission Tiptronic à 6 rapports. Pour la petite histoire, soulignons que le Cayenne est la première Porsche à ne pas offrir de boîte de vitesses manuelle. Le premier, qui équipe le Cayenne S, assure des performances équivalentes à celles d'un ML55 avec un 0-100 km/h en 7,2 secondes et une vitesse de pointe de 242 km/h. Quant à la version suralimentée, elle assure au Cayenne Turbo la suprématie absolue dans sa catégorie en termes d'accélération (0-100 km/h en 5,6 secondes) et de vitesse de pointe (266 km/h). En plus d'une paire de turbocompresseurs, le moteur de 450 chevaux bénéficie d'un refroidisseur d'air de suralimentation et de pistons en aluminium forgé (coulé, dans le Cayenne S). Les moteurs du Cayenne, comme ceux des 911, se distinguent par un angle de 90 degrés entre les

deux rangées de cylindre et des arbres à cames d'admission à calage variable en continu. Ils bénéficient également d'un graissage à carter sec intégré. Ces deux V8 seront assemblés au quartier général de Porsche à Zuffenhausen et seront acheminés à une usine située à Leipzig, en Allemagne, là où le Cayenne est construit.

### Des systèmes sophistiqués
Mais le nouveau 4X4 signé Porsche n'est pas seulement une affaire de moteurs surpuissants. Il a été mis au point pour ne pas se couvrir de ridicule en dehors des sentiers battus. À cette fin, il hérite du PTM (Porsche Traction Management), un tout nouveau système de gestion de motricité mis au point spécifiquement pour ce modèle et assurant la traction intégrale permanente. Au moyen d'un embrayage multidisques à contrôle électronique, le PTM régularise la répartition du couple moteur sur la base de 38 % à l'avant et 62 % à l'arrière. En fonction de la situation donnée, cette répartition peut varier de 0 à 100 % dans les deux sens. Pour en décider, le PTM ne tient pas seulement compte d'un manque éventuel de traction. En effet, ses capteurs mesurent en plus la vitesse de la voiture, son accélération transversale, l'angle donné au volant et la position de la pédale d'accélération pour que le PTM puisse calculer le taux de blocage

optimal des roues avant et arrière. En plus d'un différentiel central verrouillable, le Cayenne peut compter sur une boîte de transfert munie d'un réducteur offrant une gamme de vitesses courtes (low range) pour se sortir des pires impasses. Ses capacités hors route vont même plus loin si l'on coche l'option AOTP ou Advanced Offroad Technology Package qui comprend un différentiel arrière verrouillable, une plaque d'acier protectrice

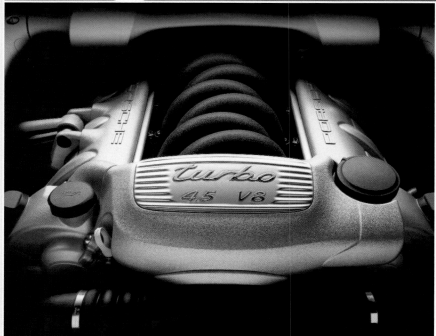

sous le véhicule et des angles d'approche et de fuite de 32° et 27° respectivement. Porsche garantit également que son 4X4 peut franchir un cours d'eau d'une profondeur maximale de 55,6 cm ou 22 pouces.

### Hauteur variable

Une suspension pneumatique à hauteur variable est aussi offerte de série dans les versions Turbo. À partir d'une commande sur la console centrale, elle permet de régler la hauteur à six positions différentes et de varier la garde au sol de 15,7 à 27,3 cm. La suspension active permet aussi de choisir trois modes d'amortissement : confort, normal et sport. Le système PSM (Porsche Stability Management), déjà présent dans les 911, se retrouve aussi dans le Cayenne et fait intervenir le freinage ABS (antiblocage) ainsi que l'ASR (anti-patinage) pour contrer les excès de survirage ou de sous-virage.

### Une capacité de remorquage de 3,5 tonnes

Parmi les autres caractéristiques dignes de mention dans la fiche technique, on peut citer des suspensions indépendantes avec essieu multibras à l'arrière et un système de freinage comprenant des disques ventilés pincés par des étriers en aluminium à six pistons à l'avant et quatre à l'arrière. Ces étriers, incidemment, sont peints en rouge dans le Cayenne Turbo tout comme dans la 911 Turbo. Le Cayenne a peut aussi tracter un poids atteignant 3,5 tonnes. Porsche propose pour la première fois un crochet d'attelage escamotable à commande électrique. Il suffit d'actionner une touche de commande logée dans le compartiment à bagages pour faire sortir ou rentrer automatiquement la rotule d'attelage.

Côté apparence, signalons que le nouveau 4X4 de Porsche ne gagnera jamais un concours d'élégance. À l'avant, on a voulu lui donner un air de famille, mais les grandes prises d'air frontales gâchent un peu le coup d'œil. L'intérieur paraît mieux réussi, bien que l'on constate que les cadrans qui renferment les instruments sont les mêmes que ceux du Volkswagen Touareg. En revanche, le volant a plutôt fière allure avec ses trois branches inférieures épousant la forme d'un triangle et ses nombreuses commandes alignées en V de chaque côté du triangle. Selon la version choisie, les garnitures sont soit en aluminium, soit façon titane tandis que les sièges à 12 positions offrent un confort rigoureux. Si j'en juge par le Touareg, le Porsche Cayenne devrait pouvoir rivaliser avec ce qui se fait de mieux en conduite hors route tout en offrant un agrément de conduite à la hauteur de la réputation de la marque.

### CARACTÉRISTIQUES

| | |
|---|---|
| **Prix du modèle à l'essai** | S 78 250 $ |
| **Échelle de prix** | de 78 250 $ à 125 100 $ |
| **Assurances** | n.d. |
| **Garanties** | 4 ans 80 000 km / 4 ans 80 000 km |
| **Emp. / Long. / Larg. / Haut. (cm)** | 285,5 / 478 / 193 / 170 |
| **Poids** | 2 245 kg; 2 355 kg (Turbo) |
| **Coffre / Réservoir** | de 540 à 1770 litres / 100 litres |
| **Coussins de sécurité** | frontaux, latéraux et tête |
| **Suspension avant** | indépendante, leviers triangulés |
| **Suspension arrière** | indépendante, essieu multibras |
| **Freins av. / arr.** | disque ventilé, ABS |
| **Système antipatinage** | oui |
| **Direction** | à crémaillère, assistance variable |
| **Diamètre de braquage** | n.d. |
| **Pneus av. / arr.** | P255/55R18 |

### MOTORISATION ET PERFORMANCES

| | |
|---|---|
| **Moteur** | V8 4,5 litres |
| **Transmission** | intégrale, Tiptronic 6 rapports |
| **Puissance** | 340 ch à 6 000 tr/min |
| **Couple** | 310 lb-pi 2 500 à 5 500 tr/min; 460 lb-pi (Turbo) |
| **Autre(s) moteur(s)** | V8 4,5 litres biturbo 450 ch |
| **Autre(s) transmission(s)** | aucune |
| **Accélération 0-100 km/h** | 7,2 s; 5,6 s (Turbo) |
| **Reprises 80-120 km/h** | n.d. |
| **Vitesse maximale** | 242 km/h; 266 km/h (Turbo) |
| **Freinage 100-0 km/h** | n.d. |
| **Consommation (100 km)** | 15 à 20 litres (super) |
| **Niveau sonore** | n.d. |

## ● CAYENNE

Les prix sont aussi fidèles à la réputation de la marque et on note un écart pour le moins indécent de près de 50 000 $ entre celui du Cayenne S et du Cayenne Turbo. L'arrivée sur le marché d'un 4X4 portant l'emblème de Porsche en est une preuve irréfutable que l'industrie automobile est en pleine mutation. Ajoutons à cela des Mercedes à 20 000 $ (la Classe A) et des Volkswagen à 100 000 $ (la Phaeton) et on comprendra que cette même industrie n'a pas fini de nous surprendre. Souhaitons seulement que la surprise soit agréable.

*Jacques Duval*

### MODÈLES CONCURRENTS

- BMW X5 • Mercedes-Benz ML55
- Land Rover Range Rover

### VERDICT

| | |
|---|---|
| **Agrément de conduite** | *données insuffisantes* |
| **Fiabilité** | *nouveau modèle* |
| **Sécurité** | ★★★★ |
| **Qualités hivernales** | ★★★★⯪ |
| **Espace intérieur** | ★★★⯪ |
| **Confort** | ★★★⯪ |

### ▲ POUR

- L'héritage Porsche • Hautes performances
- Système de motricité sophistiqué
- Comportement routier prometteur

### ▼ CONTRE

- Prix et consommation élevés • Fiabilité inconnue
- L'héritage Volkswagen • Ligne discutable

# Dans la cour des grands

**La nouvelle 9³ a une mission bien déterminée. Celle d'affronter à armes égales les berlines sport de luxe qui sont la coqueluche du marché. Pendant des années, Saab nous présentait sa berline compacte comme un modèle plus pratique que sportif, ce qui permettait d'excuser ses lacunes. Il était alors plus facile de lui pardonner sa plate-forme dénuée de rigidité, un important effet de couple dans le volant et certains détails d'aménagement plus irritants que pratiques. Cette fois, la mission est claire. Cette suédoise vient donc jouer dans la cour des BMW Série 3, Mercedes Classe C et Volvo S60, rien de moins.**

Pour aller jouer avec les grands, il n'était pas question de conserver l'affreuse plate-forme empruntée à l'Opel Calibra et également utilisée dans la Vauxhall Cavalier en Grande-Bretagne. Celle-ci n'a cependant rien en commun avec son homonyme nord-américaine. Elle était d'une souplesse qui ressemblait à du spaghetti tandis que la configuration du train avant produisait un important effet de couple qui rendait la voiture délicate à piloter sur une surface glissante. Pour atteindre les objectifs visés, il fallait donc un châssis d'une très grande rigidité qui servirait d'assise au reste de la voiture. La 9³ partage sa nouvelle plate-forme avec l'Opel Vectra. Elle est deux fois plus résistante à la déformation que la précédente. La carrosserie est réalisée en acier très rigide; les 332 pièces qui la composent sont toutes interreliées afin d'obtenir la rigidité voulue au bon endroit et la souplesse nécessaire ailleurs. De plus, on a opté pour des longerons portants de différentes épaisseurs afin d'optimiser le rendement.

Le fait d'abandonner le modèle à hayon a certainement permis d'obtenir une structure plus forte. Même si c'est la compagnie Saab qui a popularisé cette configuration, la demande ne justifiait plus la production d'une telle version. La famille 9³ comprendra également le cabriolet qui sera reconduit sous sa forme actuelle avant d'adopter la nouvelle mécanique. De plus, on prévoit l'arrivée d'ici 2003 d'une familiale à vocation utilitaire, un peu comme la Volvo XC90 ou encore le Subaru Forester.

En plus d'allonger l'empattement de 7,1 cm et d'élargir les voies avant et arrière de 7,4 et 6,3 cm respectivement, on a réduit la garde au sol de 1 cm, abaissant de ce fait le centre de gravité. La suspension avant est montée sur un minichâssis autonome et comprend des jambes de force à points d'ancrage séparés pour le ressort et l'amortisseur en leur partie supérieure. La suspension arrière à poutre déformante a été abandonnée au profit d'une suspension indépendante à liens multiples. De plus, les ingénieurs de Trollhätten ont développé un mécanisme

passif de roues arrière directionnelles, le ReAxs. Dans les virages, la cinétique de l'essieu arrière incite les roues à se déporter très légèrement dans le sens contraire des roues avant afin de diminuer le survirage. Le train arrière a ainsi plus de facilité à enchaîner dans la même direction que les roues avant.

### La puissance ensuite

Les ingénieurs de Saab ont toujours réussi à obtenir beaucoup de puissance à partir de moteurs de petites cylindrées. La tradition se perpétue avec la 9³: le moteur 4 cylindres 2 litres produit 175 chevaux dans sa version de base et 210 chevaux dans les modèles plus sportifs. Les deux se partagent le même bloc en aluminium et les mêmes rouages internes, notamment deux arbres d'équilibrage tournant dans le sens contraire du vilebrequin. Le moteur de 175 chevaux est doté d'un turbocompresseur Garrett GT20 dont la pression est relativement basse. Le moteur de 210 chevaux est identique, sauf qu'un turbocompresseur Mitsubishi TD04 à pression plus élevée, des lobes de cames au profil plus agressif et un taux de compression plus important expliquent ce gain de 35 chevaux.

Le moteur de 175 chevaux est couplé à une boîte manuelle à 5 rapports ou l'automatique à 5 vitesses. Cette nouvelle boîte est de type adaptatif. Elle est également associée avec le moteur de 210 chevaux dont la boîte manuelle est à 6 rapports.

La clé de contact est toujours au plancher, entre les deux sièges avant, mais il s'agit d'une clé de contact électronique. Donc, plus besoin de lutter avec une serrure trop souvent capricieuse. Le tableau de bord est plus conventionnel, conservant toutefois les buses de ventilation typiques de la marque. Soulignons au passage que celles-ci sont très efficaces, car la molette centrale permet de régler avec précision le flot et la direction de l'air.

La position de conduite est bonne et presque tous les gabarits devraient y trouver leur compte

Cette transmission automatique est également offerte avec le système Sentronic permettant de passer les vitesses manuellement.

Pour réduire le poids non suspendu, plusieurs composantes de la suspension et des freins sont en aluminium. Enfin, pour terminer ce tour de la mécanique, signalons que cette nouvelle venue est affublée de tous les systèmes électroniques d'aide au pilotage, notamment les freins ABS, l'antipatinage, le système de contrôle de stabilité latérale et la distribution électronique du freinage. Une nouveauté cependant, le système CBC, pour Cornering Brake Control, qui assure une meilleure stabilité en virage lors du freinage, grâce à l'application sélective à chaque roue de la puissance de freinage.

### Bien réussie

Il ne faut pas nécessairement se fier aux photos de cette voiture. Elle est beaucoup plus attrayante en

personne. La silhouette est très moderne. Il y a bien quelques emprunts à l'Opel Vectra, mais la nouvelle 9³ demeure quand même une Saab pure et dure sans les irritants qui ont nui à sa diffusion.

La présentation générale de l'habitacle est sobre et simple. Ici, pas de chichi. Seules quelques touches de plastique de couleur titane sur le volant, sur la console centrale et autour des cadrans indicateurs viennent égayer la présentation. La radio et le système de navigation sont reliés à un écran à affichage par cristaux liquides. Malgré la présence de 22 boutons en périphérie de cet écran, le système est simple et fort intuitif. Contrairement à certains autres installés dans des berlines allemandes, Saab mérite une mention honorable pour la simplicité des commandes. Même chose pour la climatisation. Par contre, dans toutes les voitures essayées à ce jour, le panneau des commandes de la climatisation s'enfonçait légèrement sous la pression des doigts.

puisque le volant est réglable en hauteur et en profondeur. Malheureusement, le repose-pied est trop petit pour être efficace. Comme dans toutes les voitures de la marque, les sièges avant sont confortables et leur support latéral supérieur à la moyenne. Les places arrière sont adéquates, sans plus. En ce sens, la 9³ ressemble à ses concurrentes directes.

### ■ ÉQUIPEMENT DE SÉRIE

• Roues 17 pouces • Moteur 210 chevaux • Intérieur cuir • Boîte manuelle 6 rapports • Coussin de sécurité de tête • Suspension ReAxs

### ■ ÉQUIPEMENT EN OPTION

• Boîte automatique 5 rapports
• Système téléphonique Bluetooth
• Système CBC

## Oublions le passé

L'ancienne 9³ était affligée d'un effet de couple monumental, même dans la version la moins puissante. De plus, la flexibilité de sa plate-forme ne faisait pas bon ménage avec une conduite agressive. Cette nouvelle génération nous a vite fait oublier le passé. Il a suffi de quelques kilomètres pour réaliser à quel point cette nouvelle cuvée livrait la marchandise en fait de rigidité de caisse, de suspension bien calibrée et de freinage efficace. Il fallait s'attendre à ces résultats compte tenu des visées de ce modèle. Sans l'avoir directement comparé avec ses concurrentes directes, on peut affirmer qu'il appartient à cette catégorie. D'autant plus que le sous-virage chronique des tractions est bien atténué. Même dans les courbes serrées prises à bonne vitesse, l'avant ne chassait pas tandis que l'arrière suivait sans trop rechigner. Par contre, j'aurais apprécié une direction un peu moins assistée. Elle est trop légère et il faut parfois corriger la trajectoire. Un peu plus de force pour tourner le

volant permettrait d'ajouter de la précision à la conduite. Les freins ont été exemplaires tant en modulation et en puissance qu'en résistance à l'échauffement.

Les deux moteurs au catalogue ne sont nullement affectés par un temps de réponse du turbo, même la version de 210 chevaux. Il faut également accorder de bonnes notes aux deux boîtes manuelles

### CARACTÉRISTIQUES

| | |
|---|---|
| Prix du modèle à l'essai | Vector n.d. |
| Échelle de prix | de 34 900 $ à 54 000 $ |
| Assurances | n.d. |
| Garanties | 4 ans 80 000 km / 4 ans 80 000 km |
| Emp. / Long. / Larg. / Haut. (cm) | 267 / 463 / 199 / 147 |
| Poids | 1 460 kg |
| Coffre / Réservoir | 425 litres / 63 litres |
| Coussins de sécurité | frontaux et tête |
| Suspension avant | ind., jambes de force MacPherson |
| Suspension arrière | ind., jambes de force MacPherson |
| Freins av. / arr. | disque, ABS |
| Système antipatinage | oui |
| Direction | à crémaillère, assistée |
| Diamètre de braquage | 10,5 mètres |
| Pneus av. / arr. | P215/55R17 |

### MOTORISATION ET PERFORMANCES

| | |
|---|---|
| Moteur | 4L 2 litres turbo |
| Transmission | traction, manuelle 6 rapports |
| Puissance | 210 ch à 5 500 tr/min |
| Couple | 221 lb-pi à 2 500 tr/min |
| Autre(s) moteur(s) | 4L 2 litres 175 ch |
| Autre(s) transmission(s) | man. 5 rap., auto. 5 rap. |
| Accélération 0-100 km/h | 7,5 s; 8,5 s (175 ch) |
| Reprises 80-120 km/h | 6,5 s (4e); 7,46 s (4e 175 ch) |
| Vitesse maximale | 235 km/h; 225 km/h (175 ch) |
| Freinage 100-0 km/h | 39,8 mètres |
| Consommation (100 km) | 8,5 litres (super) |
| Niveau sonore | Ralenti: 44,1 dB |
| | Accélération: 72,5 dB |
| | 100 km/h: 67,3 dB |

que son prix de base sera compétitif. Des trois modèles offerts, le Linear se vendra moins de 40 000 $ et sera propulsée par le moteur de 175 chevaux. Les versions Arc et Vector bénéficient du moteur de 210 chevaux. Le premier est plus luxueux et le second plus sportif. Il n'y aura pas de modèle Aero en Amérique pour l'instant, les responsables du marketing jugeant que les prestations n'étaient pas à la hauteur de cette appellation. Ce qui signifie qu'une autre version plus musclée est à prévoir.

disponibles. Autrefois, c'était le talon d'Achille des Saab tant le guidage du levier était imprécis. Sans être d'une extrême précision, ces deux boîtes sont dans la bonne moyenne pour la catégorie. Toutefois, avec le moteur de 210 chevaux, l'embrayage était délicat et il était facile de caler le moteur. La boîte automatique se révèle tout en douceur et le système Sentronic aussi bon ou aussi mauvais

que les autres puisqu'il change les rapports de façon dictatoriale si le régime est à la limite. Les passages des rapports s'avèrent toutefois moins lents que dans une Volkswagen Passat, par exemple.

Somme toute, la nouvelle Saab 9³ a les éléments statiques, esthétiques et dynamiques nécessaires pour se faire une place au soleil. D'autant

Enfin, le cabriolet sera de retour en 2003. Il s'agit d'une version à peine retouchée du modèle 2002. Le châssis est donc de guimauve, l'effet de couple très persistant et l'agrément de conduite inexistant. Il faudra vraiment aimer le grand air pour se le procurer. D'autant plus que la nouvelle génération devrait être lancée au printemps 2003.

*Denis Duquet*

**MODÈLES CONCURRENTS**

• Audi A4 • BMW Série 3 • Lexus IS 300
• Mercedes-Benz Classe C • Volvo V60

**VERDICT**

| | |
|---|---|
| Agrément de conduite | ★★★★ |
| Fiabilité | nouveau modèle |
| Sécurité | ★★★★ |
| Qualités hivernales | ★★★★★ |
| Espace intérieur | ★★★★ |
| Confort | ★★★★ |

**▲ POUR**

• Voiture agile • Moteurs performants
• Freins puissants • Habitacle confortable
• Tenue de route saine

**▼ CONTRE**

• Direction trop assistée • Fiabilité inconnue
• Modèle cabriolet • Repose-pied peu pratique
• Version Aero éliminée

# À contre-courant

Même si la marque suédoise Saab fait partie depuis déjà quelques années de l'empire General Motors, les voitures de ce constructeur automobile (et aéronautique, soit dit en passant) préservent une certaine différence. Elles restent des voitures particulières s'adressant à une clientèle particulière. Elles sont d'une architecture mécanique plutôt conventionnelle, mais leur aménagement va souvent à contre-courant. Ce qui ne les empêche pas d'offrir un bel amalgame de qualités sans pour autant se hisser au même niveau que leurs concurrentes directes.

Avant que Saab décide de remanier entièrement ses modèles 9³ cette année, les berlines et familiales à traction de la série 9⁵ étaient sans l'ombre d'un doute les plus attrayantes de la gamme du constructeur suédois. Revues et corrigées l'an dernier, celles-ci entreprennent le millésime 2003 sans changement majeur. On notera cependant l'abandon du fameux moteur V6 à turbocompresseur qui, malgré ses 3 litres de cylindrée et la suralimentation, ne développait pas plus de 200 chevaux, un rendement plutôt mince comparé par exemple à celui du V6 Audi qui, à cylindrée égale et sans turbo, produit 220 chevaux. Mais ne revenons pas sur les morts et attardons-nous plutôt au présent.

Pour 2003, le choix de moteurs se situe entre deux 4 cylindres turbo de 2,3 litres, l'un affichant 185 chevaux et l'autre 250 dans sa version à haut rendement. Pour faire taire les critiques, ces mécaniques s'enrichissent dorénavant d'un mode de sélection manuelle avec commandes au volant pour la transmission automatique à 5 rapports. Évidemment, une vraie boîte manuelle à 5 rapports figure à la fiche technique.

## Hélas ! pas de traction intégrale

Les 9⁵ existent en deux versions : Aero et Linear. La première est la plus performante puisqu'elle peut compter sur le moteur turbo de 250 chevaux alors que la Linear (un nom assez peu commercial à mon goût) doit pouvoir traîner ses 1 500 et quelques kilos avec seulement 185 chevaux. Contrairement à toutes les autres voitures susceptibles d'attirer un acheteur de Saab (Audi A4 ou A6, Volvo S60, BMW Série 3, Jaguar X-Type), la 9⁵ n'offre pas la traction inté-

## CARACTÉRISTIQUES

| | |
|---|---|
| Prix du modèle à l'essai | berline 9⁵ Aero 54 900 $ |
| Échelle de prix | de 42 000 $ à 54 900 $ |
| Assurances | 1080 $ |
| Garanties | 4 ans 80 000 km / 4 ans 80 000 km |
| Emp. / Long. / Larg. / Haut. (cm) | 270 / 480 / 204 / 145 |
| Poids | 1 565 kg |
| Coffre / Réservoir | 450 litres / 75 litres |
| Coussins de sécurité | frontaux et latéraux |
| Suspension avant | indépendante, jambes de force |
| Suspension arrière | multibras, indépendante |
| Freins av. / arr. | disque ventilé, ABS |
| Système antipatinage | oui |
| Direction | à crémaillère, assistée |
| Diamètre de braquage | 10,8 mètres |
| Pneus av. / arr. | P225/45R17 |

## MOTORISATION ET PERFORMANCES

| | |
|---|---|
| Moteur | 4L 2,3 litres turbo |
| Transmission | traction, automatique 5 rapports |
| Puissance | 250 ch à 5 500 tr/min |
| Couple | 258 lb-pi à 2 500 tr/min |
| Autre(s) moteur(s) | 4L 2,3 litres turbo 185 ch |
| Autre(s) transmission(s) | manuelle 5 rapports |
| Accélération 0-100 km/h | 7 secondes |
| Reprises 80-120 km/h | 6,1 secondes |
| Vitesse maximale | 240 km/h |
| Freinage 100-0 km/h | 40,3 mètres |
| Consommation (100 km) | 13 litres (super) |

| | |
|---|---|
| • Valeur de revente | faible |
| • Renouvellement du modèle | n.d. |

à neuf haut-parleurs et, en héritage de General Motors, le système OnStar. Ce dernier, on le rappelle, a d'abord été mis au point pour les modèles haut de gamme de GM et consiste en un service d'assistance routière combinée à un système de navigation découlant de la technologie du GPS ou de repérage par satellite.

### Une ergonomie soignée

À bord, le confort est très soigné grâce à des sièges à citer en exemple tellement ils sont agréables. Le

grale. Elle est la seule aussi à devoir se satisfaire d'un 4 cylindres alors que ses rivales peuvent compter sur des moteurs 5 ou 6 cylindres. Ce sont deux lacunes dont il faut sérieusement tenir compte à l'achat et qui s'expliquent difficilement compte tenu des prix pratiqués. En d'autres termes, il faut vraiment nourrir un goût marqué pour les Saab pour consentir à donner autant d'argent en échange d'une voiture aussi modestement motorisée.

Mon essai, réalisé en plein hiver, a toutefois servi à démontrer que la 9⁵ est fort bien adaptée aux climats nordiques comme le nôtre. La transmission automatique est dotée par exemple d'un mode Hiver (qui assure des changements de rapport à un régime moins élevé) et l'absence de traction intégrale est partiellement compensée par un anti-patinage dont l'efficacité s'apprécie surtout sur des routes enneigées. Sur pavé sec, cette Saab sous-vire joyeusement (ou tristement, c'est selon), mais s'accroche désespérément au pavé avec toute la gomme de ses pneus P225/45R17 toutes saisons.

En conduisant la 9⁵ sur des routes au revêtement dégradé, on se rend compte que la rigidité du châssis est moindre que ce que l'on trouve chez ses rivales allemandes. À la longue, cela pourrait entraîner éventuellement l'apparition de bruits de caisse.

### Performance ou économie

Le moteur de 185 chevaux, on s'en doute, peine un peu à la tâche mais se défend admirablement bien au chapitre de la consommation avec une moyenne inférieure à 9 litres aux 100 km à une

vitesse stabilisée sur autoroute. Plus gourmand, le 2,3 litres turbo à haut rendement bonifie les performances, quoique ses 250 chevaux se rendent coupables d'un effet de couple dans la direction. C'est beaucoup moins pire que dans l'ancienne Saab Viggen, mais le volant a tout de même tendance à « tirer » dans un sens ou l'autre lors de fortes accélérations.

Pour revenir aux qualités hivernales de la 9⁵, ajoutons que les phares avant peuvent être nettoyés par de puissants gicleurs, que les occupants des places arrière (très spacieuses) bénéficient de sièges chauffants et que le très grand coffre à bagages est muni d'un sac à skis. La voiture mise à l'essai était d'ailleurs particulièrement bien équipée : ordinateur de bord, sièges à commande électrique, air conditionné à deux zones, chaîne audio Harman Kardon

tableau de bord est aussi d'une lisibilité exceptionnelle, à tel point que l'on a l'impression que l'on pourrait toucher aux instruments tellement la vitre qui les recouvre est transparente. Légèrement inclinée vers le conducteur, la console centrale contribue aussi à la bonne ergonomie de la 9⁵. De petites astuces comme le plafonnier orientable et le porte-verres qui se déploie comme les ailes d'un papillon sont aussi à retenir. Tout comme la robustesse des commandes et la qualité de la finition. D'accord, il y a cette clef de contact au plancher entre les deux sièges et des piliers centraux qui gênent la visibilité mais une Saab, c'est une Saab. Et il se trouve une bonne quantité d'automobilistes qui ne jurent que par ces voitures suédoises un peu à part des autres. Chacun ses goûts.

*Jacques Duval*

---

### MODÈLES CONCURRENTS

• *Audi A6* • *BMW Série 5* • *Infiniti G35*
• *Jaguar S-Type* • *Lincoln LS* • *Volvo S60*
• *VW Passat W8*

### QUOI DE NEUF ?

• *Boîte de vitesses automatique à mode manuel*
• *Siège sport ventilé (Aero)* • *Nouveaux équipements haut de gamme (émetteur Home Link, etc.)*

### VERDICT

| | |
|---|---|
| **Agrément de conduite** | ★★★⯪ |
| **Fiabilité** | ★★★⯪ |
| **Sécurité** | ★★★★⯪ |
| **Qualités hivernales** | ★★★★ |
| **Espace intérieur** | ★★★★ |
| **Confort** | ★★★★ |

### ▲ POUR

• **Équipement très complet** • **Confort remarquable**
• **Qualités hivernales** • **Finition soignée**
• **Comportement routier sûr**

### ▼ CONTRE

• **Rigidité du châssis perfectible** • **Moteurs 4 cylindres seulement** • **Valeur de revente sous la moyenne**
• **Plus bourgeoise que sportive**

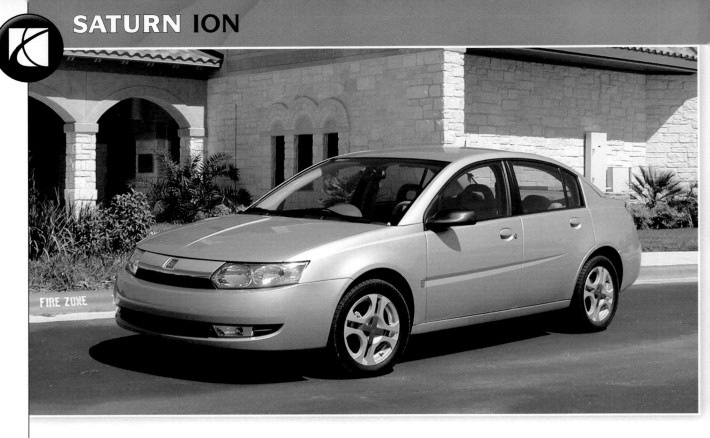

# La Saturn réinventée

**Lorsque la compagnie Saturn a été fondée en 1985, elle avait pour mission de réinventer la petite voiture nord-américaine. Non seulement ses méthodes de fabrication et d'assemblage étaient nouvelles pour l'époque, mais la mise en marché reniait tout ce que Detroit avait proposé auparavant. De plus, même si GM avait fourni la mise de fonds initiale, cette marque fonctionnait de façon autonome. Malheureusement, si tout ce qui entourait Saturn était révolutionnaire, les modèles dévoilés étaient ce qu'il y avait de plus conventionnel.**

Le seul élément innovateur que possédaient ces nouvelles venues était un châssis ajouré sur lequel étaient greffés des panneaux de caisse en polymère. Le reste était très moyen tant en fait de style que de mécanique. Au premier coup d'œil, il était possible de confondre les Saturn avec des Oldsmobile. Ce qui n'est pas surprenant puisque les premiers designers maison avaient été recrutés dans cette division. Et si les moteurs se voulaient d'une architecture moderne avec des blocs en alliage léger dotés d'arbres à cames en tête, ils étaient très bruyants et moyennement performants. Et malgré la présence d'une suspension indépendante aux quatre roues, les Saturn offraient une tenue de route très moyenne.

Ce qui n'a pas empêché Saturn de faire un malheur dans les palmarès de satisfaction de la clientèle. Sur une période s'étalant sur deux décennies, la marque a toujours figuré parmi les meneurs en fait de satisfaction de ses propriétaires, surclassant des marques très prestigieuses. Ce qui prouve qu'un produit moyen en fait de performances et d'agrément de conduite peut satisfaire les gens du moment qu'on s'occupe d'eux.

Malgré tout, il était plus que temps pour Saturn de renouveler son modèle d'entrée de gamme, à bout de souffle après une carrière de plus de 12 ans presque sans changements majeurs. Dorénavant dans le giron de GM et considérée comme une division à part entière, Saturn a renouvelé toute sa gamme de produits au cours des 12 derniers mois. En effet, le VUE est arrivé le printemps dernier, la LS vient de subir plusieurs modifications esthétiques et l'ION fait son arrivée sur le marché.

## Tout nouveau !

Il n'est pas faux d'affirmer que cette marque n'aurait pu continuer à progresser si elle ne s'était pas intégrée à GM. Même si elle avait connu beaucoup de succès, elle ne possédait pas les ressources financières et techniques nécessaires pour renouveler les organes mécaniques de ses véhicules. La nouvelle ION utilise d'ailleurs la plate-forme Delta qui a été développée conjointement par GM, Opel et Fiat. Elle est notamment associée à l'Opel Astra et sera la future plate-forme des nouvelles Chevrolet Cavalier et Pontiac Sunfire dont l'arrivée est prévue en 2004. Elle a été modifiée pour s'adapter au châssis porteur des Saturn, mais elle possède une rigidité inégalée pour la catégorie.

Curieusement, si les ingénieurs ont retenu la suspension avant à jambes de force, ils ont abandonné la suspension arrière indépendante. Celle-ci a été remplacée par une poutre déformante avec barre de torsion intégrée. Elle peut être appelée demi-indépendante puisque cette poutre transversale est placée non pas directement entre les deux roues, mais plusieurs centimètres derrière. Cet éloignement permet une certaine indépendance entre les deux roues dans les virages et lors du passage de trous et de bosses. Ce dispositif est toujours utilisé dans la Toyota Corolla, la Volkswagen Golf et plus récemment la PT Cruiser de Chrysler. En plus d'être légère et simple à fabriquer, cette suspension s'accommode fort bien de la traction. D'ailleurs, c'est pour cette raison que la Nissan Maxima est pourvue d'un arrangement mécanique similaire.

Les catalogues de l'ION vous font miroiter la possibilité de commander en option des freins ABS qui sont automatiquement livrés avec un système antipatinage. C'est vrai, mais il est dommage que des freins à disque aux roues arrière ne soient pas

offerts même si les ingénieurs affirment que des freins à tambour sur une petite compacte sont amplement suffisants. De plus, l'ABS devrait être de série.

Les deux moteurs 1,9 litre utilisés précédemment dans la SL ont été abandonnés et personne ne s'en plaindra. Non seulement ils étaient très bruyants, mais leurs vibrations n'ont jamais pu être contrôlées efficacement et leur puissance ne faisait pas le poids. Ils sont remplacés par le moteur 4 cylindres Ecotec de 2,2 litres d'une puissance de

140 chevaux. Avec leur bloc en alliage léger, leur culasse à double arbre à cames en tête et leurs deux arbres d'équilibrage, ils n'ont rien à envier à la concurrence sur le plan de la sophistication mécanique et de la performance. Il s'agit du seul et unique moteur offert dans les deux modèles. La boîte manuelle à 5 rapports est produite par Getrag et de série autant dans la berline que dans le coupé.

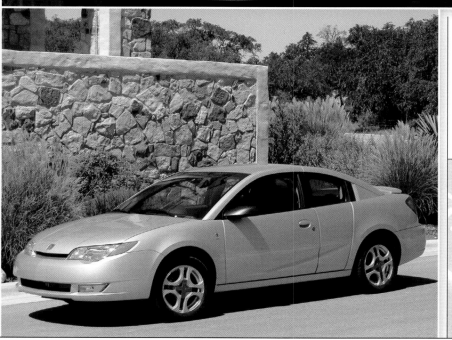

### ■ ÉQUIPEMENT DE SÉRIE

• Moteur 140 chevaux • Pièces de carrosserie en polymère • Direction à assistance électrique • Rideau de sécurité latérale

### ■ ÉQUIPEMENT EN OPTION

• Boîte automatique 5 rapports • Boîte automatique VTi sur Coupé • Roues 16 pouces • Freins ABS • Système de sécurité à télécommande

Détail intéressant, même la marche arrière est synchronisée, une caractéristique assez peu courante dans la catégorie. La berline peut être équipée en option d'une boîte automatique à 5 rapports. Celle-ci n'est pas disponible dans le coupé qui offre une boîte VTi à rapports continuellement variables plus ou moins similaire à celle de la VUE.

### La berline d'abord

Des deux modèles de la famille ION, c'est la berline qui aura l'honneur d'apparaître dans les salles de montre en premier. Autant l'habitacle que la carrosserie sont tout nouveaux et c'est tant mieux. La SL remontait à la fin des années 80 et avait de la difficulté à se démarquer. Cette nouvelle présentation s'avère plus audacieuse, surtout à la partie arrière dont les feux et le rebord du couvercle du coffre très proéminent nous font quelque peu penser à la Cadillac CTS. La filiation avec les autres membres de la famille Saturn est transmise par la calandre avant

dotée d'une barre transversale sur laquelle on trouve l'écusson Saturn qui a été révisé par la même occasion. Les phares sont toujours rectangulaires mais plus allongés qu'auparavant. Il faut ajouter qu'une lisière de plastique située sur le rebord du toit peut être enlevée et remplacée par une autre de couleur contrastante ou même affichant différents motifs. Cela permettra aux gens de personnaliser leur auto davantage. J'ai par contre des doutes sur la valeur de cet accessoire.

Cette même approche a été retenue dans l'habitacle alors que certains éléments de la planche de bord peuvent être remplacés par d'autres de couleur différente. Ce tableau de bord est vraiment l'élément le plus original de la voiture. Presque tous les instruments et commandes sont regroupés dans une console centrale dont la partie supérieure est constituée d'un réceptacle en forme de demi-lune abritant l'indicateur de vitesse, le compte-tours, la jauge de carburant et le thermomètre. Ce posi-

tionnement est contesté par plusieurs, mais ne me cause pas de problème personnellement. Par contre, il faut souligner que le totalisateur journalier est pratiquement illisible. De plus, le moyeu du volant ressemble à une immense assiette à tarte ou à un Frisbee et détonne joyeusement. Ajoutons que les sièges avant, trop courts, n'offrent pas un bon support pour les cuisses. Les places arrière ne font guère mieux avec un dégagement pour les jambes très moyen.

Sans être un foudre de guerre, le moteur se tire assez bien d'affaire même si les temps d'accélération sont moyens aussi bien avec la boîte manuelle qu'avec l'automatique. Par contre, ce moteur a déjà fait ses preuves et il est presque exempt de vibrations et assez silencieux. La boîte manuelle Getrag est efficace, mais les 3e et 4e rapports sont très espacés, ce qui nous oblige à rétrograder plus souvent. Dans l'une des voitures d'essai, l'embrayage manquait également de progressivité.

### CARACTÉRISTIQUES

| | |
|---|---|
| Prix du modèle à l'essai | berline 2 20 195 $ (estimé) |
| Échelle de prix | de 15 000 $ à 22 000 $ (estimé) |
| Assurances | 525 $ |
| Garanties | 3 ans 60 000 km / 5 ans 100 000 km |
| Emp. / Long. / Larg. / Haut. (cm) | 262 / 468 / 171 / 146; |
| Poids | 1221 kg; 1256 kg (coupé) |
| Coffre / Réservoir | 416 litres / 50 litres |
| Coussins de sécurité | frontaux et tête |
| Suspension avant | indépendante, jambe de force |
| Suspension arrière | demi-ind., poutre déformante |
| Freins av. / arr. | disque / tambour (ABS opt.) |
| Système antipatinage | oui |
| Direction | à crémaillère, assistance à moteur électrique |
| Diamètre de braquage | 10,8 mètres |
| Pneus av. / arr. | P195/60R15; P205/55R16 (coupé) |

### MOTORISATION ET PERFORMANCES

| | |
|---|---|
| Moteur | 4L 2,2 litres |
| Transmission | traction, automatique 5 rapports |
| Puissance | 140 ch à 5 800 tr/min |
| Couple | 145 lb-pi à 4 400 tr/min |
| Autre(s) moteur(s) | aucun |
| Autre(s) transmission(s) | manuelle 5 rapports – VTi |
| Accélération 0-100 km/h | 9,2 secondes |
| Reprises 80-120 km/h | 8,2 secondes |
| Vitesse maximale | 190 km/h |
| Freinage 100-0 km/h | 42,1 mètres (manufacturier) |
| Consommation (100 km) | 8,6 litres (ordinaire) |
| Niveau sonore | Ralenti: 42,8 dB |
| | Accélération: 71,1 dB |
| | 100 km/h: 67,7 dB |

de type « porte suicide » et à un siège avant droit dont le dossier se replie.

Pour la première fois de son histoire, Saturn a produit une seconde génération de l'un de ses modèles. Et heureusement pour l'avenir de cette division, il est facile de constater un progrès marqué. C'est un modèle qui plaira aux inconditionnels de cette marque et qui est en mesure d'intéresser de nouveaux acheteurs, qu'ils soient jeunes ou moins jeunes.

*Denis Duquet*

Sur la route, cette nouvelle Saturn possède d'excellentes manières en fait de tenue de route, de stabilité directionnelle et de stabilité dans les virages. La direction à assistance électrique nous a semblé offrir un meilleur feed-back que celle de la VUE tandis que l'effet de couple en accélération est perceptible, mais bien contrôlé. Ce n'est pas une berline sport ou une voiture qui soulève de grands élans de passion. Mais elle se situe dans la bonne moyenne à tous les points de vue et marque un net progrès par rapport à la défunte SL.

### Le Quad Coupe ensuite

Il faut préciser d'emblée que ce coupé n'a aucune prétention sportive. Il s'agit en fait d'une berline deux portes affublée de panneaux d'accès de chaque côté, ce qui explique la dénomination Quad Coupe. D'ailleurs, cette configuration drôlement pratique permettra à plusieurs de se réconcilier avec ce type de carrosserie. Pour le reste, c'est quasiment identique à la berline en fait de performances, de conduite et de tenue de route. Tel que mentionné précédemment, elle se démarque de la berline avec la boîte optionnelle VTi à rapports continuellement variable qui permet d'obtenir des performances un peu plus pointues et une meilleure économie de carburant. Comme dans la berline, la boîte manuelle et le moteur font bon ménage bien que les performances ne soient pas très sportives, loin de là.

Les seules vraies différences entre la berline et le coupé se résument à la carrosserie. De plus, le coupé peut transporter des objets de dimensions encombrantes grâce à ses panneaux d'accès arrière

| MODÈLES CONCURRENTS | VERDICT | | ▲ POUR |
|---|---|---|---|

**MODÈLES CONCURRENTS**

• Dodge SX 2,0 • Ford Focus • Honda Civic
• Hyundai Elantra • Mazda Protegé • Mitsubishi Lancer
• Nissan Sentra

**VERDICT**

| | |
|---|---|
| Agrément de conduite | ★★★✦ |
| Fiabilité | nouveau modèle |
| Sécurité | ★★★★ |
| Qualités hivernales | ★★★✦ |
| Espace intérieur | ★★★★ |
| Confort | ★★★★ |

**▲ POUR**

• Plate-forme moderne • Tenue de route saine
• Moteur bien adapté • Silhouette rajeunie
• Coupé 4 portes

**▼ CONTRE**

• Sièges avant peu confortables • Performances moyennes • Silhouette quelconque (coupé)
• ABS optionnel • Abandon de la suspension arr. indépendante

# Cent fois sur le métier...

**La division Saturn traverse une période délicate. Le modèle plus économique, la LS, n'est plus en production et la nouvelle ION ne sera disponible en quantités importantes qu'au début de 2003. La famille des modèles L doit donc attirer un nombre élevé d'acheteurs pour compenser. Mais c'est justement là le problème, les ventes ne sont pas aussi importantes que prévu. Les responsables de la mise en marché ont beau répéter que ce modèle a connu un bon succès initial, ce n'est pas suffisant. Cela explique la révision esthétique de cette année.**

Les parties avant et arrière ont été complètement redessinées afin de donner plus de caractère tant à la familiale qu'à la berline. Ces changements surviennent un peu moins de trois ans après l'arrivée de ce modèle au pays, ce qui donne une idée de l'accueil qu'on lui a réservé. Au premier coup d'œil, il semble que les stylistes se soient contentés de remplacer la calandre et les phares avant. Mais les ailes, le capot, le carénage, la moulure de bas de caisse, les feux arrière, la gouttière du toit, et j'en oublie probablement, ont tous été transformés. Il faut souhaiter pour les concessionnaires Saturn que le public va apprécier cette nouvelle apparence. À mon avis, l'avant ressemble à une ancienne Peugeot à laquelle on aurait greffé une grille de calandre empruntée à une voiture japonaise. Les changements ont déplu à plusieurs, d'autant plus qu'ils ne s'harmonisent nullement avec les autres modèles Saturn, soit l'ION et le VUE. Puisque les goûts et les couleurs ne se discutent pas, je vous laisse le choix de vous faire une opinion devant cette nouvelle allure.

Mauvaises nouvelles, les freins à disque arrière sont remplacés par des freins à tambour dans les modèles L200 tandis que le système ABS est dorénavant offert en option dans tous les modèles. Ce sont des économies qui enlèvent à l'attrait de ces voitures qui ne sont déjà pas des plus populaires. Il est facile de reprocher ce geste à GM, mais il faut souligner que plusieurs constructeurs japonais ne sont pas toujours généreux non plus. Sans doute pour compenser, il est possible de commander le groupe Commodité comprenant un soutien lombaire pour le siège, les miroirs de pare-soleil éclairés, un rétroviseur intérieur lumineux et des accoudoirs aux sièges arrière. Encore une fois, les bébelles ont le dessus sur l'essentiel.

### CARACTÉRISTIQUES

| | |
|---|---|
| **Prix du modèle à l'essai** | L200 27 895 $ |
| **Échelle de prix** | de 23 445 $ à 29 710 $ |
| **Assurances** | 607 $ |
| **Garanties** | 3 ans 60 000 km / 5 ans 100 000 km |
| **Emp. / Long. / Larg. / Haut. (cm)** | 270 / 484 / 200 / 144 |
| **Poids** | 1 365 kg |
| **Coffre / Réservoir** | 495 litres / 59 litres |
| **Coussins de sécurité** | frontaux et tête |
| **Suspension avant** | indépendante, MacPherson |
| **Suspension arrière** | indépendante, bras oscillants |
| **Freins av. / arr.** | disque / tambour (ABS optionnel) |
| **Système antipatinage** | oui (optionnel) |
| **Direction** | à crémaillère, assistée |
| **Diamètre de braquage** | 11,1 mètres |
| **Pneus av. / arr.** | P195/65R15 |

### MOTORISATION ET PERFORMANCES

| | |
|---|---|
| **Moteur** | 4L 2,2 litres |
| **Transmission** | traction, manuelle 5 rapports |
| **Puissance** | 135 ch à 5 200 tr/min |
| **Couple** | 142 lb-pi à 4 400 tr/min |
| **Autre(s) moteur(s)** | V6 3 litres 182 ch |
| **Autre(s) transmission(s)** | automatique 4 rapports |
| **Accélération 0-100 km/h** | 10,1 s (4L manuelle); |
| | 8,7 s (V6 automatique) |
| **Reprises 80-120 km/h** | 9,s; 7,9 s (V6) |
| **Vitesse maximale** | 180 km/h |
| **Freinage 100-0 km/h** | 43,4 mètres |
| **Consommation (100 km)** | 10 litres (ordinaire) |
| • Valeur de revente | moyenne |
| • Renouvellement du modèle | nouveau modèle |

que certaines commandes sont à revoir. Il est bon de vouloir faire à part des autres, mais il faut également que cette différence ne devienne pas un irritant. Au lieu de se contenter d'un volant banal, d'un réceptacle des cadrans indicateurs quelconque et de commandes peu orthodoxes, il faudrait un peu plus d'uniformité et un sens esthétique plus critique.

La même remarque s'applique au comportement routier. Autant la berline que la familiale sont dotées d'une suspension qui impressionne en certaines circonstances, mais qui semble incapable d'en

## Une familiale songée

Les familiales semblent effectuer un retour en vogue après une éclipse de plusieurs années. Force est d'admettre que Saturn pourrait en profiter puisque ses modèles LW200 et LW300 ne manquent pas de qualités pour intéresser les acheteurs. D'autant plus que ce type de carrosserie s'harmonise mieux avec les éléments esthétiques choisis par les stylistes. Mais ce qui importe davantage, ce sont les dimensions trompeuses de cette intermédiaire. Par exemple, elle est plus courte qu'une Ford Taurus familiale, mais offre un espace de chargement presque identique dans le coffre. De plus, elle est plus légère d'au moins 100 kg par rapport à la grosse Ford, ce qui a une incidence sur la consommation de carburant. En fait, les familiales Saturn sont à cette catégorie ce que le Dakota représente chez les camionnettes : des dimensions plus petites, mais une capacité de chargement presque similaire à celle de modèles plus gros. En revanche, la Taurus profite d'une capacité de remorquage plus importante.

Ceux qui ont des objets encombrants à déplacer mais qui ne veulent pas d'un véhicule trop gros auraient donc intérêt à regarder la LW de plus près. Comme la berline L300, la version LW300 est propulsée par le moteur V6 3 litres à double arbre à cames en tête dont les 182 chevaux font bon ménage avec le caractère polyvalent de ce type de carrosserie. Il est couplé à une boîte automatique Hydra-Matic à 4 rapports. Le modèle LW200 est livré avec le moteur 4 cylindres de 2,2 litres qui convient cependant mieux à la berline.

Sans posséder beaucoup de caractère, la familiale offre un excellent compromis entre le confort qu'apporte la suspension arrière indépendante, les dimensions raisonnables, un compartiment à bagages modulaire très pratique et une consommation de carburant dépassant à peine les 10 litres aux 100 km. Il faut de plus souligner que le comportement routier est acceptable, même si un certain effet de couple dans le volant risque de vous agacer.

## Et la berline ?

Même si elle a connu plusieurs modifications esthétiques qui vont soulever bien des discussions, cette berline n'a rien perdu de ses qualités et de ses… défauts. À part sa silhouette qui ne fera pas l'unanimité, soulignons que la présentation de la planche de bord est toujours d'un style aussi quelconque et

maîtriser d'autres. Sur mauvaise route, la suspension avant perd ses moyens alors que le rebond des amortisseurs est brutal. De plus, la voiture serpente en suivant les interstices de la chaussée et la direction manque de précision.

C'est dommage puisque le moteur 2,2 litres de 135 chevaux associé à la boîte manuelle est bien adapté. Et il y a toujours la version L300 avec le moteur V6 qui n'est pas dépourvue de confort si vous choisissez les bonnes options.

Il n'en faudrait pas beaucoup à ces deux modèles pour s'illustrer. D'autant plus que leur carrosserie en panneaux de polymère est un atout indéniable pour affronter nos hivers. Mais ce n'est pas la révision esthétique de ce millésime qui en fera un choix incontournable.

*Denis Duquet*

---

### MODÈLES CONCURRENTS

• *Honda Accord* • *Hyundai Sonata* • *Kia Magentis*
• *Mazda 6* • *Nissan Altima* • *Toyota Camry*

### QUOI DE NEUF ?

• *Changements à la carrosserie* • *Freins à tambour arrière (L200/LW200)* • *Nouveau groupe Confort*
• *Modèle L100 supprimé*

### VERDICT

| | |
|---|---|
| *Agrément de conduite* | ★★★ |
| *Fiabilité* | ★★★ |
| *Sécurité* | ★★★✦ |
| *Qualités hivernales* | ★★★ |
| *Espace intérieur* | ★★★★ |
| *Confort* | ★★★✦ |

### ▲ POUR

• Habitacle spacieux • Moteurs adéquats • Tenue de route saine • Familiale pratique • Boîte manuelle

### ▼ CONTRE

• Équipement de base moins complet • Silhouette controversée • Suspension avant à revoir • Tableau de bord déroutant • Pneumatiques bruyants

# *Plein la vue*

**Oui, je sais, le jeu de mots est facile et on pourrait en faire bien d'autres au sujet du nouveau modèle que la marque Saturn vient d'ajouter à sa gamme et qu'on a affublé du nom plutôt curieux de VUE. Si encore cela signifiait « véhicule utilitaire exceptionnel », mais une fois passées les frontières du Québec francophone, ces trois lettres perdent toute leur signification dans la langue de nos voisins du Sud. Cela dit, bien longtemps après tout le monde, Saturn prend la clef des champs avec un modèle de format moyen qui a pour objectif de mettre en échec les CR-V, RAV4 et Forester de ce monde.**

L a tâche ne sera pas facile et Saturn devra miser sur sa bonne réputation pour faire accepter certains des irritants de ce VUE. Avant d'en faire le procès, voyons comment se présente le dernier rejeton de Saturn.

### *L'embarras du choix*

L'acheteur a le choix entre deux rouages d'entraînement (traction ou intégral), deux moteurs (4 cylindres et V6) et pas moins de trois types de transmissions (manuelle, automatique et CVT). Pour cet essai, GM nous avait réservé un modèle haut de gamme 4 roues motrices à moteur V6 3 litres de 181 chevaux et transmission automatique à 5 rapports. Entre vous et moi, je ne vois pas l'utilité d'un... utilitaire à traction seulement. Quant au moteur 4 cylindres Ecotec de 2,2 litres, ses arbres d'équilibrage, son couple étendu et ses 143 chevaux le rendent tout à fait convenable si vous ne projetez pas de tirer une petite remorque ou de vous livrer à l'escalade de montagnes. Pour mieux exploiter sa puissance, on peut même le jumeler à la transmission automatique à variation continue VTi (dixit GM), une exclusivité sur ce genre de véhicule. Parmi les avantages de ce type de transmission que l'on retrouve aussi chez Audi, notamment, on peut mentionner une réduction des composantes de l'ordre de 45 % et un abaissement de la consommation d'essence d'environ 10 %, un atout non négligeable dans un véhicule de ce genre.

Une chose que l'on ne peut certes pas reprocher au Saturn VUE, c'est son manque d'originalité. Outre ses panneaux de caisse en polymère (anti-éraflures), il partage avec les autres modèles de la gamme un châssis-cadre de type *space frame*, une technique de construction garante d'une plus grande résistance aux impacts et d'une économie de poids. Si cet utilitaire sport affiche un

## CARACTÉRISTIQUES

| | |
|---|---|
| Prix du modèle à l'essai | 29 665 $ |
| Échelle de prix | de 21 980 $ à 29 665 $ |
| Assurances | 893 $ |
| Garanties | 3 ans 60 000 km / 5 ans 100 000 km |
| Emp. / Long. / Larg. / Haut. (cm) | 271 / 460,5 / 182 / 169 |
| Poids | 1578 kg |
| Coffre / Réservoir | 858 à 1785 litres / 58,7 litres |
| Coussins de sécurité | frontaux et latéraux |
| Suspension avant | indépendante, jambes de force |
| Suspension arrière | ind., à bras oscillants multiples |
| Freins av. / arr. | disque / tambour (ABS optionnel) |
| Système antipatinage | non |
| Direction | à crémaillère, assistance électrique |
| Diamètre de braquage | 11,6 mètres |
| Pneus av. / arr. | P235/65R16 |

## MOTORISATION ET PERFORMANCES

| | |
|---|---|
| Moteur | V6 DACT 3 litres |
| Transmission | intégrale, automatique 5 rapports |
| Puissance | 181 ch à 6 000 tr/min |
| Couple | 195 lb-pi à 6 000 tr/min |
| Autre(s) moteur(s) | 4L 2,2 litres 143 ch |
| Autre(s) transmission(s) | man. 5 rap. ou à var. continue |
| Accélération 0-100 km/h | 9 secondes |
| Reprises 80-120 km/h | 7,8 secondes |
| Vitesse maximale | 175 km/h |
| Freinage 100-0 km/h | 43,3 mètres |
| Consommation (100 km) | 12,5 litres (ordinaire) |
| • Valeur de revente | nouveau modèle |
| • Renouvellement du modèle | nouveau modèle |

sa lenteur qui la rend désagréable. Avec trois tours et demi d'une butée à l'autre, j'ai dû me battre avec le volant dans l'épreuve de slalom. Bref, l'assistance électrique est facile à prendre en défaut dans les changements de cap rapides ou les manœuvres d'évitement. Le freinage aussi souffre d'un problème d'assistance avec une pédale qui exige une bonne pression. Quant à l'absence d'ABS (une option) et de freins à disque à l'arrière dans une version haut de gamme comme celle essayée, c'est une aberration, rien de moins. À l'exception d'une insonorisation

comportement beaucoup plus près de celui d'une voiture que d'un camion, c'est en partie grâce à son essieu arrière à roues indépendantes. C'est d'ailleurs dans le même esprit que la transmission intégrale ne s'embarrasse pas d'une gamme de vitesses à rapports courts (*low range*) ou d'un engagement manuel des 4 roues motrices. C'est l'électronique qui fait le travail pour vous.

### Matière de goût

Pour revenir à nos irritants du début, ceux-ci sont plutôt une affaire de goût. Ainsi, le volant de grande série ne paye pas de mine tandis que les sièges en tissu et la pauvreté des matériaux plastiques paraissent indignes d'un modèle de 30 000 $. Le tableau de bord et la console centrale tombent aussi dans la banalité avec une ergonomie qui aurait pu être mieux étudiée. Ainsi, les boutons pour les glaces électriques à droite du levier de vitesses ne sont pas très à portée de la main. On peut ajouter que le coussin horizontal du siège du conducteur est trop court, ce qui constitue une entrave à une bonne position de conduite. L'immense pare-brise est près du sans faute au chapitre de la visibilité vers l'avant mais pourquoi a-t-on eu la mauvaise idée d'encombrer le montant droit d'un haut-parleur massif qui crée un angle mort?

Heureusement, l'espace dans l'habitacle est généreux depuis les nombreux rangements jusqu'à la banquette arrière où, à la rigueur, trois personnes pourront prendre place. On peut même se croiser les jambes tellement le dégagement est appréciable. Le compartiment à bagages n'a pas été oublié non

plus; il est vaste et il suffira de rabattre les dossiers (70-30) de la banquette arrière pour étirer l'espace. La roue de secours réside sous le plancher, à l'abri des saletés de la route.

### Un cœur allemand

Saturn prévoit que 60 % des VUE seront achetés par des femmes et c'est sans doute ce qui explique que les seuils de porte ne soient pas plus élevés que ceux d'une berline conventionnelle.

D'origine allemande, le V6 de 3 litres, qui a déjà séjourné sous le capot de l'ancienne Cadillac Catera, se distingue par sa douceur, sinon par ses accélérations. La puissance est cependant très adéquate et la transmission automatique assure de bonnes reprises. Bien que la direction ait à subir un léger effet de couple, on a déjà vu pire et c'est surtout

insuffisante aux bruits de la route, le VUE propose un bon confort accentué par une suspension à grand débattement. Sur la route, le roulis et le tangage préviennent tout excès de vitesse, mais on sera surpris des aptitudes de ce 4X4 hors des sentiers battus. Malgré des pneus Bridgestone Dueller peu adaptés à ce genre d'exercice, le véhicule a manifesté de belles aptitudes sur un sol boueux ou enneigé à faible coefficient d'adhérence.

Le Saturn VUE rassemble de nombreuses solutions inédites en matière de construction automobile, mais leur exécution ne donne curieusement pas les résultats attendus. Le véhicule offre de belles qualités (confort, espace, motricité, performances) mais comporte aussi des faiblesses qui sont impardonnables face à une concurrence aussi étoffée.

*Jacques Duval*

### MODÈLES CONCURRENTS

• Ford Escape • Honda CR-V • Hyundai Santa Fe
• Jeep Liberty • Mazda Tribute • Subaru Forester
• Toyota RAV4

### QUOI DE NEUF?

• Nouveau modèle

### VERDICT

| | |
|---|---|
| **Agrément de conduite** | ★★★ |
| **Fiabilité** | nouveau modèle |
| **Sécurité** | ★★★★ |
| **Qualités hivernales** | ★★★★ |
| **Espace intérieur** | ★★★✦ |
| **Confort** | ★★★✦ |

### ▲ POUR

• Panneaux de caisse en polymère • Moteur performant (V6) • Accès facile • Bon espace intérieur • Confort au-dessus de la moyenne • À l'aise en hors route

### ▼ CONTRE

• Direction lente et imprécise • Plastiques bon marché
• ABS optionnel • Mauvaise insonorisation
• Sensibilité au vent • Léger effet de couple

# SUBARU BAJA

# Esprit créateur

La compagnie Subaru n'a jamais eu peur de faire cavalier seul. Après tout, ce petit constructeur nippon a toujours défendu son moteur de type boxer et a été le pionnier de la transmission intégrale dans les voitures de tourisme. Il a même créé un nouveau créneau de toutes pièces avec ses modèles Outback, les premiers VUS hybrides sur le marché. Le BRAT, apparu dans les années 70, est une autre idée de Subaru. Il s'agissait d'une camionnette compacte comprenant deux sièges boulonnés dans la boîte. Avec un pareil héritage, pas surprenant que ce soit Subaru qui nous propose le Baja.

À une époque où les grands constructeurs se torturent les méninges pour innover, l'un des plus petits intervenants du milieu y va d'une solution inspirée de son passé. Tout comme le BRAT, le Baja est une camionnette sport dérivée d'une automobile. Il permet aux gens de combiner le confort d'une voiture, la présence rassurante d'une transmission intégrale et le caractère pratique d'une caisse de chargement ouverte à l'arrière.

## Sujet à controverse

Il est certain que le style de ce nouveau venu n'a pas fini de soulever des discussions. Il est dérivé du prototype ST-X présenté il y a deux ans qui s'inspirait des Ford Ranchero et Chevrolet El Camino des années 70. Comme ces derniers, il s'agit d'une auto transformée en demi-camionnette ! Cette fois, c'est l'Outback familiale qui a servi de plate-forme. Et il est facile de reconnaître sa partie avant avec ses phares antibrouillards encastrés dans le pare-chocs. Pour donner plus de relief à la présentation extérieure, des appliques de bas de caisse de couleur grise ont été ajoutées sur ses flancs. Des renforts tubulaires en acier brossé joignent la cabine à la caisse. Ils contribuent à la rigidité de l'ensemble puisque la boîte de chargement n'est pas indépendante de la partie avant comme dans une camionnette conventionnelle. Les stylistes en ont fait un accessoire visant à délimiter les parties avant et arrière. Enfin, le pare-chocs arrière comporte un espace plat pour faciliter l'accès à la boîte de chargement.

| CARACTÉRISTIQUES | |
|---|---|
| Prix du modèle à l'essai | 36 695 $ |
| Échelle de prix | de 35 595 $ à 36 795 $ |
| Assurances | n.d. |
| Garanties | 3 ans 60 000 km / 5 ans 100 000 km |
| Emp. / Long. / Larg. / Haut. (cm) | 264 / 490 / 174 / 158 |
| Poids | 1 590 kg |
| Coffre / Réservoir | boîte de 105 cm; 190 cm / 64 litres |
| Coussins de sécurité | frontaux et latéraux |
| Suspension avant | indépendante, jambes de force |

| | |
|---|---|
| Suspension arrière | indépendante, liens multiples |
| Freins av. / arr. | disque, ABS |
| Système antipatinage | non |
| Direction | à crémaillère, assistance variable |
| Diamètre de braquage | 11,2 mètres |
| Pneus av. / arr. | P255/60R16 |

| MOTORISATION ET PERFORMANCES | |
|---|---|
| Moteur | 4H 2,5 litres |
| Transmission | automatique 4 rapports |
| Puissance | 165 ch à 5 600 tr/min |

| | |
|---|---|
| Couple | 166 lb-pi à 4 000 tr/min |
| Autre(s) moteur(s) | aucun |
| Autre(s) transmission(s) | manuelle 5 rapports |
| Accélération 0-100 km/h | 11,8 secondes |
| Reprises 80-120 km/h | 10,2 secondes |
| Vitesse maximale | 185 km/h |
| Freinage 100-0 km/h | 41,2 mètres |
| Consommation (100 km) | 12,5 litres (ordinaire) |

| | |
|---|---|
| • Valeur de revente | nouveau modèle |
| • Renouvellement du modèle | n.d. |

Ce 4 cylindres de type boxer de 2,5 litres produit 165 chevaux. Il est robuste, mais n'offre pas des performances électrisantes. Compte tenu que le Baja pèse environ 1 600 kg, le rapport poids/puissance est peu favorable. Le 0-100 km/h exige 12 secondes avec la boîte automatique et les reprises s'étirent en longueur. Et ce résultat a été obtenu sans passager ni bagages.

Véhicule astucieux en raison de sa boîte de chargement à ciel ouvert, ce Subaru n'est pas fait pour les grosses charges. D'ailleurs, la caisse est

Personnellement, je trouve cette approche couteau suisse du monde automobile assez sympathique. L'habitacle est semblable à celui d'une automobile en fait de confort et de présentation. Il est pratiquement similaire à celui de l'Outback. La console centrale est de couleur argent et les prises latérales du volant de la même couleur. Comme dans les autres Subaru, le levier de vitesses doit serpenter au travers d'une plaque de guidage assez sinueuse merci. Par contre, les sièges avant s'avèrent confortables et leur support latéral adéquat pour un véhicule de cette catégorie. De plus, les sièges sont recouverts de cuir. Enfin, les places arrière sont aussi accueillantes que celles de la Legacy familiale. Seulement deux passagers peuvent y prendre place, le centre étant occupé par un espace de rangement.

Mais l'astuce la plus intéressante de cet hybride est son panneau d'accès qui permet d'insérer des objets plus longs dans la cabine. Cette ouverture, appelée Switchback, permet d'allonger la capacité de chargement de 90 cm. Pour ce faire, il faut basculer le siège et abaisser le dossier pour avoir accès à un panneau placé au centre de la paroi arrière. Il suffit d'appuyer sur un loquet pour que le panneau s'ouvre et se loge dans une dépression moulée dans le dossier. Puisque seulement une partie de la paroi est amovible, cela explique la très grande rigidité du Baja une fois le panneau enlevé. D'ailleurs, en plus des supports tubulaires reliant la boîte de chargement à la cabine, il est facile de deviner la présence de l'important renfort placé dans le toit et le long du pilier C.

### Une familiale à ciel ouvert

La conduite du Baja s'apparente de très près à celle d'une familiale Outback. Le pilote n'a pas l'impression de conduire une camionnette tant la caisse est rigide et la suspension confortable. Les virages sont abordés sans problèmes tandis que la suspension arrière indépendante s'acquitte fort bien de son travail pour éliminer les soubresauts causés par les bosses et les trous. Et bien que la garde au sol de 17 cm soit la même que celle du Ford Explorer Sport, le roulis de caisse est minimal et la voiture demeure bien campée sur ses roues, même lors d'une brusque manœuvre d'évitement. Grâce à la transmission intégrale, le Baja conserve une bonne motricité même sur les routes recouvertes de gravillons. Il faut avouer que la relative paresse du moteur contribue à assurer ce comportement rassurant dans les sols mous ou glissants.

relativement petite avec une longueur hors tout de 105 cm. Elle est entièrement revêtue d'un plastique protecteur tandis que des trous de drainage permettent l'écoulement de l'eau. Détail sublime, la plaque d'immatriculation est montée sur un panneau mobile qui se déploie pour permettre à la plaque de rester visible même une fois le panneau arrière rabattu.

Malgré tout, ce curieux petit engin devrait satisfaire les bricoleurs d'occasion. Et ceux-ci seront agréablement surpris de constater que cet utilitaire Subaru se laisse conduire comme une familiale de taille moyenne.

**Denis Duquet**

## MODÈLES CONCURRENTS

• *Aucun*

## QUOI DE NEUF ?

• *Nouveau modèle* • *Système Switchback*
• *Caisse de 105 cm* • *Rouage intégral*

## VERDICT

| | |
|---|---|
| **Agrément de conduite** | ★★★¹⁄ |
| **Fiabilité** | ★★★★ |
| **Sécurité** | ★★★★¹⁄ |
| **Qualités hivernales** | ★★★★¹⁄ |
| **Espace intérieur** | ★★★¹⁄ |
| **Confort** | ★★★★ |

## ▲ POUR

• Concept innovateur • Polyvalence assurée
• Système Switchback • Habitacle confortable
• Rouage intégral éprouvé

## ▼ CONTRE

• Caisse courte • Performances moyennes
• Prix élevé • Valeur de revente inconnue
• Dossier arrière monopièce

# Une évolution timide

**Subaru a beau avoir inventé le véhicule hybride mi-voiture, mi-VUS, la silhouette du Forester trahissait dorénavant son âge tandis que l'habitacle n'était pas en harmonie avec le prix demandé. De plus, la caisse n'a jamais eu la rigidité voulue pour se soustraire aux divers petits bruits qui se manifestent au fil des années. Bref, la table était mise pour le moderniser, d'autant plus que la concurrence est plus nombreuse et plus forte que jamais.**

L es stylistes se sont donc attaqués à la tâche tout en conservant les caractéristiques visuelles du modèle original. Ses flancs plats lui conféraient un air vieillot et assez peu dynamique qui semblait inspiré des voitures des années 1970. Cette situation a été corrigée par des renflements situés vis-à-vis des passages de roues. Cela brise la tension visuelle et confère plus de dynamisme.

Mais les changements les plus importants se retrouvent à l'avant et à l'arrière. Le hayon est entièrement nouveau. Encadré par des feux triangulaires ressemblant à ceux des Mercedes, il possède une section encavée en sa partie inférieure et se prolonge de quelques centimètres dans le pare-chocs qui est ainsi découpé. Cela permet d'obtenir une marche d'appui pour accéder au porte-bagages.

Une barre de couleur anthracite sert de délimitation entre les deux moitiés du hayon. Les dimensions de la lunette ont également été augmentées afin d'offrir au conducteur un meilleur champ de vision vers l'arrière. Celle-ci ne peut s'ouvrir indépendamment du hayon afin d'optimiser la rigidité de la caisse.

À l'avant, le pare-chocs de couleur contrastante est plus proéminent et loge deux phares antibrouillards circulaires, profondément encastrés dans la partie inférieure. Comme le veut la tendance actuelle, les phares sont à lentille cristalline. Soulignons en passant que tous les modèles sont équipés de roues en alliage de 16 pouces.

L'insonorisation était également au banc des accusés. Parmi les solutions apportées, les rétroviseurs extérieurs ont été étudiés en soufflerie afin de réduire les bruits éoliens. De plus, les barres de soutien du porte-bagages ont été redessinées afin d'atténuer les sifflements de l'air, un irritant de taille dans les modèles de 1re génération. Une

## CARACTÉRISTIQUES

| | |
|---|---|
| Prix du modèle à l'essai | 2,5 S 32 795 $ |
| Échelle de prix | de 27 995 $ à 36 595 $ |
| Assurances | 783 $ |
| Garanties | 3 ans 60 000 km / 5 ans 100 000 km |
| Emp. / Long. / Larg. / Haut. (cm) | 252 / 446 / 173 / 159 |
| Poids | 1 425 kg |
| Coffre / Réservoir | 906 litres / 60 litres |
| Coussins de sécurité | frontaux et latéraux |
| Suspension avant | indépendante, leviers triangulés |
| Suspension arrière | indépendante, leviers multiples |
| Freins av. / arr. | disque, ABS |
| Système antipatinage | non |
| Direction | à crémaillère, assistance variable |
| Diamètre de braquage | 10,6 mètres |
| Pneus av. / arr. | P215/60R16 |

## MOTORISATION ET PERFORMANCES

| | |
|---|---|
| Moteur | 4H 2,5 litres |
| Transmission | intégrale, automatique 4 rapports |
| Puissance | 165 ch à 5 600 tr/min |
| Couple | 166 lb-pi à 4 000 tr/min |
| Autre(s) moteur(s) | aucun |
| Autre(s) transmission(s) | manuelle 5 rapports |
| Accélération 0-100 km/h | 9,4 secondes |
| Reprises 80-120 km/h | 7,3 secondes |
| Vitesse maximale | 175 km/h |
| Freinage 100-0 km/h | 41,2 mètres |
| Consommation (100 km) | 11,3 litres (ordinaire) |
| • Valeur de revente | excellente |
| • Renouvellement du modèle | nouveau modèle |

Bien qu'il soit dérivé de l'Impreza, le Forester est capable d'impressionner le plus blasé des essayeurs sur mauvaise route et même hors route, où il affiche de façon surprenante la même aisance que certains gros 4 x 4 purs et durs. Le transfert du couple aux roues ayant le plus de motricité s'effectue de façon très transparente. Par contre, lorsqu'on lève le pied en virage, un certain temps de réponse du système est perceptible. Sur la route, son comportement se rapproche beaucoup de celui d'une familiale traditionnelle. La position de conduite est un peu plus

plate-forme plus rigide contribue également à filtrer les bruits parasites. Le tableau de bord a également été modernisé et c'est tant mieux.

Comme dans toutes les Subaru, les matériaux sont de qualité. Malheureusement, le tissu qui recouvre les sièges est d'un goût douteux. Alors qu'on nous parle d'un véhicule plus sportif qu'utilitaire, on nous refile des sièges dont les tissus semblent empruntés à une Buick 1958. En contrepartie, les espaces de rangement sont nombreux. Nous en retrouvons un avec filet extensible le long de la console du côté du passager et un vide-poches avec couvercle dans la partie supérieure du tableau de bord. Enfin, les places arrière sont faciles d'accès: on s'y glisse latéralement sur une banquette moyennement confortable.

La soute à bagages possède un seuil de chargement bas, des dimensions adéquates et des crochets montés sur les parois pour y ancrer les sacs d'épicerie.

### Une mécanique reconduite

Fidèles à leur logique de départ, les responsables du développement ont conservé les points forts du Forester, ce qui explique pourquoi la mécanique est demeurée sensiblement la même que précédemment. Le moteur boxer de 2,5 litres de 165 chevaux est de retour de même que la transmission intégrale. Contrairement à plusieurs autres véhicules de cette catégorie, la puissance du moteur est toujours répartie aux roues avant et arrière. Lorsque les roues avant patinent, le couple est automatiquement réparti aux roues ayant une

meilleure adhérence. La boîte manuelle à 5 rapports est plus précise et mieux étagée que précédemment. Celle-ci est de nouveau associée au mécanisme Hill Holder qui est de retour. Ce système simple et efficace immobilise le véhicule dans une pente et facilite ainsi les manœuvres de relance, car vous n'avez qu'à actionner l'embrayage et l'accélérateur pour repartir.

Le Forester est encore plus sophistiqué que précédemment grâce à sa suspension mieux calibrée, à une insonorisation plus efficace et à une direction plus précise. De plus, les accélérations et les reprises sont meilleures en raison d'une admission d'air revue qui fait des merveilles pour une meilleure répartition du couple à moyen régime. Cela a éliminé le fameux temps mort en cours d'accélération.

haute que la moyenne, mais le centre de gravité n'est pas exagérément haut et le roulis en virage assez bien contrôlé. Malgré tout, un survirage se fait sentir dans les courbes assez serrées tandis que la pédale de frein est spongieuse, une caractéristique que l'on retrouve dans plusieurs modèles de la marque.

Si le Subaru Forester ne répond pas parfaitement à la définition d'un utilitaire sport, son rouage intégral, sa personnalité mi-voiture, mi-familiale et sa ligne passe-partout sont des atouts qui semblent plaire à une grande majorité d'acheteurs. Dans sa tenue 2003, sa timide évolution pourrait cependant lui jouer un mauvais tour auprès d'acheteurs qui aiment bien qu'on sache qu'ils roulent dans un tout nouveau modèle.

*Denis Duquet*

---

### MODÈLES CONCURRENTS

• Ford Escape • Honda CR-V • Jeep Liberty • Hyundai Santa Fe • Mazda Tribute • Mitsubishi Outlander • Saturn VUE • Toyota RAV4

### QUOI DE NEUF?

• Nouvelle carrosserie • Habitacle redessiné • Meilleure répartition du couple du moteur • Système Hill Holder avec boîte manuelle

### VERDICT

| | |
|---|---|
| Agrément de conduite | ★★★★ |
| Fiabilité | ★★★★ |
| Sécurité | ★★★★ |
| Qualités hivernales | ★★★★ |
| Espace intérieur | ★★★★ |
| Confort | ★★★★ |

### ▲ POUR

• Bonnes aptitudes hors route • Mécanique fiable
• Transmission intégrale efficace • Tenue de route équilibrée • Habitacle plus convivial

### ▼ CONTRE

• Tissu des sièges à revoir • Impossible de stopper le ventilateur • Pédale de frein spongieuse
• Insonorisation toujours perfectible • Prix assez élevé

# Une affaire à saisir

**Depuis son renouvellement il y a un peu plus d'un an, on a d'yeux (les street racers surtout) que pour la WRX, la plus douée des Impreza. Mais aussi exceptionnelle puisse être cette WRX, la joie qu'elle procure n'est pas accessible à tous comme en fait foi son prix qui frise les 40 000 $, une fois toutes les taxes acquittées. Fort heureusement, il existe d'autres versions plus économiques de l'Impreza. Moins rapides certes, mais nullement dénuées de talents.**

L'Impreza prend les traits d'une berline (RS) ou d'une familiale (TS et Outback Sport). À l'intérieur, cela se traduit, dans un cas comme dans l'autre, par un habitacle suffisamment spacieux pour quatre personnes. L'accès aux places arrière ne pose pas véritablement problème et la banquette se révèle étonnamment confortable. Pour ajouter au confort, soulignons – un fait plutôt rare – que les ceintures de sécurité arrière sont dotées de points d'ancrage ajustables en hauteur et que trois véritables appuie-tête s'enracinent au sommet du dossier. Ce dernier se rabat en tout ou en partie dans le but d'accroître le volume de chargement. Heureusement, puisque les puits de roues rognent toujours sur l'espace utile. Bonne nouvelle, le coffre est accessible : son seuil de chargement se trouve à la hauteur du pare-chocs.

Les occupants des places arrière peuvent toujours regretter l'absence d'espaces de rangement (aucun vide-poches dans les portières ou à l'endos des baquets). Critique qui ne trouvera pas écho à l'avant où ils abondent. En fait, à l'avant, on risque plutôt de chialer contre la tristesse du tableau de bord qui, en dépit d'une instrumentation complète et lisible (on retrouve même un rappel du rapport sélectionné lorsque le véhicule est muni de la boîte automatique) et d'appliques d'aluminium (du faux bien sûr), est aussi triste qu'un jour de pluie. Il faut reconnaître cependant que toutes les commandes se trouvent dans l'environnement immédiat du conducteur et que les gros «robinets» sont nettement plus agréables et plus précis que les curseurs autrefois proposés pour régler la climatisation et le chauffage.

Contre toute attente, cette Impreza, la TS surtout, ne comporte pas une liste d'options longue

## CARACTÉRISTIQUES

| | |
|---|---|
| Prix du modèle à l'essai | Sport 2,5TS 22 995 $ |
| Échelle de prix | de 22 995 $ à 28 095 $ |
| Assurances | 700 $ |
| Garanties | 3 ans 60 000 km / 5 ans 100 000 km |
| Emp. / Long. / Larg. / Haut. (cm) | 252 / 440,5 / 170 / 148,5 |
| Poids | 1381 kg |
| Coffre / Réservoir | 674 litres / 60 litres |
| Coussins de sécurité | frontaux |
| Suspension avant | indépendante, jambes élastiques |
| Suspension arrière | indépendante, jambes élastiques |
| Freins av. / arr. | disque, ABS |
| Système antipatinage | non |
| Direction | à crémaillère |
| Diamètre de braquage | 10,2 mètres |
| Pneus av. / arr. | P195/60R15 |

## MOTORISATION ET PERFORMANCES

| | |
|---|---|
| Moteur | H4 2,5 litres |
| Transmission | intégrale, manuelle 5 rapports |
| Puissance | 165 ch à 5600 tr/min |
| Couple | 166 lb-pi à 4000 tr/min |
| Autre(s) moteur(s) | aucun |
| Autre(s) transmission(s) | automatique 4 rapports |
| Accélération 0-100 km/h | 9,5 secondes |
| Reprises 80-120 km/h | 7,9 secondes |
| Vitesse maximale | 190 km/h |
| Freinage 100-0 km/h | 40,6 mètres |
| Consommation (100 km) | 10,8 litres (ordinaire) |
| • Valeur de revente | bonne |
| • Renouvellement du modèle | n.d. |

et non des tambours pour immobiliser les roues arrière.

Pour apprécier pleinement une Subaru, il faut la sortir par un jour de tempête. Elle en raffole ! Pendant que les tractions et les propulsions zigzaguent, patinent et valsent sous les intempéries, l'Impreza, aidée il est vrai de son excellent rouage intégral, paraît imperturbable. S'il est juste d'écrire qu'elle donne confiance à quiconque se trouve derrière son volant, il est bon de rappeler qu'elle ne peut défier les lois de la physique

comme ça. De série, on retrouve les glaces et le verrouillage électriques, des glaces teintées, le climatiseur, un lecteur de disques compacts, une colonne de direction inclinable et un système antiblocage (ABS). Deux options (elles sont proposées par le concessionnaire) s'avèrent indispensables : un cache-bagages pour dissimuler le contenu du coffre et une télécommande pour le verrouillage/déverrouillage des portières. Cette dernière vous évitera bien des frustrations.

### Vive la neige

Si, depuis sa refonte, vous n'avez pas encore eu l'opportunité de soulever le capot d'une Impreza, sachez que le 4 cylindres à plat de 2,2 litres a cédé sa place au 2,5 litres. Ce moteur, autrefois à l'usage exclusif des versions plus «sportives», est dorénavant la mécanique de service. Avec ses 165 chevaux, ce 4 cylindres est, et de loin, le plus puissant de sa catégorie. À titre de comparaison, le moteur du duo Matrix/Vibe développe une quarantaine de chevaux de moins. Cela dit, le 2,5 litres de Subaru apparaît aujourd'hui plus discret et toujours aussi énergique. Même si la transmission manuelle qui l'accompagne de série permet d'en tirer toute la quintessence, ce moteur fait bon ménage avec la boîte automatique offerte moyennant un supplément de 1 000 $. À l'exception de brèves hésitations lors d'accélérations intempestives, cette transmission ne porte pas flanc à la critique.

Sur la route, l'Impreza ne soulève pas les passions. Sa direction se révèle précise et son assistance

bien dosée. Son diamètre de braquage, particulièrement court, rend cette Subaru plutôt agile en milieu urbain et dans les aires de stationnement des centres commerciaux. On la souhaiterait un brin plus communicative. Sans doute qu'une monte pneumatique plus performante permettrait d'exaucer ce souhait.

Ses éléments suspenseurs sont également bien calibrés, limitant au minimum les mouvements de caisse, mais ils ne parviennent pas à lisser avec autant de succès les imperfections de la chaussée. En d'autres termes, «ça porte un peu dur». De plus, considérant le niveau de performances de cette compacte, on se réjouit de pouvoir compter sur un système antiblocage (ABS), mais on s'étonne que la direction de Subaru n'ait pas fait preuve de plus de largesse en offrant en prime des freins à disque

et par conséquent qu'il est toujours souhaitable de lui faire chausser quatre bons pneus à neige pour être en mesure d'exploiter tout son potentiel.

Pas très jolie, ni très polyvalente, l'Impreza se révèle néanmoins une option alternative intéressante aux actuelles Toyota Matrix et Pontiac Vibe, les deux coqueluches de l'heure dans le segment des « cinq portes à traction intégrale ». Bien que la puissance de sa mécanique et les réels avantages que procure son rouage intégral sur une surface à faible coefficient d'adhérence avantagent l'Impreza, il ne faut cependant pas perdre de vue le coût élevé de ses pièces de remplacement et sa consommation d'essence supérieure (aux deux concurrentes précitées toujours).

*Éric LeFrançois*

## MODÈLES CONCURRENTS

• *Mazda Protegé 5* • *Pontiac Vibe* • *Suzuki Aerio*
• *Toyota Matrix*

## QUOI DE NEUF ?

• *Aucun changement majeur*

## VERDICT

| Agrément de conduite | ★★★★ |
|---|---|
| Fiabilité | ★★★★ |
| Sécurité | ★★★★ |
| Qualités hivernales | ★★★★⯪ |
| Espace intérieur | ★★★★ |
| Confort | ★★★⯪ |

## ▲ POUR

• Traction intégrale terriblement efficace
• Équipement complet • Tenue de route sécurisante

## ▼ CONTRE

• Consommation plus élevée que la moyenne
• Coffre pas si fonctionnel que ça (familiale)
• Apparence anonyme

# C'est toujours « in »

**Contre toute attente vu le prix demandé, les concessionnaires Subaru du Canada n'ont eu aucun mal à écouler toutes les Impreza WRX qui ont transité par leurs établissements au cours de la dernière année. Et, même si la joie que procure ce modèle d'exception n'est pas accessible à tous (le prix d'achat n'est rien par rapport à celui exigé par les assureurs), ce constructeur japonais a néanmoins convaincu les jeunes propriétaires que ses produits pouvaient être aussi « in » que ceux de Honda et de Volkswagen, pour ne nommer que ces deux-là.**

« In » d'accord, mais reconnaissez que la WRX n'est guère originale sur le plan esthétique. Une fois de plus, les stylistes de Subaru se sont laissés emporter à dessiner des appendices aérodynamiques et autres excroissances esthétiques d'un goût discutable. D'ailleurs, en Europe, en Asie et en Australie, le style de la WRX ne plaît pas. Ce qui explique pourquoi les marchés précités se feront offrir une version remodelée de la WRX au cours de la prochaine année. Une refonte esthétique qui consiste *grosso modo* en une partie avant plus effilée avec un regard plus « conquérant » présentant des phares triangulés plutôt que ronds. Une transformation esthétique dont nous serons apparemment témoins dans un an puisque la direction nord-américaine de Subaru entend la rendre visible au même moment où elle entreprendra la mise en marché de la – très attendue – version Sti (Subaru Technica international). Cette dernière s'animera, si l'on prête foi à la rumeur, d'un moteur de 2 litres de 320 chevaux capable de catapulter cette Impreza à 100 km/h en moins de 5 secondes.

D'ici là, la WRX klaxonne toujours sans gêne sa spécificité. À l'intérieur aussi. À la différence toutefois que l'exécution s'avère de bon goût. Les baquets parfaitement sculptés assurent un maintien irréprochable et le conducteur appréciera pardessus tout le petit volant (un Momo, rien de moins) gainé de cuir et les pédales en aluminium ajourées qui s'offrent à lui. Le tableau de bord fait plaisir à contempler avec ses appliques argentées et ses gros cadrans. On regrette l'absence d'une jauge de suralimentation qui nous permettrait de visualiser le souffle du turbocompresseur.

**POUR TOUT SAVOIR**

## CARACTÉRISTIQUES

| | |
|---|---|
| Prix du modèle à l'essai | 34 995 $ |
| Échelle de prix | de 34 995 $ à 36 295 $ |
| Assurances | 850 $ |
| Garanties | 3 ans 60 000 km / 5 100 000 km |
| Emp. / Long. / Larg. / Haut. (cm) | 252 / 440,5 / 170 / 148,5 |
| Poids | 1 399 kg |
| Coffre / Réservoir | 311 litres / 60 litres |
| Coussins de sécurité | frontaux |
| Suspension avant | indépendante, jambes élastiques |
| Suspension arrière | indépendante, jambes élastiques |
| Freins av. / arr. | disques, ABS |
| Système antipatinage | non |
| Direction | à crémaillère |
| Diamètre de braquage | 10,4 mètres |
| Pneus av. / arr. | P205/55R16 |

## MOTORISATION ET PERFORMANCES

| | |
|---|---|
| Moteur | H4 2 litres suralimenté |
| Transmission | intégrale, manuelle 5 rapports |
| Puissance | 227 ch à 6 000 tr/min |
| Couple | 217 lb-pi à 4 000 tr/min |
| Autre(s) moteur(s) | aucun |
| Autre(s) transmission(s) | automatique 4 rapports |
| Accélération 0-100 km/h | 6,1 secondes |
| Reprises 80-120 km/h | 6,4 secondes |
| Vitesse maximale | 225 km/h |
| Freinage 100-0 km/h | 39,3 mètres |
| Consommation (100 km) | 11,5 litres (super) |
| • Valeur de revente | excellente |
| • Renouvellement du modèle | n.d. |

sélection particulièrement serrée (et rigide) de la WRX pourrait vous faire enclencher le mauvais rapport.

Au risque de faire grimacer les puristes, le moteur de la WRX n'hésite pas à s'accoupler à une boîte automatique bien « plate ». Qu'à cela ne tienne, cette transmission se révèle une excellente épouse, surtout que dans son « trousseau » on trouve un rouage intégral plus sophistiqué que dans la version à transmission manuelle.

Sérieuse, Subaru offre à la WRX deux paires de disques pour freiner vos excès d'enthousiasme.

Déplorons aussi le faible dégagement crânien à l'arrière. À la différence de la familiale – dont les puits de roues rognent sur l'espace utile –, la banquette arrière (assise courte et basse) de la berline ne se rabat toujours pas (rigidité du châssis oblige) pour accroître le volume de chargement qui demeure ainsi inférieur à celui d'une Corvette cabriolet (394 litres contre 311). Autre irritant : les glaces latérales, toujours dépourvues de cadre, s'amusent à faire siffler le vent.

### Beau temps, mauvais temps

Alors que les autres modèles tatoués d'une constellation d'étoiles (hiéroglyphe de la marque) se font pleinement apprécier les jours de tempête, la WRX, elle, nous fait plaisir peu importe la condition de la chaussée. La traction intégrale de Subaru nous assure d'une maîtrise souveraine. De plus, on se surprend toujours, moi le premier, à rechercher les situations délicates au volant de cette Subaru dans le but de tirer pleinement profit de sa motricité, de son agilité et de sa stabilité. Cela dit, le 4 cylindres à plat de 2 litres (à double arbre à cames en tête) suralimenté par turbocompresseur délivre 227 chevaux et permet à l'Impreza de signer des performances qui ne manquent pas de piquant, mais seulement une fois que le moteur a additionné suffisamment « de tours ». Même si les ingénieurs de Subaru prétendent que la quasi-totalité du couple (environ 80 %, dit-on) se manifeste dès que le régime de rotation du moteur atteint 2 000 tr/min, il faut attendre que l'aiguille du compte-tours grimpe et grimpe encore (à environ 3 500 tr/min)

avant que vos vertèbres n'enfoncent le dossier du siège. Qu'à cela ne tienne, une fois « la pédale au métal », la WRX ne craint personne. Son excellent rapport poids/puissance lui permet de faire la nique à des concurrentes non seulement plus prestigieuses, mais également plus onéreuses. Les propriétaires de BMW Série 3, de Lexus IS 300 et de Volvo S60 n'y verront que… les feux arrière de cette japonaise surdouée jusqu'à ce que vous vous arrêtiez à la prochaine station service. Une habitude à prendre avec la WRX qui n'économise pas le précieux liquide contenu dans son réservoir – comme toutes les Subaru d'ailleurs.

Surprise agréable toutefois : la qualité de la transmission manuelle. Son maniement n'a plus rien à voir avec celui d'une « baratte à beurre ». Le guidage est plus précis ; mais, attention, la grille de

Ceux-ci ne se sont toutefois pas révélés au-dessus de tout reproche. Dans les modèles essayés, ils n'avaient pas l'endurance voulue pour modérer vos pointes d'audace et qui plus est, la pédale manquait visiblement de fermeté. Mais les vrais amateurs de WRX ne s'en formalisent guère puisque le catalogue de Subaru regorge d'accessoires destinés à rendre leur bolide plus performant encore…

*Éric LeFrançois*

# *La gestion des apparences*

**Il y en a qui se prennent pour Clark Kent, d'autres pour Bruce Wayne, et Subaru exploite activement ce filon pour faire tinter son tiroir-caisse. Peut-on croire qu'un changement de costume suffit pour se donner les superpouvoirs de Superman ou de Batman ? Peut-on être assez mystifiable pour croire qu'une Outback est plus performante qu'une Legacy GT ?**

Il faut répondre affirmativement à cette dernière question si on se fie au nombre d'Outback que l'on rencontre sur la route par rapport aux autres versions de la Legacy. Ces véhicules s'annoncent en effet sous des aspects distincts, mais leur personnalité est beaucoup plus ressemblante qu'ils ne le laissent croire.

### Intégralement similaires

La Legacy existe sous forme de berline ou de familiale, chacune d'elles se déclinant en versions L et GT. Cette année, la familiale laisse tomber l'appellation « Brighton », qui servait de proposition d'entrée. Ne cherchez plus, non plus, la berline haut de gamme GT Limited. Sa sellerie de cuir et ses coussins gonflables latéraux sont maintenant disponibles dans l'une des livrées de la GT.

L'Outback vient pour sa part en version de base, ou Limited. Finalement, cette appellation pittoresque (nom donné à l'arrière-pays australien) désigne ni plus ni moins qu'une Legacy familiale dotée d'une garde au sol plus élevée et affublée de quelques accessoires « pince-sans-rire » destinés à lui donner une allure plus costaude.

Pour le reste, Legacy et Outback reçoivent le même châssis, le même moteur de 2,5 litres et la traction intégrale.

Car c'est bien sûr avant tout pour leur « intégrale » que l'on choisit les Subaru, et à ce chapitre, la réputation de la Legacy/Outback n'est pas surfaite. Constamment raffiné, ce dispositif ne possède peut-être pas la sophistication que l'on trouve dans une Audi, mais son efficacité permet tout de même de se tirer de plusieurs pièges tendus négligemment par notre ministère des Transports, que ce soit à l'aide du différentiel central avec visco-coupleur pour les boîtes manuelles ou de l'embrayage multidisques contrôlé électroniquement, Active AWD System pour les automatiques. Et malgré ce que l'on pourrait penser, les Outback ne se tirent pas mieux de ce jeu, car leur mécanique est identique à celle

## CARACTÉRISTIQUES

| | |
|---|---|
| **Prix du modèle à l'essai** | Outback Limited 36 995 $ |
| **Échelle de prix** | de 27 295 $ à 43 995 $ |
| **Assurances** | 808 $ |
| **Garanties** | 3 ans 60 000 km / 5 ans 100 000 km |
| **Emp. / Long. / Larg. / Haut. (cm)** | 265 / 476 /174,5 / 158 |
| **Poids** | 1 617 kg |
| **Coffre / Réservoir** | de 795 à 1816 litres / 64 litres |
| **Coussins de sécurité** | frontaux et latéraux (option) |
| **Suspension avant** | indépendante, jambes de force |
| **Suspension arrière** | indépendante, multibras |
| **Freins av. / arr.** | disque, ABS |
| **Système antipatinage** | non |
| **Direction** | à crémaillère, assistée |
| **Diamètre de braquage** | 11,2 mètres |
| **Pneus av. / arr.** | P225/60R16 |

## MOTORISATION ET PERFORMANCES

| | |
|---|---|
| **Moteur** | H4 2,5 litres 16 soupapes |
| **Transmission** | intégrale, automatique 4 rapports |
| **Puissance** | 165 ch à 5 600 tr/min |
| **Couple** | 166 lb-pi à 4000 tr/min |
| **Autre(s) moteur(s)** | H6 212 ch |
| **Autre(s) transmission(s)** | manuelle 5 rapports |
| **Accélération 0-100 km/h** | 10,8 secondes |
| **Reprises 80-120 km/h** | 9 secondes |
| **Vitesse maximale** | 198 km/h |
| **Freinage 100-0 km/h** | 46 mètres |
| **Consommation (100 km)** | 9,6 litres (ordinaire) |

| | |
|---|---|
| • Valeur de revente | très bonne |
| • Renouvellement du modèle | 2005 |

supplémentaires, mais quatre adultes voyagent somme toute confortablement, les rangements sont nombreux et la soute, spacieuse et bien découpée, tant dans la berline que dans la familiale.

L'équipement est devenu plus relevé avec le temps, suivant en cela les prix, et la version d'entrée L propose à peu près tout ce que l'on peut demander pour rendre la vie confortable. La GT s'enrichit cette année de quelques accessoires de luxe, en plus d'offrir en option le système antipatinage VTD de l'Outback H6. Ajoutons que sa boîte automatique

des Legacy. Il est vrai que leur garde au sol supérieure les avantage sur une surface accidentée, mais le centre de gravité plus élevé qui en résulte les défavorise en toute autre circonstance, sans compter que la sportive GT offre des pneus plus performants, au profil plus bas, et des suspensions plus rigides.

La critique est moins élogieuse en ce qui a trait au moteur 4 cylindres à plat de 2,5 litres. Malgré les améliorations qu'on lui a apportées il y a deux ans (et qui auront au moins servi à atténuer sa rugosité), le vieux «boxer» manque de verve et peine encore à la tâche. Sa prestation n'est pas rédhibitoire, qu'il soit accompagné de la boîte automatique ou manuelle, mais, comme disait mon père, on ne fera jamais un cheval de course avec un cheval de trait.

C'est d'autant plus dommage que la tenue de route affiche un aplomb qui s'accommoderait de plus de puissance. D'une rigidité «germanique» malgré les glaces latérales sans cadre, le châssis démontre des qualités dynamiques indéniables et les suspensions contrôlent bien son inclinaison tout en absorbant efficacement les imperfections de la chaussée. Bien que peu communicative, la direction se montre rapide et précise, tandis que les freins ABS à quatre canaux assurent des arrêts rectilignes, bien qu'un peu longuets. Petit détail par lequel cette voiture se démarque encore de la concurrence : les familiales démontrent un équilibre légèrement supérieur à celui des berlines.

### Une nouvelle présentation

Cette année, les Legacy/Outback reçoivent des retouches esthétiques (nouveau design de la grille

et du pare-chocs avant, poignées et moulures de couleurs assorties) qui contribuent à les rendre plus attrayantes. Déjà, on aimait leur silhouette sobre et moderne — surtout celle de la GT, qui se caractérise par un bon aérodynamisme. Pour sa part, fidèle à l'imagerie tout-terrain qui est sienne, la populaire Outback conserve encore l'allure d'un soulier de trekking. Belle réussite de marchandisage, j'en conviens, mais on repassera pour l'élégance.

À l'intérieur, l'aménagement montre de nets progrès, et cela dans toute la gamme Legacy/Outback, même si certains matériaux supportent encore mal la comparaison avec la concurrence. Il n'y a pas grand-chose à redire, non plus, en ce qui concerne l'ergonomie et l'habitabilité. L'espace est certes un peu compté à l'arrière et l'assise des fauteuils avant profiterait de quelques centimètres

est munie d'un dispositif séquentiel appelé Sport Shift qui permet de passer les vitesses en mode manuel.

En somme, la Legacy/Outback constitue une voiture à la présentation originale, au comportement routier efficace grâce à son rouage d'entraînement intégral et jouissant d'une mécanique qui offre une bonne tenue dans le temps. Ses seuls véritables handicaps ? Un rapport poids/puissance moins avantageux que la concurrence à prix égal et une consommation un peu forte. Pour ma part, la plus réussie demeure la familiale GT noire, avec les glaces latérales légèrement fumées.

*Jean-Georges Laliberté*

---

### MODÈLES CONCURRENTS

• *Audi A4 1,8T* • *Honda Accord* • *Nissan Altima*
• *Toyota Camry* • *Volkswagen Passat*

### QUOI DE NEUF ?

• *Retouches à la carrosserie* • *Boîte automatique Sportshift (GT)* • *Quelques nouveaux équipements*

### VERDICT

| | |
|---|---|
| **Agrément de conduite** | ★★★⯪ |
| **Fiabilité** | ★★★★ |
| **Sécurité** | ★★★★ |
| **Qualités hivernales** | ★★★★⯪ |
| **Espace intérieur** | ★★★⯪ |
| **Confort** | ★★★★ |

### ▲ POUR

• **Traction intégrale efficace** • **Bonne tenue de route**
• **Construction solide** • **Habitabilité satisfaisante**
• **Équipement complet**

### ▼ CONTRE

• **Moteur un peu juste** • **Consommation élevée**
• **Prix de plus en plus corsés** • **Espace un peu compté à l'arrière** • **Style emprunté (Outback)**

# Bien plus qu'un courant d'air...

« Une Aero ? » me demandait un amateur de chocolat. « Une Alero ? » s'inquiétait une amie. « Ah, tu veux parler de la Kia Rio ! » proclamait un « connaisseur » tandis que Roger Taillibert pensait à la RIO... Eh bien non ! Il s'agit de l'Aerio qui, sur le marché européen, s'appelle Liana, un nom autrement plus joli. Pour Suzuki, réputé pour ses motos et ses mignons 4X4, la nouvelle voiture doit faire oublier les tristes Forsa, Swift et Esteem !

Le plus petit constructeur d'automobiles japonais a concocté sa nouvelle Aerio en tenant compte de trois principes de base qui font vendre de la bagnole en terre américaine et qui manquaient cruellement aux premières créations : accessibilité, fiabilité et, surtout, un look accrocheur. L'Aerio, cette nouvelle sous-compacte, se décline en deux modèles : berline et *hatchback* (que les dirigeants de Suzuki se plaisent à appeler *fastback*. Mais n'ayons pas peur des mots, il s'agit d'un *hatchback,* ou d'une familiale, tout simplement). Ces considérations sémantiques étant finalement de bien peu d'importance, précisons que l'Aerio 2003 est offerte en deux niveaux de présentation : GL et GLX pour la berline et S et SX pour la familiale. Les versions les plus dépouillées, lire GL ou S, ne sont pas si dépouillées que ça et offrent, de série, une radio AM-FM-CD, un chauffe-moteur, les lève-glaces électriques, un tachymètre et d'autres éléments. J'espère que quelqu'un de chez Honda ou Toyota prend des notes... Les niveaux SX et GLX ajoutent le climatiseur, le régulateur de vitesse, des roues

d'alu de 15 pouces, quelques babioles purement esthétiques et j'en passe. On ne peut pas accuser Suzuki de « chicherie ». Une seule option au catalogue, le climatiseur pour les versions de base. Point.

Fait à noter, il est possible de trouver une berline à moins de 16 000 $ tandis que la familiale la plus dispendieuse se vend moins de 23 000 $. Ces prix se révèlent fort réalistes et s'alignent directement sur ceux des Honda Civic Coupé, Toyota Matrix et Mazda Protegé5. Suzuki cherche la guerre...

## La familiale, d'abord

Mais on ne part pas combattre l'ogre avec un cure-dents, c'est connu. Dès la première salve, côté présentation, la Suzuki Aerio berline se fait planter royalement, surtout la version de base, dépourvue des « babioles purement esthétiques ». On dirait une Toyota Echo avec des phares de Ford Focus. Admettez que, comme compliment, on a déjà entendu mieux ! À l'opposé, la familiale représente une arme de plus grande puissance et se vend déjà presque trois fois plus que la berline. Certes, on aime ou

on n'aime pas mais, au moins, on ne peut nier qu'avec sa partie arrière vitrée qui descend bien bas et ses feux stylisés, cette partie accroche l'œil. Parlant de design automobile, celui de l'Aerio a été basé sur la lettre « A ». On retrouve donc le triangle du « A » un peu partout, des phares aux feux arrière en passant par les vitres placées en amont des glaces latérales avant. Ces petites vitres ne sont pas sans rappeler celles de la Ford Aerostar (Dieu ait son âme et qu'Il la garde le plus longtemps possible).

Tout comme la carrosserie du *hatchback,* l'intérieur fait assez différent merci. Et là, les détracteurs se pointent en grand nombre... Le tableau de bord, en forme de long triangle aplati, renferme des cadrans digitaux de couleur ambre, un gadget qui n'intéressera pas grand monde. Les plus vieux seront déroutés et les plus jeunes, élevés au Nintendo, trouveront la présentation graphique simpliste et démodée. Pour la précision, on repassera. Il n'est pas rare que la voiture soit parfaitement immobilisée et que le cadran indique encore 4 ou 5 km/h. Vive les bonnes vieilles aiguilles ! Ce bizarroïde tableau de bord ne renferme pas assez d'espaces de rangement, ce qui est surprenant en cette ère de disques compacts, de téléphones cellulaires et de lunettes de soleil. Quant aux plastiques, ils proviennent sans doute des rejets d'une usine de fabrication de Taiwan ayant cessé ses opérations depuis les années 60.

Les sièges sont confortables (même à l'arrière), les principes de base de l'ergonomie sont respectés et, autant dans la berline que dans le *hatchback*, l'espace disponible est surprenant, gracieuseté d'un design en hauteur comme la tendance le désire depuis quelques années. Le bébé de Véronique et de Louis (Morrissette, pas Butcher !) ne se sentira pas à l'étroit. Et que dire de la visibilité qui ne cause vraiment pas de problèmes. Mais qui parle de grandes surfaces vitrées parle aussi de chaleur et le climatiseur, par temps de canicule, peine à la tâche.

## Un p'tit vent du nord...

Dès le contact tourné, on se demande si Suzuki n'aurait pas oublié d'installer un peu de matériel insonorisant... Semble-t-il que non, malheureusement. Et ce n'est encore rien, attendez d'accélérer !. La puissance affichée du 4 cylindres de 2 litres, le seul offert, est de 145 chevaux, quatre de plus que

### ■ ÉQUIPEMENT DE SÉRIE

- Chauffe-moteur • Climatiseur (SX, GLX)
- Glaces électriques • Jantes d'aluminium (SX, GLX)
- AM-FM-CD • Servodirection • Volant inclinable

### ■ ÉQUIPEMENT EN OPTION

- Transmission automatique • Climatiseur (GL, S)

l'an dernier. On le déclare comme étant le plus puissant de sa catégorie, ce qui devrait, normalement, en faire une véritable bombe. Mettons une bombette. Eh bien ! je ne sais pas où ils les ont foutus ces chevaux, je n'ai jamais réussi à tous les trouver ! Je souhaite que Suzuki ne joue pas le jeu dangereux des Mazda (Miata), Ford (Mustang) et, tout récemment, Hyundai, dont les départements de marketing poussaient le crayon un peu fort en ce qui concerne la puissance... Les accélérations ne sont pas vraiment pénibles, mais la seule fois où j'ai pu réaliser le 0-100 km/h en moins de 11 secondes, c'est lorsque j'ai actionné mon chronomètre en retard ! Le passage de 80 à 120 km/h prend plus de 9 secondes avec l'automatique qui fonctionne avec plus ou moins de douceur. Pourquoi ne pas opter pour la transmission manuelle plutôt agréable à manipuler malgré une 5e vitesse quelquefois réticente ?

Contrairement au moteur, les suspensions MacPherson m'ont semblé fort bien étudiées. Elles assurent un confort de bon aloi tandis que la tenue de route se montre relativement saine malgré un roulis important en virage serré et un sous-virage marqué. Demeurons calmes ! De toutes façons, si vous êtes trop cow-boy, les freins, avec leurs petits tambours à l'arrière, sauront vite vous rappeler les limites de l'Aerio. Ils perdent rapidement de leur efficacité et dégagent une odeur de chauffé qui n'inspire rien qui vaille... après seulement trois freinages vigoureux ! Les freins ABS, offerts uniquement dans la familiale SX, assurent des arrêts plus rectilignes, plus courts aussi mais leur résistance à l'échauffement ne semble pas meilleure. La direction, passablement précise, offre un « feedback » moyen et n'apparaît pas particulièrement agréable. En passant, elle tire un peu vers la droite en accélération. Il s'agit du phéno-

mène de l'effet de couple (y'en a toujours un des deux qui tire sur son bord !).

### Quatre roues motrices, c'est dans l'vent !

La mode étant aux quatre roues motrices et Suzuki possédant une belle expertise dans ce domaine, il était logique de concocter une Aerio à traction intégrale. Même si le 0-100 km/h demande une grosse seconde supplémentaire et que le moteur, lui, requiert environ 1 litre de plus d'essence tous les 100 km, le rouage intégral améliore considérablement l'adhérence au pavé. On ne parle toujours pas d'une voiture sport, mais on peut ressentir un peu plus de plaisir à la pousser dans les courbes. Attention, cependant, de ne pas choisir ce mode de traction pour passer à travers nos beaux hivers. La hauteur libre sous le pare-chocs avant devrait rapidement vous inciter à ne pas trop jouer à la déneigeuse... Seule la trans-

## CARACTÉRISTIQUES

| | |
|---|---|
| Prix du modèle à l'essai | berline GLX 19 985 $ |
| Échelle de prix | de 15 795 $ à 22 895 $ |
| Assurances | 590 $ |
| Garanties | 3 ans 60 000 km / 5 ans 100 000 km |
| Emp. / Long. / Larg. / Haut. (cm) | 248 / 435 / 169 / 154,5 |
| Poids | 1 180 kg |
| Coffre / Réservoir | 413 litres / 50 litres |
| Coussins de sécurité | frontaux |
| Suspension avant | indépendante, leviers transversaux |
| Suspension arrière | indépendante, essieu à manivelles |
| Freins av. / arr. | disque / tambour |
| Système antipatinage | non |
| Direction | à crémaillère, assistée |
| Diamètre de braquage | 10,7 mètres |
| Pneus av. / arr. | P195/55R15 |

## MOTORISATION ET PERFORMANCES

| | |
|---|---|
| Moteur | 4L 2 litres |
| Transmission | automatique 4 rapports |
| Puissance | 145 ch à 6 000 tr/min |
| Couple | 136 lb-pi à 3 000 tr/min |
| Autre(s) moteur(s) | aucun |
| Autre(s) transmission(s) | manuelle 5 rapports |
| Accélération 0-100 km/h | 11,1 secondes |
| Reprises 80-120 km/h | 9,3 secondes |
| Vitesse maximale | 186 km/h |
| Freinage 100-0 km/h | 39,7 mètres |
| Consommation (100 km) | 9,1 litres (ordinaire) |
| Niveau sonore | Ralenti : 43,7 dB |
| | Accélération : 73,6 dB |
| | 100 km/h : 69,8 dB |

qui ne ménagent pas leurs sous et leurs efforts pour personnaliser leur voiture. Là où le bât blesse, c'est lorsqu'on compare l'Aerio avec ses rivales directes que sont les Protegé5, Pontiac Vibe et Toyota Matrix. Lors d'un match comparatif, dont les résultats sont présentés en première partie du présent *Guide de l'auto*, il fut brutalement évident que l'Aerio n'offre pas le même niveau de raffinement, ni la même tenue de route, ni le silence de roulement de ses « amies ». Bref, l'agrément de conduite est moins élevé tout comme, sans doute, la valeur

mission automatique est offerte avec ce système qui envoie, sur une chaussée parfaite, entre 95 et 100 % de la traction aux roues avant. Dès que les conditions se détériorent, un visco-coupleur répartit la puissance aux roues possédant la meilleure traction, jusqu'à un maximum de 50 % aux roues arrière.

### En perspective...

Pour une fois, une automobile conçue par Suzuki fait tourner les têtes. C'est d'ailleurs l'un de ses mandats. Disons que c'est le mandat de la familiale, pour faire preuve de réalisme. De plus, le *hatchback* devrait s'attirer nombre d'amateurs de *tuning*

de revente. Malgré tout, il n'y aurait qu'à donner un peu plus de chevaux au moteur et à revoir l'insonorisation et le tableau de bord pour que la Suzuki Aerio devienne une redoutable concurrente des japonaises établies.

*Alain Morin*

---

### MODÈLES CONCURRENTS

- Ford Focus • Honda Civic Coupe
- Hyundai Elantra GT • Kia Rio RX-V
- Mazda Protegé5 • Pontiac Vibe • Toyota Matrix

### VERDICT

| | |
|---|---|
| Agrément de conduite | ★★★⌐ |
| Fiabilité | *nouveau modèle* |
| Sécurité | ★★★ |
| Qualités hivernales | ★★★⌐ |
| Espace intérieur | ★★★⌐ |
| Confort | ★★★★ |

### ▲ POUR

- Confort notable • Excellente visibilité • Rapport équipement/prix rentable • Version 4 roues motrices
- Bonne assistance routière

### ▼ CONTRE

- Chevaux égarés • Insonorisation ratée
- Berline triste • Tableau de bord à revoir
- Freins peu convaincants • Climatiseur un peu juste

# SUZUKI XL-7

# Faux gros

« Est-ce que, en me gonflant, je deviens aussi gros que mes rivaux ? » semble demander le XL-7 aux consommateurs venus vérifier à l'aide de ruban à mesurer si le « gros Suzuki » est aussi accueillant qu'il le prétend. Comme vous le savez déjà, l'originalité du XL-7 ne tient pas tant à ses dimensions extérieures et intérieures, mais plutôt à la présence d'une 3e rangée de sièges qui, en théorie, permet au véhicule d'accueillir sept personnes. Du jamais vu dans cette fourchette de prix. Avant l'arrivée du XL-7, un utilitaire sept places vendu pour moins de 30 000 $, ça n'existait pas.

**M**ais l'intérêt des consommateurs à l'égard du XL-7 est intimement lié aux promotions et autres subsides du constructeur, disent les concessionnaires consultés. La piètre qualité de l'aménagement intérieur est, semble-t-il, l'une des récriminations les plus souvent entendues chez les éventuels acheteurs. Et force est de reconnaître que ceux-ci avaient raison de se plaindre. Il

suffisait d'ouvrir les portières pour qu'une impression de déjà-vu traverse l'esprit. Et pour cause : le XL-7 reprenait le mobilier intérieur du Grand Vitara. Où était le luxe, l'exclusivité ? Bonne nouvelle, pour 2003, la direction de Suzuki corrige le tir et rénove complètement l'habitacle. De nouveaux matériaux (des appliques de similibois, par exemple), de nouvelles garnitures, mais aussi des commandes plus modernes et des instruments plus lisibles. Toutes ces

transformations n'entraîneront qu'une hausse limitée des prix, promet le responsable des relations publiques de Suzuki.

## Astuce publicitaire

Comme la plupart de ses concurrents, le XL-7 n'interdit pas le port de la jupe aux dames, puisqu'on accède avec une relative facilité aux baquets avant. Le dessin de ces derniers assure un support suffisant aux cuisses et un confort adéquat comparativement aux deux rangées de banquises boulonnées derrière. Et pendant que nous y sommes, derrière, précisons que les occupants qui accéderont à la banquette (médiane) n'auront pas, comme cela est le cas dans le Grand Vitara, à composer avec des portières étroites et l'intrusion des puits de roues, lesquels ne se gênaient pas pour se

| CARACTÉRISTIQUES | |
|---|---|
| **Prix du modèle à l'essai** | LTD 34 995 $ |
| **Échelle de prix** | de 26 495 $ à 34 995 $ |
| **Assurances** | 753 $ |
| **Garanties** | 3 ans 60 000 km / 5 ans 110 000 km |
| **Emp. / Long. / Larg. / Haut. (cm)** | 280 / 466 / 178 / 173 |
| **Poids** | 1 680 kg |
| **Coffre / Réservoir** | 1 050 litres (3e banq. repliée) / 64 l |
| **Coussins de sécurité** | frontaux |
| **Suspension avant** | indépendante, jambes élastiques |
| **Suspension arrière** | essieu rigide |
| **Freins av. / arr.** | disque / tambour (ABS optionnel) |
| **Système antipatinage** | non |
| **Direction** | à crémaillère |
| **Diamètre de braquage** | 11,8 mètres |
| **Pneus av. / arr.** | P235/60R16 |

| MOTORISATION ET PERFORMANCES | |
|---|---|
| **Moteur** | V6 2,7 litres |
| **Transmission** | manuelle 5 rapports |
| **Puissance** | 170 ch à 5 500 tr/mn |
| **Couple** | 178 lb-pi à 4 000 tr/min |
| **Autre(s) moteur(s)** | aucun |
| **Autre(s) transmission(s)** | automatique 4 rapports |
| **Accélération 0-100 km/h** | 9,2 secondes |
| **Reprises 80-120 km/h** | 8,9 secondes |
| **Vitesse maximale** | 180 km/h |
| **Freinage 100-0 km/h** | 40,3 mètres |
| **Consommation (100 km)** | 13,8 litres (ordinaire) |
| • Valeur de revente | moyenne |
| • Renouvellement du modèle | n.d. |

POUR TOUT SAVOIR

tée. La suspension, plus souple, propose un compromis équitable entre tenue de route et confort et les bruits de la route sont somme toute assez bien filtrés. La caisse prend bien une pincée de roulis, mais rien d'inquiétant. On se soucie davantage du manque d'adhérence des pneumatiques, particulièrement sur une chaussée enneigée. Quant à la direction, à pignon et crémaillère, on oublie rapidement sa précision, trop occupés qu'on est à corriger les écarts de conduite provoqués par les « caresses » du vent.

débarbouiller sur leurs vêtements. En revanche, les gros orteils qui tenteront de trouver refuge sous le siège du passager avant se heurteront au réceptacle qui y niche et qui permet d'y dissimuler de petits objets. L'accès à la 3e banquette exige toutefois de véritables talents de contorsionnistes et, ce qui n'arrange rien, le dégagement aux jambes et aux pieds y est plus que compté. Tout compte fait, cette 3e banquette (qu'on ne peut retirer de l'habitacle ou dissimuler sous le plancher) est avant tout une astuce publicitaire et se révèle à proprement dit inutile si ce n'est pour punir vos ados. D'autant plus que le volume du coffre est réduit à sa plus simple expression par la faute de cette banquette. Et que dire de ce hayon qui s'ouvre à l'horizontale ? Qu'il est lourd (la roue de secours y est suspendue) et encombrant (peu pratique dans les espaces restreints).

### La ville plutôt que la brousse

Le cœur du XL-7 bat au rythme d'un moteur V6 de 2,7 litres. Concrètement, ce moteur nous fait bénéficier de 170 chevaux et de 178 lb-pi de couple. C'est bien beau sur papier, mais le XL-7 est, devons-nous le rappeler, plus lourd aussi. Il ne faut pas être très fort en calcul pour découvrir que le rapport poids/puissance du XL-7 est inférieur à celui d'un Grand Vitara dont les performances (accélérations et reprises) s'apparentent plus à celles d'une tortue qu'à celles d'un lièvre.

Pour s'arrimer à cette mécanique, Suzuki propose une transmission manuelle à 5 rapports qu'elle

réserve uniquement au modèle d'entrée de gamme. Les autres versions (Plus et Touring) ont droit, de série, à une transmission automatique à 4 rapports. Cette dernière manque toujours de souplesse et de douceur. Quant à l'autre levier, celui de la boîte de transfert qui permet de passer de deux à quatre roues motrices, il s'est avéré efficace, d'autant qu'on peut l'engager à la volée, c'est-à-dire sans avoir à immobiliser le véhicule.

Au cours de cet essai, le « gros » XL-7 a démontré qu'il a su préserver en partie l'agilité du Grand Vitara sur des parcours accidentés. Cela ne rend pas le XL-7 indestructible pour autant, et un examen de ses dessous laisse voir une protection minimale du système d'échappement. Or, si les qualités hors route des utilitaires Suzuki n'ont jamais été mises en doute, il en va autrement sur chaussée asphal-

Bien que ses dimensions extérieures ne permettent pas de le garer dans un mouchoir de poche, le XL-7 bénéficie d'un diamètre de braquage remarquablement court. Un adjectif que l'on peut difficilement associer aux distances de freinage. Heureusement, il y a l'ABS pour permettre au XL-7 de conserver une trajectoire rectiligne.

Que dire de plus si ce n'est que le XL-7 est trop petit pour jouer les « gros » (TrailBlazer, Explorer, etc.) et pas tout à fait assez raffiné pour jouer avec les « petits » (CR-V, Forester, etc.).

*Éric LeFrançois*

---

### MODÈLES CONCURRENTS

- *Jeep Liberty* • *Kia Sorento*
- *Nissan Xterra*

### QUOI DE NEUF ?

- *Habitacle complètement remanié*

### VERDICT

| | |
|---|---|
| **Agrément de conduite** | ★★★ |
| **Fiabilité** | ★★★ |
| **Sécurité** | ★★★★ |
| **Qualités hivernales** | ★★★★ |
| **Espace intérieur** | ★★★★ |
| **Confort** | ★★★ |

### ▲ POUR

- Habitacle moderne • Équipement complet
- Silhouette équilibrée • Moteur fiable

### ▼ CONTRE

- Accès à la 3e banquette difficile • Dégagement pour les jambes moyen • Capacité hors route limitée
- Espace pour les bagages restreint

# TOYOTA 4RUNNER

# Il était temps !

Lors de la dernière refonte de ce 4X4 traditionnel en 1995, les changements esthétiques avaient été fort limités et la mécanique avait peu évolué. Tant et si bien que le 4Runner avait de plus en plus de difficulté à soutenir la comparaison avec de nombreux nouveaux modèles, tous plus modernes les uns que les autres. La transformation totale de ce tout-terrain pour 2003 n'est certainement pas un caprice. Par contre, il fallait faire attention de ne pas créer un nouveau concurrent au Highlander ou au Sequoia.

Puisque le premier est en fait une grosse familiale à transmission intégrale et le second un imposant véhicule utilitaire sport, on a voulu faire du nouveau 4Runner un heureux compromis. Il a été conçu pour répondre aux besoins des personnes à la recherche d'un vrai tout-terrain avec châssis autonome, suspension arrière à essieu rigide et rouage d'entraînement intégral avec démultipliée. Il conserve, somme toute, ses caractéristiques originales.

Mais l'exécution est totalement différente. Le châssis de type échelle est non seulement beaucoup plus rigide avec neuf traverses, mais aussi nettement plus sophistiqué. La suspension avant est à doubles leviers triangulés tandis que la suspension arrière à essieu rigide est à liens multiples avec bras tiré Panhard. Le modèle Limited est également doté d'amortisseurs pneumatiques à l'arrière, ce qui permet de bénéficier d'une suspension réglable en hauteur dans cette version.

Mais la grande nouveauté en 2003 est l'arrivée de deux nouveaux moteurs sous le capot. Le plus intéressant des deux est un V6 4 litres de 245 chevaux qui est le premier moteur avec bloc en alliage léger à être utilisé par Toyota dans une camionnette. Il représente une toute nouvelle génération de moteurs V6 légers et puissants qui seront utilisés dans de multiples applications. En fait, en dépit de sa cylindrée moindre, il produit 10 chevaux de plus que le V8 de 4,7 litres déjà installé dans plusieurs véhicules de la marque. Très doux et ultrasilencieux, affichant un couple supérieur à celui du V6, il sera le choix des gens appelés à effectuer de fréquents remorquages. Les deux moteurs ont une capacité de remorquage de 2 268 kg, mais le V8 est plus doué pour ce type de travail. Il est de plus relié à une boîte automatique à 5 rapports, une autre première pour

## CARACTÉRISTIQUES

| | |
|---|---|
| Prix du modèle à l'essai | Limited 52 595 $ (prix estimé) |
| Échelle de prix | de 36 250 $ à 49 465 $ (2002) |
| Assurances | 891 $ |
| Garanties | 3 ans 60 000 km / 5 ans 100 000 km |
| Emp. / Long. / Larg. / Haut. (cm) | 279 / 480 / 187 / 174 |
| Poids | 2 005 kg |
| Coffre / Réservoir | n.d. / 87 litres |
| Coussins de sécurité | frontaux, latéraux et de tête |
| Suspension avant | indépendante, leviers triangulés |
| Suspension arrière | essieu rigide, ressorts pneumatiques |
| Freins av. / arr. | disque, ABS |
| Système antipatinage | oui |
| Direction | à crémaillère, assistance variable |
| Diamètre de braquage | 11,7 mètres |
| Pneus av. / arr. | P265/70R17 |

## MOTORISATION ET PERFORMANCES

| | |
|---|---|
| Moteur | V8 4,7 litres |
| Transmission | intégrale, automatique 5 rapports |
| Puissance | 235 ch à 4 600 tr/min |
| Couple | 320 lb-pi à 3 400 tr/min |
| Autre(s) moteur(s) | V6 4 litres 245 ch |
| Autre(s) transmission(s) | automatique 4 rapports (V6) |
| Accélération 0-100 km/h | 9,8 secondes |
| Reprises 80-120 km/h | 8,4 secondes |
| Vitesse maximale | 185 km/h |
| Freinage 100-0 km/h | 42,3 mètres |
| Consommation (100 km) | 16,9 litres (ordinaire) |
| • Valeur de revente | bonne |
| • Renouvellement du modèle | n.d. |

est plus précise, le train roulant bien isolé et il se dégage une impression de raffinement et de solidité. Le moteur V8 n'est pas nécessairement très vigoureux pour effectuer des temps d'accélérations canon, mais il est très vivace lors des reprises et c'est ce qui compte le plus dans ce genre de véhicule. Il a été impossible d'établir des tests de performance avec le moteur V6, mais il est plus nerveux en accélération initiale et fait match nul avec le V8 en reprise. Et comme il est plus léger, il aura un avantage côté performances.

Toyota dans cette catégorie. Le V6, bien que plus moderne, se contente de la boîte à 4 vitesses. La boîte de transfert est de type Torsen, une autre innovation. Le rouage d'entraînement du modèle à moteur V6 est à temps partiel et contrôlé par une roulette à multiples pressions, permettant de passer en «2H», «4H», «4L» et démultipliée avec différentiel verrouillé. Le V8 est livré avec la transmission intégrale qui comprend un rapport démultiplié.

Ce 4Runner nouveau et corrigé possède également de multiples aides électronique à la conduite. Sans trop entrer dans les détails, mentionnons le système de contrôle de vitesse de descente (DAC), le mécanisme de départ sans recul dans les pentes (HAC) et la distribution électronique du freinage. Bref, Toyota a remis le 4Runner au diapason de la catégorie.

### Un style moderne

Il suffisait de jeter un coup d'œil à la silhouette de l'ancien modèle, de se glisser dans le siège du pilote et de rouler quelques mètres à peine pour conclure qu'il s'agissait d'un véhicule d'un autre âge. Cette nouvelle cuvée renverse la vapeur. La silhouette reprend les thèmes des Sequoia et Highlander, mais les passages de roues plus accentués, le capot à la partie centrale surélevée, la grille de calandre à deux barres transversales et les parois sculptées en leur section inférieure sont autant d'éléments destinés à donner plus d'impact visuel. Le hayon arrière possède pour sa part un bourrelet agencé aux appliques latérales.

L'habitacle est moderne. Les cadrans indicateurs sont disposés dans trois anneaux concentriques cerclés argent, un peu à la manière du RAV4. La pièce de résistance est la console centrale avec ses commandes à boutons dotés de multiples points de pression servant à régler la climatisation. On est un peu confus au début, mais ces contrôles deviennent rapidement intuitifs et rapides. Les sièges avant offrent un bien meilleur support pour les cuisses que précédemment tandis que la banquette arrière se replie facilement sans qu'on doive enlever les appuie-tête. Enfin, dans la soute à bagages, le Limited est livré avec une ingénieuse tablette articulée fort pratique.

Les différentes générations de 4Runner donnaient toujours l'impression de piloter une camionnette modifiée. Ce n'est plus le cas. La direction

La suspension est beaucoup mieux réglée qu'auparavant; l'essieu arrière ne s'accommode pas trop mal des imperfections de la chaussée et ne se fait pas prier pour suivre la trajectoire dans les virages. Par contre, la direction s'avère quelque peu engourdie et un sous-virage quand même assez prononcé se manifeste dans les courbes. La conduite hors route bénéficie elle aussi des améliorations apportées au châssis et au rouage d'entraînement.

Toyota a pris les moyens pour moderniser son 4X4. Dorénavant, le 4Runner n'intéressera pas uniquement les mordus de la marque et mérite une sérieuse considération de la part de ceux qui recherchent un VUS.

*Denis Duquet*

---

### MODÈLES CONCURRENTS

• Chevrolet Blazer • Ford Explorer • Isuzu Rodeo
• Kia Sorento • Jeep Grand Cherokee
• Nissan Pathfinder • M-B ML320

### QUOI DE NEUF ?

• *Modèle entièrement transformé* • *Moteur V8 4,7 litres avec boîte auto. 5 rapports* • *Nouveau châssis* • *Système Hill Start Control* • *Nouveau moteur V6 4 litres*

### VERDICT

| | |
|---|---|
| Agrément de conduite | ★★★⯪ |
| Fiabilité | ★★★★★ |
| Sécurité | ★★★★ |
| Qualités hivernales | ★★★★★ |
| Espace intérieur | ★★★★ |
| Confort | ★★★⯪ |

### ▲ POUR

• **Choix de moteurs** • **Habitacle spacieux** • **Nombreux espaces de rangement** • **Confort amélioré**
• **Suspension plus confortable**

### ▼ CONTRE

• **Boîte 4 rapports avec V6** • **Sous-virage prononcé**
• **Forte consommation** • **Trop d'options**
• **Prix élevé (LTD)**

# TOYOTA AVALON

## Où va l'Avalon ?

**La Toyota Avalon a été introduite en 1995 pour s'attaquer au marché des grosses berlines américaines à six places. Mal dégrossie, elle a reçu des retouches esthétiques en 1998, et laissé tomber du même coup l'inconfortable banquette avant. Deux années plus tard, on a remodelé sa carrosserie et révisé légèrement sa mécanique. Cette année, on la dote de quelques nouveaux accessoires, et on modifie sa silhouette... afin de rajeunir son image. Est-ce une idée que je me fais, ou bien l'Avalon ne va nulle part ?**

En 2003, seule la XLS est offerte sur le marché canadien, une version haut de gamme, « full au bouchon », qui vous découd un bas de laine en un rien de temps ! Il reste à voir si l'ensemble des qualités qu'elle propose justifie le prix suggéré par le fabricant, un prix qui la classe d'emblée dans le créneau d'entrée des berlines de luxe.

### Style tourisme américain

Le moteur, en tout cas, n'est pas à remettre en cause. Il s'agit d'un V6 de 3 litres à calage infiniment variable des soupapes, le même que l'on retrouve dans la Lexus ES 300 et la fourgonnette Toyota Sienna. Soyeux, bien isolé de la charpente, il émet une tonalité discrète de gros chat repu. Les accélérations qu'il autorise sont compétitives sans risquer de river les occupants à leur siège, le rapport poids/puissance étant tout de même assez élevé. Il

est bien appuyé par la boîte automatique à 4 rapports, très douce elle aussi, et la consommation s'avère raisonnable pour un véhicule de ce gabarit.

De style « tourisme », les suspensions favorisent le confort douillet au détriment de la tenue de route. Non, l'Avalon n'est pas un bateau, mais elle manifeste explicitement ses réticences à changer de cap dès qu'on la brusque un peu trop, et les amortisseurs qui dorlotent habituellement les occupants arrivent fermement en butée. N'ayons crainte, elle est pratiquement à l'abri des grandes dérives grâce à son antipatinage Trac et à son dispositif de contrôle du dérapage (VSC) qui réfrène la puissance du moteur et applique les freins sélectivement lorsque nécessaire. En somme, elle a tout ce qu'il faut pour plaire au conducteur qui recherche une conduite sécuritaire et sans histoire. Du reste, la légèreté de

| CARACTÉRISTIQUES | |
|---|---|
| Prix du modèle à l'essai | XLS 45 560 $ |
| Échelle de prix | 45 560 $ |
| Assurances | 890 $ |
| Garanties | 3 ans 60 000 km / 5 ans 100 000 km |
| Emp. / Long. / Larg. / Haut. (cm) | 272 / 487 / 182 / 146,5 |
| Poids | 1570 kg |
| Coffre / Réservoir | 450 litres / 70 litres |
| Coussins de sécurité | frontaux et latéraux |
| Suspension avant | indépendante, jambes de force |
| Suspension arrière | indépendante, jambes de force |
| Freins av. / arr. | disque, ABS |
| Système antipatinage | oui |
| Direction | à crémaillère, assistance variable |
| Diamètre de braquage | 11,5 mètres |
| Pneus av. / arr. | P205/60R16 |

| MOTORISATION ET PERFORMANCES | |
|---|---|
| Moteur | V6 3 litres 24 soupapes |
| Transmission | traction, automatique 4 rapports |
| Puissance | 210 ch à 5 800 tr/min |
| Couple | 220 lb-pi à 4 400 tr/min |
| Autre(s) moteur(s) | aucun |
| Autre(s) transmission(s) | aucune |
| Accélération 0-100 km/h | 9,7 secondes |
| Reprises 80-120 km/h | 7,8 secondes |
| Vitesse maximale | 210 km/h |
| Freinage 100-0 km/h | 42 mètres |
| Consommation (100 km) | 9,3 litres (ordinaire) |
| • Valeur de revente | bonne |
| • Renouvellement du modèle | n.d. |

sionnant, mais cela laisse une masse assez considérable de plastique à regarder. En revanche, les instruments de bord se consultent aisément. L'écran central, qui affiche en gros caractères des infos aussi essentielles que la consommation d'essence et la température extérieure, peut s'avérer, à défaut d'être très utile, une source potentielle « d'entertainment ». En nouveauté cette année, on trouve aussi un volant gainé de cuir et de similibois, des coussins de sécurité frontaux à déploiement mieux contrôlé, des essuie-glaces activés automatiquement

la direction ne menace pas d'aiguiser votre « instinct de pilotage ».

Tout comme pour la traction, le freinage est bien pourvu en assistances diverses : répartiteur qui assure la parité entre les trains avant et arrière, assistance électronique qui maintient la pression optimale en cas de freinage d'urgence, sans oublier l'ABS. Mais comme le veut le dicton « qui trop embrasse, mal étreint », peut-être aurait-on mieux fait, pour débuter, de doter les freins d'assez de poigne pour qu'ils commandent des arrêts plus énergiques.

### Beaucoup d'espace

L'Avalon étrenne donc de nouvelles lignes. Le changement le plus apparent a trait à la calandre, dont la grille s'étend maintenant à l'horizontale plutôt qu'à la verticale (en 2000, on avait fait l'inverse). Sans faire tourner les têtes, elle n'est plus tout à fait la grosse Buick du début.

Bien que de format intermédiaire, elle offre une habitabilité comparable à celle de grandes berlines. Les personnes au physique aussi prospère que leur bourse (il en faut, pour s'offrir l'Avalon) apprécieront l'accès facilité aux places de l'avant comme de l'arrière par le grand angle d'ouverture des portes. À l'avant, les baquets chauffants biens rembourrés donnent un soutien lombaire appréciable, mais un faible support latéral. Ils possèdent des réglages électriques, bonifiés sur le siège conducteur par une fonction « mémorisation » qu'on retrouve aussi pour le rétroviseur extérieur gauche. La position de conduite élevée assure une excellente visibilité, sauf au recul, en raison du couvercle élevé du coffre. À l'arrière, le généreux déga-

gement permet de loger sans problème trois occupants, mais l'assise du milieu de banquette ne possède pas assez de relief pour qu'un adulte s'y sente longtemps à l'aise. L'accoudoir central loge un espace de rangement et deux porte-verres. On trouve, derrière, une ouverture par laquelle on peut faire glisser de longs objets, tels des skis. Le coffre est spacieux (tout de même moins que celui de la Camry), les espaces de rangement fourmillent, et la finition tout comme l'insonorisation sont de haut niveau, bien que l'on entende à l'occasion les bruits de vent et de roulement.

Le tableau de bord a un côté ostentatoire qui ne dépaysera pas les familiers des grosses berlines américaines. Recouvert d'une applique de bois laqué, le pilier central se déploie de chaque côté en deux arcs surmontés d'une longue casquette qui surplombe les compteurs. Le coup d'œil est impres-

par la pluie, et un rétroviseur extérieur qui atténue l'éclat des phares en conditions nocturnes. Vraiment pas de quoi fouetter un chat, mais qui laisse peut-être poindre un certain désintéressement.

Ajoutons à cela le toit ouvrant et l'excellent système de son JBL, et on a une bonne idée de ce que l'Avalon peut vous offrir, en plus de l'habituelle fiabilité de la marque Toyota. Une bonne affaire ? Eh bien ! sachons qu'elle offre pratiquement les mêmes niveaux d'équipement que la Lexus ES 300 à quelques milliers de dollars de moins, mais sans posséder son raffinement technique et esthétique. Sans parler de la qualité du service chez un concessionnaire Toyota qui est très loin d'atteindre le niveau des excellentes pratiques commerciales en vigueur chez Lexus. Comparez, et vous verrez bien...

*Jean-Georges Laliberté*

### MODÈLES CONCURRENTS

*Acura TL • Buick LeSabre • Chrysler Concorde*
*• Infiniti I35 • Lexus ES 300*

### QUOI DE NEUF ?

• Silhouette retouchée • Rétroviseur antireflets
• Coussins de sécurité améliorés • Volant gainé de cuir et de similibois • Essuie-glaces activés par la pluie

### VERDICT

| | |
|---|---|
| **Agrément de conduite** | ★★★ |
| **Fiabilité** | ★★★★⯪ |
| **Sécurité** | ★★★★ |
| **Qualités hivernales** | ★★★⯪ |
| **Espace intérieur** | ★★★★ |
| **Confort** | ★★★★ |

• Moteur/transmission adéquats
• Grande habitabilité • Roulement confortable
• Équipement riche • Finition de haut niveau

• Tenue de route « américaine » • Direction engourdie
• Silhouette discrète • Rapport prix/qualité discutable
• Dossier banquette arrière fixe

# TOYOTA CAMRY

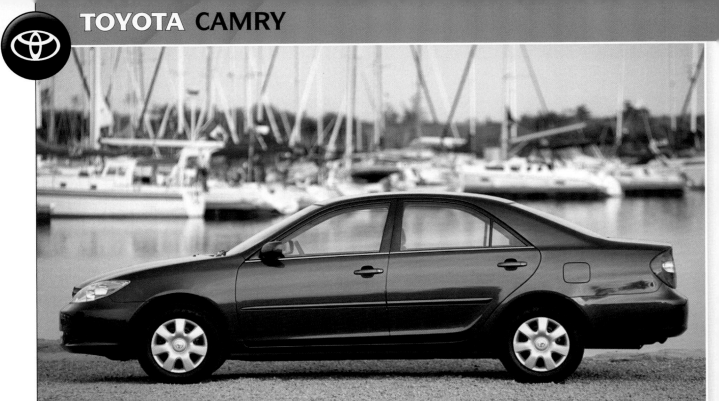

# La voiture de monsieur Tout-le-Monde

On a beaucoup parlé en 2002 de la nouvelle Nissan Altima et très peu de la Toyota Camry, pourtant tout aussi nouvelle. Cela s'explique par la politique adoptée, en matière de design, par les deux plus importants constructeurs automobiles japonais. Pendant que Toyota continue de rester fidèle à un style assez conservateur, Nissan n'avait pas d'autre choix que de se montrer un peu plus agressive dans le dessin de ses nouveaux modèles. La recette, semble-t-il, a porté fruit et l'Altima est finalement sortie de l'obscurité pendant que la Camry poursuivait son petit bonhomme de chemin en tête du palmarès des voitures les plus vendues en Amérique. En bout de ligne, la question que l'on se pose est la suivante : comment une voiture aussi effacée peut-elle connaître autant de succès ?

Il suffit de conduire une Toyota Camry, ne serait-ce que quelques jours, pour comprendre tout de suite ce qui la rend aussi attirante pour l'usager moyen. Cette voiture est l'image même du conformisme. Rien chez elle n'excite, mais rien ne dérange non plus. Bien sûr, sa très grande fiabilité et les nombreux trophées en attes-

tant contribuent aussi à élargir sa clientèle, mais ses prestations routières et son aménagement sont également des atouts non négligeables. Depuis sa remise à jour l'an dernier par exemple, la Camry a gagné en volume et elle a quitté la catégorie des compactes pour accéder à celle des intermédiaires. Et chez nos voisins du Sud, il se trouve que c'est ce

format de voiture qui se vend le plus. En passant, la Camry a gagné 34 cm en longueur (plus d'un pied) depuis son apparition sur le marché dans les années 80. Nous avons donc affaire à une voiture spacieuse offrant de confortables places arrière et un immense coffre à bagages. Plusieurs apprécient également la position de conduite surélevée (une tendance chez plusieurs constructeurs) qui donne l'impression de dominer la route, une caractéristique héritée sans doute de la mode des utilitaires sport. L'attrait de la Camry ne s'arrête pas, Dieu merci, à son habitabilité et à sa fiabilité.

## Des prix élastiques

Pour l'acheteur, ce modèle propose un choix quasi illimité de versions et d'équipements dans une fourchette de prix très étendue. Ainsi, ma voiture

### CARACTÉRISTIQUES

| | |
|---|---|
| Prix du modèle à l'essai | XLE V6 36 540 $ (2002) |
| Échelle de prix | de 23 950 $ à 36 540 $ |
| Assurances | 930 $ |
| Garanties | 3 ans 60 000 km / 5 ans 100 000 km |
| Emp. / Long. / Larg. / Haut. (cm) | 272 / 480,5 / 179,5 / 149 |
| Poids | 1 555 kg |
| Coffre / Réservoir | 498 litres / 70 litres |
| Coussins de sécurité | frontaux, latéraux et tête |
| Suspension avant | jambes de force MacPherson |
| Suspension arrière | jambes de force MacPherson, ind. |
| Freins av. / arr. | disque ABS |
| Système antipatinage | oui |
| Direction | à crémaillère, assistance variable |
| Diamètre de braquage | 11,1 mètres |
| Pneus av. / arr. | P215/60R16 |

### MOTORISATION ET PERFORMANCES

| | |
|---|---|
| Moteur | V6 3 litres |
| Transmission | traction, automatique 4 rapports |
| Puissance | 192 ch à 5300 tr/min |
| Couple | 209 lb-pi à 4400 tr/min |
| Autre(s) moteur(s) | 4L 2,4 litres 157 ch |
| Autre(s) transmission(s) | manuelle 5 rapports |
| Accélération 0-100 km/h | 7,9 secondes |
| Reprises 80-120 km/h | 6,5 secondes |
| Vitesse maximale | 215 km/h |
| Freinage 100-0 km/h | 39,6 mètres |
| Consommation (100 km) | 11,3 litres (ordinaire) |

| | |
|---|---|
| • Valeur de revente | très bonne |
| • Renouvellement du modèle | 2007 |

direction à droite ou à gauche en accélération. Quant au freinage, il fait son travail sans jamais causer de mauvaises surprises.

### Un soupçon de Lexus

Dans sa version XLE V6, la Camry se donne des airs de ES 300, sa riche cousine de chez Lexus. La liste des accessoires de luxe n'en finit plus et comprend même un rideau pare-soleil pour la lunette arrière comme on en trouve dans les Mercedes de Classe S. D'accord, celui de la Toyota est à commande manuelle plu-

d'essai, une XLE V6, représentait le summum du luxe avec un groupe d'accessoires facturé à 8 815 $ et un autre à 3 625 $ comprenant notamment le système de stabilité, l'antipatinage, l'intérieur partiellement en cuir et les sièges chauffants. Par rapport à une LE de base d'environ 24 000 $, le prix atteignait la coquette somme de 36 195 $, ce qui rapproche la Camry de voitures aussi attirantes qu'une Audi A4 ou une Acura TL. Tout cela revient à dire que l'intérêt du rapport qualité/prix de cette Toyota diminue au fur et à mesure que la facture grimpe. Car même les versions d'entrée de gamme sont offertes avec un climatiseur de série.

On ne saurait passer sous silence l'existence de la SE qui adopte une personnalité un peu moins aseptisée en se parant d'un aileron, de jantes en alliage qui lui sont propres, d'une grille de calandre noire et d'un équipement (suspension raffermie et pneus de 16 pouces) visant à donner un caractère pseudo sportif à la Camry.

Mais revenons à la XLE V6 mise à l'essai. Comme son nom l'indique, cette version bénéficie du moteur V6, un 3 litres développant 192 chevaux, soit 35 de plus que le nouveau 4 cylindres de 2,4 litres qui équipe les modèles de base. Même avec la transmission automatique, ce moteur fait preuve d'un dynamisme étonnant, particulièrement à régime moyen. Les reprises sont spectaculaires, ce qui n'empêche pas ce V6 de pratiquer une consommation raisonnable et un fonctionnement tout en douceur.

Le moteur 4 cylindres est certes plus tempéré mais saura répondre aux attentes de la grande

majorité des acheteurs qui se fichent éperdument des temps d'accélération ou de la vitesse de pointe de leur voiture. On peut même se demander combien d'acheteurs opteront pour la boîte de vitesses manuelle à 5 rapports qui figure au catalogue.

La suspension est à l'image du reste de la Camry qui préfère soigner le confort de ses occupants plutôt que de favoriser l'adhérence ultime en virage. Les trous et les bosses sont bien amortis, bien que l'on dénote une légère perte de stabilité, principalement sur les dos d'âne. Par contre, une conduite un tant soit peu sportive fait ressortir un caractère sous-vireur prononcé, ce qui, encore une fois, est le cadet des soucis des propriétaires de Camry. Ceux-ci apprécieront, en revanche, la qualité de la direction qui n'est jamais perturbée par ce fameux effet de couple qui a souvent tendance à faire tirer la

tôt qu'électrique mais l'effet désiré n'en est pas moins atteint. Les passagers arrière ont même droit à leurs propres aérateurs pour contrôler la chaleur ou le froid débité par un système de climatisation à contrôle automatique. Une fois de plus, l'acheteur moyen sera ravi de pouvoir contrôler radio et climatisation au moyen de gros boutons antimyopie. Et que dire des nombreux rangements, d'une visibilité où les angles morts sont réduits au minimum et de sièges à commande électrique dans lesquels on se sent parfaitement à l'aise ?

On peut donc conclure que, sans susciter un grand enthousiasme, cette Toyota Camry atteint parfaitement le but visé, soit celui de plaire à la grande majorité des acheteurs. Et de se vendre comme des p'tits pains chaud.

*Jacques Duval*

---

### MODÈLES CONCURRENTS

• Chrysler Sebring • Honda Accord • Mazda 6
• Nissan Altima • VW Passat

### QUOI DE NEUF ?

• Nouveau modèle Camry Sport 4 cylindres

### VERDICT

| | |
|---|---|
| **Agrément de conduite** | ★★★ |
| **Fiabilité** | ★★★★★ |
| **Sécurité** | ★★★★⯪ |
| **Qualités hivernales** | ★★★★ |
| **Espace intérieur** | ★★★★⯪ |
| **Confort** | ★★★⯪ |

### ▲ POUR

• Fiabilité exceptionnelle • Bons moteurs
• Confort soigné • Places arrière spacieuses
• Équipement très complet (XLE)

### ▼ CONTRE

• Tenue de route très moyenne
• Seuil de coffre élevé • Prix prohibitif (XLE V6)
• Style de Corolla grand format

# TOYOTA CAMRY SOLARA

# L'art de l'imitation

Il paraît que l'imitation est le plus sincère des compliments... à condition, évidemment, que la chose imitée suscite l'envie. Les constructeurs japonais ont fait leurs premières armes en imitant les constructeurs européens et américains et en ajoutant un ingrédient essentiel: la fiabilité. Toyota, comme les autres compagnies nippones, maintient cette pratique pour mieux grignoter des parts de marché... une fois de plus aux dépens des constructeurs américains. C'est l'histoire du coupé Solara lancé en 1998 et suivi en 2000 du cabriolet, les deux versions ayant fait l'objet de retouches en 2002.

J'aurais dû m'en douter avant de monter à bord de mon coupé Solara SE: le gabarit, la ligne, le tableau de bord, la forme des sièges. Tous ces indices qui crient haut et fort: «Je suis née spécifiquement pour concurrencer les américaines. C'est d'ailleurs pourquoi vous ne me verrez pas ailleurs qu'en Amérique. Et je m'appelle Solara parce que je suis faite pour les contrées ensoleillées, là où les retraités

aiment se promener sans être pressés. D'ailleurs, je suis livrable en cabriolet, pour vous faire profiter encore plus du soleil de la Floride ou de la Californie. Permettez-moi d'ajouter que je suis la candidate rêvée des compagnies de location et que je me substitue à merveille au cabriolet Chrysler Sebring... dont je copie sans vergogne la formule gagnante. Non, ça ne me gêne absolument pas... après tout, les affaires sont les affaires!»

Si la formule peut plaire chez nos voisins du Sud, elle semble être moins prisée chez nous où les deux versions de la Solara remportent un succès plutôt limité, et ce, malgré le succès soutenu de la berline Camry qui prête sa plate-forme et sa motorisation aux Solara. Pourquoi ce manque d'affection pour les Solara? Voici ma réponse qui porte sur le coupé (le cabriolet ayant fait l'objet d'un essai dans *Le Guide de l'auto* de l'an dernier).

### Une formule perdante
D'abord la formule: un coupé 2 portes de taille intermédiaire dans lequel l'accès aux places arrière est franchement désagréable à cause du manque de dégagement des portes et de l'enchevêtrement des ceintures avant qui bloquent le passage. Dans ce type de voiture, seules les ceintures fixées au dos-

## POUR TOUT SAVOIR

### CARACTÉRISTIQUES

| | |
|---|---|
| Prix du modèle à l'essai | coupé SE 28 175 $ |
| Échelle de prix | 28 175 $ à 39 505 $ |
| Assurances | 889 $ |
| Garanties | 3 ans 60 000 km / 5 ans 100 000 km |
| Emp. / Long. / Larg. / Haut. (cm) | 267 / 482 / 180 / 140 |
| Poids | 1480 kg |
| Coffre / Réservoir | 391 litres / 70 litres |
| Coussins de sécurité | frontaux |
| Suspension avant | indépendante, leviers triangulés |
| Suspension arrière | indépendante, leviers triangulés |
| Freins av. / arr. | disque / tambour, ABS |
| Système antipatinage | optionnel |
| Direction | à crémaillère, assistée |
| Diamètre de braquage | 11,2 mètres |
| Pneus av. / arr. | P205/65R15 |

### MOTORISATION ET PERFORMANCES

| | |
|---|---|
| Moteur | 4L 2,4 litres |
| Transmission | traction, automatique 4 rapports |
| Puissance | 157 ch à 5600 tr/min |
| Couple | 161 lb-pi à 4000 tr/min |
| Autre(s) moteur(s) | V6 3 litres 200 ch |
| Autre(s) transmission(s) | manuelle 5 rapports |
| Accélération 0-100 km/h | 9,8 secondes |
| Reprises 80-120 km/h | 7,2 secondes |
| Vitesse maximale | 185 km/h |
| Freinage 100-0 km/h | 40 mètres |
| Consommation (100 km) | 10,5 litres (ordinaire) |

| | |
|---|---|
| • Valeur de revente | moyenne |
| • Renouvellement du modèle | 2004 |

Autre moteur au catalogue, le V6 de 3 litres, le moteur à tout faire de Toyota qui équipe les coupés SE V6, SLE V6 et le cabriolet SLE V6 et développe 200 chevaux. Dans ces versions, la Solara reçoit quatre freins à disque (enfin !), les coussins de sécurité latéraux et, dans les SLE, l'antipatinage (TRAC). Notons aussi la présence d'une boîte manuelle à 5 rapports dans le coupé SLE tandis que les trois autres versions reçoivent la boîte automatique à 4 rapports.

Pour le reste, le coupé SE offre la climatisation, la chaîne AM/FM/cassette/CD, les glaces et le

sier des sièges avant permettent de dégager l'accès aux places arrière. Et pour compliquer les choses, le dossier du siège avant ne reprend pas sa position initiale après que vous avez cédé le passage à l'infortuné passager arrière. En somme, cette 4 places (même si le catalogue dit 5) aux dimensions intermédiaires est une 2 + 2 n'offrant pas plus d'espace qu'une compacte.

Ensuite, les sensations de conduite. En un mot : aseptisées. Si le silence est de mise – qualité appréciable surtout que notre SE est équipée d'un 4 cylindres –, l'absence de sensations annule tout espoir d'agrément de conduite. La direction ne laisse pas sentir la route, la suspension est molle, l'équipement pneumatique est quelconque (roues de 15 pouces) et, pour comble de misère, les freins arrière sont à tambour (mais l'ABS est de série)… Résultat : la voiture se conduit mal sur une route sinueuse tant la précision de conduite est absente. Seul remède : modérer la cadence. Et sur l'autoroute ? La Solara se trouve plus dans son élément, notamment en ce qui concerne le silence de fonctionnement. Mais on a une surprise sur le plan de la tenue de cap. En effet, notre Solara SE louvoie sans cesse et semble étrangement sensible aux vents latéraux. Est-ce un défaut de parallélisme de notre voiture, une monte pneumatique vraiment inadaptée ou tout simplement une caractéristique de cette « américaine signée Toyota » ?

### Un 4 cylindres surprenant

Et comme si ça ne suffisait pas, la Solara propose un habitacle morose doté d'un tableau de bord

tristement vieillot et de sièges avant au confort très moyen, le tout enrobé d'une visibilité réduite de $^3/_4$ arrière. Seules lueurs d'espoir : la qualité de la finition, une spécialité Toyota, le silence de fonctionnement que nous avons cité ci-haut ainsi que la souplesse et le rendement du moteur qui font croire véritablement que nous avons affaire à un V6. Or, il s'agit d'un 4 cylindres de 2,4 litres développant 157 chevaux et – chiffre important – 161 lb-pi de couple à 4 000 tr/min. Outre sa belle insonorisation, ce moteur présente des reprises convenables (80 à 120 km/h en 7 secondes) et une souplesse remarquable, sans doute à cause de la présence de deux arbres d'équilibrage qui atténuent considérablement les vibrations inhérentes à tout moteur 4 cylindres, surtout quand on dépasse les 2 litres de cylindrée.

verrouillage électrique, mais il faut passer à la version SLE pour mériter l'antivol et la climatisation automatique. Comme il fallait s'y attendre, le coffre du cabriolet où loge la capote présente une contenance moindre que celle du coupé dont le volume tombe dans la bonne moyenne pour ce type de carrosserie. À noter les dossiers arrière rabattables qui permettent d'agrandir le coffre sur le coupé. Dommage que le seuil de chargement soit si élevé.

Avons-nous répondu à la question du début ? À vous d'en juger. Quant au cabriolet, peut-être que vous en louerez un lors de vos prochaines vacances, question de profiter du soleil en vous baladant nonchalamment sur les boulevards de la Floride.

*Alain Raymond*

## MODÈLES CONCURRENTS

• *Chrysler Sebring*

## QUOI DE NEUF ?

• *Aucun changement majeur*

## VERDICT

| | |
|---|---|
| Agrément de conduite | ★★ |
| Fiabilité | ★★★★ |
| Sécurité | ★★★⌐ |
| Qualités hivernales | ★★★ |
| Espace intérieur | ★★⌐ |
| Confort | ★★★ |

## ▲ POUR

• **Excellente insonorisation** • **Moteur 4 cylindres en verve** • **Finition de qualité** • **Bonne boîte de vitesses**

## ▼ CONTRE

• Voiture molle • Mauvaise tenue de cap
• Design peu inspiré • Faible agrément de conduite
• Places arrière peu accessibles

# Mœurs changeantes

Dans les années 80, les coupés sport comme la Mustang, la Celica et la Datsun 240SX comptaient pour 14 % du marché nord-américain. Aujourd'hui, 20 ans plus tard, leur part de marché a fondu à un peu plus de 5 %. Toute une dégringolade, motivée d'une part par la popularité sans cesse croissante des utilitaires sport et d'autre part par les changements démographiques. Ainsi, si vous aviez 30 ans en 1980, vous en avez aujourd'hui plus de 50...

Ce n'est pas pour vous rappeler la grisaille qui règne sur votre cuir chevelu que nous vous citons ces statistiques, mais bien pour vous démontrer que les boomers – le plus grand groupe démographique – n'ont plus 30 ans et, par conséquent, n'accordent plus la première importance au look, principal atout des coupés sport. D'où la faible popularité des Toyota Celica, Acura RSX, Hyundai Tiburon et Ford Mustang.

Démographie mise à part, nous devons aussi tenir compte du fait que le coupé sport doit aujourd'hui faire concurrence à la berline sport offrant des performances équivalentes mais un habitacle nettement plus convivial.

### Frappante et intime

Mais qu'en est-il de cette Celica de 7e génération lancée pour le millésime 2000 ? Une ligne originale, mêlant arêtes vives et courbes sensuelles; un curieux mélange, à vous dire vrai, cherchant à évoquer les monoplaces CART, avec le creux plongeant qui marque le capot, les « moustaches » inclinées qui délimitent la prise d'air du radiateur et la ligne haute du coffre surmontée du fameux aileron. C'est frappant, mais pas particulièrement élégant; en somme une ligne qui se démodera assez rapidement, tout comme celle de la Celica de 6e génération.

À l'intérieur, la Celica présente un design plus sobre qui se distingue par son ergonomie et par la qualité de la finition, sans oublier le très beau volant à trois branches qui tombe parfaitement en mains. Les sièges baquets bien dessinés et enveloppants assurent une bonne position de conduite et un bon maintien en virage. Rappelons cependant que la position basse et allongée et la longueur appréciable des portières vous obligent à des

### CARACTÉRISTIQUES

| | |
|---|---|
| Prix du modèle à l'essai | GT 27 870 $ |
| Échelle de prix | de 24 645 $ à 32 965 $ |
| Assurances | 950 $ |
| Garanties | 3 ans 60 000 km / 5 ans 100 000 km |
| Emp. / Long. / Larg. / Haut. (cm) | 260 / 433 / 173,5 / 130,5 |
| Poids | 1116 kg |
| Coffre / Réservoir | 365 litres / 55 litres |
| Coussins de sécurité | frontaux |
| Suspension avant | indépendante, jambes élastiques |
| Suspension arrière | indépendante, jambes élastiques |
| Freins av. / arr. | disque / tambour |
| Système antipatinage | non |
| Direction | à crémaillère, assistée |
| Diamètre de braquage | 10,9 mètres |
| Pneus av. / arr. | P195/60R15 |

### MOTORISATION ET PERFORMANCES

| | |
|---|---|
| Moteur | 4L 1,8 litre |
| Transmission | traction, automatique 4 rapports |
| Puissance | 140 ch à 6400 tr/min |
| Couple | 125 lb-pi à 4200 tr/min |
| Autre(s) moteur(s) | 1,8 litre 180 ch |
| Autre(s) transmission(s) | manuelle 5 rapports (GT); manuelle 6 rapports (GT-S) |
| Accélération 0-100 km/h | 10,3 secondes |
| Reprises 80-120 km/h | 9 secondes |
| Vitesse maximale | 190 km/h |
| Freinage 100-0 km/h | 41 mètres |
| Consommation (100 km) | 8 litres (ordinaire) |
| • Valeur de revente | moyenne |
| • Renouvellement du modèle | 2004-2005 |

l'emplacement du repose-pied et la bonne position de conduite feront la joie des amateurs de routes sinueuses, à condition qu'elles ne soient pas trop défoncées, car la fermeté de la suspension risque de vous secouer les puces (notamment dans la GT-S).

Pour le freinage, Toyota fait appel à quatre disques, mais dans la GT-S seulement, la GT étant affublée de deux tambours à l'arrière. Message reçu: oublions le sport! Même commentaire pour l'ABS qui n'est livré de série que dans la GT-S, alors qu'il est proposé en option dans la GT. L'aileron, lui, se

contorsions qui, à l'usage, finissent par agacer et vous rappeler que vous n'avez plus... 30 ans.

Même constatation pour l'accès aux places arrière qui, comme dans les modèles concurrents, est plutôt laborieux, sans compter le fait que vous avez la tête dans la lunette arrière si vous avez le malheur de dépasser les 1,70 m. Quant au coffre, assez généreux pour un coupé, il reste affublé d'un seuil de chargement élevé.

### Sport au rendez-vous?

Nous venons de voir que la Celica est fidèle aux qualités et aux défauts d'un coupé. Voyons à présent si elle est fidèle au sport. Première condition: la position de conduite. Rien à lui reprocher, mais la visibilité 3/4 arrière et vers l'arrière frise le ridicule. Deuxième condition: le moteur. Toyota nous propose le choix entre son 4 cylindres 1,8 litre et... son 4 cylindres 1,8 litre. Mais l'un, tripoté par Yamaha, livre 180 chevaux (GT-S), tandis que l'autre, plus sage, se contente de 140 chevaux (GT), les deux engins développant un assez faible couple (130 lb-pi pour GT-S et 125 pour GT), à un régime très élevé dans le cas de la GT-S.

Et qui dit faible couple, dit faibles reprises et la nécessité de manier souvent le levier de vitesses pour aller chercher les hauts régimes. C'est ainsi que dans la GT-S, en 6e à 120 km/h, le moteur tourne à 3 300 tr/min et lorsque vous écrasez l'accélérateur, il ne se passe pas grand-chose. Certes, la boîte manuelle est agréable à manier, mais il faut passer en 5e et même en 4e pour obtenir des reprises convenables. Quant à la boîte automatique, si elle

convient bien au moteur 140 chevaux, elle est à déconseiller avec le moteur 180 chevaux. La raison: une fois de plus, le manque de couple à bas régime.

Mais si vous aimez faire rugir la mécanique, la GT-S (à boîte manuelle) vous plaira en vous permettant d'aller chatouiller la ligne rouge à près de 8 000 tr/min. Les sensations sont au rendez-vous malgré un chrono assez moyen de 7,8 secondes pour le 0-100 km/h.

Autre élément important de la recette «sport»: la tenue de route. Là, la Celica ne déçoit pas. Vive, directe et convenablement assistée, la direction à crémaillère se marie aux suspensions fermes pour procurer à la Celica un comportement routier agréable et prévisible. Le roulis bien contrôlé, le soutien qu'assurent les baquets en virage,

trouve de série sur les deux modèles. Autrement dit, le gadget superfétatoire plutôt que la sécurité... Curieux choix!

Revenons un instant en arrière pour décrire l'équipement de la Celica GT: climatisation, lève-glaces, verrouillage et rétroviseurs électriques, AM/FM avec lecteur CD. Ajoutez la chaîne audio haut de gamme à huit haut-parleurs et le régulateur de vitesse pour la GT-S. Mais pas de réglage en hauteur du siège du conducteur, pas de rétroviseur chauffant, pas de coussins de sécurité latéraux. Est-ce suffisant pour la GT qui commence à 24 645 $ et pour la GT-S qui se détaille à partir de 30 860 $? À vous d'en juger. Mais avant de répondre, n'oubliez pas d'ajouter dans votre formule la fiabilité légendaire de Toyota et sa belle valeur de revente.

*Alain Raymond*

---

### MODÈLES CONCURRENTS

- *Acura RSX* • *Honda Accord Coupé*
- *Hyundai Tiburon*

### QUOI DE NEUF?

- *Retouches mineures à l'avant et à l'arrière*

### VERDICT

| | |
|---|---|
| **Agrément de conduite** | ★★★ |
| **Fiabilité** | ★★★★¼ |
| **Sécurité** | ★★★★ |
| **Qualités hivernales** | ★★★¼ |
| **Espace intérieur** | ★★★ |
| **Confort** | ★★★ |

### ▲ POUR

- Tenue de route rassurante • Ligne originale
- Ergonomie soignée • Fiabilité assurée
- Performances satisfaisantes (GT-S manuelle)

### ▼ CONTRE

- Performances moyennes • Freins à tambour arrière
- Faible visibilité arrière • Automatique inadaptée
(GT-S) • Suspension dure (GT-S)

# TOYOTA COROLLA

# Rayée de la liste des somnifères

J'ai longtemps cherché pour trouver un titre à cet essai mais, pour une fois, ce n'était pas par manque d'inspiration. C'est même tout le contraire tellement il y a de choses à dire à propos de la nouvelle Corolla 2003. Quelle métamorphose ! Après avoir fait une concurrence quasi déloyale aux meilleurs somnifères sur le marché, cette petite Toyota est finalement devenue une voiture que l'on peut acheter pour autre chose que sa remarquable fiabilité. Jouant sur tous les plans, elle se déguise tantôt en une mini Lexus, tantôt en une berline sport, du moins dans la version S mise à l'essai. En somme, la Corolla n'est plus ce qu'elle était et l'on a intérêt à mettre ses préjugés au vestiaire avant de la conduire.

**A**vant que vous pensiez que je délire, laissez-moi vous raconter une petite anecdote qui met drôlement en relief la nouvelle personnalité de cette Corolla revue et corrigée. Précisons d'abord que mon essai s'est déroulé en Floride dans la région de Palm Beach. Alors que je séjournais chez des amis habitant une de ces riches communautés résidentielles dont l'accès est protégé par des agents de sécurité, mon humble petite Corolla a volé la vedette à toutes les voitures de haut standing qui pullulent dans ce coin de pays. Parmi les dizaines d'Aston Martin, de Porsche, de Jaguar, de Ferrari, de BMW ou de Mercedes qui meublent le paysage automobile, c'est la Corolla S qui faisait l'envie des gardiens de la paix à chacun

de mes passages à la guérite de surveillance. Côté look, il ne fait donc aucun doute que les stylistes de chez Toyota ont eu la main heureuse en dessinant le modèle de 9e génération de la voiture la plus vendue de tous les temps. En ajoutant de précieux centimètres à l'empattement (+ 13,5) et à la longueur (+ 11), ils ont pu aménager des places arrière que le propriétaire d'une Mercedes-Benz C320 a avalées de travers tellement il les a trouvées plus spacieuses que celles de sa propre voiture.

Mais une jolie frimousse et une bonne habitabilité ne sont pas les seules qualités que l'on recherche dans une voiture. Qu'en est-il alors du reste ?

### Un équipement décent
Précisons d'abord que la gamme Corolla se décline cette année en trois versions : CE, LE et S (Sport).

## CARACTÉRISTIQUES

| | |
|---|---|
| Prix du modèle à l'essai | S 20 645 $ |
| Échelle de prix | 15 290 à 24 750 $ |
| Assurances | 744 $ |
| Garanties | 3 ans 60 000 km / 5 ans 100 000 km |
| Emp. / Long. / Larg. / Haut. (cm) | 260 / 453 / 170 / 148 |
| Poids | 1 170 kg |
| Coffre / Réservoir | 390 litres / 50 litres |
| Coussins de sécurité | frontaux |
| Suspension avant | indépendante, jambes de force |
| Suspension arrière | essieu semi-rigide, poutre déform |
| Freins av. / arr. | disque / tambour |
| Système antipatinage | non |
| Direction | à crémaillère, assistée |
| Diamètre de braquage | 10,7 mètres |
| Pneus av. / arr. | P195/65R15 |

## MOTORISATION ET PERFORMANCES

| | |
|---|---|
| Moteur | 4L 1,8 litre VVT-i DACT |
| Transmission | traction, automatique 4 rapports |
| Puissance | 130 ch à 6 000 tr/min |
| Couple | 125 lb-pi à 4 200 tr/min |
| Autre(s) moteur(s) | aucun |
| Autre(s) transmission(s) | manuelle 5 rapports |
| Accélération 0-100 km/h | 9,5 secondes |
| Reprises 80-120 km/h | 8,8 secondes |
| Vitesse maximale | 195 km/h |
| Freinage 100-0 km/h | 40,6 mètres (CE) |
| Consommation (100 km) | 8,7 litres (ordinaire) |

| | |
|---|---|
| • Valeur de revente | excellente |
| • Renouvellement du modèle | 2006-2007 |

### Ambiance de deuil

À l'intérieur, l'ambiance est un peu triste, pour ne pas dire endeuillée par l'omniprésence de plastique noir plutôt bon marché si j'en juge par le couvercle d'un des vide-poches de la console centrale qui m'est restée dans les mains. Dans la version S, l'instrumentation sur fond blanc et un joli volant à trois branches (emprunté à la Celica) contribuent à égayer la présentation. On pourra aussi se réjouir de trouver pas moins de sept espaces de rangement aménagés ici et là et de constater que la visibilité est raisonnablement

Même la plus dépouillée (CE) propose en équipement de série une banquette arrière à dossier rabattable et une radio AM-FM avec lecteur CD. Vous aurez aussi droit à un volant inclinable tandis que la version LE s'enrichit pour sa part d'un climatiseur, de roues en alliage, d'un régulateur de vitesse, de freins ABS avec des disques à l'arrière et de quelques autres petites gâteries.

Sous le capot, toutes les versions sont sur un pied d'égalité avec le moteur 4 cylindres de 1,8 litre et 130 chevaux jumelé à une transmission automatique à 4 rapports ou à une boîte manuelle à 5 vitesses comme sur le modèle essayé.

Avec ses longues jupes et son aileron arrière, la Corolla S fait nécessairement des promesses qu'elle ne peut pas tenir. Son allure sport devient de la frime quand on constate que le chrono met entre 9 et 10 secondes pour marquer le 0-100 km/h. La puissance est néanmoins satisfaisante et le couple adéquat pour assurer des reprises qui ne vous mettront pas dans l'embarras. Il convient simplement de se rappeler que, malgré sa panoplie sport, cette Corolla n'a pas l'étoffe pour narguer une Civic SiR ou une Golf GTI. La boîte manuelle se manie sans difficulté et le seul inconvénient provient de l'embrayage que l'on doit obligatoirement enfoncer au maximum pour lancer le moteur, ce qui n'est pas toujours facile tellement la pression à exercer est énorme.

Les documents de presse de Toyota font état de l'utilisation de feutre et de mousse d'uréthane pour amortir les secousses et bien insonoriser la voiture. Cette précision paraît superflue, car il suffit de prendre le volant de cette Corolla pour se rendre compte que tout a été mis en œuvre pour donner aux occupants

une impression de douceur. La direction surtout est complètement détachée des biens de la terre (ou des maux, selon l'état de la route) et vous place dans un état d'isolement qui, encore là, ne concorde pas très bien avec l'image projetée.

C'est sans doute la qualité du châssis et l'efficacité de la suspension qui permettent à la Corolla de se départir de sa réputation de voiture soporifique. On peut désormais attaquer les virages avec un peu plus d'ardeur sans que les pneus poussent des cris de désespoir ou que la carrosserie prenne un roulis inquiétant. Remercions les barres stabilisatrices avant et arrière ainsi que les pneus P195/65R15 qui donnent un peu plus de mordant à la Corolla S sans pour autant saboter le confort. Le freinage, grâce à des disques ventilés à l'avant, est lui aussi parfaitement à la hauteur de la tâche.

bonne sous tous les angles. Les sièges méritent aussi une bonne note pour leur confort et leur revêtement en tissu compense pour l'absence de support latéral.

Tout compte fait, mon essai de plus de 1 000 km m'a permis de découvrir une Corolla radicalement transformée qui est loin d'être déplaisante à conduire. Bien qu'elle ressemble à une Camry miniature, je n'hésiterais pas à la décrire comme une Lexus ES 300 en format de poche. Par son habitabilité, son confort, son insonorisation et un comportement routier somme toute très convenable, la Corolla est une voiture conçue pour monsieur et madame Tout-le-Monde. Ces derniers seront heureux de savoir qu'à partir de 2003, leur voiture ne risque plus de les endormir au volant.

*Jacques Duval*

---

#### MODÈLES CONCURRENTS

- *Chevrolet Cavalier/Pontiac Sunfire* • *Honda Civic*
- *Mazda Protegé* • *Nissan Sentra* • *Saturn LS*
- *Volkswagen Jetta*

#### QUOI DE NEUF?

- *Aucun changement majeur*

#### VERDICT

| | |
|---|---|
| **Agrément de conduite** | ★★★½ |
| **Fiabilité** | ★★★★½ |
| **Sécurité** | ★★★½ |
| **Qualités hivernales** | ★★★½ |
| **Espace intérieur** | ★★★½ |
| **Confort** | ★★★½ |

#### ▲ POUR

- Mécanique robuste • Comportement routier en progrès • Bonne habitabilité • Confort notable
- Nombreux espaces de rangement

#### ▼ CONTRE

- Direction vague • Climatiseur peu puissant
- Intérieur triste • Plastiques fragiles

# TOYOTA ECHO

# *Une citadine intelligente*

**Intelligente. Mais pas jolie. La petite Echo mise sur d'autres qualités pour nous séduire. Avouons quand même que Toyota marque des points face aux critiques persistantes des chroniqueurs et du public qui se plaignent souvent du manque d'originalité du paysage automobile moderne. Vous vouliez quelque chose de différent ? L'Echo vous en met plein la vue.**

Elle est donc différente, cette Echo. Et c'est déjà un bon point pour Toyota. Certes, le premier constructeur japonais aurait pu, en se forçant un peu, faire différent ET beau… comme pour la Yaris, une variante de l'Echo commercialisée en Europe. Ce sera pour une prochaine fois. En attendant, voyons ce que nous réserve cette petite aux allures d'ado dégingandé.

### Régime minceur

Je dis bien « petite », car sans être la voiture la plus courte sur le marché, l'Echo est l'une des seules à afficher moins de 1 000 kg (950 pour être plus précis). Et ça se sent tout de suite, d'abord dans les performances qui sont honnêtes malgré le petit 4 cylindres de 1,5 litre, puis par l'appétit de moineau de ce 16 soupapes moderne à 2 arbres à cames en tête et système de distribution variable. Le poids plume de l'ensemble se traduit aussi par une belle agilité dans la circulation et un freinage surprenant d'efficacité, malgré la présence de tambours à l'arrière et l'absence d'ABS. Cette agilité se confirme d'ailleurs avec un diamètre de braquage de moins de 10 mètres,

autre chiffre qui place l'Echo parmi les meilleures sur le marché.

Au volant, l'Echo surprend une fois de plus par son originalité. D'abord, le tableau de bord et son bloc d'instruments flanqué au milieu. Oui, on s'y habitue. Mais est-ce mieux que l'instrumentation face au conducteur ? Non ! Car ça vous oblige à jeter un coup d'œil sur la droite, ce qui va à l'encontre des canons de la sécurité. Et de nuit, pour les porteurs de lunettes bifocales — comme moi —, la lisibilité risque d'être amoindrie. Autre péché ergonomique : l'emplacement de la radio, trop basse pour permettre la manipulation sans avoir à baisser les yeux. Par contre, les nombreux espaces de rangement dans le tableau et dans les portes compensent quelque peu ces écarts d'ergonomie.

## CARACTÉRISTIQUES

| | |
|---|---|
| Prix du modèle à l'essai | 16 050 $ |
| Échelle de prix | de 13 690 $ à 15 025 $ |
| Assurances | 744 $ |
| Garanties | 3 ans 60 000 km / 5 ans 100 000 km |
| Emp. / Long. / Larg. / Haut. (cm) | 237 / 414 / 166 / 150 |
| Poids | 950 kg |
| Coffre / Réservoir | 385 litres / 45 litres |
| Coussins de sécurité | frontaux |
| Suspension avant | indépendante, jambes élastiques |
| Suspension arrière | essieu semi-rigide, poutre déform. |
| Freins av. / arr. | disque / tambour |
| Système antipatinage | non |
| Direction | à crémaillère, assistée |
| Diamètre de braquage | 9,9 mètres |
| Pneus av. / arr. | P175/65R14 |

## MOTORISATION ET PERFORMANCES

| | |
|---|---|
| Moteur | 4L 1,5 litre |
| Transmission | traction, automatique 4 rapports |
| Puissance | 108 ch à 6 000 tr/min |
| Couple | 105 lb-pi à 4 200 tr/min |
| Autre(s) moteur(s) | aucun |
| Autre(s) transmission(s) | manuelle 5 rapports |
| Accélération 0-100 km/h | 9,5 secondes |
| Reprises 80-120 km/h | 9,6 secondes |
| Vitesse maximale | 170 km/h |
| Freinage 100-0 km/h | 49,2 mètres |
| Consommation (100 km) | 7,5 litres (ordinaire) |

| | |
|---|---|
| • Valeur de revente | très bonne |
| • Renouvellement du modèle | 2004-2005 |

offert : pas de glaces ni de rétroviseurs à commande électrique, pas de télécommande de verrouillage, pas de climatiseur, un garnissage « sobre », une instrumentation minimaliste (absence de compte-tours), etc. Restent la qualité de finition, la fiabilité mécanique et la valeur de revente qui permettent à l'Echo de prendre sa revanche. Notons aussi que dans la version 2 portes (la moins coûteuse), l'accès à l'arrière s'avère plutôt pénible, sans oublier l'allure encore plus étrange de la carrosserie.

## Une voiture verticale

Hauteur : 150 cm, selon la fiche technique. Comparez, par exemple, à une Honda Civic (144 cm) et vous comprendrez pourquoi l'Echo est une voiture « verticale » ou, si vous préférez, une voiture haute (d'où son air d'ado qui a grandi trop vite). L'avantage de ces quelques centimètres en hauteur : il n'est pas nécessaire de « descendre » ni de « monter » pour prendre place à bord, les sièges étant pratiquement à la hauteur du postérieur de l'humain moyen. Idéale pour les courses en ville, pour les petits trajets chez le dépanneur et, évidemment, pour les gens d'un certain âge dont le dos et les membres détestent les contorsions. Idéale aussi pour le dégagement à la tête et l'habitabilité générale (y compris la contenance du coffre) : les occupants étant assis plus à la verticale, on économise de l'espace en longueur (414 cm en longueur contre 443 pour la Civic). Résultat : économie de poids (150 kg de moins que la Civic). Donc, plus petit moteur pour des performances équivalentes, une consommation et une pollution moindres, etc. Bravo Toyota !

Cette position haute procure aussi une bonne visibilité vers l'avant et une sensation sécurisante de domination de la route. Justement, parlant de route, si nous louangeons les qualités citadines de l'Echo, nous avons moins aimé son comportement sur autoroute. Particulièrement sensible au vent latéral à cause de sa hauteur inhabituelle, l'Echo y est mal à l'aise ; et le confort à bord laisse à désirer, notamment à cause de la position de conduite bizarroïde et de la forme des sièges. En virage à

allure modérée, rien de spécial à signaler, mais à vive allure, la caisse se penche, les pneus avant souffrent et le sous-virage domine. Vraiment pas une sportive, cette Echo.

L'Echo affiche une bonne insonorisation générale, sauf en accélération où le petit moteur se fait entendre. Quant à la boîte – automatique sur notre voiture d'essai –, elle se tire très bien d'affaire malgré le couple limité du moteur. Précisons que grâce à l'électronique, les boîtes automatiques, qui convenaient si mal aux moteurs de faible cylindrée il y a à peine quelques années, présentent aujourd'hui un rendement fort satisfaisant.

## L'économie prime

Compte tenu du prix de l'Echo, Toyota s'est vu dans l'obligation de couper dans l'équipement

Malgré ses lacunes évidentes en matière de look et d'agrément de conduite, l'Echo préfigure sur notre continent la vague de voitures intelligentes qui font rage outre-Atlantique et au Japon : des voitures hautes, offrant une belle habitabilité malgré une longueur réduite, légères, superéconomiques et peu polluantes, bien adaptées aux réalités de la circulation urbaine. Reste à Toyota à créer un dessin plus agréable (les retouches mineures apportées aux modèles 2003 n'arrangent rien), à corriger quelques lacunes d'ergonomie et à injecter une petite dose d'agrément de conduite. Notons pour terminer que notre public automobiliste, sensible aux arguments de prix, d'habitabilité et d'économie, a déjà bien réagi à ce petit laideron des villes.

*Alain Raymond*

---

### MODÈLES CONCURRENTS

• *Ford Focus* • *Honda Civic* • *Hyundai Accent*
• *Kia Rio* • *Suzuki Esteem*

### QUOI DE NEUF ?

• *Changements mineurs à l'avant et à l'arrière*

### VERDICT

| | |
|---|---|
| **Agrément de conduite** | ★★ |
| **Fiabilité** | ★★★★⭒ |
| **Sécurité** | ★★★ |
| **Qualités hivernales** | ★★ |
| **Espace intérieur** | ★★★★ |
| **Confort** | ★★★ |

### ▲ POUR

• **Excellente voiture de ville** • **Faible consommation**
• **Bonne fiabilité** • **Bonne habitabilité**
• **Performances adéquates**

### ▼ CONTRE

• Ligne moche • Sensible aux vents latéraux
• Tenue de route moyenne • Ergonomie et confort
perfectibles • Faible agrément de conduite

# *Une Camry haute sur pattes !*

**Quelle mouche a piqué Toyota ? Comme si le constructeur japonais n'avait pas suffisamment de camionnettes dans ses rangs, voilà que le Highlander, cousin du Lexus RX 300, se pointe le bout du nez, positionné entre le compact RAV4 et le vénérable 4Runner.**

Précurseur d'une nouvelle catégorie de véhicules dont on cherche encore la véritable identification (multisegment ou *crossover*), le Highlander sera bientôt suivi par la très attendue Chrysler Pacifica et, plus tard, par la Ford CrossTrainer. L'exercice consiste, en toute logique, à exploiter les qualités de chacun : la polyvalence et la puissance d'un utilitaire sport, le confort d'une fourgonnette et le comportement dynamique d'une familiale.

À partir de la plate-forme de la Camry, ce qui n'est pas une mauvaise référence, Toyota a créé une camionnette haute sur pattes capable de s'adap-ter à tout genre d'imprévus. Moins « grand » que le 4Runner, le Highlander est légèrement plus long et à peine plus large. La cabine s'en trouve plus géné-reuse et ce sont les occupants de la banquette arrière qui en profitent davantage.

À l'avant, la plupart de ses utilisateurs n'auront aucune difficulté à adopter une bonne position de conduite. Toutefois, les gabarits imposants déplo-reront des pédales et un volant trop rapprochés malgré tous les ajustements possibles.

Dans la cabine, on retient également l'absence d'une console centrale, ce qui facilite, comme dans une fourgonnette, les déplacements à l'intérieur.

Pour ce faire, les concepteurs du Highlander ont placé le levier de sélection immédiatement en des-sous du module central où sont regroupées les com-mandes du système radio et de la ventilation. La plu-part des commandes principales s'avèrent faciles d'accès, à l'exception des boutons servant au réglage des miroirs extérieurs, obstrués par le volant.

Les fauteuils sont, dans l'ensemble, conforta-bles tout en offrant un support latéral raisonnable. Rien n'est spectaculaire, vous l'aurez compris dans notre évaluation. Le Highlander mériterait sûre-ment un meilleur traitement à cet égard. C'est comme lorsqu'on compare la classe Touriste à la classe Affaires. On paie davantage pour profiter de certains avantages en termes de confort. Qu'a donc à offrir le Highlander pour justifier une facture rela-tivement élevée ?

## CARACTÉRISTIQUES

| | |
|---|---|
| Prix du modèle à l'essai | V6 Limited 46 055 $ |
| Échelle de prix | de 32 330 $ à 46 055 $ |
| Assurances | 870 $ |
| Garanties | 3 ans 60 000 km / 5 ans 100 000 km |
| Emp. / Long. / Larg. / Haut. (cm) | 271 / 468 / 182 / 168 |
| Poids | 1 765 kg |
| Coffre / Réservoir | de 909 à 2 304 litres / 75 litres |
| Coussins de sécurité | frontaux |
| Suspension avant | indépendante, jambes de force |
| Suspension arrière | indépendante, jambes de force |
| Freins av. / arr. | disque, ABS |
| Système antipatinage | oui (optionnel dans V6) |
| Direction | à crémaillère, assistance variable |
| Diamètre de braquage | 12,6 mètres |
| Pneus av. / arr. | P225/70R16 |

## MOTORISATION ET PERFORMANCES

| | |
|---|---|
| Moteur | V6 3 litres |
| Transmission | intégrale automatique, 4 rapports |
| Puissance | 220 ch à 5 800 tr/min |
| Couple | 222 lb-pi à 4 400 tr/min |
| Autre(s) moteur(s) | 4L 2,4 litres 155 ch |
| Autre(s) transmission(s) | aucune |
| Accélération 0-100 km/h | 8,6 s ; 11,3 s (4L) |
| Reprises 80-120 km/h | 11,8 secondes |
| Vitesse maximale | 180 km/h |
| Freinage 100-0 km/h | 39,6 mètres |
| Consommation (100 km) | 13,1 litres ; |
| | 10,9 litres (4L) (ordinaire) |
| • Valeur de revente | bonne |
| • Renouvellement du modèle | 2005 |

réduit l'effort du moteur en accélération et en reprise tout en limitant les excès en consommation.

La tenue de route, c'est incontestablement la plus belle surprise du Highlander. Sans être à la hauteur du BMW X5, il fait preuve d'une agilité étonnante si on le compare à d'autres produits de son créneau. Son comportement s'avère d'ailleurs moins capricieux que celui du RX 300. C'est en grande partie grâce aux retouches apportées à la suspension (ressorts plus rigides notamment) qu'il se démarque de son cousin.

Pour les adeptes du camping improvisé, on a toutefois prévu un dispositif qui permet de rabattre complètement les deux sièges avant. En retirant les appuie-tête, vous êtes prêt pour une petite sieste avant de reprendre la route.

Qui dit Toyota dit excellente qualité d'assemblage et une finition irréprochable. Le Highlander ne fait pas exception à la règle. L'habitacle est chaleureux et l'environnement se prête aux longues randonnées.

### Un comportement prévisible

Fort d'une mécanique éprouvée, le Highlander est d'abord destiné à une conduite normale même si, confronté à des conditions plus difficiles, il se tire bien d'affaire.

Sur les routes secondaires légèrement accidentées, sur la neige et la glace, son comportement se révèle prévisible, malgré un système de traction intégrale démodé, introduit au début des années 90 dans les modèles Camry et Celica. Quelques raffinements ont beau avoir été apportés, le système n'est pas à la hauteur des attentes. Toyota a probablement préféré patienter jusqu'à la refonte du modèle (ce qui ne devrait pas tarder) pour revoir certaines composantes essentielles de sa camionnette.

Au fait, oubliez les randonnées hors route. Le Highlander n'est pas fait pour ce genre d'activités réservées aux vrais véhicules tout-terrain. Si vous cherchez un 4X4 plus robuste chez Toyota, le 4Runner comblera vos désirs.

### Avantage V6

Le catalogue du Highlander comprend deux moteurs. Le 4 cylindres, modeste, n'est pas un vilain choix dans la mesure où vos besoins se limitent à des déplacements « normaux ». Seule nouveauté pour 2003, ce 2,4 litres peut être combiné avec l'intégrale. Sans être des plus performants, ce moteur a cette qualité de consommer un peu moins tout en se montrant silencieux et doux.

Notre préférence va toutefois au moteur V6 que le Highlander partage avec d'autres membres célèbres de la famille Toyota, les Camry, Avalon, Lexus ES 300 et RX 300. Plus énergique avec 220 chevaux sous le capot, cette version du Highlander tire profit de la technologie VVTi, de distribution variable en continu. Cette caractéristique

Néanmoins, n'allez pas défier les tracés les plus sinueux au volant du Highlander. Cette camionnette au centre de gravité élevé est axée principalement sur le confort. La suspension, malgré certains raffinements, est encore trop molle. On note également un sous-virage dans les courbes prononcées.

Du véhicule, il faut également retenir son excellente insonorisation, son freinage sans faille et une direction qui, tout en étant précise, offre une sensation de la route comparable à celle d'une Camry.

Une ombre au tableau, Toyota ne s'est toujours pas ajustée aux normes du marché en ne dotant pas sa camionnette d'une 3e rangée de sièges comme l'Acura MDX, entre autres. Si, pour plusieurs, cette caractéristique est inutile, elle représente un argument de vente.

*Louis Butcher*

---

### MODÈLES CONCURRENTS

- Acura MDX • Chevrolet TrailBlazer/GMC Envoy
- Ford Explorer • Infiniti QX4

### QUOI DE NEUF ?

- Version 4 cylindres livrable avec la traction intégrale
- Nouvelle couleur (vert) • Console centrale et miroirs extérieurs chauffants de série

### VERDICT

| | |
|---|---|
| Agrément de conduite | ★★★⯪ |
| Fiabilité | ★★★★⯪ |
| Sécurité | ★★★⯪ |
| Qualités hivernales | ★★★★ |
| Espace intérieur | ★★★★ |
| Confort | ★★★★ |

### ▲ POUR

- Suspension bien adaptée • Mécanique éprouvée
- Sièges confortables • Comportement routier prévisible • Habitacle fonctionnel

### ▼ CONTRE

- Prix élevé (version Limited) • Pas de coussins de sécurité latéraux • Dispositif de traction intégrale dépassé • Seuil de gravité élevé • Moteur 4 cylindres modeste

# TOYOTA MATRIX

# Double personnalité

**Sans même faire allusion à son double, la Pontiac Vibe, on peut affirmer que la Toyota Matrix possède véritablement deux personnalités. Optez pour la version 4 roues motrices à moteur de 127 chevaux couplés à une transmission automatique et vous vous retrouverez au volant d'une voiture éminemment pratique parfaitement adaptée à nos conditions climatiques. Choisissez par ailleurs le modèle XRS à traction doté d'un 4 cylindres de 180 chevaux jumelé à une boîte de vitesses manuelle à 6 rapports et vous serez au volant d'une petite familiale à vocation sportive. Après avoir conduit la première pendant plus de six mois et la seconde près d'une semaine, Le Guide de l'auto fait le point.**

En premier lieu, la fiabilité légendaire des Toyota s'est de nouveau affirmée et aucun incident mécanique n'est venu contrarier l'essai à long terme de notre Matrix. Elle a traversé l'hiver sans coup férir et la seule note discordante se résume au grincement de la portière du conducteur apparu autour de 5 000 km. Plusieurs de nos essayeurs ont aussi souligné dans le livret de bord que le lecteur CD avait tendance à sautiller en phase de décélération, rien de plus.

Comme dans la Vibe qui partage sa mécanique et son aménagement intérieur avec la Matrix (voir rubrique Pontiac), on a déploré l'aspect bon marché des plastiques au tableau de bord et l'apparente fragilité des portières « que l'on croirait en carton », a même écrit un de nos participants. À l'usage toutefois, ces remarques ne sont que des impressions que rien ne permet de confirmer, du moins après 20 000 km d'utilisation.

### Boucler votre sac à main

Le confort des sièges a fait l'unanimité, mais pas la position de conduite. La Matrix, précisons-le, est ce que l'on appelle une voiture *verticale*, c'est-à-dire plutôt étroite et haute sur pattes. Les femmes ont aimé être assises assez haut, en tirant une sensation de sécurité et une bonne visibilité. Les conducteurs masculins ont par contre moins aimé se sentir haut perchés comme s'ils étaient sur des échasses. Tout le monde était cependant d'accord pour condamner l'éclairage rougeâtre du tableau de bord la nuit, qui s'avère fatigant. L'habitabilité a aussi reçu l'ap-

## POUR TOUT SAVOIR

### CARACTÉRISTIQUES

| | |
|---|---|
| Prix du modèle à l'essai | 4WD XR 24 108 $ |
| Échelle de prix | de 20 315 $ à 24 540 $ |
| Assurances | 841 $ |
| Garanties | 3 ans 60 000 km / 5 ans 100 000 km |
| Emp. / Long. / Larg. / Haut. (cm) | 260 / 435 / 177,5 / 155 |
| Poids | 1 340 kg |
| Coffre / Réservoir | de 428 à 1506 litres / 45 litres |
| Coussins de sécurité | frontaux |
| Suspension avant | indépendante. jambes de force |
| Suspension arrière | indép., double bras triangulaire |
| Freins av. / arr. | disque / tambour, ABS |
| Système antipatinage | non |
| Direction | à crémaillère, assistée |
| Diamètre de braquage | 10,8 mètres |
| Pneus av. / arr. | P205/55R16 |

### MOTORISATION ET PERFORMANCES

| | |
|---|---|
| Moteur | 4L 1,8 litre |
| Transmission | intégrale, automatique 4 rapports |
| Puissance | 123 ch à 6 000 tr/min |
| Couple | 130 lb-pi à 6 800 tr/min |
| Autre(s) moteur(s) | 1,8 VVTL-i 180 ch (XRS) |
| Autre(s) transmission(s) | man. 5 ou 6 rapports (XRS) |
| Accélération 0-100 km/h | 8,7 secondes |
| Reprises 80-120 km/h | 9,46 secondes |
| Vitesse maximale | 185 km/h |
| Freinage 100-0 km/h | 38,5 mètres |
| Consommation (100 km) | 8,8 litres (ordinaire) |
| • Valeur de revente | très bonne |
| • Renouvellement du modèle | n.d. |

étroite fait perdre beaucoup de temps. Même en poussant le moteur à fond, on arrive difficilement à combler les précieuses secondes échappées en début d'accélération. Fort heureusement, le levier de vitesses implanté à mi-chemin entre le tableau de bord et la console centrale tombe parfaitement sous la main, ce qui le rend particulièrement agréable à manipuler. Pour l'avoir expérimentée au volant d'une Toyota Celica dotée du même moteur, la transmission automatique est à proscrire à tout prix tellement elle est mal adaptée à ce type de

probation de tout le monde et on a vanté le généreux espace autant à l'avant qu'à l'arrière. Au dire de certains, le hayon gagnerait à être plus facile à refermer.

Une conductrice a trouvé géniale la présence des trois gicleurs sur chacun des balais d'essuie-glace mais a aussi noté qu'elle avait trouvé rigolo le fait que la voiture ordonne à son sac à main de boucler sa ceinture. Bref, les capteurs de poids sur les sièges n'ont pas encore l'intelligence de faire la différence entre un être humain et un objet.

Tout en notant que la voiture était relativement agréable à conduire, personne ne s'est dit emballé du comportement routier de la Matrix. Cela tient à la faible puissance du moteur et à son niveau sonore élevé dès qu'on le sollicite un tant soit peu. À ce chapitre, les chiffres d'accélérations et de reprises sont d'une cruelle évidence, compte tenu qu'il faut plus de 11 secondes pour franchir le 0-100 km/h et 9,5 secondes pour compléter un dépassement. En somme, rien pour écrire à chez vous. Le fait que la Matrix 4 roues motrices doive sacrifier 7 chevaux à la version à traction et traîner 75 kg de plus devient clairement un handicap. Ce n'est pas dramatique, mais il est tout de même important de le noter.

Plutôt mollement suspendue, la voiture est confortable dans la plupart des circonstances, sauf sur de très mauvais revêtements où elle réagit plus sèchement. À part la sensibilité au vent latéral qui tient à sa forme, la Matrix tient raisonnablement la route et n'incite pas de toute manière à la conduite sportive.

### XRS : le paradoxe

Il en va différemment de la XRS qui mise sur ses 180 chevaux et sur une boîte manuelle à 6 rapports pour se donner une personnalité sportive. Malgré de beaux efforts, la voiture est bourrée de contradictions et elle abandonne notamment la traction intégrale pour la traction avant. Par ailleurs, elle a de la puissance mais celle-ci est difficilement exploitable pour la simple raison qu'elle se cache à très haut régime. Changez de rapport à 6 000 tr/min et vous ne saurez jamais ce que cette voiture a dans le ventre. Car ce n'est qu'à partir de ce régime et jusqu'à la limite de 8 000 tr/min que les chevaux se mettent à galoper. À tel point qu'il faut pratiquement rétrograder en 2e pour obtenir des reprises décentes pour doubler un autre véhicule. Nul besoin d'ajouter qu'une plage d'utilisation aussi

moteur. Une autre contradiction de cette Matrix XRS est sa hauteur qui place le centre de gravité à un niveau assez élevé. Chaussée de pneus de 17 pouces, la voiture bénéficie d'une très bonne adhérence, mais le roulis de caisse tend à décourager la conduite sportive.

Dans les circonstances, il ne serait pas exagéré de décrire la Matrix XRS comme une Celica qui se serait trouvé une vocation utilitaire. Ce n'est pas une mauvaise combinaison et il doit bien se trouver des acheteurs qui recherchent ce genre de compromis. Pour les autres, la Matrix AWD de notre essai à long terme reste sans doute le choix le plus rationnel.

*Jacques Duval*

---

| MODÈLES CONCURRENTS |
| --- |

• Chrysler PT Cruiser • Ford Focus • Mazda Protegé5
• Pontiac Vibe • Subaru Impreza Outback
• Suzuki Aerio

| QUOI DE NEUF ? |
| --- |

• Aucun changement majeur

| VERDICT | |
| --- | --- |
| Agrément de conduite | ★★★ |
| Fiabilité | ★★★★ |
| Sécurité | ★★★⯪ |
| Qualités hivernales | ★★★★ |
| Espace intérieur | ★★★⯪ |
| Confort | ★★★⯪ |

| ▲ POUR |
| --- |

• Fiabilité reconnue • Confort notable
• Volume intérieur appréciable • Qualités hivernales
• Levier de vitesses bien placé (manuelle)

| ▼ CONTRE |
| --- |

• Faibles performances (4RM) • Sensibilité au vent
• Moteur bruyant à haut régime • Puissance peu exploitable (XRS) • Éclairage du tableau désagréable

# Si l'écologie vous intéresse

**À force de subir les caprices de dame Nature qui se permet de nous offrir l'été en hiver et l'hiver en été dans certains coins de la planète, il faut vraiment être débranché de la réalité pour ne pas s'intéresser à l'environnement. Tandis que plusieurs compagnies nous font miroiter des prototypes de véhicules ultrapropres appelés à apporter une partie de solution au réchauffement de la planète dans quelques années, la compagnie Toyota commercialise un tel véhicule depuis trois ans maintenant.**

Pourtant, même si l'alimentation bio connaît de plus en plus d'adeptes et que les mouvements politiques verts gagnent en popularité, les ventes de la Toyota Prius demeurent confidentielles. Incidemment, il semble que Toyota Canada ait une conscience écologique plus sensible que celle de son vis-à-vis des États-Unis qui se contentait jusqu'à tout récemment d'offrir cette berline à propulsion hybride sur Internet. Bref, pour parodier une chan-

son populaire: «Tout le monde veut une voiture plus propre, mais personne ne veut en acheter une.»

Il est vrai qu'un prix frôlant les 30 000 $ pour une auto de catégorie compacte n'est pas ce qu'il y a de plus attrayant. D'autant plus que ni la silhouette, ni le confort de l'habitacle, ni même les performances ne peuvent justifier un tel prix. Mais il ne faut pas évaluer cette voiture par rapport aux autres. Ses acheteurs doivent avoir une conscience sociale supérieure à la moyenne et accepter de payer le prix

nécessaire pour assainir l'air que nous respirons. Par la suite, ils peuvent porter un jugement sur le véhicule en tant que moyen de transport.

### Une mécanique éprouvée

Il est certain qu'une voiture dont le groupe propulseur combine un moteur à essence conventionnel à un moteur électrique n'est pas de nature à rassurer ceux qui privilégient la fiabilité avant l'écologie. Pourtant, même s'il faut beaucoup de mots pour expliquer le fonctionnement de cette berline à moteur hybride agissant en parallèle avec un moteur électrique, la fiabilité de cette mécanique est plutôt rassurante. En effet, le moteur à essence 4 cylindres de 1,5 litre est semblable aux autres moteurs à combustion interne de Toyota, et donc fiable. Les moteurs électriques, pour leur part, n'af-

## CARACTÉRISTIQUES

| | |
|---|---|
| Prix du modèle à l'essai | 31 395 $ |
| Échelle de prix | de 29 485 $ à 31 395 $ |
| Assurances | 806 $ |
| Garanties | 3 ans 60 000 km / 5 ans 100 000 km |
| Emp. / Long. / Larg. / Haut. (cm) | 255 / 430 / 170 / 147 |
| Poids | 1255 kg |
| Coffre / Réservoir | 354 litres / 45 litres |
| Coussins de sécurité | frontaux |
| Suspension avant | indépendante, jambes de force |
| Suspension arrière | semi-indép., poutre déformante |
| Freins av. / arr. | disque / tambour, ABS |
| Système antipatinage | non |
| Direction | à crémaillère, assistée |
| Diamètre de braquage | 10,4 mètres |
| Pneus av. / arr. | P175/65R14 |

## MOTORISATION ET PERFORMANCES

| | |
|---|---|
| Moteur | 4L 1,5 litre + élec. |
| Transmission | traction, automatique variable |
| Puissance | 70 ch à 4500 tr/min + 44 ch à 1000 tr/min |
| Couple | 82 lb-pi à 4200 tr/min + 259 lb-pi à 400 tr/min |
| Autre(s) moteur(s) | aucun |
| Autre(s) transmission(s) | aucune |
| Accélération 0-100 km/h | 12,8 secondes |
| Reprises 80-120 km/h | 11,4 secondes |
| Vitesse maximale | 150 km/h |
| Freinage 100-0 km/h | 42 mètres |
| Consommation (100 km) | 4,6 l (ville); 5,6 l (autoroute) |

| | |
|---|---|
| • Valeur de revente | faible |
| • Renouvellement du modèle | n.d. |

est spacieux et que les places arrière permettent à deux adultes de s'asseoir confortablement.

Si les écologistes y trouvent leur compte, les amateurs de conduite vont rester sur leur appétit. Il est vrai que la Prius se montre agile en ville, mais il faut s'habituer à des freins parfois imprévisibles et à une direction un peu trop assistée. Enfin, ce n'est pas la voiture idéale pour effectuer des dépassements serrés, car il faut se contenter d'accélérations et de reprises assez pauvres. Il faut considérer la Prius comme une voiture urbaine et de banlieusard. Si vous

fichent aucun problème de fiabilité. Les faire fonctionner en parallèle ne pose pas de problème particulier non plus. Ce sont plutôt les algorithmes des modules de commandes électroniques qui gèrent cette cohabitation. Il faut également savoir que ce modèle est commercialisé au Japon depuis 1997 et que les quelques petits ennuis mécaniques qui ont pu survenir ont été réglés depuis ce temps.

Pour le reste, la fiche technique se révèle assez conformiste avec une caisse autoporteuse, une suspension arrière à poutre déformante, une direction à crémaillère, des freins à disque à l'avant et à tambour à l'arrière. Les freins récupèrent l'énergie provoquée par le freinage tandis que les roues avant sont entraînées par une transmission à rapport continuellement variable, elle-même reliée au moteur électrique.

### Plus écolo que passionnante

En général, le prix plus élevé d'une automobile permet de compter sur des performances et une tenue de route supérieures à la moyenne. Dans le cas de la Prius, cette facture plus corsée se justifie par une consommation de carburant inférieure à la moyenne et un indice de pollution moins élevé. Dans le premier cas, c'est facile à vérifier : les visites à la pompe sont espacées. Dans le second cas, il faut faire confiance aux chiffres fournis par Toyota.

Curieusement, la Prius est l'une des rares voitures sur le marché qui consomme moins en ville que sur la grand-route. En effet, la consommation observée en ville a été de 4,6 litres aux 100 km tandis qu'elle était de 5,6 sur l'autoroute. C'est facile

à expliquer puisque cette berline est beaucoup mieux adaptée à la circulation urbaine. Son moteur électrique permet d'économiser du carburant lorsqu'on roule à basse vitesse, alors que le moteur à essence est peu sollicité. D'ailleurs, dès qu'on met la clé de contact et qu'on veut lancer le moteur, c'est un silence impressionnant qui nous accueille puisque le moteur électrique est toujours activé en premier.

Le plus fascinant dans cette voiture, c'est le passage transparent du moteur électrique au moteur à combustion et le fonctionnement simultané des deux. Sans l'écran d'information placé au centre du tableau de bord, personne ne pourrait deviner quel mode est engagé. La présence d'une transmission à rapport variable est en partie responsable de ce phénomène. Soulignons au passage que l'habitacle

devez effectuer de nombreux voyages sur de longues distances, vous découvrirez que son comportement sur l'autoroute n'est pas tellement réjouissant. En plus d'être sensible au vent latéral, elle se retrouve souvent à bout de souffle lorsque vient le temps de grimper une côte ou de doubler. De plus, les passages en mode « essence » et « électrique » se traduisent par de légers changements de vélocité qui agacent à la longue. Enfin, ni la distance de freinage ni la progressivité des freins ne sont le point fort de la voiture.

Fascinante sur le plan technique, d'un agrément de conduite acceptable en ville et médiocre sur la grand-route, la Prius est une voiture qui plaira aux verts mais qui décevra les autres. Compte tenu de sa faible popularité, il faut en conclure que les écolos sont rares dans notre pays.

*Denis Duquet*

---

### MODÈLES CONCURRENTS

• *Honda Civic Hybrid* • *Honda Insight*

### QUOI DE NEUF ?

• *Données insuffisantes*

### VERDICT

| | |
|---|---|
| **Agrément de conduite** | ★★★↙ |
| **Fiabilité** | ★★★★ |
| **Sécurité** | ★★★ |
| **Qualités hivernales** | ★★★ |
| **Espace intérieur** | ★★★★ |
| **Confort** | ★★★ |

### ▲ POUR

• Écologiquement correcte • Bonne habitabilité
• Technologie du futur • Consommation parcimonieuse • Insonorisation exemplaire

### ▼ CONTRE

• Tenue de route moyenne • Freins capricieux
• Prix élevé • Sensible au vent latéral
• Silhouette anonyme

# Ravissant 4 cylindres !

C'est en 1996 que Toyota a lancé la mode des utilitaires sport, en s'aventurant sur des sentiers qui n'avaient jusqu'alors été explorés que par Jeep et Suzuki. Le concept « tout-terrain à tenue de route améliorée » était encore si mal connu du public que le manufacturier nippon avait jugé bon de baptiser le sien d'un acronyme qui en décrivait l'usage : *Recreational Active Vehicle*, le chiffre 4 référant à la traction intégrale.

Sept années et des tonnes de VUS plus tard, le « raccourci » forgé par Toyota n'explique rien que tout le monde ne sache déjà, à moins peut-être qu'il ne serve à rappeler combien le RAV4 est ravissant... et qu'il est toujours mû par un moteur 4 cylindres. Sur papier, les 148 chevaux de ce petit groupe motopropulseur ne semblent pas faire le poids dans une catégorie maintenant dominée par les 6 cylindres. Comme de fait, il bourdonne et atteint rapidement ses limites sur la grand-route ;

pas très indiqué pour tracter le bateau ou la tente-remorque ! En ville, par contre, la linéarité de son couple permet au RAV4 de se couler avec aisance dans la circulation. Il convient bien, en somme, aux besoins d'une petite famille qui effectue la majorité de ses déplacements en milieu urbain, tout en consommant moins d'essence qu'une grosse cylindrée. La boîte manuelle permet bien sûr de mieux exploiter sa puissance (l'automatique est par ailleurs sans reproche), mais attendez-vous, dans tous les cas, à ce que les accélérations s'accompagnent de

bruits et d'efforts de la mécanique qui n'ont rien de récréatif.

## Plus à l'aise en ville

Mis à part le Subaru Forester peut-être, la tenue de route du RAV4 est, parmi tous les utilitaires compacts, celle qui se rapproche le plus d'une automobile. Le pilotage est à toute fin pratique sans histoire en ligne droite, tandis que dans les courbes, la rigidité du châssis et la fermeté des ressorts et des amortisseurs gardent les roulements de caisse à l'intérieur de limites raisonnables. Il arrive que la suspension s'affole sur chaussée dégradée, mais en règle générale elle avale les bosses avec aplomb tout en soignant le confort des occupants. Pour le reste, la direction rapide, le court diamètre de braquage et le faible encombrement du RAV4, sans

## CARACTÉRISTIQUES

| | |
|---|---|
| Prix du modèle à l'essai | RAV4 25 685 $ |
| Échelle de prix | de 24 485 $ à 33 000 $ |
| Assurances | 983 $ |
| Garanties | 3 ans 60 000 km / 5 ans 100 000 km |
| Emp. / Long. / Larg. / Haut. (cm) | 249 / 419 / 173 / 168 |
| Poids | 1 305 kg |
| Coffre / Réservoir | 678 litres / 56 litres |
| Coussins de sécurité | frontaux |
| Suspension avant | jambes de force, indépendante |
| Suspension arrière | bras multipliés, indépendante |
| Freins av. / arr. | disque / tambour (ABS optionnel) |
| Système antipatinage | non |
| Direction | à crémaillère, assistance variable |
| Diamètre de braquage | 10,7 mètres |
| Pneus av. / arr. | P235/60R16 |

## MOTORISATION ET PERFORMANCES

| | |
|---|---|
| Moteur | 4L 2 litres DACT |
| Transmission | intégrale, automatique 4 rapports |
| Puissance | 148 ch à 6 000 tr/min |
| Couple | 142 lb-pi à 4 000 tr/min |
| Autre(s) moteur(s) | aucun |
| Autre(s) transmission(s) | manuelle 5 rapports |
| Accélération 0-100 km/h | 11,4 s ; 10,6 s (man.) |
| Reprises 80-120 km/h | 8,2 secondes |
| Vitesse maximale | 170 km/h |
| Freinage 100-0 km/h | 42 mètres |
| Consommation (100 km) | 9,3 litres (ordinaire) |

| | |
|---|---|
| • Valeur de revente | excellente |
| • Renouvellement du modèle | 2006 |

La banquette coulisse, se rabat 50/50 ou s'enlève complètement pour faire passer le volume de chargement à un total de 1909 litres. Assez impressionnant, si l'on songe que le RAV4 est le plus court des utilitaires compacts! L'accès se trouve facilité par l'ouverture latérale de la porte arrière, le seul ennui étant que cette dernière s'ouvre du mauvais côté de la chaîne de trottoir (de gauche à droite).

À première vue, le prix de base paraît raisonnable, mais il n'inclut guère de commodités, si ce

oublier la position élevée du conducteur, concourent à donner envie de s'amuser dans le trafic, d'autant que les freins à disque et tambour ne sont pas dépourvus de mordant. Il est seulement dommage, à ce chapitre, que l'ABS ne soit offert qu'en option.

Doté d'un différentiel central qui répartit le couple entre les roues avant et arrière (le différentiel arrière est autobloquant dans la version de luxe), le RAV4 démontre aussi de belles aptitudes hors piste, si ce n'est qu'il gagnerait à être chaussé de pneus convenant mieux à ce genre d'excursion. De toute façon, avec sa garde au sol de seulement 17 cm et sa traction intégrale dépourvue d'une boîte de transferts, il est clair dès le départ que cet utilitaire n'est pas destiné à jouer les chèvres de montagne. Il permet cependant de prendre la route en toute confiance, peu importent les conditions météorologiques, ce qui correspond sans doute aux attentes d'une majorité d'utilisateurs.

Les lignes extérieures, nous le disions, sont rien de moins que ravissantes. Elles le sont parfois même trop aux yeux de certains, qui reprochent encore et toujours au RAV4 ses allures de jouet. Comme quoi on ne peut pas plaire à tout le monde et à son père!

### Un habitacle bien conçu

L'habitacle marque aussi des points, grâce à sa fonctionnalité et à la rigueur de son assemblage. De facture moderne, la planche de bord insuffle une atmosphère de dynamisme et de convivialité. L'abondance des matériaux plastiques laisse un léger arrière-goût de « bon marché », mais on peut

se consoler à la pensée qu'ils sont pour la plupart de bonne qualité. Les commandes se manipulent aisément et donnent une impression de solidité que renforce la prise en main du volant. La rigueur de la conception s'affirme jusque dans les détails, comme les porte-verres dont la prise s'ajuste à des contenants de toutes dimensions, ou les espaces de rangement qui se font aussi nombreux que pratiques.

Conçus pour protéger leurs occupants de blessures cervicales résultant d'un impact, les baquets avant sont spacieux et supportent bien le dos, à défaut d'offrir un bon maintien latéral. À l'arrière, la platitude de l'assise n'autorise qu'un confort relatif, mais les occupants jouissent d'un espace adéquat aux jambes et bénéficient de dossiers inclinables.

n'est le verrouillage assisté. La facture monte de 3 000 $ pour un ensemble d'accessoires aussi basiques que peuvent l'être le climatiseur, le régulateur de vitesse, le système d'accueil sans clé, les glaces et les rétroviseurs assistés. Et l'ABS n'est toujours pas inclus! C'est encore 8 000 $ supplémentaires qu'il faut débourser pour mettre la main sur la version huppée, avec sellerie de cuir, toit ouvrant, différentiel arrière autobloquant et répartiteur électrique de freinage. Et même à ce prix, on n'a toujours qu'un 4 cylindres sous le capot.

Bref, le RAV4 est un mignon petit utilitaire qui ne brille ni ne pèche par aucune de ses particularités, mais dont l'équilibre d'ensemble satisfera l'acquéreur qui est prêt à payer un peu plus cher pour le standard de qualité Toyota.

*Jean-Georges Laliberté*

---

### MODÈLES CONCURRENTS

• *Honda CR-V* • *Hyundai Santa Fe* • *Mazda Tribute*
• *Subaru Forester* • *Suzuki Grand Vitara*

### QUOI DE NEUF?

• *Groupes d'options différents*

### VERDICT

| | |
|---|---|
| **Agrément de conduite** | ★★★⯪ |
| **Fiabilité** | ★★★★⯪ |
| **Sécurité** | ★★★★ |
| **Qualités hivernales** | ★★★★⯪ |
| **Espace intérieur** | ★★★⯪ |
| **Confort** | ★★★⯪ |

### ▲ POUR

• Lignes attrayantes • Bonne tenue de route
• Intérieur fonctionnel • Assemblage rigoureux
• Fiabilité enviable

### ▼ CONTRE

• Prix élevé • Moteur bruyant • Absence de V6
• Pas de coussins gonflables latéraux
• ABS en option

# À demi raté

**En voyant débarquer le Sequoia de Toyota il y a deux ans, GM et Ford ont mis très peu de temps à comprendre que le nouveau venu ne se ferait pas beaucoup d'amis dans les sentiers ou dans la rue. Battue, mais non moins orgueilleuse, la firme japonaise rempile cette année avec pour seules nouveautés des jantes en alliage et un système de divertissement.**

Puisque le constructeur japonais n'en écoule pas des tonnes, il est fort possible que vous n'ayez jamais vu un Sequoia de près. Alors sachez que physiquement, il se trouve à mi-chemin entre un Tahoe (Chevrolet) et un Expedition (Ford). Plus long que le Chevrolet, plus court que le Ford, le Sequoia est cependant moins large et (légèrement) moins haut que ses concurrents américains. Qu'à cela ne tienne, il est celui qui offre la meilleure garde au sol. Par contre, même si ses concepteurs prétendent le contraire, le Sequoia ne fait pas tourner les têtes sur son passage.

Les portières s'ouvrent sur un environnement soigneusement fini où la qualité des matériaux et de l'assemblage nous change des intérieurs souvent bâclés de la concurrence. Baquets convenablement sculptés, position de conduite confortable, tableau de bord élégant à défaut d'être original, instrumentation complète et commandes bien disposées. On regrette, une fois de plus, la façon dont les responsables de la mise en marché organisent la grille d'options. Par exemple, dans la SR5, la version la plus accessible, un seul bloc d'options figure au catalogue et celui-ci entraîne pour le consommateur un

déboursé de plus de 4 000 $. De plus, on comprend mal l'écart de prix (environ 10 000 $) existant entre les versions SR5 et Limited.

### Tout le monde « embarque »

Peu importe la livrée retenue, comme les gros utilitaires de GM et Ford, le Sequoia retient les services d'une troisième banquette pour amener plus de monde à son bord. Et tout comme celle de ses deux grands rivaux, la troisième banquette du Sequoia se révèle difficile d'accès et à plutôt conçue pour accueillir des enfants, tout au plus. Et soyons objectifs : une troisième banquette (celle-ci se rabat en deux sections égales), c'est bien beau, mais ça empiète sur le coffre. Cela dit, il est toujours possible de sacrifier ladite banquette de manière à augmenter le volume du coffre. Si tel est

**POUR TOUT SAVOIR**

## CARACTÉRISTIQUES

| | |
|---|---|
| Prix du modèle à l'essai | 50 450 $ |
| Échelle de prix | de 48 120 $ $ à 62 155 $ |
| Assurances | de 790 $ à 900 $* |
| Garanties | 3 ans 60 000 km / 5 ans 100 000 km |
| Emp. / Long. / Larg. / Haut. (cm) | 300 / 518 / 191 / 187 |
| Poids | 2 390 kg |
| Coffre / Réservoir | 834 litres (3e banquette) / 100 litres |
| Coussins de sécurité | frontaux et latéraux |
| Suspension avant | indépendante, barres de torsion |
| Suspension arrière | essieu rigide, bras longitudinaux |
| Freins av. / arr. | disque, ABS |
| Système antipatinage | oui |
| Direction | à crémaillère |
| Diamètre de braquage | 12,9 mètres |
| Pneus av. / arr. | P265/70R16 |

## MOTORISATION ET PERFORMANCES

| | |
|---|---|
| Moteur | V8 4,7 litres |
| Transmission | automatique, 4 rapports |
| Puissance | 240 ch à 4 800 tr/min |
| Couple | 315 lb-pi à 3 400 tr/min |
| Autre(s) moteur(s) | aucun |
| Autre(s) transmission(s) | aucune |
| Accélération 0-100 km/h | 8,5 secondes |
| Reprises 80-120 km/h | n.d. |
| Vitesse maximale | 190 km/h |
| Freinage 100-0 km/h | 43 mètres |
| Consommation (100 km) | 12,2 litres (ordinaire) |

| | |
|---|---|
| • Valeur de revente | bonne |
| • Renouvellement du modèle | 2005-2006 |

compétition promet, dans certains cas, de « tirer » quelque 1 000 kg de plus.

En ville, on lui reproche un diamètre de braquage assez grand qui le pénalise au chapitre de la maniabilité. Il y a aussi la direction qui manque de précision et qui est affectée d'un flou au centre qui agace. En revanche, même si la caisse prend un peu de roulis dans les virages, on apprécie l'excellent travail de la suspension qui nous fait pratiquement oublier, tant elle est bien amortie, le piteux état dans lequel se trouve notre réseau

votre dessein, vous devrez toutefois mobiliser vos muscles (les deux parties pèsent chacune 24 kg), car libérer les banquettes de leur socle n'est pas une sinécure.

### Cheval d'orgueil

La plate-forme a beau être commune au Tundra et au Sequoia, sa modularité lui permet de répondre aux attentes de chacune des clientèles visées. Et comme le Sequoia n'est pas destiné à transporter des balles de foin, ses concepteurs ont eu la délicatesse de remodeler la suspension arrière en abandonnant le traditionnel essieu à lames au profit de ressorts hélicoïdaux multibras rattachés à une barre stabilisatrice. Mentionnons que seule la version Limited est dotée d'un correcteur d'assiette en fonction de la charge. On note également la présence, dans tous les modèles cette fois, d'un dispositif de stabilité électronique (VSC) et d'un contrôle de la traction (A-Trac).

Le V8 qui loge sous le capot est à n'en point douter la pièce de résistance de ce gros utilitaire. Et pour cause, puisqu'il s'identifie ni plus ni moins à celui qui motorise actuellement le LX 470 de Lexus ! Pour ne pas froisser la très estimée clientèle de Lexus, Toyota l'a rebaptisé I-Force, quoiqu'il s'agisse, à peu de chose près, du même 4,7 litres à double arbre à cames en tête avec culasse à quatre soupapes par cylindre... du jamais vu dans ce segment de marché où les attelages sont par tradition plus rustres.

Techniquement évolué, ce 4,7 litres de 240 chevaux et 315 lb-pi de couple impressionne aussi et

surtout par sa remarquable douceur, ses solides performances (accélérations et reprises) et sa consommation raisonnable compte tenu du poids qu'il doit déplacer. En outre, il s'accompagne d'une transmission automatique au rendement tout aussi irréprochable, rien de moins.

Même si sa garde au sol le lui permet, même s'il est doté d'un rouage à quatre roues motrices et d'une boîte de transfert, le Sequoia n'est pas tellement prédisposé à une utilisation tout-terrain. Donc, si vous souhaitez un utilitaire pour plonger dans la boue et escalader les arbres, mieux vaut aller voir ailleurs. La même recommandation s'applique à ceux qui ont de lourdes charges à tracter puisque par rapport à ses rivaux américains, le Sequoia ne fait pas le poids. La capacité de remorquage de l'utilitaire japonais se limite à 2 812 kg alors que la

routier ainsi que la présence d'un essieu rigide à l'arrière. Le freinage ? Facile à moduler et puissant à souhait dans des conditions normales d'utilisation.

Fiable, robuste, admirablement bien fini, le Sequoia n'a malheureusement pas que des qualités. Il est coûteux, limité (capacité de remorquage), encombrant et peu recherché. À moins de véritablement vouloir entasser huit personnes sous son toit, préférez-lui donc le 4Runner, à la fois plus athlétique et plus économique.

*Éric LeFrançois*

---

### MODÈLES CONCURRENTS

• *Ford Expedition* • *GMC Yukon XL*

### QUOI DE NEUF ?

• *Lecteur DVD (divertissement)*

### VERDICT

| | |
|---|---|
| **Agrément de conduite** | ★★★⯪ |
| **Fiabilité** | ★★★★★ |
| **Sécurité** | ★★★★ |
| **Qualités hivernales** | ★★★★★ |
| **Espace intérieur** | ★★★★⯪ |
| **Confort** | ★★★★ |

### ▲ POUR

• Moteur moderne et onctueux • Qualité de l'assemblage • Quantité de dispositifs d'aides à la conduite

### ▼ CONTRE

• Encombrement • 3e banquette inconfortable
• Capacité de remorquage limitée

# TOYOTA SIENNA

# *Il suffirait de presque rien*

**Il suffirait de presque rien pour que la Sienna soit une excellente fourgonnette. Au lieu, elle n'est que bonne. Où est le problème ? C'est que Toyota nous a habitués à mieux, et qu'il faut d'ailleurs payer cet avantage en conséquence. Mais cette fois, la réponse ne vient pas d'elle-même lorsqu'on se demande : « Pourquoi acheter une Sienna ? »**

Une chose est sûre : ce n'est pas pour son apparence. Et qu'est-ce qu'elle a son apparence ? Rien, justement. La Sienna est d'une monotonie à toute épreuve ; certains fers à repasser ont un look plus excitant. Il lui faudrait une dose massive de personnalité. Et ce n'est pas vrai que de la carrosserie ; c'est tout le véhicule qui manque de caractère !

La Sienna est une fourgonnette sept passagers, à empattement court. Plus spacieuse que la Dodge Caravan, mais moins que la Grand Caravan,

elle est en quelque sorte une petite qui joue dans la cour des grands. La traditionnelle feuille de contreplaqué 4 X 8 (on finira par croire qu'un utilisateur de fourgonnette ne part jamais sans elle) peut y entrer si on laisse le hayon ouvert. L'espace réservé aux bagages, derrière la 3e rangée de sièges, se situe dans la moyenne supérieure. On peut l'accroître en repliant le dossier de la banquette 50/50, ou en faisant basculer celle-ci contre les sièges du milieu. Et ces deux rangées de sièges s'enlèvent sans difficulté quand on a besoin de « l'espace cargo ».

Les sièges avant présentent un bon dosage de douceur et de fermeté, mais déméritent un peu par leur assise trop courte aux cuisses. Moins amène que les baquets mais tout de même correcte, la banquette centrale peut être remplacée par des sièges « capitaines » qui vous feront accepter volontiers d'être assis à l'arrière. Le dégagement pour la tête et les pieds s'avère suffisant, et l'accès aux places arrière est facilité par les deux portes latérales coulissantes de série. Les sièges capitaines gênent bien un peu le passage vers la banquette du fond, mais c'est sans grande conséquence, sinon qu'il faut vous souvenir de ne pas y envoyer mémé sans un scout pour l'assister.

Vos passagers ne devraient donc pas avoir de mal à trouver la quiétude, sinon le sommeil, d'autant que l'aménagement intérieur n'a rien pour

| CARACTÉRISTIQUES | |
|---|---|
| **Prix du modèle à l'essai** | LE 32 985 $ |
| **Échelle de prix** | de 29 335 à 40 245 $ |
| **Assurances** | 860 $ |
| **Garanties** | 3 ans 60 000 km / 5 ans 100 000 km |
| **Emp. / Long. / Larg. / Haut. (cm)** | 290 / 493 / 186,5 / 170 |
| **Poids** | 1 780 kg |
| **Coffre / Réservoir** | de 507 à 4 057 litres / 79 litres |
| **Coussins de sécurité** | frontaux (latéraux opt.) |
| **Suspension avant** | indépendante, jambes MacPherson |

| | |
|---|---|
| **Suspension arrière** | essieu rigide, poutre déformante |
| **Freins av. / arr.** | disque / tambour, ABS |
| **Système antipatinage** | oui (XLE Limited) |
| **Direction** | à crémaillère, assistance variable |
| **Diamètre de braquage** | 12,2 mètres |
| **Pneus av. / arr.** | P215/70R15 |

| MOTORISATION ET PERFORMANCES | |
|---|---|
| **Moteur** | V6 3 litres 24 soupapes |
| **Transmission** | traction, automatique 4 rapports |
| **Puissance** | 210 ch à 5 800 tr/min |

| | |
|---|---|
| **Couple** | 220 lb-pi à 4 400 tr/min |
| **Autre(s) moteur(s)** | aucun |
| **Autre(s) transmission(s)** | aucune |
| **Accélération 0-100 km/h** | 11 secondes |
| **Reprises 80-120 km/h** | 8,1 secondes |
| **Vitesse maximale** | 180 km/h |
| **Freinage 100-0 km/h** | 42,4 mètres |
| **Consommation (100 km)** | 12,7 litres (ordinaire) |

| | |
|---|---|
| • **Valeur de revente** | excellente |
| • **Renouvellement du modèle** | début 2004 |

La CE, dont le prix de départ paraît abordable, n'offre à toutes fins utiles que le climatiseur comme commodité. Il faut compter 1 300 $ supplémentaires pour obtenir le groupe d'options Valeur donnant droit à des accessoires tels que le régulateur de vitesse et l'assistance électrique aux glaces et verrous. La Sienna LE adjoint à ces équipements les rétroviseurs chauffants, les pare-chocs et moulures de couleur assortie (quand même !), un revêtement de meilleure qualité pour les sièges, ainsi que plusieurs petits agréments.

éveiller les sens : des lignes, des formes et des couleurs conservatrices, au goût du jour, qui rassurent sans heurter le regard. L'excellente finition fait presque oublier que les matériaux n'ont pas tous l'apparence qu'on souhaiterait pour un véhicule d'un tel prix. La planche de bord est sobre et fonctionnelle, hormis la radio qui repose quasiment au plancher. Les espaces de rangement sont nombreux, et les vide-poches (portières avant) et aumônières (au dossier des baquets) ont bonne contenance.

### Puissance et confort

Le point fort de la Sienna se trouve sans conteste sous le capot : un moderne V6 3 litres de 210 chevaux. Il procure des accélérations toniques, et la linéarité de son couple vous assure de disposer des réserves de puissance nécessaires pour affronter toutes les situations. Dans l'habitacle, c'est à peine si l'on entend son murmure. Tout aussi discrète, la boîte automatique à 4 rapports opère avec grande efficacité.

La Sienna repose sur le précédent châssis de la Camry, une caisse reconnue pour sa rigidité qu'on a aussi utilisée pour l'utilitaire Highlander et la Lexus ES 300. Mais un véhicule au poids et au centre de gravité plus élevés ne peut se comporter comme s'il était une berline. La Sienna penche davantage dans les courbes et répond plus abruptement aux changements soudains de direction. Les suspensions n'aident pas vraiment sa cause, car elles sont trop nettement ajustées en fonction du confort. Sur autoroute, en contrepartie, on s'y sent comme sur un billard. Même la direction,

engourdie et peu communicative, semble conçue pour isoler des sensations de la route !

La Sienna ne propose pas de traction intégrale comme ses rivales de chez GM ou Chrysler, mais la version haut de gamme XLE Limited avec sellerie en cuir dispose d'un antipatinage, d'un dispositif de contrôle du dérapage permettant de corriger le sous-virage et le survirage, ainsi que d'un répartiteur électronique de freinage. À quelque 46 000 $ avec taxes, c'est tout de même fort payé pour accéder à des équipements qui relèvent davantage de la sécurité que du luxe. L'ABS est toutefois de série, et le mordant des freins garantit de francs arrêts. Par ailleurs, la NHTSA lui accorde des scores parfaits pour la protection des occupants, sauf en cas d'impact latéral avant, évalué à 4 étoiles sur 5.

Elle semble donc un bon compromis, mais trois groupes d'options lui sont associés, de sorte que l'ajout de sièges capitaines (inclus dans le groupe Valeur), d'une portière coulissante assistée (LXE) ou des deux portières assistées (groupe LXE Limited) risque vite de faire exploser le budget initialement prévu.

La Camry ayant reçu une nouvelle caisse l'an dernier, on peut s'attendre que la Sienna soit, dès l'an prochain peut-être, l'objet d'une révision majeure, auquel cas l'écoulement des stocks pourrait donner lieu à des rabais. L'occasion serait alors belle de vous procurer une fourgonnette dont la conception manque sans doute d'originalité, mais qui inspire confiance par le sérieux de sa construction et sa durabilité.

*Jean-Georges Laliberté*

---

### MODÈLES CONCURRENTS

- Chevrolet Venture/Pontiac Montana
- Dodge Caravan • Ford Windstar
- Honda Odyssey • Kia Sedona • Mazda MPV

### QUOI DE NEUF ?

- Aucun changement majeur

### VERDICT

| | |
|---|---|
| Agrément de conduite | ★★★ |
| Fiabilité | ★★★★½ |
| Sécurité | ★★★★ |
| Qualités hivernales | ★★★ |
| Espace intérieur | ★★★★½ |
| Confort | ★★★★½ |

### ▲ POUR

- Moteur soyeux et puissant • Excellente finition
- Bon confort • Cotes de sécurité enviables
- Fiabilité Toyota

### ▼ CONTRE

- Apparence ennuyeuse • Conduite peu inspirante
- Suspension trop souple • Prix élevé
- Pas de version longue

# VOLKSWAGEN GOLF

# Du simple au plus que double

Quatrième génération de la berline construite dès 1974, la Golf (née Rabbit en Amérique du Nord) poursuit sa route et multiplie les variantes. Trois portes, cinq portes, sans oublier la Jetta – une Golf à trois volumes – et le Cabrio qui en est encore à sa 2ᵉ génération mais qui prend sa retraite cette année. Agrémentez le tout de quatre moteurs, de trois boîtes de vitesses, de divers réglages de suspension et de quelques aménagements intérieurs et vous aurez une image claire – façon de parler – de cette demoiselle de 30 ans.

Trente ans déjà ! Certes, ce n'est pas encore le record de longévité de son aïeule, la Beetle, mais la Golf tient le coup. D'ailleurs, à ce sujet, faisons-nous le porte-parole de ceux qui pensent que la Golf, dans sa forme actuelle, commence à faire vieillot et que le nouveau modèle prévu pour 2004 arrivera à point. Il y a aussi ce manque chronique de fiabilité qui commence à nuire à la réputation de la marque allemande.

Cela dit, place à l'essai de la version 1,8T, renouvelée l'an dernier avec l'adoption sous le capot du 4 cylindres turbo et 20 soupapes développant 180 chevaux, sans doute l'un des meilleurs 4 cylindres au monde. Souple, onctueux même, puissant à souhait, développant dès 1 950 tr/min le couple remarquable de 174 lb-pi, ce moteur est un véritable régal pour qui aime sentir qu'il se passe quelque chose lorsqu'on appuie sur le champignon. Quant à sa consommation, sans être championne de la catégo-

rie, elle bat celle du vétuste 2 litres proposé comme moteur de base. D'ailleurs, un conseil à ceux qui s'intéressent à la Golf: oubliez le 2 litres; il est plutôt nul. Si c'est l'économie que vous cherchez, optez pour le turbodiesel de la version TDi qui compense amplement ses maigres 90 chevaux par un couple de... cheval procurant des belles reprises en ville, un cheval d'ailleurs très frugal puisqu'il se contente de 6 petits litres de carburant aux 100 km.

Et si vous êtes allergique aux 4 cylindres (et vous avez tort), la Golf vous propose son V6 de 2,8 litres et 201 chevaux, avec sa boîte 6 vitesses. De quoi faire perdre la tuque à Monsieur lorsque Madame décidera de planter son pied droit au plancher. Mais vous voulez mon avis ? Non ? Vous l'aurez quand même : *too much* ! Oui, elle est *too much* la Golf catapultée par ce V6. Trop pour une petite traction,

## CARACTÉRISTIQUES

| | |
|---|---|
| Prix du modèle à l'essai | 1,8T automatique 29 535 $ |
| Échelle de prix | de 19 420 $ à 32 950 $ |
| Assurances | 820 $ |
| Garanties | 4 ans 80 000 km / 5 ans 100 000 km |
| Emp. / Long. / Larg. / Haut. (cm) | 251 / 415 / 173,5 / 144 |
| Poids | 1 330 kg |
| Coffre / Réservoir | 500 litres / 55 litres |
| Coussins de sécurité | frontaux, latéraux et plafond |
| Suspension avant | indépendante, jambes de force |
| Suspension arrière | indépendante, poutre déformante |
| Freins av. / arr. | disque, ABS |
| Système antipatinage | oui |
| Direction | à crémaillère, assistée |
| Diamètre de braquage | 10,7 mètres |
| Pneus av. / arr. | P205/55R16 |

## MOTORISATION ET PERFORMANCES

| | |
|---|---|
| Moteur | 4L 1,8 litre turbo |
| Transmission | traction, manuelle 5 rapports |
| Puissance | 180 ch à 5 500 tr/min |
| Couple | 174 lb-pi à 1 950 tr/min |
| Autre(s) moteur(s) | 4L 2 litres 115 ch; |
| | 4L 1,9 l TDI 90 ch; V6 2,8 l 201 ch |
| Autre(s) transmission(s) | man. 5 et 6 rapports (VR6 et 337) |
| Accélération 0-100 km/h | 8,8 secondes |
| Reprises 80-120 km/h | 6,75 secondes |
| Vitesse maximale | 200 km/h |
| Freinage 100-0 km/h | 43,3 mètres |
| Consommation (100 km) | 10,8 litres (super) |
| • Valeur de revente | bonne |
| • Renouvellement du modèle | 2004 |

joliment. Aussi bien que la Focus SVT, ce qui nous permet de deviner que la 337, avec son couple et ses chevaux, pourrait fort bien battre la remarquable SVT sur piste et – seul un autre match comparatif permettra de le confirmer – de prendre la première place sur le podium. Sachez en tout cas que notre chrono a enregistré 7,9 et 6,4 secondes pour le 0 à 100 km/h et le 80 à 120 km/h (en 4e) respectivement.

Très solidement campée sur ses suspensions abaissées (groupe Sport de la GTI) auxquelles s'accrochent les belles jantes BBS de 18 pouces chaussées d'impres-

trop sur les roues avant qui souffrent le martyre à chaque virage serré, trop au point de gâcher le plaisir de la conduite sportive, car qui dit conduite sportive, dit aussi équilibre et la Golf V6, malgré ses grosses godasses, brise ce délicat équilibre qui fait le charme d'une petite voiture bien née. Voilà pour les moteurs. Ajoutons que si la boîte manuelle à 5 vitesses est proposée de série avec tous les moteurs, la V6 vous est livrée avec une boîte à 6 vitesses et il existe évidemment l'option de la boîte automatique à 4 rapports.

### Petite bourgeoise

Comme vous pouvez le lire dans le match comparatif des minis, si la Golf 1,8T brille par son moteur, son comportement routier est plus proche de celui d'une petite berline bourgeoise. Non pas que ce soit mauvais, puisque confort et civilité sont des qualités appréciables et appréciées de la majorité des automobilistes. Même tendance pour l'aménagement intérieur où la qualité des matériaux et de la finition comptent parmi les atouts de la Golf. Notons en particulier la présence dans tous les modèles d'un volant réglable en hauteur et en profondeur, ce qui n'empêche cependant pas les petites erreurs d'ergonomie que sont la position basse de la radio et des commandes de chauffage/climatisation et la présence de la détestable molette pour le réglage des dossiers.

En somme, une gamme riche, allant du simple (diesel, 90 chevaux) au plus que double (V6, 201 chevaux), de l'ultra économique au redoutable.

### Dommage !

Dommage, en effet, que la Golf GTI Édition 337, qui célèbre les 25 ans (européens) de la GTI ne soit pas arrivée plus tôt pour nous permettre de l'inclure dans notre comparatif des minibombes. Car l'ultime Golf, c'est bien cette 337 dont seulement 1 750 exemplaires seront livrés en Amérique du Nord. Une Golf triturée par les préparateurs (*tuners,* si vous préférez l'*english*) pour en faire une très sérieuse candidate au podium des GTI.

Si le moteur est identique à celui de la 1,8T, les suspensions sont sérieusement revues, les freins aussi et l'habitacle bénéficie de superbes – et superbement confortables – baquets Recaro, le tout animé par la boîte à 6 vitesses. Mes amis, ça déménage ! Et tenez bien votre tuque, car avec des disques ventilés de 300 mm à l'avant et de 255 mm à l'arrière, ça freine

sionnants Michelin Pilot de 225/40R18Z, la 337 colle à la route de façon spectaculaire sans toutefois vous faire claquer des dents. Et ce, malgré l'avertissement servi dans la documentation de VW qui vous prévient que les roues et les pneus à taille ultrabasse n'aiment pas les nids-de-poule ni les chaussées enneigées… Remercions donc le ciel que le Programme des infrastructures se traduise ces jours-ci par la réfection de quelques-unes de nos célèbres routes !

Remercions aussi VW d'avoir, en voulant donner la réplique à la Mini Cooper S et à ses acolytes, renoué avec l'esprit des premières GTI. Vous voyez bien que c'était possible – pour un petit 32 900 $ !

*Alain Raymond*

---

### MODÈLES CONCURRENTS

- *Dodge SX* • *Ford Focus* • *Honda Civic*
- *Mazda Protegé* • *Toyota Corolla*

### QUOI DE NEUF ?

- *Version GTI 337*

### VERDICT

| | |
|---|---|
| Agrément de conduite | ★★★★ |
| Fiabilité | ★★★ |
| Sécurité | ★★★★⯪ |
| Qualités hivernales | ★★★★ |
| Espace intérieur | ★★★⯪ |
| Confort | ★★★⯪ |

### ▲ POUR

- Moteur 1,8T performant • Faible consommation (TDI) • Qualité des matériaux • Bonne sécurité passive

### ▼ CONTRE

- Fiabilité perfectible • Sous-virage prononcé (sauf 337) • Accès difficile aux places arrière (3 portes) • Moteur 2 litres non recommandé • Prix élevés

# *Oui et non*

**Nul besoin d'être un phénix des études de marché pour se rendre compte que la Jetta est la plus populaire de toutes les Volkswagen vendues en Amérique. Un simple coup d'œil aux voitures circulant sur nos routes démontre assez clairement que cette Golf qui a du coffre connaît également un énorme succès chez nous depuis son apparition sur le marché en 1999. Toutefois, si la Jetta plaît par ses lignes trapues et son comportement routier bien aiguisé, sa qualité de construction assez inégale ne fait pas que des heureux.**

Les Québécois auraient-ils une affection particulière pour la roulette russe ? C'est la question que l'on peut se poser en constatant la popularité dont jouit cette Volkswagen auprès des automobilistes de *la belle province*. Car, si la Jetta est superbe à plusieurs points de vue, sa fiabilité n'est pas de tout repos. Un problème assez généralisé est celui des baguettes décoratives placées sur le montant central qui ont tendance à rouiller. Certains autres ennuis,

(indicateur de vitesse défectueux dans une GLI mise à L'essai) tendent à démontrer que la qualité d'assemblage de l'usine mexicaine de Puebla a connu un relâchement ces derniers temps. La bonne nouvelle, c'est que la garantie VW s'étend maintenant jusqu'à 80 000 km.

Cela dit, l'essai d'un modèle 1,8T à boîte de vitesses manuelle à 5 rapports m'a permis de rafraîchir mes impressions de conduite de cette Jetta. C'est, de loin, le modèle le plus intéressant d'une

gamme qui propose un choix de quatre moteurs différents. L'ancien 4 cylindres 2 litres de 115 chevaux est toujours au catalogue où il fait figure d'antiquité. Les conducteurs économes lui préféreront le TDI, un turbodiesel de 1,9 litre qui fait oublier sa faible puissance par un couple supérieur à celui du quatre cylindres à essence et surtout par une consommation hyperéconomique de 6 litres aux 100 km. Pour ce qui est du VR6, il affiche désormais une puissance de 201 chevaux et il n'est offert que dans la berline GLI (30 950 $) accompagné d'une boîte de vitesses manuelle à 6 rapports, d'un système de contrôle de la stabilité, d'une suspension sport et de quelques artifices visuels. Quant au 1,8 litre turbo, il a été bonifié de 30 chevaux l'an dernier et il en compte maintenant 180. Précisons qu'une transmission automatique

## CARACTÉRISTIQUES

| | |
|---|---|
| **Prix du modèle à l'essai** | berline GLS 1.8T 26 370 $ |
| **Échelle de prix** | de 24 260 à 37 890 $ |
| **Assurances** | 852 $ |
| **Garanties** | 4 ans 80 000 km / 5 ans 100 000 km |
| **Emp. / Long. / Larg. / Haut. (cm)** | 251 / 438 / 173,5 / 144 |
| **Poids** | 1378 kg |
| **Coffre / Réservoir** | 455 litres / 55 litres |
| **Coussins de sécurité** | frontaux et latéraux |
| **Suspension avant** | jambes de force MacPherson |
| **Suspension arrière** | ess. semi-rigide poutre de torsion |
| **Freins av. / arr.** | disque, ABS |
| **Système antipatinage** | oui |
| **Direction** | à crémaillère, assistée |
| **Diamètre de braquage** | 10,9 mètres |
| **Pneus av. / arr.** | P195/65R15 |

## MOTORISATION ET PERFORMANCES

| | |
|---|---|
| **Moteur** | 4L 1,8 litre turbo |
| **Transmission** | traction, manuelle 5 rapports |
| **Puissance** | 180 ch à 5500 tr/min |
| **Couple** | 174 lb-pi 1950 à 5000 tr/min |
| **Autre(s) moteur(s)** | 4L 1,9 litre TDI 90 ch; V6 2,8 litres 201 ch; 4L 2 litres 115 ch |
| **Autre(s) transmission(s)** | auto. 4 ou 5 rapports; man 6 rap. |
| **Accélération 0-100 km/h** | 7,9 secondes |
| **Reprises 80-120 km/h** | 7,2 secondes; 6,4 s (GLI) |
| **Vitesse maximale** | 210 km/h |
| **Freinage 100-0 km/h** | 42,7 mètres |
| **Consommation (100 km)** | 8,6 litres (super) |
| • Valeur de revente | bonne |
| • Renouvellement du modèle | 2004 |

porte-verres. Avec la sellerie en cuir, la Jetta se donne des airs de voiture de luxe et les contre-portes dotées d'un immense accoudoir sont particulièrement imposantes. Pour justifier son prix assez élevé, elle est dotée de coussins gonflables frontaux et latéraux, mais il faudra payer un supplément pour bénéficier du système d'écrans gonflables destinés à protéger la tête des occupants avant et arrière.

Cette Volkswagen attire surtout les jeunes couples avec des enfants en bas âge qui sauront s'accommoder du peu d'espace que l'on trouve aux places

à 5 rapports avec mode Tiptronic est aussi offerte avec le 1,8T et le VR6 alors que les autres modèles doivent se contenter d'une automatique ordinaire à 4 rapports.

### Plein les bras

Comme on pouvait le craindre, tous ces chevaux ne font pas très bon ménage avec la traction et l'effet de couple dans le volant est assez prononcé. Il est également difficile de profiter pleinement du moteur pour réaliser des départs en flèche, car l'antipatinage a tendance à faire caler le moteur. Et si jamais on décide de le débrancher, on en sera quitte pour faire du surplace dans un nuage de fumée blanche. Malgré tout, les 100 km/h s'inscrivent sur l'indicateur de vitesse dans les 8 secondes suivant un départ arrêté (7,6 s avec la GLI) et les reprises en 4e facilitent les dépassements.

Le grand plaisir de conduire une Jetta réside dans sa tenue de route typique des voitures allemandes. Dans les virages abordés avec un certain élan, le roulis est réduit à son strict minimum et l'on se sent parfaitement maître de la situation. L'antipatinage devient ici un précieux allié puisqu'il réduit sensiblement le sous-virage lorsque la limite d'adhérence a été atteinte. Un des atouts de la voiture au chapitre du comportement routier est sans contredit sa direction précise qui donne toujours une bonne impression de contact avec le revêtement. Toutefois, certains se plaindront sans doute que le volant est trop souvent agité par les trous ou les bosses que les roues directrices rencontrent sur leur passage. En échange d'une tenue de route au-dessus de la moyenne, il faut aussi accepter un amortissement beaucoup plus ferme que ce que l'on trouve par exemple dans une voiture japonaise. Il arrive

que la suspension réagisse de façon un peu brutale aux imperfections de la chaussée tout en étant à l'origine de quelques bruits de caisse, d'autant plus surprenants dans notre voiture d'essai que celle-ci n'avait parcouru que 7 500 km. Si vous circulez principalement sur des routes en mauvais état, abstenez-vous d'opter pour la suspension sport qui ne fera qu'empirer la situation.

### À l'étroit

Les sièges sont fermement rembourrés et confortables, mais malgré la présence de trois réglages manuels (hauteur, profondeur et inclinaison du dossier), il n'est pas facile de trouver une bonne position de conduite. Fort heureusement, le volant peut être ajusté dans les deux sens. Malgré sa simplicité, le tableau de bord est bien conçu, à l'exception sans doute de l'emplacement du

arrière. Le dégagement pour les jambes est convenable, mais celui pour la tête est totalement insuffisant et cela même pour des adultes de taille moyenne. Par contre, la Jetta est sans doute la voiture qui possède le plus grand coffre à bagages par rapport à ses dimensions extérieures. D'un volume de 455 litres, il est même presque aussi grand que celui de la Passat qui est pourtant un modèle de catégorie supérieure. Et en rabattant le dossier de la banquette arrière, sa capacité passe à 785 litres.

Recommander l'achat d'une Jetta est un couteau à deux tranchants. C'est une petite voiture immensément sympathique et plutôt agréable à conduire dans sa version 1,8T. Par contre, même si des milliers d'utilisateurs ont le sourire aux lèvres, la fiabilité de ces voitures allemandes est loin d'être exemplaire.

*Jacques Duval*

---

### MODÈLES CONCURRENTS

• Acura 1,7EL • Chrysler PT Cruiser • Ford Focus
• Honda Civic • Mazda Protegé • Subaru Impreza
• Toyota Corolla

### QUOI DE NEUF ?

• Version familiale • GLS VR6 discontinué
• Système de stabilité optionnel • Nouvelles jantes
(Delta SoleQ/Bugatti)

### VERDICT

| | |
|---|---|
| Agrément de conduite | ★★★⯪ |
| Fiabilité | ★★⯪ |
| Sécurité | ★★★★ |
| Qualités hivernales | ★★★⯪ |
| Espace intérieur | ★★★ |
| Confort | ★★★⯪ |

### ▲ POUR

• Excellent moteur (1,8 litre) • Tenue de route rassurante • Familiale réussie • Immense coffre • Bonne visibilité • Garantie apaisante

### ▼ CONTRE

• Effet de couple dans le volant (1,8T)
• Moteur 2 litres anémique • Qualité de construction inégale • Habitabilité réduite • Suspension ferme

# Rentrée dans le rang

**Cinq ans se sont écoulés depuis le lancement spectaculaire de la New Beetle au Salon de l'auto de Detroit. L'engouement qui a marqué ses débuts fait maintenant place à l'indifférence. Pour relancer l'intérêt autour de ce modèle, Volkswagen lance enfin cette année la version cabriolet dont on parlait déjà depuis quelques années.**

Quant à la New Beetle ordinaire, elle poursuit sa route sans faire de bruit. Comme si la voiture se dirigeait tout droit vers une retraite anticipée, tel que bon nombre d'observateurs l'avaient d'ailleurs prévu au moment de son introduction. Pour maintenir un certain niveau de popularité, le constructeur allemand s'est appliqué à ajouter au catalogue des groupes d'options. Avec le retrait de la GL, la New Beetle se décline cette année en versions GLS et GLX. Cette dernière est animée par le moteur turbo de 1,8 litre qu'elle partage avec d'autres modèles du groupe Volkswagen, dont la GTi.

## Gonflée aux stéroïdes

Cette GLX procure de vives sensations, dignes de certaines sportives, grâce à ses 150 chevaux bien sonnés. Ce 4 cylindres tend à donner un second souffle à une voiture qui mise principalement sur son look. La question est maintenant de savoir si la présence de cette GLX au sein de la gamme est vraiment justifiée.

Il ne faut pas se le cacher, cette New Beetle gonflée aux stéroïdes est aussi performante sinon plus que la GTi. On est loin, vraiment loin de la vocation première de la New Beetle !

Le bloc-moteur se voit confier le dispositif de « distribution variable à l'admission ». S'il n'élimine pas le fameux temps de réponse du turbo, le système rend le moteur moins anémique sous la barre des 2 000 tr/min.

Après quoi, gardez vos deux mains sur le volant, car ça bouge et très vite. Plus lourde que la Golf GTi (de 50 kilos), la New Beetle GLX s'offre pourtant des accélérations plus soutenues que sa cousine et des reprises comparables, on ne blague pas, à celles d'une Acura RSX. Pour optimiser son rendement, les roues de 17 pouces (option) chaussées de pneus à profil bas compléteront l'ensemble. À la facture déjà salée, il faudra ajouter quelques centaines de dollars pour profiter, en

### CARACTÉRISTIQUES

| | |
|---|---|
| **Prix du modèle à l'essai** | GLX 1,8 T 30 650 $ |
| **Échelle de prix** | de 23 210 à 31 300 $ |
| **Assurances** | 864 $ |
| **Garanties** | 4 ans 80 000 km / 5 ans 100 000 km |
| **Emp. / Long. / Larg. / Haut. (cm)** | 251 / 409 / 172 / 150 |
| **Poids** | 1 340 kg |
| **Coffre / Réservoir** | 300 litres / 55 litres |
| **Coussins de sécurité** | frontaux et latéraux |
| **Suspension avant** | indépendante, jambe de force |
| **Suspension arrière** | semi-ind., essieu déformant |
| **Freins av. / arr.** | disque, ABS |
| **Système antipatinage** | oui |
| **Direction** | à crémaillère, assistée |
| **Diamètre de braquage** | 10,9 mètres |
| **Pneus av. / arr.** | P225/45HR17 |

### MOTORISATION ET PERFORMANCES

| | |
|---|---|
| **Moteur** | 4L 1,8 litre DACT 20 soupapes |
| **Transmission** | traction, manuelle 5 rapports |
| **Puissance** | 150 ch à 5800 tr/min |
| **Couple** | 162 lb-pi à 2 200 tr/min |
| **Autre(s) moteur(s)** | 4L 2 l 115 ch; |
| | 4L 1,9 l turbo diesel 90 ch |
| **Autre(s) transmission(s)** | automatique 4 rapports |
| **Accélération 0-100 km/h** | 7,9 s ; 11,3 s (2 litres) |
| **Reprises 80-120 km/h** | 7,5 secondes (4e) |
| **Vitesse maximale** | 200 km/h |
| **Freinage 100-0 km/h** | 41 mètres |
| **Consommation (100 km)** | 10,8 l ; 8,5 l (2 l) (ordinaire) |
| **• Valeur de revente** | excellente |
| **• Renouvellement du modèle** | n.d. |

teuils d'une qualité tout aussi douteuse. Sièges qui, pour ce qui est du confort, méritent une bonne note, si ce n'était de cette fichue roulette pour l'inclinaison du dossier. Une manette qu'on souhaite voir disparaître une fois pour toutes chez Volkswagen.

### Et maintenant la cabriolet !

D'ici quelques semaines, la gamme New Beetle comptera une nouvelle venue pour le moins très attendue. La version cabriolet, dont l'arrivée a été maintes et maintes fois retardée, doit finalement

nouveauté cette année, de l'antidérapage (ESP) qui viendra corriger le manque d'adhérence de la voiture sur chaussée mouillée.

Volkswagen a aussi prévu un aileron (aménagé sur la partie supérieure de la lunette arrière) pour augmenter la stabilité. Conçu a priori pour les *autobahnen* en Allemagne où aucune limite de vitesse n'est prescrite, ce béquet ne se déploie qu'à la vitesse de 150 km/h.

On a toutefois prévu un interrupteur pour l'actionner à tout moment. Malgré cet appui, la New Beetle est toujours sensible au vent latéral. Les formes inhabituelles de sa carrosserie y sont sûrement pour quelque chose.

Rendons à César ce qui appartient à César: ingénieux, ce mécanisme qui ferme automatiquement le toit ouvrant à une certaine vitesse, pour ne pas nuire à l'aérodynamique. BMW aurait sûrement intérêt à exploiter cette caractéristique dans le cas de la MINI et de son toit ouvrant panoramique. À proscrire complètement à haute vitesse, on vous le dit.

La New Beetle GLS compte, quant à elle, un moteur 2 litres décevant à tous égards, pour ne pas dire complètement démodé. Dans ces conditions, mieux vaut se rabattre sur la version TDi.

### Une cabine exiguë

En jouant la carte de l'originalité, Volkswagen a complètement sacrifié l'aspect pratique. Les constructeurs allemands sont habiles à faire revivre des vedettes du passé, mais ils sont atteints du même malaise. Pensez à la nouvelle MINI. Pas fort non plus. Pour la polyvalence, on repassera.

Les places arrière de la New Beetle sont symboliques, tout autant que le coffre. On oserait même dire que la voiture est conçue pour deux personnes. Comme dans un menu de restaurant chinois. Un numéro 1 pour 2… Et le petit pot à fleurs à la place du biscuit !

Quant à l'ergonomie, aussi bien de pas en parler. La New Beetle est un exemple… à ne pas suivre. Malgré la large surface vitrée du véhicule, la visibilité est loin d'être parfaite. Les montants courbés et bien avancés sont en grande partie responsables de ce défaut auquel on est incapable de s'habituer.

Le soin apporté aux matériaux est encore et toujours un point d'interrogation. Assemblée au Mexique, la New Beetle dégage une impression de « bon marché » qui, à la longue, risque de vous rattraper. Et cela peut également s'appliquer au tissu des fau-

être là en novembre. Cela signifiera d'ailleurs la fin de la Golf cabrio.

Élaboré avec la collaboration du spécialiste Karman, un partenaire de longue date de VW, la cabriolet donnera un nouvel élan à une voiture en mal de publicité. Selon toute vraisemblance et contrairement à la Golf, la New Beetle cabriolet sera dépourvue d'arceau de sécurité. Doté d'une capote en toile, à commande manuelle ou électrique, ce cabriolet signifie un vrai retour aux sources pour l'ancêtre de la New Beetle. À ces modèles décapotables qui, encore aujourd'hui, sont considérés comme des pièces de collection fort convoitées.

*Louis Butcher*

---

### MODÈLES CONCURRENTS

- *Acura RSX* • *Chrysler PT Cruiser* • *Honda Civic Si*
- *MINI Cooper* • *Mitsubishi Eclipse*

### QUOI DE NEUF ?

- *Dispositif antidérapage (ESP) disponible*
- *Nouvelles couleurs*
- *Modèle cabriolet*

### VERDICT

| | |
|---|---|
| **Agrément de conduite** | ★★★★ |
| **Fiabilité** | ★★★ |
| **Sécurité** | ★★★★ |
| **Qualités hivernales** | ★★★★ |
| **Espace intérieur** | ★★ |
| **Confort** | ★★★★ |

### ▲ POUR

- Performances étincelantes • Tenue de route saine
- Silhouette originale • Freins efficaces
- Sièges avant confortables

### ▼ CONTRE

- Ergonomie misérable • Visibilité limitée
- Prix élevé • Habitabilité restreinte
- Sensibilité au vent latéral

# VOLKSWAGEN PASSAT / W8

COUP DE CŒUR

# La Passat du riche !

**La Passat est la voiture dont Volkswagen s'est servie pour s'immiscer dans le club plutôt sélect des véhicules de luxe. Tandis que la Golf et la Jetta s'attiraient les faveurs d'une clientèle toujours à la recherche des valeurs traditionnelles de la marque, la Passat prenait du galon. L'arrivée de la version 4Motion à plus de 40 000 $ à la fin des années 90 marquait une première étape dans l'escalade de ce modèle. Cette année, l'opération est parachevée avec la commercialisation du W8 dont le prix de vente frôle les 55 000 $. Et c'est de la petite bière par rapport à la nouvelle Phaeton dont le prix rivalise avec celui des Mercedes.**

C ette Passat pour riches est pratiquement dans une classe à part. Elle est en effet la seule berline allemande à moteur 8 cylindres vendue pour moins de 60 000 $. Ce qui lui permet de faire la nique à plusieurs modèles vendus au même prix, mais équipés d'un moteur 6 cylindres. Et comme le soulignait un concessionnaire de la marque, à ce prix, la W8 fait paraître la Passat à

moteur 1,8T comme l'aubaine du siècle ou presque à 30 000 $.

Mais revenons à la W8. En premier lieu, son moteur est unique en son genre. Comme la Passat n'a pas été initialement conçue pour insérer un moteur V8 longitudinal sous le capot, les ingénieurs ont joué d'astuce en reliant deux moteurs V4 à un angle de 72°. Il en résulte un moteur plus court dont les cylindres sont disposés en « W » et non pas en

V comme le veut la tradition. Cette approche devrait théoriquement générer d'importantes vibrations. Mais la présence de deux arbres d'équilibrage de vilebrequin qui tournent au double du régime du moteur permet d'éliminer ces vibrations. De plus, le fait d'avoir choisi deux arbres à cames en tête par rangée de cylindre assure une meilleure souplesse. Pour mieux répartir les 270 chevaux ainsi obtenus, la transmission intégrale 4Motion est de série. Les premiers W8 sur le marché ont été livrés avec une boîte automatique Tiptronic à 5 rapports, mais une boîte manuelle à 6 vitesses sera également offerte. Et si cela ne vous suffit pas, l'option Ensemble sport permettra d'avoir une suspension plus ferme et des roues de 17 pouces. Parmi les autres caractéristiques techniques, tous les modèles W8 ont des freins ventilés à l'avant comme à l'arrière.

**POUR TOUT SAVOIR**

| CARACTÉRISTIQUES | |
|---|---|
| Prix du modèle à l'essai | berline W8 53 400 $ |
| Échelle de prix | de 29 550 $ à 54 575 $ |
| Assurances | 728 $ |
| Garanties | 4 ans 80 000 km / 5 ans 100 000 km |
| Emp. / Long. / Larg. / Haut. (cm) | 270 / 470 / 175 / 146 |
| Poids | 1 720 kg |
| Coffre / Réservoir | 400 litres / 80 litres |
| Coussins de sécurité | frontaux, latéraux et tête |
| Suspension avant | indépendante, leviers triangulés |
| Suspension arrière | indépendante, ressorts hélicoïdaux |
| Freins av. / arr. | disque, ABS |
| Système antipatinage | oui |
| Direction | à crémaillère, assistance variable |
| Diamètre de braquage | 11,5 mètres |
| Pneus av. / arr. | P225/45R17 |

| MOTORISATION ET PERFORMANCES | |
|---|---|
| Moteur | W8 4 litres |
| Transmission | intégrale 4Matic, auto. 5 rapports |
| Puissance | 270 ch à 6 000 tr/min |
| Couple | 278 lb-pi à 2 750 tr/min |
| Autre(s) moteur(s) | 4L 1,8 Turbo; V6 2,8 l 190 ch |
| Autre(s) transmission(s) | manuelle 5 rapports (autres modèles que W8) |
| Accélération 0-100 km/h | 8,2 s ; 9,5 s (V6) |
| Reprises 80-120 km/h | 6,5 secondes |
| Vitesse maximale | 250 km/h |
| Freinage 100-0 km/h | 41 mètres |
| Consommation (100 km) | 14 litres (super) |
| • Valeur de revente | nouveau modèle |
| • Renouvellement du modèle | n.d. |

tème Tiptronic qui permet de profiter davantage des 270 chevaux.

Avec ce modèle W8, Volkswagen se met dans une position d'exception, cette voiture étant dans une catégorie à part. Et il est certain qu'une familiale Passat W8 équipée du groupe Sport et de la boîte manuelle à 6 rapports est un produit hors du commun.

### Et les autres ?

Si ce modèle de haut de gamme se trouve sous le feu des projecteurs, il ne faut pas non plus oublier

## Discrétion assurée

Une chose est certaine, les acheteurs de la W8 ne le feront pas par souci d'épater la galerie. Cette berline est en tout point semblable à la version GLX à l'exception de l'écusson W8 placé sur la grille de calandre et le rebord du couvercle du coffre à bagages. Le seul autre indice visuel est la présence de quatre tuyaux d'échappement à embout chromé. La présentation de l'habitacle est également semblable à celle de la GLX avec sa console centrale garnie d'une applique en bois, les sièges en cuir et tous les autres éléments propres à ce modèle. À ce chapitre, soulignons la présence d'un climatiseur à contrôle électronique, d'un rétroviseur intérieur photochromique ainsi que de sièges à commandes électriques pour le conducteur et le passager.

La fiche technique de ce modèle de haut de gamme ainsi qu'un temps d'accélération de 8,2 secondes pour passer de 0 à 100 km/h nous portent à conclure qu'il s'agit d'une voiture très sportive. Pourtant, sa conduite nous transmet des sensations différentes. Tout est feutré, tout est en demi-tons. Initialement, on se croirait au volant d'une Audi A8 miniature. Le moteur possède toutefois une sonorité unique en son genre qui plaira à l'amateur de belles mécaniques. Son grognement à haut régime n'est pas aussi guttural que celui d'un V8, et plus sourd qu'un 5 cylindres en ligne poussé au maximum.

La suspension est souple pour une voiture de cette catégorie. Ce qui signifie que les longues randonnées sur les autoroutes sont un véritable enchantement. Cette voiture se conduit au doigt et

à l'œil peu importe la vitesse à laquelle vous roulez. L'insonorisation est excellente, la position de conduite sans reproche et les reprises sont incisives : il faut environ 6,5 secondes pour passer de 80 km/h à 120 km/h. C'est sur un tracé sinueux que l'on se rend compte que la Passat W8 est une voiture relativement lourde, puisque la berline pèse 1 772 kg et la familiale environ 100 kg de plus. Ajoutez à cette équation des amortisseurs plutôt mous et vous constatez que les transferts de masses sont importants en virage. La première courbe abordée à vive allure est prise avec assurance. Mais enlignez les virages serrés et la voiture se met à tanguer et perd de sa prestance. De plus, la boîte automatique est relativement paresseuse. Cela ne paraît pas sur la grandroute, mais en conduite plus sportive, mieux vaut bénéficier du temps de réaction plus rapide du sys-

le reste de la gamme. Selon nous, l'une des voitures les plus équilibrées sur le marché est le modèle équipé du moteur 4 cylindres 1,8 turbo dont les 180 chevaux sont tellement bien répartis dans la bande de puissance que c'est amplement suffisant. Certains vont s'opposer à cette affirmation, mais force est d'admettre que ce moteur est l'un des meilleurs sur le marché, toutes catégories confondues. En fait, la seule raison de commander une version équipée du moteur V6 2,8 litres de 190 chevaux est la volonté de bénéficier du rouage intégral 4Motion, en option avec le V6 .

La gamme Passat permet dorénavant de combler les attentes correspondant à presque tous les budgets dans cette catégorie.

*Denis Duquet*

---

## MODÈLES CONCURRENTS

• Audi A6 • BMW 330Xi • Jaguar S-Type • Mercedes-Benz C320 • Saab 9⁵ • Volvo S60 T5

## QUOI DE NEUF ?

• Nouveau modèle W8 • Roues 15 pouces sur GLS
• Groupe Sport sur W8

## VERDICT

| | |
|---|---|
| Agrément de conduite | ★★★★ |
| Fiabilité | nouveau modèle |
| Sécurité | ★★★★ |
| Qualités hivernales | ★★★★ |
| Espace intérieur | ★★★★ |
| Confort | ★★★★⯪ |

## ▲ POUR

• Moteur W8 sophistiqué • Tenue de route saine
• Rouage intégral • Équipement complet
• Version Sport

## ▼ CONTRE

• Prix élevé • Silhouette anonyme • Performances moyennes • Grand diamètre de braquage

COUP DE CŒUR

# *Le début d'une ère nouvelle*

**On en parlait depuis déjà quelques années, mais personne ne semblait prêter l'oreille, sans doute par scepticisme. Volkswagen, disait-on, allait partir à la conquête du marché des voitures de très grand luxe et tenter d'ébranler l'hégémonie de Mercedes-Benz et BMW dans cette catégorie fort sélecte. Or, c'est maintenant chose faite et l'arrivée de la toute nouvelle Phaeton (prononcez « féton ») marque le début d'une ère nouvelle pour une firme dont le nom rime plus souvent avec économie qu'avec prospérité.**

C hose certaine, le revenu et l'âge moyen des acheteurs de Volkswagen sont sur le point de faire un bond spectaculaire. Car, contrairement à Mercedes-Benz qui cherche à rajeunir sa clientèle avec des modèles de moins en moins chers, le créateur de la Coccinelle fait exactement l'inverse. Témoin, cette majestueuse limousine nommée Phaeton, un mot emprunté au vocabulaire automobile mais dans un sens différent de la définition qu'en donne le *Petit Robert* (voiture automobile découverte à deux ou quatre places). La Volkswagen des gens riches et célèbres est en effet une somptueuse berline à quatre ou cinq places dont le luxe, le confort et les performances n'ont rien à envier à une Mercedes S500 ou à une BMW 745i. Même son prix s'alignera sur celui de ses prestigieuses rivales et bien qu'il n'ait pas été déterminé au moment d'écrire ces lignes, on peut estimer que la Phaeton ne coûtera pas moins de 80 000 $ dans sa version de base et plus de 100 000 $ si l'on succombe aux nombreuses options qui seront offertes.

### Afficher ou non son statut social
Je devine tout de suite votre étonnement et je vois l'immense point d'interrogation qui se dessine dans vos pensées. Comment diable une compagnie reconnue pour ses produits bon marché pourra-t-elle vendre une voiture de 100 000 $ ? Sachez immédiatement que vous n'êtes pas le seul à vous poser cette question et que les quelques journalistes automobiles chevronnés qui m'accompagnaient en Allemagne lors de l'avant-première de la Phaeton ont tous émis les mêmes réserves. Et cela n'avait rien à voir avec la qualité du produit, mais plutôt avec l'idée préconçue que l'on se fait d'une Volkswagen. Bref, une Volks, ça impressionne moins le voisin qu'une Mercedes ou une BMW. Justement, c'est sur cette perception que mise VW pour vendre sa voiture de 100 000 $ en se basant sur le fait que beaucoup de riches Européens ne veulent pas étaler leur fortune en pleine rue. Le hic, c'est qu'en Amérique, on assiste au phénomène contraire et que la plupart des gens à l'aise veulent que tout le monde

sache qu'ils font partie du club des millionnaires. Dur d'afficher son statut social en roulant dans une voiture marquée du sigle VW. Mais laissons l'avenir décider du sort de la Phaeton et attardons-nous plutôt à ses principales caractéristiques.

### Un air de famille
Pour vous aider à mieux visualiser ce modèle, précisons qu'il n'est que très légèrement plus long qu'une Mercedes Classe S ou une 745i de BMW. Il les dépassera toutefois de plusieurs centimètres à l'arrivée de la version allongée de la Phaeton qui sera offerte un peu plus tard. La ligne est plutôt classique avec un capot avant surbaissé et un profil qui ne sont pas sans rappeler le style de la Passat. Si le poids de 2 tonnes et demie paraît élevé, il aurait pu l'être davantage n'eût été des ailes avant en matière plastique et des portières, du capot avant et du couvercle du coffre fait d'aluminium.

Sachant que VW est un fervent adepte du partage des châssis et des éléments mécaniques au sein de son portfolio de marques, la Phaeton reprend le moteur W12 utilisé dans l'Audi A8 ainsi que sa traction intégrale.

Il suffit de visiter l'usine où sont assemblées les Phaeton tout près du centre-ville de Dresde, la capitale de la Saxe dans l'est de l'Allemagne, pour se rendre compte qu'il s'agit d'une voiture à part que VW prend très au sérieux. Rien au monde ne se

système de traction intégrale 4Motion. Un V8 4,2 litres de 310 chevaux sera aussi proposé dans les Phaeton destinées au marché nord-américain. En Europe, l'acheteur peut opter pour un V6 de 3,2 litres ou encore un V10 TDI (voir essai du Touareg).

Le comportement routier est géré par une suspension pneumatique offrant deux niveaux de hauteur et quatre réglages d'amortissement: Confort, Base et Sport 1 ou 2. Le châssis, au dire de VW, offre une rigidité insurpassable dans sa catégorie et a été

compare en effet à cette chaîne de montage aménagée à proximité d'un jardin botanique dans le plus parfait respect de l'environnement. Construite au coût d'environ 300 millions de nos dollars, cette vaste usine «transparente» fait appel à 27 500 m² de verre afin de permettre aux acheteurs d'observer derrière les baies vitrées chacune des phases de la construction de leur voiture, dont une bonne partie est faite à la main. J'y ai passé plus de deux heures sans m'ennuyer une seule seconde tellement tout y est différent de ce que l'on a vu jusqu'à maintenant. Sur des parquets en érable canadien d'une propreté immaculée, des employés hautement spécialisés vêtus de blanc assemblent dans un silence troublant les divers éléments de la voiture. Pas une goutte d'huile, pas la moindre petite saleté en vue, pas un seul bruit de métal martelé. C'est le cénacle

qui voit naître le dernier chef-d'œuvre de l'ingénierie allemande. Car c'est bien la dernière référence en matière de luxe, de confort et de sécurité que Volkswagen compte proposer à sa nouvelle clientèle.

### Le rendez-vous de la haute technologie

La longue liste des technologies mises de l'avant dans la Phaeton commence sous le capot où loge un 12 cylindres en W constitué de deux VR6 disposés dans un angle de 15°, ce qui en fait un moteur très compact mesurant seulement 51,3 cm de longueur par 71 cm de largeur. Ce W12 de 6 litres à 48 soupapes développe 420 chevaux qui sont mis à profit par une boîte automatique à 5 rapports acheminant la puissance aux 4 roues motrices du

étudié pour se prêter à des vitesses allant jusqu'à 300 km/h, bien que la vitesse maximale soit limitée à 250 km/h. De telles vitesses sont freinées par des disques à étriers à double piston de 16 pouces à l'avant et 18 à l'arrière. Ajoutez à cela une monte pneumatique dans des dimensions pouvant aller jusqu'à 18 pouces et toute une batterie de systèmes d'assistance au conducteur à contrôle électronique et vous avez les ingrédients d'une grande routière bien élevée.

### Quatre places en option

La moins luxueuse des Phaeton est une cinq places, mais il existe une version quatre places optionnelle qui est sans doute moins logeable mais combien plus confortable pour les passagers arrière. Au lieu de la banquette traditionnelle, ceux-ci bénéficient

de sièges individuels séparés par une console sur-montée d'un petit écran servant à contrôler sépa-rément la climatisation à quatre zones. Les sièges pour leur part se prêtent à une dizaine de réglages différents. Tout, en somme, pour voyager en pre-mière classe. L'attention apportée aux moindres petits détails est inouïe. Ainsi, les articulations des accoudoirs à l'arrière sont en chrome massif tandis que les charnières du coffre à bagages en métal poli font partie de ce que l'on appelle a *conversation piece*. Ce même coffre, très vaste, s'ouvre en appuyant simplement sur le logo VW placé au milieu du couvercle. À l'avant, le conducteur n'est pas en reste ; son fauteuil personnel se règle sur 18 positions différentes tout en étant doté d'un ven-tilateur et d'un vibromasseur intégré. Et tout ce beau monde est protégé par huit coussins gonfla-bles. Le climatiseur a ceci de particulier qu'il réchauffe ou refroidit l'habitacle sans que l'on res-sente de courants d'air désagréables. Un contrôle de l'humidité prévient aussi la formation de buée

*L'usine d'assemblage de la Phaeton à Dresde avec ses parquets en érable canadien.*

POUR TOUT SAVOIR

### CARACTÉRISTIQUES

| | |
|---|---|
| **Prix du modèle à l'essai** | W12 95 000 $ (estimé) |
| **Échelle de prix** | de 80 000 $ à 105 000 $ (estimé) |
| **Assurances** | n.d. |
| **Garanties** | n.d. |
| **Emp. / Long. / Larg. / Haut. (cm)** | 288/505,5/190/145 |
| **Poids** | 2 319 kg |
| **Coffre / Réservoir** | 500 litres / 90 litres |
| **Coussins de sécurité** | frontaux, latéraux av./arr. et tête |
| **Suspension avant** | pneumatique, essieu à 4 bras |
| **Suspension arrière** | essieu à trapèze, indépendante |
| **Freins av./arr.** | disque ventilé ABS |
| **Système antipatinage** | oui |
| **Direction** | à crémaillère, assistance variable |
| **Diamètre de braquage** | 12 mètres |
| **Pneus av./arr.** | P235/50R18 |

### MOTORISATION ET PERFORMANCES

| | |
|---|---|
| **Moteur** | W12 6 litres 48 soupapes |
| **Transmission** | intégrale, automatique 5 rapports |
| **Puissance** | 420 ch à 6 000 tr/min |
| **Couple** | 406 lb-pi à 3 000 tr/min |
| **Autre(s) moteur(s)** | V8 4,2 litres (Europe) |
| | V6 3,2 l; V10 TDI 5 l (Europe) |
| **Autre(s) transmission(s)** | manuelle 6 rapports |
| **Accélération 0-100 km/h** | 6,8 secondes |
| **Reprises 80-120 km/h** | 5,5 secondes |
| **Vitesse maximale** | 250 km/h (limitée) |
| **Freinage 100-0 km/h** | n.d. |
| **Consommation (100 km)** | 18,5 litres (super) |
| **Niveau sonore** | n.d. |

est phénoménale, supérieure à mon avis à celle d'une Classe S ou d'une Série 7. La voiture n'a sans doute pas la maniabilité de cette dernière, mais son comportement routier ne décevra personne. Ce n'est vraiment qu'au moment d'un freinage d'urgence que la Phaeton avoue son embonpoint alors que le transfert de poids vers l'avant la fait piquer du nez plus que de raison. Comme quelques collègues, j'ai aussi noté quelques trépidations de la suspension sur certains revêtements, dont les fameux pavés belges.

sur le pare-brise. Au centre du tableau de bord, un écran de 7 pouces permet de visualiser les quelque 150 données du centre Infotainment, un ordinateur de bord capable de contrôler le système de navigation, la chaîne audio, les réglages de la suspension et que sais-je encore. Sans être un parangon de simplicité, ce module de commande est de loin moins complexe que ceux que l'on retrouve dans les grandes Mercedes et, surtout, dans la récente BMW 745.

Si l'emblème VW au milieu du volant tend à nous rappeler les modestes origines de la marque, la richesse de la finition a tôt fait de remettre les pendules à l'heure. Le bois, le cuir et les chromes (que l'acheteur peut agencer lui-même) soulignent avec bon goût le caractère particulier de la Volkswagen des aristocrates.

### Une page d'histoire

Les quelque 400 km parcourus au volant d'une Phaeton W12 entre Wolfsburg et Dresde en Allemagne m'ont donné l'occasion non seulement d'évaluer un nouveau modèle mais d'être le témoin privilégié d'un événement qui fera époque dans l'histoire de l'automobile. De prime abord, le défi considérable que constituait la création et la mise en marché d'un modèle de très haut de gamme semble avoir été surmonté de façon magistrale par Volkswagen. La Phaeton est une voiture bien née qui ne cache aucun défaut mineur ou majeur.

Son pédalier en métal et ses quatre sorties d'échappement donnent tout de suite le ton au tempérament sportif de la version W12. Les 420 chevaux

paraissent néanmoins un peu timides et le moteur a un petit côté rugueux à mi-régime, mais l'agrément de conduite ne s'en trouve pas diminué pour autant. Et pour une première fois, le mode manuel de la transmission automatique se fait agréable à utiliser grâce aux deux leviers (+ et -) disposés sur la colonne de direction juste sous le volant.

Les qualités marquantes de cette Phaeton se résument en deux mots: silence et stabilité. À 180 km/h sur l'*autobahn*, on peut causer sans élever la voix d'un octave tandis qu'à 250 km/h, on a vraiment l'impression de rouler à 130 tellement la voiture est rivée à la route. Bref, la tenue de cap

Les voitures essayées étaient cependant très jeunes et il faudra attendre l'arrivée des premières Phaeton chez nous avant de pouvoir poser un verdict définitif sur leurs qualités routières. Ce qu'il importe de retenir pour l'instant, c'est que le nom de Volkswagen ne sera jamais plus un synonyme de produits bon marché destinés à un public de masse. La grande question demeure toutefois de savoir si cette image n'est pas déjà trop enracinée dans la mémoire collective pour nuire au succès d'une VW de 100 000 $. La réponse appartient à la Phaeton.

*Jacques Duval*

---

### MODÈLES CONCURRENTS

• *Audi A8* • *BMW 745* • *Infiniti Q45* • *Lexus LS 430*
• *Mercedes-Benz SL500 4-Matic*

### VERDICT

| | |
|---|---|
| **Agrément de conduite** | ★★★★ |
| **Fiabilité** | *nouveau modèle* |
| **Sécurité** | ★★★★⯪ |
| **Qualités hivernales** | ★★★★⯪ |
| **Espace intérieur** | ★★★★⯪ |
| **Confort** | ★★★⯪ |

### ▲ POUR

• Qualité de construction soignée • Excellent comportement routier • Bonne habitabilité • Intérieur somptueux • Sécurité optimum

### ▼ CONTRE

• Rapport prix/prestige douteux • Poids considérable • Freinage très sollicité • Suspension quelquefois trépidante • Puissance peu apparente

# Est-ce trop, trop tard ?

**Proche cousin du Porsche Cayenne avec lequel il a partagé une longue période de gestation, le Volkswagen Touareg s'ajoutera dès l'an prochain à la longue liste des utilitaires sport proposés à une clientèle encore avide de ces véhicules pas toujours utiles et peu souvent sportifs. Ce nouveau venu se veut l'exception à la règle mais sa grande sophistication et son prix élevé combinés à son arrivée tardive ne risquent-ils pas de lui bloquer la route du succès ? En somme, n'est-ce pas trop, trop tard ?**

S'il est vrai que la planète Terre aurait très bien pu continuer à rouler sa bosse sans un autre véhicule utilitaire sport, Volkswagen, semble-t-il, ne pouvait plus s'en passer. Seul grand constructeur automobile mondial à être absent d'un segment qui représente 50 % du marché nord-américain, le géant de Wolfsburg se trouvait dans une situation délicate. Le Touareg 2004, qui sera mis en vente au cours de l'été 2003, vient donc colmater une immense brèche dans la gamme Volkswagen.

Avant de vous précipiter chez votre concessionnaire pour en réserver un, sachez que ce modèle n'est pas destiné à remplacer votre CR-V ou RAV4 dans votre entrée de garage. De par son alliance avec le Porsche Cayenne, il a hérité d'un statut haut de gamme qui le verra s'attaquer aux Mercedes ML, BMW X5 ou Volvo XC90, le petit dernier de cette cuvée. Plus ambitieuse, VW le voit même comme la parfaite solution intermédiaire entre un Range Rover et un X5. Après en avoir fait l'essai et avoir soigneusement examiné ses principales caractéristiques, on a un peu tendance à partager cette opinion.

## Un V10 TDI phénoménal

Ne serait-ce que sous le capot, le Touareg n'est pas à court d'arguments avec une panoplie de moteurs dont le plus impressionnant est sans aucun doute ce V10 TDI (diesel biturbo) de 5 litres doté d'un couple ahurissant de 553 lb-pi, rien de moins. Développant 313 chevaux, c'est aussi le plus puissant moteur diesel pour automobile au monde. Qui, dorénavant, pourra reprocher son manque d'ardeur à ce brûleur de gasole ? Et même si le Touareg est loin d'un poids plume, son V10 TDI signe une autre performance remarquable avec une consommation de 10 litres aux 100 km lui donnant une autonomie de 1000 km avec un seul réservoir de carburant. Le seul hic est que ce moteur, d'une logique désarmante pour ce type d'engin, ne sera offert que plusieurs mois après l'arrivée du véhicule en terre d'Amérique. Initialement, l'acheteur aura le choix entre un V6 3,2 litres de 220 chevaux ou un V8 4,2 litres de 310 chevaux

emprunté à Audi. Quant au quatrième moteur au programme, le W12 (voir VW Phaeton) de 420 chevaux, il n'est pas question pour l'instant qu'il soit inscrit au catalogue des options des versions nord-américaines.

Toute cette cavalerie pourra s'exprimer via une boîte de vitesses automatique dont les 6 rapports peuvent être enclenchés manuellement par des petits leviers de type F1 commodément placés sous le volant. Pour freiner une telle masse et de tels élans, le conducteur peut compter sur quatre freins à disque pincés par des étriers Brembo à 6 pistons à l'avant et 4 à l'arrière.

## À l'assaut du Sahara

La mise au point du Touareg a notamment conduit les essayeurs de chez Volkswagen dans le désert du Sahara et on raconte même que c'est dans cet environnement hostile propre au rallye Paris-Dakar que le véhicule a trouvé son nom. L'histoire veut que l'ancien PDG de la marque allemande, Ferdinand Piëch, soit tombé en panne avec l'un des prototypes et qu'il ait été rescapé par ces nomades du désert qu'on appelle les Touaregs. Quoi qu'il en soit, cet utilitaire sport n'est pas un simple petit 4X4 urbain, mais une redoutable machine à défier les embûches. À cette fin, il aligne d'impressionnantes coordonnées dont, bien sûr, une traction intégrale permanente répartissant la puissance égale-

### Un premier verdict

Je me garderai d'émettre une opinion définitive sur le Touareg compte tenu que ma brève expérience au volant du véhicule a été confinée au périmètre du Centre d'Essais de VW à Ehra Lessien, en Allemagne. Une chose est certaine cependant et c'est que le modèle à moteur TDI est de loin le plus intéressant. Il faut prêter l'oreille pour découvrir que c'est un diesel et les performances sont spectaculaires avec un 0-100 km/h réalisé en moins de 8 secondes. Avec, en prime, une remarquable

ment entre les deux essieux. À cet élément de base, il ajoute un embrayage multidisque à commande électronique travaillant en tandem avec l'antipatinage, un boîtier de transfert qu'on peut enclencher en roulant pour obtenir une gamme de vitesses courtes et pas moins de trois différentiels (central, arrière et avant) à blocage individuel, une caractéristique qu'il partage uniquement avec le G500 de Mercedes. On peut même diriger toute la puissance vers une seule roue en cas de besoin. Pour hausser la barre d'un autre cran, le Touareg est aussi doté d'une suspension pneumatique à hauteur variable offrant jusqu'à 30 cm de garde au sol tout en bénéficiant d'angles d'approche et de départ pouvant aller jusqu'à 34°. Les plus baroudeurs pour-

ront même opter pour un groupe 4X4 Extrême avec des performances hors route encore supérieures assurées par un contrôle de descente et de retenue en pente similaire à ce que l'on trouve dans le Range Rover. Sachant combien il est difficile de bien situer le braquage des roues avant sur des pistes boueuses, le conducteur n'aura qu'à consulter un petit écran au tableau de bord pour connaître la position exacte du volant.

Ajoutons, en vrac, quelques autres atouts du Touareg: suspension arrière indépendante, des roues de 17, 18 ou 19 pouces, six coussins gonflables, un capot en aluminium, des ailes en plastique résistant aux éraflures et une carrosserie de type monocoque.

économie, il faudrait être tombé sur la tête pour choisir un autre moteur et il faut espérer que VW accélérera le processus de sa commercialisation chez nous. Ce TDI est même plus silencieux que le V8 qui m'a semblé être le groupe propulseur le moins bien adapté au Touareg. Je lui préférerais de loin le V6, tout de même assez performant (0-100 km en 9,5 secondes) et plus agile. Loin des pistes asphaltées, cet utilitaire sport n'est peut-être pas aussi entreprenant que le Range Rover, mais il n'en est pas loin. Peu expérimenté comme pilote de brousse, je n'ai eu aucune difficulté à négocier la petite course à obstacles préparée par VW pour la circonstance. C'est simple comme bonjour puisque le Touareg fait tout pour

## CARACTÉRISTIQUES

| | |
|---|---|
| **Prix du modèle à l'essai** | n.d. |
| **Échelle de prix** | 48 000 $ à 60 000 $ (estimé) |
| **Assurances** | n.d. |
| **Garanties** | 4 ans 80 000 km / 5 ans 100 000 km |
| **Emp. / Long. / Larg. / Haut. (cm)** | 285,5 / 475 / 193 / 173 |
| **Poids** | 2 150 kg (estimé) |
| **Coffre / Réservoir** | 500 litres / 100 litres |
| **Coussins de sécurité** | frontaux, latéraux et tête |
| **Suspension avant** | indépendante, bras transversaux |
| **Suspension arrière** | indépendante, bras transversaux |
| **Freins av. / arr.** | disque, ABS |
| **Système antipatinage** | oui |
| **Direction** | à crémaillère, assistée |
| **Diamètre de braquage** | n.d. |
| **Pneus av. / arr.** | P235/65R17 |

## MOTORISATION ET PERFORMANCES

| | |
|---|---|
| **Moteur** | V6 3,2 litres |
| **Transmission** | intégrale, semi-automatique 6 rapports |
| **Puissance** | 220 ch à 5400 tr/min |
| **Couple** | 225 lb-pi 3 200 tr/min |
| **Autre(s) moteur(s)** | V8 4,2 litres 310 ch |
| **Autre(s) transmission(s)** | aucune |
| **Accélération 0-100 km/h** | 9,5 secondes |
| **Reprises 80-120 km/h** | n.d. |
| **Vitesse maximale** | 201 km/h |
| **Freinage 100-0 km/h** | n.d. |
| **Consommation (100 km)** | 13,2 litres (super) |
| **Niveau sonore** | n.d. |

## Un air de famille

vous, incluant rester sur place en grimpant une pente de 45° sans que l'on ait même besoin de toucher au frein. Idem dans une descente abrupte où il s'immobilise encore une fois sans aucune intervention du conducteur grâce au Hill Descent, un système qui n'est pas sans rappeler celui utilisé par Land Rover dans ses utilitaires sport. Même les ruisseaux n'arrivent pas à stopper ce rude engin qui peut être immergé dans 58 cm d'eau avant de vous faire savoir qu'il ne s'agit pas d'un amphibie.

Si les aptitudes hors route du Touareg ne font aucun doute, sa conduite sur des chemins plus civilisés reste agréable. Il n'a pas l'âme aussi sportive qu'un X5, mais il demeure raisonnablement confortable quelque part entre un petit camion et une voiture conventionnelle.

Légèrement plus volumineux que ses concurrents, le VUS de Volkswagen n'en possède pas moins un air de famille, surtout vu de face ou de dos. À l'intérieur, il n'est pas sans rappeler la nouvelle voiture de grand luxe du constructeur, la Phaeton. Le bois, le cuir et l'aluminium y font bon ménage tandis que l'équipement est pléthorique, bien qu'il soit encore trop tôt pour savoir ce qui sera de série et ce qui commandera un supplément de prix. Chose certaine, le Touareg ne sera pas bon marché mais on peut estimer que pour être compétitif, la facture devra se situer entre 48 000 $ et 60 000 $. Contentons-nous pour l'instant de souligner le confort des sièges en mettant un bémol sur la banquette arrière vraiment trop durement rembourrée. L'espace, par contre, y est généreux et VW envisage même d'offrir une version munie

d'une 3e rangée de sièges. En configuration quatre places (la banquette arrière étant séparée par un immense accoudoir), le compartiment à bagages est très vaste, bien que le hayon ait le défaut d'être difficile à refermer pour des personnes de faible taille.

Construit à Bratislava en Slovaquie, le Touareg n'aura certes pas la tâche facile dans un marché submergé par une avalanche de modèles de tous genres. Chez VW, on est d'ailleurs très réaliste en envisageant des ventes de l'ordre de 25 000 pour l'Amérique, incluant 1 000 unités au Canada. C'est évidemment très peu sur un marché où il s'est vendu *grosso modo* 8 millions d'utilitaires sport l'an dernier. Malgré son arrivée tardive et un prix dissuasif, le Touareg a au moins l'avantage de se démarquer de ses concurrents. L'avenir nous dira si c'est trop cher et trop tard.

*Jacques Duval*

---

### MODÈLES CONCURRENTS

• Acura MDX • BMW X5 • Mercedes-Benz ML320
• Volvo XC90

### VERDICT

| | |
|---|---|
| Agrément de conduite | ★★★⯪ |
| Fiabilité | *nouveau modèle* |
| Sécurité | ★★★★⯪ |
| Qualités hivernales | ★★★★⯪ |
| Espace intérieur | ★★★⯪ |
| Confort | ★★★ |

### ▲ POUR

• Excellents moteurs • Transmission intégrale sophistiquée • Confort soigné • Équipement très complet • Bonnes aptitudes hors route • Ailes en plastiques

### ▼ CONTRE

• Véhicule lourd • Prix élevé • Diesel non offert • Sièges arrières durs • Usine non rodée

# VOLVO C70

# Suédoise grand air

**Le coupé C70 est apparu en 1998 et le cabriolet a suivi une année plus tard. Ironiquement, c'est le cadet de cette famille qui survit à son aîné, sacrifié cette année en raison d'un désintéressement de la clientèle. Malgré les vains espoirs répétés d'année en année par les grands constructeurs, cette catégorie est pour le moment en perte de vitesse. Coupé à vocation économique ou de grand luxe, la demande est à la baisse. Donc, place au soleil, au grand air et au cabriolet C70.**

**M**ais avant de parler de mécanique et de tenue de route, un petit mot au sujet de la sécurité, une qualité incontournable de chaque Volvo. Nous savons tous que les cabriolets sont reconnus pour ne pas offrir la même sécurité qu'une berline, surtout lors d'un capotage. Pour compenser, les ingénieurs suédois ont mis au point un système de deux arceaux de sécurité à déploiement automatique en cas de capotage. Des capteurs de stabilité détectent tout roulis exagéré de la voiture associé à la perte de contact des roues avec le sol, un principe qu'on retrouve aussi chez Mercedes. En une fraction de secondes, les arceaux de sécurité se déploient. Le cabriolet Volvo est également doté de ceintures de sécurité avec tendeurs automatiques qui éliminent tout jeu dans la ceinture en cas d'impact. Enfin, les montants du pare-brise sont réalisés dans un acier spécial pour prévenir tout affaissement si jamais le véhicule se retrouve les quatre roues en l'air. Mais ce n'est pas fini ! En plus de ces précautions supplémentaires, Volvo continue d'installer sur toutes ses voitures son système SIPS de protection latérale intégré dans le châssis de la voiture et qui permet de dissiper l'énergie générée par un impact latéral. Bref, toit souple ou pas, la C70 est un authentique Volvo en matière de sécurité passive.

### Plus de puissance

Conçus à partir de la plate-forme du coupé, les renforts nécessaires avaient été incorporés dans le châssis à la première étape du développement. Ce qui explique sa bonne rigidité et la possibilité de pouvoir accepter des moteurs puissants. C'est d'ailleurs ce qui a permis aux ingénieurs d'ajouter encore des chevaux en 2003. Le moteur de

## CARACTÉRISTIQUES

| | |
|---|---|
| Prix du modèle à l'essai | Cabriolet 62 495 $ |
| Échelle de prix | de 59 595 $ à 65 495 $ |
| Assurances | 1 222 $ |
| Garanties | 4 ans 80 000 km / 4 ans 80 000 km |
| Emp. / Long. / Larg. / Haut. (cm) | 266 / 472 / 182 / 143 |
| Poids | 1 465 kg |
| Coffre / Réservoir | 223 litres / 68 litres |
| Coussins de sécurité | frontaux et latéraux |
| Suspension avant | indépendante, jambes élastiques |
| Suspension arrière | semi-ind., essieu bras multiples |
| Freins av. / arr. | disque, ABS |
| Système antipatinage | oui |
| Direction | à crémaillère, assistance variable |
| Diamètre de braquage | 11,7 mètres |
| Pneus av. / arr. | P225/45ZR17 |

## MOTORISATION ET PERFORMANCES

| | |
|---|---|
| Moteur | 5L 2,3 litres turbo haute pression |
| Transmission | traction, manuelle 5 rapports |
| Puissance | 242 ch à 5 400 tr/min |
| Couple | 243 lb-pi à 2 400 tr/min |
| Autre(s) moteur(s) | 5L 2,4 litres 197 ch |
| Autre(s) transmission(s) | automatique 5 rapports |
| Accélération 0-100 km/h | 7,2 secondes |
| Reprises 80-120 km/h | 6,2 secondes |
| Vitesse maximale | 234 km/h (estimée) |
| Freinage 100-0 km/h | 40 mètres |
| Consommation (100 km) | 9,9 litres (super) |

- Valeur de revente — bonne
- Renouvellement du modèle — 2004

POUR TOUT SAVOIR

pas la même rigidité que celle des BMW de Série 3 et des Mercedes CLK par exemple. Malgré ces limites, la tenue en virage est tout de même acceptable. Mais ce qui démarque surtout cette Volvo est sa capacité d'affronter sans problème les conditions les plus diverses. Lors d'un essai de plusieurs heures sur un parcours montagneux, les conditions météorologiques ont grandement varié passant d'une chaleur fort agréable à une fraîcheur passant à quelques degrés près du point de congélation. Dans les deux cas, le C70 s'est révélé à

série, un 5 cylindres de 2,4 litres, voit sa puissance passer de 190 à 197 chevaux. Ce qui est suffisant pour donner un peu plus de vivacité aux reprises. Le moteur optionnel demeure le 5 cylindres de 2,3 litres. Il est doté d'un turbo à haute pression dont la puissance passe de 236 à 242 chevaux en 2003. Cela permet d'obtenir des bons temps d'accélération, mais ce 5 cylindres suralimenté est affligé d'un temps de réponse du turbo assez important qui vient fortement atténuer le plaisir de conduire. De plus, la douceur et la progressivité ne font pas partie de ses qualités. Enfin, même si la plate-forme est suffisamment rigide pour accepter un peu plus de 200 chevaux aux roues avant, on frise la limite lorsque la puissance atteint les 250 chevaux. Il est plus sage de s'en tenir au moteur de série, également moins assoiffé.

### Toit magique

Compte tenu que les concurrentes dans ce créneau du marché sont très raffinées et en raison du prix demandé pour cette suédoise plein ciel, un toit souple automatique était un *must*. Il suffit d'appuyer sur un bouton pour baisser les fenêtres, déverrouiller les points de rétention et replier la capote dans l'espace qui lui est réservé derrière la banquette arrière. Le seul hic à ce tour de magie est que la capacité du coffre est réduite au strict minimum. De plus, une fois en place, sa petite lunette arrière et des panneaux 3/4 viennent réduire la visibilité.

Sous ce chapiteau amovible, le tableau de bord est dans la plus pure tradition Volvo avec une

instrumentation complète et des commandes bien placées. Par contre, les porte-verres ne sont pas d'une efficacité à tout casser. Les stylistes ont opté pour des couleurs pâles d'inspiration scandinave tandis que les appliques de bois sont à peine plus foncées. La combinaison radio/ cassette/lecteur CD est associée à un ampli « Dolby Surround Sound » dont les performances sont nettement au-dessus de la moyenne.

### Un cabriolet toutes saisons

Le comportement routier du cabriolet est très satisfaisant et il fait très mal paraître la Saab 9³ cabrio. Ce qui est assez facile à réaliser puisque celle-ci est en dernière place parmi les cabriolets de luxe. Par contre, lorsque comparé aux allemandes de cette catégorie, c'est moins brillant. Le châssis n'a

la hauteur. La capote baissée, la cabine est pratiquement exempte de turbulence grâce à l'utilisation d'un déflecteur arrière optionnel. Une fois le toit en place, l'habitacle était quasiment aussi étanche et silencieux que dans un coupé. Et il faut ajouter que la caisse du cabriolet est solide. Il faut rencontrer des trous et des bosses d'importance pour secouer le châssis. Il sera donc possible de rouler sans trop de problème toute l'année durant.

Reste à savoir cependant si cela sera suffisant au cours des prochaines années pour assurer la survie de ce cabriolet dont le prix de plus de 60 000 $ incite à une mûre réflexion quand on le compare à ses concurrents germaniques. Bref, il pourrait bien subir le même sort que le coupé si les ventes demeurent aussi discrètes.

*Denis Duquet*

---

### MODÈLES CONCURRENTS

• *Audi TT* • *BMW 330Ci* • *Mercedes-Benz CLK*
• *Saab 9³*

### QUOI DE NEUF?

• *Disparition momentanée du coupé pour 2003*
• *Moteurs plus puissants (197 et 242 chevaux)*
• *Nouvelle calandre* • *Nouvelles roues de 17 pouces*

### VERDICT

| | |
|---|---|
| Agrément de conduite | ★★★★ |
| Fiabilité | ★★★ |
| Sécurité | ★★★★ |
| Qualités hivernales | ★★★ |
| Espace intérieur | ★★★ |
| Confort | ★★★ |

### ▲ POUR

• Puissance du turbo haute pression • Securité poussée • Présentation intérieure raffinée
• Quatre places

### ▼ CONTRE

• Tempérament peu sportif
• Temps de réponse du turbo
• Accès arrière difficile • Mauvaise visibilité

SLD 321

# *On efface et on recommence ?*

**C'est drôle comment certains produits piquent la curiosité des consommateurs et font parler les gens avant qu'ils ne soient lancés sur le marché mais sombrent dans l'oubli quelques mois après leur dévoilement. C'est le cas typique de la tant attendue et si décevante « petite » Volvo.**

Pourtant, l'allure Volvo était bien là, notamment pour l'agréable petite familiale V40. Et l'habitacle, à première vue du moins, offrait les attraits traditionnels de la marque suédoise. Mais depuis leur lancement chez nous en 2001, les deux sœurs scandinaves à la sauce japonaise (plate-forme d'origine Mitsubishi) construites aux Pays-Bas font du surplace.

### Dépassées

Les raisons, il y en a plusieurs, notamment l'âge du modèle, son attrait général et le prix. Commençons par l'âge, en rappelant que les Volvo de la série

40 datent de 1996, année de leur lancement en Europe. Elles arrivent donc chez nous avec cinq ans de retard, ce qui signifie que le modèle 2003 est inchangé depuis sept ans. Sur la planète Automobile, sept ans, c'est une éternité, et sans être désuètes, les petites Volvo sont nettement dépassées.

Deuxième péché capital : les petites Volvo ne font pas tourner les têtes, la berline encore bien moins que la familiale. N'était-ce la calandre spécifique Volvo, ces deux voitures pourraient tout aussi bien s'appeler autrement, tant le dessin est générique. À l'intérieur, les choses s'arrangent un peu, et on reconnaît le style propre à la maison suédoise.

Troisième péché : le prix. Illustrons avec un seul exemple : à un prix comparable, la berline Nissan Altima SE en offre nettement plus (look, habitabilité, performances, etc.).

Pour essayer d'arranger les choses en attendant la refonte du modèle, Volvo s'efforce d'enjoliver ses modèles 2003 en offrant 10 chevaux de plus et un peu plus de couple, un groupe Sport à roues en alliage de 16 pouces chaussées de pneus P215/50R16, un tableau de bord révisé et une nouvelle chaîne audio à lecteurs CD et cassette. Mais toujours pas de boîte de vitesses manuelle. Autrement dit, aucun changement de fond qui pourrait modifier le comportement et, surtout, l'habitabilité de ces voitures.

Car s'il y a un défaut dans le cas des Volvo de la série 40, c'est bien le manque d'espace, notamment à l'arrière. C'est d'ailleurs ce même défaut qui a tué

## CARACTÉRISTIQUES

| | |
|---|---|
| Prix du modèle à l'essai | s40 31 495 $ |
| Échelle de prix | de 31 495 $ à 33 495 $ |
| Assurances | 719 $ |
| Garanties | 4 / 80 000 km / 4 / 80 000 km |
| Emp. / Long. / Larg. / Haut. (cm) | 256 / 454 / 172 / 142 |
| Poids | 1255 kg |
| Coffre / Réservoir | 471 litres / 60 litres |
| Coussins de sécurité | frontaux, latéraux et plafond |
| Suspension avant | indépendante, jambes élastiques |
| Suspension arrière | indépendante, bras longitudinaux |
| Freins av. / arr. | disques, ABS |
| Système antipatinage | non |
| Direction | crémaillère assistée |
| Diamètre de braquage | 10,6 mètres |
| Pneus av. / arr. | P195/60V15 |

## MOTORISATION ET PERFORMANCES

| | |
|---|---|
| Moteur | 4L, 1,9 litre turbo |
| Transmission | traction, automatique 5 rapports |
| Puissance | 170 ch à 5200 tr/min |
| Couple | 177 lb-pi à 1800 tr/min |
| Autre(s) moteur(s) | aucun |
| Autre(s) transmission(s) | aucune |
| Accélération 0-100 km/h | 9 secondes |
| Reprises 80-120 km/h | n.d. |
| Vitesse maximale | 215 km/h |
| Freinage 100-0 km/h | 44,6 mètres |
| Consommation (100 km) | 9,2 litres (super) |
| • Valeur de revente | faible |
| • Renouvellement du modèle | 2004 |

sièges confortables mais non réglables en hauteur (sauf en option), volant ajustable, rétroviseurs chauffants. Par contre, la qualité des matériaux n'équivaut pas à ce qui se fait dans le reste de la gamme et la visibilité est partiellement obstruée par les appuie-tête arrière. Toujours à l'arrière, outre le manque d'espace, les portes aux dimensions réduites ne facilitent pas l'accès. Encore l'empattement…

Mais rassurez-vous, le coffre, lui, est fort convenable dans la berline dont les dossiers arrière se rabattent pour dégager plus d'espace. Même chose

la Ford Contour en Amérique du Nord, et Volvo (qui appartient à Ford) aurait dû se douter que cette formule à arrière exigu ne colle pas chez nous. Le coupable : l'empattement court des Volvo (256 cm contre 270 pour une Passat) qui pénalise l'espace disponible aux places arrière.

### Sécurité et économie, puis rien…

Mais trêve de reproches. A-t-elle des qualités, cette voiture ? En fouillant un peu, on constate que la sécurité passive est digne d'intérêt. Avec ses sièges avant à appuie-tête actifs qui protègent la nuque lors d'une collision arrière (coup du lapin), ses coussins de sécurité avant et latéraux et ses rideaux de sécurité pour protéger la tête, la Volvo demeure un exemple à suivre. Par contre, en matière de sécurité active, seuls les freins ABS sont livrables de série, l'antidérapage étant proposé en option.

Côté mécanique, les petites Volvo sont animées par un 4 cylindres turbo de 1,9 litre à distribution variable. La légère augmentation de puissance pour 2003 permettra d'améliorer les chronos qui se situent dans la bonne moyenne, mais en reprises, le retard du turbo (turbolag) finit par agacer.

En matière de consommation, les Volvo réussissent à crever le seuil des 10 litres aux 100 km, ce qui les place avantageusement par rapport à leurs rivales plus gourmandes. Notons d'ailleurs avec satisfaction que le poids des S40 et V40 ne dépasse pas 1 300 kg, tandis qu'une VW Passat dépasse allègrement les 1 600 kg, ce qui explique en partie la consommation raisonnable des Volvo.

Malgré l'empattement assez court, les Volvo présentent un confort convenable. Sur routes très dégradées, la familiale V40 cogne plus dur, mais le châssis absorbe bien les ondulations, malgré une légère sensation de flottement.

Sur route sinueuse, la Volvo exhibe le comportement typique d'une traction : roulis et sous-virage. Heureusement que la direction précise permet de corriger la trajectoire et que les freins puissants vous permettent de ralentir avant d'amorcer le virage. Malgré leur puissance, les freins ne parviennent cependant pas à éliminer les déhanchements de la caisse lors d'un freinage en catastrophe, mouvements sans doute amplifiés – une fois de plus – par l'empattement court.

À bord, l'atmosphère Volvo prédomine, notamment à l'avant. Instruments clairs et fonctionnels,

dans la familiale dont la contenance du coffre passe de 751 à 1 421 litres avec sièges abaissés. Dommage que le seuil du coffre de la berline soit si haut.

Constat donc plutôt négatif qui nous amène à formuler la demande suivante : « Messieurs les designers de Volvo et Mesdames aussi, pourriez-vous tout effacer et recommencer à zéro pour les futures S40 et V40 ? Si, si, vous êtes capables ! Pensez à la belle S60, à votre populaire V70 XC et à la très récente XC90. Laissez faire les vieilleries de chez Mitsubishi et offrez-vous une plate-forme moderne. Certes, Papa Ford est serré par les temps qui courent, mais il a quand même les reins assez solides pour vous permettre de nous concocter une formule gagnante. Vous verrez, ça vous fera du bien. Et à nous aussi, car nous aurons moins de reproches à vous faire. »

*Alain Raymond*

---

### MODÈLES CONCURRENTS

- Audi A4 • BMW Série 3 • Nissan Altima SE
- Subaru Legacy/Outback • Saab 9³ • VW Passat

### QUOI DE NEUF ?

- 10 ch de plus • Nouvelle chaîne audio
- Roues de 16 pouces en option

### VERDICT

| | |
|---|---|
| Agrément de conduite | ★★★⯪ |
| Fiabilité | ★★★⯪ |
| Sécurité | ★★★★ |
| Qualités hivernales | ★★★ |
| Espace intérieur | ★★ |
| Confort | ★★★ |

### ▲ POUR

• Moteur performant et économique • Bonne sécurité passive • Familiale attrayante

### ▼ CONTRE

• Modèle dépassé et en fin de carrière • Absence de boîte manuelle • Places arrière limitées • Sous-virage prononcé • Faible valeur de revente

# Conflit de famille ?

**En 2002, Volvo a été le seul constructeur de voitures de luxe à connaître un recul de ses ventes en Amérique du Nord. Cela a d'ailleurs incité la direction à nommer Vic Doolan à la tête de cette compagnie pour l'Amérique afin de remédier à la situation. Doolan est un fin renard qui a connu beaucoup de succès lorsqu'il était président de BMW au Canada et aux États-Unis. L'une de ses priorités, dit-on, sera de revenir aux sources de cette marque suédoise en ramenant la sécurité des Volvo à l'avant-plan.**

**V**oilà une approche qui paraît en contradiction avec la S60 dont la silhouette évoque celle d'un coupé et qui a été présentée comme une berline sport lors de son lancement en 2000. Pire encore, la compagnie a dévoilé au dernier Salon de l'auto de Paris une version haute performance de ce modèle, la S60R, dont le moteur 2,5 litres turbo produit 300 chevaux. Cette Volvo roule sur des pneus de 18 pouces, sa suspension est réglable tandis que

des freins Brembo à quatre pistons par étrier sont chargés de ralentir les ardeurs du pilote. Et je vous fais grâce de l'habillement sport de cette présumée rivale des Audi S4 ou BMW M3. Pour rattacher cette voiture à sa politique de sécurité d'abord, M. Doolan pourra au moins souligner qu'il s'agit d'une berline offrant un haut niveau de sécurité active en raison de sa tenue de route et de son freinage. Et si le pire devait survenir, sachez que ces Volvo S60 bénéficient d'une structure très solide en plus de

pouvoir compter sur des rideaux de sécurité latéraux et des appuie-tête prévenant le coup de lapin. Comme le modèle S60 AWD (4 roues motrices), la S60R est équipée d'un rouage de répartition électronique du couple développé par la compagnie suédoise Haldex. En usage normal, ce sont les roues avant qui sont motrices. Mais dès qu'il y a une différence de vitesse de rotation entre l'avant et l'arrière, un module électronique de commande active une pompe hydraulique qui permet de transférer le couple aux roues ayant le plus de traction. Cette intervention se fait rapidement et sans à-coup.

Mais il n'y a pas lieu de s'emballer outre mesure pour la S60R, compte tenu que Volvo n'a jamais très bien maîtrisé la dynamique des berlines sport. Par le passé, plusieurs modèles presque aussi musclés produits par Volvo étaient performants, mais assez

## CARACTÉRISTIQUES

| | |
|---|---|
| **Prix du modèle à l'essai** | S60 39 995 $ |
| **Échelle de prix** | de 37 995 $ à 43 995 $ |
| **Assurances** | 684 $ |
| **Garanties** | 4 ans 80 000 km / 4 ans 80 000 km |
| **Emp. / Long. / Larg. / Haut. (cm)** | 272 / 458 / 180 / 143 |
| **Poids** | 1 420 kg |
| **Coffre / Réservoir** | 394 litres / 70 litres |
| **Coussins de sécurité** | frontaux, latéraux et de tête |
| **Suspension avant** | indépendante, MacPherson |
| **Suspension arrière** | indépendante, liens multiples |
| **Freins av. / arr.** | disque, ABS |
| **Système antipatinage** | oui |
| **Direction** | à crémaillère, assistance variable |
| **Diamètre de braquage** | 11,8 mètres |
| **Pneus av. / arr.** | P205/55R16 |

## MOTORISATION ET PERFORMANCES

| | |
|---|---|
| **Moteur** | 5L 2,5 litres turbo |
| **Transmission** | traction, automatique 5 rapports |
| **Puissance** | 208 ch à 6 000 tr/min |
| **Couple** | 236 lb-pi 1 800 à 5 000 tr/min |
| **Autre(s) moteur(s)** | 5L 2,4 l 168 ch; 5L 2,3 turbo 247 ch; 5L 2,5 l turbo 300 ch (R) |
| **Autre(s) transmission(s)** | manuelle 5 rapports |
| **Accélération 0-100 km/h** | 8,5 s; 6,7 s (man. T5) |
| **Reprises 80-120 km/h** | 6,8 secondes |
| **Vitesse maximale** | 200 km/h |
| **Freinage 100-0 km/h** | 42,2 mètres |
| **Consommation (100 km)** | 10,3 litres (ordinaire) |
| • **Valeur de revente** | très bonne |
| • **Renouvellement du modèle** | 2006 |

Par ailleurs, l'habitacle respecte la plus pure tradition de Volvo. Les sièges avant, très confortables, offrent un maintien latéral adéquat. La banquette arrière permet aussi d'héberger deux adultes de façon confortable. Quant au tableau de bord, il est bien dégagé avec des commandes faciles d'accès et aisément identifiables

Agile et nerveuse, la S60 est une berline agréable à conduire malgré une suspension qui donne lieu à pas mal de roulis en virage. Depuis l'an dernier, Volvo a aussi joint les rangs de la traction inté-

peu agréables à piloter, aussi bien en raison d'une suspension mal réglée que d'un effet de couple prononcé dans le volant.

Et pas besoin de chercher bien loin pour trouver un tel exemple dans la gamme S60 puisque la T5 avec son moteur 2,3 litres de 247 chevaux ne réussit pas à nous convaincre qu'elle est une sportive pure et dure en raison d'un important roulis de caisse en virage et d'une direction trop légère. Enfin, un diamètre de braquage important nous fait regretter la présence de pneus de 17 pouces. Ils améliorent l'adhérence, mais rendent les manœuvres de stationnement plus délicates.

### Le compromis l'emporte

Sauf en ce qui concerne le modèle R, trois groupes propulseurs sont au catalogue. Tel que mentionné plus haut, le moteur 5 cylindres de 2,3 litres n'offre pas des sensations de conduite tellement agréables. Son turbo à haute pression ne s'est jamais débarrassé de son important temps de réponse, tandis que sa courbe de puissance n'est pas idéale. Une solution intéressante est sans doute de choisir la version turbo du 5 cylindres 2,5 litres dont les 208 chevaux s'avèrent beaucoup moins capricieux et surtout très satisfaisants pour ce type de voiture. Le temps de réponse est pratiquement inexistant et il fait surtout très bon ménage avec la boîte automatique à 5 rapports, un modèle du genre. Enfin, le moteur le plus économique est la version atmosphérique de ce même moteur cinq cylindres. D'une puissance de 168 chevaux, il permet d'économiser à la pompe et ses performances sont très convenables si on prend soin de l'associer

à la boîte manuelle à 5 rapports. Toutefois, l'embrayage manque un peu de progressivité et l'étagement de la boîte gagnerait à être mieux adapté à la courbe de puissance du moteur.

Malgré les 208 chevaux du moteur 2.5 litres, il s'agit d'un compromis… Mais c'est celui qui est le mieux adapté à cette berline qui aurait intérêt à abandonner ses prétentions sportives. Il semble donc y avoir eu un problème de communication entre les stylistes et les ingénieurs chargés du développement de la mécanique. Alors que les premiers dessinaient une carrosserie dont la silhouette est inspirée d'un coupé, les préposés à la mécanique concevaient une berline à vocation familiale dérivée de la plate-forme de la S80.

Bien que le coup d'œil soit assez flatteur, la S60 est mal servie par la ligne du toit qui rend l'accès aux places arrière difficile.

grale en proposant une version AWD de la S60. Elle se comporte comme une traction la plupart du temps tandis que la répartition automatique du couple aux roues arrière permet de négocier avec aplomb les routes glacées ou enneigées. Elle n'a sans doute pas le même aplomb qu'une Audi A4 Quattro, mais elle se compare avantageusement par exemple à une Jaguar X-Type, aussi à quatre roues motrices. Son confort et son habitacle spacieux en font une voiture bien adaptée aux longs trajets. Le fait de pouvoir compter sur la réputation de Volvo en matière de sécurité est aussi un argument qui pèse lourd dans la balance et que M. Doolan a sans doute raison de vouloir exploiter au maximum afin de ramener la marque suédoise sur le chemin du succès.

***Denis Duquet / Jacques Duval***

## MODÈLES CONCURRENTS

• Audi A4 • BMW 330i • Jaguar X-type • Lexus IS 300
• Mercedes-Benz C240

## QUOI DE NEUF?

• Version R en cours d'année • Nouvelles couleurs
• Moteur 2,5 litres de 208 chevaux

## VERDICT

| | |
|---|---|
| **Agrément de conduite** | ★★★⯪ |
| **Fiabilité** | ★★★ |
| **Sécurité** | ★★★★⯪ |
| **Qualités hivernales** | ★★★★ |
| **Espace intérieur** | ★★★⯪ |
| **Confort** | ★★★⯪ |

## ▲ POUR

• Habitacle confortable • Freins puissants
• Tenue de route saine • Choix de moteurs
• Transmission intégrale

## ▼ CONTRE

• Roulis en virage • Suspension à revoir (T5)
• Visibilité très moyenne • Accès arrière pénible
• Important diamètre de braquage

# Trop, mais pas assez

**Par ses lacunes, la grande Volvo fait la preuve qu'il ne suffit pas d'un moteur superpuissant, d'un aménagement soigné et de nombreux équipements de sécurité pour produire une bonne berline de luxe. Encore faut-il que le tout soit judicieusement équilibré et vraiment fiable.**

Précisons tout de suite que notre Volvo S80 d'essai était la version T6 qui se distingue de la S80 « ordinaire » par la présence d'un moteur tonitruant. En effet, le superbe 6 cylindres en ligne de 2,9 litres disposé transversalement à l'avant – un tour de force – dopé par non pas un seul, mais deux turbocompresseurs accompagnés d'un échangeur air-air, produit la bagatelle de 268 chevaux et un couple de 280 lb-pi dès 2 100 tr/min. Pauvres roues avant qui doivent non seulement diriger une masse de près de 1 600 kg, mais aussi transmettre au bitume un couple et une puissance remarquables.

## Pauvres roues avant

Le résultat était prévisible : c'est excessif ! Ça ne passe pas ! Même si l'antipatinage atténue l'envie folle des roues avant de s'envoler quand vous brusquez l'accélérateur, le couple, lui, est très présent dans le volant, qui s'anime alors d'un mouvement brusque de rappel, surtout si vous avez la mauvaise idée d'accélérer lorsque les roues avant sont braquées. Adieu sécurité active !

Vous allez penser que j'exagère en insistant tellement sur cet aspect – négatif – de la grande Volvo. Après tout, il suffirait de modérer ses élans sur l'accélérateur. Eh bien non ! D'une voiture qui dépasse

allègrement les 60 000 $, je m'attends – et le public automobiliste aussi, j'ose le croire – à un comportement plus civilisé. Il ne suffit pas de barder la voiture de dispositifs électroniques (antipatinage, ABS, antidérapage) pour la rendre acceptable. Il faut que le tout soit bien équilibré. Nous l'avons dit et répété souvent dans ces pages, la traction n'est pas compatible avec les moteurs puissants. À mesure que les moteurs montent en puissance pour contrer les augmentations de poids – une autre tare – Cadillac, Lincoln, bientôt Chrysler et tant d'autres marques de luxe abandonnent la traction dans leurs grandes berlines de luxe et adoptent la propulsion ou la transmission intégrale. À plus de 200 chevaux, la traction devient problématique. Souvenez-vous-en.

Donc, dans la T6, il y a un vice de fond que rien ne peut corriger, même pas les Michelin qui

## CARACTÉRISTIQUES

| | |
|---|---|
| Prix du modèle à l'essai | T6 62 895 $ |
| Échelle de prix | de 54 895 $ à 62 895 $ |
| Assurances | 745 $ |
| Garanties | 4 ans 80 000 km / 4 ans 80 000 km |
| Emp. / Long. / Larg. / Haut. (cm) | 279 / 482 / 183 / 145 |
| Poids | 1 584 kg |
| Coffre / Réservoir | 403 litres / 80 litres |
| Coussins de sécurité | frontaux, latéraux et plafond |
| Suspension avant | indépendante, leviers triangulaires |

| | |
|---|---|
| Suspension arrière | indépendante, bras multiples |
| Freins av. / arr. | disque, ABS |
| Système antipatinage | oui |
| Direction | à crémaillère, assistée |
| Diamètre de braquage | 12 mètres |
| Pneus av. / arr. | P225/50R17 |

### MOTORISATION ET PERFORMANCES

| | |
|---|---|
| Moteur | 6L 2,9 litres biturbo |
| Transmission | traction, automatique 4 rapports |
| Puissance | 268 ch à 5 200 tr/min |

| | |
|---|---|
| Couple | 280 lb-pi à 2 100 tr/min |
| Autre(s) moteur(s) | 6L 2,9 litres 194 ch |
| Autre(s) transmission(s) | aucune |
| Accélération 0-100 km/h | 7,2 secondes |
| Reprises 80-120 km/h | 5,2 secondes |
| Vitesse maximale | 250 km/h (limitée) |
| Freinage 100-0 km/h | 38,7 mètres |
| Consommation (100 km) | 12,5 litres (super) |

| | |
|---|---|
| • Valeur de revente | moyenne |
| • Renouvellement du modèle | 2005 |

quette arrière. Si les sièges arrière brillent par leur confort, les baquets avant qui équipaient notre S80 T6 étaient affublés sur l'assise d'un double bourrelet inconfortable. Vérification faite dans d'autres modèles, ces sièges « sport » sont exclusifs au modèle T6.

Sur la route, si on fait abstraction des problèmes décrits précédemment et de la faible visibilité arrière causée par les appuie-tête proéminents, la Volvo se comporte comme une Volvo. Silencieuse (excellent Cx de 0,28), rassurante, bien équipée et dotée

chaussent les belles roues en alliage de 17 pouces, sauf l'adoption d'un moteur moins puissant. Heureusement que Volvo a prévu la S80 à moteur 2,9 litres sans turbo, développant une puissance et un couple plus modérés – 194 chevaux, 207 lb-pi.

Précisons enfin que si le moteur T6 est inadapté à ce châssis, il s'agit quand même d'un excellent 6 cylindres modernes (2 ACT, 24 soupapes, distribution variable), souple, puissant à souhait et, grâce aux deux turbos, démuni du *turbo lag* (retard) qui affuble bon nombre de moteurs ainsi suralimentés. En somme, un moteur qui ferait merveille dans une propulsion bien conçue.

Quant à la boîte automatique Geartronic, si les passages des vitesses se font avec souplesse, notons qu'elle ne comporte que 4 rapports, alors que les rivales sont souvent rendues à 5. En outre, le sélecteur se manie mal lorsqu'on veut effectuer le passage manuel des vitesses. Là aussi, c'est à revoir.

Même critique pour la direction trop assistée qui conviendrait plus à une Buick qu'à une berline sport. Heureusement que les freins sont irréprochables.

Autre constat d'échec au volant de notre S80 : la fiabilité. Après quelques centaines de kilomètres, le témoin rouge des coussins de sécurité s'est allumé pour ne plus jamais s'éteindre (dans une Volvo !). Un mauvais hasard, me direz-vous. Eh bien non, là non plus ! Quelques mois auparavant, une amie avait loué une Volvo dans laquelle le volet à commande électrique du réservoir d'essence refusait de s'ouvrir. Gênant quand vous

devez faire le plein et inacceptable quand on paie ce prix-là.

### Du positif, quand même

Pour le reste, notre S80 était fidèle à la réputation de la marque : intérieur cossu et bien agencé, qualité des matériaux et de la finition, excellente chaîne audio avec lecteur à quatre CD, climatisation automatique avec filtre à pollen, volant réglable en hauteur et en profondeur et sécurité passive remarquable : six coussins de sécurité et sièges avant anti-coup du lapin.

En matière de confort, les occupants de la S80 bénéficient d'un espace très convenable tant à l'avant qu'à l'arrière, l'accès est facile et le coffre, offrant déjà une belle contenance, augmente de volume quand on rabat les dossiers 60/40 de la ban-

d'une autonomie de près de 650 km (réservoir de 80 litres), la S80 constitue une bonne machine à rouler sur de longues distances. Certes, elle n'est pas friande de petites routes sinueuses (suspension trop souple), mais l'autoroute lui convient très bien, d'autant plus que la puissance du moteur suralimenté permet des dépassements presque immédiats. Dommage que nos autoroutes soient limitées à 100 km/h.

Conclusion ? Optez pour la S80 2,9. Presque aussi bien équipée que la T6, elle représente un ensemble certes moins performant mais plus équilibré, moins coûteux (54 895 $ contre 62 895 $) et moins gourmand (11,5 l/100 km contre 12,5). Assurez-vous enfin que la fiabilité de votre concessionnaire Volvo soit plus élevée que celle des modèles qu'il vous propose.

*Alain Raymond*

---

## MODÈLES CONCURRENTS

• Acura RL • Audi A6 • BMW 525 • Lexus LS 430
• Mercedes-Benz Classe E • Saab 9⁵

## QUOI DE NEUF ?

• Aucun changement majeur

## VERDICT

| | |
|---|---|
| **Agrément de conduite** | ★★★⭒ |
| **Fiabilité** | ★★⭒ |
| **Sécurité** | ★★★★⭒ |
| **Qualités hivernales** | ★★★★ |
| **Espace intérieur** | ★★★⭒ |
| **Confort** | ★★★⭒ |

## ▲ POUR

• Moteur performant (T6) • Bonne sécurité passive
• Bonne habitabilité • Finition de qualité
• Freins puissants

## ▼ CONTRE

• Moteur inadapté au châssis (T6) • Effet de couple dans le volant • Fiabilité perfectible • Sièges avant inconfortables (T6) • Mauvaise visibilité arrière

# Le cheval de bataille

**Situons le contexte : les familiales représentent 70 % des recettes de Volvo. Est-ce une coïncidence que ces familiales portent la désignation 70 ? Oui, sans doute. Mais depuis belle lurette et malgré le fait que la fourgonnette ne figure pas dans la gamme suédoise, Volvo demeure l'un des grands spécialistes du transport « familial ».**

Notre essai porte sur la populaire Cross Country qui devient pour 2003 la XC70 et se joint à la nouvelle XC90 dans la gamme des XC. Développée sur la plate-forme raccourcie de la berline S80 à traction, la XC70 (anciennement V70 XC) est une version tout-terrain des familiales V70 et V70 AWD qui ont vu le jour en 2000.

Précisons que tous les modèles de la série 70 reçoivent un moteur 5 cylindres en ligne disposé transversalement à l'avant, le moteur de base qui anime la V70 étant le 2,4 litres atmosphérique. Sont livrables en option le 2,4 litres à turbo basse pression et le T5 (2,3 litres à turbo haute pression).

## Plus puissants et plus propres

Les versions V70 AWD et XC70 sont en outre dotées de la transmission intégrale et, pour 2003, du 2,5 litres turbo affichant une puissance de 208 chevaux (par rapport au 2,4 litres de 197 chevaux pour 2002). En outre, le couple maximal qui se manifeste au bas régime de 1 500 tr/min passe de 210 à 236 lb-pi. Les changements apportés à la cylindrée et à la distribution variable qui contribuent à hausser la puissance rendent aussi ces Volvo 2003 conformes aux normes ULEV (véhicules très peu polluants).

Notons aussi que toutes les Volvo 2003 à transmission intégrale adoptent le système Haldex à commande électronique. Sur route, la transmission intégrale Volvo agit presque exclusivement en mode traction, mais sur chaussée glissante, le système Haldex permet le passage instantané en mode 4 roues motrices et peut transférer entre 5 et 65 % de la puissance aux roues arrière sans même l'intervention du conducteur. Par rapport au précédent système à visco-coupleur qui permettait un certain patinage des roues avant en forte accélération, le système Haldex donne de meilleurs résultats.

## CARACTÉRISTIQUES

| | |
|---|---|
| Prix du modèle à l'essai | 49 495 $ |
| Échelle de prix | de 37 995 $ à 49 495 $ |
| Assurances | 750 $ |
| Garanties | 4 ans 80 000 km / 4 ans 80 000 km |
| Emp. / Long. / Larg. / Haut. (cm) | 276 / 471 / 180 / 153 |
| Poids | 1 528 kg |
| Coffre / Réservoir | de 1 059 à 2 019 litres / 80 litres |
| Coussins de sécurité | frontaux, latéraux et plafond |
| Suspension avant | indépendante, jambes élastiques |
| Suspension arrière | indépendante, multibras |
| Freins av. / arr. | disque, ABS |
| Système antipatinage | non (option) |
| Direction | crémaillère assistée |
| Diamètre de braquage | 11,9 mètres |
| Pneus av. / arr. | P215/65R/16 |

## MOTORISATION ET PERFORMANCES

| | |
|---|---|
| Moteur | 5L 2,5 litres turbo |
| Transmission | intégrale, automatique 4 rapports |
| Puissance | 208 ch à 6 000 tr/min |
| Couple | 236 lb-pi à 1 500 tr/min |
| Autre(s) moteur(s) | 5L 2,3 litres 242 ch (V70 T5) |
| | 5L 2,4 litres 168 ch |
| Autre(s) transmission(s) | aucune |
| Accélération 0-100 km/h | 8,9 secondes |
| Reprises 80-120 km/h | 7,3 secondes |
| Vitesse maximale | 210 km/h |
| Freinage 100-0 km/h | 41,7 mètres |
| Consommation (100 km) | 12,5 litres (super) |
| • Valeur de revente | bonne |
| • Renouvellement du modèle | 2006 |

l'épaule », vous serez gêné par la grosseur des appuie-tête qui obstruent la vue. Quant aux occupants des places arrière, ils se plaindront pour la même raison du manque de visibilité vers l'avant. Précisons aussi que la hauteur de la XC70 facilite l'accès à bord, étant donné que les sièges se trouvent à la hauteur des fesses.

Belles machines à rouler sur de longues distances, les familiales Volvo maîtrisent bien les bruits de vent, mais notre XC70 présentait des bruits de roulement sans doute attribuables aux gros pneus Pirelli à

### Mieux qu'un Explorer

En matière de performances, notre grande suédoise (près de 1 700 kg) affiche des accélérations relativement molles avec la boîte automatique, mais les reprises de 80 à 120 km/h (7 secondes) sont très honorables. La fonction manuelle de la boîte automatique à 5 rapports est facile à actionner et la direction généreusement assistée à basse vitesse se raffermit à plus haute vitesse. La XC70 n'a cependant pas le tempérament sportif à cause de la hauteur de la caisse et de l'adoption de pneus « ballons » à profil élevé (65). C'est sans doute ce qui cause aussi une sensation de flottement qui nuit à l'agrément de conduite. Notons au passage que la garde au sol de 20,8 cm est supérieure à celle de certains gros utilitaires comme le Ford Explorer et le Chevrolet Blazer, les soi-disant maîtres de la brousse...

Autres particularités du XC70, les boucliers avant et arrière et les grosses moulures de bas de caisse qui lui donnent un air de dur à cuire. À l'intérieur, règne l'atmosphère Volvo : sièges avant confortables et à réglages multiples, tableau de bord soigné et ergonomique mais dont le gris uniforme manque de gaieté, équipement complet, y compris la climatisation automatique bizone et la chaîne audio avec lecteur CD et commandes au volant. À l'arrière, les occupants sont assis assez droit, mais le dégagement en hauteur se révèle convenable grâce au toit surélevé. Le coffre très accessible présente un excellent volume de chargement qui augmente sensiblement lorsqu'on rabat les dossiers de la banquette. Astuce signée Volvo : les dossiers sont divisés en trois sections et il est donc possible, en

rabattant la seule section centrale, de loger des objets longs comme des skis, tout en conservant les deux places arrière. Autre particularité : les nombreux coussins de sécurité avant, latéraux et à la tête et les appuie-tête actifs chargés de protéger votre nuque lors d'une collision arrière.

En matière de sécurité active, notons la présence de freins à disque puissants doublés de l'ABS, mais l'antipatinage et l'antidérapage brillent par leur absence et ne sont livrables en option que dans la version T5. Pour un constructeur qui se targue d'être à la fine pointe en matière de sécurité, ce choix est quand même malheureux.

Généreusement vitrées, les familiales de la série 70 ne présentent pas de problème de visibilité pour le conducteur qui se sert exclusivement de ses rétroviseurs. Par contre, avec la méthode « par-dessus

semelle profonde. Aussi, au démarrage, lorsque les roues sont braquées, en entend des bruits de transmission et un léger effet de couple se manifeste en forte accélération. En matière de consommation, les familiales Volvo sont pénalisées par un poids important et une aérodynamique moins soignée que celle de certaines rivales allemandes, ce qui se traduit par une consommation assez élevée, sans oublier la nécessité de se ravitailler en supercarburant.

Le bilan ? Une gamme attrayante de familiales solides, confortables, sécuritaires et offrant un bon rapport prix/espace. Le meilleur compromis : la V70 AWD qui offre les avantages et la sécurité de la transmission intégrale et un meilleur comportement routier que la XC70, le tout à un prix moindre.

*Alain Raymond*

---

### MODÈLES CONCURRENTS

• *Audi Allroad* • *BMW 325 Touring* • *Saab 9⁵*
• *Subaru Outback* • *Mercedes-Benz Classe C*

### QUOI DE NEUF ?

• *Moteur XC70 plus puissant*
• *Transmission intégrale révisée*

### VERDICT

| | |
|---|---|
| **Agrément de conduite** | ★★★⌐ |
| **Fiabilité** | ★★★⌐ |
| **Sécurité** | ★★★★⌐ |
| **Qualités hivernales** | ★★★★ |
| **Espace intérieur** | ★★★★ |
| **Confort** | ★★★★ |

### ▲ POUR

• Ergonomie soignée • Bonne sécurité passive
• Bonne habitabilité • Sièges avant confortables
• Freins puissants

### ▼ CONTRE

• Accélérations moyennes • Fiabilité perfectible
• Antidérapage en option • Pneus bruyants

# Quand 4X4 rime avec sécurité !

**Compte tenu de la sécurité discutable des véhicules utilitaires sport avec leur propension au capotage, leur manœuvrabilité réduite et leur freinage instable, l'arrivée de Volvo dans ce segment du marché peut paraître malvenue. Par contre, la marque suédoise ne pouvait plus se permettre de rester à l'écart d'une catégorie aussi populaire. Volvo a donc décidé qu'elle construirait un 4X4 différent des autres et d'un niveau de sécurité reflétant ses recherches très poussées dans le domaine des véhicules offrant une protection optimale à leurs occupants. Ainsi est né le XC90.**

L e dévoilement de ce nouveau modèle a eu lieu en deux étapes. Avant même que nous puissions le conduire, Volvo nous avait invités à son centre de sécurité en Suède afin de faire la démonstration de la solidité du XC90 en cas de capotage. Au moyen d'une catapulte, le véhicule a été projeté de côté à une vitesse d'environ 50 km/h; il a effectué trois tonneaux et demi avant de s'immobiliser. La faible déformation de l'habitacle à la suite de cet accident provoqué a brillamment démontré le haut niveau de sécurité passive du XC90. Mais, comme il vaut toujours mieux prévenir que guérir, les ingénieurs de Göteborg ont également pris soin de la sécurité active de ce nouveau 4X4. Ils ont mis au point un système antiretournement qui a pour fonction d'assurer la stabilité dans des situations critiques. Il est équipé d'un capteur gyroscopique qui mesure constamment la vitesse et l'angle de roulis du véhicule. Si l'angle terminal est jugé trop élevé, le système de stabilité latérale entre automatiquement en fonction pour ralentir et stabiliser le véhicule.

Et si jamais le pire se produit, les occupants seront protégés par un rideau latéral se prolongeant jusqu'à la troisième rangée de sièges et des renforts de toit en acier de bore qui est quatre à cinq fois plus robuste que l'acier ordinaire. Enfin, tous les sièges, même ceux de la troisième rangée, sont équipés de ceintures de sécurité à rattrapage de jeu. Une précision : seule la version à trois rangées de sièges sera offerte au Canada.

## Un VLT ?
Puisque cet hybride n'est ni une automobile ni un VUS pur et dur, les gourous de la mise en marché de Volvo nous parlent de VLT. Ce n'est pas une nouvelle recette de boulettes suédoises chez Ikea, mais l'acronyme pour « Véhicule Loisirs Travail », une appellation déjà utilisée par Mercedes. Ce qui signifie qu'il s'adresse surtout à des acheteurs qui n'ont absolument aucune envie d'aller s'épivarder en forêt, mais qui recherchent le caractère pratique d'une grosse familiale et de son hayon arrière. Avec l'assurance de pouvoir affronter des conditions routières difficiles grâce à une transmission intégrale à commande électronique mise au point par la compagnie Haldex de Suède.

Ce rouage distribue automatiquement la force motrice entre les roues avant et arrière. Son centre de contrôle avec intelligence artificielle évalue constamment les données, étudiant les mouvements du volant, la pression sur les freins et l'accélérateur. Les données sont constamment analysées et le degré d'intervention du système dosé en fonction des résultats. En conduite normale, 95 % de la puissance est transmise aux roues avant. Dans ces conditions, le XC90 est en fait une grosse traction. Si un glissement survient, la puissance est proportionnellement répartie aux roues arrière et il devient un véhicule 4 roues motrices. Selon Volvo, cette intervention est extrêmement rapide, car elle se produit en moins d'un septième de tour de roue. Pour l'infime minorité des propriétaires qui auront l'audace d'utiliser ce véhicule hors route, la garde au sol est de 21 cm. C'est presque similaire à celle de plusieurs 4X4 authentiques.

## L'allure de la tâche
Lorsque BMW s'est intéressée à cette catégorie avec le X5, ses dirigeants nous avaient promis

des raisons de sécurité, les ingénieurs ont opté pour des banquettes dont les dimensions sont adaptées à des enfants, car ils ne perçoivent pas une troisième rangée de sièges de taille régulière comme des places assurant une bonne protection à leurs occupants. Ces deux sièges s'escamotent astucieusement en abaissant le dossier dans une cavité pratiquée dans le plancher, cavité qui est ensuite recouverte d'un panneau de protection.

Les occupants des deux rangées arrière pourront regarder des films lors de leurs déplacements

un produit qui allait concilier les avantages d'une automobile aux caractéristiques d'un tout-terrain. Malheureusement, cela s'est traduit par un véhicule dont la silhouette le fait paraître plus gros, plus long et surtout plus haut qu'il ne l'est en réalité. Le XC90 n'est pas de la même mouture. En fait, les stylistes suédois ont mieux réussi que leurs homologues de Munich. Les deux VLT affichent des allures similaires et les deux sont dotés d'une porte arrière à battant dans la partie inférieure de l'ouverture du hayon. Mais alors que la silhouette du Volvo est bien proportionnée, même avec la présence de cette porte, le second est beaucoup moins réussi au chapitre de la présentation extérieure. Tant et si bien que le XC90 paraît plus bas et plus petit que son confrère allemand alors qu'il est en fait plus long et plus haut. Son empattement est également plus important.

L'habitacle de ce VLT ressemble passablement à celui de la familiale V70. Les habitués de la marque vont reconnaître les commandes de la climatisation dont les boutons surdimensionnés se superposent les uns aux autres pour former la silhouette d'un conducteur et permettre ainsi d'appuyer à coup sûr sur la bonne commande. Comme dans la plupart des véhicules de cette catégorie, la climatisation est automatique. Conducteur et passager profitent de réglages individuels. La nacelle des instruments est presque identique à celle de la familiale également. Bien entendu, les sièges avant sont confortables et offrent un bon support latéral en plus d'intégrer un mécanisme de protection du cou en cas d'impact arrière.

La banquette arrière se révèle d'un confort acceptable, mais le dégagement pour les jambes est moyen. Il est en fait légèrement inférieur à celui de la familiale XC70. Cela s'explique sans doute par la présence d'une troisième rangée de sièges. Pour

grâce à la présence d'un écran et d'un lecteur DVD offerts en option. De plus, Volvo souligne que c'est le premier véhicule de cette catégorie à posséder un chaîne audio ambiophonique Dolby Pro Logic II. Enfin, l'accès à la soute à bagages s'effectue par un hayon qui occupe les deux tiers de l'ouverture. Il est ainsi plus léger et donc plus facile à refermer.

### ■ ÉQUIPEMENT DE SÉRIE

- Boîte automatique • Rouage intégral
- Modèle sept places • Système anticapotage
- Climatisation automatique

### ■ ÉQUIPEMENT EN OPTION

- Jantes 18 pouces • Chaîne audio Dolby II
- Radar de stationnement • Volant à boudin en bois

L'autre tiers est occupé par un battant horizontal qui facilite le chargement sans être exagérément long. Ici encore, Volvo dame le pion au BMW X5 de configuration similaire.

### Turbo essoufflé ?

La mécanique du XC90 de même que sa plate-forme ont été empruntées à des modèles déjà commercialisés. La plate-forme de type P2 est dérivée de celle utilisée dans la berline S80 et elle sert également aux familiales V70 et XC70. La suspension avant MacPherson est dotée d'amortisseurs décentrés pour réduire la friction dans l'amortisseur. La nouvelle direction ZF à crémaillère a pour mission d'ajouter à la précision de la conduite tandis que la suspension arrière de type multibras est formée de plusieurs composantes en aluminium. Tous ces éléments sont greffés à un sous-châssis, également en aluminium, pour obtenir plus de rigidité et filtrer les bruits et les vibrations. Soulignons au pas-

sage que les amortisseurs arrière sont à correction d'assiette automatique.

Deux moteurs sont au programme. Le moteur de série est un 5 cylindres de 2,5 litres avec turbo à basse pression d'une puissance de 208 chevaux. Il est équipé de la transmission automatique à 5 rapports. Le moteur optionnel est le 6 cylindres en ligne transversal de 2,8 litres produisant 268 chevaux. Il est livré avec une transmission automatique à 4 rapports.

Malgré toutes ces caractéristiques techniques et de sécurité, c'est le verdict de la route qui est le plus important. Dans le cadre du lancement de ce modèle, j'ai eu la possibilité de conduire les deux versions. Comme tous mes collègues, je m'attendais à ce que le modèle T6, avec ses roues de 17 pouces et les 268 chevaux de son moteur turbo, soit la vedette de la présentation. Or, celui-ci s'est avéré décevant et ses performances m'ont laissé sur mon appétit. Les temps d'accélération sont

d'ailleurs éloquents : 0-100 km/h en 9,7 avec le T6 et 10,4 avec le T5. À ce chapitre, le BMW X5 prend une douce vengeance. Ce qui me dérange dans ces résultats, ce ne sont pas les mesures chiffrées qui sont tout de même honnêtes et pas trop différentes de celles des Acura MDX et Lexus RX 300, mais bien le manque de vivacité des réponses. Un peu plus de nerf pour doubler ou pour rouler dans la circulation serait un atout. Heureusement que le système Geartronic à sélection manuelle des vitesses est l'un des meilleurs de sa catégorie et permet de compenser quelque peu cette lacune. Il faut souligner que cet essai a été réalisé par temps très chaud, une condition qui ne facilite pas la tâche des turbos. Enfin, comme il s'agissait de modèles de présérie, les choses vont peut-être s'améliorer plus tard.

Cette lourdeur a été surtout ressentie avec le modèle le plus puissant. Il semble que la boîte automatique à 4 rapports soit en partie responsable de

## CARACTÉRISTIQUES

| | |
|---|---|
| Prix du modèle à l'essai | T6 62 595 $ |
| Échelle de prix | de 54 995 $ à 59 995 $ |
| Assurances | n.d. |
| Garanties | 4 ans 80 000 km / 4 ans 80 000 km |
| Emp. / Long. / Larg. / Haut. (cm) | 286 / 480 / 189 / 174 |
| Poids | 2 046 kg |
| Coffre / Réservoir | n.d. / 70 litres |
| Coussins de sécurité | frontaux, latéraux et de tête |
| Suspension avant | indépendante, MacPherson |
| Suspension arrière | indépendante, multibras |
| Freins av. / arr. | disque, ABS |
| Système antipatinage | oui |
| Direction | à crémaillère, assistance variable |
| Diamètre de braquage | 11,8 mètres |
| Pneus av. / arr. | P235/65R17 |

## MOTORISATION ET PERFORMANCES

| | |
|---|---|
| Moteur | 6L 2,8 litres |
| Transmission | intégrale, automatique 4 rapports |
| Puissance | 268 ch à 5100 tr/min |
| Couple | 280 lb-pi à 1800 tr/min |
| Autre(s) moteur(s) | 5L 2,5 litres 208 ch |
| Autre(s) transmission(s) | auto. 5 rapports (2,5 T) |
| Accélération 0-100 km/h | 9,7 s ; 10,4 s (2,5T) |
| Reprises 80-120 km/h | 8,3 s ; 9,15 s (2,5 T) |
| Vitesse maximale | 200 km/h |
| Freinage 100-0 km/h | n.d. |
| Consommation (100 km) | 14, 6 litres (super) |
| Niveau sonore | Ralenti : 43,6 dB |
| | Accélération : 71,2 dB |
| | 100 km/h : 68,7 dB |

mécaniques, le XC90 sera en mesure de vous amener pas mal loin, même lorsque la route aura été remplacée par un sentier parsemé d'ornières.

Avec une silhouette qui atténue ses dimensions quand même importantes (il est 19 cm plus long qu'un Jeep Grand Cherokee), le XC90 s'illustre par sa grande polyvalence tout en affichant une allure quasi « politiquement correcte ». Au volant, le conducteur aura aussi l'assurance de conduire l'un des utilitaires sport les plus sécuritaires sur le marché. Enfin, ses deux moteurs seront reconnus pour leur

l'anémie du moteur puisque la version T5, pourtant moins puissante, semblait plus nerveuse. Sa boîte à 5 rapports serait-elle plus efficace ?

À l'exception de ce bémol, c'est une bonne routière. Dans les virages, le roulis est négligeable et la répartition du poids presque idéale de 50/50 limite le sous-virage au minimum. Si le pilote se décide à utiliser le système de passage des rapports manuels, les reprises et les accélérations ne s'avèrent pas trop asthmatiques. Si vous faites partie de ceux qui

aiment pousser à la limite, il est bon de savoir que le système de stabilité latérale est très dictatorial et vous ramène dans le droit chemin de manière assez expéditive.

Puisque ce modèle a été dévoilé en Californie en période de grande sécheresse, il a été impossible de vérifier ses aptitudes hors route puisqu'il y avait interdiction de rouler en forêt. Par contre, si on extrapole en se fiant aux aptitudes du XC70 et en sachant que les deux partagent les mêmes éléments

faible taux de pollution tandis que l'habitacle semble avoir été emprunté à une berline et non pas à une camionnette. Et tous les accessoires propres à cette catégorie de luxe sont également intégrés ou offerts en option. Volvo fait donc son entrée dans ce segment du marché la tête haute... et bien protégée en cas de capotage. Pas étonnant que les neuf auteurs du *Guide de l'auto* aient choisi le XC90 comme le VUS de l'année.

***Denis Duquet / Jacques Duval***

---

### MODÈLES CONCURRENTS

• *Acura MDX* • *BMW X5* • *Lexus RX 300*
• *Mercedes-Benz ML320* • *Volkswagen Touareg*

### VERDICT

| | |
|---|---|
| **Agrément de conduite** | ★★★★ |
| **Fiabilité** | ★★★★ |
| **Sécurité** | ★★★★★ |
| **Qualités hivernales** | ★★★★★ |
| **Espace intérieur** | ★★★⯪ |
| **Confort** | ★★★★ |

### ▲ POUR

• Tenue de route équilibrée • Suspension confortable
• Sécurité poussée • Habitacle polyvalent
• Finition soignée

### ▼ CONTRE

• Performances moyennes • Boîte auto. 4 rapports T6
• Options coûteuses • Dimensions imposantes
• Levier de vitesses récalcitrant

Le Guide
de l'auto

02003

# Les camionnettes

# Le couteau suisse sur roues

**Aussi bien vous l'avouer, je serais probablement acheteur d'une camionnette comme l'Avalanche. Les multiples mutations dont elle est capable sont conçues sur mesure pour les besoins éclectiques d'une famille dont certains membres sont des adeptes du plein air et d'autres activités nécessitant le transport de beaucoup de matériel. Et il ne faut pas oublier nos deux chiens qui aiment bien prendre leurs aises en voyage. Mais, à dire vrai, je ne suis pas trop entiché des dimensions prohibitives de ce couteau suisse sur roues, pas plus que des imposants ajouts en plastique garnissant le bas de caisse. Enfin, le prix de ce caméléon n'est pas à la portée de tous.**

Malgré ces quelques bémols, Chevrolet a réussi un coup de maître avec cette Suburban dépouillée de sa partie arrière. Elle a été remplacée par une boîte de chargement en matériau composite comprenant des parois transformées en espace de rangement grâce à un couvercle placé le long de la caisse. Malgré cette astuce, la pièce de résistance en fait d'aménagement est le système Midgate qui permet d'enlever la lunette arrière ou même toute la paroi pour être en mesure de transporter des objets encombrants après avoir basculé la banquette arrière. Enfin, pour protéger le chargement des intempéries et des voleurs, un couvercle amovible en trois parties s'installe facilement. Par contre, je doute fortement que la plupart des propriétaires d'Avalanche vont prendre le temps de les installer dans le sac de transport fourni avec le véhicule. Il est à parier qu'ils vont être abandonnés dans le garage ou tout simplement placés tant bien que mal sur le côté de la caisse tandis que le sac de rangement sera affecté à un autre usage.

Malgré cette réserve, signalons que rien de semblable n'est offert sur le marché. Mais ce n'est pas tout.

### Déployez vos coudes

Les personnes qui aiment prendre leurs aises vont certainement apprécier l'Avalanche. Comme elle est dérivée de l'un des plus imposants véhicules sur le marché, le dégagement pour les jambes, la tête, les coudes et toute autre partie du corps non mentionnée est plus que généreux. Les places arrière sont du même acabit, contrairement à ce qui est le

| CARACTÉRISTIQUES | |
|---|---|
| Prix du modèle à l'essai | 41 290 $ |
| Échelle de prix | de 38 045 $ à 43 395 $ |
| Assurances | 885 $ |
| Garanties | 3 ans 60 000 km / 3 ans 60 000 km |
| Emp. / Long. / Larg. / Haut. (cm) | 330 / 563 / 202 / 189 |
| Poids | 2575 kg |
| Longueur caisse / Réservoir | de 160 à 247 cm / 117 litres |
| Chargement / Remorquage | 600 kg / 3674 kg |
| Coussins de sécurité | frontaux et latéraux |

| Suspension avant | indép., barres de torsion |
|---|---|
| Suspension arrière | essieu rigide, ressorts hélicoïdaux |
| Freins av. / arr. | disque, ABS |
| Système antipatinage | oui |
| Direction | à billes, assistance variable (4X4) |
| Diamètre de braquage | 13,1 mètres |
| Pneus av. / arr. | P265/70R16 |

| MOTORISATION ET PERFORMANCES | |
|---|---|
| Moteur | V8 5,3 litres |
| Transmission | 4X4, automatique 4 rapports |

| | |
|---|---|
| Puissance | 285 ch à 5200 tr/min |
| Couple | 325 lb-pi à 4000 tr/min |
| Autre(s) moteur(s) | V8 6 litres 345 ch |
| Autre(s) transmission(s) | aucune |
| Accélération 0-100 km/h | 11,9 secondes |
| Reprises 80-120 km/h | 10,6 secondes |
| Vitesse maximale | 180 km/h |
| Freinage 100-0 km/h | 47,8 mètres |
| Consommation (100 km) | 15,3 litres (ordinaire) |
| • Valeur de revente | excellente |
| • Date de renouvellement du modèle | 2006 |

encore son plein jugement devrait y songer deux fois avant de se procurer un tel colosse s'il ne possède pas une voiture « normale » pour rouler dans la circulation urbaine la plupart du temps. Les rétroviseurs ont beau être de grandes dimensions et le diamètre de braquage adéquat pour la catégorie, ce n'est pas une sinécure que de rouler dans le trafic. Même le conducteur le plus adroit doit se concentrer sur sa tâche.

Soulignons que la rigidité du châssis est impressionnante, même une fois le Midgate abaissé. Aucun

cas dans plusieurs autres camionnettes quatre portes qui sont assez mal servies à cet égard. Il faudra toutefois être prévoyant. Si jamais vous vous avisez de profiter de la polyvalence du Midgate en cours de route, les passagers en seront quittes pour faire de l'autostop.

Il faut également accorder de bonnes notes au tableau de bord avec ses commandes à la portée de la main et ses boutons surdimensionnés identifiés par des caractères ou des pictogrammes très lisibles. Une fois encore, comme dans plusieurs produits General Motors, la texture des plastiques est à repenser tandis que l'ajustement de plusieurs des pièces dans l'habitacle pourrait être meilleur. Idem pour les tissus qui paraissent bon marché même s'ils sont de bonne qualité. Toujours au chapitre des « contre », le volant fait figure de parent pauvre dans cet environnement tandis que la console centrale accueille un lecteur CD qui semble avoir atterri là faute d'avoir trouvé une meilleure place ailleurs.

Malgré ces quelques points négatifs, cette cabine est d'une habitabilité et d'un confort supérieurs à la moyenne.

### Prenez garde !

Il faut se méfier des apparences de gros nounours de l'Avalanche. Ceux qui ne seront pas sur leurs gardes risquent d'être piégés en dépassant les limites de vitesse sans s'en rendre compte. Sur la grand-route, la suspension est d'un confort surprenant, surtout avec une charge moyenne dans la caisse, tandis que l'empattement long assure une bonne stabilité directionnelle. Enfin, le moteur de

285 chevaux fournit la puissance voulue pour déplacer cette masse avec vélocité. La barre des 160 km/h est donc franchie sans qu'on s'en aperçoive, d'autant plus que l'insonorisation de la cabine est très bonne.

L'Avalanche n'est pas uniquement polyvalente, elle vous permettra de franchir de longues distances sans fatigue et de maintenir une moyenne équivalente à celle de véhicules plus petits. Et il n'est pas nécessaire de lever le pied dans les courbes à grand rayon des autoroutes, cette Chevy à vocations multiples a de bonnes manières. Naturellement, ce n'est pas une Mini et ses dimensions hors normes deviennent un handicap sur les routes sinueuses parsemées de courbes raides. De plus, en ville, toutes les places de stationnement semblent trop petites et les rues trop étroites. Tout citadin qui a

des modèles essayés n'émettait de vibrations, de cliquetis ou de bruits de caisse associés à un manque de rigidité. De plus, malgré ce trou béant à l'arrière, le tourbillonnement de l'air dans la cabine est à peine perceptible de même que l'intrusion de la poussière. La visibilité n'est plus la même, toutefois, si les roues avant de votre VTT occupent l'espace généralement alloué aux passagers des places arrière. En hiver, cette ouverture a le même effet sur la température ambiante dans la cabine que si les deux fenêtres latérales arrière étaient abaissées pendant que vous roulez.

Chevrolet mérite d'être félicitée pour cette conception fort ingénieuse et une exécution mieux réussie que la moyenne, mais grondée pour un style coup de poing qui ne fait pas dans la dentelle.

*Denis Duquet*

---

## MODÈLES CONCURRENTS

• Cadillac Escalade EXT • Ford Super Crew

## QUOI DE NEUF ?

• Système stabilisateur amélioré • Climatiseur plus sophistiqué • Tableau de bord modifié

## VERDICT

| | |
|---|---|
| Agrément de conduite | ★★★★ |
| Fiabilité | ★★★✦ |
| Sécurité | ★★★★ |
| Qualités hivernales | ★★★★ |
| Espace intérieur | ★★★★ |
| Confort | ★★★★ |

## ▲ POUR

• Polyvalence exceptionnelle • Bon comportement routier • Freins puissants • Places arrière spacieuses • Nombreux espaces de rangement

## ▼ CONTRE

• Lourdaud en ville • Protecteurs de bas de caisse • Prix élevé • Silhouette chargée • Centre de gravité élevé

*Chevrolet S-10*

# Des vétérans aguerris

**Année après année, nous sommes obligés de vous répéter la même chanson en ce qui concerne le renouvellement des camionnettes Chevrolet S-10 et GMC Sonoma : l'arrivée d'un modèle de remplacement est imminente. Si nous jouons ainsi avec vous à la valse-hésitation, c'est tout simplement que le constructeur nous chante la même rengaine depuis des lunes. Au moins, cette fois, nous avons des nouvelles plus concrètes à annoncer puisque les modèles de remplacement sont prévus pour 2004. Du moins, jusqu'à ce que la direction de GM change d'idée une fois de plus.**

En attendant, les modèles 2002 sont reconduits pour 2003 avec un minimum de modifications. Sur le plan mécanique, cela se limite à l'utilisation d'un système d'injection de carburant multipoint pour le moteur V6 Vortec 4300. La puissance demeure la même cependant – 190 chevaux sur les modèles 4X4 et 180 sur les 4X2 –, mais l'économie de carburant et le rendement de ce moteur sont améliorés. La plupart des acheteurs des versions à moteur V6 optent

pour la boîte automatique à 4 rapports même s'il est possible de commander une boîte manuelle à 5 rapports. Si vous croyez que ce choix transformera votre S-10 ou votre Sonoma en camionnette sport, vous serez déçu, car cette transmission en est une de camion avec des rapports passablement espacés et une course du levier décidément trop longue pour inspirer toute conduite enjouée.

Un autre moteur est au catalogue. Il s'agit d'un 4 cylindres de 2,2 litres d'une puissance de

120 chevaux. Offert exclusivement dans le modèle 2 roues motrices, il intéressera les personnes qui veulent économiser du carburant et qui n'ont pas à transporter de charges trop lourdes ou encore à effectuer des remorquages trop exigeants. Comme il s'agit de cas d'exception, la majorité des acheteurs optent pour le moteur V6 et la boîte automatique.

Cette combinaison est sans risque puisque ce moteur a fait ses preuves depuis plusieurs années. Sa consommation est tout à fait raisonnable avec une moyenne observée de 12,8 litres aux 100 km dans une Sonoma à cabine multiplace. De bonnes notes également pour la transmission automatique qui non seulement est fiable, mais dont le fonctionnement se révèle supérieur à celui de plusieurs autres modèles concurrents.

## CARACTÉRISTIQUES

| | |
|---|---|
| Prix du modèle à l'essai | Sonoma 33 900 $ |
| Échelle de prix | de 17 860 $ à 32 965 $ |
| Assurances | 997 $ |
| Garanties | 3 ans 60 000 km / 3 ans 60 000 km |
| Emp. / Long. / Larg. / Haut. (cm) | 312 / 524 / 172 / 159 |
| Poids | 1 832 kg |
| Longueur caisse / Réservoir | 140 cm / 72 litres |
| Chargement / Remorquage | 504 kg / 2 360 kg |
| Coussins de sécurité | frontaux |

| | |
|---|---|
| Suspension avant | indépendante, barres de torsion |
| Suspension arrière | essieu rigide, ressorts elliptiques |
| Freins av. / arr. | disque, ABS |
| Système antipatinage | non |
| Direction | à billes, assistée |
| Diamètre de braquage | 13,1 mètres |
| Pneus av. / arr. | P235/70R15 |

## MOTORISATION ET PERFORMANCES

| | |
|---|---|
| Moteur | V6 4,3 litres |
| Transmission | 4X4, automatique 4 rapports |

| | |
|---|---|
| Puissance | 190 ch à 4 400 tr/min |
| Couple | 250 lb-pi à 2 800 tr/min |
| Autre(s) moteur(s) | 4L 2,2 l 120 ch; V6 4,3 l 180 ch (4X2) |
| Autre(s) transmission(s) | manuelle 5 rapports |
| Accélération 0-100 km/h | 11,3 secondes |
| Reprises 80-120 km/h | 10,0 secondes |
| Vitesse maximale | 175 km/h |
| Freinage 100-0 km/h | 44,6 mètres |
| Consommation (100 km) | 12,8 litres (ordinaire) |
| • Valeur de revente | bonne |
| • Renouvellement du modèle | 2004 |

élégante de la version multiplace, mais qui perdent de vue que l'utilisation première d'un tel véhicule est de transporter des objets. Une fois la caisse moyennement chargée, le confort de la suspension s'améliore de même que la stabilité en virage. Par contre, la direction demeure toujours vague au centre et son assistance variable devient parfois trop variable.

Si vous acceptez ces limitations et un sous-virage assez prononcé, ces camionnettes ont un comportement routier quand même acceptable

### Choix multiples

Qui dit camionnette parle automatiquement de choix multiples en fait d'agencement de type de caisse et de cabine. Le S-10 et le Sonoma ne font pas exception à cette règle, même si certaines combinaisons sont impossibles à réaliser. Par exemple, les versions à cabine simple ne sont disponibles qu'avec 2 roues motrices. Les seules variantes sont alors le choix du moteur et la longueur de la caisse. La caisse longue avec ses 226 cm surpasse la version courte de 41 cm.

Le choix le plus populaire est sans conteste celui de la cabine allongée dotée d'une 3e porte du côté du conducteur. Il s'agit en fait d'un panneau sur charnières qui donne accès à l'espace derrière les sièges avant, surtout utilisé pour remiser les bagages. De petits strapontins permettent à de minuscules adultes ou à des enfants d'y être confortables pendant quelques minutes et très inconfortables la plupart du temps. Pas aussi moderne que celui des gros Chevrolet Silverado ou GMC Sierra, le tableau de bord affiche une présentation générale supérieure à la moyenne de la catégorie avec des boutons de commande bien identifiés, faciles d'accès et d'utilisation. Malheureusement, la finition laisse toujours à désirer, le tissu des sièges montre souvent un motif peu apprécié et la texture des plastiques est inégale.

### Cabine multiplace

Cette année, j'ai eu l'occasion d'essayer un modèle GMC Sonoma à cabine multiplace. Très populaires au Japon et en Amérique du Sud, ces camionnettes

compactes quatre portes sont en voie de prendre pied sur notre marché. Il est vrai que la longueur de la caisse, 140 cm seulement, ne permet pas le transport d'objets très longs, mais ce handicap est largement compensé par la possibilité d'accommoder trois passagers sur la banquette arrière. Ceux-ci seront un peu serrés, car le dégagement pour les jambes est assez limité, mais cela convient pour de courts et moyens trajets.

Les ingénieurs ont beau raffiner le châssis et insonoriser la cabine, une camionnette demeure toujours une camionnette. Ce qui signifie que la suspension arrière a été dessinée en prévision du transport d'une charge dans la caisse. Sans poids supplémentaire sur l'essieu arrière, celui-ci sautille sur mauvaise route et le train arrière devient indiscipliné. Avis à ceux qui craquent pour la silhouette

pour la catégorie. D'autant plus qu'une position de conduite élevée et des rétroviseurs de grandes dimensions facilitent les choses en conduite urbaine, de même que des accélérations et des reprises du moteur V6 légèrement supérieures à la moyenne.

La combinaison gagnante est sans aucun doute le modèle à cabine multiplace uniquement offert en version 4X4. Très polyvalent, il profite d'une suspension d'un confort acceptable et d'un agrément de conduite potable. Ce bel effort est toutefois trucidé par un prix de plus de 34 000 $, son plus gros handicap. La possibilité de pouvoir la commander en deux roues motrices rendrait cette option plus compétitive.

*Denis Duquet*

---

### MODÈLES CONCURRENTS

• *Ford Ranger* • *Nissan Frontier* • *Mazda Série B*
• *Toyota Tacoma*

### QUOI DE NEUF ?

• *Moteur V6 à injection multipoint*
• *Nouvelles couleurs de carrosserie* • *Ancrages supérieurs et inférieurs pour sièges d'enfant*

### VERDICT

| | |
|---|---|
| **Agrément de conduite** | ★★★ |
| **Fiabilité** | ★★★✦ |
| **Sécurité** | ★★★ |
| **Qualités hivernales** | ★★★ |
| **Espace intérieur** | ★★★✦ |
| **Confort** | ★★★ |

### ▲ POUR

• Moteur V6 amélioré • Cabine multiplace
• Finition en progrès • Choix de modèles
• Rouage 4X4 efficace

### ▼ CONTRE

• Prix élevé (multiplace) • Caisse très courte (multiplace) • Suspension arrière sommaire
• Pneumatiques moyens • Version de base très dépouillée

**GMC Sierra**

# Encore des améliorations !

**Rien que pour vous donner une idée de l'importance du marché des camionnettes, apprenez que General Motors en a vendu plus de 2,6 millions en 2001 et que les chiffres pour l'année 2002 seront tout aussi importants. C'est dire l'ampleur de l'enjeu. Si GM a pris les devants dans la catégorie des camionnettes de catégorie F, elle n'entend pas abandonner cette position enviable à ses concurrents. Il lui faut donc continuer d'apporter des améliorations afin de demeurer en tête.**

L'an dernier, les modèles 2 500 et 3 500 HD pour usage intensif venaient compléter le remaniement des gammes de gros camions chez Chevrolet et GMC. Mais la concurrence est tellement vive qu'il est impossible de se reposer sur ses lauriers. Renonçant à la politique d'attentisme qui a causé bien des ennuis à ce constructeur au cours des dernières années, les responsables des camions ont apporté plusieurs modifications à la présentation et au contenu des Silverado et Sierra en 2003. Au chapitre

du stylisme, les deux modèles voient leur calandre passablement modifiée. Après avoir joué avec succès la carte du conservatisme lors du lancement de ces deux camions en 1999, il était temps de passer à un style plus agressif et plus moderne. Sur le Chevrolet, la barre séparant la grille de calandre est plus importante tandis que le Sierra est pourvu d'un pare-chocs dont les deux importantes prises d'air sont la signature visuelle.

Ajoutez une série de petites retouches à la carrosserie et les deux camions adoptent une allure

plus moderne, sans avoir été transformés du tout au tout. La même recette a été utilisée dans l'habitacle. À première vue, ça ressemble d'assez près à ce que nous proposaient les modèles 2002, considérés comme ce qu'il y avait de mieux. Si la présentation est similaire, plusieurs améliorations sont à souligner, notamment une nouvelle console centrale, un centre d'information pour le pilote dans le dernier tiers du panneau d'instrumentation, un volant redessiné avec commande dans les rayons et un système audio Bose de meilleure qualité. Soulignons au passage que plusieurs véhicules vont se partager ce tableau de bord, notamment l'Avalanche, le Suburban et tous les autres produits dérivés de ces deux camionnettes. Et les occupants de la banquette arrière pourront même visionner leur film favori grâce au lecteur DVD et à l'écran à affichage

## CARACTÉRISTIQUES

| | |
|---|---|
| Prix du modèle à l'essai | LS Cabine allongée 32 895 $ |
| Échelle de prix | de 29 825 $ à 38 500 $ |
| Assurances | 923 $ |
| Garanties | 3 ans 60 000 km / 3 ans 60 000 km |
| Emp. / Long. / Larg. / Haut. (cm) | 364 / 626 / 199 / 187 |
| Poids | 1 980 kg |
| Longueur caisse / Réservoir | 243 cm / 129 litres |
| Chargement / Remorquage | 1 596 kg / 4 854 kg |
| Coussins de sécurité | frontaux |

| | |
|---|---|
| Suspension avant | indépendante |
| Suspension arrière | essieu rigide |
| Freins av. / arr. | disque, ABS |
| Système antipatinage | oui |
| Direction | à crémaillère, assistée (modèle 1 500) |
| Diamètre de braquage | 14,2 mètres |
| Pneus av. / arr. | LT245/75R16 |

## MOTORISATION ET PERFORMANCES

| | |
|---|---|
| Moteur | V8 4,8 litres |
| Transmission | automatique 4 rapports |

| | |
|---|---|
| Puissance | 270 ch à 5 200 tr/min |
| Couple | 285 lb-pi à 4 000 tr/min |
| Autre(s) moteur(s) | V6 4,3 l 200 ch ; V8 5,3 l 285 ch |
| Autre(s) transmission(s) | man. 5 rap. ; man. 6 rap. |
| Accélération 0-100 km/h | 9,8 secondes |
| Reprises 80-120 km/h | n.d. |
| Vitesse maximale | 180 km/h |
| Freinage 100-0 km/h | 42,2 mètres |
| Consommation (100 km) | 13,4 litres (ordinaire) |
| • Valeur de revente | excellente |
| • Renouvellement du modèle | 2006 |

rent une vue quasiment panoramique de ce qui se passe à l'arrière et sur les côtés.

Plusieurs moteurs sont au catalogue, mais le V8 4,8 litres de 270 chevaux est le mieux adapté pour un usage travail/tourisme. Le V6 4,3 litres risque de manquer de muscles en certaines occasions tandis que les moteurs V8 de 5,3 litres et de 6 litres conviennent à des utilisations plus spécialisées. Les groupes propulseurs des modèles HD sont gargantuesques et ne peuvent intéresser que les utilisateurs professionnels.

par cristaux liquides pouvant être installés en option dans certains modèles.

## La magie Quadrasteer

À part les modifications d'ordre esthétique et l'utilisation d'un nouveau circuit électrique, la grande nouvelle est la possibilité de commander le système Quadrasteer dans la plupart des modèles. Lancé l'an dernier et uniquement réservé aux modèles HD, ce mécanisme permet aux roues arrière de tourner en harmonie avec la direction dans un angle pouvant aller jusqu'à 12°. Grâce à ce mécanisme, le diamètre de braquage est réduit de 21 %. Mais son principal avantage est relié à la capacité de tirer une remorque : la stabilité sur l'autoroute est améliorée et le louvoiement est réduit considérablement. Ce système facilite également les changements de voie en permettant aux roues arrière de réagir aux *inputs* de la direction et de réduire l'effet de queue-de-poisson de la remorque. Il est également fort apprécié lors des manœuvres de stationnement et de marche arrière.

Plusieurs retraités qui n'avaient jamais conduit un ensemble camionnette-remorque avant de partir pour la grande aventure en tractant une grosse remorque vont grandement apprécier le Quadrasteer, même si son prix d'acquisition est élevé.

## Un élément demeure

Malgré tous ces changements, les qualités routières de ces deux camionnettes sont demeurées les mêmes. Et elles ont même progressé avec l'arrivée de freins plus efficaces réduisant les distances

*Chevrolet Silverado*

de freinage et d'un système ABS plus sophistiqué. Bien assis dans un habitacle non seulement confortable mais dont la conception est fort pratique, le pilote peut presque conduire ces camions comme s'il s'agissait d'une auto. Les dimensions sont imposantes et la suspension plutôt ferme, mais il est facile de les piloter en raison d'une tenue de route sans surprise. Il est vrai qu'ils sous-virent dans les virages pris à grande vitesse, mais de façon quand même tolérable.

Les sièges des modèles de base sont trop mous, mais ils sont au moins confortables. La position de conduite est plutôt droite tout en étant aussi bonne que sur les modèles concurrents. Il faut se souvenir qu'on est au volant d'un camion et non d'une Formule 1. La visibilité est excellente tandis que les rétroviseurs aux dimensions très importantes assu-

À ce jour, le Chevrolet Silverado et le GMC Sierra proposent le meilleur choix de la catégorie autant en raison de leur cabine confortable et de leur comportement routier sain que de leur diversité de choix. Mais allez donc faire croire cela à un mordu des camionnettes Ford ou des Dodge Ram. Ces gens énumèrent d'innombrables d'arguments en faveur de leurs préférés. Et c'est là justement la loi de ce marché : une fidélité à tout casser envers une marque. Malgré tout, les succès des camionnettes GM au cours des quatre dernières années permettent de croire que « le General » en a converti quelques-uns à sa cause. Et il est certain que Ford et Dodge ne vont pas demeurer sur leurs positions. Les modèles Ram ont été transformés l'an dernier et Ford prépare sa réplique. GM doit donc continuer.

*Denis Duquet*

---

### MODÈLES CONCURRENTS

• *Dodge Ram* • *Ford F-150*
• *GMC Sierra* • *Toyota Tundra*

### QUOI DE NEUF ?

• *Nouveau tableau de bord* • *Système Quadrasteer sur modèles 1 500* • *Révisions à la carrosserie*
• *Système DVD* • *Freins plus puissants*

### VERDICT

| | |
|---|---|
| **Agrément de conduite** | ★★★⯪ |
| **Fiabilité** | ★★★⯪ |
| **Sécurité** | ★★★★ |
| **Qualités hivernales** | ★★★★ |
| **Espace intérieur** | ★★★★ |
| **Confort** | ★★★★ |

### ▲ POUR

• Présentation améliorée • Choix de moteurs
• Boîte automatique efficace • Insonorisation en progrès • Système Quadrasteer

### ▼ CONTRE

• Dimensions encombrantes • Consommation élevée
• Moteur V6 un peu juste • Prix élevé de certains accessoires

# De tout pour tous

L'attitude de Dodge dans la catégorie des camionnettes est aussi simple que géniale. De l'avis des responsables de la planification, les modèles compacts n'ont pas une capacité suffisante de charge et de remorquage. Leurs dimensions ne justifient pas leur prix, non plus. Il y a bien les camions de catégorie F, mais leur gabarit et leur consommation plus élevée ne correspondent pas aux besoins de plusieurs. Alors, pourquoi pas un format aux dimensions raisonnables qui serait propulsé par des moteurs assez puissants pour effectuer des travaux lourds ?

**M**ême si cette approche est basée sur une logique rigoureuse, Dodge est la seule marque à offrir un modèle intermédiaire. Mieux encore, trois types de cabines sont au catalogue : simple, allongée et multiplace. Et puisque les acheteurs de camions ne s'intéressent pas qu'à la configuration de la cabine, il est possible de choisir entre trois moteurs et quatre transmissions. Ajoutez trois rapports de pont différents et le choix est encore plus grand. J'allais oublier, la caisse de chargement est offerte en deux longueurs, 195 cm et 165 cm ! Les indécis vont avoir du plaisir à faire leur choix.

Malgré leur popularité auprès des individus et des familles, les camionnettes demeurent de par leur construction des véhicules de travail capables de transporter des charges encombrantes ou encore de tracter une remorque. Cela nécessite une suspension arrière très ferme pour ne pas s'affaisser sous la charge. Ce qui se traduit généralement par une conduite délicate sur mauvaise route lorsque le camion n'est pas chargé. L'essieu a alors tendance à sautiller à gauche et à droite, donnant parfois des sensations fortes au pilote. Il y a cependant d'heureuses exceptions.

## Surprise !

Quelle ne fut pas ma surprise de constater que le Dakota SLT 4X4 à cabine multiplace de notre essai semblait avaler les plus mauvais revêtements comme par enchantement ! Après avoir été secoué sur ces mêmes sections de route au volant de berlines et de véhicules utilitaires sport, j'avais l'impression que cette camionnette roulait sur un nuage ou presque. Sans exagérer, j'ai été impressionné. Bien entendu, les choses se corsaient en virage, mais c'était quand même très acceptable. Il est certain

### CARACTÉRISTIQUES

| | |
|---|---|
| Prix du modèle à l'essai | Quad Cab SLT 32 595 $ |
| Échelle de prix | de 21 960 $ à 29 450 $ |
| Assurances | 900 $ |
| Garanties | 3 ans 60 000 km / 7 ans 115 000 km |
| Emp. / Long. / Larg. / Haut. (cm) | 332 / 497 / 182 / 164 |
| Poids | 1 905 kg |
| Longueur caisse / Réservoir | 165 cm (Quad) / 91 litres |
| Chargement / Remorquage | 545 kg / 2 700 kg (4X4) |
| Coussins de sécurité | frontaux |

| | |
|---|---|
| Suspension avant | indépendante, leviers triangulés |
| Suspension arrière | essieu rigide, ressorts elliptiques |
| Freins av. / arr. | disque |
| Système antipatinage | non |
| Direction | à crémaillère, assistée |
| Diamètre de braquage | 12,6 mètres |
| Pneus av. / arr. | P215/75R15 |

### MOTORISATION ET PERFORMANCES

| | |
|---|---|
| Moteur | V8 5,9 litres |
| Transmission | 4X4, automatique 4 rapports |

| | |
|---|---|
| Puissance | 250 ch à 4400 tr/min |
| Couple | 335 lb-pi à 3200 tr/min |
| Autre(s) moteur(s) | V6 3,9 l 175 ch ; V8 4,7 l 235 ch |
| Autre(s) transmission(s) | man. 5 rap., auto. 5 rap. (4,7 l) |
| Accélération 0-100 km/h | 7,8 s ; 8,4 s (4,7 l) |
| Reprises 80-120 km/h | 5,6 secondes (5,9 l) |
| Vitesse maximale | 175 km/h |
| Freinage 100-0 km/h | 44,5 mètres |
| Consommation (100 km) | 15,8 litres (ordinaire) |
| • Valeur de revente | moyenne |
| • Renouvellement du modèle | 2005 |

allongée, ces sportives à boîte de chargement offrent des accélérations et des reprises très dynamiques grâce à leur moteur V8 de 5,9 litres à haut rendement de 250 chevaux. De plus, un pot d'échappement moins restrictif produit ce ronronnement guttural tant apprécié des amateurs. Pour assurer une tenue de route à la hauteur de la puissance, les ingénieurs ont fait appel aux recettes éprouvées : pneus surdimensionnés P255/55R17, suspension abaissée de 2,5 cm et barres antiroulis à l'avant et à l'arrière. Et bien

que l'empattement allongé de ce modèle à cabine multiplace explique en partie ces bonnes manières, mais force est d'admettre que les ingénieurs de Dodge contrôlent bien les subtilités de l'essieu arrière de type Hotchkiss.

En plus d'être confortable sur mauvaise route, notre camionnette d'essai ne se faisait pas prier pour assurer des reprises et des accélérations dignes de mention. Il est certain que son moteur V8 optionnel de 5,9 litres plaira aux adeptes de la haute performance avec sa puissance de 250 chevaux. Toutefois, sa consommation d'essence vous mettra sur la liste d'envoi de cartes de Noël des pétrolières. Le meilleur choix est le V8 de 4,7 litres associé cette année à une boîte automatique à 5 vitesses. Cette combinaison est mieux adaptée à une conduite de tous les jours et elle est de beaucoup supérieure à la 4 vitesses du V8 de 5,9 litres. Les accélérations et les reprises sont un peu plus lentes avec le « petit V8 », mais on y gagne en consommation réduite et en douceur de passage des rapports. Ce 4,7 litres est livré de série avec une boîte manuelle à 5 rapports.

Si le V8 vous rebute, sachez que le Dakota est livré en équipement de série avec un moteur V6 3,9 litres produisant 175 chevaux et une boîte manuelle à 5 rapports. Cela vous permettra d'économiser à l'achat et en frais de carburant. Mais si vous êtes du type à toujours surcharger votre camionnette, ce n'est pas le meilleur choix. Par contre, une entreprise de livraison de petits colis ou un entrepreneur en terrassement transportant de l'équipement léger vont y trouver leur compte.

Pour en terminer avec ce modèle multiplace, la banquette arrière est moyennement confortable bien que presque aussi spacieuse que celle du Ram Quad Cab. La qualité de la finition et de l'assemblage s'est également améliorée au cours des 12 derniers mois tandis que le tableau de bord est aussi sobre que fonctionnel. Il faudrait cependant que les stylistes revoient la poutre avant afin de mieux protéger le condensateur d'air climatisé qui est toujours vulnérable aux boules de remorquage des autre véhicules dans les terrains de stationnement.

### Vroum ! Vroum !

Les camionnettes haute performance sont de plus en plus populaires chez nos voisins du Sud, ce qui explique la présence des modèles R/T dans la gamme Dakota. Offertes en cabine simple ou

que l'arrière soit parfois rétif sur mauvaise route, ce Dakota en baskets se débrouille très bien en termes de tenue de route.

Il ne faut pas avoir peur de la vitesse pour rouler en R/T, car il est capable de performances assez élevées. Les ingénieurs ont eu la bonne idée d'installer des freins à disque aux quatre roues dans ce modèle de même que dans les Quad Cab et toutes les versions 4X4. Malheureusement, l'ABS est optionnel ; il faut donc être délicat avec les freins en certaines occasions.

La famille du Dakota est plus complète que jamais. Les sportifs comme les entrepreneurs peuvent y trouver leur compte.

*Denis Duquet*

---

## MODÈLES CONCURRENTS

• *Nissan Frontier 4 portes* • *Toyota Tacoma*
• *Toyota Tundra*

## QUOI DE NEUF

• *Moteur 2,5 litres discontinué* • *Boîte automatique 5 rapports avec moteur 4,7 litres* • *Roues 16 pouces de série* • *Freins à disque aux 4 roues avec ABS de série dans plusieurs modèles*

## VERDICT

| | |
|---|---|
| **Agrément de conduite** | ★★★★ |
| **Fiabilité** | ★★★½ |
| **Sécurité** | ★★★½ |
| **Qualités hivernales** | ★★★½ |
| **Espace intérieur** | ★★★★ |
| **Confort** | ★★★★ |

## ▲ POUR

• **Boîte auto. 5 rapports (4,7 l)** • **Version Quad Cab impressionnante** • **Finition en progrès**
• **Freinage amélioré** • **Version R/T**

## ▼ CONTRE

• **Consommation élevée (5,9 l)** • **Tableau de bord trop sobre** • **Sautillement du train arrière**
• **Absence de coussins latéraux**

# DODGE RAM

# Une gamme renouvelée

**Plusieurs ont de la difficulté à percevoir l'importance du marché des camionnettes pour un constructeur automobile. C'est pourtant facile. Pour s'en convaincre, il suffit de souligner que Toyota s'est jointe au club des producteurs de gros camions depuis deux ans et que Nissan s'apprête à faire de même. Chez Dodge, l'arrivée d'un modèle entièrement transformé l'an dernier ne tenait pas du caprice. L'ancien avait perdu de son lustre et il fallait agir avant que les ventes dégringolent.**

Puisque ce sont ses allures «gros camion» qui l'ont rendue si populaire, la Ram nouvelle et améliorée en remet à ce chapitre. Cette fois, la calandre est encore plus en évidence. Les stylistes se sont même amusés à concocter plusieurs variantes en fonction des modèles. Ainsi, la grille de calandre est cerclée de chrome sur la SLT tandis que la Sport se distingue par un pourtour de grille de couleur harmonisée à celle de la carrosserie. Bien entendu, les ailes en relief ont été retenues tandis que les phares de route sont dorénavant plus puissants et plus aérodynamiques tandis que les phares antibrouillards sont incrustés dans le pare-chocs. Au premier coup d'œil, la caisse semble avoir peu changé. Mais en y regardant de près, on découvre que les stylistes y sont allés de plusieurs petites retouches çà et là pour moderniser sans trop s'éloigner du concept original.

L'habitacle est moins flamboyant que l'extérieur. Ce qui s'explique facilement puisqu'il sert souvent de bureau de travail. Les changements sont tout de même importants. En plus de cadrans sur fond blanc, la partie centrale de la planche de bord accueille un module inédit audio/climatisation de couleur noire sur lequel le travailleur aux mains souillées ne laissera pas de marques de doigts. Le module est parsemé de commandes de bonnes dimensions et faciles à utiliser. Autre astuce, l'accoudoir central est suffisamment grand pour abriter un ordinateur portable et plusieurs accessoires. Une fois remis en place, il permet à une troisième personne de prendre place à l'avant. Le confort est moyen, mais ça peut toujours aller. Parmi les autres accessoires dignes de mention, signalons le pédalier réglable, les glaces à commande électrique, un rideau de sécurité latéral gonflable

## CARACTÉRISTIQUES

| | |
|---|---|
| Prix du modèle à l'essai | Quad Cab 37 895 $ |
| Échelle de prix | de 23 865 $ à 42 580 $ |
| Assurances | 833 $ |
| Garanties | 3 ans 60 000 km / 7 ans 115 000 km |
| Emp. / Long. / Larg. / Haut. (cm) | 333 / 546 / 181 / 174 |
| Poids | 2215 kg |
| Longueur caisse / Réservoir | 162 cm / 91 litres |
| Chargement / Remorquage | 717 kg / 2812 kg |
| Coussins de sécurité | frontaux et tête |

| | |
|---|---|
| Suspension avant | indépendante, leviers triangulés |
| Suspension arrière | essieu rigide, ressorts elliptiques |
| Freins av. / arr. | disque, ABS |
| Système antipatinage | non |
| Direction | à pignon et crémaillère, assistée |
| Diamètre de braquage | 12,6 mètres |
| Pneus av. / arr. | P245/70R17 (P275/55R20 modèle Sport) |

## MOTORISATION ET PERFORMANCES

| | |
|---|---|
| Moteur | V8 5,9 litres |
| Transmission | automatique 4 rapports |

| | |
|---|---|
| Puissance | 245 ch à 4000 tr/min |
| Couple | 335 lb-pi à 3200 tr/min |
| Autre(s) moteur(s) | V6 3,7 l 215 ch; V8 4,7 l 235 ch |
| Autre(s) transmission(s) | man. 5 rap.; auto. 5 rap. (5,7 l) |
| Accélération 0-100 km/h | 9,8 secondes (V8 5,9 l) |
| Reprises 80-120 km/h | 7,9 secondes |
| Vitesse maximale | 180 km/h |
| Freinage 100-0 km/h | 45,2 mètres |
| Consommation (100 km) | 15,6 litres (ordinaire) |
| • Valeur de revente | bonne |
| • Renouvellement du modèle | 2006 |

remorquer une grosse maison mobile.

Haute sur pattes et d'un gabarit encombrant, la Dodge Ram est plus à l'aise sur les routes relativement larges ou dans un champ dégagé. Les sentiers étroits et les routes secondaires sinueuses ne font que souligner son gros gabarit. Il faut également ajouter que le rouage d'entraînement du modèle 4X4 est plus efficace qu'auparavant, surtout en raison d'un châssis plus rigide et plus moderne.

La refonte des modèles 2500 et 3500 permet de compléter le rajeunissement de la famille Ram.

et des sièges à commande électrique. Mettons-y un bémol en soulignant que la sellerie de cuir offerte en option fait un peu bon marché en raison de sa texture.

Les camionnettes quatre portes sont très en demande de nos jours. Dans cette configuration, la Ram possède un peu moins de place à l'arrière que la Dakota qui est pourtant plus petite. Les décideurs ont opté de privilégier la longueur de la boîte de chargement. Les places arrière sont donc un compromis : l'espace pour les jambes y est quelque peu restreint. La polyvalence est de la partie cependant avec une banquette arrière 60/40 qui se replie facilement pour permettre l'accès à des bacs de rangement. Dans le modèle deux portes, l'espace derrière le siège permet également de remiser des objets assez volumineux.

Sur le plan de la mécanique, le châssis était l'élément le plus vulnérable de la Ram. Et cette faiblesse était encore plus évidente depuis le renouvellement des Chevrolet Silverado et GMC Sierra. Cette lacune a été corrigée par le développement d'un châssis dont les poutres longitudinales sont formées par pression hydraulique. Dans le cadre de cette cure de rajeunissement, il faut mentionner l'arrivée d'une direction à crémaillère, d'une suspension avant indépendante pour le 4X4 et de freins à disque aux quatre roues dans tous les modèles. Soulignons au passage l'ingénieuse prise de raccordement pour le système électrique de la remorque.

Les modèles « Sport » sont livrés avec des jantes chromées de 20 pouces, la nouvelle tendance sur

le marché. Sous le capot, notre modèle d'essai était équipé de l'incontournable V8 de 5,9 litres de 245 chevaux. En conduite, il est celui qui permet les accélérations les plus impressionnantes, mais sa transmission est saccadée et le passage des rapports survient au mauvais moment. De plus, sa consommation est de nature à faire sourire les responsables des pétrolières. Le V8 de 4,7 litres s'avère un choix plus intéressant. Comme le moteur V6, il bénéficie de la boîte automatique 45F moderne, qui s'acquitte bien de sa tâche. Elle est non seulement très douce, mais son système de contrôle électronique se charge avec efficacité des changements de vitesses. Il ne faut pas ignorer le V6 pour autant. Avec ses 215 chevaux, il en concède 20 au V8 de 4,7 litres. Bien que bruyant, il est à considérer si vous ne prévoyez pas transporter des billes de bois ou

La direction en a profité pour faire revivre le légendaire moteur Hemi sous le capot de ces robustes engins. Cette fois, ce gros V8 de 5,7 litres développe 345 chevaux et 365 lb-pi de couple. De quoi déplacer tout ou presque. Cela dit, il faut souligner une fois de plus que si le modèle à roues arrière doubles de type *stepside* est de nature à impressionner les amateurs du genre, il est important de savoir que ces modèles ne conviennent pas tellement à la conduite urbaine et que la consommation est susceptible de vous faire regretter votre achat à chaque plein. À n'acheter qu'en cas de besoin et non pas pour jouer au « gars de truck ».

*Denis Duquet*

---

## MODÈLES CONCURRENTS

- *Chevrolet Silverado* • *Ford F-150* • *GMC Sierra*
- *Toyota Tundra*

## QUOI DE NEUF ?

- *Modèles 2500 et 3500* • *Moteur Hemi*

## VERDICT

| | |
|---|---|
| **Agrément de conduite** | ★★★★ |
| **Fiabilité** | ★★★☆ |
| **Sécurité** | ★★★☆ |
| **Qualités hivernales** | ★★★★ |
| **Espace intérieur** | ★★★☆ |
| **Confort** | ★★★★ |

## ▲ POUR

- Nouvelles versions Heavy Duty
- Cabine confortable • Tenue de route prévisible
- Choix de moteurs • Finition en progrès

## ▼ CONTRE

- Moteur 5,9 litres gourmand • Places arrière restreintes (Quad Cab) • Présentation intérieure ultrasobre • Centre de gravité élevé (4X4)

# Plaisir et déception

**Avant sa chute aux enfers, la compagnie Ford a surtout mis l'accent sur la production de camionnettes et de VUS. Compte tenu de la popularité de ces modèles et de l'emprise de la compagnie sur ces segments, c'était de bonne guerre. Et pour dominer un marché, il faut diversifier l'offre le plus possible. Ce qui explique la présence de l'Explorer Sport deux portes, destiné à concurrencer les Chevrolet Blazer et GMC Jimmy de même configuration. Mais le produit le plus intéressant dérivé de cette même plate-forme est le Sport Trac, un VUS hybride doté d'une cabine multiplace et d'une boîte de camion.**

En règle générale, ces véhicules sont des camionnettes compactes affublées d'une cabine quatre portes. Dans le cas du Sport Trac, c'est un Explorer de l'avant-dernière génération qui a été utilisé pour servir de base. L'appellation Explorer ne devrait pas vous laisser croire que cet hybride bénéficie d'une suspension arrière indépendante comme l'Explorer quatre portes actuel. Le Sport Trac est doté d'un essieu arrière rigide qui vient quelque peu assombrir le comportement routier. Les ingénieurs ont été obligés de faire un compromis entre la capacité que permet la boîte de chargement de 1,50 m et le caractère plus familial de ce camion quatre portes. Les avis sont unanimes: ce sont les bagages qui l'ont emporté sur les passagers. La suspension arrière n'est pas aussi rigide que celle d'un Ranger par exemple, mais elle ne réussit pas très bien à absorber les trous et les bosses. L'arrière sautille sur mauvaise route et il faut que la caisse soit moyennement chargée pour qu'on puisse bénéficier d'un peu de confort de la part de la suspension.

Ceux qui ont été séduits par la silhouette accrocheuse de ce véhicule tout usage devront donc vivre avec une tenue de route moyenne et une suspension assez rétive la plupart du temps. Heureusement que le moteur V6 4 litres de 210 chevaux accomplit du bon travail en harmonie avec la boîte automatique à 5 rapports. Son temps d'accélération est plus court que celui du Nissan Frontier, un concurrent direct, et il montre nettement plus de mordant en fait de reprises et d'accélération que son concurrent japonais. Le prix à payer pour ces performances: une consommation de carburant élevée. De plus, même si cet Explorer n'est pas maigrichon, ses

### CARACTÉRISTIQUES

| | |
|---|---|
| Prix du modèle à l'essai | Sport Trac 34 430 $ |
| Échelle de prix | de 33 295 $ à 34 430 $ |
| Assurances | 870 $ |
| Garanties | 3 ans 60 000 km / 3 ans 60 000 km |
| Emp. / Long. / Larg. / Haut. (cm) | 319 / 523 / 182 / 178 |
| Poids | 1 975 kg |
| Longueur caisse / Réservoir | 127 cm / 85 litres |
| Chargement / Remorquage | 680 kg / 2404 kg |
| Coussins de sécurité | frontaux et de tête |

| | |
|---|---|
| Suspension avant | indépendante, leviers triangulés |
| Suspension arrière | essieu rigide, ressorts elliptiques |
| Freins av. / arr. | disque, ABS |
| Système antipatinage | non |
| Direction | à crémaillère, assistée |
| Diamètre de braquage | 13,1 mètres |
| Pneus av. / arr. | P235/70R16 |

### MOTORISATION ET PERFORMANCES

| | |
|---|---|
| Moteur | V6 4 litres |
| Transmission | intégrale, automatique 5 rapports |

| | |
|---|---|
| Puissance | 210 ch à 5 200 tr/min |
| Couple | 240 lb-pi à 3 000 tr/min |
| Autre(s) moteur(s) | V6 4 litres 203 ch (Explorer Sport) |
| Autre(s) transmission(s) | manuelle 5 rapports |
| Accélération 0-100 km/h | 9,9 secondes |
| Reprises 80-120 km/h | 7,9 secondes |
| Vitesse maximale | 190 km/h |
| Freinage 100-0 km/h | 42,3 mètres |
| Consommation (100 km) | 14,8 litres (ordinaire) |
| • Valeur de revente | moyenne |
| • Renouvellement du modèle | 2006 |

portes. Tout comme le Sport Trac, il doit se contenter de l'essieu arrière rigide et d'un châssis dérivé de celui du Ranger. Ce qui explique sans doute pourquoi ce véhicule est sans doute le moins agréable à piloter dans toute la gamme Ford. Il semble que les ingénieurs aient raté leur coup en dessinant cet empattement court. La direction est vague, la tenue en virage incertaine tandis que le train arrière ne fait pas bon ménage avec les mauvais revêtements.

Ford déclare viser une clientèle jeune avec ce modèle et va même jusqu'à offrir une boîte de

dimensions sont quand même acceptables et la conduite en ville ne pose pas de problème. Par contre, les manœuvres de stationnement s'avèrent assez ardues en raison d'un diamètre de braquage énorme.

### Une cabine confortable

Avant de parler de l'habitacle, il faut souligner que la caisse arrière est d'environ 30 cm plus courte que celle d'une camionnette conventionnelle, ce qui ne permet pas d'y placer à plat le traditionnel panneau de contreplaqué 4 pi X 8 pi. Par contre, ses dimensions sont suffisantes pour transporter un nombre très diversifié d'objets et de matériaux. De plus, un ingénieux système visant à allonger la capacité de la caisse constitue un compromis acceptable.

Mais je suis prêt à parier que l'acheteur type d'un Sport Trac est davantage attiré par la silhouette très réussie de la cabine multiplace. Celle-ci est beaucoup plus longue que la boîte de chargement, ce qui rappelle en quelque sorte les voitures sport avec leur nez allongé et leur arrière court. Ces proportions rendent les places arrière de la cabine confortables, avec un bon dégagement pour les jambes et la tête. Le tableau de bord se situe dans la bonne moyenne en fait de présentation tandis que les cadrans à fond blanc donnent du cachet à la présentation. Il faut également souligner que les commandes de la climatisation et de la radio sont faciles d'accès.

Dans la même veine, les amateurs de musique musclée seront heureux d'apprendre que le modèle Adrenalin sera offert en cours d'année. Avec sa

chaîne audio Pioneer de 485 watts et 9 haut-parleurs, vous allez vous faire remplir les oreilles de façon très expéditive. Cette édition spéciale est également dotée de roues exclusives et d'autres éléments de présentation différents.

Malgré une suspension un peu trop industrielle, le Sport Trac est d'une grande polyvalence et cette solution de compromis se défend quand même sur la route. Ce que nous ne pouvons dire à propos de l'Explorer Sport.

### L'horreur !

Même si le marché des VUS deux portes à empattement court n'est pas très florissant, il existe une clientèle pour cette catégorie. Et Ford se doit d'y être présent. Malheureusement, l'Explorer Sport ne bénéficie pas du châssis sophistiqué de l'Explorer quatre

vitesses manuelle avec le moteur V6 4 litres. Il faut en effet être jeune pour subir un véhicule si inconfortable et d'un agrément de conduite si mitigé. Ajoutons que ce modèle deux portes n'est pas tellement généreux pour les occupants des places arrière qui doivent lever la jambe passablement haut pour se glisser sur une banquette arrière d'un confort incertain. Compte tenu que ce modèle est plus court, il est conseillé de laisser le dossier arrière rabattu en permanence. Vous aurez ainsi une plus grande surface de chargement et vous ne ferez pas souffrir vos amis en leur imposant les places arrière.

Une chose est certaine : l'Explorer Sport n'apportera pas une grande contribution à la relance de la compagnie.

*Denis Duquet*

---

### MODÈLES CONCURRENTS

• *Nissan Frontier* • *Toyota Tacoma*

### QUOI DE NEUF

• *Freins à disque arrière* • *Rideau de sécurité*
• *Sièges avant modifiés*

### VERDICT

| | |
|---|---|
| **Agrément de conduite** | ★★★⯪ |
| **Fiabilité** | ★★★⯪ |
| **Sécurité** | ★★★★ |
| **Qualités hivernales** | ★★★★ |
| **Espace intérieur** | ★★★⯪ |
| **Confort** | ★★★⯪ |

### ▲ POUR

• Silhouette élégante • Places arrière confortables
• Moteur bien adapté • Freins à disque arrière
• Rideau latéral

### ▼ CONTRE

• Consommation élevée • Suspension arrière rigide
• Prix corsé • Pneumatiques moyens
• Marchepied inutile

# FORD F-150

# Double anniversaire

**Malgré une situation commerciale instable et une révision complète de son bureau de direction, la compagnie Ford tient à souligner deux anniversaires bien particuliers. Le premier a été le centenaire de la compagnie, fondée en juillet 1902. Les responsables de la mise en marché auraient dormi au gaz s'ils n'avaient pas concocté une version Heritage du F-150 pour souligner l'événement. Le second anniversaire à célébrer est le fait qu'elle soit la camionnette la plus vendue au monde depuis un quart de siècle.**

C'est justement pour conserver ce championnat qu'une nouvelle génération est attendue au début de l'année 2003 en tant que modèle 2004. Sa silhouette s'inspire de celle du prototype Tonka dévoilé au Salon de Detroit 2002. Heureusement, les angles ont été atténués et les stylistes ont surtout retenu la calandre proéminente et des flancs plus plats que ceux du modèle actuel qui ne change pratiquement pas en 2003. Les moteurs vont gagner en puissance tout en consommant moins. On verra l'arrivée d'un tout nouveau moteur Super-600 diesel dont la puissance estimée est de 350 chevaux et le couple de 600 lb-pi. Le moteur V8 5,4 litres sera amélioré et aura 3 soupapes par cylindre.

Mais ce qui sera le centre d'intérêt de cette nouvelle édition du F-150 est la possibilité de choisir parmi cinq cabines différentes. Selon le modèle et le type d'utilisation anticipée, il sera possible d'opter pour le décor, l'ambiance et la présentation voulues. Par exemple, le tableau de bord sera différent dans un camion destiné à la livraison ou acheté par un riche industriel s'en servant pour ses loisirs. En tout, l'acheteur pourra choisir parmi cinq ambiances : outil de travail, famille, sport, hors route et luxe robuste.

### En attendant

Si la relève est attendue, les modèles 2003 ne sont pas à négliger pour autant. Après tout, il faut plus qu'une mise en marché astucieuse et des prix compétitifs pour pouvoir figurer en tête des palmarès pendant aussi longtemps. Les F-150 ont toujours été des camionnettes robustes, pratiques et capables de répondre aux besoins des utilisateurs.

Les changements esthétiques et mécaniques sont assez peu nombreux en raison du contexte. Les

## CARACTÉRISTIQUES

| | |
|---|---|
| Prix du modèle à l'essai | STX 38 495 $ |
| Échelle de prix | de 22 480 $ à 40 115 $ |
| Assurances | n.d. |
| Garanties | 3 ans 60 000 km / 5 ans 100 000 km |
| Emp. / Long. / Larg. / Haut. (cm) | 304 / 528 / 201 / 180 |
| Poids | 2 120 kg |
| Longueur caisse / Réservoir | 198 cm (courte) / 95 l |
| Chargement / Remorquage | 590 kg / 3 495 kg |
| Coussins de sécurité | frontaux |

| | |
|---|---|
| Suspension avant | indépendante, leviers triangulés |
| Suspension arrière | essieu rigide, ressorts elliptiques |
| Freins av. / arr. | disque, ABS |
| Système antipatinage | non |
| Direction | à billes, assistée |
| Diamètre de braquage | 12,3 mètres |
| Pneus av. / arr. | P275/60R17 |

## MOTORISATION ET PERFORMANCES

| | |
|---|---|
| Moteur | V8 4,6 litres |
| Transmission | propulsion, automatique 4 rapports |

| | |
|---|---|
| Puissance | 231 ch à 4750 tr/min |
| Couple | 293 lb-pi à 3 500 tr/min |
| Autre(s) moteur(s) | V6 4,2 l 202 ch; V8 4,6 ch 380 ch; |
| Autre(s) transmission(s) | manuelle 5 rapports |
| Accélération 0-100 km/h | 8,7 s ; 4,65 s (Lightning) |
| Reprises 80-120 km/h | 8,7 secondes |
| Vitesse maximale | 190 km/h |
| Freinage 100-0 km/h | 44,8 mètres |
| Consommation (100 km) | 13,5 litres (ordinaire) |
| • Valeur de revente | excellente |
| • Date de renouvellement du modèle | 2004 |

Mais peu importe leur habillement, toutes ces camionnettes partagent une plate-forme solide et robuste qui doit cependant s'incliner devant le nouveau Dodge Ram et les Chevrolet Silverado/GMC Sierra en fait de raffinement. Les produits Ford sont capables d'en prendre et leur comportement routier est prévisible, mais la concurrence possède un léger avantage.

Même si ce n'est pas le plus grand succès de la gamme, une version utilisant le moteur V8 4,6 litres couplé à une boîte manuelle à 5 rap-

planificateurs se sont surtout occupés d'optimiser les groupes d'options et d'étendre certaines configurations à des modèles qui en étaient privés auparavant. Les ingénieurs ne se sont toutefois pas tourné les pouces, car l'insonorisation a été améliorée, surtout lorsque le moteur tourne à plein régime. Les vibrations ont également été atténuées, ce qui est d'autant plus important qu'un nombre sans cesse croissant de camionnettes sont utilisées en tant que véhicule familial.

Chez Ford, on est fier des succès du SuperCrew, ce qui est venu mettre un peu de baume sur les plaies causées par les malheurs de la compagnie au cours des derniers mois. Grâce à sa cabine multiplace et à sa boîte écourtée, ce compromis permet à une famille de voyager de façon plus que confortable sans perdre les qualités d'adaptabilité et de robustesse propres à toute camionnette. Pour mettre les choses en perspective, la boîte de chargement du SuperCrew est 30 cm plus courte que celle d'un modèle à cabine régulière, tout en étant pourvue d'un système de rallonge qui permet de compenser.

Ce modèle vedette possède un équipement très complet et il est même possible de commander en option un système vidéo incluant un lecteur VHS. Un système avec DVD serait plus intéressant, mais ce sera pour le modèle 2004. Le moteur de série est le V8 5,4 litres Triton d'une puissance de 260 chevaux. La version Harley Davidson du Super-Crew permet de s'associer à la célèbre marque de moto en plus de bénéficier du moteur suralimenté de 340 chevaux.

**Prototype Tonka**

## Passé et présent

Le modèle Heritage souligne le centenaire de la compagnie. Pour ce faire, les responsables de la mise en marché utilisent toutes les astuces connues. Cette édition spéciale est offerte avec une carrosserie deux tons, des marchepieds chromés, quelques autres « bébelles » du genre, des jantes de 17 pouces ainsi que des écussons Heritage sur les ailes avant et la porte à battant arrière.

Le F-150 STX est destiné aux acheteurs plus jeunes davantage tournés vers l'avenir. Encore là, la présentation fait foi de tout. La peinture monochrome, les roues en alu de 17 pouces, les sièges exclusifs au tissu de couleur graphite et une chaîne audio incorporant un lecteur CD/MP3 de Kenwood devraient les combler.

ports ne grèvera pas trop votre budget, sera fiable, et son agrément de conduite en surprendra plusieurs. D'autant plus que le passage des rapports est parfois brusque avec la boîte automatique. Toutefois, le moteur V8 4,6 litres de 231 chevaux sera le choix de la majorité, car il constitue un compromis intéressant entre le V6 4,2 litres et le gros V8 de 5,4 litres dont les 260 chevaux ne sont pas destinés à une utilisation familiale à moins d'avoir une grosse remorque à tirer. Soulignons au passage que la boîte automatique est à 4 rapports.

Même si la relève est imminente, la gamme 2003 du F-150 permet de choisir parmi une multitude de modèles dont la capacité de travail a été prouvée à maintes reprises.

*Denis Duquet*

## MODÈLES CONCURRENTS

- Chevrolet Silverado/GMC Sierra • Dodge Ram
- Toyota Tundra

## QUOI DE NEUF

- Versions Heritage et STX • Insonorisation améliorée
- Lecteur 6 CD dans certains modèles
- Ancrage LATCH pour siège de bébé

## VERDICT

| | |
|---|---|
| Agrément de conduite | ★★★★ |
| Fiabilité | ★★★★ |
| Sécurité | ★★★★ |
| Qualités hivernales | ★★★ |
| Espace intérieur | ★★★ |
| Confort | ★★★★ |

## ▲ POUR

- Choix de modèles • Mécanique solide
- Options innombrables • Valeur de revente
- SuperCrew

## ▼ CONTRE

- Fin de série • Consommation élevée
- Tableau de bord fade • Essieu arrière instable
- Absence de coussins latéraux

# FORD RANGER

# Populaire, mais...

Contrairement au secteur des voitures de tourisme, celui des camionnettes n'est pas assujetti à cette loi non écrite qui impose des modifications intérimaires tous les trois ans et une refonte après six ans. Pendant des années, le même camion connaît généralement peu de changements sur le plan esthétique tandis que les éléments de la mécanique sont améliorés épisodiquement afin de le rendre plus performant et plus durable. C'est la politique à adopter avec un véhicule qui est essentiellement un outil de travail.

**M**algré cela, certains constructeurs préfèrent frapper un grand coup de temps à autre afin de souligner leur présence dans ce segment du marché. Ce n'est pas le cas de la compagnie Ford qui s'en tient à la politique de l'évolution. Une décision qui se justifie facilement, puisque le Ranger domine la catégorie des camionnettes compactes depuis la fin des années 80. En 2001 toutefois, cette camionnette a bénéficié de deux nouveaux moteurs

et de plusieurs retouches esthétiques, changements importants qui ont été peu diffusés auprès du public. La compagnie était probablement trop occupée à régler le fiasco de l'Explorer, à étouffer la controverse des pneus Firestone et à remplacer ses dirigeants. Mais revenons à notre camionnette.

### Des améliorations mécaniques

Même si le Ranger domine la liste des best-sellers de la catégorie, il a toujours été équipé de moteurs

dont les performances étaient inférieures à la moyenne et la consommation de beaucoup supérieure. La cure de jeunesse subie il y a trois ans a vu la disparition du glouton V6 4 litres à soupapes en tête. Il a été remplacé par le V6 4 litres à SACT également utilisé dans le modèle Sport Trac qui peut être considéré comme un Ranger à cabine multiplace. Mais si cet utilitaire sport ne peut être commandé qu'avec un seul moteur, le Ranger en offre deux autres. Le moteur de série est le vénérable V6 3 litres d'une puissance de 150 chevaux, 15 de plus que le moteur 4 cylindres de 2,3 litres de conception mécanique plus moderne et moins assoiffé. En pratique, le choix se fait davantage entre le V6 4 litres et le 4 cylindres.

Le châssis autonome est l'un des plus rigides de la catégorie, mais son train arrière n'a jamais fait

## CARACTÉRISTIQUES

| | |
|---|---|
| **Prix du modèle à l'essai** | Ford Ranger XL 17 895 $ |
| **Échelle de prix** | de 16 395 $ à 26 395 $ |
| **Assurances** | 808 $ |
| **Garanties** | 3 ans 60 000 km / 5 ans 100 000 km |
| **Emp. / Long. / Larg. / Haut. (cm)** | 320 / 512 / 172 / 171 |
| **Poids** | 1 680 kg |
| **Longueur caisse / Réservoir** | 183 cm / 88 litres |
| **Chargement / Remorquage** | 541 kg / 2 318 kg |
| **Coussins de sécurité** | frontaux |

| | |
|---|---|
| **Suspension avant** | ind., leviers asymétriques |
| **Suspension arrière** | essieu rigide, barres de torsion |
| **Freins av. / arr.** | disque / tambour ABS |
| **Système antipatinage** | non |
| **Direction** | à crémaillère, assistée |
| **Diamètre de braquage** | 12,4 mètres |
| **Pneus av. / arr.** | P225 / 70R15 |

## MOTORISATION ET PERFORMANCES

| | |
|---|---|
| **Moteur** | V6 3 litres |
| **Transmission** | propulsion, automatique 5 rapports |

| | |
|---|---|
| **Puissance** | 154 ch à 5 200 tr/min |
| **Couple** | 180 lb-pi 3 900 à tr/min |
| **Autre(s) moteur(s)** | V6 4 l 207 ch ; 4 l 2,3 l 143 ch |
| **Autre(s) transmission(s)** | Manuelle 5 rapports |
| **Accélération 0-100 km/h** | 10,9 secondes |
| **Reprises 80-120 km/h** | 9,2 secondes |
| **Vitesse maximale** | 175 km/h |
| **Freinage 100-0 km/h** | 42,8 mètres |
| **Consommation (100 km)** | 12,8 litres (ordinaire) |
| • **Valeur de revente** | Bonne |
| • **Date de renouvellement du modèle** | 2006 |

véhicules, car elle a transformé pendant des années les Chevrolet Camaro SS et Pontiac Firebird Firehawk.

Comme ce fut le cas avec ces deux coupés sport, des modifications esthétiques et mécaniques ont été apportées. Les responsables de SLP ont utilisé le modèle 4X2 à cabine allongée et lui ont fait subir le traitement maison. Plusieurs éléments esthétiques et aérodynamiques donnent à cette carrosserie une silhouette qui n'est pas sans rappeler celle du F-150 Lightning. La prise d'air sur le capot est fonctionnelle et permet d'amener une plus grande

bon ménage avec les mauvaises routes. Au fil des années, la géométrie de la suspension a été révisée et la fermeté des amortisseurs atténuée, ce qui a permis d'améliorer sensiblement le niveau de confort et la tenue de route. Malgré tout, cette suspension demeure toujours ferme. Heureusement, les choses s'améliorent lorsque la boîte est chargée.

### Styliste demandé
S'il faut croire les communiqués de presse de la compagnie, la silhouette a connu une transformation importante depuis le début du nouveau millénaire. Plusieurs éléments de la caisse ont été remplacés, l'habitacle a connu des modifications et le tableau de bord a été retouché afin d'accueillir un changeur CD à six disques. Enfin, la version Edge destinée à une clientèle plus jeune est venue s'ajouter à la liste des modèles. Malheureusement, comme pour la plupart des nouveaux produits Ford à l'exception de la Thunderbird, il est difficile de louanger les stylistes qui semblent souffrir de «conservatite aiguë».

Si le Ranger ne renverse rien en fait de stylisme, la même remarque s'applique à sa conduite. Parmi les camionnettes compactes sur le marché, le Ranger est le plus utilitaire et le moins sportif du lot. Malgré la diversité des modèles et des options, on se retrouve toujours au volant d'un véhicule propulsé par des moteurs conçus ou calibrés pour le travail et dont le châssis aseptise les sensations de conduite.

Toute médaille a un revers cependant. Dans le cas du Ranger, cette robustesse et ce caractère «outil de travail» sont des éléments fort appréciés par les personnes qui l'achètent pour des raisons

professionnelles. La robustesse, qui intéresse peu les conducteurs sportifs, et une mécanique capable d'en prendre font la joie des utilisateurs commerciaux. Dans ce contexte, le choix de la version quatre portes à cabine allongée se justifie car la partie arrière, très inconfortable pour les humains, est une remise à outils fort appréciée.

Ford n'a jamais négligé le caractère «outil de travail» du Ranger et sa position dominante sur le marché lui donne raison.

### Un apport extérieur
Compte tenu de la grande diffusion du Ranger et de son manque d'agrément de conduite, la compagnie SLP Engineering a décidé de venir mettre un peu de piment dans la sauce avec le Thunderbolt. Cette compagnie s'y connaît en fait de modification de

quantité d'air à la tubulure d'admission. Grâce à cette modification et à un silencieux moins restrictif, le moteur V6 4 litres produit 15 chevaux de plus et le V6 3 litres bénéficie de 10 chevaux supplémentaires. Des jantes plus stylisées, des pneus plus larges et une barre antiroulis sont autant d'éléments qui assurent une meilleure adhérence dans les virages et une meilleure utilisation de cette puissance supplémentaire. Il faut préciser que la suspension originale du Ranger a été conservée, car les ingénieurs de SLP ont voulu respecter sa vocation de camionnette.

Heureusement que SLP est là, sinon le Ranger n'aurait été cette année encore qu'un simple outil de transport. Ce qui semble plaire à bien des gens, malgré tout.

*Denis Duquet*

---

## MODÈLES CONCURRENTS

- Chevrolet S-10 IGMC Sonoma • Mazda Série B
- Nissan Frontier • Toyota Tacoma

## QUOI DE NEUF

- Freins améliorés • Nouveau tissus des sièges
- Modèle FX

## VERDICT

| | |
|---|---|
| Agrément de conduite | ★★★ |
| Fiabilité | ★★★★ |
| Sécurité | ★★★ |
| Qualités hivernales | ★★ |
| Espace intérieur | ★★★ |
| Confort | ★★★ |

## ▲ POUR

- Choix de moteurs • Boîte automatique à 5 rapports
- Excellente valeur de revente • Tenue de route prévisible • Finition soignée

## ▼ CONTRE

- Suspension ferme • Consommation décevante
- Stylisme vieillot • Strapontins arrière inutiles (Supercab) • Ventilation sommaire

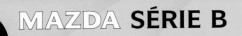

# Camionnette à la carte

Il y a belle lurette que les camionnettes compactes ont cessé d'être un simple outil de travail. À leurs débuts, elles étaient une solution plus économique pour les gens qui avaient besoin d'un camion, mais qui n'avaient pas nécessairement les moyens de se payer les gros modèles de Type F. Ou encore, elles étaient destinées à une utilisation urbaine où leur faible encombrement et leur modeste consommation d'essence étaient appréciés. De nos jours, leur évolution a pris la direction du raffinement et de la sophistication.

C'est notamment le cas de la camionnette Mazda de Série B. Il ne faut pas se faire de cachettes avec ses origines, il s'agit d'une Ford Ranger vivant sous un nom d'emprunt. Mais cela ne signifie pas nécessairement que c'est du pareil au même. D'ailleurs, le premier élément qui démarque ces deux camionnettes est la présentation extérieure et intérieure. Les deux partagent bien des éléments communs, mais il semble que les stylistes de Mazda aient su trouver une meilleure façon d'agencer la grille de calandre à l'ensemble du véhicule. Même chose dans l'habitacle alors que les tissus, la présentation de certains éléments de détail et un choix plus judicieux des options permettent au Mazda de devancer le Ranger qui ressemble trop à un anonyme moyen de transport. Il est vrai qu'il y a toujours un marché pour des modèles de base à la présentation minimaliste et à l'habillage de cabine des plus simplistes, mais il s'agit de la minorité et non de la majorité. Chez Ford, il faudrait faire plus d'efforts pour donner un peu plus de cachet à ce véhicule, ce que Mazda a réussi à faire. Malgré tout, le Ford domine ce marché depuis des années au chapitre des ventes. Détail intéressant en passant, les sondages se sont succédé au fil des années et les résultats sont toujours les mêmes. Un nombre important de répondants déclarent qu'entre deux véhicules de même origine distribués simultanément par les concessionnaires d'une marque japonaise et d'une marque américaine, ils préfèrent fréquenter un établissement associé à un constructeur nippon.

## 22 choix différents !

Non, il ne s'agit pas du nombre total de modèles proposés par Mazda, mais bien des différentes

## CARACTÉRISTIQUES

| | |
|---|---|
| Prix du modèle à l'essai | Dual Sport 23 895 $ |
| Échelle de prix | de 16 995 $ à 28 840 $ |
| Assurances | n.d. |
| Garanties | 3 ans 60 000 km / 3 ans 80 000 km |
| Emp. / Long. / Larg. / Haut. (cm) | 320 / 512 /172 / 171 |
| Poids | 1 680 kg |
| Longueur caisse / Réservoir | boîte de 183 cm / 88 litres |
| Chargement / Remorquage | 571 kg / 1 570 kg |
| Coussins de sécurité | frontaux |

| | |
|---|---|
| Suspension avant | indépendante, leviers asymétriques |
| Suspension arrière | essieu rigide, barres de torsion |
| Freins av. / arr. | disque / tambour, ABS |
| Système antipatinage | non |
| Direction | à crémaillère, assistée |
| Diamètre de braquage | 12,4 mètres |
| Pneus av. / arr. | P225/70R15 |

## MOTORISATION ET PERFORMANCES

| | |
|---|---|
| Moteur | V6 4 litres |
| Transmission | propulsion, automatique 5 rapports |

| | |
|---|---|
| Puissance | 207 ch à 5 250 tr/min |
| Couple | 238 lb-pi à 3 000 tr/min |
| Autre(s) moteur(s) | V6 3 litres 154 ch; 4L 2,3 litres 143 ch |
| Autre(s) transmission(s) | manuelle 5 rapports |
| Accélération 0-100 km/h | 10,9 secondes |
| Reprises 80-120 km/h | 8,4 secondes |
| Vitesse maximale | 175 km/h |
| Freinage 100-0 km/h | 42,8 mètres |
| Consommation (100 km) | 13,5 litres (ordinaire) |
| • Valeur de revente | bonne |
| • Date de renouvellement du modèle | 2006 |

parce qu'il n'est pas disponible dans le modèle 4 roues motrices et qu'il en emprunte le châssis.

Malgré leur grande popularité auprès des « civils », les camionnettes sont quand même achetées par des millions de gens qui s'en servent pour leur travail. Il leur faut donc avoir un châssis de type échelle capable d'en prendre et une suspension arrière qui ne s'affaissera pas dès qu'on y déposera une masse d'une centaine de kilos. Dans le cas du Série B, ce sont des ressorts elliptiques reliés à un essieu rigide qui ont été choisis comme suspen-

variantes de la Série B. Une fois que vous avez aligné les deux configurations d'équipement, soit les modèles SX et SE, ajoutez les trois moteurs et les deux boîtes de vitesses offertes, vous n'arrivez pas encore à ce total. Il faut également tenir compte de la cabine simple, de la cabine allongée du modèle Dual Sport et de la cabine allongée quatre portes. Et pour compléter cette équation, trois moteurs sont au programme ainsi que des versions 4X2 et 4X4 en plus de la cuvée Dual Sport.

Avec cette dernière version, Mazda se joint à la majorité des autres constructeurs de camionnettes qui proposent un modèle pourvu d'une suspension similaire à celle des 4X4, mais en s'en tenant uniquement à la propulsion. Appelé Dual Sport, il cible les acheteurs qui veulent bien afficher les allures d'un 4 roues motrices, mais sans assumer le prix et la consommation supplémentaire que cela amène. En plus de sa suspension de 4X4, il possède des roues de 15 pouces, des passages d'ailes plus larges, un climatiseur de série et des pare-chocs de même couleur que la caisse. D'ailleurs, soulignons au passage que le seul modèle 4X4 vendu par Mazda est une version SE à cabine allongée propulsée par le moteur V6 4 litres de 207 chevaux. Cela comprend également le groupe SE Plus qui s'amène avec des sièges baquets, un système audio avec lecteur de six CD et des phares antibrouillards. C'est définitivement la camionnette Mazda qui affiche la plus importante facture.

### Vocation double

De véhicules essentiellement utilitaires, les camionnettes compactes ont petit à petit évolué

pour devenir des véhicules à vocation familiale ou personnelle. Aux États-Unis, elles ont même remplacé les voitures sport dans les désirs des jeunes acheteurs. Pour les petits budgets, le SX à moteur 4 cylindres 2,3 litres de 143 chevaux associé à une boîte manuelle à 5 rapports est surtout destiné aux personnes qui veulent avoir un véhicule polyvalent capable de transporter des objets encombrants, mais pas nécessairement lourds. La boîte de vitesses manuelle permet d'économiser du carburant, mais la course du levier est longue et les rapports assez espacés. Par contre, si vous optez pour l'automatique, les performances baissent d'un cran. Le moteur est souvent obligé de travailler plus fort, ce qui augmente la consommation. Il faut également ajouter que ce 4 cylindres n'est pas offert dans le Dual Sport, probablement

sion arrière. Cette configuration ne fait pas toujours bon ménage avec une bonne tenue de route. Dans la Mazda comme dans les autres, l'arrière sautille sur mauvaise route et le confort de la suspension souffre. Vous aurez beau rouler au volant d'une magnifique SE à cabine allongée, cette suspension « industrielle » se trouve dans tous les modèles. Mieux vaut le savoir avant. Par contre, le moteur V6 4 litres à arbres à cames en tête est bien adapté à un usage travail/famille.

Enfin, une fois que vous acceptez la position de conduite élevée, la suspension plus ferme et le caractère pratique de l'architecture, un modèle à cabine allongée avec quelques accessoires n'est pas vilain du tout. À la condition de ne pas vouloir faire asseoir quelqu'un à l'arrière.

*Denis Duquet*

---

## MODÈLES CONCURRENTS

- Chevrolet S-10/GMC Sonoma • Ford Ranger
- Nissan Frontier • Toyota Tacoma

## QUOI DE NEUF

- Freins améliorés • Nouveau tissu des sièges
- Modèle FX

## VERDICT

| | |
|---|---|
| Agrément de conduite | ★★★ |
| Fiabilité | ★★★★ |
| Sécurité | ★★★ |
| Qualités hivernales | ★★ |
| Espace intérieur | ★★★ |
| Confort | ★★★ |

## ▲ POUR

- Moteurs robustes • Boîte automatique à 5 rapports
- Concessionnaires efficaces • Tenue de route prévisible • Présentation différente du Ranger

## ▼ CONTRE

- Suspension ferme • Consommation élevée
- Option Dual Sport inutile • Strapontins arrière inutiles (Supercab) • Ventilation sommaire

# La grande boîte

**Il ne faut pas toujours sauter aux conclusions. Puisque le Frontier et le Xterra se partagent la même plate-forme, il serait facile de conclure qu'ils ont un comportement routier identique et que seule la boîte de chargement les différencie. Ce n'est pas si simple, même si les deux affichent des présentations extérieures semblables et des tableaux de bord pratiquement interchangeables.**

Soulignons que le Frontier se targue d'offrir la boîte de chargement la plus longue parmi les camionnettes compactes quatre portes. Il devance à ce chapitre le Ford Explorer SportTrak de 60 cm et le F-150 Super Crew de 20 cm. Il y a de quoi pavaner. Mais cet avantage peut également se tourner en désavantage. Il est bon d'avoir une capacité de chargement plus importante, mais encore faut-il bénéficier de la puissance nécessaire pour en tirer profit. Le moteur V6 3,3 litres de 170 chevaux n'offre pas des perfor-

mances très impressionnantes et il est mal adapté pour transporter des objets plus lourds que la moyenne. La version suralimentée du même moteur n'est pas plus convaincante. On a parfois l'impression que c'est l'intensité du bruit qui change et non pas les accélérations ou les reprises. À titre de comparaison, le Ford F-150 SuperCrew peut être commandé avec un moteur V8 de 5,4 litres d'une puissance de 260 chevaux. Le Frontier est mieux adapté au transport d'objets longs et légers. Cette caisse allongée s'avère donc moyennement pratique.

### Banquette et radio

Pour en revenir à la comparaison avec le Xterra, le Frontier quatre portes possède lui aussi une banquette arrière. Sur papier, ça semble pareil, mais c'est une tout autre histoire lorsqu'on prend place à bord. Celle du Xterra permet de voyager dans un confort relatif tandis que les places arrière du Frontier font partie des plus inconfortables qui soient. Non seulement l'assise est trop basse, mais le dégagement pour les jambes est presque symbolique. Comme si cela n'était pas assez, il est impossible de rabattre le dossier pour transporter des objets encombrants.

Par contre, les tableaux de bord du Frontier et du Xterra sont identiques. On y retrouve les mêmes éléments en plastique de couleur titane qui donnent un peu de relief à la présentation et la fini-

## CARACTÉRISTIQUES

| | |
|---|---:|
| Prix du modèle à l'essai | 33 450 $ |
| Échelle de prix | de 23 498 $ à 36 498 $ |
| Assurances | 934 $ |
| Garanties | 3 ans 60 000 km / 5 ans 100 000 km |
| Emp. / Long. / Larg. / Haut. (cm) | 333 / 533 / 180 / 133 |
| Poids | 2459 kg |
| Longueur caisse / Réservoir | 189 cm / 73 litres |
| Chargement / Remorquage | 584 kg / 2 669 kg |
| Coussins de sécurité | frontaux |

| | |
|---|---:|
| Suspension avant | indépendante, barres de torsion |
| Suspension arrière | essieu rigide, ressorts elliptiques |
| Freins av. / arr. | disque / tambour, ABS |
| Système antipatinage | non |
| Direction | à billes, assistée |
| Diamètre de braquage | 11,8 mètres |
| Pneus av. / arr. | P265/65R17 |

## MOTORISATION ET PERFORMANCES

| | |
|---|---:|
| Moteur | V6 3,3 litres à compresseur |
| Transmission | propulsion, automatique 4 rapports |

| | |
|---|---:|
| Puissance | 210 ch à 4 800 tr/min |
| Couple | 246 lb-pi à 2 800 tr/min |
| Autre(s) moteur(s) | V6 3,3 l 170 ch ; 4L 2,4 l 143 ch |
| Autre(s) transmission(s) | manuelle 5 rapports |
| Accélération 0-100 km/h | 12,2 secondes |
| Reprises 80-120 km/h | n.d. |
| Vitesse maximale | 175 km/h |
| Freinage 100-0 km/h | 41,3 mètres |
| Consommation (100 km) | 13,8 litres (ordinaire) |
| • Valeur de revente | bonne |
| • Date de renouvellement du modèle | n.d. |

ressant puisque l'espace derrière les sièges avant est un bon endroit pour ranger ses choses. Comme pour toutes les camionnettes du genre, mieux vaut oublier les strapontins et ne transporter que des bagages à l'arrière. L'offre d'entrée de gamme est propulsée par un moteur 4 cylindres de 2,4 litres d'une puissance de 143 chevaux. Celui-ci n'aime pas les régimes élevés et son niveau sonore augmente de façon appréciable au fur et à mesure que l'aiguille du compte-tours se déplace vers le haut. Mais ce moteur consomme peu et devient

tion est acceptable de part et d'autre. Les deux partagent aussi les mêmes irritants. D'abord, une fiche 12 volts placée entre les commandes de la radio et de la climatisation que l'on confond toujours avec le bouton de la radio. Et il y a cette tirette de désengagement du frein de stationnement qui est toujours mal placée et dont la poignée est carrément désagréable. En ce qui concerne la chaîne audio, le Frontier a un avantage marqué avec son système Rockford Fosgate de 300 watts à chargeur intégré de six disques équipant les modèles SE-V6 et SC-V6. Compte tenu des dimensions de la cabine, ses neuf haut-parleurs sont capables de vous en mettre plein les oreilles. Toutefois, les commandes de la radio ne sont pas très explicites et il faut souvent essayer plus d'une fois avant de trouver le réglage recherché. Les autres versions sont livrées avec lecteur de CD simple et un ampli de 100 watts.

### Le secret : l'empattement

Il n'est pas un essayeur qui se respecte qui n'a pas fustigé les ruades du train arrière du Xterra sur mauvaise route. Celui-ci offre des capacités légèrement supérieures à la moyenne en conduite hors route, mais sa suspension est rapidement prise de court sur la route en raison de son essieu arrière rigide. Le Frontier partage pratiquement la même mécanique, mais montre un comportement routier beaucoup plus civilisé.

Cette différence s'explique très facilement. La camionnette bénéficie d'un empattement beaucoup plus long que son petit frère à cabine fermée. Même le modèle à caisse régulière possède un avantage

de 30 cm en fait d'empattement et la différence atteint 68 cm dans le cas du Frontier à cabine multiplace. Pas besoin d'être un ingénieur bardé de diplômes pour conclure que ces centimètres de plus ont un effet direct sur le confort. Pour le reste, les deux font pratiquement match égal. La direction à billes est tout juste adéquate et on apprécierait un peu plus de précision au centre. Et si vous tentez de trouver un espace de stationnement en ville, vous ne serez nullement impressionné par le diamètre de braquage.

Il ne faut pas non plus s'intéresser uniquement à ce modèle haut de gamme équipé de presque toutes les options. Ne perdons pas de vue le King Cab à cabine allongée, la seule autre configuration au catalogue car Nissan ne commercialise plus de Frontier à cabine simple. C'est un choix inté-

encore plus sobre lorsqu'il est couplé à une boîte de vitesses manuelle à 5 rapports. Cette combinaison ne peut cependant être livrée avec la transmission 4X4. Pour l'obtenir, il faut commander le V6 3,3 litres en version atmosphérique ou suralimentée.

En résumé, tout comme le Xterra, le Frontier se veut un véhicule aux formes très modernes associées à un châssis qui aurait besoin d'être modifié. Les stylistes et les ingénieurs ont accompli du bon travail pour moderniser cette petite camionnette compacte plus économique que performante apparue en 1998. Au fil des ans, les ajouts dictés par la mise en marché ont étoffé son registre, mais une révision en profondeur de la mécanique serait la bienvenue.

*Denis Duquet*

---

### MODÈLES CONCURRENTS

- Chevrolet S-10/GMC Sonoma • Ford Ranger
- Mazda Série B • Toyota Tacoma

### QUOI DE NEUF ?

- Toit ouvrant double surface

### VERDICT

| | |
|---|---|
| Agrément de conduite | ★★★⯪ |
| Fiabilité | ★★★★⯪ |
| Sécurité | ★★★⯪ |
| Qualités hivernales | ★★★ |
| Espace intérieur | ★★★⯪ |
| Confort | ★★★ |

### ▲ POUR

- Silhouette réussie • Fiabilité assurée
- Tableau de bord moderne • Finition soignée
- Caisse arrière longue

### ▼ CONTRE

- Châssis dépassé • Moteurs décevants
- Tenue de route à revoir • Places arrière exiguës
- Transmission automatique hésitante

# *Du solide, mais…*

**Il suffit de circuler sur les routes secondaires de la Californie et de voir le nombre d'anciens modèles qui roulent encore pour constater que les camionnettes Toyota sont non seulement très populaires, mais très, très durables. Il n'est pas rare d'en croiser qui ont plusieurs centaines de kilomètres dans le châssis et qui roulent toujours sans égard à leur date de fabrication. De plus, le Tacoma semble être le modèle de choix d'un important pourcentage de jeunes.**

S'il est un modèle-culte chez nos voisins du Sud, le Tacoma est moins en demande dans notre coin de planète en raison d'une échelle de prix plus corsée que celle de certaines concurrentes. De plus, force est d'admettre que sa silhouette ne semble pas plaire tellement. Une autre preuve que nos goûts et ceux des Américains ne sont pas toujours en harmonie. En fait, ce qui dérange dans la présentation esthétique de ce camion est sa grille de calandre qui semble avoir été empruntée à un camion jouet. Cela lui confère une allure marginale.

Un modèle à caisse *stepside* a été offert en cours d'année 2002. Le look, assez réussi dans l'ensemble, contribue à détourner notre attention de la calandre. Contrairement à ce qu'ils ont fait pour les autres véhicules de ce type, les stylistes ont opté pour une aile extérieure très étroite et les prises pour les pieds sont relativement petites. À défaut d'être aussi pratique que la concurrence, ce modèle prouve que ce constructeur s'intéresse à toutes les facettes du marché.

## Du solide

Si certaines personnes achètent ces camionnettes pour leur usage personnel, d'autres les destinent à une utilisation commerciale. Les gens de Toyota ont conçu ce modèle pour qu'il soit en mesure de résister aux abus d'une utilisation commerciale tout en y intégrant assez de luxe pour satisfaire les besoins d'une famille. Les plastiques de qualité, l'assemblage sérieux et la solidité de la caisse constituent des indices permettant de prévoir que ce Tacoma profitera de la même fiabilité que les modèles antérieurs. Des cadrans indicateurs à chiffres noirs sur fond blanc, un levier de vitesses de boîte automatique en forme de levier de jeu vidéo, des sièges baquets avant aux bourrelets latéraux bien en évidence comme ceux des voitures sport, un volant de type sport à quatre branches sont autant

## CARACTÉRISTIQUES

| | |
|---|---|
| Prix du modèle à l'essai | 34 895 $ |
| Échelle de prix | de 22 370 $ à 34 965 $ |
| Assurances | 991 $ |
| Garanties | 3 ans 60 000 km / 5 ans 100 000 km |
| Emp. / Long. / Larg. / Haut. (cm) | 309 / 513 / 169 / 172 |
| Poids | 2 325 kg |
| Longueur caisse / Réservoir | 189 cm / 68 litres |
| Chargement / Remorquage | 825 kg / 2 275 kg |
| Coussins de sécurité | frontaux |

| | |
|---|---|
| Suspension avant | indépendante, leviers triangulés |
| Suspension arrière | essieu rigide, ressorts elliptiques |
| Freins av. / arr. | disque / tambour (ABS en option) |
| Système antipatinage | non |
| Direction | à crémaillère, assistée |
| Diamètre de braquage | 13,5 mètres |
| Pneus av. / arr. | P265/70R16 |

## MOTORISATION ET PERFORMANCES

| | |
|---|---|
| Moteur | V6 3,4 litres |
| Transmission | propulsion, automatique 4 rapports |

| | |
|---|---|
| Puissance | 190 ch à 4 800 tr/min |
| Couple | 220 lb-pi à 3 600 tr/min |
| Autre(s) moteur(s) | 4L 2,7 l 150 ch; 4L 2,4 l 142 ch (4X2) |
| Autre(s) transmission(s) | manuelle 5 rapports |
| Accélération 0-100 km/h | 11,2 secondes |
| Reprises 80-120 km/h | 9,0 secondes |
| Vitesse maximale | 165 km/h |
| Freinage 100-0 km/h | 45,6 mètres |
| Consommation (100 km) | 13,6 litres (ordinaire) |
| • Valeur de revente | très bonne |
| • Date de renouvellement du modèle | 2004 |

l'intensité est directement proportionnelle à l'état de la chaussée. À ce chapitre, le Tundra pourrait en montrer à son petit frère puisqu'il est l'un des plus civilisés qui soient sur une route en mauvais état.

Les limites de la tenue de route du Tacoma sont vite explorées, car son comportement routier est rural. La suspension très ferme fait de la rencontre avec chaque imperfection de la route une expérience pénible. Et en virage, un centre de gravité élevé s'associe à un sous-virage chro-

d'éléments qui viennent renforcer le caractère ludique du véhicule.

Depuis l'an denier, le modèle à cabine simple n'est plus offert. Il faut donc choisir entre la version à cabine allongée Xtracab et le Doublecab 4 portes. Le premier ne permet pas d'accommoder un adulte aux places arrière. Seul un enfant de petite taille peut s'asseoir avec un certain confort sur ces minuscules banquettes. L'espace additionnel derrière le siège du conducteur sert donc essentiellement d'espace de rangement. Le modèle 4 portes s'avère beaucoup plus intéressant à cet égard. Même si l'espace n'est pas aussi important que dans une limousine, le dégagement pour les jambes et la tête est adéquat pour une personne de taille normale. Malheureusement, le dossier trop incliné vers l'avant nous force à adopter une position inconfortable. Enfin, cette cabine plus grande oblige à raccourcir la caisse de chargement. Pensez-y bien, donc, avant d'adopter une cabine 4 portes si vous prévoyez transporter plus d'objets que de passagers. Un jour ou l'autre, vous risquez d'être pénalisé pour avoir choisi les humains plutôt que les bagages. Mais pour une utilisation familiale, le Doublecab est un choix plus intéressant.

### Cramponnez-vous !

Solide, bien assemblé, précédé d'une enviable réputation de solidité et de fiabilité, le Tacoma semble être le bon choix pour bien des gens. Mais ceux-ci devraient en faire l'essai sur route avant de signer le contrat d'achat. Car tout n'est

pas rose au royaume du numéro un nippon. La première critique majeure concerne l'assise relativement basse des sièges avant. Dès qu'on prend place à bord, on note qu'ils sont trop bas, qu'ils offrent peu de support pour les cuisses et qu'ils nous obligent à adopter une position de conduite assez peu conventionnelle. De plus, dans le dernier modèle essayé, il m'a semblé que le volant était légèrement déporté vers la gauche.

Ce serait tolérable si la suspension et le comportement routier du Tacoma ne venaient pas gâcher la sauce davantage. Peu importe quel moteur vous avez choisi, la suspension est toujours aussi ferme. Sur mauvaise route, vous devez vous cramponner au volant alors que le train arrière se livre à un enchaînement de ruades dont

nique et à une direction floue au centre pour donner des sueurs froides au plus blasé des pilotes. Heureusement que les freins résistent à l'échauffement. Par contre, la distance de freinage se révèle plus longue que la moyenne. En conduite hors route, le Tacoma est capable d'en prendre et son rouage 4X4 à temps partiel s'enclenche bien tandis que la garde au sol est bonne. De plus, un châssis très rigide et un rouage d'entraînement costaud permettent de s'enfoncer sans crainte dans la forêt.

Pour ceux qui préfèrent les randonnées boulevardières, la meilleure suggestion est la version Doublecab à moteur V6 3,4 litres de 190 chevaux. La facture est plus corsée, mais l'agrément de conduite est proportionnel.

*Denis Duquet*

---

### MODÈLES CONCURRENTS

- Chevrolet S-10 • Ford Ranger
- Mazda Série B • Nissan Frontier

### QUOI DE NEUF

- Aucun changement majeur

### VERDICT

| | |
|---|---|
| Agrément de conduite | ★★★ |
| Fiabilité | ★★★★★ |
| Sécurité | ★★★⯪ |
| Qualités hivernales | ★★★⯪ |
| Espace intérieur | ★★★★ |
| Confort | ★★★⯪ |

### ▲ POUR

- Finition impeccable • Fiabilité légendaire
- Modèle 4 portes • Sièges confortables

### ▼ CONTRE

- Calandre peu esthétique • Suspension très ferme
- Position de conduite à revoir • Direction floue
- Prix élevés

# *Solution de rechange*

**Les camionnettes, grosses et petites, sont toujours très en demande. Cet engouement du public s'explique en partie par le fait que les gens sont de plus en plus actifs de nos jours et que leurs intérêts sont diversifiés. Une camionnette, ce n'est certainement pas ce qu'il faut pour se rendre au bureau, mais ça fait drôlement l'affaire si vous avez une maison de campagne, si vous effectuez des travaux de rénovation de façon régulière ou si vous avez une remorque à tracter. Et pour certains pépiniéristes en herbe, une boîte de camion est un don du ciel pour transporter arbres, cailloux et sacs d'engrais.**

Les critères de sélection d'une camionnette varient selon qu'on l'utilise à des fins personnelles ou commerciales. Ainsi, pour les gens qui cherchent une camionnette pour leurs propres besoins, le stylisme extérieur, le confort de l'habitacle, les performances et même certains accessoires de luxe sont plus importants que la capacité de charge.

Il est évident que le Tundra a surtout été conçu en fonction de ces acheteurs. Ses concepteurs ont tout d'abord opté pour des dimensions inférieures à celles des Dodge Ram, Chevrolet Silverado ou Ford F-150.

Si le Dodge Dakota est une solution intermédiaire entre les compactes et les modèles réguliers, le Tundra s'immisce entre le Dakota et les réguliers. Cette solution « songée » adoptée par Toyota permet

de transporter un peu plus de bagages qu'un Dakota avec un encombrement moindre que les versions régulières, ce qui devrait théoriquement assurer une conduite moins intimidante pour les néophytes.

### *Finition Toyota*

La plupart des camionnettes nord-américaines présentement sur le marché ont débuté leur carrière en tant que véhicule de travail et leur finition n'a pas toujours été très raffinée. Pour sa part, le Tundra a été créé dès le début pour servir à la fois de véhicule de tourisme et de travail. La qualité de la finition, les soins apportés à l'insonorisation et le choix des matériaux pourraient lui permettre de soutenir la comparaison avec la Camry, par exemple.

Le tableau de bord n'est toutefois pas ce qu'il y a de plus spectaculaire. Les stylistes ont tenté de

## CARACTÉRISTIQUES

| | |
|---|---|
| Prix du modèle à l'essai | 36 495 $ |
| Échelle de prix | de 23 520 $ à 41 395 $ |
| Assurances | 983 $ |
| Garanties | 3 ans 60 000 km / 5 ans 100 000 km |
| Emp. / Long. / Larg. / Haut. (cm) | 326 / 552 / 191 / 182 |
| Poids | 2 495 kg |
| Longueur caisse / Réservoir | 189 cm / 101 litres |
| Chargement / Remorquage | 825 kg / 3 185 kg |
| Coussins de sécurité | frontaux |

| | |
|---|---|
| Suspension avant | indépendante, bras triangulés |
| Suspension arrière | essieu rigide, ressorts elliptiques |
| Freins av. / arr. | disque / tambour, ABS |
| Système antipatinage | non |
| Direction | à crémaillère, assistance variable |
| Diamètre de braquage | 13,5 mètres |
| Pneus av. / arr. | P245/70R16 |

### MOTORISATION ET PERFORMANCES

| | |
|---|---|
| Moteur | V8 4,7 litres |
| Transmission | propulsion / automatique 4 rapports |

| | |
|---|---|
| Puissance | 245 ch à 4 600 tr/min |
| Couple | 320 lb-pi à 3 400 tr/min |
| Autre(s) moteur(s) | V6 3,4 litres 190 ch |
| Autre(s) transmission(s) | manuelle 5 rapports (V6) |
| Accélération 0-100 km/h | 8,3 secondes |
| Reprises 80-120 km/h | 7,2 secondes |
| Vitesse maximale | 175 km/h |
| Freinage 100-0 km/h | 40,3 mètres |
| Consommation (100 km) | 13,6 litres (ordinaire) |
| • Valeur de revente | moyenne |
| • Renouvellement du modèle | 2005 |

La cabine est insonorisée de façon exemplaire, mais il faut aussi signaler que le moteur V8 de 4,7 litres de 245 chevaux est plus que silencieux et que le passage des rapports se fait comme dans du beurre. Par contre, cette boîte automatique se montre paresseuse alors qu'un délai notable se manifeste entre les passages des rapports. Ce V8 est toutefois assez gourmand ; le V6 de 3,4 litres constitue une option alternative pour ceux qui n'ont pas à transporter de grosses charges.

ménager la chèvre et le chou avec une présentation assez sérieuse pour convaincre les acheteurs commerciaux, mais suffisamment moderne pour séduire les utilisateurs individuels. C'est plutôt raté même si le volant à quatre branches apporte une touche quelque peu sportive à l'ensemble, tout comme les cadrans à chiffres blancs sur fond noir emprisonnés dans une capsule de forme ovale.

Les commandes de la climatisation et du système audio se retrouvent au centre de la planche de bord dans un module en forme de losange aux arêtes arrondies. La ventilation et le chauffage sont gérés par trois gros boutons faciles d'accès et d'utilisation. Et comme plusieurs propriétaires de cette camionnette l'utilisent pour leur travail, deux fiches 12V placées sous la planche de bord permettent d'y brancher ordinateur portable, téléphone cellulaire ou tout autre accessoire alimenté par le courant direct.

À défaut d'une présentation innovatrice, l'habitacle du Tundra convient bien au marché ciblé. De plus, les sièges avant sont confortables et leur coussin assez long permet d'obtenir un support adéquat pour les cuisses. Également plus hauts que ceux du Tacoma, ils assurent une meilleure position de conduite que dans ce dernier. Par contre, à l'arrière, c'est le désastre alors que l'accès à bord est difficile et le confort quasiment inexistant avec un dossier légèrement incliné vers l'avant qui ajoute à l'inconfort.

### Un comportement civilisé

En raison de leur construction robuste et d'un essieu arrière rigide relié à des ressorts générale-

ment assez fermes pour supporter une charge d'importance dans la boîte, les camionnettes n'ont pas la réputation d'être confortables. Plusieurs offrent une tenue de route surprenante malgré tout, mais leur confort laisse à désirer lorsqu'on roule sans charge. Le Tundra fait bande à part à ce chapitre, car la suspension absorbe les trous et les bosses avec grande efficacité. On croirait conduire une berline intermédiaire dotée de ressorts plus fermes que la moyenne. Ses dimensions raisonnables le rendent maniable ; le conducteur n'a pas l'impression de conduire une camionnette de cette taille. La direction à crémaillère à assistance variable contribue à accentuer cet effet en raison de sa précision et d'une assistance variable bien dosée. Elle élimine le flou au centre qui est la plaie de bien des camions.

Confortable, silencieux, moyennement performant, le Toyota Tundra semble sans reproches. Pourtant, son comportement routier n'est pas sans faute à haute vitesse : il se déstabilise lors des changements de voies rapides et sous-vire dans les courbes serrées. La pédale de freins se révèle plus spongieuse que la moyenne même si la distance d'arrêt est correcte.

Malgré ces réserves, il ne faut pas l'exclure de votre liste, surtout si vous prévoyez utiliser votre camionnette comme deuxième voiture.

***Denis Duquet***

---

### MODÈLES CONCURRENTS

- Chevrolet Silverado / GMC Sierra • Dodge Dakota
- Dodge Ram • Ford F-150

### QUOI DE NEUF

- Calandre révisée • Nouveau pare-chocs
- Habitacle plus luxueux

### VERDICT

| | |
|---|---|
| Agrément de conduite | ★★★✦ |
| Fiabilité | ★★★★★ |
| Sécurité | ★★★★ |
| Qualités hivernales | ★★★★ |
| Espace intérieur | ★★★ |
| Confort | ★★★ |

### ▲ POUR

- Suspension confortable • Moteur V8 ultradoux
- Dimensions intermédiaires • Finition sans faille
- Insonorisation exemplaire

### ▼ CONTRE

- Tenue de route inégale • Places arrière à revoir
- Freins mal dosés • Habitabilité moyenne

# LE GUIDE DES VOITURES D'OCCASION
## 34 modèles à partir de 1000 $

PAR **ALAIN MORIN**

## Le coût des pièces de remplacement

Ce fut un beau moment. Les souvenirs se bousculent, les émotions s'emmêlent. Mais tel l'avion dont les roues quittent la piste pour s'envoler vers de nouveaux horizons, il y a des gestes irréversibles. Fait que, oubliez-le vot' vieux Dodge Colt 1986, le ferrailleur en prendra bien soin...

Encore une fois cette année, et probablement depuis Gutenberg, le nombre de pages est compté. Qu'à cela ne tienne, les informations qui sont mentionnées dans les pages suivantes sont fort importantes. Elles portent principalement sur la fiabilité, élément majeur s'il en est un dans le marché de la voiture d'occasion. La valeur de revente a aussi fait l'objet de beaucoup d'attention. Après tout, une automobile c'est un investissement... qui déprécie. Nous avons très peu parlé des généralités propres à chaque voiture (genre «confort appréciable», «direction lourde» ou «coffre à gants trop petit»). Pour ce type d'information, il existe un livre incontournable. Ça s'appelle le *Guide de l'auto*, publié annuellement depuis 1967 par un dénommé Jacques Duval, un gars qui ira loin dans la vie.

Cette année, nous avons ajouté un élément d'information. Il s'agit du «Panier d'épicerie». Nous avons cherché le prix de sept pièces appelées à être remplacées un jour ou l'autre dans une voiture. Il s'agit de l'alternateur, des plaquettes de frein avant, du radiateur, de la chaîne de distribution (ou la courroie selon le cas), du silencieux, des amortisseurs avant et d'une aile avant. Je sais, on ne remplace pas une aile très souvent. Mais un beau-frère le moindrement gaffeur et hop, ça prend une nouvelle aile... Cette étude, qui n'a absolument rien de scientifique et qui n'a été réalisée que dans l'unique but de pouvoir comparer les prix, a été menée au début du mois de juin 2002 dans la région de Granby. Seuls des concessionnaires ont été contactés et je désire remercier les «gars et filles des pièces» qui m'ont grandement facilité la tâche. La compilation des résultats réserve quelques surprises. Par exemple, l'alternateur d'une Cadillac Catera coûte la bagatelle de $1356!!! Et un silencieux de Chevrolet Metro, $1750. Magasinez, magasinez... Aussi, il arrive souvent que la même pièce coûte plus cher chez un concessionnaire que chez un autre de la même bannière (Chevrolet contre Pontiac par exemple). Et puis, dans le domaine des pièces de remplacement, les prix changent vite. Ayez l'œil ouvert... Et le bon!

Finalement, les prix indiqués montrent des valeurs minimales et maximales qui n'ont qu'une valeur comparative. Les minimums, un peu comme un prix citron, vont aux voitures peu équipées et ayant parcouru plus de kilométrage que la moyenne (30 000 km par année). La seconde catégorie appartient aux chouchous qui font dans le haut de gamme et qui n'ont pas beaucoup voyagé. Si vous désirez un prix précis, n'hésitez pas à contacter un représentant de la marque qui se fera un plaisir de vous aider. Aussi, plusieurs articles disponibles sur Internet vous enseigneront les façons de magasiner une automobile d'occasion sans vous faire rouler.

Êtes-vous prêt pour une nouvelle aventure ?

# C ATÉGORIE
## DÉBUTANTS, ÉTUDIANTS OU EN MANQUE DE FINANCEMENT...

### CHEVROLET / GEO METRO, PONTIAC FIREFLY, SUZUKI SWIFT (1997 à 2000)

▶ **Survol:** Ces petites bibittes de la route (d'ailleurs Firefly ne veut-il pas dire «luciole»?) font partie du paysage nord-américain depuis 1985. À l'époque on parlait du duo Chevrolet Sprint / Pontiac Firefly. Les Suzuki Swift se sont ajoutées en 1989. Jamais très jolies, jamais très confortables, jamais très quoi que ce soit, ces petites voitures se sont toutefois toujours bien acquitté de leur tâche ingrate de servir de deuxième ou de troisième véhicule, d'être conduites par des mains inexpérimentées ou, pire, par des mains inexpérimentées portant la casquette à l'envers...

▶ **À propos:** • Voitures vraiment économiques • Véhicules pour conduite urbaine uniquement • Oubliez le moteur 3 cylindres 1 litre. Un enfant en tricycle pourrait vous dépasser... • Taux de dépréciation notoire (mais ça en fait des voitures peu dispendieuses à l'achat) • Pauvre résistance à la rouille • Un seul rappel, minime, pour l'année-modèle 1997 • Coût du panier d'épicerie: 3952 $ (Chevrolet Metro 1999 1,3 litre) plus de 1500 $ uniquement pour le silencieux. Le concessionnaire change le système d'échappement au complet! Magasinez chez les marchands spécialisés.

| ANNÉE | PRIX MINIMUM | PRIX MAXIMUM |
|-------|--------------|--------------|
| 2000 | 4 300 $ | 8 050 $ |
| 1999 | 3 150 $ | 7 600 $ |
| 1998 | 2 200 $ | 6 650 $ |
| 1997 | 1 150 $ | 5 050 $ |

### DAEWOO LANOS (1999 à 2001)

▶ **Survol:** Si l'histoire de Daewoo fait pitié, imaginez celle des propriétaires de voitures de cette entreprise. Au moment d'écrire ces lignes, Daewoo Motors America vient de se placer sous la protection de la loi sur les faillites et les voitures neuves ne débarquent plus chez les concessionnaires. Les automobiles portant le nom Daewoo n'en sont pas plus mauvaises, mais leur valeur de revente chutera radicalement. Et que se passera-t-il avec les pièces? Les garanties?

▶ **À propos:** • Très peu de données sur la fiabilité qui devrait se maintenir dans les normes coréennes, c'est-à-dire entre «passable» et «moyenne» (vérifier avec proprios) • Consommation d'essence proportionnelle à la puissance du moteur • À cause du retrait de Daewoo du marché, veuillez considérer le coût du panier d'épicerie ($1 032,00 pour une Lanos SX 1999 1,6 litre) et les prix minimum comme aléatoires. Mais comme à la Bourse, il arrive qu'acheter à rabais, soit avantageux pour certains!

| ANNÉE | PRIX MINIMUM | PRIX MAXIMUM |
|-------|--------------|--------------|
| 2001 | 3 650 $ | 5 000 $ |
| 2000 | 2 600 $ | 5 150 $ |
| 1999 | 1 900 $ | 4 800 $ |

### HONDA CIVIC (1997 à 2001)

▶ **Survol:** Malgré un prix d'achat frôlant le péché mortel, j'ai toujours considéré les Civic comme des voitures économiques. Elles s'avèrent peu dispendieuses à entretenir et elles savent conserver leur valeur de revente. Au fil des années, les Civic n'ont cessé d'évoluer. De la microscopique Civic du début des années 70 (elle paraissait encore plus petite lorsque perdue parmi les grosses Chevrolet ou Chrysler!) à la dernière version, la petite Honda a gagné pas moins de 300 kilos, 62 cm en longueur et plus de 4,5 secondes pour le 0-100 km/h! Le plaisir de la conduire n'est plus aussi évident mais sa fidélité ne s'est jamais démentie!

▶ **À propos:** • Aussi loyale que Michel (mon vieux chum, toujours là, même quand j'en ai besoin!) • Dépréciation à peu près nulle (c'est positif ou négatif, selon le côté où vous vous trouvez...). Quelquefois, l'achat d'une Civic neuve peut être préférable • Très peu de campagnes de rappels, compte tenu de la quantité de voitures vendues • Confort notable • Estimée à sa juste valeur par les cambrioleurs • Synchronisateurs de la boîte manuelle vulnérables si brusqués • Coût du panier d'épicerie: 1758 $ (Honda Civic EX 1999 1,6 litre)

| ANNÉE | PRIX MINIMUM | PRIX MAXIMUM |
|-------|--------------|--------------|
| 2001 | 12 750 $ | 18 550 $ |
| 2000 | 9 050 $ | 17 450 $ |
| 1999 | 7 250 $ | 15 900 $ |
| 1998 | 6 000 $ | 13 000 $ |
| 1997 | 4 850 $ | 11 050 $ |

### HYUNDAI ACCENT (1997 à 2001)

▶ **Survol:** Au début des temps, il y eut la navrante Pony. Puis l'un peu mieux Excel. Ensuite, en 1995, la beaucoup meilleure Accent. De là à dire qu'elle était parfaite, il y a un terrain de football que je ne franchirai pas. La nouvelle version apparue en 2000 gommait plusieurs irritants de la première mouture. Les terrifiants problèmes des premières Hyundai ne sont plus qu'un mauvais souvenir et comme petite voiture économique, on peut difficilement trouver mieux sur le marché de l'occasion. Et même si certaines versions sont affublées d'autocollants GT ou GSi, cela n'en fait pas des voitures plus sportives pour autant!

▶ **À propos:** • Dévalorisation assez forte, merci • Modèles 2000 et plus s'avèrent mieux assemblés • Agréable consommation d'essence • Évitez le moteur 1,5 litre si vous désirez recevoir une contravention pour vitesse excessive... • Quelques cas de rappels, certains assez importants • Transmission automatique peut requérir la visite d'un mécanicien • Coût du panier d'épicerie: 1519 $ (Hyundai Accent GL 1999 1,5 litre)

| ANNÉE | PRIX MINIMUM | PRIX MAXIMUM |
|-------|--------------|--------------|
| 2001 | 7 300 $ | 10 800 $ |
| 2000 | 5 200 $ | 9 850 $ |
| 1999 | 3 750 $ | 8 400 $ |
| 1998 | 2 700 $ | 7 600 $ |
| 1997 | 2 050 $ | 6 750 $ |

## MAZDA *PROTEGÉ* (1997 à 2001)

▶ **Survol:** Bien des consommateurs jettent un regard hautain sur la Protegé, lui préférant les gros canons de la catégorie que sont les Honda Civic et Toyota Corolla. GRAVE ERREUR. Négligeriez-vous un voleur de banque pointant son revolver sur vous? La Protegé possède beaucoup de munitions pour vous convaincre. Certes, la nouvelle Protegé5, avec son physique à donner des mauvaises pensées au pape, saura ramener les gens vers Mazda mais, en attendant, ne négligez surtout pas la Protegé tout court...

▶ **À propos:** • Dépréciation plus rapide après la quatrième année • Prix souvent plus réaliste que celui des Civic et des Corolla tout en offrant une qualité égale • Fiabilité toujours au rendez-vous... •... sauf pour la transmission automatique qui s'avère quelquefois d'une fragilité déconcertante... •...et pour les serrures sans doute fabriquées par des voleurs • Moteur 1,8 litre à privilégier. Le 1,6 litre est un peu moins fidèle et moins performant • Attaches des barres stabilisatrices frêles (modèles 2000) • Freins avant s'usent aussi rapidement qu'une gomme à effacer frottant sur du papier sablé # 20. • Coût du panier d'épicerie: 1545 $ (Mazda Protegé LX 1999 1,8 litre)

| ANNÉE | PRIX MINIMUM | PRIX MAXIMUM |
|---|---|---|
| 2001 | 11 250 $ | 15 450 $ |
| 2000 | 8 700 $ | 14 050 $ |
| 1999 | 6 950 $ | 12 400 $ |
| 1998 | 5 600 $ | 11 350 $ |
| 1997 | 4 300 $ | 9 500 $ |

## NISSAN *SENTRA* (1997 à 2001)

▶ **Survol:** Dogme des voitures banales à regarder et parangon de conduite ennuyante, la Nissan Sentra est tellement déprimante que même sa valeur de revente oublie de descendre. Ce qui n'est pas pour déplaire à tous ceux qui se cherchent une bonne bagnole ne présentant pas de problèmes majeurs. Et ceux qui apprécient un peu de *punch* peuvent se tourner vers une version SE ou une Ferrari, quoique le choix de couleurs de la Sentra est plus élaboré... La Sentra a été très sobrement redessinée en 2001, sans doute pour ne pas faire ombrage aux Ferrari.

▶ **À propos:** • Voiture souvent moins onéreuse que les Civic, Corolla et Protegé • Véhicule éminemment fiable • Infiltrations d'eau dans le coffre • Freins avant un peu tâtillons quand il s'agit de faire preuve de durabilité • Quelques cas de démarrages laborieux par temps froids • Plusieurs campagnes de rappel affectant plusieurs milliers de Sentra • Coût du panier d'épicerie: 1610 $ (Nissan Sentra SE 1999 2 litres)

| ANNÉE | PRIX MINIMUM | PRIX MAXIMUM |
|---|---|---|
| 2001 | 10 400 $ | 16 250 $ |
| 2000 | 8 150 $ | 15 000 $ |
| 1999 | 6 550 $ | 12 550 $ |
| 1998 | 4 900 $ | 10 200 $ |
| 1997 | 3 650 $ | 9 500 $ |

## SUZUKI *ESTEEM* (1997 à 2001)

▶ **Survol:** C'est en 1995 que Suzuki nous surprenait avec sa modeste mais pas trop pire Esteem. Trois années plus tard, cette dernière se doublait d'une sympathique familiale. Ce modèle aurait pu devenir fort populaire mais une échelle de prix peu invitante et des performances d'ours en hibernation lui ont irrémédiablement nui. Et depuis 2000, alors que les familiales se sont mises à proliférer (Mazda Protegé5, Subaru Impreza, Ford Focus etc.), la pauvre Esteem n'est plus dans le coup. Depuis cette année, elle a laissé sa place à l'Aerio. Quiconque recherche une voiture honnête à bon prix ne doit pas ignorer l'Esteem.

▶ **À propos:** • Freins faits de beurre. Dès qu'on les chauffe le moindrement, ils fondent... • Résistance risible à la rouille • Moteurs deviennent des fumeurs invétérés après 150 000 km • Au chapitre de la valeur, l'Esteem décote autant qu'une action d'Enron • Un seul petit rappel en 1997. Dire que Céline Dion en a 5 ou 6 par show. C'est vraiment pas juste • Coût du panier d'épicerie: 1976 $ (Suzuki Esteem GLX 1999 1,8 litre)

| ANNÉE | PRIX MINIMUM | PRIX MAXIMUM |
|---|---|---|
| 2001 | 9 850 $ | 15 150 $ |
| 2000 | 7 450 $ | 13 450 $ |
| 1999 | 5 100 $ | 11 050 $ |
| 1998 | 3 900 $ | 9 750 $ |
| 1997 | 2 800 $ | 7 650 $ |

## TOYOTA *ECHO* (2000 et 2001)

▶ **Survol:** Il y a sûrement plusieurs personnes chez Toyota qui se sont bidonnées en voyant notre tête devant les premières Echo, arrivées en 2000. Aussi invitantes qu'une assiette de pieuvre avariée, les Echo bafouaient, esthétiquement, les normes américaines. Elles remplaçaient les ternes Tercel et leur mandat était clair: Elles devaient les faire oublier. Pour ça... Heureusement pour nos pauvres rétines, le cerveau humain s'adapte à tout, même à l'Echo.

▶ **À propos:** • Puisqu'il s'agit d'un modèle récent sur le marché, il existe très peu de données sur la fiabilité. Mais cela ne devrait pas causer de problèmes, c'est du Toyota après tout... • La valeur de revente semble se situer entre moyenne et forte • Voiture beaucoup plus populaire au Québec qu'ailleurs en Amérique. À plus long terme, cela pourrait avoir une influence sur l'approvisionnement et le prix des pièces et sur la valeur de revente. • Coût du panier d'épicerie: 1728 $ (Toyota Echo 2000 1,5 litre)

| ANNÉE | PRIX MINIMUM | PRIX MAXIMUM |
|---|---|---|
| 2001 | 9 550 $ | 12 400 $ |
| 2000 | 7 650 $ | 11 550 $ |

## CHEVROLET *CAMARO*, PONTIAC *FIREBIRD* (1997 à 2001)

▶ **Survol:** En avril 1964, Ford lançait sa toute nouvelle Mustang, créant du même coup un tout nouveau créneau, celui des «pony car». Chez GM on était convaincu que Ford allait se planter royalement... Trois années plus tard, Chevrolet et Pontiac dévoilaient en catastrophe leurs «pony car» pour concurrencer le cheval gambadant de Ford. Les Camaro et Firebird étaient nées. Et bien nées. Au fil du temps, cependant, ce duo allait s'éloigner de ses qualités premières et devenir des monstres bien peu adaptés à la réalité des années 90. Pour les Québécois, l'arrêt de la production des Camaro/Firebird cet automne ferme tristement un bien beau chapitre de l'histoire automobile.

▶ **À propos:** • Données sur la durabilité difficiles à obtenir à cause du peu de ventes. Mais c'est un produit GM donc affichant des hauts relativement hauts et des bas très bas... • Bruits de caisse • Puissance assurée • Taux de dépréciation plutôt impressionnant. Quoique les versions SS ou Firehawk et les modèles 2002 devraient s'avérer presque inabordables. D'ailleurs, vous n'avez qu'à consulter les prix ci-bas mentionnés! • Moins de 1000 Camaro/Firebird rappelées depuis 1997 • Coût du panier d'épicerie: 2 624 $ (Chevrolet Camaro Z28 1999 5,7 litres)

| ANNÉE | PRIX MINIMUM | PRIX MAXIMUM |
|---|---|---|
| 2001 | 15 600 $ | 32 400 $ |
| 2000 | 12 350 $ | 28 000 $ |
| 1999 | 10 050 $ | 25 100 $ |
| 1998 | 7 800 $ | 20 800 $ |
| 1997 | 5 900 $ | 17 200 $ |

## FORD *MUSTANG* (1997 à 2001)

▶ **Survol:** Encore aujourd'hui, à l'aube de ses 40 ans, le nom Mustang n'a rien perdu de son aura. Ford, contrairement à GM avec ses Camaro et Firebird, ne dort pas sur le commutateur. L'année dernière, la version Bullit voyait le jour, rappelant la fameuse poursuite du film du même nom. Steve McQueen y faisait même ses propres cascades. Cette année, Ford a dévoilé la Mach I, reprenant encore une fois une appellation heureuse du passé. Même si le châssis se fait pas mal vieillot, que l'essieu arrière rigide s'avère pathétique et que les places arrière soient oppressantes, les amateurs (et ils sont nombreux) de la Mustang sont heureux et comblés.

▶ **À propos:** • Qualités hivernales nulles • Versions haute performance (lire GT) souvent conduites pas très catholiquement... •...mais si vous en achetez une, vous ne ferez pas mieux et apprendrez rapidement le sens de l'équation: essence + pneus = $$$[10] • Transmission automatique quelquefois lâcheuse • Plusieurs cas de mortalité du module électronique gérant les feux de jour • Mécanique simple à entretenir • Coût du panier d'épicerie: 1517 $ (Ford Mustang GT 1999 4,6 litres) • Si vous êtes malade pour une Cobra ou une SVT convertibles, le remède vous coûtera entre 15 à 25 % supplémentaire.

| ANNÉE | PRIX MINIMUM | PRIX MAXIMUM |
|---|---|---|
| 2001 | 13 250 $ | 28 400 $ |
| 2000 | 10 050 $ | 24 700 $ |
| 1999 | 8 900 $ | 22 900 $ |
| 1998 | 7 300 $ | 18 550 $ |
| 1997 | 6 400 $ | 15 150 $ |

## HYUNDAI *TIBURON* (1997 à 2001)

▶ **Survol:** Contrairement à ce que pensait la petite Amélie (5 ans), il n'existe pas de «grand» buron... Elle aurait bien aimé un buron plus grand, car elle aurait eu un peu plus de place à l'arrière de celui de sa mère! En fait, «tiburon» c'est le nom espagnol pour «requin». Ce nom bizarre est apparu pour la première fois en 1997, remodelé en 2000 et, enfin, revu et corrigé en 2003. Il n'y a pas eu d'édition 2002. Le petit buron jouit de la fiabilité de la marque Hyundai, c'est-à-dire qu'il n'en jouit pas outre mesure... Souvent, une Civic Coupe ou une Integra, à l'allure moins sportive pourrait faire davantage l'affaire...

▶ **À propos:** • Plusieurs problèmes mécaniques (moteur, cardans, manifold entre autres) • Amitiés un peu trop familières entre rouille et carrosserie • Roulements des roues (avant et arrière, on n'est pas sexiste) ignobles • Décote honteuse de la valeur • Voitures magiques. Elles disparaissent si facilement... • Coût du panier d'épicerie: 1675 $ Hyundai Tiburon SE 1999 2 litres).

| ANNÉE | PRIX MINIMUM | PRIX MAXIMUM |
|---|---|---|
| 2001 | 11 250 $ | 15 800 $ |
| 2000 | 8 300 $ | 10 050 $ |
| 1999 | 6 800 $ | 12 850 $ |
| 1998 | 5 400 $ | 11 500 $ |
| 1997 | 4 400 $ | 9 400 $ |

## MAZDA *MIATA* (1997, 1999 à 2001)

▶ **Survol:** Charismatique petit cabriolet, comparé, à juste titre, aux roadsters anglais des années 60, la Miata fait encore tourner les têtes, 13 ans après son dévoilement. Ce soleil à deux places ne fut pas construit en 1998 mais l'année suivante nous apporta une Miata nouveau genre avec phares apparents. Si on peut aujourd'hui admirer des Porsche Boxster, BMW Z3, Mercedes SLK et Audi TT, c'est la faute à la Miata. Ben oui, c'est elle qui a parti le bal des «p'tits-chars-le-fun!».

▶ **À propos:** • Excellente fiabilité des modèles construits après 1995. Et même avant, y'avait rien pour appeler *JE* • Mais quand ça brise, ça coûte cher! • Quelques craquements au tableau de bord • Excellent agent de conservation des prix. Mais certains garnements (et garnementes) demandent un peu trop cher pour leur Miata... • Véhicule estival pour personne non obèse et non claustrophobe uniquement • Si les proprios attendent une campagne de rappel pour retourner chez le concessionnaire, je leur souhaite bien de la patience... • Coût du panier d'épicerie: 2 439 $ (Mazda Miata 10e anniversaire 1999 1,8 litre)

| ANNÉE | PRIX MINIMUM | PRIX MAXIMUM |
|---|---|---|
| 2001 | 17 700 $ | 21 150 $ |
| 2000 | 13 900 $ | 21 100 $ |
| 1999 | 11 750 $ | 20 450 $ |
| 1997 | 9 450 $ | 15 700 $ |

### ACURA *TL* (1997 à 2001)

▶ **Survol:** Que ce soit en version 2,5 (1997 à 1998) ou 3,2 (1997 à 2001), une chose ne change pas avec l'Acura TL: c'est une voiture sage, ben, ben sage. Et sérieuse, ben, ben sérieuse. Si le café manque un peu de sucre, la tasse, au moins, a été remodelée en 1999. La TL joue dans les plates-bandes des Mercedes Classe C, BMW Série 3, Audi A4, Cadillac Catera et autres luxueuses «accessibles» quelquefois plus agréables à conduire. Mais pour vous rendre du point A au point B en méprisant les vulgaires Honda Accord, la TL est chaudement recommandée.

▶ **À propos:** • Qualité de construction évidente • Bon réseau de concessionnaires • Prix quelquefois gonflés (ça a bien beau être une Acura mais quand même...) • Très peu de plaintes sur la fiabilité • L'entretien, après 100 000 km peut coûter plusieurs bidoux • Coût du panier d'épicerie: 1918 $ (Acura TL 1999 3,2 litres)

| ANNÉE | PRIX MINIMUM | PRIX MAXIMUM |
|---|---|---|
| 2001 | 25 450 $ | 29 900 $ |
| 2000 | 20 200 $ | 26 950 $ |
| 1999 | 15 350 $ | 22 150 $ |
| 1998 | 12 400 $ | 19 800 $ |
| 1997 | 10 400 $ | 17 900 $ |

### AUDI *A4* (1997 à 2001)

▶ **Survol:** Un vieux dicton Inca disait: «Si ta Audi démarre le lundi matin, ça veut pas dire qu'elle recommencera le mardi...» Ce n'est plus vrai mais les vieux proverbes ont la couenne dure. Parlez-en aux dirigeants d'Audi qui, même s'ils fabriquent des voitures très fiables depuis quelques années, voient encore une partie de la clientèle les bouder. Pourtant, les problèmes de fiabilité sont choses du passé. Et si vous avez les moyens d'offrir à votre Audi A4 tout l'entretien requis, vous pourrez jouir encore plus longtemps du plaisir de conduire.

▶ **À propos:** • Bonne valeur de revente • Peu de problèmes de fiabilité malgré quelques cas de démarrages pénibles, gracieuseté d'un capteur électronique défectueux • Un propriétaire interrogé a dû faire refaire toute la suspension avant, un autre a dû changer une barre stabilisatrice. Heureusement, les deux étaient protégés par la garantie de base • Voiture solide comme un *bulldozer*. Et aussi coûteuse à entretenir! • Coût du panier d'épicerie: 2649 $ (Audi A4 Quattro Turbo 1999 1,8 litre)

| ANNÉE | PRIX MINIMUM | PRIX MAXIMUM |
|---|---|---|
| 2001 | 24 550 $ | 35 550 $ |
| 2000 | 20 500 $ | 31 700 $ |
| 1999 | 16 800 $ | 26 500 $ |
| 1998 | 13 500 $ | 22 400 $ |
| 1997 | 10 700 $ | 18 250 $ |

### CADILLAC *CATERA* (1997 à 2001)

▶ **Survol:** «Franchement, une Cadillac! J'suis vieux mais pas à ce point-là!» me disait un ami qui me demandait quels seraient mes choix dans le domaine de la voiture de luxe abordable. Et pour être abordable, la Catera l'est beaucoup, grâce à une valeur de revente qui a sans doute rendu quelques ex-propriétaires hystériques. Voilà bien la meilleure raison d'acheter une Cadillac Catera dont la terne carrière s'est échelonnée de 1997 à 2001. Dérivée de l'Opel Omega, la Catera n'a jamais reçu la carrosserie qui lui aurait permis de faire tourner les têtes. Au moins, son comportement routier s'avère de haut calibre.

▶ **À propos:** • À cause de la faiblesse des ventes, il existe peu de données sur le dévouement des divers organes mécaniques... • Mais on sait que le circuit de verrouillage des portières est très peu coopératif et que certains ordinateurs centraux ont lâché • Garantie prolongée chaudement recommandée • GM devrait payer une thérapie aux propriétaires qui veulent vendre leur Catera tellement elles décotent • Un seul rappel concernant 18 voitures. Faut être malchanceux pour tomber dessus! • Coût du panier d'épicerie: 3901 $ (Cadillac Catera 1999 3 litres) Imaginez: 1356 $ uniquement pour l'alternateur.

| ANNÉE | PRIX MINIMUM | PRIX MAXIMUM |
|---|---|---|
| 2001 | 24 900 $ | 29 200 $ |
| 2000 | 19 650 $ | 25 500 $ |
| 1999 | 12 900 $ | 19 700 $ |
| 1998 | 10 000 $ | 17 000 $ |
| 1997 | 6 900 $ | 13 000 $ |

### CHEVROLET *MALIBU* (1997 à 2001)

▶ **Survol:** Je ne sais pas si le nom Malibu a été sorti des boules à mites en 1997 en hommage à la télésérie américaine *Alerte à Malibu*, mais toujours est-il que la populaire berline a repris du service. Américaine jusqu'au bout des pare-chocs, la Chevrolet Malibu! Fade sans être laide, conçue sans avoir été menée à terme, assemblée par des ouvriers presque consciencieux et propulsée par une mécanique généralement solide mais modeste. Vraiment pas extrémiste cette voiture... même la valeur de revente se situe dans la moyenne!

▶ **À propos:** • Espérance de vie des freins aussi longue que celle d'une tortue aveugle et blessée à une patte traversant la 40... • Plusieurs cas de peinture ratée • Beaucoup de plaintes au sujet du moteur 2,4 litres à double arbre à cames en tête • Innombrables problèmes d'ordre électrique • Suspensions qui «ouikouikouik, ouikouikouik et ouikouikouik» • Sécurité très ordinaire en cas de collision latérale • Coût du panier d'épicerie: 2705 $ (Chevrolet Malibu LS 1999 3,1 litres)

| ANNÉE | PRIX MINIMUM | PRIX MAXIMUM |
|---|---|---|
| 2001 | 11 900 $ | 17 700 $ |
| 2000 | 8 700 $ | 15 600 $ |
| 1999 | 6 800 $ | 13 550 $ |
| 1998 | 5 150 $ | 11 400 $ |
| 1997 | 3 750 $ | 9 400 $ |

## CHRYSLER *INTREPID* (1997 à 2001)

▶ **Survol:** Il est toujours plaisant pour le rédacteur de la section des voitures d'occasion de pouvoir déverser son fiel sur une infortunée pourriture. Malheureusement pour moi, les Intrepid qui ont été renouvelées en 1998 sont bien meilleures depuis. Ce qui, vous en conviendrez, n'était pas bien compliqué... Oh, on est loin de la perfection mais disons qu'elles font maintenant un petit peu plus honneur à la beauté de leurs lignes. Puisque je possède un instinct de survie assez prononcé, je ne recommande pas les modèles 1997 et moins...

▶ **À propos:** • Résistance de la transmission automatique pitoyable • L'équipe Intrepid-Concorde-LHS-300M fut souvent ramenée chez les concessionnaires pour différents rappels • Paraîtrait-il qu'il y a des garanties cachées concernant la transmission, les roulements des roues et de certaines pièces de la suspension • Valeur de revente immonde • Inspection OBLIGATOIRE avant l'achat. Si une garantie prolongée est disponible, PRENEZ-LA! • Coût du panier d'épicerie: 2 073 $ (Chrysler Intrepid ES 1999 3,2 litres)

| ANNÉE | PRIX MINIMUM | PRIX MAXIMUM |
|-------|--------------|--------------|
| 2001  | 15 050 $     | 20 600 $     |
| 2000  | 11 500 $     | 17 400 $     |
| 1999  | 8 550 $      | 14 350 $     |
| 1998  | 6 300 $      | 12 650 $     |
| 1997  | 3 950 $      | 9 950 $      |

## FORD *TAURUS*, MERCURY *SABLE* (1997 à 2001)

▶ **Survol:** Dire qu'elles avaient révolutionné le monde de l'automobile lors de leur dévoilement en 1986! On aimait ou on détestait le look rondouillet mais on s'y est tous habitué. Puis, de remodelages en *restyling*, le duo Taurus/Sable a perdu de sa superbe. Mécaniquement, c'est loin d'être parfait, mais c'est surtout lorsque la garantie de base est terminée que, généralement, les problèmes commencent! La cote de revente est faible et la possibilité de trouver une familiale à bon prix s'avère un bonheur d'occasion pour plusieurs. Depuis l'an 2000, la Mercury Sable nous a glissé entre les doigts...

▶ **À propos:** • Beaucoup de problèmes de crédibilité, que ce soit au niveau de la mécanique, des suspensions, de l'équipement électrique ou électronique • On note aussi des infiltrations d'eau dans l'habitacle et de la rouille prématurée sur la carrosserie • Heureusement, Ford offre plusieurs garanties prolongées et l'APA pourrait aussi vous venir en aide • Trop de rappels pour les nommer ici. Et puis ce serait trop déprimant! • Il existe des Taurus SHO. Trois petites lettres qui ajoutent entre 30 et 50 % au coût d'acquisition et qui vous assurent d'une exclusivité certaine en plus de prestations routières surprenantes • Coût du panier d'épicerie: 1 619 $ (Ford Taurus SE 1999 3 litres DACT)

| ANNÉE | PRIX MINIMUM | PRIX MAXIMUM |
|-------|--------------|--------------|
| 2001  | 13 700 $     | 19 100 $     |
| 2000  | 10 250 $     | 16 550 $     |
| 1999  | 6 850 $      | 13 300 $     |
| 1998  | 4 900 $      | 11 050 $     |
| 1997  | 3 500 $      | 9 550 $      |

## NISSAN *MAXIMA* (1997 à 2001)

▶ **Survol:** Avant d'être transformée, et améliorée, de fond en comble en 2000, la Nissan Maxima passait aussi inaperçue qu'une quille dans un salon de bowling. Je ne sais pas ce que les designers de Nissan ont bouffé dernièrement mais, tout à coup, ils savent dessiner de belles voitures! Ont-ils enfin compris que c'est cela qui fait vendre des automobiles? Depuis ses tout débuts en 1981 (elle était alors appelée Datsun 810 Maxima), cette voiture de luxe jouit d'une réputation d'excellence tout à fait méritée. Et maintenant qu'elle est belle, que demander de plus?

▶ **À propos:** • Fiabilité légendaire • Comme l'auteur de ces lignes, la Maxima a quelquefois de la difficulté à se mettre en marche lorsqu'il fait très froid • Toit ouvrant s'improvise quelquefois compte-gouttes • Système électrique à suspecter après 100 000 km • Prix de certaines pièces neuves plus dispendieux que ceux des Accord, Camry et Acura TL • Coût du panier d'épicerie: 2 136 $ (Nissan Maxima GLE 1999 3 litres)

| ANNÉE | PRIX MINIMUM | PRIX MAXIMUM |
|-------|--------------|--------------|
| 2001  | 20 150 $     | 28 500 $     |
| 2000  | 16 180 $     | 25 250 $     |
| 1999  | 13 700 $     | 21 300 $     |
| 1998  | 10 800 $     | 16 850 $     |
| 1997  | 9 100 $      | 15 400 $     |

## TOYOTA *CAMRY* (1997 à 2001)

▶ **Survol:** «On peut vendre un char de jeune à un vieux mais pas un char de vieux à un jeune» a déjà dit Ben Hur. Et c'est encore vrai. Regardez l'âge moyen plutôt élevé des conducteurs de Camry. Qu'à cela ne tienne, il s'agit d'une excellente voiture qui jouit d'une toute aussi excellente réputation. Tenter de lui trouver des bobos, c'est comme chercher Elvis: une entreprise délicate, souvent inutile et lorsqu'on en a enfin trouvé un (il existe plus d'Elvis que de problèmes sur une Camry), on passe pour un demeuré! Mais ne s'achète pas une Camry qui veut! Faut être prêt à sortir ses billets...

▶ **À propos:** • Comble de l'ennui pour le rédacteur d'un dossier sur les voitures d'occasion, il n'y a pratiquement rien à redire de la Camry • Quelques cas de bruits prononcés de la suspension avant au passage de nids-de-poule (vous savez ces cratères qui se nourrissent d'asphalte). Réparation sur garantie de base • Deux campagnes relativement importantes visant les années 1997 et 1998 • Si une Camry vous est offerte à trop bas prix, méfiez-vous. Cependant, le prix ne doit pas être prohibitif (c'est une Camry, pas un Boeing 767) • Système antivol fortement recommandé • Coût du panier d'épicerie: 1 706 $ (Toyota Camry XLE 1999 3 litres)

| ANNÉE | PRIX MINIMUM | PRIX MAXIMUM |
|-------|--------------|--------------|
| 2001  | 16 400 $     | 26 250 $     |
| 2000  | 13 000 $     | 23 300 $     |
| 1999  | 10 650 $     | 19 250 $     |
| 1998  | 8 750 $      | 16 300 $     |
| 1997  | 7 950 $      | 14 100 $     |

## CHEVROLET *CAVALIER*, PONTIAC *SUNFIRE* (1997 à 2001)

▶ **Survol:** Si les Cavalier/Sunfire étaient des enfants de chœur, ils auraient été virés depuis belle lurette ! Dissipés, incapables d'apporter les burettes comme du monde et pas très ponctuels, ils en auraient fait sacrer des prêtres ! Mais dans le domaine de la voiture d'occasion, ils plaisent à d'innombrables fidèles, du jeunot à la casquette renversée sur sa tête rasée jusqu'à la vieille dame à chapeau à plumes tout en passant par le marginal avec sa tuque au mois d'août. Peu friands de changements, les Cavalier et Sunfire continuent de rapporter de l'argent à GM, aux mécaniciens, aux revendeurs de pièces, etc.

| ANNÉE | PRIX MINIMUM | PRIX MAXIMUM |
|---|---|---|
| 2001 | 7 450 $ | 14 750 $ |
| 2000 | 6 900 $ | 13 100 $ |
| 1999 | 5 200 $ | 12 450 $ |
| 1998 | 3 950 $ | 10 200 $ |
| 1997 | 3 100 $ | 8 900 $ |

▶ **À propos:** • Fiabilité: Certains propriétaires n'ont que des éloges, d'autres que des factures... • Moteur 2,2 litres répond aux exigeantes normes papales. En effet, il a aidé plusieurs propriétaires à réciter des mots liturgiques... • Pompe à essence, alternateur et crémaillère: mots blasphématoires dans le cas des Cavalier/Sunfire • Confessez-vous à l'APA si vous voulez demander pardon • Plusieurs campagnes de rappel: GM aime bien ramener ses brebis au bercail • Pièces de rechange faciles à trouver et peu dispendieuses (reconditionné ou usagé) • Coût du panier d'épicerie: 2 179 $ (Chevrolet Cavalier Z24 1999 2,4 litres) • De 20 à 25 % supplémentaires pour une décapotable. Pourquoi pas ?

## CHEVROLET *VENTURE*, PONTIAC *MONTANA* (1997 à 2001)

▶ **Survol:** Pour mener la vie la moins facile possible aux Dodge Caravan, GM avait tout d'abord concocté une fourgonnette avec un devant de TGV. Les Chevrolet Venture et Pontiac Montana, dévoilées en 1998 se font beaucoup plus discrètes. Techniquement moins évoluée que l'éternelle rivale Caravan, les Venture et Montana sortent quand même facilement de la cour des concessionnaires, grâce à de solides promotions encourageant la location. Bienheureux soient les amateurs de voitures d'occasion, les locations reviennent maintenant en grand nombre... à un prix vraiment intéressant.

| ANNÉE | PRIX MINIMUM | PRIX MAXIMUM |
|---|---|---|
| 2001 | 15 700 $ | 24 650 $ |
| 2000 | 13 000 $ | 18 900 $ |
| 1999 | 10 200 $ | 16 400 $ |
| 1998 | 8 350 $ | 13 750 $ |
| 1997 | 6 250 $ | 11 300 $ |

▶ **À propos:** • Transmissions désespérément fragiles • Freins s'usent juste à les regarder • Ancrages d'amortisseurs arrière plutôt impertinents • Climatiseur incompétent • Suspension étonnante de vulnérabilité • Dossier des sièges avant peut se briser (très rassurant...) • Plusieurs, plusieurs, plusieurs campagnes de rappels. Consultez www.tc.gc.ca • Coût du panier d'épicerie: 2 766 $ (Chevrolet Venture LS 1999 3,4 litres) *Curieusement, le prix de certaines pièces identiques est moins élevé pour une Montana.*

## CHRYSLER/DODGE *NEON* (1997 à 2001)

▶ **Survol:** Les attentats du World Trade Center, l'alcoolisme, le conflit au Moyen-Orient, la violence conjugale et la Dodge Neon. Quand on dit que ça va mal dans le monde... Heureusement, on peut, à l'occasion, réchapper une brebis galeuse. Ainsi, depuis le millésime 2000, une deuxième génération de Neon a fait son apparition. Lentement mais sûrement, le nom Neon ne provoque plus de crises d'hystérie. La qualité d'assemblage s'est étonnamment améliorée et, sans être devenues des chefs-d'œuvre de perfection, les nouvelles Neon ne sont plus la risée des propriétaires

| ANNÉE | PRIX MINIMUM | PRIX MAXIMUM |
|---|---|---|
| 2001 | 10 150 $ | 15 750 $ |
| 2000 | 7 700 $ | 12 300 $ |
| 1999 | 5 250 $ | 10 300 $ |
| 1998 | 3 800 $ | 9 150 $ |
| 1997 | 2 550 $ | 7 350 $ |

de Lada... Si je vous dis que je ne recommande que la deuxième génération, me croirez-vous ?

▶ **À propos:** • Valeur de revente risible (mais si vous cherchez une voiture vraiment pas chère, c'est parfait !) • Moteur 2 litres lamentable (avant 2000) • Système électrique ridicule (avant 2000) • Climatiseur abominable (devinez avant quelle année...) • Freins catastrophiques (avant 2000 voyons donc !) • L'APA vous a négocié certaines ententes pour éviter de vous faire ruiner • Coût du panier d'épicerie: 1 705 $ (Dodge Neon Highline R/T 1999 2 litres)

## CHRYSLER *TOWN & COUNTRY*, DODGE *CARAVAN*, PLYMOUTH *VOYAGER* (1997 à 2001)

▶ **Survol:** Depuis leur lancement en 1984, ces fourgonnettes ont toujours balancé la concurrence (au début c'était facile, elles étaient seules !). Avec les années, et comme seuls les Américains savent le faire, les Caravan et compagnie ont pris du poids (450 kilos) et se sont allongées de 33 centimètres. Si les chiffres de vente laissent maintenant entrevoir un certain désenchantement des acheteurs envers ces véhicules certes pratiques mais Ô combien gloutons, il ne faut pas penser qu'il s'agit d'un marché en chute libre. Loin de là !

| ANNÉE | PRIX MINIMUM | PRIX MAXIMUM |
|---|---|---|
| 2001 | 18 800 $ | 24 700 $ |
| 2000 | 11 750 $ | 21 700 $ |
| 1999 | 9 200 $ | 17 950 $ |
| 1998 | 7 200 $ | 14 550 $ |
| 1997 | 5 900 $ | 11 750 $ |

▶ **À propos:** • Même si les Caravan, Voyager et Town & Country sont les reines de leurs catégories, elles savent aussi être souverainement problématiques... • Système électrique acariâtre • Transmission automatique à 4 rapports d'une fragilité angoissante • Plusieurs cas de lumières et indicateurs du tableau de bord tombant inconscients • Tellement de rappels que le canal D songe à en faire une minisérie • La carrosserie est faible et la rouille tellement attirante... • Plusieurs recours possibles grâce à l'APA (514) 272-5555 ou www.apa.ca • Coût du panier d'épicerie: 1 749 $ (Dodge Caravan ES 1999 3,8 litres) • Pour avoir le privilège du luxe des Town & Country, ajoutez environ 20 %.

## FORD *FOCUS* (2000 et 2001)

▶ **Survol:** Appelée, en 2000, à remplacer l'agonisante Escort et la triste Contour, la Ford Focus avait un méchant mandat! Quelle a su, jusqu'à présent, relever de brillante façon. Il est encore un peu tôt pour bien évaluer son dévouement envers ses acheteurs et sa valeur de revente. Mais disons qu'une campagne de rappel n'attend pas l'autre, ce qui n'augure pas très bien. Enfin, l'avenir nous le dira... ou les propriétaires.

▶ **À propos:** • Maintien de la valeur moindre que les Golf, Civic et Corolla • Système électrique de certaines Focus installé par un nouvel employé aveugle et ivre • Roulements de roues avant allergiques au roulement • Si jeune et déjà plusieurs rappels. Ça promet... • Coût du panier d'épicerie: 1574 $ (Ford Focus familiale SE 2000 2 litres) et un p'tit 15 % de surcharge pour une version ZTS

| ANNÉE | PRIX MINIMUM | PRIX MAXIMUM |
|---|---|---|
| 2001 | 10 450 $ | 13 450 $ |
| 2000 | 7 700 $ | 12 150 $ |

## FORD *WINDSTAR* (1997 à 2001)

▶ **Survol:** L'Étoile du vent, puisque c'est ainsi que Ford a appelé sa fourgonnette, n'a jamais été en mesure de faire la pluie et le beau temps dans ce très compétitif segment du marché nord-américain. Certes, les nombreuses ventes ont ensoleillé le visage des responsables de la marque mais s'il avait fallu que chaque campagne de rappel amène un orage, l'humanité en aurait été quitte pour refaire appel à Noé... Pour conjurer le mauvais sort, Ford a remanié sa Windstar en 1999 en la rendant encore plus confortable, encore plus sécuritaire, et détail non négligeable, plus résistante aux bris mécaniques.

▶ **À propos:** • Dépréciation dégoûtante • Véhicule à sécurité maximum (surtout si équipé de coussins gonflables latéraux) • Les modèles 1995 à 1998 sont moins fiables que la plus récente mouture • Roulements des roues fabriqués en matière volatile... •... la crémaillère aussi... •... sans oublier la transmission • L'APA pourrait être une alliée de choix pour vous! • Championne incontestée, catégorie campagnes de rappel • Coût du panier d'épicerie: 1 450 $ (Ford Windstar SE 1999 3,8 litres)

| ANNÉE | PRIX MINIMUM | PRIX MAXIMUM |
|---|---|---|
| 2001 | 16 750 $ | 23 700 $ |
| 2000 | 13 600 $ | 21 000 $ |
| 1999 | 10 300 $ | 15 450 $ |
| 1998 | 7 650 $ | 13 100 $ |
| 1997 | 5 850 $ | 10 500 $ |

## HONDA *ACCORD* (1997 à 2001)

▶ **Survol:** Les Honda Accord, contrairement à la croyance populaire, ne sont pas parfaites. Certes, en regardant la concurrence, elles se consolent rapidement... En fait, le principal défaut qu'on peut leur reprocher, c'est leur prix. Le seul nom Accord ne vaut pas mille ou deux mille dollars supplémentaires! La situation est à ce point critique que celles qui sont vendues à un prix normal (mais qu'est-ce que la normalité en 2003?) paraissent suspectes. Parlant de suspicion, les Accord ont été, en 2001, les deuxièmes bagnoles les plus volées sur le territoire de la CUM. Quand t'es bon, t'es bon pour tout le monde!

▶ **À propos:** • Prix demandés quelquefois abordables • Si la voiture est bien entretenue, aucun problème majeur n'est prévu avant 150 ou 200 000 km. (250 000 km dans le cas de l'Accord d'un ami) • Disques des freins avant plutôt avares au niveau de la longévité • Quelques rappels: Problèmes électriques sur 50 466 Accord 95, 96 et 97, entre autres • Même au test de collisions, les Accord sont presque parfaites • Malgré tout le bien qu'on peut en dire, une inspection mécanique est OBLIGATOIRE avant l'achat. Comme sur toute voiture d'occasion d'ailleurs • Coût du panier d'épicerie: 1 697 $ (Honda Accord EX-V6 1999 3 litres)

| ANNÉE | PRIX MINIMUM | PRIX MAXIMUM |
|---|---|---|
| 2001 | 17 000 $ | 27 000 $ |
| 2000 | 13 250 $ | 24 350 $ |
| 1999 | 10 650 $ | 19 800 $ |
| 1998 | 9 900 $ | 16 600 $ |
| 1997 | 7 750 $ | 14 550 $ |

## HYUNDAI *ELANTRA* (1997 à 2001)

▶ **Survol:** Avec leur moteur V12 de 535 chevaux et leur transmission séquentielle à six rapports, les Hyundai Elantra... C'était juste une farce! Donc, avec leur moteur 4 cylindres et leurs transmissions automatique ou manuelle, les Elantra sont bien ordinaires. Mais elles ne sont pas à dédaigner pour autant. La fiabilité, naguère le point faible des Hyundai s'est considérablement bonifiée ces dernières années. Pourtant, ces voitures traînent toujours cette réputation de bas de gamme avec tout ce que cela comporte de péjoratif. Tant mieux si vous voulez en acquérir une. Leur prix de vente devrait être alléchant!

▶ **À propos:** • Entre le moment où vous commencez à lire cette ligne et celui où vous la terminerez, la valeur de revente aura encore diminué... • Transmission automatique vilaine, voir avec un concessionnaire pour une garantie prolongée • Système électrique assez fort pour une veilleuse... • Avez-vous déjà vu de la corrosion se former? Non? Regardez une Elantra attentivement... • Suspension périssable • Démarrages par temps froid quelquefois pénibles • Coût du panier d'épicerie: 1 656 $ (Hyundai Elantra familiale GLX 1999 2 litres)

| ANNÉE | PRIX MINIMUM | PRIX MAXIMUM |
|---|---|---|
| 2001 | 9 100 $ | 13 200 $ |
| 2000 | 6 750 $ | 12 350 $ |
| 1999 | 5 200 $ | 11 400 $ |
| 1998 | 3 800 $ | 10 300 $ |
| 1997 | 2 450 $ | 8 550 $ |

## NISSAN *ALTIMA* (1997 à 2001)

▶ **Survol:** Alors que la version 2002 de l'Altima fait siffler les amateurs de belles voitures, disons que les modèles antérieurs n'ont jamais fait siffler personne. D'ailleurs, à peu près personne ne les avait remarquées! Peu importe. Ces bagnoles ont toujours été construites avec sérieux et, sans doute pour cette raison, la fiabilité ne cause pas de problèmes lorsque le poids des kilomètres s'ajoute à la détresse du temps. (C'est beau, hein?) Et ce qu'il y a de fun dans cette histoire, c'est que le montant à débourser pour en faire l'acquisition n'est pas aussi élevé que celui des Accord et Camry.

▶ **À propos:** • L'auteur de ces lignes doit se creuser les méninges pour trouver des bobos... • Freins arrière fragiles • Quelques cas de cliquetis provenant d'une quincaillerie de montage brisée dans le compartiment moteur • Véhicule sécuritaire en cas de collision frontale • Une seule toute petite et infime campagne de rappel • Coût du panier d'épicerie: 1553 $ (Nissan Altima GLE 1999 2,4 litres)

| ANNÉE | PRIX MINIMUM | PRIX MAXIMUM |
|---|---|---|
| 2001 | 13 700 $ | 20 900 $ |
| 2000 | 10 850 $ | 19 000 $ |
| 1999 | 9 100 $ | 16 050 $ |
| 1998 | 7 300 $ | 12 900 $ |
| 1997 | 5 350 $ | 11 450 $ |

## TOYOTA *COROLLA* (1997 à 2001)

▶ **Survol:** Les Toyota Corolla ont beau avoir remporté plusieurs pyramides de la CAA ces dernières années, il n'en demeure pas moins qu'elles ne furent pas souvent citées en exemple au chapitre du plaisir de conduite ou de l'esthétisme! Qu'à cela ne tienne, celui ou celle qui opte pour une Corolla n'a que faire de ces émotions accessoires. La fiabilité légendaire de cette compacte a, cependant, la vie dure. On dirait que la qualité de construction s'est un peu laissée aller chez Toyota depuis deux ou trois ans. Mais pas de panique, les Corolla sont encore les plus recherchées et appréciées.

▶ **À propos:** • Saviez-vous que la valeur de revente d'une Corolla est souvent outrageusement élevée? • Saviez-vous que les voleurs s'en foutent car ils n'ont rien à payer? • Saviez-vous que la Corolla a été élue la meilleure voiture au niveau de la satisfaction selon un sondage effectué par le CAA? • Saviez-vous que la pompe à eau d'une Lada et celle d'une Corolla ont à peu près la même durée de vie? • Saviez-vous que les freins arrière sont vulnérables? • Saviez-vous que certains modèles 1998 ont eu des problèmes d'infiltration d'eau? • Et que le coût du panier d'épicerie est de: 1596 $ (Toyota Corolla LE 1999 1,8 litre)

| ANNÉE | PRIX MINIMUM | PRIX MAXIMUM |
|---|---|---|
| 2001 | 11 200 $ | 18 100 $ |
| 2000 | 8 650 $ | 16 000 $ |
| 1999 | 7 250 $ | 13 950 $ |
| 1998 | 6 200 $ | 12 350 $ |
| 1997 | 5 250 $ | 10 700 $ |

## VOLKSWAGEN *GOLF* (1997 à 2001)

▶ **Survol:** Bon an, mal an, la Golf se fait tirer à bout portant par toutes les associations de consommateurs de la planète et de la voie lactée au complet. Bon an, mal an, la Golf connaît des chiffres de ventes intéressants et sa popularité dans le domaine de l'occasion ne se dément pas. Il faut avouer que le plaisir de conduire un produit Volkswagen est pratiquement sans égal pour une voiture de prix accessible. Les modèles 2002 offrent, enfin, une garantie digne de ce nom. J'anticipe déjà les prix démentiels des Golf (et Jetta) dans quelques années. Imaginez, une Volks d'occasion avec une garantie!!!

▶ **À propos:** • Témoin «check engine» s'allume inutilement. Changement onéreux des capteurs d'oxygène • Système électrique et électronique provenant sans doute du fardier de Cugnot • Freins à disque arrière «collent» • Garantie supplémentaire O-B-L-I-G-A-T-O-I-R-E • Coût du panier d'épicerie: 2221 $ (New Golf GTI GLS 1999) • 2418 $ (New Jetta GLS TDI 1999) • Si le prix des Golf versions régulières est très élevé, imaginez celui des versions cabriolets. Ajoutez environ 40 % pour faire ça sans capote...

| ANNÉE | PRIX MINIMUM | PRIX MAXIMUM |
|---|---|---|
| 2001 | 13 200 $ | 20 550 $ |
| 2000 | 10 800 $ | 20 250 $ |
| 1999 | 7 900 $ | 16 700 $ |
| 1998 | 7 150 $ | 13 850 $ |
| 1997 | 5 200 $ | 12 150 $ |

## VOLKSWAGEN *JETTA* (1997 à 2001)

▶ **Survol:** Bien que les prix des Jetta s'alignent passablement sur ceux de la Golf et que les deux voitures partagent souvent les mêmes organes mécaniques, nous avons cru bon les séparer. Après tout, avec le temps, la Jetta est devenue plus qu'une Golf avec un coffre! Dans *Le Guide de l'Auto 1999*, on disait même qu'elle suivait les traces de la Passat. Tellement de modèles Jetta (et Golf) sont proposés qu'il faut bien identifier ses besoins avant l'achat. Économes, précipitez-vous sur les TDI (turbo diesel injection). Sportifs, un V6 ou mieux, un VR6 vous attend. Pour les autres, il y a l'inintéressant moteur 2 litres.

▶ **À propos:** • Entretien suivi obligatoire. Beaucoup de $$$ à prévoir • Moteur 2 litres peu fiable. • Les freins sont uniquement bons à freiner votre croissance financière • Ordinateur de bord s'évanouit à l'occasion • Fuites d'huile de la pompe de servodirection • Accessoires électriques peu coopératifs • Excellente protection en cas de collision frontale • Coût du panier d'épicerie: 2624 $ (New Jetta GLS TDI 1999)

| ANNÉE | PRIX MINIMUM | PRIX MAXIMUM |
|---|---|---|
| 2001 | 14 350 $ | 26 700 $ |
| 2000 | 11 150 $ | 24 050 $ |
| 1999 | 8 550 $ | 18 650 $ |
| 1998 | 7 450 $ | 15 300 $ |
| 1997 | 7 300 $ | 12 800 $ |

# CATÉGORIE
## AMENEZ-EN DE LA NEIGE !

### CHEVROLET *TRACKER*, SUZUKI *VITARA* (1997 et 2001)

▶ **Survol:** 1999 (pas la chanson de Prince, l'année-modèle!) a été le théâtre d'un grand événement pour Suzuki qui a présenté son nouveau Vitara. Les désuets Sidekick ne faisaient plus le poids. Depuis 1999, donc, les Vitara et leurs cousins Tracker font la joie des amateurs de 4X4. Oui, j'ai bien écrit 4X4. Pour grimper aux arbres, conquérir l'Everest ou entreprendre la traversée de l'île de Montréal au printemps à moindres coûts, rien ne vaut un Vitara/Tracker. Si vous désirez impressionner les voisins et les usagers des grandes autoroutes, allez voir Lincoln, BMW ou Mercedes. Ils ont quelque chose pour vous!

▶ **À propos:** • Véhicule demandant un entretien suivi • Assurez-vous d'avoir toutes les factures d'entretien avant d'acheter • Voyez aussi à ce que le véhicule n'ait pas servi au déneigement • Quelques cas d'infarctus du boîtier de transfert (avec transmission manuelle) • Rouille prématurée • Une des pires dévalorisations de la catégorie mais un des 4 pattes les moins chers à l'achat • Pièces d'origine moins chères chez Suzuki. Et pas à peu près • Coût du panier d'épicerie: 2 922 $ (Chevrolet Tracker 1999 2 litres), 1 954 $ (Suzuki Vitara JX 1999 2 litres)

| ANNÉE | PRIX MINIMUM | PRIX MAXIMUM |
|-------|--------------|--------------|
| 2001  | 14 350 $     | 17 900 $     |
| 2000  | 12 000 $     | 16 650 $     |
| 1999  | 9 600 $      | 14 550 $     |
| 1998  | 7 950 $      | 13 200 $     |
| 1997  | 3 400 $      | 9 900 $      |

### HONDA *CR-V* (1997 à 2001)

▶ **Survol:** Dans le petit monde des utilitaires sport compacts, le CR-V, sans trop de qualités en hors route, est rapidement devenu un incontournable. Ce qui prouve que les aptitudes en tout-terrain sont vraiment le dernier des soucis des acheteurs de ce type de véhicule. Le principal intérêt de ces personnes est de passer à travers l'hiver. Point. Heureusement, les propriétaires de CR-V peuvent compter sur une fiabilité de métronome et une valeur de revente assez élevée.

▶ **À propos:** • En vérité, en vérité je vous le dis: Bien peu de plaintes sont parvenues à mes chastes oreilles • Pare-chocs avant en plastique se brise facilement • Véhicule trop bon pour remplir cet espace • Certains prix demandés sont beaucoup trop élevés • Coût du panier d'épicerie: 1 865 $ (Honda CR-V EX 1999 2 litres)

| ANNÉE | PRIX MINIMUM | PRIX MAXIMUM |
|-------|--------------|--------------|
| 2001  | 20 800 $     | 26 700 $     |
| 2000  | 17 300 $     | 22 650 $     |
| 1999  | 14 800 $     | 20 800 $     |
| 1998  | 12 600 $     | 18 650 $     |
| 1997  | 10 600 $     | 15 600 $     |

### SUBARU *IMPREZA* (1997 à 2001)

▶ **Survol:** Sur le marché déjà bien garni des automobiles à traction intégrale, la Subaru Impreza a su se bâtir une honorable réputation. Tant en termes de fiabilité que de plaisir de conduite ou de thérapeute contre l'hiver, elle sait satisfaire ses propriétaires. À l'image de la Legacy, elle est aussi offerte en version Outback et les deux automobiles se partagent plusieurs éléments mécaniques. Ce qui ne réduit pas nécessairement le prix de ces Outback qui ne se donnent pas... Plus accessible, l'Impreza «normale» possède aussi beaucoup de belles qualités qui ne demandent qu'à être connues.

▶ **À propos:** • Fiablilité des organes mécaniques généralement très bonne • Moteur 2,5 litres pas exempt de cognements suspects • Le coût de certaines pièces et de l'entretien en général est suffisamment élevé pour prendre une deuxième hypothèque sur sa maison • Si vous désirez des pièces de rechange neuves, demandez, si possible, celles qui sont fabriquées par la compagnie Six Stars • Quelques fuites d'huile au niveau des joints de culasse et de la transmission • Coût du panier d'épicerie: 2 659 $ (Impreza familiale Outback 1999 2,2 litres)

| ANNÉE | PRIX MINIMUM | PRIX MAXIMUM |
|-------|--------------|--------------|
| 2001  | 12 400 $     | 22 550 $     |
| 2000  | 10 050 $     | 19 750 $     |
| 1999  | 7 500 $      | 17 400 $     |
| 1998  | 6 050 $      | 14 450 $     |
| 1997  | 4 450 $      | 11 350 $     |

### TOYOTA *RAV4* (1997 à 2001)

▶ **Survol:** Sur les traces (ou devant, selon les paramètres) du Honda CR-V, le RAV4 doit, en partie, sa popularité à la légendaire réputation de Toyota. Sa belle gueule ne lui a pas nui non plus. Ce n'est assurément pas pour ses accélérations de «dragster» ou pour aller visiter le fond de la mine d'Asbestos qu'on le choisit!!! D'un autre côté, l'acheteur d'un RAV4 d'occasion est à peu près sûr que son nouveau véhicule n'a jamais servi au déneigement! Apparu, tout à fait par hasard (?), la même année que son ennemi juré CR-V, sa valeur de revente se situe parmi les meilleures de la catégorie.

▶ **À propos:** • Bien peu de choses à redire au niveau de la fiabilité • Transmission automatique (modèles 1997) chétive • Pompe à eau de type P.P.T.L. (pompe pas trop longtemps) • Système d'échappement quelquefois mal soudé • Coût du panier d'épicerie: 1 676 $ (Toyota RAV4 1999 2 litres)

| ANNÉE | PRIX MINIMUM | PRIX MAXIMUM |
|-------|--------------|--------------|
| 2001  | 16 200 $     | 18 600 $     |
| 2000  | 13 350 $     | 18 350 $     |
| 1999  | 8 500 $      | 15 800 $     |
| 1998  | 7 950 $      | 14 550 $     |
| 1997  | 7 300 $      | 13 300 $     |

# Liste de capacité de remorquage

| Modèle | Poids (kg) | Modèle | Poids (kg) | Modèle | Poids (kg) |
|---|---|---|---|---|---|
| Acura 1,7EL | n.r. | Chevrolet Suburban / Tahoe | 3900 | Hyundai Accent | 455 |
| Acura 3,5RL | 905 | Chevrolet Tracker | 455 | Hyundai Elantra | 850 |
| Acura CL / TL | 455 | Chevrolet TrailBlazer | 2775 | Hyundai Santa Fe | 1000 |
| Acura MDX | 2040 | Chevrolet Venture | 1590 | Hyundai Sonata | 990 |
| Acura NSX | n.r. | Chrysler 300M | 910 | Hyundai Tiburon | n.r. |
| Acura RSX | 455 | Chrysler Concorde / Intrepid | 910 | Hyundai XG350 | 1000 |
| Aston Martin Vanquish / DB7 | n.r. | Chrysler Pacifica | n.d. | Infiniti G35 Berline | 455 |
| Audi A4 / Avant / S4 | n.d. | Chrysler PT Cruiser | 455 | Infiniti G35 Coupé | n.r. |
| Audi A4 cabriolet | n.d. | Chrysler Sebring | 455 | Infiniti I35 | 455 |
| Audi A6 / Avant / S6 | 1650 | Chrysler Town & Country | 1750 | Infiniti M45 | 455 |
| Audi A8 / S8 | 1650 | Dodge Caravan | 1750 | Infiniti Q45 | 455 |
| Audi Allroad | 1650 | Dodge Durango | 1975 | Infiniti QX4 | 2270 |
| Audi TT | n.r. | Dodge SX 2,0 | 455 | Isuzu Rodeo | 2045 |
| Bentley | n.r. | Dodge Viper | n.r. | Jaguar S-Type | 455 |
| BMW M3 | n.r. | Ferrari (tous les modèles) | n.r. | Jaguar XJ8 | 455 |
| BMW Série 3 (tous les modèles) | 455 | Ford Escape | 1590 | Jaguar XK8 | n.r. |
| BMW Série 5 (tous les modèles) | 455 | Ford Expedition | 3 925 | Jaguar X-Type | 455 |
| BMW Série 7 (tous les modèles) | 455 | Ford Explorer | 3175 | Jeep Grand Cherokee | 2275 |
| BMW X5 | 2750 | Ford Focus | 455 | Jeep Liberty | 2268 |
| BMW Z4 | n.r. | Ford Mustang | 455 | Jeep TJ | 900 |
| BMW Z8 | n.r. | Ford Taurus | 795 | Kia Magentis | 990 |
| Buick Century | 455 | Ford Thunderbird | n.r. | Kia Rio | n.r. |
| Buick Regal | 455 | Ford Windstar | 1590 | Kia Sedona | 1590 |
| Buick LeSabre | 455 | GMC Envoy | 2775 | Kia Sorento | 2270 |
| Buick Park Avenue | 455 | GMC Jimmy | 2450 | Kia Spectra | n.r. |
| Buick RendezVous | 1590 | GMC Safari | 2630 | Land Rover Discovery | 2500 |
| Cadillac CTS | 455 | GMC Yukon / Yukon XL | 3900 | Land Rover Freelander | 1135 |
| Cadillac De Ville | 455 | Honda Accord Berline / Coupé | 455 | Land Rover Range Rover | 1800 |
| Cadillac Escalade / EXT | 3357 | Honda Civic | n.r. | Lexus ES 300 | n.r. |
| Cadillac Seville | 455 | Honda Civic Hybrid | n.r. | Lexus GS 430 | n.r. |
| Chevrolet Astro | 2630 | Honda CR-V | 680 | Lexus IS 300 | n.r. |
| Chevrolet Blazer | 2450 | Honda Element | 680 | Lexus LS 430 | 455 |
| Chevrolet Cavalier | 455 | Honda Insight | n.r. | Lexus LX 470 | 2950 |
| Chevrolet Corvette | n.r. | Honda Odyssey | 1590 | Lexus RX 300 | 1590 |
| Chevrolet Impala | 455 | Honda Pilot | 2005 | Lexus SC 430 | n.r. |
| Chevrolet Malibu | 455 | Honda S2000 | n.r. | Lincoln Aviator | 3320 |
| Chevrolet Monte-Carlo | 455 | Hummer H1 | 3471 | Lincoln LS | 455 |
| Chevrolet SSR | n.d. | Hummer H2 | 3040 | Lincoln Navigator | 3855 |

| Modèle | Poids (kg) | Modèle | Poids (kg) | Modèle | Poids (kg) |
|---|---|---|---|---|---|
| Lincoln Town Car | 990 | Pontiac Sunfire | 455 | Volvo XC90 | 2270 |
| Maserati | n.r. | Pontiac Vibe | 680 | | |
| Mazda 6 | 455 | Porsche (tous les modèles) | n.r. | | |
| Mazda Miata | n.r. | Saab 9³ | 990 | | |
| Mazda MPV | 1590 | Saab 9⁵ | 990 | **Camionnettes** | |
| Mazda Protegé / Protegé5 | 455 | Saturn ION | 455 | Chevrolet Avalanche | 3765 |
| Mazda RX8 | n.r. | Saturn Série L | 455 | Chevrolet S-10 | 2725 |
| Mazda Tribute | 1590 | Saturn VUE | 1135 | Chevrolet Silverado | 4175 |
| Mercedes-Benz CL | n.r | Subaru Baja | 990 | Dodge Dakota | 2850 |
| Mercedes-Benz Classe C | 455 | Subaru Forester | 990 | Dodge Ram | 3400 |
| Mercedes-Benz Classe C Coupé sport | n.r. | Subaru Impreza / Outback Sport | 990 | Ford Explorer Sport | 2285 |
| Mercedes-Benz Classe E | 455 | Subaru Impreza WRX | n.r. | Ford Explorer Sport Trac | 2300 |
| Mercedes-Benz Classe G | 3175 | Subaru Legacy Outback | 990 | Ford F-150 | 4010 |
| Mercedes-Benz Classe M | 2270 | Suzuki Aerio | 455 | Ford Ranger | 2725 |
| Mercedes-Benz Classe S | 455 | Suzuki Grand Vitara | 680 | GMC Sierra | 4175 |
| Mercedes-Benz CLK | n.r. | Suzuki Vitara | 455 | GMC Sonoma | 2725 |
| Mercedes-Benz SL | n.r. | Suzuki XL.7 | 680 | Mazda Série B | 2725 |
| Mercedes-Benz SLK | n.r. | Toyota 4Runner | 2268 | Nissan Frontier | 2725 |
| Mercury Grand Marquis / Marauder | 990 | Toyota Avalon | 990 | Toyota Tacoma | 2270 |
| MINI Cooper / Cooper S | n.r | Toyota Camry | 990 | Toyota Tundra | 3270 |
| Mitusbishi Eclipse | 455 | Toyota Camry Solara | 990 | | |
| Mitsubishi Galant | 455 | Toyota Celica | 990 | | |
| Mitsubishi Lancer | 455 | Toyota Corolla | 690 | | |
| Mitsubishi Montero | 2268 | Toyota Echo | n.r. | n.d. : Non disponible | |
| Mitsubishi Outlander | 455 | Toyota Highlander | 1590 | n.r. : Non recommandé | |
| Nissan 350Z | n.r. | Toyota Matrix | 680 | | |
| Nissan Altima | 455 | Toyota Prius | n.r. | | |
| Nissan Maxima | 455 | Toyota RAV4 | 690 | | |
| Nissan Murano | n.d. | Toyota Sequoia | 2950 | | |
| Nissan Pathfinder | 2270 | Toyota Sienna | 1590 | **NOTE :** | |
| Nissan Sentra | 455 | Volkswagen Golf | 455 | Ces données de remorquage sont des | |
| Nissan Xterra | 2270 | Volkswagen Jetta | 455 | capacités moyennes pour chaque véhicule. | |
| Oldsmobile Alero | 455 | Volkswagen New Beetle | n.r. | Elles peuvent changer en raison de l'utilisation | |
| Oldsmobile Aurora | 455 | Volkswagen Passat | n.r. | d'un harnais de remorquage plus robuste, d'une | |
| Oldsmobile Bravada | 2775 | Volkswagen Phaeton | n.r. | remorque dotée de freins électriques, de | |
| Oldsmobile Silhouette | 1590 | Vokswagen Touareg | 3500 | pneumatiques plus gros et d'un groupe | |
| Pontiac Aztek | 1590 | Volvo C70 | 455 | motopropulseur différent. Avant d'atteler une | |
| Pontiac Bonneville | 455 | Volvo S40 / V40 | 990 | remorque à votre véhicule, consultez toujours le | |
| Pontiac Grand Am | 455 | Volvo S60 | 1490 | manuel du propriétaire pour connaître les | |
| Pontiac Grand Prix | 455 | Volvo S80 | 1490 | capacités de remorquage. Assurez-vous | |
| Pontiac Montana | 1590 | Volvo XC70 | 1490 | également de faire réaliser l'installation d'une | |
| | | | | attache par un expert. | |

Achevé d'imprimer au Canada
sur les presses de l'imprimerie Interglobe Inc.